LA MÉDITERRANÉE

ET LE

MONDE MÉDITERRANÉEN
A L'ÉPOQUE DE PHILIPPE II

Première édition : Paris, Armand Colin, 1949.
Deuxième édition revue et corrigée : 1966.
Troisième édition : 1976.
Quatrième édition revue et corrigée : 1979.
Cinquième édition : 1982.

Traduction anglaise : New York, Harper and Row et Londres, Collins, 1972 ;
édition paperback, 1975.
Traduction italienne : Turin, Einaudi, troisième édition, 1976.
Traduction espagnole : Mexico, Fondo de Cultura, quatrième édition, 1982.
Traduction polonaise : Gdansk, Wydawnictwo Morskie, 1977.
Traduction portugaise : Lisbonne, Dom Quixotte, 1982.
Traduction allemande : Francfort, Suhrkamp Verlag, en préparation.
Traduction turque : Istanbul, Hur Yayin, en préparation.

FERNAND BRAUDEL

LA MÉDITERRANÉE

ET LE

MONDE MÉDITERRANÉEN
A L'ÉPOQUE DE PHILIPPE II

Cinquième édition

TOME 2

1982

ARMAND COLIN
103, boulevard Saint-Michel, PARIS

Cet ouvrage est publié avec le concours de la Caisse nationale des Lettres.

ISBN 2-200-36007-X

DEUXIÈME PARTIE

DESTINS COLLECTIFS ET MOUVEMENTS D'ENSEMBLE

(suite)

4

LES EMPIRES

Un panorama politique valable, au XVIe siècle, ne peut se dessiner si l'on ne remonte largement en arrière, pour ressaisir le sens d'une longue évolution.

A la fin du XIVe siècle, la mer Intérieure appartenait aux villes, aux États urbains plantés sur ses bords. Sans doute y avait-il, ici ou là, et débouchant même sur les flots, des États territoriaux, plus ou moins homogènes, relativement épais. Ainsi le royaume de Naples — « il Reame » — le Royaume par excellence ; ainsi l'Empire byzantin ; ou les pays unis de la Couronne d'Aragon... Mais ces États n'étaient souvent que le vêtement un peu ample de villes puissantes : l'Aragon *lato sensu* est la mise en œuvre du dynamisme de Barcelone ; l'Empire d'Orient, assez exactement, la double banlieue de Constantinople et de Thessalonique.

Au XVe siècle, la ville n'est déjà plus à la hauteur de la situation ; une crise urbaine se fait jour, tout d'abord en Italie, où elle aura débuté avec le siècle. En cinquante ans, une nouvelle carte de la Péninsule se dessine, au bénéfice de quelques cités, au détriment des autres. Crise mesurée puisqu'elle ne réalisa pas ce qui fut peut-être alors en question — mais j'en doute — l'unité de la Péninsule. Tour à tour, Naples, Venise, Milan faillirent à la tâche. L'heure était prématurée : trop de particularismes s'interposaient, trop de villes, ardentes à vivre de leur vie propre, freinaient cette naissance difficile. La crise urbaine ne se développa donc qu'à demi. La paix de Lodi, en 1454, consacra un équilibre et un échec : la Péninsule avait simplifié sa carte politique, mais elle demeurait morcelée.

Cependant, une crise analogue allait travailler l'étendue entière de la mer. Partout, en effet, l'État-cité, trop fragile, trop étroit, se révélait au-dessous des tâches politiques et financières de l'heure. Il représentait une forme périssable, condamnée : en 1453, la prise de Constantinople, en 1472 la chute de Barcelone, en 1492, la fin de Grenade en furent les preuves éclatantes[1].

---

1. Voir *supra*, I, p. 311.

Le rival de l'État urbain, l'État territorial[1], riche d'espace et d'hommes, s'avérait seul capable de subvenir aux frais énormes de la guerre moderne ; il entretenait des armées de mercenaires, se procurait le coûteux matériel d'artillerie ; il allait bientôt s'offrir le luxe des grandes guerres maritimes. Sa poussée a été un phénomène longtemps irréversible. Ces États nouveaux, à la fin du xve siècle, c'est l'Aragon de Jean II, ce Louis XI d'outre-Pyrénées, ou la Turquie de Mahomet II, le vainqueur de Constantinople ; c'est aussi, bientôt, la France de Charles VIII et des aventures italiennes, ou l'Espagne des Rois Catholiques. Tous avaient développé leurs premières forces aux creux des terres, loin des rives méditerranéennes[2], le plus souvent à travers des espaces pauvres où les villes obstacles étaient rares. Tandis qu'en Italie, la richesse, la densité même des villes avaient maintenu divisions et faiblesses, la modernité se dégageant mal du passé dans la mesure même où celui-ci avait été brillant et restait vivace. Il devenait par là faiblesse insigne. On le vit lors de la première guerre turco-vénitienne, de 1463 à 1479, au cours de laquelle la Seigneurie, mal abritée par ses territoires trop grêles, dut en fin de compte, malgré la supériorité de ses techniques, abandonner la partie[3] ; on le vit encore lors de la tragique occupation d'Otrante par les Turcs en 1480[4] ; mieux encore, lors des débuts, en 1494, de cet ouragan que déchaîna la descente de Charles VIII en Italie. Y a-t-il jamais eu plus étonnante promenade militaire que ce rapide voyage de Naples où il suffit à l'envahisseur, au dire de Machiavel, de faire marquer à la craie le logement de ses troupes par les fourriers ?... L'alerte passée, chacun put braver et discourir à son aise. Ou se moquer de Commynes, l'ambassadeur de Charles VIII, comme le faisait à la fin de juillet 1495 un patricien de Venise, Filippo Tron. Non, ajoutait-il, il n'avait pas été dupe de ce qu'on disait du roi de France, « désireux d'aller en Terre Sainte, alors qu'il voulait se faire simplement *signore di tutta l'Italia...* »[5]

Beaux discours, mais alors avait commencé, pour la Péninsule, la séquence des malheurs que devaient logiquement lui valoir sa richesse, sa position au centre du cyclone de la politique européenne et, ceci expliquant tout, la fragilité de ses savantes structures politiques, de tout ce système d'horlogerie qu'était « l'équilibre italien »... Ce n'est pas sans motif, dès lors, que ses penseurs, instruits par les désastres et la leçon quotidienne des faits, méditeront sur la politique et le destin des États, de Machiavel et de Guichardin au début du siècle, jusqu'à Paruta, Giovanni Botero, ou Ammirato quand le siècle s'achève.

L'Italie ? Oui, un étrange laboratoire pour hommes d'État : le peuple entier y discute politique, selon sa passion — celle du portefaix sur la place du marché, celle du barbier dans sa boutique ou des artisans dans les tavernes[6] ; car la raison d'État[7] — cette redécouverte italienne, n'est pas sortie de réflexions

---

1. Je ne dis pas à dessein l'État national.
2. A. SIEGFRID, *op. cit.*, p. 184.
3. H. KRETSCHMAYR, *op. cit.*, II, p. 382.
4. Voir les études d'Enrico PERITO, d'E. CARUSI, de Pietro EGIDI (n°s 2625, 2630 et 2626 de la bibliographie de Sánchez ALONSO).
5. A.d.S., Modène, Venezia VIII, Aldobrandino Guidoni au Duc, Venise, 31 juillet 1495.
6. M. SEIDLMAYER, *op. cit.*, p. 342.
7. La paternité en est attribuée, on le sait, au cardinal Giovanni DELLA CASA, *Orazione di Messer Giovanni della Casa, scritta a Carlo Quinto intorno alla restitutione della città di Piacenza,* publiée dans le *Galateo,* du même auteur, Florence, 1561, p. 61. Sur cette vaste question, F. MEINECKE, *Die Idee der Staatsräson in der neueren Geschichte,* 1re édit., Munich, 1925.

solitaires, mais d'une leçon collective. De même les cruautés, si fréquentes en matière politique, les trahisons, les flammes renouvelées des vengeances privées, sont autant de signes d'une époque où les vieilles formes gouvernementales se brisent, où les nouvelles se succèdent vite au gré de circonstances que l'homme ne commande pas. Alors la justice est souvent en vacances, les gouvernements trop neufs pour faire l'économie d'improvisations et de violences. La terreur est moyen de gouvernement. *Le Prince*, c'est l'art de vivre, de survivre au jour le jour[1].

Mais au XVe siècle déjà, au XVIe à coup sûr, ce n'est même plus de simples États territoriaux, d'États-nations qu'il faut parler. Alors surgissent des groupes plus larges, monstrueux : agglomérats, héritages, fédérations, coalitions d'États particuliers — des Empires, si l'on peut se servir dans son sens actuel, malgré son anachronisme, de cette formule commode. Autrement, comment désigner ces monstres ? En 1494, ce n'est plus seulement le royaume de France qui intervient au-delà des monts, mais un Empire français, rêvé il est vrai. S'installer à Naples, c'est son premier but. Ensuite, sans s'immobiliser au cœur de la mer Intérieure, courir en Orient, y soutenir la défense chrétienne, répondre aux appels réitérés des Chevaliers de Rhodes, délivrer la Terre Sainte, telle est bien la politique complexe de Charles VIII, malgré ce que dit un Filippo Tron : politique de croisade, d'un seul trait, elle barre la Méditerranée. Or, il n'y a pas d'Empire sans mystique, et dans l'Europe occidentale, hors de cette mystique de la croisade, entre terre et ciel. L'exemple de Charles Quint le prouvera bientôt.

Ce n'est pas non plus un « simple État national » que l'Espagne des Rois Catholiques, mais déjà une association de royaumes, d'États, de peuples, unis dans la personne des souverains. Les sultans, eux aussi, gouvernent un agglomérat de peuples conquis et de peuples fidèles, associés à leur fortune ou subjugués. Cependant, l'aventure maritime commence à créer, au bénéfice du Portugal et de la Castille, les premiers Empires coloniaux modernes dont les plus perspicaces observateurs contemporains verront mal, au début, l'importance. Machiavel lui-même observe de trop près le spectacle d'une Italie bouleversée pour qu'il lui soit possible de regarder si loin — faiblesse et combien grave, d'un observateur généralement lucide[2].

Le drame de la Méditerranée, au XVIe siècle, est au premier chef un drame de croissance politique, cette mise en place de colosses. On sait comment la France a raté sa carrière impériale à peine ébauchée, à cause des circonstances, oui sans doute, de son économie encore arriérée, peut-être de son tempérament, ou de sa sagesse, de son goût des valeurs sûres, de son horreur du grandiose... Mais ce qui ne s'est pas produit aurait pu advenir. Il n'est pas tout à fait absurde de rêver d'un Empire français appuyé sur Florence, comme celui de l'Espagne (pas du premier coup il est vrai) a été appuyé sur Gênes... On sait aussi comment le Portugal, déjà à demi étranger à la Méditerranée, s'est développé (sauf quelques positions marocaines) en dehors de l'espace propre de la Méditerranée.

La montée des Empires, dans la mer Intérieure, c'est donc celle des Osmanlis à l'Est ; celle des Habsbourgs, à l'Ouest. Comme l'a remarqué, il y a longtemps

---

1. Pierre MESNARD, *L'essor de la philosophie politique au XVIe siècle*, 1re édit., 1936, p. 39 à 53, particulièrement p. 51-52.
2. A. RENAUDET, *Machiavel*, p. 236.

déjà, Léopold von Ranke, cette double montée est une seule et même histoire et, ajoutons-le sans tarder, les circonstances et les hasards n'ont pas présidé seuls à la naissance de cette grandiose histoire simultanée. Je ne crois pas, sans plus, que Soliman le Magnifique ou Charles Quint aient été des accidents (comme l'aura soutenu Henri Pirenne lui-même), leurs personnages, oui sans doute, non leurs Empires. Je ne crois pas davantage à l'influence prépondérante de Wolsey[1], de ce Wolsey créateur de la politique anglaise de la *Balance of Power* et qui, en soutenant contrairement à ses principes, en 1521, |Charles Quint maître des Pays-Bas et de l'Allemagne, donc en soutenant le plus fort, au lieu de venir en aide à François le plus faible, aurait ouvert la porte à la victoire brusque de Charles Quint, à Pavie, et serait responsable de l'abandon de l'Italie, pour deux siècles, à la domination espagnole...

Car, sans nier le rôle des individus et des circonstances je pense qu'il y a eu, avec la montée économique des XVe et XVIe siècles, une conjoncture obstinément favorable aux vastes et même aux très vastes États, à ces « États épais » dont on recommence à nous dire, aujourd'hui, que l'avenir est à eux comme il le fut un instant, au début du XVIIIe siècle, au moment où grandissait la Russie de Pierre le Grand et où s'esquissait une union, au moins dynastique, entre la France de Louis XIV et l'Espagne de Philippe V[2]. Ce qui se passe en Occident se passant aussi, *mutatis mutandis*, en Orient. En 1516, le Soudan d'Égypte assiège Aden, une ville libre et s'en empare, selon la logique des choses. Mais, toujours selon la logique des choses, en 1517, le Sultan turc s'empare de l'Égypte entière[3]. On risque toujours d'être mangé par plus gros que soi.

En fait, l'histoire est, tour à tour, favorable ou défavorable aux vastes formations politiques. Elle travaille à leur croissance, à leur épanouissement, puis à leur usure et à leur dislocation. L'évolution n'est pas politiquement orientée une fois pour toutes ; il n'y a pas d'États irrémédiablement condamnés à mourir, d'autres prédestinés à grandir, coûte que coûte, comme s'ils étaient chargés par le destin de « manger du territoire et de dévorer leurs semblables »[4].

Deux Empires, au XVIe siècle, font les preuves de leur redoutable puissance. Mais de 1550 à 1600, s'esquisse déjà et au XVIIe siècle se précise le moment non moins inexorable de leur reflux.

I. Aux origines des Empires

Peut-être faut-il, parlant des Empires, de leur essor, ou de leur décadence, être attentif au destin qui les porte : ne pas confondre les périodes, ne pas apercevoir trop tôt la grandeur de ce qui, un jour, avec la collaboration du temps, sera grand ou, trop tôt annoncer la chute de ce qui, avec les années, cessera un autre jour de l'être. Rien de plus difficile que cette chronologie qui n'est pas relevé d'événements, mais seulement diagnostic, auscultation, avec les habituelles chances d'erreurs médicales.

---

1. G. M. TREVELYAN, *op. cit.*, p. 293.
2. BAUDRILLART (Mgr.), *Philippe V et la Cour de France*, 1889-1901, 4 vol., Introduction, p. 1.
3. Voir *infra*, p. 16 et *sq.*
4. Gaston ROUPNEL, *Histoire et destin*, p. 330.

La grandeur turque[1] : de l'Asie Mineure aux Balkans

A l'origine de la grandeur turque, sont à situer trois siècles d'efforts répétés, de longues luttes, de miracles. C'est même à ce côté « miraculaire » que les historiens occidentaux des XVIe, XVIIe et XVIIIe siècles se sont souvent attachés. Qu'elle est extraordinaire, en effet, l'histoire de cette famille des Osmanlis, grandie au hasard des combats, sur ces frontières incertaines d'Asie Mineure, rendez-vous d'aventure et de passion religieuse[2] ! Car l'Asie Mineure est par excellence une terre d'enthousiasme mystique : guerre et religion y vont de pair, les confréries belliqueuses y pullulent et, comme l'on sait, les janissaires de rattachent aux puissantes sectes des Akhaïs, puis des Bektachis. A ces origines, l'État osmanli doit ses allures, ses assises, ses exaltations premières. Le miracle, c'est que le petit État ait survécu aux remous, aux accidents inhérents à sa position géographique.

Survivant, il aura utilisé à son profit les lentes transformations des pays anatoliens. La fortune ottomane se lie, dans ses profondeurs, à de puissants mouvements d'invasion, silencieux souvent, qui poussèrent les peuples du Turkestan vers l'Ouest. Elle est le fruit d'une transformation interne de l'Asie Mineure[3] qui, grecque et orthodoxe au XIIIe siècle, devint turque et musulmane à la suite d'infiltrations répétées et de complètes ruptures sociales, à la suite aussi d'une étonnante propagande religieuse des ordres musulmans, certains révolutionnaires, « communistes comme les Babaïs, Akhaïs, Abdâl ; les autres plus pacifiquement mystiques comme les Mévlévis de Konia. Après G. Huart, Koprülüzadé a récemment mis en lumière leur apostolat »[4]. Leur poésie — leur propagande — a marqué l'aube de la littérature turque occidentale...

De l'autre côté des détroits, la conquête turque a été largement favorisée par les circonstances. La péninsule des Balkans est loin d'être pauvre, elle est même, aux XIVe et XVe siècles, plutôt riche. Mais elle est divisée : Byzantins, Serbes, Bulgares, Albanais, Vénitiens, Génois y luttent les uns contre les autres. Religieusement, Orthodoxes et Latins sont aux prises ; socialement enfin, le monde balkanique est d'une extrême fragilité — un vrai château de cartes. Tout cela à ne pas oublier : la conquête turque dans les Balkans a profité d'une étonnante révolution sociale. Une société seigneuriale, dure aux paysans, a été surprise par le choc et s'est écroulée d'elle-même. La conquête, fin des grands propriétaires, maîtres absolus sur leurs terres, a été, à certains points de vue, une « libération des pauvres diables »[5]. L'Asie Mineure avait été conquise patiemment, lentement, après des siècles d'efforts ; la péninsule des Balkans *semble* ne pas avoir résisté à l'envahisseur. En Bulgarie, où les Turcs feront des progrès si rapides, le pays avait été travaillé, bien avant leur arrivée, par des troubles agraires violents[6]. Même en Grèce, il y avait eu révolution sociale.

---

1. Sur la grandeur turque, R. de LUSINGE, *De la naissance, durée et chute des États*, 1588, 206 p. Ars. 8º H 17337, cité par J. ATKINSON, *op. cit.*, p. 184-185, et une relation inédite sur la Turquie (1576). Simancas. Eº 1147.
2. Fernand GRENARD, *Décadence de l'Asie*, p. 48.
3. Voir *supra*, I, p. 163.
4. *Annuaire du monde musulman*, 1923, p. 323.
5. Le mot est de B. Truhelka, l'archiviste de Doubrovnik, dans nos discussions répétées sur ce magnifique sujet.
6. Cf. notamment Christo PEYEFF, *Agrarverfassung und Agrarpolitik*, Berlin, 1927, p. 69 ; I. SAKAZOV, *op. cit.*, p. 19 ; R. BUSCH-ZANTNER, *op. cit.*, p. 64 et *sq.* Cependant, si l'on suit l'article de D. ANGUELOV, *Revue Historique* (bulgare), IX, 4, p. 374-398, la résistance bulgare aux Turcs aurait été plus vive que je ne le dis.

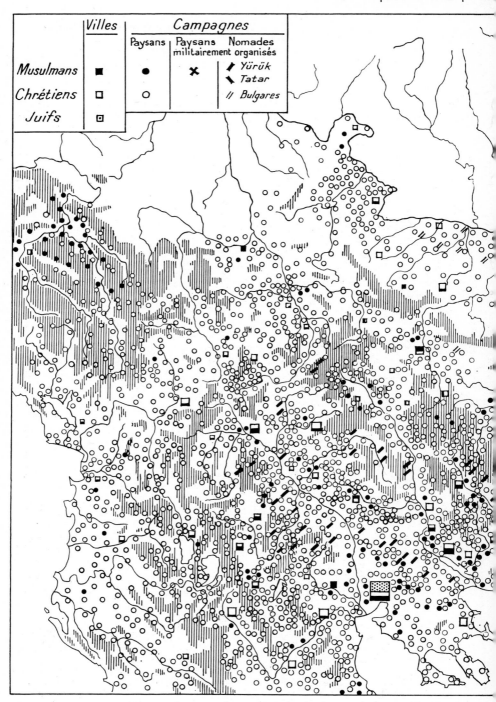

Il manque à cette carte dressée par Ömer Lutfi Barkan, à partir des recensements ottomans, les chiffres qui concerneraient Istanbul et qui sont probablement perdus. Le Turc tient le pays par ses postes frontières et plus encore ses villes-clés. On notera la masse importante des implantations de nomades Yourouks dans les plaines, mais aussi dans les zones élevées, ainsi dans le Rhodope et dans les montagnes à l'est de la Strouma et du Vardar. En gros, une ligne partant de l'île de Thasos et passant par Sofia divise une zone chrétienne, à faible implantation turque, et une zone de forte implantation musulmane, en Thrace et jusqu'en

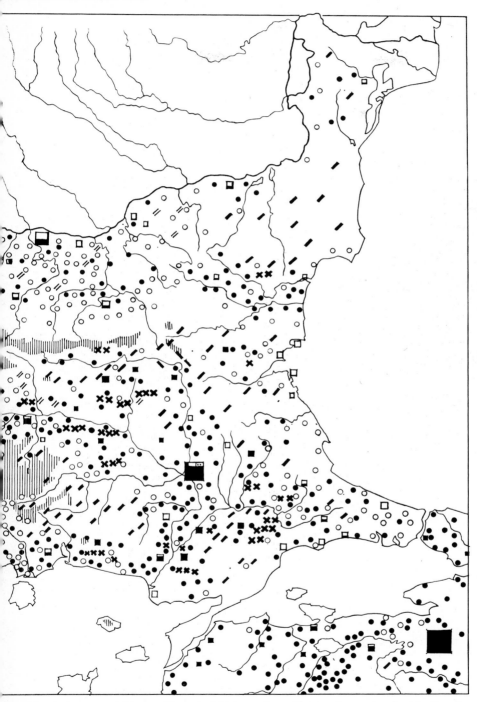

Bulgarie. Les travaux ultérieurs d'Ömer Lutfi Barkan et de ses élèves ont à peu près achevé le dépouillement des recensements du XVIᵉ siècle, qui marquent une forte augmentation de la population et montrent
ce que l'on savait déjà : la primauté musulmane dans le peuplement de l'Anatolie. Chaque signe de cette
carte représente 250 familles, c'est-à-dire plus de 1 000 personnes. A noter la présence serrée des Musulmans
en Bosnie. Importance de la colonie uive de Salonique.

En Serbie, les seigneurs nationaux disparaissant, une partie des villages serbes a été incorporée aux biens *wakouf* (biens des mosquées) ou distribuée aux spahis[1]. Or, ces spahis, soldats et seigneurs viagers, demanderont au début des redevances en argent, non des corvées. Il faudra du temps pour que la situation paysanne redevienne dure. Par surcroît, il y eut en pays bosniaque, autour de Sarajevo, des conversions massives en parties dues, on le sait, à l'hérésie vivace des *Bogomiles*[2]. La situation est plus compliquée encore pour l'Albanie[3]. Ici, les propriétaires ont pu trouver refuge dans les présides vénitiens : ce fut le cas de Durazzo qui demeura à la Seigneurie jusqu'en 1501. Quand ces forteresses tombèrent, la noblesse albanaise se réfugia en Italie, où ses descendants se sont maintenus quelquefois jusqu'au temps présent. Ce n'est pas le cas de la famille des Musachi qui s'éteignit à Naples en 1600. Mais nous possédons sur elle une précieuse *Historia deila Casa Musachi*, publiée en 1510 par Giovanni Musachi et qui éclaire le destin d'une maison, d'un pays, d'une caste entière. Le nom de cette ancienne famille s'est conservé, en Albanie, dans la contrée dite des Muzekie[4] où elle posséda jadis d'immenses propriétés[5]. L'histoire de ces exils et transplantations est étonnante. Elle ne vaut pas pour tous les seigneurs et propriétaires balkaniques. Mais quelle qu'ait été leur fin et même quand ils ont réussi à se sauver momentanément, en reniant ou non — le problème d'ensemble reste le même : devant les Turcs, un monde social s'est écroulé, en partie de lui-même, à penser, une fois de plus, qu'est vraie, sans exception, cette réflexion d'Albert Grenier : « ne sont conquis que les peuples qui veulent bien l'être ».

Cette réalité sociale explique les ravages et les succès des envahisseurs. Leur cavalerie, poussée vite et très au loin, coupant les routes, ruinant les récoltes, désorganisant la ·vie économique, préparait au gros de l'armée des conquêtes aisées. Seules les régions montagneuses furent protégées, un temps, contre l'invincible arrivant. Celui-ci, lié aux réalités de la géographie balkanique, fut d'abord maître des grandes routes, au long des fossés fluviaux, conduisant vers le Danube : la Maritza, le Vardar, le Drin, la Morava... En 1371, il triomphait à Cernomen, sur la Maritza ; en 1389, au Champ des Merles, dans le Kossovo Polje, d'où s'échappent le Vardar, la Maritza et la Morava. En 1459, cette fois au Nord des Portes de Fer, il triomphait à Sméredevo, « le point même où la ligne de la Morava rencontre le Danube et qui autant que Belgrade, commande l'avant-pays de la plaine hongroise »[6].

Très vite aussi, il triompha dans le vaste espace des plaines de l'Est[7]. En 1365, il installait sa capitale à Andrinople, en 1386 toute la Bulgarie était conquise, puis toute la Thessalie[8]. La conquête fut plus lente dans l'Ouest montagneux et souvent plus apparente que réelle. En Grèce, Athènes était occupée en 1456, la Morée en 1460, la Bosnie en 1462-1466[9], l'Herzégovine en 1481[10],

---

1. Jos. ZONTAR, « Hauptprobleme der jugoslavischen Sozial-und Wirtschaftsgeschichte », *in : Vierteljahrschrift für Sozial-und Wirtschaftsgeschichte*, 1934, p. 368.
2. J. W. ZINKEISEN, *op. cit.*, II, p. 143 ; R. BUSCH ZANTNER, *op. cit.*, p. 50.
3. R. BUSCH ZANTNER, *op. cit.*, p. 65.
4. *Ibid.*, p. 55.
5. *Ibid.*, p. 65 et références aux travaux de K. JIRECEK et de SUFFLAY.
6. *Ibid.*, p. 23.
7. W. HEYD, *op. cit.*, II, p. 258.
8. *Ibid.*, II, p. 270.
9. *Ann. du monde musulman*, 1923, p. 228.
10. H. HOCHHOLZER, *art. cit.*, p. 57.

malgré les résistances de certains « rois des montagnes ». Venise elle-même ne put interdire longtemps l'accès de l'Adriatique : Scutari était enlevé en 1479, Durazzo en 1501. Resterait à marquer évidemment cette autre conquête, plus lente : la construction des routes, des points fortifiés, l'établissement de caravanes chamelières, l'action de tous ces convois de ravitaillement et de transport confiés souvent aux soins des arriéreurs bulgares, enfin et surtout cette conquête qui s'organisa par les villes, celles que les Turcs soumirent, ou fortifièrent, ou construisirent. Ce furent là de véritables foyers de rayonnement de la civilisation turque ; ils calmèrent, domestiquèrent, apprivoisèrent au moins les pays vaincus, où il ne faudrait pas imaginer un régime de violences continues.

La conquête turque, à ses débuts, s'est évidemment nourrie au détriment des peuples soumis : après la bataille de Kossovo, des milliers et des milliers de Serbes auront été vendus comme esclaves jusque sur les marchés de Chrétienté[1] ou recrutés comme mercenaires ; mais le sens politique ne fit pas défaut au vainqueur. On le vit avec les concessions de Mahomet II aux Grecs appelés à Constantinople dès 1453. La Turquie finit par créer des cadres où les peuples de la Péninsule prirent place, un à un, pour collaborer avec le vainqueur et, ici ou là, curieusement ranimer les fastes de l'Empire byzantin. Cette conquête recréait un ordre, une *pax turcica*. Croyons-en ce Français anonyme qui, en 1528, écrivait : « le pays est sûr et il n'y a nouvelles de nuls rapteurs... ni détrousseurs de grands chemins... L'Empereur ne tolère nul détrousseur ni voleur »[2]. A la même époque, eût-on pu en dire autant de la Catalogne ou de la Calabre ? Il faut bien qu'il y ait une part de vérité dans ce tableau optimiste, puisque, aux yeux des Chrétiens, l'Empire turc apparut longtemps admirable, incompréhensible, déconcertant par son ordre ; puisque son armée émerveilla les Occidentaux par sa discipline, son silence, autant que par son courage, l'abondance de ses munitions, la valeur et la sobriété de ses soldats... Ce qui n'empêchait pas, au contraire, le Chrétien de haïr ces Infidèles, « beaucoup pis que des chiens dans toutes leurs œuvres » : le mot est de 1526[3]...

Peu à peu, cependant, les jugements devinrent plus équitables. Les Turcs étaient sans doute un fléau de Dieu ; Pierre Viret le réformateur de la Suisse Romande, écrit à leur sujet, en 1560 : « nous ne pouvons être émerveillés si Dieu châtie aujourd'hui les Chrétiens dans les Turcs, comme il a jadis châtié les Juifs, quand ils ont délaissé sa foi... car les Turcs sont aujourd'hui les Assyriens et les Babyloniens des Chrétiens et la verge et le fléau et la fureur de Dieu »[4]. Dès le milieu du siècle, d'autres comme Belon du Mans, allaient reconnaître leurs vertus ; et, par la suite, chacun aimera à rêver de ce pays étrange, à rebours, occasion commode de se déprendre de la société occidentale et de ses contraintes.

Mais c'était un progrès déjà d'expliquer les Turcs par les fautes et les faiblesses de l'Europe[5]. Un Ragusain le disait à Maximilien 1er[6] : tandis que les

---

1. J. ZONTAR, *in : Vierteljahrschrift für Sozial-und Wirtschaftsgeschichte*, 1934, p. 369.
2. Cité par G. ATKINSON, *op. cit.*, p. 179.
3. *Ibid.*, p. 211.
4. *Ibid.*, p. 397. Même idée, en 1544, chez Jérôme MAURAND, *Itinéraire de... d'Antibes à Constantinople* (1544), p.p. Léon DUREZ, 1901, p. 69, les victoires des Turcs en raison des péchés des Chrétiens.
5. F. BABINGER, *op. cit.*, p. 446-447. Pour la référence du livre, voir *infra*, p. 30, note 6.
6. J. W. ZINKEISEN, *op. cit.*, III, p. 19.

pays européens se divisent, « toute la suprême autorité, dans l'Empire des Turcs, est aux mains d'un homme unique, tous obéissent au Sultan, il gouverne seul ; c'est à lui que vont tous les revenus, en un mot il est le maître, tandis que tous les autres sont ses esclaves ». C'est en substance ce qu'explique, en 1533, aux ambassadeurs de Ferdinand, Aloysius Gritti étonnant personnage, fils d'un Vénitien et d'une esclave, longtemps favori du grand vizir Ibrahim Pacha. Charles Quint ne doit pas risquer sa puissance contre celle de Soliman. « *Verum esse Carolum Cesarem potentem sed cui non omnes obediant, exemplo esse Germaniam et lutheranorum pervicaciam* »[1].

Il est vrai que la force turque est comme prise dans le complexe des faiblesses européennes, par une véritable action mécanique. Les grandes querelles de l'Europe ont favorisé, provoqué la poussée turque jusqu'en Hongrie. « C'est la prise de Belgrade (le 29 août 1521), écrira Busbec avec raison[2], qui a donné naissance à cette multitude de maux qui sont arrivés depuis si peu de temps et sous le poids desquels nous gémissons encore. C'est là cette funeste porte par laquelle les barbares sont entrés pour ravager la Hongrie, c'est ce qui a occasionné le mort du Roy Louis, ensuite la perte de Bude, l'aliénation de la Transylvanie. Si enfin les Turcs n'eussent pas pris Belgrade, jamais ils ne seraient entrés en Hongrie, ce royaume qu'ils ont désolé. connu auparavant l'un des plus florissants de l'Europe ».

En fait, 1521, l'année de Belgrade, c'était le début du grand conflit entre François 1er et Charles Quint. Les suites s'appelèrent Mohacs, en 1526 ; le siège de Vienne en 1529. Bandello, qui écrivait ses *Nouvelles* au lendemain de ce grand événement[3], montre une Chrétienté s'attendant au pire, « réduite à un canton de l'Europe, par suite des discordes qui se font chaque jour plus grandes entre les Princes Chrétiens... » A moins que l'Europe[4], au lieu de chercher à briser l'élan ottoman, ne se laisse, en fait, attirer par d'autres aventures, celle de l'Atlantique et du vaste monde, comme des historiens l'ont remarqué il y a longtemps[5]. Peut-être faut-il renverser la très ancienne explication, erronée non pas disparue, à savoir que ce sont les conquêtes turques qui ont provoqué les grandes découvertes ; alors qu'à l'inverse, ce sont bel et bien les grandes découvertes qui ont créé dans le Levant une zone de moindre intérêt où le Turc a pu, par suite, s'étendre et s'installer sans de trop grandes difficultés. Car, tout de même, quand il occupe l'Égypte, en janvier 1517, il y a vingt ans que Vasco de Gama a réalisé le périple du cap de Bonne-Espérance.

Les Turcs en Syrie et en Égypte

Or, si l'on ne se trompe, l'événement majeur dans la grandeur ottomane, plus encore que la prise de Constantinople, « cet épisode » comme l'a appelée avec quelque exagération Richard Busch Zantner[6], n'est-ce pas la conquête de la Syrie, en 1516, et celle de l'Égypte, en 1517, accomplies l'une et l'autre sur

1. Cité par J. W. ZINKEISEN, *op. cit.*, III, p. 20, note 1, d'après Anton von GEVAY, *Urkunden und Actenstücke zur Geschichte der Verhältnisse zwischen Österreich, Ungarn und der Pforte im XVI. und XVII. Jahrhundert*, 1840-1842, p. 31.
2. *Op. cit.*, p. 42.
3. *Op. cit.*, VIII, p. 305.
4. F. GRENARD, *op. cit.*, p. 86.
5. Émile BOURGEOIS, *Manuel historique de Politique étrangère*, t. I, 1892, Introduction, p. 2 et *sq.*
6. « ...eine Episode, kein Ereignis », p. 22.

une seule et même lancée ? C'est alors que s'est dessinée la très grande histoire ottomane[1]. Remarquez que la conquête, en elle-même, n'a rien eu de particulièrement grandiose, qu'elle s'est réalisée sans difficultés. Des contestations de frontières au Nord de la Syrie, plus encore une tentative du Soudan pour se poser en médiateur entre Turcs et Persans servirent, le moment venu, de prétexte... Les Mamelouks, qui considéraient l'artillerie comme une arme déloyale, ne purent résister aux canons de Sélim, le 24 août 1516, près d'Alep. La Syrie tomba d'un coup aux mains du vainqueur qui entrait à Damas, le 26 septembre. Le nouveau Soudan se refusant à reconnaître la suzeraineté ottomane, Sélim poussa son armée jusqu'en Égypte. Les Mamelouks furent à nouveau foudroyés par le canon turc[2], en janvier 1517, près du Caire. L'artillerie, une fois de plus, créait un grand pouvoir politique. Comme en France, comme en Moscovie[3], comme à Grenade[4], en 1492.

L'Égypte fut conquise sans coup férir, presque sans que l'ordre y ait été bouleversé. Très vite, les Mamelouks, appuyés sur leurs vastes propriétés, ressaisirent l'essentiel du pouvoir : Bonaparte les retrouva trois siècles plus tard. Le baron de Tott a sans doute raison quand il écrit : « Par l'examen du Code du sultan Sélim, on doit présumer que ce Prince capitula avec les Mamelouks plutôt qu'il ne conquit l'Égypte. On aperçoit, en effet, qu'en laissant subsister les vingt-quatre beys qui gouvernaient son royaume, il ne chercha qu'à balancer leur autorité par celle d'un Pacha, qu'il établit comme gouverneur général et président du conseil... »[5]. Cette remarque invite à ne pas dramatiser la conquête de 1517.

Et, cependant, quel grand événement ! Ce que Sélim a obtenu des Égyptiens a été considérable. Tout d'abord le tribut, modéré à ses débuts[6], n'a cessé de grandir. Par l'Égypte s'est organisée la participation de l'Empire ottoman au trafic de l'or africain en provenance de l'Éthiopie et du Soudan, puis au commerce des épices en direction de la Chrétienté. Nous avons signalé ce commerce de l'or et l'importance que reprit la route de la mer Rouge dans le trafic général du Levant. Au moment où les Turcs se sont installés en Égypte et en Syrie, longtemps après le périple de Vasco de Gama, ces deux pays n'étaient plus certes les portes exclusives de l'Extrême-Orient, mais elles restaient importantes. Ainsi la digue turque entre la Chrétienté méditerranéenne et l'océan Indien[7] se trouva achevée et consolidée. Cependant que la liaison s'établissait, du même coup, entre l'énorme ville de Constantinople et une grande région productrice de blé, de riz, de fèves. Par la suite, et souvent, l'Égypte aura été, dans l'évolution turque, le facteur déterminant et, si l'on peut dire, l'élément corrupteur. On a soutenu, avec quelque vraisemblance, que de l'Égypte s'était répandue, jusqu'aux extrémités de l'Empire ottoman, la vénalité des charges[8] corruptrice bien souvent de l'ordre politique.

Mais Sélim a retiré de sa conquête un bien aussi précieux que l'or. Sans doute avait-il, avant d'être le maître des pays du Nil, fait dire les prières en

---

1. V. HASSEL, *op. cit.*, p. 22-23.
2. F. GRENARD, *op. cit.*, p. 79.
3. Voir *supra*, I, p. 165.
4. J. DIEULAFOY, *Isabelle la Catholique, Reine de Castille*, 1920 ; Fernand BRAUDEL, « Les Espagnols... », in : *Revue Africaine*, 1928, p. 216, note 2.
5. *Mémoires*, IV, p. 47.
6. BROCKELMANN, *Gesch. der islamischen Völker*, 1939, p. 262.
7. J. MAZZEI, *op. cit.*, p. 41.
8. *Annuaire du monde musulman*, p. 21.

son nom, rempli le rôle de Khalife[1] de Prince des croyants. Or, dans ce rôle, l'Égypte lui aura apporté une consécration. La légende prétend — c'est une légende, mais peu importe ! — que le dernier des Abbassides hébergé en Égypte par les Mamelouks aurait cédé à Sélim le Khalifat sur tous les vrais Musulmans. Légende ou non, le Sultan revenait d'Égypte auréolé d'un prestige immense. En août 1517, il recevait du fils du Cheikh de La Mecque, la clé même de la Kaaba[2]. C'est à partir de cette date que devait être confié à la garde de cavaliers d'élite le drapeau vert du Prophète[3]. Nul doute qu'à travers l'Islam, l'élévation de Sélim à la dignité de Commandeur des Croyants, en 1517, ait fait autant de bruit que deux ans plus tard, en Chrétienté, la célèbre élection de Charles d'Espagne à l'Empire. Cette date a marqué, durant le printemps du XVIᵉ siècle, l'avènement de la très grande puissance ottomane et (car tout se paie) d'une marée d'intolérance religieuse[4].

Sélim mourait peu après ses victoires, en 1520, sur le chemin d'Andrinople. Son fils, Soliman, lui succédait sans compétition. A lui allait revenir l'honneur d'assurer la grandeur ottomane, malgré les pronostics pessimistes portés sur sa personne. L'homme était à la hauteur de sa tâche. Mais, reconnaissons-le, il arrivait à une heure favorable. En 1521, il s'emparait de Belgrade, la porte de la Hongrie ; en juillet 1522, il assiégeait Rhodes et s'en emparait en décembre de la même année : la redoutable et puissante forteresse des Chevaliers de Saint-Jean enlevée, toute la Méditerranée orientale s'offrait à sa jeune ambition. Rien ne s'opposait plus à ce que le maître de tant de rivages de Méditerranée disposât d'une flotte. Ses sujets et les Grecs, y compris ceux des îles vénitiennes[5], allaient lui en fournir l'indispensable matériel humain. Le grand règne de Soliman, inauguré par cette victoire éclatante eût-il été si brillant sans la conquête préalable de la Syrie et de l'Égypte ?

L'Empire turc vu du dedans

Cet Empire turc, nous le voyons, historiens, du dehors. C'est le voir à moitié, et encore ! et l'expliquer de façon unilatérale, par autrui. La mise en œuvre des richissimes archives d'Istanbul et de Turquie, change peu à peu cette optique ancienne. C'est du dedans qu'il faut appréhender l'énorme machine pour mieux saisir ses forces et déjà, car elles furent précoces, ses faiblesses[6] et ses oscillations. Ce qui revient à mettre en cause un art de gouverner qui est aussi un art de vivre, héritage mêlé et compliqué, un ordre religieux et un ordre social, et des époques économiques différentes. L'histoire impériale des Osmanlis ce sont des siècles d'histoire, donc des expériences successives, différentes, contradictoires. C'est une Asie Mineure « féodale » qui s'ouvre le chemin des Balkans (1360), quelques années après Poitiers, dans les

---

1. Il ne prend ce titre officiellement qu'au XVIIIᵉ siècle, Stanford J. SHAW, « The Ottoman view of the Balkans », in : The Balkans in transition, éd. par C. et B. JELAVICH, 1963, p. 63.
2. J. W. ZINKEISEN, op. cit., III, p. 15.
3. BROCKELMANN, op. cit., p. 242.
4. Stanford J. SHAW, art. cit., p. 67, signale le rôle des ulémas fanatiques des provinces arabes nouvellement conquises et la réaction turque contre les missionnaires franciscains qu'expédient dans les Balkans Venise et les Habsbourgs.
5. Voir supra, I, p. 106 et note 1.
6. Stanford J. SHAW, « The Ottoman view of the Balkans », in : The Balkan in transition, op. cit., p. 56-80.

premières phases de ce que nous appelons la Guerre de Cent Ans ; un système féodal (bénéfices et fiefs) qui s'instaure dans ces terres conquises d'Europe et crée une aristocratie foncière que les sultans tiennent plus ou moins bien en laisse, contre laquelle ils lutteront par la suite avec persévérance et succès. Mais cette classe dominante des Ottomans, des esclaves du sultan, ne va cesser de changer dans son recrutement. Ses luttes pour le pouvoir rythmeront du dedans cette grande histoire impériale. Nous aurons l'occasion d'y revenir.

L'unité espagnole : les Rois Catholiques

D'un côté les Osmanlis, de l'autre les Habsbourgs. Avant ces derniers, les Rois Catholiques, premiers ouvriers de l'unité espagnole, ont compté sur le plan de cette histoire impériale autant, si ce n'est davantage, que les sultans de Brousse ou d'Andrinople dans la genèse de la fortune ottomane. Leur œuvre a été favorisée, portée par l'élan du xvᵉ siècle après la fin de la Guerre dite de Cent Ans. Il ne faut pas accepter, en effet, tout ce qu'auront dit les historiographes de Ferdinand et d'Isabelle... L'œuvre des Rois Catholiques, qu'il n'est pas question de diminuer, a eu pour elle la collaboration du temps et des hommes. Elle a été voulue, exigée par les bourgeoisies des villes, lasses des guerres civiles, désireuses de paix intérieure, de négoce tranquille, de sécurité. La première *Hermandad* a été un large mouvement urbain : ses cloches d'alarme se répondent de ville à ville, annoncent les temps nouveaux. Les villes, avec leurs étonnantes réserves de vie démocratique ont assuré le triomphe des Rois Catholiques.

Aussi bien, ne grossissons pas trop le rôle, certes considérable, des grands acteurs de ce destin. Quelques historiens ont même pensé que l'union de la Castille et de l'Aragon, réalisée en puissance par le mariage de 1469, aurait pu s'accomplir aussi bien entre Castille et Portugal[1]. Isabelle a eu le choix entre le mariage portugais et l'aragonais, entre l'Atlantique et la Méditerranée. En somme, l'unité ibérique est dans l'air, dans le sens même de la conjoncture. Le choix est entre une formule portugaise et une formule aragonaise. Celle-ci pas forcément supérieure à celle-là. Toutes deux faciles, à portée de la main. La solution acquise, dès 1469, équivaut au retournement de la Castille vers la Méditerranée, opération grosse de difficultés et de déformation, étant donné la tradition, la politique, les intérêts du royaume mais qui s'accomplit rapidement en un âge d'homme : le mariage de Ferdinand et d'Isabelle est de 1469 ; l'avènement d'Isabelle, en Castille, de 1474 ; celui de Ferdinand en Aragon de 1479 ; l'éviction du Portugais est acquise, en 1483 ; la conquête de Grenade achevée en 1492 ; la réunion de la Navarre espagnole accomplie en 1512. Ne comparons pas, même un instant, cette rapide unification à la lente et pénible formation de la France, à partir des pays d'entre Loire et Seine. Ne disons pas, autres lieux — mais autres temps, autres réalités.

Que cette unité rapide de l'Espagne ait créé la nécessité d'une mystique impériale, le contraire seul surprendrait. L'Espagne de Ximénès, travaillée par l'essor religieux de la fin du xvᵉ siècle, vit sur le plan de la croisade ; d'où l'importance indéniable de la conquête de Grenade et des débuts, quelques années plus tard, d'une expansion vers l'Afrique du Nord. L'occupation du

---

1. Angel GANIVET, *Idearium español*, éd. Espasa, 1948, p. 62 et *sq*.

Midi espagnol n'achevait pas seulement la reconquête du sol ibérique, elle ne mettait pas seulement à la disposition des Rois Catholiques une région de terres riches, de villes industrieuses et peuplées ; elle libérait, pour des aventures extérieures, les forces de Castille, fixées longtemps dans un combat sans fin avec ce qui ne voulait pas mourir de l'Islam espagnol — des forces jeunes[1].

Pourtant, presque aussitôt, l'Espagne se laisse détourner de l'Afrique. En 1492, Christophe Colomb découvre l'Amérique. Trois ans plus tard, Ferdinand le Catholique est pris par les complications italiennes. Historien passionné, Carlos Pereyra[2] reproche à Ferdinand, au trop habile Aragonais, cette déviation en direction de la Méditerranée, par quoi il s'est abstenu de travailler au véritable avenir de l'Espagne, inscrit hors d'Europe, dans ces terres âpres, nues et pauvres de l'Afrique, en Amérique aussi, ce monde inconnu, abandonné par les maîtres de l'Espagne à l'aventure sous ses pires formes. Oui, mais c'est à cet abandon de l'*Ultramar* à l'initiative privée que sont dues les étonnantes aventures des *Conquistadores*. Nous accusions Machiavel de ne pas être attentif à l'immense novation des découvertes maritimes ; or, songez qu'au XVIIe siècle encore, le comte duc Olivares, ce rival pas toujours malheureux de Richelieu, ce presque grand homme, n'avait pas encore saisi l'importance des Indes[3].

Dans ces conditions, rien de plus naturel que la politique aragonaise, lourde de ses traditions, entraînée vers la Méditerranée par son passé et son expérience, mêlée à elle par ses côtes, ses navigations, ses possessions (les Baléares, la Sardaigne, la Sicile) et attirée logiquement comme toute l'Europe et toute la Méditerranée par les riches pays d'Italie. Quand, en 1503, Ferdinand le Catholique s'emparait de Naples, grâce à Gonzalve de Cordoue, il se saisissait d'une grande position et d'un royaume opulent, le succès impliquant le triomphe de la flotte aragonaise et, avec le Grand Capitaine, la naissance, ni plus ni moins, du *tercio* espagnol quelque chose d'équivalent, dans l'histoire générale du monde, à la naissance de la phalange macédonienne ou de la légion romaine[4]. Pour comprendre cette attirance de l'Espagne vers la mer Intérieure, gardons-nous de juger Naples, en ce début du XVIe siècle, d'après les images que le siècle finissant peut nous offrir d'un pays à peine capable de vivre, terriblement endetté. Posséder Naples alors est une charge. Mais en 1503, en 1530 encore[5], le Royaume offrait les avantages de sa position stratégique, des ressources budgétaires importantes.

Enfin, la politique aragonaise qui entraîne l'Espagne tend aussi à se dresser contre la poussée de l'Islam, elle précède les Turcs en Afrique du Nord ; en Sicile et à Naples, elle est sur l'un des remparts extérieurs de la Chrétienté. Louis XII peut bien répéter : « je suis le Maure contre lequel le Roi Catholique

1. Pierre VILAR, *La Catalogne...*, I, p. 509 et *sq.*
2. *Imperio español*, p. 43.
3. R. KONETZKE, *op. cit.*, p. 245 ; Erich HASSINGER, « Die weltgeschichtliche Stellung des XVI. Jahrhunderts », *in : Geschichte in Wissenschaft und Unterricht*, 1951, signale ce livre de Jacques SIGNOT, *La division du monde...*, 1re éd., 1539 (d'autres suivront : la 5e en 1599), et qui ne parle pas de l'Amérique.
4. Bien signalé par Angel GANIVET dans son *Idearium español*, éd. Espasa, 1948, p. 44-45.
5. Naples déficitaire à partir au moins de 1532, E. ALBÈRI, *op. cit.*, I, 1, p. 37. Dès le temps de Charles Quint la dépense ordinaire de ses États sans celle des guerres excédait la recette de deux millions d'or. Guillaume DU VAIR, *Actions oratoires et traités*, 1606, p. 80-88.

arme »[1], n'empêche que ce Roi Catholique est de plus en plus, du seul fait de ses positions, le champion de la Croisade, avec toutes les tâches que cela implique, tous les privilèges et avantages que cela signifie. Avec Ferdinand, la croisade espagnole est sortie de la Péninsule, non pas pour s'enfoncer délibérément dans l'Afrique misérable qui lui fait face, non pas pour se perdre dans le Nouveau Monde, mais pour se situer au vu et au su de tous, au cœur même de la Chrétienté d'alors, en son cœur menacé, l'Italie. Vieille politique, mais prestigieuse.

Charles Quint

Charles Quint succède en Espagne à Ferdinand. Il est alors Charles de Gand et devient Charles 1er, en 1516. Avec lui, tout se complique et s'amplifie comme, à l'autre extrémité de la mer, avec Soliman le Magnifique. L'Espagne se trouve reléguée à l'arrière-plan de l'histoire clinquante de l'Empereur. Charles de Gand est devenu Charles Quint, en 1519 : le temps lui manquera pour être Charles d'Espagne. Il ne le sera assez curieusement que tard, à la fin de sa vie, pour des raisons sentimentales et de santé. L'Espagne n'a pas été le grand personnage de l'histoire de Charles Quint, si elle a contribué puissamment à sa grandeur.

Certes, il serait injuste de ne pas voir ce que l'Espagne a pu apporter à l'aventure impériale. Les Rois Catholiques d'ailleurs ont préparé la fortune de leur petit-fils. N'ont-ils pas agi dans toutes les directions utiles, l'Angleterre, le Portugal, l'Autriche, les Pays-Bas ? Joué et rejoué à la loterie des mariages ? L'idée d'encercler la France, de maîtriser ce voisin dangereux, modèle à l'avance le curieux Empire habsbourgeois, comme évidé, troué en son centre. Charles de Gand a été un hasard calculé, préparé, voulu d'Espagne. Un accident aurait pu sans doute changer le cours de l'événement. L'Espagne, par exemple, ne pas reconnaître Charles du vivant de sa mère, Jeanne la Folle, qui ne meurt à Tordesillas qu'en 1555 ; ou bien se prononcer en faveur de son frère Ferdinand, élevé dans la Péninsule. Continuons : Charles aurait pu ne pas triompher à l'élection impériale de 1519. Pour autant, l'Europe n'aurait pas échappé à une grande expérience impériale. La France, sur la voie de cette aventure dès 1494, pouvait recommencer et réussir. N'oublions pas, en outre, que derrière la fortune de Charles Quint, il y a eu longtemps la puissance économique des Pays-Bas, associée à la vie nouvelle de l'Atlantique, carrefour de l'Europe, centre d'industrie et de négoce à qui il faut des débouchés, des marchés, une sécurité politique que l'Empire allemand, désorganisé, lui aurait contestée.

L'Europe s'acheminant d'elle-même vers la construction d'un vaste État, ce qui aurait pu changer, avec le destin différent de Charles Quint, c'est la figuration du jeu impérial, non le jeu lui-même. Les électeurs de Francfort, en 1519, ne pouvaient guère se décider en faveur d'une candidature nationale. Les historiens allemands l'ont bien vu, l'Allemagne n'aurait pas supporté le poids d'une pareille candidature : elle aurait eu à lutter contre les deux candidats à la fois, aussi bien contre François 1er que contre Charles. Elle choisit, en élisant Charles, le moindre mal, et pas seulement, quoi qu'on ait dit, celui qui, tenant Vienne, gardait sa frontière orientale menacée. N'oublions pas qu'en 1519,

---

1. Ch. MONCHICOURT, « La Tunisie et l'Europe. Quelques documents relatifs aux XVIe, XVIIe et XVIIIe siècles », in : *Revue Tunisienne*, 1905, tirage à part, p. 18.

Belgrade est toujours place chrétienne et que, de Belgrade à Vienne, s'étend l'épaisseur protectrice du royaume de Hongrie. Ce n'est qu'en 1526 que la frontière hongroise sera brisée. Tout changera alors, mais alors seulement. Les histoires des Habsbourgs et des Osmanlis se mêlent assez dans la réalité sans qu'on les mêle hors de propos. Ce n'est pas en 1519 qu'auraient pu courir sur l'Empereur ces rimes populaires :

> Das hat er als getane
> Allein für Vatterland
> Auf das die römische Krone
> Nit komm in Turkenhand.

L'Allemagne d'ailleurs ne servira pas de point d'appui à Charles Quint. Dès 1521, Luther traverse son destin. Et au lendemain même de son couronnement à Aix-la-Chapelle, en septembre 1520, l'Empereur avait renoncé, en faveur de son frère Ferdinand, à son propre mariage avec la princesse hongroise Anna et, à Bruxelles, le 7 février 1522, il cédait secrètement à son frère l'*Erbland*[1]. C'était abandonner toute grande action personnelle en Allemagne.

Notons aussi que, par la force des choses, il ne pouvait s'appuyer directement sur l'Espagne, excentrique par rapport à l'Europe et pas encore largement ravitaillée par les trésors du Nouveau Monde : elle ne le sera pas, de façon importante, avant 1535. Dans sa lutte contre la France, qui fut le pain quotidien de sa vie à partir de 1521, les deux positions de Charles Quint furent forcément l'Italie et les Pays-Bas. C'est sur cette charnière d'Europe que porta l'effort de l'Empereur. Le Grand Chancelier Gattinara conseillait à Charles, avant toute chose, de tenir l'Italie... Aux Pays-Bas, Charles Quint trouvait, en temps de paix du moins, de gros revenus, des possibilités d'emprunts, comme en 1529, des surplus budgétaires. Il fut de règle, sous son règne, de répéter que toutes les charges retombaient sur les Pays-Bas et on le dit plus que jamais au-delà de 1552. Il arriva alors aux Pays-Bas cet accident qui déjà accablait la Sicile, Naples ou même Milan, dont la richesse était pourtant évidente : leurs excédents budgétaires se tarirent à peu près. L'évolution s'est peut-être précipitée parce que Charles et Philippe II ont porté leur effort militaire sur les Pays-Bas et que le commerce de ces derniers en a souffert. Sans doute sont arrivées d'Espagne de grandes sommes de deniers. Philippe II le soulignera. Mais en 1560, la discussion durait encore. Les Pays-Bas prétendaient avoir plus souffert que l'Espagne, « celle-ci était alors demeurée indemne de tout dommage, et avait continué ses trafics avec la France sous le couvert de sauf-conduits »[2]. Elle ne pouvait donc se plaindre outre mesure des souffrances de cette guerre qu'elle disait n'avoir été conduite que pour permettre au roi d'Espagne « d'avoir pied en Italie »[3]. Discussion stérile, mais qui tournera au désavantage des Flandres. Philippe II s'est installé en Espagne et, en 1567, l'un des buts du duc d'Albe a été de faire rendre gorge aux provinces révoltées. Il serait donc très utile d'avoir une histoire sûre des finances des Pays-Bas[4]. Les Vénitiens,

---

1. Gustav TURBA, *Geschichte des Thronfolgerechtes in allen habsburgischen Ländern...*, 1903, p. 153 et *sq.*
2. Granvelle à Philippe II, Bruxelles, 6 oct. 1560, *Papiers...*, VI, p. 179.
3. *Ibid.*
4. Voir F. BRAUDEL, « Les emprunts de Charles Quint sur la place d'Anvers », *in* : *Charles Quint et son temps*, Paris, 1959 ; graphique p. 196.

en 1559, nous les dépeignent comme une région riche et très peuplée, mais où la vie est horriblement chère : « ce qui vaut deux en Italie, trois en Germanie, vaut quatre et cinq en Flandres »[1]. Est-ce la montée des prix, à la suite des arrivages d'argent américain, puis de la guerre, qui aurait finalement brisé le mécanisme fiscal des Pays-Bas ? Soriano dit bien dans sa *Relazione*, en 1559 : « ces pays sont les trésors du Roi d'Espagne, ses mines, ses Indes, ils ont soutenu les entreprises de l'Empereur durant tant d'années dans ces guerres de France, d'Italie et d'Allemagne... »[2]. Le seul tort de Soriano est de parler au présent...

Italie et Pays-Bas, telle aura donc été la double et vivante formule de la politique de Charles Quint, avec quelques échappées vers l'Allemagne et l'Espagne. Aussi bien, à un historien de Philippe II, cet empire paraît-il cosmopolite, très ouvert aux Italiens, aux Flamands, aux gens de la Comté, à qui il arrive, bien entendu, dans l'entourage de l'Empereur, de coudoyer des Espagnols. Entre l'Espagne des Rois Catholiques et celle de Philippe II, l'époque de Charles Quint a été chargée d'un sens universel. L'idée de croisade elle-même s'est modifiée[3]. Elle a perdu de son caractère ibérique et s'éloigne de l'idéal de la *Reconquista*. Après l'élection de 1519, la politique de Charles Quint se détache du sol, se perd en rêves de Monarchie Universelle... « Sire, lui écrivait Gattinara, au lendemain de son élection, maintenant que Dieu vous a fait la prodigieuse grâce de vous élever au-dessus de tous les Rois et tous les Princes de la Chrétienté, à un tel degré de puissance que, seul jusqu'ici, avait connu votre prédécesseur Charlemagne, vous êtes sur le chemin de la Monarchie Universelle, sur le point d'assembler la Chrétienté sous un seul berger »[4]. Cette idée de Monarchie Universelle allait inspirer la politique de Charles Quint, prise par surcroît dans le grand courant humaniste de l'époque. Un Allemand, Georg Sauermann, qui se trouvait en Espagne en 1520, adressait au secrétaire impérial, Pedro Ruiz de la Mota, cette *Hispaniae Consolatio* où il s'efforçait de convertir l'Espagne elle-même à l'idée d'une Monarchie Universelle pacifiante, unissant la Chrétienté contre le Turc. Marcel Bataillon a montré combien cette idée d'unité chrétienne avait été chère à Érasme, à ses disciples et à ses amis[5]. En 1527, après le sac de Rome, Vivès écrivait à Érasme : « Christ a donné une extraordinaire occasion à notre époque de réaliser cet idéal, grâce à la grande victoire de l'Empereur et à la captivité du Pape »[6]. Peu de phrases sont plus éclairantes que celle-là, plus à même de donner sa vraie couleur à la fumée idéologique, au rêve qui entoure la politique de l'Empereur et où il puise souvent les motifs de son action... Ce n'est pas le côté le moins passionnant de ce qui fut le drame politique majeur du siècle.

L'Empire de Philippe II

L'œuvre de Charles Quint a été relayée, durant la seconde moitié du XVIe siècle, par celle de Philippe II, maître aussi d'un Empire, mais combien

1. E. ALBÈRI, II, *op. cit.*, III, p. 357 (1559).
2. *Ibid.*
3. Pour de précieuses discussions, R. MENENDEZ PIDAL, *Idea Imperial de Carlos V*, Madrid, 1940; pour une large revue des questions, Ricardo DELARGO YGARAY, *La idea de imperio en la politica y la literatura españolas*, Madrid, 1944.
4. Cité par E. HERING, *op. cit.*, p. 156.
5. *Op. cit.*, tout le chapitre VIII, p. 395 et *sq.*
6. D'après R. KONETZKE, *op. cit.*, p. 152.

différent ! Dégagé de l'héritage du grand Empereur durant les années cruciales 1558-1559, cet Empire est même plus vaste, plus cohérent, plus solide, que celui de Charles Quint, moins engagé en Europe, plus exclusivement centré sur l'Espagne et ainsi ramené vers l'Océan. D'un Empire, il a la substance, l'étendue, les réalités disparates, les richesses, bien qu'il manque à son souverain maître le titre prestigieux par lequel seraient résumés et comme couronnés, les innombrables titres qu'il porte. Le fils de Charles Quint a été exclu, Dieu sait après quelles hésitations, de la succession impériale qui, en principe, mais en principe seulement, lui avait été réservée à Augsbourg, en 1551[1]. Et ce titre impérial lui fit cruellement défaut, ne serait-ce que dans la guerre de préséance avec les ambassadeurs français, à la Cour de Rome, en cette scène essentielle que tous les yeux fixaient. Aussi bien, en 1562, le Roi Prudent songea-t-il à briguer la couronne impériale. En janvier 1563, le bruit courut qu'il serait proclamé Empereur des Indes [2]. Même bruit en avril 1563 où il était question, disait-on[3], de proclamer Philippe « Roi des Indes et du Nouveau Monde ». Les rumeurs se poursuivirent l'année suivante, en janvier 1564, où il fut à nouveau question d'un Empereur des Indes[4]. Une vingtaine d'années plus tard, en 1583, le bruit circulait à Venise que Philippe II briguait à nouveau le fameux titre. « Sire, écrivait l'ambassadeur de France à Henri III, j'ay appris de ces Seigneurs que le Cardinal de Granvelle vient à Rome, à ce mois de septembre, pour faire donner le titre d'Empereur à son maistre »[5].

Racontars de Venise ? L'information n'en est pas moins curieuse. Les mêmes causes produisant les mêmes effets, Philippe III aussi sera candidat à l'Empire. Ce ne sont pas là simples politiques de vanité. En un siècle qui se nourrit de prestige et sacrifie aux apparences, une guerre sans merci, pour la préséance, oppose les ambassadeurs du Très-Chrétien aux ambassadeurs du Catholique. En 1560, pour couper court à cette lutte irritante et sans issue, Philippe II proposait à l'Empereur de nommer le même ambassadeur que lui, au concile de Trente. A ne pas être l'Empereur, Philippe II a perdu, sur le plan honorifique des apparences, ce premier rang qui lui revenait en Chrétienté et que personne n'avait pu, sa vie durant, disputer à Charles Quint ou à ses représentants.

Le caractère essentiel de l'Empire de Philippe II, c'est son hispanité — on devrait dire son castillanisme. Cette réalité n'a pas échappé aux contemporains, amis ou adversaires du Roi Prudent : ils l'ont vu, araignée au centre de sa toile, quasi immobile. Mais si Philippe, au delà de septembre 1559, après son retour des Flandres, ne quitte plus la Péninsule, est-ce seulement de sa part passion, préférence décidée en faveur de l'Espagne ? N'est-ce pas aussi, et largement, nécessité ? Nous avons montré les États de l'Empire de Charles Quint, l'un après l'autre, refusant sans mot dire d'alimenter et de payer les frais de sa politique. Tous ces déficits font de la Sicile, de Naples, de Milan, puis des Pays-Bas, des pays à la remorque et d'impossibles séjours pour le souverain.

---

1. Voir *infra*, p. 233 et *sq.*
2. G. Micheli au Doge, 30 janv. 1563, G. Turba, *op. cit.*, I, 3, p. 217.
3. *Ibid.*, p. 217, note 3.
4. 13 janv. 1564, Saint-Sulpice, E. Cabié, *op. cit.*, p. 217, si toutefois Cabié ne s'est pas trompé de date.
5. H. de Maisse au Roi, Venise, 6 juin 1583, A. E. Venise 81, f° 28 v°. Philippe II songerait à demander le vicariat impérial en Italie, 12 février 1584, Longlée, *Dépêches diplomatiques...*, p. 19.

Philippe II en a fait l'expérience aux Pays-Bas où, de 1555 à 1559, il n'a vécu que grâce aux secours d'argent d'Espagne ou dans l'espoir de leur arrivée. Or, pour le souverain, il devient difficile d'obtenir ces secours sans être établi dans la place même où ils s'organisent. Le repli de Philippe II vers l'Espagne est un repli nécessaire vers l'argent d'Amérique. La faute, si faute il y a eu, c'est de ne pas avoir été aussi loin que possible au-devant de cet argent, jusqu'à l'Atlantique même, à Séville, ou plus tard encore, à Lisbonne[1]. Est-ce l'attrait de l'Europe, la nécessité de mieux et plus vite savoir ce qui se passait dans la grande ruche bourdonnante, qui a retenu le Roi au centre géométrique de la Péninsule, en cette Thébaïde de Castille où d'ailleurs il se plaisait d'instinct ?

Que le centre de la toile se soit fixé en Espagne, le fait aura entraîné bien des conséquences. Et d'abord une affection grandissante, aveugle des masses espagnoles à l'égard du Roi demeuré au milieu d'elles. Philippe II a été autant aimé par les Castillans que son père par les bonnes gens des Pays d'en bas. Il s'en est suivi, en outre, une prédominance logique des hommes, des intérêts et des passions de la Péninsule. De ces hommes durs, hautains, grands seigneurs intransigeants que fabrique la Castille et que Philippe II emploie au dehors, si, au dedans, pour l'expédition des affaires et les besognes bureaucratiques, il a une prédilection marquée pour les petites gens... Dans un Empire disloqué en patries diverses, Charles Quint vagabonde par force : il lui faut contourner la France hostile pour apporter tour à tour, à ses royaumes, la chaleur de sa présence. L'immobilité de Philippe II favorise la lourdeur d'une administration sédentaire dont les bagages ne sont plus allégés par les nécessités des voyages. Le flot de papier coule plus abondant que jamais. Les différentes parties de l'Empire glissent ainsi imperceptiblement à la situation de pays de seconde zone, et la Castille à celle de métropole : l'évolution est nette dans les provinces italiennes. La haine contre l'Espagnol s'affirme un peu partout. Elle est un signe des temps, l'annonce d'orages.

Que Philippe II n'ait pas eu le sens vif de ces changements, qu'il se soit cru le continuateur de la politique de Charles Quint, son disciple, il est vrai et le disciple même a trop retenu des leçons reçues, il a eu trop présents à l'esprit les précédents des affaires qu'il devait trancher, aidé en cela par ceux qui agissaient autour de lui, le duc d'Albe ou le cardinal de Granvelle, ce prestigieux catalogue, ce dossier vivant de la défunte politique impériale. Sans doute Philippe se trouve-t-il assez souvent dans des conditions analogues ou qui semblent analogues à celles qu'avait connues l'Empereur. Pourquoi, maître comme Charles Quint des Pays-Bas, ne ménagerait-il pas l'Angleterre indispensable à la sécurité de ce carrefour du Nord ? Ou encore, pourquoi, chargé d'États comme l'était son père, ne serait-il pas, à son image, prudent et temporisateur, occupé à orchestrer ces histoires lointaines, jamais bien accordées ?

Et cependant, les circonstances commanderaient des changements radicaux. Seuls les décors du passé subsistent. La grande, la trop grande politique de Charles Quint, au début du règne de Philippe II, dès avant même la paix de 1559, est condamnée, liquidée brutalement par le désastre financier de 1557. Il faut réparer, reconstruire, tout remettre en marche. Charles Quint, dans sa course haletante, n'avait jamais connu de tels coups de frein : le puissant retour à la paix des premières années du règne de Philippe II, c'est le signe d'une faiblesse nouvelle. La grande politique ne se réveillera que plus tard et moins à

---

1. J'évoque ici les idées de Jules GOUNON LOUBENS, voir *supra*, I, p. 321, note 2.

cause des passions du Souverain que sous l'impulsion des circonstances. Peu à peu s'est mis en place, gagnant continuellement du terrain, ce puissant mouvement de la Réforme catholique que nous appelons abusivement la Contre-Réforme. Né de toute une série d'efforts, de lents préparatifs, puissant dès 1560 et, à cette époque, capable déjà d'infléchir la politique du Roi Prudent, il explose, avec brutalité, face au Nord protestant, avec les années 1580. C'est ce mouvement-là qui a poussé l'Espagne dans les grandes luttes de la fin du règne de Philippe II, qui a fait du souverain le champion du catholicisme, le défenseur de la foi. Ici, les passions religieuses l'ont beaucoup plus soutenu que dans sa croisade contre les Turcs, cette guerre engagée comme à contre-cœur en Méditerranée et dont Lépante ne semble avoir été qu'un épisode sans lendemain.

Autre facteur puissant : au delà des années 1580, les arrivages de métaux précieux en provenance du Nouveau Monde atteignent un volume inconnu jusque-là. Granvelle peut gagner alors la cour d'Espagne, l'heure lui est propice. Mais avouons que l'impérialisme de la fin du règne n'a pas été créé par sa seule présence. La grande guerre d'au delà des années 1580 s'engage, au vrai, pour la domination de l'océan Atlantique, devenu le centre de la terre. La question est posée de savoir si l'Océan appartiendra à la Réforme ou aux Espagnols, aux gens du Nord ou aux Ibériques, car c'est bien de l'Atlantique qu'il s'agit dès lors. L'Empire hispanique bascule vers l'Ouest, en direction de cet immense champ de bataille, avec son argent, ses armes, ses vaisseaux, ses bagages, ses idées politiques. Au même moment, les Osmanlis tournent de façon décidée le dos à la mer Intérieure, pour s'engager dans les luttes asiatiques... Voilà qui nous rappellerait, si besoin en était, que les deux grands Empires de la Méditerranée vivent au même rythme, et, au moins durant les vingt dernières années du siècle, que la mer Intérieure n'est plus l'essentiel de leurs ambitions et de leurs convoitises. Plus tôt qu'ailleurs, en Méditerranée, l'heure ne sonnerait-elle pas du repli des Empires ?

Hasard et raisons politiques

Qu'un historien raisonne ainsi aujourd'hui et lie politique et économique, semblera raisonnable. Beaucoup de choses — pas toutes, bien sûr — ont été commandées par la montée des hommes, l'accélération évidente des échanges et, non moins ensuite par leur régression. La thèse qui sera la nôtre établit une corrélation entre le renversement de la tendance séculaire et les difficultés en chaîne que connaîtront les grands ensembles politiques des Habsbourgs comme des Osmanlis. Pour que cette liaison soit plus claire nous avons écarté les explications des historiens attentifs aux grands acteurs et aux grands événements, explications qui déforment tout si l'on ne consent à voir qu'elles. Nous avons également laissé dans l'ombre les raisonnements politiques à long terme, plus intéressants de notre point de vue : la politique, les institutions s'expliquent *aussi* par la politique elle-même, par les institutions elles-mêmes.

Le dossier est curieusement repris, et en partie à l'inverse de nos points de vue, dans un court paragraphe du dernier livre du grand économiste Josef A. Schumpeter[1]. Pour lui, il y a une seule ligne forte : l'évolution progressive du capitalisme, « dominante » dirions-nous. Le reste dans l'économie et la politique est hasard, surprise, conjoncture, détail. C'est hasard « que la conquête

1. *History of economic Analysis*, Londres, 1954, édit. italienne : *Storia dell'analisi economica*, 3 vol., 1959, I. p. 175-181.

de l'Amérique... ait produit un torrent de métaux précieux », sans quoi les Habsbourgs seraient impensables. C'est hasard que surgisse « la révolution des prix » qui va rendre explosives les tensions sociales et politiques, c'est hasard encore que les États (et j'ajoute les Empires) trouvent la voie libre devant eux au xvie siècle. Hasard ? les grandes puissances politiques du passé, en effet, se sont effacées d'elles-mêmes, le Saint Empire romain germanique à la mort de Frédéric II, en 1250 ; la Papauté vers cette même date, car sa victoire a été une victoire à la Pyrrhus... Et, bien avant 1453, il y a eu décadence de l'Empire byzantin.

Un tel tableau (mais le texte de Schumpeter est fort bref) mériterait d'être discuté point par point, si l'on voulait être équitable et ne pas se donner raison à bon compte. Mais, allant au plus pressé, disons que l'effondrement naturel de la Papauté et de l'Empire au xiiie siècle n'est pas un hasard, le fruit, sans plus, d'une politique aveugle d'auto-destruction. L'essor au xiiie siècle avait esquissé les mêmes évolutions politiques qu'au xvie siècle et mis en avant de grandes mutations politiques. Puis le reflux économique avait imposé partout sa marque. Ces destructions insistantes aux siècles suivants sont à inscrire au passif d'une conjoncture maussade de longue durée : le responsable c'est « l'automne du Moyen Age », il a marqué les arbres fragiles à abattre, depuis l'Empire byzantin jusqu'au Royaume de Grenade, sans oublier le Saint Empire romain germanique lui-même. Tout cela, processus lent, naturel.

Avec la reprise qui, en gros, va suivre le milieu du xve siècle, des catastrophes, des novations, des renouveaux se préparent. La Papauté ne sera frappée qu'après la révolte de Luther et l'échec de la Diète d'Augsbourg (1530). Une autre politique eût été possible à Rome, faite de concessions et résolument irénique. Ajoutons que la Papauté reste cependant une grande force, même sur le plan politique et durant tout le xvie siècle, voire jusqu'aux traités de Westphalie (1648).

Pour revenir aux autres arguments, remarquons que la révolution des prix — et c'est Schumpeter[1] qui le dit lui-même — est antérieure aux arrivées métalliques massives du Nouveau Monde. De même la croissance des États territoriaux est antérieure à la découverte de l'Amérique (Louis XI, Henri VII Lancastre, Jean d'Aragon, Mahomet II). Enfin, si les mines du Nouveau Monde entrent en jeu, c'est que l'Europe a les moyens de les exploiter, cette exploitation n'ayant pas été gratuite. La Castille, dit-on, a gagné l'Amérique à la loterie. Façon de parler : elle a dû ensuite la mettre en valeur et très souvent selon les lois du doit et avoir. Et puis, supposons que le Nouveau Monde n'ait pas offert des mines d'accès facile, la force d'entraînement de l'Occident eût trouvé ailleurs ses échappées et ses prises. Dans sa thèse récente, Louis Dermigny[2] se demande si l'Occident, en choisissant le Nouveau Monde où presque tout a été créé par lui, n'a pas négligé une option possible, celle de l'Extrême-Orient où tant de choses étaient en place, à portée de main — et peut-être d'autres options : l'or africain, l'argent de l'Europe centrale, ces atouts vite abandonnés... C'est le moteur, l'Occident, qui a été décisif.

Au vrai, l'argumentation de Josef Schumpeter répète de vieilles leçons et de vieilles lectures, où le hasard chez les historiens avait bon dos — elle écarte,

1. *Op. cit.*, I, p. 176, note 3 (je cite d'après l'édition italienne).
2. *La Chine et l'Occident. Le commerce à Canton au XVIIIe siècle (1719-1833)*, 4 vol., 1964, t. I, p. 429 et *sq.*

sous-estime l'État, alors qu'il est, au même titre que le capitalisme, le fruit d'une évolution multiple. En réalité, la conjoncture, au sens *large*, porte aussi sur son mouvement les assises politiques, les favorise ou les abandonne. Et quand un nouveau jeu recommence, les gagnants ne sont jamais les anciens vainqueurs : la main passe.

2. Moyens et faiblesses des États

De la poussée des États et des « Empires » selon les conjonctures du siècle, plus que les causes, ce sont les effets qu'on aperçoit. L'État moderne se met en place au prix d'immenses difficultés. Il doit — et c'est le plus apparent des phénomènes nouveaux — multiplier les instruments et les agents de sa grandeur. Gros problème, non le seul.

56 — Les budgets suivent la conjoncture

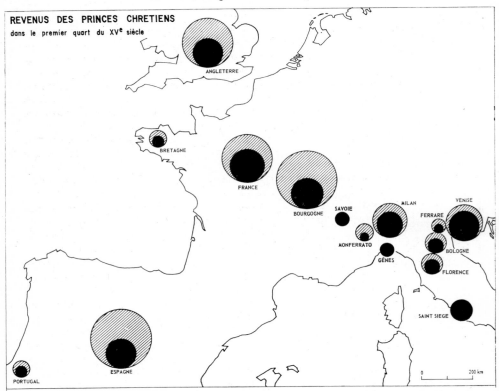

Ces curieuses évaluations vénitiennes (**Bilanci generali**, vol. I, tome I, Venise, 1912, p. 98-99) qui ne sont certainement pas d'une exactitude absolue, montrent en tout cas le repli général des ressources budgétaires des états européens entre 1410 et 1423 (le premier chiffre cercle en grisé, le second chiffre cercle en noir) Pour l'Angleterre, de 2 millions de ducats à 700 000 ; la France de 2 millions à un; l'Espagne de 3 millions à 800 000 ; Venise de 1 100 000 à 800 000, etc. Resterait, si les chiffres étaient exacts, à calculer les budgets réels comme on calcule les salaires réels. Il semblerait que l'État a toujours du retard sur la conjoncture, à la fois en période de hausse et en période de baisse, c'est-à-dire que ses ressources diminuent moins vite que les autres en période de contraction, et ce serait son avantage ; qu'elles progressent moins vite en période de reprise. Cette hypothèse ne peut pas s'établir grâce au document mis en cause ici, ou à ceux qui vont suivre. Un seul fait est certain, les ressources de l'État varient au gré de la conjoncture économique.

Le « fonctionnaire »[1]

Alors apparaissent, en rangs serrés, les personnages que nous appellerons, par commodité, non par excès de modernisme : les « fonctionnaires ». C'est un fait qu'ils occupent les avenues de l'histoire politique. Avec eux s'opère une révolution politique qui se double d'une révolution sociale.

Appelé au pouvoir, le fonctionnaire ne tarde pas à s'adjuger une partie de l'autorité publique. Il est partout, au moins au XVIe siècle, d'origine modeste. En Turquie, tare supplémentaire, il est souvent d'origine chrétienne, de la race des vaincus, non moins souvent juif. D'après H. Gelzer[2], sur quarante-huit grands vizirs, de 1453 à 1623, cinq furent de race turque, si l'on peut dire, dont un Tcherkesse, dix d'origine inconnue, trente-trois renégats, dont six Grecs, onze Albanais ou Yougoslaves, un Italien, un Arménien, un Géorgien. Le nombre des Chrétiens qui se glissent jusqu'au sommet de la hiérarchie turque indique l'importance de leur invasion dans les cadres de l'Empire ottoman. Et si, finalement, ce dernier ressemble plus à l'Empire byzantin qu'à tel Empire mongol[3], c'est en raison de ce large recrutement de fonctionnaires.

En Espagne, où nous le connaissons mieux qu'ailleurs, le fonctionnaire est issu du petit peuple des villes, voire de familles paysannes, ce qui ne l'empêche pas, au contraire, de se dire descendant d'hidalgo : en Espagne, qui ne prétend l'être ? En tout cas, leur montée sociale n'échappe à personne, surtout pas à l'un de leurs ennemis déclarés, avocat de la grande aristocratie militaire, Diego Hurtado de Mendoza qui note, dans sa *Guerre de Grenade*[4] : « Les Rois Catholiques ont placé le gouvernement de la justice et des affaires publiques entre les mains des *letrados*, gens de condition moyenne, entre grands et petits, ne portant offense ni aux uns ni aux autres, et dont la profession était d'étudier le droit », *cuya profesión eran letras legales*. Ces *letrados* sont les frères des *dottori in legge* dont parlent les documents italiens, et de nos légistes du XVIe siècle, issus ou non de l'Université de Toulouse qui, par leurs idées romaines, travaillèrent tant à l'absolutisme des Valois. Dans sa haine qui le rend lucide, Hurtado de Mendoza évoque leur troupe entière, *oídores* des affaires civiles, *alcaldes* des causes criminelles, *presidentes*, membres des Audiencias, autant dire nos Parlements, et couronnant le tout la congrégation suprême du *Consejo Real*... Car leur compétence, à ce qu'ils croient, est universelle, ni plus ni moins que la *ciencia de lo que es justo y injusto*. Ils sont envieux des charges d'autrui et toujours prêts à empiéter sur la compétence des militaires (au fond des grandes familles aristocratiques). Et ce fléau n'est pas circonscrit à l'Espagne : « cette manière de gouverner s'est étendue par toute la Chrétienté et se trouve aujourd'hui au sommet de sa puissance et de son autorité »[5]. En quoi Hurtado de Mendoza n'a pas tort. A côté des *letrados* arrivés, comptons en imagination ceux qui s'apprêtent à entrer dans la carrière et qui, de plus en

---

1. Le mot est évidemment un anachronisme : je ne l'emploie qu'en raison de sa commodité. Faudrait-il dire « officiers » ? mais le mot ne vaut que pour la France. Ou *letrados* ? mais le mot ne vaut que pour l'Espagne. Ou « bureaucratie ?, comme le risque Julio Caro Baroja, *op. cit.*, p. 148 et *sq.*, mais le mot est lui aussi un anachronisme.

2. *Geistliches und Weltliches aus dem griechisch-türkischen Orient*, p. 179, cité par Brockelmann, *op. cit.*, p. 284.

3. F. Lot, *op. cit.*, II, p. 126.

4. *De la guerra de Granada comentarios por don Diego Hurtado de Mendoza*, p.p. Manuel Gómez Moreno, Madrid, 1948, p. 12.

5. *Ibid.*

plus, encombrent les Universités d'Espagne (et bientôt celles du Nouveau Monde) : 70 000 étudiants pour le moins, compte avec mauvaise humeur, au début du siècle suivant, Rodrigo Vivero, Marquis del Valle[1], autre grand seigneur et créole de Nouvelle Espagne ; parmi eux, des fils de savetier et de laboureur ! A qui la faute, si ce n'est à l'État et à l'Église qui, offrant des places et prébendes, peuplent les Universités autant que le désir de savoir ? Tous ces *letrados* ont souvent pris leurs grades à Alcalà de Henares ou à Salamanque. Quoi qu'il en soit, et même si l'on pense que le chiffre de 70 000 étudiants, énorme aux yeux de Rodrigo Vivero, est modeste eu égard à la population de l'Espagne, il est certain que cette poussée sociale est d'une grosse importance politique, dès l'époque constructive des Rois Catholiques. Déjà apparaissent les « commis royaux » de très modeste origine, ainsi ce Palacios Rubios[2], rédacteur des *Leyes de Indias*, et qui n'est même pas fils d'hidalgo ! Ainsi plus tard, sous Charles Quint, le secrétaire Gonzalo Pérez, cet humble que l'on soupçonnera d'être d'ascendance juive[3]. Ainsi, encore, à l'époque de Philippe II, le cardinal Espinosa, qui meurt d'apoplexie en 1572, chargé de titres, d'honneurs et de fonctions multiples, laissant sa maison pleine de dossiers et de papiers empilés qu'il n'a pas eu le temps de parcourir et qui y dorment parfois depuis des années... Gonzalo Perez est d'église, comme le cardinal Espinosa, comme Don Diego de Covarrubias de Leyva, sur qui son parent, Sebastian de Covarrubias de Leyva, rédigeait, en 1594, une assez longue notice rétrospective[4] : occasion pour nous d'apprendre que Don Diego était né à Tolède, de parents nobles, originaires de Biscaye, qu'il fit ses débuts à Salamanque, fut professeur au Collège d'Oviedo, puis magistrat à l'Audience de Grenade, ensuite évêque de Ciudad Rodrigo, puis archevêque de Saint-Domingue « en las Indias », enfin Président du Conseil de Castille et alors nanti de l'évêché de Cuenca (il mourait d'ailleurs à Madrid le 27 septembre 1577, à l'âge de soixante-sept ans avant d'en avoir pris possession). S'il en était besoin, sa vie montrerait que l'on peut mener de front une carrière d'Église et une carrière d'État. Or l'Église, en Espagne plus qu'ailleurs, est largement ouverte aux pauvres.

En Turquie, le règne de Soliman, a été à la fois une période de guerres victorieuses, de constructions multiples et de grande activité législative. Soliman est Soliman le Kânoûni, le législateur, ce qui suppose en ses États, et spécialement à Constantinople, un renouveau des études juridiques et l'existence d'une classe de juristes. Son code réglementait si bien l'appareil judiciaire que le roi Henri VIII d'Angleterre, dit-on, envoya à Constantinople une mission d'experts pour en étudier le fonctionnement[5]. En fait, le Kânoun Nâme est en Orient aussi célèbre que le Codex Justinianus l'est demeuré en Occident[6] ou la *Recopilación de las Leyes* en Espagne. Toute l'œuvre législative de Soliman, en Hongrie, a été à la charge du juriste Aboul's-Su'ûd ; elle fut si importante dans le domaine de la propriété que bien des détails en ont survécu jusqu'à

1. B.M. Add. 18 287.
2. Eloy Bullon, *Un colaborador de los Reyes Católicos : el doctor Palacios Rubios y sus obras*, Madrid, 1927.
3. R. Konetzke, *op. cit.*, p. 173, Grégorio Marañon, *Antonio Perez*, 2 vol., 2e éd., Madrid, 1948, I, p. 14 et sq. Angel Gonzalez Palencia, *Gonzalo Perez secretario de Felipe II*, 2 vol., Madrid, 1946, n'aborde pas le problème.
4. Cuenca, 13 mai 1594, Copie, B. Com. Palerme, Qq G 24, f° 250.
5. P. Achard, *op. cit.*, p. 183 et *sq*.
6. Franz Babinger, *Suleiman der Prächtige (Meister der Politik)*, 1923, p. 461.

57 — Les budgets suivent la conjoncture

I. — Le cas de Venise

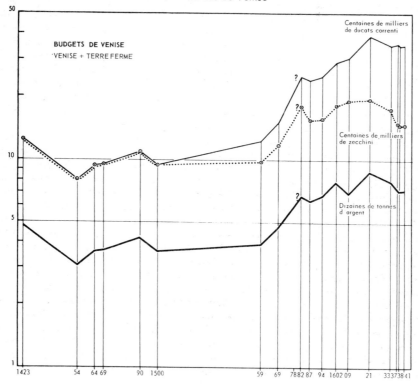

BUDGETS DE VENISE
VENISE + TERRE FERME

Centaines de milliers
de ducats correnti

Centaines de milliers
de zecchini

Dizaines de tonnes
d'argent

2. — Le cas de la France

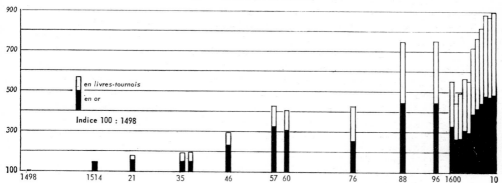

en *livres-tournois*

en *or*

Indice 100 : 1498

Le budget de Venise est triple : la Ville, la Terre Ferme, l'Empire. On a laissé de côté l'Empire pour lequel les chiffres sont souvent de prétention. Le graphique a été établi par Mⁱⁱᵉ Gemma Miani, principalement à partir des **Bilanci generali**. Les trois courbes correspondent au total des recettes de Venise et de Terre Ferme : chiffres nominaux (en **ducati correnti**), chiffres en or (évalués en sequins), chiffres en argent (en dizaines de tonnes d'argent). **Les chiffres pour la France, établis par F. C. Spooner, ont une valeur très mitigée. Chiffres nominaux en livres tournois, et chiffres calculés en or. Si imparfaites que soient ces courbes, elles** indiquent qu'il y a des conjonctures budgétaires en rapport avec la conjoncture des prix.

nos jours. De même le juriste Ibrahim Halebi, auteur d'un livre de droit usuel, le *multeka*[1], est à placer à côté des plus grands juristes de l'Occident du XVIe siècle.

Plus on y réfléchit, plus il semble que des ressemblances étranges se marquent, au delà des mots, des termes et des apparences politiques, entre Orient et Occident, mondes différents sans aucun doute, non pas toujours divergents. Légistes de tradition romaine, légistes exégètes des textes coraniques, c'est une même et immense armée, qui, en Orient comme en Occident, travaille à relever la prérogative du Prince. Il serait téméraire et inexact de tout attribuer, dans cette hausse monarchique, à leur zèle, à leur dévouement ou à leurs calculs. Le pouvoir n'a pas eu que des sources juridiques. Toutes les monarchies restent charismatiques. Et l'économie a son rôle. Quoi qu'il en soit, cette armée de légistes, des plus célèbres aux plus modestes, aura travaillé pour les grands États. Elle a détesté, brisé ce qui gênait leur expansion. Même en Amérique où le fonctionnaire ibérique a poussé si souvent de façon abusive, qui pourrait nier les services de ces petites gens dévoués au Prince ? En Turquie, l'État, qui se modernise, le voulant et ne le voulant pas, multiplie dans les provinces conquises de l'Est asiatique les fermiers à mi-fruit, ils vivent sur les revenus qu'ils administrent, mais en transmettent l'essentiel à Istanbul ; il multiplie aussi les fonctionnaires salariés qui, pour une tâche donnée, de préférence dans les villes faciles à surveiller, reçoivent un traitement prélevé sur le trésor impérial. Ces fonctionnaires sont de plus en plus des Chrétiens reniés, peu à peu introduits dans la classe ottomane dominante. Ils proviennent de la *devschirmé*, sorte « de ramassage qui consistait à enlever dans les foyers chrétiens des Balkans, un certain nombre d'enfants généralement âgés de moins de cinq ans... »[2]. Et le mot de *devschirmé* désigne à la fois une catégorie politique et une catégorie sociale. Ces nouveaux agents de l'État ottoman vont réduire, presque ruiner les *timariotes* des Balkans (titulaires de *timars*, de bénéfices seigneuriaux) et soutenir, un long instant, la force rénovée de l'Empire[3].

Sans le vouloir toujours de façon claire, l'État au XVIe siècle aura déplacé ses « fonctionnaires »[4]. Il les aura déracinés comme à plaisir. Et les grands États plus encore que les autres. Un déraciné, c'en est bien un que le cardinal Granvelle, ce Comtois qui déclarait n'être de nulle part. Exemple exceptionnel, dira-t-on, mais en Espagne, les preuves surabondent de tels déplacements. C'est le cas du licencié Polomares employé à l'Audience de la Grande Canarie et finissant sa carrière à celle de Valladolid[5]. Ainsi vagabondent, plus encore que les civils, les militaires au service du Roi, tantôt dans les cadres, tantôt hors des cadres de l'armée. De Nantes, où il est à la fin du siècle un agent efficace, le représentant de l'Espagne, Don Diego Mendo de Ledesma, envoyait à Philippe II[6], pour réclamer du souverain quelque « aide » en ses difficultés financières, le long relevé de ses loyaux services. D'une famille certainement noble, il avait été

1. F. BABINGER, *op. cit.*, *ibid.*
2. R. MANTRAN, *op. cit.*, p. 107, note 2.
3. Voir les admirables explications de Stanford J. SHAW, *art. cit.*, p. 67 et *sq.*, « Decline of the Timar System and Triumph of the Devshirme Class ».
4. Beaucoup d'exemples peuvent être empruntés à la biographie de patriciens, d'ingénieurs ou de soldats au service de Venise — ou aux agents turcs dont on connaît les déplacements analogues.
5. Sa fiche signalétique dans E⁰ 137 à Simancas. Ce personnage curieux est l'auteur de ce long rapport à Philippe II (Valladolid, oct. 1559, E⁰ 137), dont il est fait mention *infra*, p. 272.
6. Mendo de Ledesma à Philippe II, Nantes, 21 déc. 1595, A.N., K 1597, B 83.

admis tout jeune, ainsi que son frère, parmi les pages de la reine Isabelle (la reine de la Paix, fille de Catherine de Médicis et troisième épouse de Philippe II). Il avait servi, encore enfant, durant la guerre de Grenade, puis avait suivi en Italie Don Juan d'Autriche. Avec ses deux frères, lors de la conquête du Portugal en 1580, il avait décidé la ville de Zamora à servir le Roi Catholique et il avait joint, aux miliciens de la ville, les forces de ses propres vassaux. Plus tard, cette ville de Zamora hésitant à accepter l'augmentation de son abonnement à *l'alcabala* et donnant le mauvais exemple aux autres cités, le gouvernement lui avait dépêché Don Diego, pour la ramener à de meilleurs sentiments...

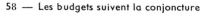

58 — Les budgets suivent la conjoncture

3. — Le cas de l'Espagne

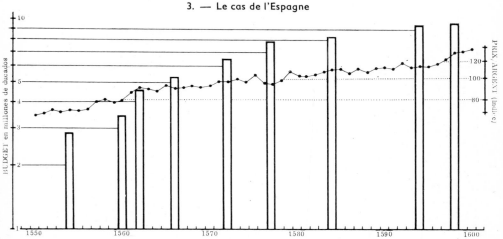

L'indice des prix argent est emprunté à Earl J. Hamilton. Les budgets sont évalués en millions de ducats castillans, monnaie de compte qui n'a pas varié pendant la période considérée. Les évaluations budgétaires sont empruntées à un travail inédit d'Alvaro Castillo Pintado. Cette fois, malgré les imperfections de calcul des recettes, la coïncidence entre la conjoncture des prix et le mouvement des rentrées fiscales est beaucoup plus nette que dans les cas précédents. Nous disons : « budgets » malgré l'impropriété du terme. Nous ne connaissons jamais de façon très sûre les dépenses. Seules les archives de Simancas, à ma connaissance, et peut-être celles d'Angleterre permettraient de saisir de vrais budgets. Des graphiques provisoires, analogues à ceux que nous avons tracés, peuvent être facilement calculés pour la Sicile et le Royaume de Naples, et même pour l'Empire Ottoman, ce que le groupe d'Ömer Lutfi Barkan a déjà entrepris pour son compte.

« Dès que j'entrai à l'Échevinage, conte ce dernier, je rendis tout facile et tirai les esprits de perplexité... ». On ne saurait mieux se faire valoir. Le voilà, peu après, *Corregidor* à Málaga. C'est par ces *Corregidores*, maîtres des villes et puissants personnages, que l'État, alors, tenait ses sujets. Les *Corregidores* furent l'équivalent des Intendants en France. Don Diego s'occupa, dans ses nouvelles fonctions, de la construction du môle du port. Requis, il alla porter secours immédiat à Tanger et Ceuta que menaçait Drake et cela sans qu'il en coûtât, ô miracle, un réal au Roi. Il est vrai que lui, Don Diego, se ruinait en cette affaire calamiteuse pour sa bourse. Il lui fallait, en effet, dans ses nouvelles fonctions, lors du secours des présides, entretenir à sa table plus de soixante cavaliers et autres personnes de qualité... Le voilà ensuite gouverneur de Ceuta et, à ce titre, enquêtant sur la gestion de son prédécesseur. Il se vante d'avoir été si bon juge, en l'occasion, que le poste fut restitué à l'ancien titulaire. Satisfait de lui-même, le voilà sans situation et à nouveau chez lui, près

33

de Zamora, où l'accueillent les clameurs justifiées de sa femme et de ses enfants, recrus de misère. Il accepte sur ces entrefaites de partir pour six mois en Bretagne. Mais ces six mois durent déjà depuis cinq longues années ; durant cette absence, son frère aîné et la femme de ce dernier sont morts, sans qu'il ait pu recueillir, pour son propre compte, la moindre parcelle de leur héritage. Les absents ayant toujours tort, il a même perdu de ce fait deux procès. Sans doute, dès son détachement en Bretagne, le Roi lui a-t-il accordé une commanderie de 1 500 ducats de rente, avec paiement de quatre années d'arriéré, mais qu'est-ce, à côté de ses énormes frais, de sa misère, de la misère de sa famille ?

Les archives espagnoles conservent des milliers de plaintes et de notices analogues. L'historien n'est pas obligé de croire à la lettre les doléances qui s'y expriment, mais il est hors de doute que les « fonctionnaires » de l'Espagne moderne sont peu et mal payés et constamment déplacés sur l'échiquier de l'Empire espagnol, déracinés, coupés de leurs attaches locales... Qu'ils soient souvent misérables, nul doute. A Madrid vit une population de gens sans emploi, en quête de places, de pensions, d'arriérés, une population de militaires infirmes qui piétinent dans l'attente de réceptions d'audiences. Cependant, que pour vivre, femmes et filles se débauchent... Douloureuse histoire que celle de ces chômeurs d'État, usant leur attente le long de la Calle Mayor qui est la rue des riches marchands, allant chercher fraîcheur ou soleil, selon la saison, au Prado San Hieronymo, ou se mêlant au flot pressé des promeneurs nocturnes[1]...

Survivances et vénalité

Tous ces serviteurs sont attachés à leurs charges, par loyauté, point d'honneur, intérêt. Peu à peu, ils sont pris du désir de s'y perpétuer. Avec les années, la chose devient de plus en plus claire. La vénalité des charges est une maladie générale. La France, où le mal fait de si grands progrès, n'est pas une exception. Au vrai, est-ce la décrue des revenus réels qui oblige les États, au XVIe et au XVIIe siècle, à laisser partout prospérer le mal ? En tout cas, la *Recopilación de las Leyes*[2] permet de suivre, pour l'Espagne, ce dessaisissement progressif de l'État au bénéfice des particuliers et la montée en conséquence d'une nouvelle caste de privilégiés. Pour en connaître le détail et la réalité, il faudrait dépouiller à Simancas l'énorme masse des papiers relatifs aux *Renuncias*[3]. *Renunciar*, renoncer, c'est donner à un autre la survivance de sa charge, ce que demande — exemple entre mille — cet alguazil de l'Inquisition de Barcelone, en juin 1558[4], en faveur de son fils. Autre exemple, la même année, le gouvernement acceptait les prétentions des *Regidores*, ces échevins, qui eurent dès lors le droit de *renoncer* en faveur de qui ils voulaient, même si le bénéficiaire avait moins de dix-huit ans, avec faculté d'exercer ce droit de désignation de leur vivant, à leur lit de mort, ou dans leur testament. La renonciation était même valable s'ils mouraient avant l'habituel délai de vingt jours[5].

Ces détails, évocateurs de réalités françaises contemporaines, posent le problème, s'ils ne le résolvent pas. Je ne doute pas qu'une étude systématique

---

1 Pedro de MEDINA, *op. cit.*, p. 204 à 205 vo.

2. *Recopilación de las leyes destos reynos hecha por mandado del Rey*, Alcala de Hénarès, 1581, 3 vol. fol. : B.N., Paris, Fr. 4153 à 4155.

3. Camara de Castilla, série VIII, Renuncias de oficios.

4. 9 juin 1558, A. H. N. Inquisition de Barcelone, Libro 1, fo 337.

5. Manuel DANVILA, *El poder civil en España*, Madrid, 1885, V, p. 348-351.

ne révèle un jour, pour la Péninsule, ce que les historiens français ont réussi à mettre en lumière à propos de notre pays. Le fait ibérique le plus curieux me semble même avoir été l'extrême précocité du mouvement. Dès avant les Rois Catholiques, sous les règnes tourmentés de Jean II et de Henri IV[1], et sans doute dès le début du xve siècle[2], les premiers symptômes sont visibles, au moins dans les offices municipaux dont beaucoup déjà sont *renunciables*. Sans doute, assez souvent la Royauté reprenait-elle ses droits, par la force ou le simple jeu des délais imposés à la renonciation et qui couraient aussi bien pour celui qui avait renoncé (à lui de rester en vie le temps voulu, vingt jours au moins)[3] que pour que le nouveau titulaire, tenu à se présenter, à faire reconnaître ses droits, dans les trente jours qui suivaient l'acte[4]. En 1563, les *Cortès* demandaient à Philippe II, en vain d'ailleurs, de porter ces délais de trente à soixante jours[5], preuve, s'il en était besoin, que la procédure ancienne restait en vigueur, menace constante, drame de famille en puissance, car les acheteurs employaient souvent, pour les paiements, le précieux argent des dots[6]... Peu à peu, quantité d'offices deviendront *renunciables*. Telles défenses d'avoir à renoncer, sinon de père à fils[7], telles interdictions de négocier des charges de judicature ou autres[8] disent à leur façon le progrès du mal[9]. Le Roi y contribuait dans la mesure où il multipliait et vendait les offices[10]. On accuse d'ordinaire Antonio Perez[11] d'avoir favorisé ces ventes massives : mais autant que le secrétaire, c'est l'époque qu'il faut charger de cette responsabilité. Deviennent *renunciables* même les charges d'alcades municipaux et les *escrivanias* des Chancelleries et du Conseil royal[12]. Comme en France, cette vénalité envahissante se développe dans une sorte d'atmosphère féodale, ou disons, avec Georg Friederici[13], que bureaucratie et paternalisme vont alors de pair. Évidemment la monarchie perd à ce jeu des ventes et des corruptions logiques qu'il entraîne. Elle crée des obstacles à son autorité qui n'est pas, à l'époque de Philippe II, un pouvoir absolu à la Louis XIV, il s'en faut de beaucoup. Il est vrai que la vénalité reste la plupart du temps, en Castille, limitée aux petits emplois et ne submerge tout que dans le cadre des offices municipaux. C'est justement là, appuyé sur les Cortés, que se maintient un patriciat urbain vivace, attentif à ses intérêts locaux et que les *Corregidores* ne peuvent

---

1. *Recopilación*, I, fo 77.
2. *Ibid.*, fo 73 et 73 vo.
3. *Ibid.*, fo 79 vo (Loi de Tolède, 1480).
4. *Ibid.*, trente jours et à partir du jour de la renonciation (lois de Burgos, 1515 ; La Coruña, 1518 ; Valladolid, 1542). 60 jours (Pragmatique de Grenade, 14 sept. 1501) pour présenter les titres « en regimientos », *ibid.* Mais les cas sont-ils les mêmes ?
5. *Actas*, I, p. 339.
6. *Ibid.*, p. 345-346.
7. *Recopilación*, I, fo 79 (Guadalajara, 1436).
8. *Ibid.*, 73 vo, Valladolid, 1523.
9. A quel moment l'office devient-il une marchandise négociable ? La question préoccupait fort Georges Pagès. Il est difficile d'y répondre. Cependant dès la Pragmatique de Madrid, 1494 (I, fos 72 et 72 vo), il est question de ceux qui renoncent à leurs offices (municipaux) contre argent « ...los que renuncian por dineros ».
10. Il y a un curieux croisement des ventes pour l'État et pour les particuliers. Ainsi, dans le cas d'un office d'alcade à Málaga, D. Sancho de Cordova à Philippe II, 18 janv. 1559, Sim. Eo 137, fo 70. A Ségovie, en 1591 (COCK, *Jornada de Tarrazona*, p. 11), offices municipaux vendus ou donnés par le Roi « cuando no se resignan en tiempo para ello limitado ».
11. R. B. MERRIMAN, *op. cit.*, IV, p. 325.
12. *Actas*, I, p. 345-346 (1563).
13. *Op. cit.*, I, p. 453-454. Gens des classes moyennes...

aisément ramener à l'ordre... Mais les villes, n'est-ce rien ? Toute l'histoire fiscale doit être reprise dans cette optique importante[1].

Une certaine vénalité, déformation de l'État, se fait également jour à travers les institutions turques. J'ai déjà signalé la remarque selon laquelle l'affermage des offices, dans toute la Turquie, proviendrait de l'exemple égyptien[2]. La nécessité de *corteggiare* ses supérieurs, de les fournir de cadeaux substantiels, oblige chaque serviteur de l'État à se payer régulièrement au détriment de ses inférieurs et de ses administrés et ainsi de suite. Une immense pillerie s'organise du haut en bas de la hiérarchie. L'Empire ottoman est la proie de ces insatiables tenants d'offices que la tyrannie des usages oblige à être insatiables eux-mêmes. Le profiteur de ce pillage général est le Grand Vizir, comme le disent et le répètent les Vénitiens, comme l'affirme Gerlach dans son *Tagebuch* à propos de Méhémet Sokoli, enfant obscur des environs de Raguse, pris à dix-huit ans par les recruteurs du Sultan et devenu longtemps après, en juin 1565, Grand Vizir, poste qu'il occupera jusqu'à son assassinat, en 1579. Un énorme revenu lui vient des présents que lui font les candidats aux fonctions publiques. « Une année dans l'autre, dit le Vénitien Garzoni, il s'élève à un million d'or, comme me l'ont affirmé des personnes dignes de foi »[3]. Gerlach note de son côté : « Méhémet Pacha a un incroyable trésor d'or et de pierres précieuses... Qui veut obtenir un office doit lui faire présent de quelques centaines ou milliers de ducats, ou lui apporter chevaux ou enfants... » Il n'y a pas à défendre contre ces témoignages la mémoire de Méhémet Sokoli, authentique grand homme au demeurant, mais qui, en ce qui concerne l'argent des autres, celui de ses inférieurs ou celui des puissances étrangères, se contentait des mœurs de son temps.

Cependant, en pays turc, l'énorme fortune d'un vizir est toujours à la disposition du Sultan, lequel s'en saisira à la mort du ministre, que cette mort soit, ou non, naturelle. Ainsi l'État turc participe à la pillerie de ses fonctionnaires. Tout, évidemment, n'est pas exactement récupéré par ces méthodes simples ; aux fortunes des ministres s'offre le refuge de fondations pieuses dont les preuves architecturales ont subsisté, nombreuses. Par ce détour, un peu d'or prévariqué est mis à l'abri, pour l'avenir ou la sécurité d'une famille[4]. Reconnaissons que le système occidental, en général, a moins de rigueur que ces méthodes d'Orient, mais là comme ailleurs, dans le domaine de la vénalité il y a une curieuse désorganisation de l'État. Resterait à dater cette désorganisation si révélatrice. Les signes du XVIe siècle, ne sont, à ce point de vue, que des signes avant-coureurs.

En tout cas, pour l'Empire turc comme pour les autres États européens[5], le XVIe siècle a vu une montée singulière du nombre de ses agents. En 1534, il y avait ainsi en Turquie d'Europe, à la tête de toutes les hiérarchies, un beglerbey, au-dessous de lui trente sandjacs; en Asie, six beglerbeys et soixante-trois sandjacs. Un peu hors cadre, en 1533, on avait créé un beglerbey nouveau, le Kapudan Pacha, que les documents espagnols appellent le Général de la

---

1. Jacob van KLAVEREN, *op. cit.*, p. 47, 49 et *sq.*
2. Voir *supra*, p. 17, note 8.
3. J. W. ZINKEISEN, *op. cit.*, III, p. 100, note 1.
4. Jean SAUVAGET, *Alep. Essai sur le développement d'une grande ville syrienne des origines au milieu du XIXe siècle*, 1941, p. 212-214.
5. A Venise, au lendemain d'Agnadel, décision du Grand Conseil de vendre des offices (10 mars 1510). Admirable texte. *Bilanci Generali*, 2e Série, vol. I, tome I, p. CCIV. Les guerres, par la suite, favoriseront les ventes d'offices.

Mer. Cette « Amirauté », outre le commandement de la flotte, comportait l'administration des ports de Gallipoli, Cavalla, Alexandrie. Il y a donc avec le beglerbey du Caire, créé en 1534, neuf beglerbeys de rang supérieur. Or, en 1574, quarante ans plus tard, c'est de vingt « gouvernements » qu'il est question : trois en Europe (Sofia, Temesvar, Bude) ; treize en Asie ; trois puis quatre en Afrique (Le Caire, Tripoli, Alger, et bientôt Tunis) ; plus le Général de la Mer. Si besoin en était, la part prépondérante de l'Asie montrerait que c'est là que se trouve le centre des préoccupations et des forces turques. La progression devait d'ailleurs continuer. Sous le règne de Mourad III, le chiffre total passait de vingt et un à quarante, dont vingt-huit gouvernements pour la seule Asie où la guerre contre la Perse amenait la conquête et l'organisation de vastes zones frontières. Ces augmentations ont donc répondu à des nécessités. Mais on ne saurait négliger, non plus, en Turquie, l'étrange besoin grandissant de titres, le goût de plus en plus prononcé pour les fonctions publiques. Le *soubadji* rêve d'être *sandjac*, le *sandjac*, *beglerbey*... Et régulièrement chacun vit au-dessus de son rang.

Une évolution analogue à celle qui travaille l'Espagne, trouble la Turquie et même plus tôt que la lointaine péninsule Ibérique. En effet, celle-ci, pour étaler son luxe et lâcher bride au goût de vivre et de paraître, attendra la fin du règne ascétique de Philippe II. En Orient, dès la mort de Soliman, en 1566, tout aura changé. Les habits de soie, d'argent et d'or, proscrits par le vieil Empereur vêtu de coton, avaient fait leur brusque réapparition. Avec le siècle finissant, se succèdent à Constantinople des fêtes somptueuses. Elles éclairent de leurs lumières chatoyantes le récit assez terne du vieil Hammer. Le luxe du Sérail est alors inouï, les sièges y sont recouverts d'étoffes d'or ; l'été, l'habitude est prise de dormir dans les soies les plus fines. En exagérant à peine, les contemporains affirment qu'un soulier de femme turque valait plus que la parure entière d'une princesse chrétienne... L'hiver, on se couvrait de fourrures précieuses. Le luxe même des tables d'Italie était surpassé[1]. Il faut en croire le mot assez joli et naïf aussi du premier envoyé hollandais à Constantinople, en mai 1612, Cornélius Haga, déclarant après sa réception : « il semblait que ce fut un jour de triomphe »[2]. Et que ne pourrait-on dire des grandes fêtes du temps de Mourad IV, dans un pays pourtant exsangue, torturé par la guerre et la faim ? Il est curieux de voir la Turquie, à peu près en même temps que l'Espagne, prise dans les tourbillons et les fêtes d'un « Siècle d'or », au moment où ce feu d'artifice est en contradiction avec les règles d'une maison sagement menée et les impérieuses nécessités du doit et avoir.

Les autonomies locales

Le spectacle des grandes machineries politiques risque de nous égarer. Comparant celles du XVIe à celles du XVe siècle, nous les voyons démesurément grossies. Mais tout reste question de proportions. Si l'on songe aux temps présent et aux énormes masses de fonctionnaires au service de l'État, le nombre des « officiers » du XVIe siècle est bien dérisoire. Autant dire que, par ce personnel insuffisant, les vastes États aux pouvoirs « absolus » n'exercent qu'une

---

1. L. von RANKE, *Die Osmanen und die spanische Monarchie...*, Leipzig, 1877, p. 74, d'après BUSINELLO, *Relations historiques touchant la monarchie ottomane*, ch. XI.
2. « Es schien ein Tag des Triumphes zu sein », 1er mai 1612, cité par H. WÄTJEN, *op. cit.*, p. 61.

prise imparfaite. A la base, les voilà incomplets, inefficaces. Ils se heurtent à mille autonomies sous-jacentes et dont ils ne peuvent avoir raison. Dans l'énorme Empire hispanique, les villes demeurent souvent libres de leurs mouvements. Par leurs abonnements fiscaux, elles ont le contrôle des impôts indirects. Séville et Burgos, dont nous connaissons les institutions, ont de larges franchises. Un ambassadeur vénitien, en 1557[1], l'indique avec netteté : en Espagne, écrit-il, *si governa poi ciascuna signoria e communità di Spagna da se stessa, secondo le particolari leggi...* De même, hors de la Péninsule, mais toujours dans l'Empire espagnol, jusqu'en 1675, Messine a été une république, oasis inquiétante pour tous les vice-rois qui, comme Marcantonio Colonna, en 1577, ont la charge de l'île. « Votre Majesté sait, écrit Colonna[2], en juin de cette année-là, de quelle importance sont les privilèges de Messine, combien de bannis et de *matadores* elle héberge sur son territoire, en raison des commodités qu'ils ont, par surcroît, de passer en Calabre. Il est donc très important que le *Stratico* (le magistrat qui la dirige) tienne convenablement son office. Les choses sont déjà en tel état que la dite charge rapporte plus de profit, en deux ans, que celle de vice-roi de l'île en dix ; on me dit, entre autres choses, qu'il n'y a pas un homme emprisonné pour cause capitale qu'on ne laisse en liberté s'il donne de bonnes cautions, dont, les garanties une fois rompues, le *Stratico* s'attribue la propriété. Aujourd'hui, la ville est tellement entourée de voleurs que dans ses murs mêmes, on enlève des gens pour les mettre ensuite à rançon... »

Donc dans la Péninsule, et hors de la Péninsule, des régions entières, des villes, parfois des régions à privilèges, à *fueros*, sont mal saisies par l'État hispanique. Ainsi en est-il de toutes les zones éloignées et périphériques. C'est le cas jusqu'en 1570, du royaume de Grenade ; au delà de 1580 et de façon durable, jusqu'à la rupture de 1640, ce sera le cas du Portugal, vrai « dominion » avec ses franchises et ses libertés auxquelles le vainqueur n'osera toucher. C'est le cas, en permanence, des minuscules provinces basques ; celui encore des pays de la Couronne d'Aragon, sur les privilèges de qui, même après le soulèvement et les troubles de 1591, Philippe II n'osera porter une main sacrilège. Dans ces conditions, la simple traversée de la frontière aragonaise offrait au voyageur le moins attentif, au sortir de la Castille, la révélation d'un monde social nouveau, avec ses seigneurs à demi indépendants, exerçant de nombreux droits au détriment de leurs sujets, ayant leurs châteaux munis d'artillerie, si près de la Castille voisine, soumise et désarmée. Privilèges sociaux, privilèges politiques, privilèges fiscaux : le bloc aragonais se gouverne à sa guise et échappe à demi à l'impôt royal. Mais s'il en est ainsi, c'est que la France est proche et qu'à la moindre violence, l'étranger peut en profiter et enfoncer cette porte mal fermée qui est celle de l'Espagne[3].

Ce n'est pas pour d'autres raisons, cette fois dans l'Empire turc, que l'on voit l'autorité du Sultan s'émietter, en Europe, à la périphérie septentrionale de ses États, en Moldavie, en Valachie, en Transylvanie, dans le royaume des Tartares de Crimée... Nous avons déjà signalé, conséquence de la géographie, les multiples autonomies montagneuses de l'espace balkanique, en Albanie, en Morée...

---

1. E. ALBÈRI, I, III, p. 254.
2. Palerme, 10 juin 1577, Simancas E° 1147. *Matadores*, des tueurs. Sur la ville même lire, bien que postérieur, le livre de Massimo PETROCCHI, *La rivoluzione cittadina messinese del 1674*, Florence, 1954.
3. B.N., Paris, Dupuy, 22, f° 122 et *sq.*

La résistance à l'État prend d'ailleurs les formes les plus diverses. Voyez dans le royaume de Naples, à côté de la Calabre toujours insoumise, le grand rôle que jouent les associations pastorales et l'énorme ville de Naples. Par les associations de bergers, le paysan échappe aux seigneurs et au roi. De même quand il s'installe à Naples, l'air de la ville le rend libre. Vers le Sud, en Sicile, la fuite devant les autorités, c'est l'allégeance à l'Inquisition sicilienne qui prend de la sorte une extension singulière. Peut-être, en Turquie, le gonflement monstrueux de la capitale a-t-il répondu à des causes analogues ? Dans les provinces, rien ne protège l'individu contre la rapacité des *beglerbeys, sandjacs, soubadjis* locaux, ou, plus redoutés que tous, de leurs agents d'exécution, les voiévodes. On est, à Constantinople, assuré d'une certaine justice, d'une tranquillité relative.

Nul doute que la corruption des agents de l'État ne soit grande au XVIe siècle, en Islam comme en Chrétienté, dans le Sud comme dans le Nord de l'Europe. « Il n'est aucune cause, civile ou criminelle, écrit des Flandres le duc d'Albe, en 1573[1], qui ne se vende comme l'on vend la viande à la boucherie... la plupart des conseillers se donnent journellement à qui veut les acheter... » Cette corruption omniprésente est une limite à la volonté des gouvernants et certes pas la plus sympathique qui soit. La corruption est devenue une force multiple, sournoise, un pouvoir à elle seule[2]. Un de ces pouvoirs à l'abri desquels l'individu s'abrite pour échapper aux lois. Éternelle question qui mêle la force à la ruse. « Les lois d'Espagne, écrit vers 1632, le vieux Rodrigo Vivero[3] sont comme les toiles des araignées qui saisissent seulement les moucherons et les moustiques. » Riches et puissants échappent au piège, seuls s'y embarrassent « les défavorisés et les pauvres » *los desfavorecidos y los pobres*. Mais n'est-ce pas une vérité de tous les âges ?

Les finances et le crédit au service de l'État

Autre signe de faiblesse, les vastes États ne sont pas parfaitement en contact avec la masse des contribuables, et donc capables de les exploiter à leur guise : d'où de singulières infériorités fiscales, puis financières. Mis à part les exemples que nous avons cités pour l'Italie, à l'extrême fin du XVIe siècle, les États ne disposent ni de trésorerie, ni de banque d'État. En 1583, on songera à une banque d'État dans l'entourage de Philippe II[4], mais le projet ne fut pas concrétisé. Au centre de l'Empire hispanique force est de recourir aux prêteurs que nous appelons, d'un mot trop moderne, les banquiers. Le Roi ne peut se passer d'eux. Quand Philippe II regagna l'Espagne en septembre 1559, sa plus grosse préoccupation, durant les dix années qui suivirent, fut de remettre de l'ordre dans ses finances. Alors, les avis lui vinrent de tous les côtés, toujours pour lui recommander, en dernière analyse, de s'adresser tantôt aux Affaitati, tantôt aux Fugger, ou aux Génois, voire, lors des crises de nationalisme d'Eraso, aux banquiers espagnols eux-mêmes, comme les Malvenda de Burgos.

---

1. Cité par Jakob van KLAVEREN, *op. cit.*, p. 49, note 5.
2. Cf. du même auteur une série d'articles *in : Vierteljahrschrift für Sozial-und Wirtschaftsgeschichte*, 1957, 1958, 1960, 1961.
3. B.M. Add. 18 287, fo 23.
4. J. E. HAMILTON, « The Foundation of the Bank of Spain », *in : Journal of Political Economy*, 1945, p. 97.

59 — Les « asientos » et la vie économique en Castille, 1550-1650

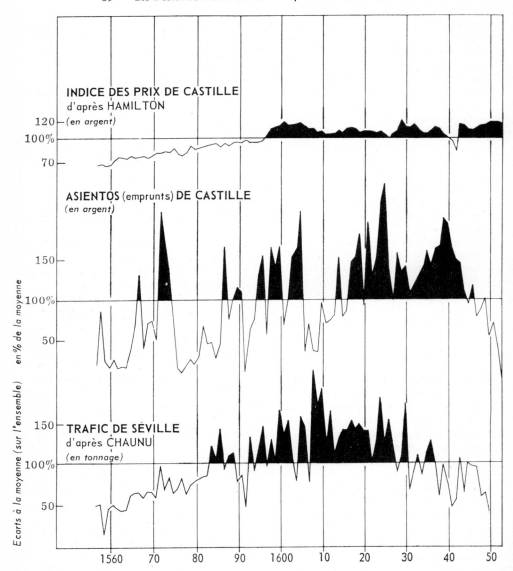

A côté des variations de l'indice des prix, d'après Earl J. Hamilton (dont on voit l'amplitude modérée), à côté de l'énorme poussée, puis du large recul du trafic de Séville, la courbe des **asientos,** en somme la dette à court terme de l'État, ressemble aux oscillations d'un sismographe. Elle accepte dans l'ensemble tout de même certaines analogies de mouvement avec la courbe des prix, et surtout celle de Séville, ce qui est assez naturel puisque ce sont les retours d'argent d'Amérique qui permettent avances et remboursements des **asientos.** En gros, les dépassements de la ligne de 100 p. 100 indiquent les poussées belliqueuses ; les descentes au-dessous de la ligne les périodes pacifiques et les abandons avec une assez grande exactitude (sauf pour la conquête du Portugal). A noter l'énorme effort de la Guerre dite de Trente Ans. La courbe des **asientos** établie par Alvaro Castillo Pintado.

La dispersion des États de Philippe II, et avant lui de Charles Quint, entraînant forcément la dispersion des revenus à percevoir et des paiements à faire, favorisait l'utilisation des maisons marchandes internationales. Les transferts d'argent exigeaient, à eux seuls, le recours aux marchands. Mais ceux-ci remplissaient un autre rôle : ils avançaient, mobilisaient avant l'heure les ressources à venir du budget. Ce rôle impliquait souvent, après coup, la perception directe des impôts et donc le contact avec les contribuables. Ce sont les prêteurs qui organisent à leur profit la fiscalité espagnole. En 1564, Philippe II cède aux Génois le monopole de la vente des jeux de cartes. Il leur abandonne, une autre fois, telles ou telles salines d'Andalousie. Ou bien, renouvelant les décisions de son père, il confie aux Fugger l'exploitation des mines d'Almaden ou l'administration des biens des Ordres militaires, ce qui revient, dans ce dernier cas, à placer de vastes terres à blé, des pâturages, des péages, des redevances paysannes sous un contrôle étranger. Les Fugger ont peuplé l'Espagne de leurs facteurs et agents, Allemands consciencieux, méthodiques et zélés... D'ailleurs, quand ce n'est pas une telle firme étrangère qui se charge de la perception, ce sont des pouvoirs intermédiaires, les villes ou les Cortès... Qu'est-ce à dire, sinon que l'État, sur le plan financier, reste très inachevé ?

En France, où le transfert des espèces n'est pas une nécessité aussi vitale que pour l'Espagne, banquiers et prêteurs eurent cependant leur rôle. De même en Turquie où les hommes d'affaires ont le champ libre, dans les finances mêmes de l'État. Gerlach le note dans son *Tagebuch*[1] : « il y a, à Constantinople, de nombreux Grecs très enrichis par le négoce ou autres moyens de faire fortune, cependant toujours vêtus de méchants habits pour que les Turcs ne s'aperçoivent pas de leur richesse et ne la leur volent... ». Le plus riche d'entre eux est un certain Michel Cantacuzène. Fils du diable, au dire des Turcs, ce pseudo-grec serait, selon une rumeur absurde, issu d'ancêtres anglais. En tout cas, sa fortune est immense, curieusement liée aux services qu'il rend à l'État turc. Cantacuzène n'est-il pas maître de toutes les salines de l'Empire, fermier d'innombrables douanes, trafiquant d'offices, et tel un vizir, déposant patriarches ou métropolites grecs à sa guise ? N'est-il pas maître des revenus de provinces entières, Moldavie ou Valachie, et par surcroît seigneur de villages, capable d'armer à lui seul de vingt à trente galères ? Son palais d'Anchioli rivalise de luxe avec le Sérail lui-même. Ce parvenu n'est donc pas à confondre avec les modestes comparses grecs de Galata et d'ailleurs ; il les éclabousse de son luxe. Et n'ayant pas leur prudence, il est arrêté en juillet 1576 ; obligé de rendre gorge, il est sauvé de justesse par Méhémet Sokoli. Libéré, il recommence de plus belle, s'occupe cette fois, non plus du sel, mais de fourrures, et, comme par le passé, intrigue en Moldavie et Valachie... Finalement ce qui devait arriver arrive : le 13 mars 1578, sur l'ordre du Sultan, il est pendu sans autre forme de procès, aux portes mêmes de son palais d'Anchioli et sa fortune est confisquée[2].

Autre destin, plus extraordinaire encore, bien qu'à placer dans la même ligne, celui de ce personnage énigmatique par plus d'un côté, le juif portugais Joseph Nasi, connu sous le nom de Miques ou Micas et, à la fin de sa vie, orné du titre pompeux de duc de Naxos. Longtemps un errant, incertain de

1. P. 61, d'après J. W. ZINKEISEN, *op. cit.*, III, p. 368.
2. D'après GERLACH, cité par J. W. ZINKEISEN, *op. cit.*, III, p. 366-368.

sa voie, il passe aux Pays-Bas, à Besançon[1], séjourne à Venise, puis arrive à Constantinople vers 1550. Déjà très riche, il fait un somptueux mariage et retourne au judaïsme. Ami, confident, dès avant son avènement, du Sultan Sélim, son ravitailleur en vins fins, il a affermé la dîme sur les vins des îles. C'est lui qui poussera le Sultan, en 1570, à attaquer Chypre. Le plus étonnant est peut-être qu'il soit mort de sa belle mort, en 1579, toujours en possession de ses immenses richesses. On a essayé de réhabiliter sans prudence l'étonnant personnage, mais la plaidoirie entendue, on n'en sait pas davantage sur ce Fugger d'Orient[2]... Les documents espagnols le montrent favorable à l'Espagne, un peu complice du Roi Catholique, mais il n'est pas un homme que l'on puisse classer une fois pour toutes, comme pro-espagnol ou anti-français. Ce serait oublier combien la réalité politique, à Constantinople, est mouvante... Du personnage, on aimerait surtout connaître, comme dans le cas de Cantacuzène, son rôle exact dans les finances turques. Encore faudrait-il connaître celles-ci. Les connaîtrons-nous jamais ?

A l'inverse des finances des États chrétiens, ce qui leur manque, assurément, c'est le recours au crédit public, à long ou à court terme — l'emprunt, façon élégante de saisir, sans trop de douleur, l'argent des particuliers, des petits aussi bien que des gros prêteurs. Dans ce jeu pratiqué par tous, chaque État d'Occident a su trouver les formules pour attirer à soi l'argent des épargnants. En France, les rentes sur l'Hôtel de Ville sont bien connues[3]. En Espagne, on connaît ces *juros* qui, à la fin du règne de Philippe II, ont représenté l'énorme somme de 80 millions de ducats[4]. Ces papiers se déprécièrent vite et donnèrent lieu à des spéculations effrénées. L'État en arrivera à payer, vu le cours des billets, des intérêts montant à soixante-dix pour cent. Je note, dans la nouvelle de Cervantès, *La Gitanilla*[5], cette remarque assez parlante : conserver de l'argent, dit un personnage et le tenir *como quien tiene un juro sobre las yerbas de Extremadura* ; comme qui conserve un titre de rente sur les pâturages d'Estrémadoure, à supposer évidemment que ce soit là un bon placement, car il y en a de bons et de mauvais. En Italie, c'est par l'intermédiaire des Monts-de-Piété que l'appel au public est souvent réalisé. Guichardin disait déjà : « Ou Florence défera le Mont-de-Piété ou le Mont-de-Piété défera Florence »[6], vérité plus exacte encore au XVIIe siècle qu'au XVIe[7]. Dans son histoire économique de l'Italie, A. Doren soutient que ces placements massifs en fonds d'État ont été l'une des raisons et l'un des signes du repli de l'Italie avec le début du XVIe siècle. L'argent fuit les risques de l'aventure...

Nulle part, peut-être, cet appel au crédit n'a été aussi répété qu'à Rome même, au centre de cet État particulier, à la fois très limité dans l'espace et immensément étendu, qu'est l'État Pontifical. La Papauté s'est trouvée, au XVe siècle, après Constance, victime du particularisme grandissant des États

---

1. Le passage à Besançon d'après une note de Lucien FEBVRE.
2. Le livre de réhabilitation d'ailleurs peu lisible de J. REZNIK, *Le duc Joseph de Naxos*, 1936 ; celui plus récent de Cecil ROTH, *The Duke of Naxos*, 1948, et surtout le remarquable article d'I. S. REVAH, « Un historien des " Sefardim " », *in : Bul. Hisp.*, 1939, sur les travaux d'Abraham Galante.
3. Bernard SCHNAPPER, *Les rentes au XVIe siècle. Histoire d'un instrument de crédit*, 1957.
4. Voir *supra*, I, p. 484.
5. I, p. 29.
6. Gustav FREMEREY, *Guicciardinis finanzpolitische Anschauungen*, Stuttgart, 1931.
7. R. GALLUZZI, *op. cit.*, III, p. 506 et *sq.*

et réduite aux ressources proches de l'État Pontifical. Elle en a donc poursuivi assez vivement l'extension et le recouvrement. Ce n'est pas sans raison que dans les dernières années du xve et les premières du xvie siècle, les Souverains Pontifes furent beaucoup plus des princes temporels que des Pontifes : finances obligent. Vers le milieu du xvie siècle, la situation reste la même, près de quatre-vingts pour cent des revenus pontificaux proviennent du Patrimoine. D'où une lutte acharnée contre les immunités financières. Le grand succès de cette lutte sera l'absorption par l'État Pontifical des finances urbaines, ainsi à Viterbe, à Pérouse, à Orvieto, ou encore dans les moyennes villes d'Ombrie. Seule, Bologne put conserver son autonomie. Cependant, ces victoires ont laissé en place les systèmes anciens de perception, archaïques en général ; les sources de revenus sont donc dégagées, « mais ne c'est qu'exceptionnelle-ment, comme le note un historien[1] que l'État Pontifical entre en contact direct avec les contribuables ».

Non moins important que cette guerre fiscale aura été l'appel au crédit public. Clemens Bauer dit avec raison que l'histoire des finances pontificales devient alors « une histoire du crédit »[2], crédit à court terme qui prend la forme banale d'emprunts à des banquiers, crédit à long terme dont l'amortisse-ment est confié à la *Camera Apostolica*. L'origine est d'autant plus notable qu'elle met en cause la vénalité des offices réservés aux laïcs. Il y a, au début, confusion entre officiers et créanciers du Siège Apostolique. Les officiers-créanciers forment des collèges : ils ont acheté leurs offices, mais à titre d'intérêt, des revenus fixes leur sont garantis. Ainsi, au Collège des *Presidentes annonae*, fondé en 1509 et qui comportait 141 charges vendues pour la somme totale de 91 000 ducats, un service-intérêt de 10 000 ducats était prévu sur les revenus des *Salara di Roma*. Plus tard, par la création de *Societates officiorum*, on réus-sira à partager ces rentes entre de petits porteurs et, par la suite, le caractère d'officier ne sera plus conféré aux créanciers qu'à titre purement honorifique. Ainsi en était-il déjà avec la série des Collèges de Cavaliers ouverte en 1520 avec la fondation des Cavaliers de Saint-Pierre ; ensuite viendront les Cavaliers de Saint-Paul, puis ceux de Saint-Georges. On passera finalement à de véritables rentes, avec les *Monti* créés, sans doute à l'image de Florence, par Clément VII, un Médicis. Le principe est le même que celui de nos rentes sur l'Hôtel-de-Ville, l'aliénation d'un revenu bien déterminé et garanti contre le versement d'un capital. Les parts d'emprunt sont des *luoghi di monti*, titres négociables et souvent négociés à Rome et hors de Rome, d'ordinaire au-dessus du pair. Ainsi furent créés au hasard des circonstances et des nécessités, le *Monte Allumiere*, garanti par les mines d'alun de Tolfa, le *Monte S. Buonaventura*, le *Monte della Carne*, le *Monte della fede*, d'autres encore. Plus d'une trentaine sont connus...

D'ordinaire, il s'agit d'emprunts remboursables, ainsi le *Monte novennale*, créé en 1555, devait *en principe* l'être en neuf ans. Mais il y eut des emprunts perpétuels, comme nous dirions, dont les titres étaient transmissibles par tes-tament. Ce fut même un profit à court terme pour les finances pontificales que de transformer des titres viagers en titres perpétuels, des emprunts « vacables » en « non vacables », ce qui entraînait une baisse du taux d'intérêt. Tous ces détails, parmi d'autres, disent l'évidente modernité des *Monti* romains ; ils

---

1. Clemens BAUER, *art. cit.*, p. 482.
2. *Ibid.*, p. 476.

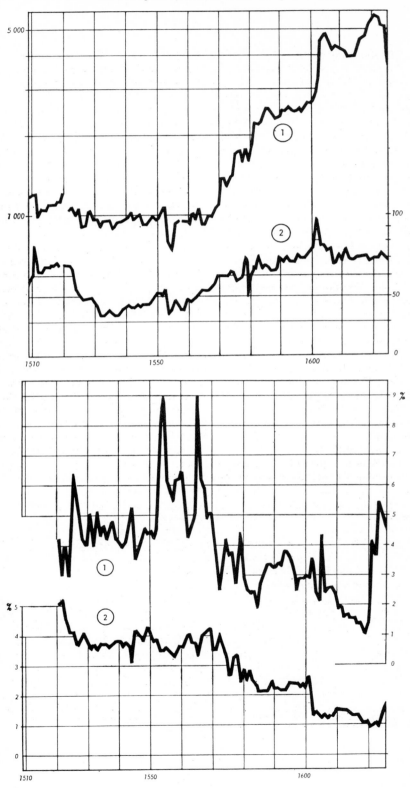

60 — Les « Luoghi » de la Casa di San Giorgio, 1509-1625

n'ont rien à envier à ceux de Florence ou de Venise, ou à la *Casa di San Giorgio*, ou *a fortiori* aux *juros* de Castille. Tout calcul en ces domaines reste difficile : de 1526 à 1601, la Papauté semble avoir emprunté pour elle (et parfois pour des représentants de la noblesse romaine) 13 millions d'écus. Le chiffre risque de ne pas impressionner le lecteur d'aujourd'hui. Qu'il sache cependant que Sixte Quint put distraire de ces sommes empruntées avec insistance, 26 tonnes d'argent et plus de trois d'or, pour les enfermer dans son trésor du Château Saint-Ange, étrange politique de paysan dans ses résultats, mais d'une évidente modernité dans ses moyens. Comme ces *Monti* s'adressaient à une clientèle internationale, il est assez naturel de voir que la dette publique s'est ralentie, à Gênes, dans son accroissement « au moment même où elle prenait à Rome une ampleur impressionnante »[1]. Dirons-nous, avec Leopold von Ranke que Rome alors « fut peut-être le principal marché de l'argent de l'Europe »[2], du moins de l'argent des rentiers ? C'est possible, non pas sûr. Le fait décisif n'est pas là, mais bien dans ce développement énorme du marché du crédit où puisent tous les États, les prudents et les téméraires, et où d'innombrables porteurs trouvent leur satisfaction. L'économie, telle que nous la comprenons, ne peut expliquer cet engouement. Peut-être une psychologie collective, la recherche d'une sécurité ? A Gênes, où de 1570 à 1620, s'étend comme ailleurs une période d'inflation, « à tel point, écrit Carlo M. Cipolla[3], que les historiens l'ont qualifiée de révolution des prix, se précise à l'œil nu une décrue paradoxale du taux d'intérêt » qui, depuis 1522, avait oscillé entre 4 et 6 p. 100 et qui passe à des taux de 2 et même de 1,2 p. 100, au moins pendant la période de plus forte dépression, de 1575 à 1588. Ceci correspond à un afflux à Gênes de métal blanc et d'or qui, à cette époque, trouvent difficilement à s'investir. « C'est bien la première fois dans l'histoire de l'Europe depuis la chute de l'Empire romain que des capitaux s'offraient à aussi bon compte, et cela en vérité est une extraordinaire révolution ». Resterait à analyser, si possible, la situation des autres marchés, et à voir si les taux d'intérêt n'ont pas, comme c'est probable, déterminé des poussées ici, des reculs là, comme entre les places boursières d'aujourd'hui. En tout cas, cette poussée des rentes, cette popularité du papier d'État, favorisent les gouvernements, facilitent leur tâche.

---

1. Tous ces problèmes des *Monti* romains admirablement exposés par J. DELUMEAU, *op. cit.*, II, p. 783 et *sq.* J'ai résumé ses explications.
2. *Ibid.*, p. 821.
3. « Note sulla storia del saggio d'interesse, corso e sconto dei dividendi del banco di S. Giorgio nel secolo XVI », *in : Economia Internazionale*, 1952, p. 13-14.

(Légende de la figure 60)

Ces quatre courbes résument l'article important de Carlo M. CIPOLLA (cf. note 3, ci-dessus). Les **luoghi** sont des titres de dette publique de la République de Gênes, émis à 100 **lire** (2 000 **soldi**), valeur initiale. Ce sont des titres de rentes perpétuelles. L'intérêt varie (au contraire, il est fixe à Venise) : il dépend des bénéfices de la **casa di San Giorgio** qui détient en gage les impôts qu'elle perçoit aux lieu et place de la Seigneurie. Leur nombre a beaucoup augmenté, de 1509 (193 185) à 1544 (477 112) d'où le fléchissement des cours ; ce nombre se stabilise ensuite (437 708, en 1597 ; 476 706, en 1681). La première courbe donne le cours des **luoghi** négociables sur le marché (échelle de gauche, de 1 000 à 5 000 **soldi**). La seconde courbe donne l'intérêt, le **reddito**, des luoghi (échelle de droite, de 40 à 100 soldi). Il y a une nette montée dans la seconde moitié du XVIe siècle, puis un recul au siècle suivant. Or l'intérêt des **luoghi** n'est jamais payé à échéance, mais moitié quatre ans plus tard et l'autre moitié après une nouvelle année de retard. Si le porteur désire être payé aussitôt il fait escompter son coupon, ainsi le **sentio** varie sur le marché, selon la première courbe du second graphique. Il est par suite possible, tenant compte de ce retard et du **sentio**, de calculer l'intérêt réel des **luoghi** : c'est la dernière courbe qui, au delà de 1570, est nettement à la baisse, celle-ci s'accentuant au delà de 1600. « Ainsi, conclut notre auteur, pour une raison ou une autre, il y avait des capitaux prêtés à Gênes au début du XVIIe siècle, à 1,2 p. 100. » Reste à savoir si cette situation anormale est, ou non, un signe de bonne santé de la place financière.

Tout se tenant, on est en droit de penser que les brutales exactions de l'État turc en matière de bénéfices et d'attributions d'offices, viennent aussi de ce qu'en Turquie l'appel au crédit des petits et gros épargnants n'a pas été possible comme en Occident, au bénéfice de l'État. Le crédit, bien sûr, existe dans les pays ottomans : nous avons parlé des reconnaissances de dettes des marchands devant les cadis[1] et de lettres de change entre marchands sujets du Grand Turc. De nouvelles publications[2], si besoin en était, montrent que les marchands juifs utilisent les lettres de change entre eux, et parfois avec leurs coreligionnaires ou leurs correspondants d'Occident. Un bruit a même couru au milieu du siècle et que Jean Bodin[3] a recueilli au passage : des pachas turcs auraient participé aux spéculations lyonnaises du Grand Party. Tout cela est possible. Mais il n'y a pas en Turquie de crédit public.

1600-1610 : l'heure est-elle favorable aux États moyens ?

Y a-t-il eu à la fin du XVIe siècle et durant les premières années du siècle suivant une maladie, pour le moins une fatigue des grands États ? Les contemporains nous en laissent l'impression, qui s'empressent, médecins bénévoles, au chevet des illustres malades. Et chacun de proposer ses explications, son diagnostic et, bien entendu, ses remèdes. En Espagne, les *arbitristas*, les donneurs de conseils, nationaux ou étrangers[4], n'ont jamais manqué : ils forment, à eux seuls, une catégorie sociale. Pour peu qu'on laisse s'écouler les premières années du XVIIe siècle, leur nombre grandit et leur ton se hausse. En rangs serrés, ils se pressent au tribunal bénévole de l'histoire. Au Portugal, mêmes discussions et même progression.

Comment ne pas croire, après tous ces discours, à la décadence de la monarchie hispanique ? Tout la proclame : les événements et les témoins, les sombres tableaux de Tome Cano en 1612[5], ou ce recueil d'un si puissant intérêt, cette *Historia tragico-maritima*[6], relevé méticuleux des catastrophes de la navigation portugaise, en direction du Brésil et des Indes. On n'y parle que de malheurs, de décadence, d'usure, de victoires ennemies, de « fortunes de mer », d'échouages sur les bancs de Mozambique, de disparitions au cours du périple du cap de Bonne-Espérance. Décadence, faiblesse du grand corps hispanique, peut-on en douter quand, par surcroît, sur les routes de la Péninsule se multiplient les brigandages et que la peste décime la population ? A l'extérieur évidemment, l'Espagne fait toujours grande figure : menacée, elle semble menaçante. Et à Madrid au moins, la vie la plus éclatante de l'Europe du XVIIe siècle déroule ses fêtes.

Mais à la même époque, le luxe du Sérail à Istanbul est inouï.

Pourtant, là aussi, les ombres sont évidentes et les signes de fatigue nombreux. L'Empire ottoman craque comme un bateau aux planches mal assem-

---

1. D'après une information fournie par M. Halil Sahillioglu.
2. Aser HANANEL et Eli EŠKENAZI, *Fontes hebraici ad res œconomicas socialesque terrarum balkanicarum sœculo XVI pertinentes*, I, Sofia, 1958 (remarquable).
3. « ...sous les noms de leurs facteurs pour plus de cinq cent mille écus », *Traité de la République*, 1577, p. 623, cité par J. ATKINSON, *op. cit.*, p. 342.
4. Je pense naturellement à Anthony Sherley, cf. Xavier A. FLORES, « *El peso político de todo el mundo* » *d'Anthony Sherley ou un aventurier anglais au service de l'Espagne*, Paris, 1963.
5. *Op. cit.*, référence *supra*, I, p. 95, note 3.
6. Voir référence *supra*, I, p. 52, n. 4.

blées. Une série de révoltes ouvertes ou insidieuses le travaillent d'Alger aux confins de la Perse, des pays tartares au Sud de l'Égypte. Pour les observateurs européens, prompts à conclure selon leurs désirs, la machinerie ottomane est irrémédiablement brisée. Avec un zèle inouï, Jésuites et Capucins se jettent à la conquête spirituelle de ce monde à la dérive. N'est-ce pas le moment de chasser ces mécréants d'Europe et de partager leurs territoires ? Iñigo de Mendoza, ambassadeur d'Espagne à Venise, ne cesse de le répéter ; il est vrai que le personnage, cœur exalté, s'apprête à quitter la vie diplomatique pour entrer dans la Compagnie de Jésus. Il n'est pas le seul d'ailleurs de ces visionnaires qui, sur l'interminable route de l'histoire, forment le premier bataillon serré des partisans du partage de l'Empire ottoman. D'autres suivront : le p. Carlo Lucio, en 1600 ; un Français, Jean Aimé Chavigny, en 1606 ; un autre Français, Jacques Espinchard, en 1609 ; Giovanni Miotti, en octobre 1609 ; un anonyme italien en décembre de cette même année ; un capucin, Francesco Antonio Bertucci, en 1611... Et nous laissons de côté le Grand Dessein de Sully, ou le non moins vaste projet de Charles Gonzague, duc de Nevers, et du p. Joseph (1613-1618). Pour un nom que nous citons, l'érudition avec un peu de bonne volonté pourrait en retrouver dix ; en réalité c'est par cent, qu'il faudrait multiplier leur nombre ; la passion religieuse aidant, l'Europe a escompté, dès le début du XVIIᵉ siècle, la succession de « l'homme malade ». Ces boute-feux se trompaient ; le malade ne mourra pas si vite. Il se prolongera longtemps, sans jamais retrouver son ancienne vigueur. La Turquie avait triomphé dans le vide contre la Perse, en 1590 ; en 1606, après une guerre épuisante, elle dut se contenter d'une paix blanche contre l'Allemagne, c'est-à-dire contre l'Occident.

En fait, la roue a tourné. Le siècle en ses débuts favorisait les grands États, lesquels ont représenté, diraient les économistes, l'entreprise politique de dimension optima. Passe le siècle, et pour des raisons que nous ne pouvons situer avec la précision désirable, ces grands corps sont peu à peu trahis par les circonstances. Crise passagère ou crise de structure ? Faiblesse ou décadence ? En tout cas, ne semblent vigoureux, au début du XVIIᵉ siècle, que les États de moyennes dimensions. Ainsi la France de Henri IV, cette brusque splendeur ; ou la petite Angleterre pugnace et rayonnante d'Elisabeth ; ou la Hollande groupée autour d'Amsterdam ; ou l'Allemagne que la quiétude matérielle envahit de 1555 jusqu'aux prodromes de la Guerre de Trente Ans où elle va sombrer, corps et âme. En Méditerranée, c'est le cas du Maroc à nouveau riche en or, de la Régence d'Alger, histoire d'une ville qui devient un État territorial. C'est le cas aussi de Venise rayonnante, resplendissante de luxe, de beauté, d'intelligence ; ou de la Toscane du grand-duc Ferdinand. Tout se passe comme si le nouveau siècle aidait les États de faible rayon, capables de faire efficacement la police en leurs maisons. De nombreux petits Colberts avant la lettre[1] réussissent en ces États modestes, habiles à ausculter les économies, à relever les droits de douane, à stimuler les entreprises de sujets que l'on tient en lisières d'aussi près que possible. Plus encore que la grande histoire complexe et peu claire des Empires, ces fortunes mises bout à bout signalent que la roue de l'histoire a déjà tourné.

Autrement dit, les Empires auront, plus que les États de moyenne dimension, souffert de la longue régression 1595-1621 ; ensuite, ces vastes ensembles politiques n'ont pas été renfloués aussi vite que leurs adversaires au retour

---

1. Ammintore FANFANI, *Storia del Lavoro...*, p. 32.

d'une marée montante, d'assez faible amplitude il est vrai et de courte durée, puisque, dès le milieu du XVIIe siècle, s'aggrave une longue crise séculaire. Il est certain que les puissances qui en émergeront, au XVIIIe siècle, et profiteront à plein de son grand renouveau économique ne sont pas les Empires du XVIe siècle, ni le turc, ni l'espagnol. Déclin de la Méditerranée ? Sans aucun doute. Mais pas seulement. Car l'Espagne avait tout loisir de se retourner vigoureusement vers l'Atlantique. Pourquoi ne l'a-t-elle pas fait ?

5

LES SOCIÉTÉS

Dans le champ large de la Méditerranée, l'évolution des sociétés apparaît au XVIe siècle assez simple. A condition évidemment de s'en tenir à l'ensemble, de négliger les détails, les cas locaux, les aberrances, les occasions perdues (elles furent nombreuses) et les bouleversements plus dramatiques encore que profonds : ils surgissent, puis s'effacent.

Évidemment ces bouleversements ont leur importance. Mais les sociétés d'alors, à base terrienne, évoluent avec lenteur et sont toujours en retard sur la politique et l'économie. Et les conjonctures sociales sont comme toutes les conjonctures, tantôt dans un sens, tantôt dans l'autre ; elles finissent souvent par se compenser, et à la longue l'évolution réelle reste peu sensible. Ainsi il est probable, en France, que de fortes alternances aient joué : tout le premier XVIe siècle est sous le signe de la mobilité sociale, les pauvres se déplacent d'un point à l'autre, d'un pays à l'autre, sans succomber au cours de l'aventure[1] ; en même temps, à la verticale, au long de l'échelle sociale, des riches cessent de l'être et de nouveaux riches les remplacent ; puis un ralentissement se marque autour des années 1550-1560, le mouvement reprenant ensuite pour se bloquer à nouveau, peut-être[2] dès 1587 en Bourgogne, ou vers 1595[3], à l'heure mondiale du retournement de la tendance majeure. Il y a ainsi tour à tour accélération, retardement, reprise, stagnation, tout aboutissant mais momentanément à une victoire visible des aristocraties et à un demi-blocage des sociétés, à l'extrême

---

1. Cette mobilité à l'horizontale est, elle aussi, un signe révélateur de sociétés ouvertes. Gaston ROUPNEL, *La ville et la campagne au XVIIe siècle. Étude sur les populations du pays dijonnais*, 1955, 2e éd., p. 99 : « Au XVIe siècle, on soigne ou on nourrit le mendiant avant de l'expulser [des villes]. Au début du XVIIe siècle, on le rase. Plus tard on le fouette, et à la fin du siècle, le dernier mot de la répression en fait un forçat ».
2. Henri DROUOT, *Mayenne et la Bourgogne*, 1937, I, notamment p. 48 : « Ces robins qui avaient bouleversé depuis un siècle l'ordre social ancien formaient déjà, vers 1587, un corps conservateur. Ils voulaient maintenir le régime qui avait favorisé leur ascension et le pain qui pouvait garantir leur avenir. Ils tendaient aussi à s'isoler comme classe sur le sommet conquis. »
3. Voir *infra*, p. 217 et *sq*.

fin du siècle. Mais cette réalité est encore un résultat conjoncturel, de ceux qui peuvent s'effacer ou se compenser avec la marée suivante.

Bref, le XVIᵉ siècle, malgré ses hésitations ou à cause d'elles, n'a pas remis en question les vrais fondements de la société. En gros, il les accepte et les reçoit tout faits des époques antérieures ; le XVIIᵉ siècle les acceptera à son tour. Le beau livre récent d'Antonio Dominguez Ortiz, *La sociedad espanola en el siglo XVII* [1], montre des réalités que nous connaissions à l'avance : une noblesse aux prises avec de continuelles difficultés d'argent mais qui leur survit ; un État moderne qui n'arrive pas à remplir sa mission et à s'accomplir comme une révolution sociale (il se contente de compromis, joue la coexistence) ; une bourgeoisie qui continue à trahir, mais se connaît-elle en tant que patrie sociale ? enfin, un peuple inquiet, mécontent, agité, mais sans vraie conscience révolutionnaire.

I. Une réaction seigneuriale

En Chrétienté comme en Islam, les noblesses occupent les premières places et elles ne les céderont pas. Au premier regard, on ne voit qu'elles en France, en Espagne, ailleurs. Partout, elles se réservent les vanités sociales : les pré-séances, les habits luxueux, la soie aux fils d'or et d'argent, les satins et les velours, les tapisseries des Flandres, les chevaux de prix, les demeures somptueuses, les nombreuses domesticités, les carrosses à la fin du siècle... Ce sont autant d'occasions de se ruiner, il est vrai. On disait que par an, au temps de Henri II, la noblesse française importait pour quatre millions de livres de vêtements en provenance d'Italie [2]. Mais les apparences n'excluent pas, elles appellent les réalités de la puissance, de la richesse elle-même... Sur d'immenses espaces, ces noblesses vivent des vigoureuses racines et de la sève féodales. Un ordre ancien aboutit à ces privilégiés et les soutient encore. Il n'y a d'exceptions qu'autour et à l'intérieur des grandes villes, corruptrices des hiérarchies anciennes, dans les places marchandes (et encore), dans des régions tôt enrichies, comme les Pays-Bas et surtout l'Italie, mais pas toute l'Italie, nous le savons à l'avance.

Ces exceptions ? autant de points minuscules, de zones étroites. A l'échelle de la Méditerranée et de l'Europe, une histoire évidemment minoritaire. De ce vaste ensemble, disons ce que Lucien Romier expliquait à propos de la France de Catherine de Médicis où tout devient clair « dès qu'on lui restitue son cadre naturel, un vaste royaume semi féodal » [3]. Partout l'État, révolution sociale (mais à peine esquissée) autant que politique, doit lutter contre ces « possesseurs de fiefs, maîtres des villages, des champs et des routes, gardiens de l'immense peuple rural » [4]. Lutter, c'est-à-dire composer avec eux, les diviser et aussi les préserver car il est impossible de tenir une société sans la complicité d'une classe dominante. L'État moderne prend cet outil en mains, le briserait-il que tout serait à refaire. Et recréer un ordre social n'est pas une petite affaire, d'autant que nul n'y songe sérieusement au XVIᵉ siècle.

---

1. Tome I, seul paru, Madrid, 1963.
2. Lucien ROMIER, *Le Royaume de Catherine de Médicis*, 1925, I, 3ᵉ édit., p. 177.
3. *Ibid.*, p. 207-208.
4. *Ibid.*, p. 207.

Noblesses et féodalités ont ainsi pour elles le poids des habitudes, la force de positions depuis longtemps occupées, pour ne pas parler de la faiblesse relative des États ou de la courte imagination révolutionnaire du siècle.

Seigneurs et paysans

Si l'on en croyait tant de témoignages souvent commentés, le XVIe siècle aurait réduit les seigneurs à la misère. Le témoignage est souvent juste. Mais tous les nobles ne sont pas logés à cette enseigne, ni régulièrement victimes ou du Roi ou de la guerre, ou de la paix et des démobilisations[1] qu'elle entraîne, ni d'un luxe sans mesure. Dire, comme tel historien, que « le régime féodal se meurt par suite de la dépréciation des monnaies due aux découvertes de métaux précieux dans les Amériques »[2], c'est parler vite et raisonner comme si l'on prétendait que le capitalisme[3] de lui-même a dissous « par ses acides », ou pour le moins altéré profondément tous les cadres sociaux — ou que la féodalité castillane s'achève le jour même où Ferdinand le Catholique s'est saisi des maîtrises des grands ordres ; ou que la féodalité corse a été frappée à mort exactement en 1511[4], lors de la défaite de Giovanni Paolo da Lecca et de la mort de Renuccio della Rocca, tombé dans l'embuscade que lui avaient tendue ses parents[5]. Illusions d'une explication ou d'une chronologie précises, et de mots que l'on voudrait tout aussi précis, alors que celui de féodalité est, à lui seul, plein d'embûches. En fait, il faut que le temps collabore à ces transformations qui ne s'accomplissent ni en ligne droite, ni de façon univoque.

En tout cas, dans le dialogue essentiel entre seigneurs et paysans, ceux-ci peuvent avoir gagné, ainsi en Languedoc de 1450 à 1500[6], peut-être en Catalogne au XVe siècle (du moins certains paysans à l'aise), mais l'exception confirme la règle[7]. D'ordinaire, le seigneur a le dernier mot, à plus ou moins long terme, et même, en Aragon, en Sicile, il l'a toujours eu. La révolution des prix trop souvent invoquée n'a pas, comme par miracle, été obstinément démocratique. Elle a allégé les charges et redevances paysannes payables en argent et fixées bien avant la découverte de l'Amérique. En fait, les droits féodaux sur les tenures paysannes sont souvent légers, parfois moins que rien. Non pas toujours. Et surtout le seigneur perçoit également des revenus en nature qui suivent les cours du marché. Un relevé des revenus du cardinal duc de Lerme, en mars 1622, parle de ses volailles, de son blé, de son vin, « le blé à la taxe, le vin à quatre réaux », *el pan a la tasa, el vino a quatro reales*[8]. Plus encore, en Méditerranée comme en Europe, le partage de la terre n'est jamais fait une fois pour toutes. A la ruse du paysan s'opposent la ruse, et le cas échéant, la brutalité du seigneur. Celui-ci exerce la justice, il a des droits éminents sur les tenures paysannes et sur les terres qui les séparent ou les entourent. Le XVe siècle finissant, tout le

1. *Ibid.*, p. 193-203 ; Henri DROUOT, *op. cit.*, I, p. 40.
2. François de RAMEL, *Les Vallées des Papes d'Avignon*, 1954, p. 142.
3. Josef A. SCHUMPETER, *op. cit.* (tr. ital.), I, p. 177.
4. Carl J. von HEFELE, *Le cardinal Ximénès*, p. 364.
5. R. RUSSO, *art. cit.*, p. 421.
6. E. LE ROY LADURIE, *op. cit.* Je crains qu'il n'y ait pas dialogue, mais bien conversation, le paysan riche est le troisième interlocuteur adversaire et du seigneur et du petit paysan. Si l'on en croit E. Le Roy Ladurie, ce gros paysan gagnerait en Languedoc, de 1550 à 1600.
7. P. VILAR, *op. cit.*, I, p. 575 et *sq.*
8. Antonio DOMINGUEZ ORTIZ, *op. cit.*, I, p. 364.

XVIe offrent le spectacle de villages construits ou reconstruits, et toujours dans un cadre seigneurial. Vérité dans la Gâtine poitevine[1], dans le Jura[2] où se fondent des « granges », dans le Haut-Poitou[3] où telle famille seigneuriale mal en point rétablit sa situation en lotissant les vastes brandes jusque-là vides et où sont installés des paysans. En Espagne, des villages sont fondés avec des chartes, des *cartas pueblas*[4], et souvent la terre paysanne d'ancienne occupation passe elle-même entre les mains du seigneur. En Provence, les chartes de franchise et d'habitation se multiplient à partir de 1450 : il s'agit souvent de restaurations de villages, détruits ou abandonnés, sur leurs anciens emplacements, rarement de créations nouvelles (Vallauris 1501, Mouans-Sartoux 1504, Valbonne 1519). L'initiative vient, chaque fois, du seigneur du lieu, « désireux de voir repeupler et cultiver des terres délaissées »[5], recrutant alors « aux environs, ou plus souvent dans des contrées plus éloignées, Ligurie, Rivière de Gênes, Piémont, des cultivateurs désireux de s'établir... sur ses terres »[6]. Il leur accorde des conditions avantageuses, mais il y trouve son intérêt, lui aussi[7].

Ces « colonisations » sont la conséquence évidente des essors économiques et de la surpopulation endémique. Ainsi, dans le royaume de Naples où chaque État seigneurial (certains très vastes, notamment dans les Abruzzes, le Comté d'Albi et Tagliacozzo) comprend un certain nombre de communautés villageoises et urbaines, celles-ci et celles-là avec leurs privilèges, donc jamais exploitables à merci — les seigneurs prennent l'habitude de créer des villes « nouvelles » et d'y appeler des colons. En vain, de Naples, les autorités espagnoles essaient-elles de freiner le mouvement, décrétant par une première loi en 1559, puis par une seconde, un siècle plus tard, en 1653, que les villes neuves fondées sans autorisation gouvernementale seraient agrégées, sans autre forme de procès, au domaine royal. Sans doute, était-il aisé de se soustraire à ces rigueurs, ou d'obtenir les autorisations préalables, puisque les villages et villes du Royaume augmentent sans cesse en nombre : de 1563 sous Charles Quint, ils passent à 1 619, en 1579 ; puis à 1 973, en 1586. Or les villes et villages de l'Église et des seigneurs (la majorité du lot) (1 556, en 1579 ; 1 904, en 1586) augmentent au même rythme que le maigre domaine royal qui, pendant ce même laps de temps, passe de 53 à 69 (ces chiffres pris au vieux livre de Bianchini). Bref, la politique velléitaire de l'Espagne ne peut rien contre la poussée seigneuriale, pas plus à Naples qu'en Sicile. Politique incohérente au demeurant puisque les villes, villages et terres qui sont dans le domaine, ou y font retour, sont constamment proposés à de nouveaux acheteurs[8].

Un seigneur, ancien ou nouveau dans son métier, pourra donc être un propriétaire attentif à ses droits, à ses redevances, à ses moulins, à ses chasses, à ce jeu multiple qui l'oppose au paysan, attentif lui aussi à la commercialisation

1. Dr L. MERLE, *La métairie et l'évolution agraire de la Gâtine Poitevine de la fin du Moyen Age à la Révolution*, 1959.
2. Lucien FEBVRE, *Philippe II et la Franche Comté*, 1912, p. 201 et sq.
3. Gabriel DEBIEN, *En Haut Poitou : défricheurs au travail (XVe-XVIIe siècles)*, « Cahiers des Annales », 1952.
4. Manuel TORRES-LOPEZ, « El origen del Señorio Solariego de Benameji y su *carta-puebla* de 1549 », in : *Boletin de la Universidad de Granada*, 1932, n° 21 ; compte rendu de Marc BLOCH, in : *Annales hist. écon. et sociale*, 1934, p. 615.
5. Robert LIVET, *op. cit.*, p. 147 et 148.
6. *Ibid.*
7. R. AUBENAS, *Chartes de franchises et actes d'habitation*, Cannes, 1943.
8. L. BIANCHINI, *op. cit.*, I, p. 260 et sq.

du blé, de la laine, du bétail... Bernardino de Mendoza, ambassadeur de Philippe II à Paris — et ne serait-ce qu'à ce titre accablé de soucis d'argent — songe de si loin à vendre le blé de sa récolte précédente[1]. C'est qu'il est producteur et même stockeur de grain. Autre indice : l'élevage du gros bétail a souvent été le fait de grands propriétaires, dans la Campagne Romaine et ailleurs[2]. Julius Klein a montré le rôle de certains seigneurs, et grands seigneurs, dans l'élevage moutonnier de la Mesta[3]. En Andalousie, au XVIIᵉ siècle, les nobles et l'Église se saisiront de superficies énormes et, par leur agriculture extensive, dépeupleront le plat pays[4]. D'abondantes archives d'exploitations domaniales sont d'ailleurs à la disposition des historiens et des études précieuses en signalent déjà les richesses[5]. A eux seuls, les merveilleux documents de la *Sommaria* à Naples indiquent l'activité et les spéculations de ces grands propriétaires et producteurs, vendeurs de blé, de laine, d'huile, de bois[6]. Cultiver ses terres et en vendre les produits n'était pas déroger, bien au contraire.

Dans cette vie des classes aristocratiques, les anciens revenus de caractère féodal bien que réduits conservent un certain poids[7]. On pouvait les augmenter, essayer de les augmenter. Cela donnait lieu à des querelles, à des procès, à des séditions, et nous connaissons de telles séditions, malheureusement sans en bien saisir les raisons. Il faudrait regarder à la loupe les accords nouveaux qui les terminent ou les préviennent. En 1599, la commune de Villarfocchiardo dans le Piémont concluait une convention avec ses seigneurs, au sujet de ses droits féodaux[8]. Il faudrait voir ce que cette convention devient à la longue, à qui elle est favorable. Dans ce cas comme dans cent autres, car il est certain que les rajustements ont été nombreux. Contestations, procès ont laissé d'innombrables traces. Généralement les vassaux réclamaient leur rattachement au domaine royal, en Sicile, à Naples, en Castille, en Aragon... Probablement parce que l'État monarchique était moins attentif, moins prompt à réviser les anciens contrats, sous les prétextes, valables ou non, des variations économiques.

A l'avance, la montée des prix indique le sens général des discussions entre seigneurs et paysans. Durant l'été de 1558, les sujets du marquisat de Final, près de Gênes, se révoltent contre les exactions de leur seigneur, Alphonso de Carreto. Quelles exactions ? Ne serait-ce pas, comme le dit Carreto lui-même, parce qu'il a procédé à une réestimation des biens de ses vassaux et qu'il prétend hausser leurs redevances ? La question de Final échappant vite au marquis (Gênes et l'Espagne s'intéressent beaucoup trop à ce territoire décisif pour ne pas mettre l'occasion à profit)[9], on oublie d'ordinaire les débuts pratiques de l'affaire.

---

1. 8 octobre 1585, A.N., K 1563.
2. Voir *supra*, I, p. 72-73.
3. *Op. cit.*, p. 354.
4. G. NIEMEYER, *op. cit.*, p. 51.
5. Aldo de MADDALENA, « I bilanci dal 1600 al 1647 di una azienda fondiaria lombarda », *in : Rivista internazionale di Scienze economiche et commerciali*, 1955.
6. Ainsi à titre d'exemples entre des centaines d'autres : A.d.S., Naples, Sommaria Partium 249, fᵒ 181, 219 vᵒ, 220, 247 (1544 et 1545).
7. A. de MADDALENA, *art. cit.*, p. 29, leur chute « drastique » à partir de 1634.
8. Fr. Saverio PROVANA DI COLLEGNO, « Notizie e documenti d'alcune certose del Piemonte », *in : Miscellanea di storia italiana*, 1901, t. 37, série 3, vol. 2, p. 393-395.
9. Ses sujets se révoltent encore en 1566 (Simancas Eᵒ 1395, 7 février 1566), la révolte dure encore en 1568 (*Ibid.*, 11 janvier 1568).

Nombreux finalement ont été les nobles qui ont conservé le contact direct avec la terre et les revenus fonciers, qui ont ainsi traversé, je ne dis pas sans dommages[1], mais traversé cependant l'orage de la révolution des prix. Or ces défenses et ces solutions n'ont pas été les seules à leur disposition.

En Castille : Grands et titrés face au Roi

On dit avec raison que l'État moderne a été l'ennemi des noblesses et des féodalités. Cependant il faut s'entendre : il a été à la fois leur ennemi et leur protecteur, leur associé. Les réduire à l'obéissance, première tâche, jamais achevée d'ailleurs ; ensuite les utiliser comme instruments de gouvernement. Au delà d'eux et par eux tenir le « peuple vulgaire », comme on disait en Bourgogne[2]. Compter sur eux pour la tranquillité et l'ordre publics, la défense des régions où sont leurs terres et leurs châteaux, pour l'encadrement des levées du ban et de l'arrière-ban qui restent importantes en Espagne : en 1542, pour le siège de Perpignan ; en 1569, pour la guerre de Grenade ; en 1580, pour l'invasion du Portugal. Plus souvent encore, le Roi se contente d'alerter ses vassaux, pour le cas où le danger deviendrait grave : ainsi en 1562[3] ou en 1567[4]. En 1580, les seigneurs de la frontière portugaise levèrent à leurs frais de petites armées, au total 30 000 hommes[5] qui ne furent guère utilisées. Chaque fois, il s'agit de levées frontalières, mais profondes, onéreuses à coup sûr.

En outre, le Roi met constamment les seigneurs importants au courant de ses intentions, de ses ordres, des nouvelles décisives ; il sollicite leurs avis et les oblige à lui prêter de grosses sommes d'argent... Mais les avantages concédés en contrepartie par la Monarchie ne sont pas négligeables. Bien entendu, mettre l'État en cause, c'est voir avant tout les grands et très grands interlocuteurs, les *Grandes* et les *Titulos*[6], cette étroite minorité de privilégiés par lesquels la monarchie gouverne de temps à autre, un peu de biais, évitant que d'immenses dissidences régionales échappent à son contrôle, car derrière chacun de ces grands seigneurs se situent de larges clientèles, comme en France derrière les Guises ou les Montmorency. Qu'un juge royal (en 1664 il est vrai) s'apprête à mettre la main sur le *corregidor* de Jérez, le duc d'Arcos[7] intervenant ne prend même pas la peine de le voir. Il s'adresse à son secrétaire : « Dis-lui que le corrégidor de Jerez est de ma maison, cela suffira ». La noblesse s'est éclipsée comme les étoiles devant le soleil monarchique, ainsi s'exprime la phraséologie du temps. Mais les étoiles restent non négligeables.

C'est ce que montre l'exemple privilégié de la Castille. La lutte évidente y a pris dix formes différentes. La moins efficace n'est pas cette hostilité permanente des gens de la justice royale contre les prétentions de la justice seigneuriale et contre la personne même des seigneurs. Ainsi rien n'est plus aisé que d'opposer les seigneurs entre eux à l'occasion d'héritages ou de contestations de

1. Carmelo VIÑAS Y MEY, *El problema de la tierra en los siglos XVI-XVII*, Madrid, 1941, p. 30, pense que les revenus de la noblesse augmentent moins vite que le niveau général des prix.
2. Henri DROUOT, *op. cit.*, II, p. 477.
3. *Correspondance de Saint-Sulpice*, p.p. E. CABIÉ, p. 37.
4. *Dépêches de Fourquevaux*, I, p. 365.
5. R. B. MERRIMAN, *op. cit.*, IV, p. 365.
6. L. PFANDL, *Philippe II*, p. 315 ; S. MINGUIJÓN, *Historia del derecho español*, Barcelone, 1933, p. 370.
7. A. DOMINGUEZ ORTIZ, *op. cit.*, p. 222.

propriétés. C'est autant de gagné sur eux. En 1572, Ruy Gomez déborde de joie à la nouvelle que le duc de Medina Sidonia vient de gagner son procès contre le comte d'Albe, un neveu du prieur Don Antonio, à propos du comté de Niebla qui vaut, aux dires des ambassadeurs toscans[1], plus de 60 000 ducats de rente. La cause gagnée — est-ce un hasard ? — le duc de Medina Sidonia épouse la fille de Ruy Gomez. Enfin, il arrive rarement, mais il arrive que la justice royale soutienne les vassaux contre les seigneurs. En juillet 1568, arrivait à la Cour le duc de l'Infantado. Longtemps le plus riche des seigneurs castillans (il l'était encore en 1560)[2], il avait cédé la première place au duc de Medina Sidonia, peut-être parce que spécialement attaqué à cause de sa prééminence et sciemment amoindri ? En tout cas, en 1568, il venait à la Cour à l'occasion du procès que lui intentaient ses sujets du marquisat de Santillana qui prétendaient relever du domaine royal. Fourquevaux, à qui nous empruntons le détail[3], ajoute : « Il y a d'autres Grands de ce Royaume qui sont en mesme qualité de procès, que les aucuns ont perdus desja de belles seigneuries et les autres n'en auront pas moins ».

Quant à la justice même que rendent ces feudataires, elle est étroitement surveillée d'en haut, jamais perdue de vue. Leurs sentences, note un Vénitien en 1558, sont déférées aux Chancelleries[4]. Paolo Tiepolo le répète en 1563. « Les nobles de Castille possèdent de vastes pays et d'assez belles terres, mais leurs juridictions et leurs forces sont très limitées ; en définitive, ils ne rendent pas la justice ; ils ne peuvent lever aucun tribut sur leurs peuples et n'ont ni forteresses, ni soldats, ni armes nombreuses... à la différence des seigneurs d'Aragon lesquels, bien que de moindre état, usurpent cependant plus grande autorité »[5].

Ces petites victoires de la monarchie — ou tel gros succès comme la reprise par le Roi, des *diezmos de la mar*, des douanes au long de la côte cantabre, en 1559, à la mort de l'Almirante de Castille qui les possédait à titre de concession héréditaire[6] — ces victoires ne doivent pas faire illusion. Le pouvoir seigneurial diminue peu de vigueur. En 1538, toute la puissance de Charles Quint[7] n'a pu obtenir aux Cortès, contre la résistance des représentants des nobles, l'établissement d'un impôt général de consommation. « Quand Charles Quint a voulu rompre leurs privilèges, contera plus tard Michel Suriano[8], il a eu tous les Grands contre lui et, plus que les autres, le Grand Connétable de Castille, bien que très affectionné à Sa Majesté ». En 1548, en l'absence de Charles Quint, en 1555, en l'absence de Philippe II, les Grands d'Espagne essayèrent de se concerter, de reprendre du poil de la bête ; en 1558-1559[9], la princesse Jeanne au nom de Philippe II procéda à des aliénations de *lugares*, de villages appartenant à des villes. Celles-ci se défendent, certaines gagnent, d'autres perdent. Or tous les acheteurs que nous connaissons sont des nobles d'importance, justement signalés parce qu'ils sont de ceux, trop puissants, que la Royauté écarte ou

---

1. Nobili et del Caccia au Prince, Madrid, 12 mars 1572, A.d.S., Florence, Mediceo 4903.
2. *C.S.P.*, *Venetian*, VII, p. 178.
3. *Lettres de Fourquevaux*, I, p. 295.
4. E. ALBÈRI, *op. cit.*, I, III, p. 263.
5. *Ibid.*, I, V, p. 19-20.
6. Voir *supra*, I, p. 269, note 1.
7. Richard KONETZKE, *op. cit.*, p. 146.
8. E. ALBÈRI, *op. cit.*, I, III, p. 338-339.
9. D'après le rapport du licencié Polomares, cf. *supra*, II, 32, note 5.

essaie d'écarter. Elle souhaite, par exemple, que l'Almirante de Castille n'achète pas Tordesillas ; que le marquis de las Navas ne s'attribue pas un morceau important du domaine de Ségovie[1] ; que le duc d'Alcala n'entre pas en possession de 1 500 vassaux de Séville[2], achetés pour 150 000 ducats (soit 100 ducats pour un vassal et sa famille). Mais pour un que l'on écarte, dix atteignent leur but et, à défaut des vassaux des villes, ils achèteront, à l'occasion, des vassaux de l'Église, mis à l'encan eux aussi par la Royauté. La grande noblesse espagnole s'est acharnée, ainsi qu'en font foi ses archives, à acheter des terres, des rentes, des fiefs, même des maisons urbaines.

Cependant, à mesure que passent les années, l'autorité monarchique se fait plus efficace, sans doute plus lourde et les signes ne manquent pas : que le Roi fasse arrêter le fils de Hernán Cortes, le marquis del Valle[3], accusé d'avoir voulu se rendre indépendant en Nouvelle Espagne ; ou à Valence et par l'intermédiaire de l'Inquisition, en 1572, le Grand Maître de Montesa[4], pour hérésie ou sodomie, la rumeur publique n'étant pas à ce sujet très fixée ; qu'il exile sur ses terres, en 1579, le duc d'Albe lui-même ; ou qu'il frappe en 1580[5], et fort, cette très grande dame qu'est la veuve de Ruy Gomez, la princesse d'Eboli, non sans avoir longtemps tergiversé ; ou encore qu'il fasse arrêter, en avril 1582[6] dans la maison de son père, l'Almirante de Castille, le comte de Modica, tout de même coupable d'avoir assassiné son rival en amour (« cette exécution, note une correspondance vénitienne, a beaucoup attristé tous les nobles et spécialement ceux que l'on appelle les Grands en Espagne, puisqu'ils ne se voient pas plus respectés que le commun des mortels ») ; ainsi encore, que le Roi Prudent sans autre forme de procès, en septembre 1586[7], fasse mettre au pas, à Madrid, une jeunesse dorée extravagante... Au temps de Philippe III, puis de Philippe IV, ces actes d'autorité se répètent et leur liste serait longue. En décembre 1608, le duc de Maqueda et son frère D. Jaime étaient condamnés à mort pour avoir frappé un notaire et alcade du Conseil Royal. L'affaire se tassera, mais l'émotion fut vive sur le moment[8], comme en avril 1621, lors de l'abaissement brusque des ducs d'Ossuna, de Lerme et d'Uceda, ce qui étonna même l'ambassadeur français...

Il y a eu vraiment réduction à l'obéissance et souvent consentie avec dévotion. Cette grande noblesse en effet a commencé à vivre à la Cour, dès le règne de Philippe II ; elle s'installe à Madrid, non sans prudence et sans une certaine répugnance au début. Elle y campe dans des maisons *che sono infelici rispetto a quelle d'Italia*, note encore le cardinal Borghese en 1597[9]. Le luxe des tapisseries et de l'argenterie n'empêche pas qu'ils y vivent *porcamente senza una minima pollitia, che entrare nelle case loro par proprio d'entrare in tante stalle*. Inutile de les défendre contre ces jugements italiens : ils vivent, au vrai, comme des paysans qu'ils sont, souvent violents, mal dégrossis, si certains sont de brillantes exceptions. Et puis ces maisons de Madrid ne sont que des auberges, des

1. Simancas E° 137, f° 213, 9 juin 1559.
2. *Ibid.*, 13 juillet 1559.
3. A.d.S., Florence, Mediceo 4903, 29 septembre 1571.
4. *Ibid.*, 19 juin 1572.
5. A.d.S., Florence, Mediceo 4911, 15 février 1580.
6. A.d.S., Venise, Senato Dispacci Spagna, Matteo Zane au Doge, Madrid, 21 avril 1582.
7. A.d.S., Gênes, Spagna 15, Madrid, 27 décembre 1608.
8. Naples, Bibliothèque de la Storia Patria, XXVIII, B 11, f° 114 v°, 30 avril 1621.
9. A. MOREL FATIO, *L'Espagne au XVIe et au XVIIe siècle*, Heilbronn, 1878, p. 177.

pied-à-terre. C'est sur leurs domaines que se déroulent toujours les fêtes et cérémonies importantes[1]. Les richissimes ducs de l'Infantado ont un magnifique palais à Guadalajara, le plus beau d'Espagne déclare Navagero en 1525[2], et c'est là que se déroulera le mariage de Philippe II et d'Élisabeth de France. La plupart des palais seigneuriaux sont établis au milieu même des campagnes. C'est à Lagartera, village de la Sierra de Gredos, non loin d'Oropesa[3], un village où hier encore, « les paysannes... conservaient leurs vieux costumes, les bas en forme de guêtres, les lourds jupons couverts de broderies »,[4] que les ducs de Frias avaient leur château, avec ses fenêtres Renaissance ouvertes dans les épaisses murailles, sa cour spacieuse, ses larges escaliers, ses plafonds sculptés, ses poutres en saillie et ses gigantesques cheminées.

Peu à peu, les seigneurs cèdent à l'attrait des villes. Le duc de l'Infantado était déjà à Guadalajara. A Séville, les palais urbains se multiplient au xvie siècle. A Burgos, certaines de ces maisons existent encore aujourd'hui avec fenêtres et portiques à ornements Renaissance et de larges blasons armoriés supportés par des figures[5]. Dès 1545, Pedro de Medina admire le nombre et la richesse des maisons nobles à Valladolid[6].

Quand le règne de Philippe II s'achève, c'est par rangs serrés que les seigneurs se déplacent vers Madrid, puis vers Valladolid redevenue un instant capitale de l'Espagne, vers la vie de représentation de la *Corte*, les fêtes, les courses de taureaux sur la *Plaza Mayor*. Cette noblesse épaissit autour du souverain l'écran qui, de plus en plus, va le séparer de son peuple[7]. La faiblesse de Philippe III s'y prêtant, elle occupe les postes essentiels du gouvernement, avec ses hommes à elle, ses coteries, ses passions... C'est l'époque des favoris, des *validos*, la sienne. Dès lors, elle se plaît au luxe de Madrid, à ses mœurs, aux longues promenades de la rue et à sa vie nocturne : théâtres, veuves complaisantes et filles de joie qui commencent en cette bonne compagnie à se vêtir de soie, pour le plus grand scandale des gens vertueux. Elle éprouve même, grisée par ce changement de vie, une certaine volupté à s'encanailler, mêlée à la foule frelatée que fait éclore la grande ville. La tradition veut que le duc de Medina Sidonia, héros malheureux de l'Invincible Armada, ait fondé à Madrid le cabaret des Sept Diables[8]. En tout cas, autant que du Roi, des comédiens ou des mauvais garçons, Madrid est la ville des nobles, le lieu de leurs vanités, de leurs fastes, de leurs querelles, celles qu'ils vident eux-mêmes ou celles que leurs ruffians règlent au coin des rues : dans la ville se commet, à dire de témoins, bien plus d'un assassinat par jour[9].

Mais à Madrid la noblesse se presse aussi pour surveiller le pouvoir et en tirer profit. Domestiquée, elle domestique à son tour, prend sa revanche d'avoir été tenue à l'écart par le Roi Prudent, au cours d'un règne interminable. Les

1. A.d.S., Florence, Mediceo 4903, 22 janvier 1571.
2. A. NAVAGERO, *op. cit.*, p. 6.
3. Baltasar PORREÑO, *Dichos y hechos del señor rey don Philipe segundo, el prudente...*, Cuenca, 1621, p. 6.
4. R. RECOULY, *Ombre et Soleil d'Espagne*, 1934, p. 97.
5. Théophile GAUTIER, *Voyage en Espagne*, 1899, p. 39.
6. *Op. cit.*, notamment la maison du comte de Benavente, près du Pisuerga, p. 229 v°.
7. L. PFANDL, *op. cit.*, p. 132.
8. Victor HUGO, *William Shakespeare*, 1882, p. 25, parle du cabaret *El Puño en rostro*.
9. A.d.S., Naples, Farnesiane 48, Canobio au duc, Madrid, 7 septembre 1607 : « de quatro mesi in qua passa cosa qua contra il solito et mai più è intervenuto che siano state amazate in Madrid piu di trecenti huomini e non si sa come ne perche delli più ».

57

petites gens continuent à occuper les postes de plume des conseils et à s'engager pas à pas dans la voie des honneurs. Les Grands, les Titrés sont à la recherche des grâces, des dons substantiels, des nominations profitables, des *ayudas de costa*, des concessions d'*encomiendas* des différents Ordres. Ils sollicitent pour eux et pour les leurs. Une nomination à la tête d'une vice-royauté d'Italie ou d'Amérique, c'est une fortune assurée. Nominalement les revenus de la grande noblesse ne cessent d'ailleurs de grandir à la suite d'une concentration assez régulière des héritages et des avoirs. Régulièrement ils montent avec la conjoncture. A eux tous, Grands et seigneurs titrés disposent, en 1525, de 1 100 000 ducats de revenus, aux dires des Vénitiens[1], le seul duc de Medina Sidonia recevant pour sa part annuelle 50 000 ducats. En 1558[2], les revenus du duc atteignent 80 000 ; en 1581, vingt-deux ducs, quarante-sept comtes et trente-six marquis disposent de 3 millions de ducats et le duc de Medina Sidonia de 150 000 à lui seul[3].

Telles sont les apparences, les on-dit. Mais ces brillantes situations sont toutes obérées ; dès le temps même de Philippe II des endettements catastrophiques sont déjà la règle, et les revenus des nobles sont souvent assignés, tels les revenus du Roi lui-même, pour payer des dettes. On connaît ainsi la société que les Martelli[4] de Florence fondent, en 1552, sous le titre de Francesco Lotti et Carlo Martelli, et qui se spécialise jusqu'en 1590 dans les prêts usuraires aux grands seigneurs (mauvais payeurs) et aux petites gens toujours d'une scrupuleuse exactitude. La liste des mauvais payeurs est magnifique : « Alonso Osorio, fils du marquis de Astorga, D. Miguel de Velasco, D. Juan de Saavedra, D. Gabriel de Zapata, D. Diego Hurtado de Mendoza, D. Luis de la Cerda, D. Francisco de Velasco, D. Juan de Acuña, D. Luis de Toledo, fils du vice-roi de Naples, B. Bernardino de Mendoza, D. Ruy Gomez da Silva, D. Bernardino Manrique de Lara, D. Garcilaso de la Vega, père du comte de Palma, le marquis de Las Navas, le comte de Niebla... » C'est un beau tableau d'affichage. Ces dettes étant souvent contractées au service du Roi, ainsi par ses divers ambassadeurs, on comprend que le monarque intervienne à l'occasion et impose aux créanciers des compositions[5]... Au siècle suivant, où nous connaissons mieux ces trésoreries princières et misérables, les mêmes difficultés continuent. Une grâce royale, un héritage, une dot substantielle, un emprunt autorisé par le Roi sur un majorat rétablissent des liquidités précaires[6]. Puis bientôt la marche reprend sur la corde raide... Voilà en somme qui facilite la tâche du monarque. Isolée de la vie économique active, la noblesse est condamnée aux mauvaises affaires : elle ne s'en prive pas.

Et le Roi dispose encore d'un autre moyen de pression. C'est vers 1520 que se précise la distinction d'une haute noblesse assez fermée, celles des Grands et *Titulos*, 20 Grands, 35 *Titulos*. Ils sont une soixantaine en 1525 ; 99 à la fin du règne de Philippe II (18 ducs, 38 marquis, 43 comtes) ; Philippe III crée 67 marquis et 25 comtes...[7] Il y a donc eu des promotions en chaîne. Ainsi en 1533 et

---

1. E. ALBÈRI, *op. cit.*, I, I, 35-36, 16 novembre 1525.
2. *Ibid.*, I, III, p. 263.
3. *Ibid.*, I, V, p. 288.
4. Felipe RUIZ MARTÍN, *Introduction aux lettres de Florence*, à paraître.
5. B. BENNASSAR, *op. cit.*, dactylogramme.
6. Voir tout l'excellent chapitre III, *La posición economica de la nobleza*, d'A. DOMINGUEZ ORTIZ, *op. cit.*, p. 223 et *sq*.
7. Voir L. PFANDL, *op. cit.*, p. 313 et A. DOMINGUEZ ORTIZ, *op. cit.*, p. 215 et *sq*.

1539, celle des Navas et des Olivares, de noblesse récente. Ensuite viendra la distinction de la haute noblesse en trois classes. Par là le roi gouverne, tient son monde...

Hidalgos et regidores de Castille

La haute noblesse, à la fin du règne de Philippe II, c'est 100 personnes, avec femmes et enfants 400, 500 au plus. L'estimation du nombre global des nobles en Castille est sujette à caution, 130 000 peut-être[1], soit un demi-million de personnes sur une population de six ou sept, une masse qui en raison même de son volume comprend forcément des pauvres et des misérables. Dans des milliers de maisons parfois délabrées, souvent avec de « gigantesques blasons sculptés sur pierre »[2], habite un peuple qui tient à vivre « noblement », sans travail déshonorant, du service du Roi ou de l'Église, sacrifiant tout, souvent sa vie même, à cet idéal. Si folie nobiliaire il y a, celle-ci ne cesse de s'aggraver en Castille, malgré les misères qu'elle entraîne et la moquerie populaire qui surabonde en dictons[3] : « A la poursuite de ce que te doit un *hidalgo*, lâche ton lévrier » ; « sur la table de *l'hidalgo*, beaucoup de nappes, peu de plats » ; « Que Dieu te garde du pauvre *hidalgo* et du riche vilain »...

Cette moquerie va de soi : il y a contradiction à vouloir et en même temps à ne pas pouvoir vivre noblement, faute de cet argent qui justifie à peu près tout. Certaines villes vont jusqu'à refuser leur entrée à ces *hidalgos* qui ne prennent pas leur part des charges fiscales communes. En lettres d'or, dit-on, était inscrit dans l'*Ayuntamiento* de Gascueña, village de la province de Cuenca : *No consienten nuestras leyes hidalgos, frailes, ni bueyes*[4]. Les bœufs (les lourdauds ?) sont là pour la rime : « nos lois n'admettent ni les hidalgos, ni les moines, ni les bœufs ». Bien d'autres villes et villages, fort nombreux, refusaient toute division entre *hidalgos* et *pecheros*, petits nobles et gens du commun. Cependant la plupart du temps, les deux « peuples » se partageaient par moitié offices et charges municipales[5], ce qui avantageait la minorité. Et dans de nombreuses villes importantes, ainsi dans le poste essentiel de Séville[6], la noblesse avait saisi tous les postes de commande. Nous avons déjà signalé une vénalité, profitable aux familles en place, maîtresses des offices de *regidores* vendus par la royauté, puis revendus par les titulaires. Ce ne furent jamais là bien sûr, questions de pure vanité, mais d'intérêts souvent sordides, toujours exigeants. Faute de piller la Castille entière, comme les Grands, la noblesse locale pille les revenus urbains et villageois, à portée de main, et elle s'en nourrit. Querelles, tensions, luttes de classes ne manquent jamais dans ces microcosmes agités, les incidents y sont tantôt dérisoires, tantôt tragiques, mais ont un sens.

Tous ces os à ronger sont d'ordinaire laissés de côté par la grande noblesse. De même, à la Cour, petites charges et médiocres offices sont accessibles aux *hidalgos*, et dès avant le retournement social qui suivra la mort de Philippe II. Ce dernier n'a pas préféré, comme on a dit, les plébéiens ou les bourgeois dont

---

1. A. DOMINGUEZ ORTIZ, *op. cit.*, p. 168.
2. Théophile GAUTIER, *op. cit.*, p. 27.
3. J'emprunte ces exemples à A. DOMINGUEZ ORTIZ, *op. cit.*, p. 224.
4. A. DOMINGUEZ ORTIZ, *ibid.*, p. 255 et sq.
5. *Ibid.*
6. *Ibid.*

le nombre, même au *Consejo de Hacienda*, a été limité (si l'on excepte les gens d'Église) ; il a préféré la moyenne noblesse à la grande. Cette constatation que des sondages laissent entrevoir change les explications d'ensemble[1]. Une réaction seigneuriale ainsi commence avec le XVIe siècle lui-même, bien que, naturellement, toute la noblesse ne se case pas à l'aise et tout de suite : bien des nobles sans argent sont heureux de servir dans les rangs des serviteurs, des *criados* des grands seigneurs, sans négliger pour autant de porter à l'occasion leurs croix rouges de Santiago ou de Calatrava[2].

En face de ce mouvement général, profond, les réactions sont rares, inexistantes. Celles que l'on connaît n'en paraissent que plus significatives. Ainsi Medina del Campo, vieille ville marchande, refuse de céder aux *hidalgos* la moitié de ses *oficios*, malgré un jugement rendu contre elle en 1598, et elle obtient des mesures de report, puis gagne finalement sa cause, en 1635, contre un service de 25 000 ducats[3]. Medina de Rio Seco se défendra et triomphera dans les mêmes conditions, en 1632, contre un énorme présent d'ailleurs[4]. Notons ce détail, la marchandise lutte encore contre la noblesse.

Autres témoignages

Le tableau castillan se retrouve ailleurs, *mutatis mutandis*. En France[5]. Même en Catalogne[6] et à Valence : dans ces deux Espagnes à part, l'autorité du Roi est faible et les nobles en profitent au point que les observateurs étrangers leur prêtent volontiers des pensées plus subversives que de raison. En août 1575, quand il est question d'envoyer avec Escovedo, en Flandre, ou le duc de Gandia (mais il est malade) ou le comte d'Aytona, l'un et l'autre, dit le Génois Sauli, peuvent prétendre au titre « d'homme de République, l'un étant valencien, l'autre de Barcelone »[7]. « *Huomo di Repubblica* », un beau programme! Détail plus significatif, à Valence, en avril 1616, le vice-roi, duc de Feria, punissait un noble à la suite d'une de ses mauvaises plaisanteries et le faisait promener à dos de mule à travers la ville. Les nobles ferment aussitôt leurs maisons, prennent leurs habits de deuil et certains vont protester à Madrid, auprès du Roi[8].

A Naples, les guerres si violentes de Charles VIII à Louis XII avaient entraîné des catastrophes nobiliaires en chaîne. On vit disparaître les très grands potentats, comme les princes de Salerne ou de Tarente, ou le duc de Bari. Leur « États » furent divisés. Mais à ce jeu les moyens seigneurs grandirent et d'assez vastes États survécurent, ainsi les comtés d'Albi et Tagliacozzo, de Matera, de Cellano. En 1558[9] une relation vénitienne compte dans le royaume 24 ducs, 25 marquis, 90 comtes, 800 barons environ et, sur ce nombre, 13 seigneurs disposant de 16 à 45 000 écus de rentes. Ces chiffres grandirent par la

---

1. *Ibid.*, p. 270.
2. *Ibid.*, p. 277.
3. *Ibid.*, p. 263.
4. *Ibid.*, p. 262-3.
5. Lucien ROMIER, *Le Royaume de Catherine de Médicis*, 3e édit., 1925, I, p. 160-239.
6. Pierre VILAR, *La Catalogne dans l'Espagne moderne*, 1962, I, p. 573, notes brèves ; A. DOMINGUEZ ORTIZ, *op. cit.*, p. 303 et *sq.* Petit nombre de la noblesse catalane.
7. A.d.S., Gênes, Spagna 6, 2415, Madrid, 4 août 1575.
8. A.d.S., Venise, Senato Dispacci Spagna, P° Vico au Doge, Madrid, 27 avril 1616.
9. E. ALBÈRI, *op. cit.*, I, V, p. 276.

suite. En 1580, 11 princes, 25 ducs, 37 marquis[1] ; en 1597, 213 « titolati », soit 25 princes, 41 ducs, 75 marquis, 72 comtes et 600 barons et plus[2]. On ne prend plus la peine de compter ce menu fretin. En 1594, des seigneurs disposent de 50 à 100 000 ducats de rente[3]. Comment l'État, vendeur de titres par l'intermédiaire de la *Sommaria*, pourrait-il mener la lutte contre ses propres clients ?

Il l'engagea pourtant, mais jamais complètement. En 1538, et encore par la suite, Charles Quint fit savoir qu'il ne permettait, à ses feudataires de Naples, d'exercer le *mero* et le *misto impero*[4] que si ce droit était dûment spécifié dans leurs privilèges ou établi par une prescription légitime ; dans le cas contraire, le feudataire serait inculpé d'usurpation de juridiction. L'Empereur essaya aussi de soustraire les biens des communautés et la liberté des vassaux à la fantaisie des seigneurs ; il tenta de limiter le nombre des « services » à ceux que fixait la coutume. En vain. Tout fut de bonne prise pour le baronnage : les forêts, les pâturages communs, les corvées de leurs sujets (sur qui ils estimaient avoir tous les droits : Bianchini va jusqu'à parler de sièges recouverts en peau d'homme)[5], les droits du souverain, parfois l'argent même des impôts dus au roi. Il est vrai que celui-ci faisait souvent abandon de ses droits et de ses revenus fiscaux, vendus à l'avance, puis revendus le cas échéant. En conséquence, la plupart des feudataires ont des droits presque souverains en matière de justice et de redevances ; ils ont des hommes à eux, nul gouvernement ne saurait les mater. Il ne leur manque peut-être que le privilège de battre monnaie. Seules leur prodigalité, leur habitude, à Naples, de vivre près du vice-roi et dans l'atmosphère de la grande ville, leur vanité, la nécessité de s'appuyer sur l'Espagne pour lutter contre le Turc et contre le « populaire », les empêchent de s'agiter outre mesure. Et peut-être aussi le fait que, parmi eux, se trouvent des étrangers, Espagnols ou Génois, introduits par la vénalité des fiefs.

En tout cas, pris en bloc, le baronnage ne fait que grandir. Les dernières années du siècle, si mauvaises, accablent sans doute plus d'un seigneur, particulièrement dans la ville. Des dettes criardes entraînent des ventes, des mises sous séquestre de la part de la *Sommaria*. Ce sont là accidents banals dans la vie des nobles, à Naples ou ailleurs, les risques mêmes de leur condition. On en réchappe. Tel noble peut se ruiner et tout perdre, la noblesse n'en cesse pas moins de prendre du poids. Si d'un bond nous allions jusqu'au milieu dramatique du XVIIe siècle, nous y verrions, au delà des images pittoresques et des rôles individuels, lors de la révolution de Naples au temps de Masaniello (1647), s'achever une indéniable révolution sociale, le dernier mot restant aux seigneurs, à leur classe réactionnaire[6].

La noblesse a gagné la partie, et pour de longues années, et pas seulement à Naples. Elle l'a gagnée à Milan[7] comme en Toscane[8], à Gênes[9] comme à

---

1. *Ibid.*, II, V, p. 464.
2. *Ibid.*, p. 316.
3. *Arch. storico italiano*, IX, p. 247.
4. L. BIANCHINI, *op. cit.*, II, p. 249, 252-3, 260, 299.
5. *Op. cit.*, p. 249. .
6. Cf. les excellents articles de Rosario VILLARI, « Baronaggio e finanze a Napoli alla vigilia della rivoluzione del 1647-1648 », *in : Studi Storici*, 1962 ; « Note sulla rifeudalizzazione del Regno di Napoli alla vigilia della rivoluzione di Masaniello », *in : Studi Storici*, 1963.
7. *Storia di Milano*, X, *L'età dei Borromei*, 1957, problèmes sociaux abordés de biais, p. 353 et sq.
8. Voir *infra*, p. 70.
9. Vito VITALE, *Breviario della storia di Genova*, 1955, I, p. 235 et sq.

Venise[1] ou à Rome[2]. Nous n'aurions que trop de dossiers à plaider. Mais est-il besoin de se répéter ?

Les noblesses successives de Turquie

Le dossier de loin le plus étonnant concerne l'Empire turc. Alors que sur l'Islam nous ne savons directement rien, nous apercevons la situation sociale passablement en Anatolie, assez bien dans les Balkans. Et cette réalité, contrairement à ce que l'on a souvent répété[3], n'est pas à l'opposé du destin de l'Occident. Des ressemblances et analogies sautent aux yeux. Mêmes causes, mêmes effets, peut-on dire, dans la mesure où un ordre social après tout ne présente pas, quant à ses structures, des milliers de solutions possibles, et qu'il s'agit de sociétés toutes franchement terriennes, d'États encore élémentaires malgré leur éclat et, au moins par cet inachèvement, assez pareils les uns aux autres

Les études des quinze dernières années, si elles n'ont pas tout éclairci, permettent de dégager des ensembles, et déjà des « modèles » valables, l'essentiel étant de distinguer soigneusement selon les époques. Trop d'historiens, à propos de la Turquie, confondent, en effet, des paysages déroulés sur des siècles de durée ; or si les sociétés marchent rarement à pas de géant, elles se transforment à la longue sur d'aussi vastes distances. C'est de trois, voire de quatre noblesses turques qu'il faut parler, la dernière qui achève de se mettre hardiment en place avec la fin du xvıe siècle étant, si l'on veut, la plus abusive : elle submerge l'État totalitaire des Osmanlis et l'affaiblit si elle ne cause pas, à elle seule, sa ruine totale. Car enfin si les mêmes causes et les mêmes effets sont visibles partout, les conjonctures générales ont leur responsabilité, elles d'abord, et elles sont partout à l'œuvre.

La première noblesse turque doit se saisir en remontant le cours du temps jusqu'au bout de la nuit du xıve siècle ; elle est installée en Anatolie à la veille ou au lendemain des premiers grands triomphes des Osmanlis (de la prise de Brousse, 1326, à celle d'Andrinople, vers 1360). Si l'on accepte ce qu'en disent volontiers les historiens[4], cette haute société est dure, pressée dans un coude à coude inquiétant, à la fois esclavagiste, féodale et seigneuriale, et cependant libre, trop libre vis-à-vis du Sultan (celui-ci n'est que le premier au milieu de ses pairs). Les terres en particulier se vendent, s'achètent sans arrêt et hors de tout contrôle de l'État. Enfin elle connaît des propriétés individuelles, allodiales dirions-nous (*mulks*), ou familiales (*wakoufs*), exactement des fondations pieuses, mais dont le fondateur et ses descendants conservent la direction et la jouissance, si bien que ce sont là, par quelque côté, des forteresses stables comme les majorats d'Occident.

La seconde noblesse turque n'apparaît pas seulement en Europe, au xve siècle, mais c'est là que nous la voyons le mieux, au moment où elle s'y enracine, puis pousse à vive allure.

Devant la rapide conquête turque des Balkans, en effet, tout s'est effondré

1. James C. Davis, *The decline of the Venetian Nobility as a Ruling class*, Baltimore, 1962.
2. J. Delumeau, *op. cit.*, II, p. 433 et *sq.*
3. P. Milioukov, Charles Seignobos et Louis Eisenmann, *Histoire de Russie*, 1932, I, p. XIII : Henri Pirenne, *Les villes du Moyen Age...*, p. 52 ; Henri Sée, *Esquisse d'une histoire du régime agraire aux XVIIIe et XIXe siècles*, 1921, p. 180.
4. Ömer Lütfi Barkan, *Aperçu sur l'histoire agraire des pays balkaniques*, tirage à part, p. 141 et *sq.*

très au loin, très en avance, sous les coups de révolutions paysannes violentes. Ainsi, avant le dernier bond en avant, de la prise de Belgrade en 1521 à la pénétration en Hongrie (Mohacs, 1526), les paysans hongrois se soulèvent, la noblesse chrétienne les réduira, mais au prix d'un effort mortel[1]. Au total, une série de régimes féodaux anciens se sont effondrés presque d'eux-mêmes, tous régimes venus de loin, faits d'éléments mêlés (grecs, slaves, voire occidentaux). A la veille des catastrophes, les Balkans socialement sont à l'heure même de l'Occident, en raison de leur richesse et ne serait-ce que par la façon dont les seigneurs viennent de s'installer dans les villes qui avoisinent leurs domaines (c'est un *inurbamento* comme celui d'Italie). Les Musachi, seigneurs albanais, se sont installés à Durazzo, dans des palais fortifiés pareils à ceux de Bologne ou de Florence. Et plus d'une ville, à l'intérieur des terres, a vu se construire sa rue de riches demeures seigneuriales, Tirnovo sa *bojarska mahala*, Vidin sa *bojarska ulica*[2], tout ce luxe étant lié à des *latifundia*, à des paysanneries durement exploitées. C'est ce système qui s'écroule devant le Turc, comme un faux décor de théâtre.

Il y eu alors dévastation, refoulement de populations vers les montagnes ingrates, mais aussi libération relative des paysans. Ceux-ci resteront groupés dans leurs communautés, maîtres de leurs terres, non pas libres certes, ils sont soumis au fisc qui ne veut ignorer personne et pris dans des seigneureries nouvelles calquées sur les anciennes, fiefs ou plutôt bénéfices, ces *timars* entre quoi sont répartis la population et le sol conquis. Le paysan paiera des redevances en argent, des redevances en nature, celles-ci beaucoup moins importantes que celles-là, mais il sera libéré des lourdes corvées traditionnelles. Le Turc est d'autant plus conciliant en ces premières années que la conquête continue, qu'il faut ménager devant elle l'avantage des troubles paysans qui la favorisent, que les Sultans se méfient déjà de la vieille noblesse anatolienne enrichie par ces distributions de fiefs en Europe et dont les grandes familles, les *Jandarli*[3], essaient de se saisir de la direction des affaires. Cette méfiance du gouvernement central à l'égard des féodaux ne cessera jamais d'ailleurs, d'où tant de mesures, de politiques, de prudences dirigées. D'entrée de jeu, les faveurs accordées à la noblesse chrétienne des Balkans, largement pourvue de *timars*, n'a pas d'autre motif profond[4].

Ces *timars* ne sont pas des fiefs ordinaires, malgré leurs ressemblances avec les seigneuries d'Occident ; ils représentent comme elles des villages, des terres, des espaces incultes, des eaux courantes, des péages, parfois des droits sur le marché de la ville voisine, ainsi à Kostour, petite ville bulgare[5]... Mais ces

---

1. Nicoara BELDICEANU, « La région de Timok-Morava dans les documents de Mehmed II et de Selim Ier », *in : Revue des Études Roumaines*, 1957, p. 116 et 119 et référence à un article de V. PAPACOSTEA.
2. R. BUSCH-ZANTNER, *op. cit.*, p. 60-61 et ses références.
3. Stanford J. SHAW, *in : The Balkans in transition*, 1963, p. 64.
4. *Ibid.*, p. 64-65.
5. Ce détail et beaucoup des précisions qui suivent sont empruntés à l'article de Bistra A. CVETKOVA, « L'évolution du régime féodal turc de la fin du XVIe siècle jusqu'au milieu du XVIIIe siècle », *in : Études historiques* (de l'Académie des Sciences de Bulgarie), *à l'occasion du XIe Congrès International des Sciences Historiques*, Stockholm, août 1960, le détail relatif à Kostour, p. 176. Pour la bibliographie de cette historienne se reporter au *Journal of Economic and Social History of the Orient*, 1963, p. 320-321 ; faire un sort à son important article, « Nouveaux documents sur la propriété foncière des Sipahis à la fin du XVIe siècle », *in : Académie des Sciences de l'U.R.S.S.*, *Institutum Populorum Asiæ*, *Fontes Orientales*, 1964, résumé en français, p. 220-221.   ·

63

seigneuries servent à l'entretien de soldats, de cavaliers, les *sipahis*, si bien que les timars sont souvent appelés *sipahiliks*. Bref ce sont des fiefs conditionnels, une sorte de salaire, la contrepartie étant l'obligation de servir à chaque réquisition avec un groupe de cavaliers proportionnel à l'importance du *timar*, sous l'ordre du *sandjak* de la province. Ne pas répondre à l'appel, c'est perdre son timar. Ces seigneuries révocables, données à titre viager, sont plutôt que des fiefs, des bénéfices au sens carolingien. Mais très tôt, les timars passent du père au fils, il y a glissement vers l'hérédité, du bénéfice vers le fief. Dès 1375, une disposition légale reconnaissait ce droit d'accession aux fils de timariotes[1].

D'ordinaire, il s'agit de maigres revenus, inférieurs à 20 000 aspres, le plafond de la première catégorie étant rarement atteint. Des relevés pour la région de Vidin et Berkovitza, de 1454 à 1479, signalent pour 21 timars des revenus de 1 416 aspres à 10 587, soit de 20 à 180 ducats, la masse se situant entre 2 500 et 8 000 aspres. Cette portion congrue correspond cependant à l'âge d'or du système. Le timariote, en effet, surveillé par les vigilantes autorités locales, ne peut empiéter sur les maigres revenus de ses paysans et la solution, s'il veut s'enrichir, c'est le butin, la prime à la guerre fructueuse qui se poursuit pour les Osmanlis jusque vers le milieu du XVIe siècle[2].

Que les revenus des timariotes soient assez modestes, on aurait pu le deviner à l'avance étant donné leur nombre : 200 000[3] peut-être vers la fin du siècle, soit un million de personnes sur 16 ou 20. Cette noblesse est trop nombreuse pour être riche. Mais dans le nombre, il y a des privilégiés : une grande noblesse se constitue très tôt. Il y a, en effet, trois catégories de timars[4], les ordinaires jusqu'à 20 000 aspres de revenus, les moyens ou *ziamets* jusqu'à 100 000 et les *has* au-dessus de ce revenu. En 1530, en Roumélie, le Grand Vizir, Ibrahim Pacha, possède un *has* de 116 732 aspres de revenu ; Ayas Pacha un de 407 309 : Kassim Pacha un autre de 432 990... Ce sont là de grands domaines, avec en plus des *wakoufs* et des *mulks* (pour ces derniers on dit *hassa* ou *hassa tschiftliks*, par opposition aux propriétés paysannes, *raïa tschiftliks*). Dirons-nous que ce sont là des réserves seigneuriales ? Certaines de ces réserves, pour la seconde moitié du XVe siècle en Grèce, comportent des oliveraies, des vignobles, des vergers, des moulins[5]... Une propriété privée est ainsi très tôt en place et plus ou moins importante, constituée d'ordinaire au bénéfice des grands feudataires, elle risque de compromettre le vaste édifice d'une aristocratie foncière développée sous le signe dominant du service public et selon la doctrine même de l'État turc qui veut que *toute* la richesse nationale soit propriété exclusive du Sultan.

Que ce dernier ait trouvé menaçante la grande noblesse trop riche et déjà trop libre, voilà qui explique des réactions précoces comme celles de Méhémet II, ou tardives comme celles de Soliman le Magnifique en faveur d'une centralisation décisive du système, que menacent séparatismes et autonomies possibles. Ce que veut faire le vainqueur d'Istanbul, le *Fatih*, c'est briser les biens *wakoufs* et les biens *mulks* pour les réintroduire dans le quadrillage des *sipahiliks*[6].

1. J. W. ZINKEISEN, *op. cit.*, III, p. 146-147.
2. Bistra A. CVETKOVA, *art. cit.*, p. 173.
3. *La Méditerranée...*, 1re édit., p. 639 : « l'armée féodale des sipahis non soldés monte à 230 000 chevaux ».
4. Bistra A. CVETKOVA, *art. cit.*, p. 172.
5. *Ibid.*, p. 173-175.
6. Bistra A. CVETKOVA, « Sur certaines réformes du régime foncier au temps de Méhémed II », *in : Journal of Economic and Social History of Orient* », 1963.

Le grand règlement de Soliman, en 1530[1], est une remise en ordre générale, caractéristique de l'époque du « Législateur ». C'est à Istanbul dès lors et presque exclusivement (les *beglerbeys* ne conservant que le droit de nommer à des tenures mineures) que seront attribués les fiefs militaires. Les récompenses à attribuer aux fils de *sipahis* sont fixées : elles varieront suivant que le père aura été tué sur le champ de bataille ou sera mort dans son lit, suivant que l'héritier aura déjà été, ou non, nanti d'un fief. Mais ces mesures, comme toutes les mesures autoritaires en matière sociale, auront un résultat douteux, sauf que centré sur Istanbul, le système dès lors dépendra du Sérail et de ses intrigues plus que de ses vertus. En tout cas, la grande propriété déjà en place ne rétrograde pas. Elle est favorisée par la colonisation intérieure des Balkans, par la montée démographique, par l'essor des exportations de produits bruts vers l'Occident. Le commerce du blé, de 1560 à 1570, enrichit les grands propriétaires : le grand vizir Roustem Pacha est un trafiquant de blé[2].

Le troisième âge des noblesses turques, au delà de 1550-1570, dates approximatives, n'est pas aussi neuf qu'on le prétend. Ce qui le caractérise, c'est le développement de la grande propriété, mais celui-ci est antérieur au milieu du XVIe siècle. La nouveauté toutefois c'est l'arrêt des conquêtes turques fructueuses, dès avant la fin du règne trop glorieux de Soliman le Magnifique (1566), l'obligation où se trouvent les seigneurs de toute grandeur et de tout poil de se retourner vers le monde paysan et de l'exploiter sans vergogne et sans mesure, les redevances en argent ne signifiant plus rien avec les dévaluations répétées de l'aspre[3]. L'État ottoman se trouve du coup dans une situation difficile : « les recettes du trésor public ne couvrent plus ses dépenses », note à la fin du XVIe siècle le chroniqueur ottoman Mustapha Selâniki[4]. Les mesures fiscales, les aliénations de revenus se multiplient, elles sont selon la pente logique des choses. La montée des prix achève de pervertir l'ordre ancien. Les contemporains en accuseront les mauvaises mœurs du gouvernement, ses faveurs accordées à l'aristocratie du palais et aux serviteurs et clients de celle-ci. Il est vrai que le Sérail est devenu le distributeur des timars et il les réserve aux courtisans et serviteurs qui entourent le Souverain et ses ministres, tchaouches, écrivains, contrôleurs des fermes fiscales (*muteferikas*), valets de dignitaires, pages du palais[5], sans compter les vizirs ou la Sultane Mère... Cette distribution de fiefs dépasse tout ce que l'Occident verra ou inventera en ce domaine. Les lettres de noblesse en France ne sont rien à côté de ces *firmans* distribués plutôt deux fois qu'une et qui privilégient sans vergogne jusqu'aux *ecnebi*, aux « étrangers »[6] (ceux qui n'appartiennent pas à la classe ottomane dominante). « Des vagabonds, des brigands, des Tsiganes, des Juifs, des Lasis, des Russes, des gens des villes » : ainsi un chroniqueur ottoman[7] signale ce que nous appellerions en Occident les nouveaux nobles. Les temps de « l'ignominie »[8] sont venus et ils dureront, au mépris des règles traditionnelles. L'économie monétaire poussant le tout, de vastes

1. J. W. Zinkeisen, *op. cit.*, III, p. 154-158.
2. Voir *supra*, I, p. 535.
3. Voir I, p. 489 et *sq.*
4. Bistra A. Cvetkova, « L'évolution du régime féodal... », p. 177.
5. *Ibid.*, p. 184.
6. *Ibid.*
7. *Ibid.*, p. 184 et *sq.*
8. *Ibid.*

domaines grandissent, plantes vénéneuses contre lesquelles rien n'est plus possible. Sous de faux noms, tel timariote obtient vingt, trente seigneuries[1]... Les seigneuries médiocres sont alors absorbées par les grandes et des seigneurs déclassés, ou menacés de l'être figureront bientôt, en bonne place, dans les soulèvements paysans de la fin du siècle et du siècle suivant.

Autant que l'époque des grands seigneurs parvenus, ce troisième âge ouvre l'ère des usuriers, des « financiers » exploiteurs à la fois de l'État, de la noblesse et des paysans. A partir de 1550, en effet, l'État ottoman recourt au vieux procédé des ventes de revenus fiscaux, au système des *mukata* et de l'*iltizan* (mise à ferme) pratiqué déjà par les Turcs Seldjoukides et par Byzance[2]. En vérité, le procédé est banal, on le trouve aussi bien à Naples, à Venise, qu'à Paris ou en Espagne. A Naples, on vend des revenus fiscaux, à Venise, on afferme pour deux ou trois années telle taxe, tel secteur des douanes... L'État turc va procéder de même, demandant à ses fermiers d'avancer aussitôt l'argent correspondant aux revenus à percevoir. Le fermier, malgré la surveillance des contrôleurs, se rembourse ensuite largement. Au péage, les moutons doivent payer un aspre pour deux têtes ; on percevra jusqu'à huit aspres pour chaque bête. Plus encore, avant de conclure le marché, le fermier posera ses conditions, multipliera ses exigences. Or, très souvent, les grands seigneurs vont eux aussi affermer leurs domaines et partout se développe sans entrave le réseau des prêteurs juifs ou grecs[3]. Ils tiennent bientôt toute la Turquie sous leur coupe... L'économie monétaire, la montée des prix les portent aux postes de commande. Dans ces conditions, le vieux système militaire des *sipahis* ne fonctionne plus. Le contraire, tout de même, surprendrait. Le service militaire est éludé et ridiculisées les vérifications qu'ordonne le gouvernement central.

A ce sujet, le témoignage de l'Intendant des finances du sultan Ahmed, Aïni Ali, est formel[4]. « La plupart des feudataires, affirme-t-il, au jour d'aujourd'hui, se libèrent de leur service, si bien qu'en campagne, lorsqu'il s'agit de service militaire, pour dix timars, il n'y a pas un homme qui vienne ». L'esprit chevaleresque qui avait fait la solidité de l'institution n'est plus. Koci Beg, originaire de Koritza, dans le Sud de l'Albanie, en témoigne dans ses écrits parus en 1630[5]. Mais déjà un obscur, le Bosniaque Mallah Hassan Elkjadi, avait poussé le même cri d'alarme, dès 1596[6]. La décadence est visible aux yeux mêmes des étrangers[7]. Au XVIIe siècle, les sipahis quitteront leurs demeures campagnardes, s'installeront dans les villes. C'est l'époque où la famille albanaise Toptani quitte le château fort de Kruju pour la ville ouverte et entourée de jardins de Tirana[8]. Cette migration vers les villes est le signe, entre autres, de la formation d'une aristocratie à fortes racines locales, sûre de son lendemain.

---

1. *Ibid.*
2. Bistra A. Cvetkova, « The System of Tax-forming (iltizam) in the Ottoman Empire during the 16th-18th Centuries with Reference to the Bulgarian Lands », en bulgare, résumé anglais *in : Izvestia na institouta za pravni naouki*, Sofia, XI-2.
3. Bistra A. Cvetkova, « L'évolution du régime féodal... », p. 184. Toutes ces remarques et conclusions confirmées par les *leçons* d'Ömer Lûtfi Barkan (dactylogramme, École des Hautes Études, VIe section, Paris).
4. J. W. Zinkeisen, *op. cit.*, III, p. 153-154. Cf. J. von Hammer, *op. cit.*, I, p. 372.
5. Franz Babinger, *in Encyclopédie de l'Islam*, II, p. 1 116.
6. Ludwig von Thalloczy, « Eine unbekannte Staatsschrift eines bosnischen Mohammedaners », cité par R. Busch Zantner, *op. cit.*, p. 15.
7. Ainsi le Vénitien L. Bernardo, en 1592, B. A. Cvetkova, *art. cit.*, p. 193, Cf. J. W. Zinkeisen, *op. cit.*, III, p. 167, note 1.
8. R. Busch-Zantner, *op. cit.*, p. 60.

Les Tschiftliks

Avec le XVIIᵉ siècle, un autre changement se décèle, non moins considérable, si l'on en croit les études de Richard Busch Zantner[1]. L'érudition[2] a fait un accueil réservé à ce livre chargé d'idées. Mais l'érudition a-t-elle raison ? Que Richard Busch Zantner ait été attiré par la littérature et l'exemple des réformes agraires d'après la première Guerre Mondiale, par les ouvrages yougoslaves de Frangês et d'Iusic, il est vrai, mais est-ce un mal ? On lui a reproché aussi l'incertitude de sa terminologie, qui me paraît presque inévitable. Quand un historien occidental aborde ces mondes, tous les mots à sa disposition sont ambigus et les définitions d'hier (l'opposition catégorique qu'établit ainsi Ch. Beckers entre fief turc et fief occidental) ou les explications générales (comme celles de J. Cvijić) sont de mauvais points d'appui. Une utilisation grandissante des sources turques déplace d'ailleurs les problèmes et oblige à des révisions profondes.

Il est probable que le *tschiftlik* signale une nouveauté et une réalité d'importance. Le mot originellement aurait désigné la surface qu'un araire laboure en une journée[3] ; (c'est le *zeugarion* byzantin, le *Morgen* ou le *Joch* allemand le *jour* ou le *journal* de certaines campagnes françaises). Qu'il désigne par la suite la propriété privée ou celle des paysans (*raïa tschiftlik*) ou celle des grands seigneurs (*hassa tschiftlik*) et enfin la grande propriété moderne, sorte de plantation coloniale ou de *Gutsherrschaft*, c'est probable. Nous nous expliquons mal cette évolution, mais le mot a ce sens-là, dès 1609-1610[4].

L'existence de ces propriétés modernes, durement menées, mais productives, nous obligerait, si nécessaire, à ne pas considérer, dans l'évolution de la noblesse turque, que des motifs d'ordre social ou politique. Tout n'a pas été non plus destruction, détérioration, selon les plaintes et les explications des chroniqueurs. Ces propriétés évoquent les productives plantations coloniales, ou les beaux domaines de l'*Ostelbien*[5] ou de la Pologne. Au centre, la maison du maître, bâtie en pierre comme dans la plaine sud-albanaise de Koritza, est, avec ses allures de tour, le type même de la *kula*, de la maison forteresse à étages[6]. Elle domine les misérables masures d'argile des paysans. D'ordinaire les *tschiftliks* mettent en valeur les bas-fonds des plaines, ainsi les marécages entre Larissa et Volo, le long des rives boueuses du lac Jezero[7] ou les vallées humides des fleuves et des rivières. Et c'est là une forme conquérante d'exploitation. Ces *tschiftliks* produisent du blé, tout d'abord. Et le blé, en Turquie comme dans les Provinces danubiennes, ou en Pologne, dès qu'il est lié à de vastes exportations, crée au départ les conditions mêmes d'un « second servage »[8], évident en Turquie. Ces grandes propriétés avilissent partout la situation paysanne et profitent de cet avilissement. En même temps, elles sont écono-

1. *Aus dem Grundherr wurde der Gutsherr*, op. cit., p. 84.
2. Carl BRINCKMANN, in : *Vierteljahrschrift für Sozial-und Wirtschaftsgeschichte*, 1939, p. 173-174 ; Marc BLOCH, in : *Mélanges d'histoire sociale*, I, p. 120.
3. Traian STOYANOVITCH, « Land Tenure and Related Sectors of the Balkan Economy », in : *Journal of Economic History*, 1953, p. 338 et 401.
4. *Ibid.*, p. 401.
5. R. BUSCH-ZANTNER, *op. cit.*, p. 86.
6. A. BOUÉ, *op. cit.*, II, p. 273.
7. R. BUSCH-ZANTNER, *op. cit.*, p. 80-90.
8. G. I. BRATIANU, *op. cit.*, p. 244.

miquement parlant efficaces, pour le blé tout d'abord, pour le riz, bientôt pour le maïs, plus tard pour le coton et dès leur début même pour l'utilisation des irrigations savantes et la multiplication des attelages de buffles[1]... Ce qui se produit dans les campagnes basses des Balkans évoque de près les processus d'Occident, ceux de Vénétie par exemple. Ce sont indéniablement de vastes, de puissantes bonifications. Comme en Occident, la grande propriété a mis à contribution les espaces vides d'hommes que les premiers âges seigneuriaux et paysans n'avaient pas encore très bien saisis. Il y a eu progrès, au prix, évidemment, comme ailleurs, de contraintes sociales. Seuls les pauvres n'y ont rien gagné, ne pouvaient rien y gagner.

2. La trahison de la bourgeoisie

La bourgeoisie, au XVIe siècle, liée à la marchandise et au service du Roi, est toujours sur le point de se perdre. Elle ne risque pas seulement la ruine. Qu'elle devienne trop riche, ou qu'elle soit lasse des hasards de la vie marchande, elle achètera des offices, des rentes, des titres ou des fiefs et se laissera tenter par la vie noble, son prestige et ses paresses tranquilles. Le service du Roi anoblit assez vite ; par ce chemin aussi qui n'exclut pas les autres, la bourgeoisie se perd. Elle se renie d'autant plus facilement que l'argent qui distingue le riche du pauvre, au XVIe siècle, vaut comme un préjugé déjà de noblesse[2]. Et puis, au tournant entre XVIe et XVIIe siècle, les affaires marquent le pas, rejettent les sages vers la terre et ses valeurs sûres. Or la terre est aristocratique par vocation.

« Parmi les principaux marchands florentins dispersés à travers les places d'Europe, raconte l'historien Galluzzi[3], nombreux furent ceux qui (à la fin du XVIe siècle), rapatrièrent leurs fonds en Toscane pour les employer dans l'agriculture. Tels les Corsini et les Gerini qui s'en revinrent de Londres, les Torrigiani qui abandonnèrent Nuremberg et les Ximenès, qui, marchands portugais, se firent florentins. » Ce retour à la terre des grands marchands, quelle image parlante, un siècle à peine après Laurent le Magnifique ! Tournons les pages et, en 1637, apparaît à l'occasion d'un changement de règne une Toscane nouvelle, gourmée, nobiliaire, courtisane[4]... L'Italie de Stendhal, prévisible depuis longtemps et pourtant surprenante en cette ville où avait battu le cœur libre de la Renaissance. Tout un décor ancien s'est effondré.

Il n'est pas excessif, à condition de se porter assez avant dans le XVIIe siècle, de parler d'une faillite de la bourgeoisie. Celle-ci était liée aux villes ; or les villes ont connu très tôt une série de crises politiques : ainsi la révolte des *Comuneros*, en 1521 ; ainsi la prise de Florence, en 1530. A ce jeu, les libertés des cités ont beaucoup souffert. Ensuite sont venues des crises économiques ; momentanées, puis insistantes avec le XVIIe siècle, elles atteignent profondément leur prospérité. Tout change, doit changer.

---

1. T. Stoyanovitch, « Land tenure... », p. 403.
2. Antonio Dominguez Ortiz, *op. cit.*, p. 173 et 174.
3. *Op. cit.*, III, p. 280-281.
4. *Ibid.*, p. 497.

Bourgeoisies méditerranéennes

En Espagne, ce qui s'efface alors existait à peine. Gustav Schnürer[1] prétend que l'Espagne, du moins la Castille, a perdu sa bourgeoisie dès la révolte des *Comuneros* ; c'est aller vite en besogne, mais ne pas trop se tromper au demeurant. La Péninsule, insuffisamment urbanisée, ne dispose guère pour les besognes du commerce que d'intermédiaires étrangers aux intérêts réels du pays et qui, pourtant, y jouent un rôle nécessaire, comme dans tel ou tel pays sud-américain d'aujourd'hui, ou plutôt d'hier (1939). Au Moyen Age, ce rôle avait été tenu par les communautés juives qui fournirent marchands, usuriers et collecteurs d'impôts. Après leur expulsion (1492), les vides se comblèrent vaille que vaille. Dans les villes et les villages, au XVIe siècle, s'occupent du commerce de détail des Morisques, des nouveaux chrétiens, accusés de conspirer contre la sûreté publique, de se livrer au commerce des armes, de tout accaparer. Le haut commerce, notamment à Burgos, compte beaucoup de Juifs convertis[2].

Ces plaintes, ces passions, ces défiances, à défaut d'autres preuves, diraient qu'il demeure, ici ou là, des bourgeoisies espagnoles, à Séville, à Burgos, à Barcelone (que la fin du siècle devait tirer de son long sommeil). Il est de riches marchands espagnols comme les Malvenda de Burgos, ou comme Simón Ruiz de Medina del Campo.

Mais ce ne sont guère des « bourgeois » que ces nombreux fonctionnaires, ces *letrados*[3] au service du Roi, nantis du *Don* qu'ils prennent l'habitude de joindre à leur nom, petits nobles ou aspirants nobles bien plus que bourgeois. Il est curieux dans ce curieux pays qu'est l'Espagne, de voir les bâtards d'ecclésiastiques obtenir, eux aussi, le titre d'*hidalgo*. Pas si curieux après tout si l'on songe au discrédit qui s'attache en Espagne au travail manuel et au négoce, si l'on songe aux innombrables passages clandestins à travers les frontières mal gardées de la toute petite noblesse : des sept cents hidalgos d'une médiocre ville, proche du Portugal, peut-être y en a-t-il trois cents de véritables, dit une plainte de 1651[4], sans compter les *hidalgos de gotera* (de gouttière), ou ces pères de douze enfants qui jouissaient des exemptions fiscales sans être nobles pour autant et que le populaire appelait crûment les *hidalgos de bragueta*[5]... En Espagne, la bourgeoisie est encerclée, rongée sur toutes ses frontières par cette noblesse proliférante.

En Turquie, les bourgeoisies urbaines — essentiellement marchandes — sont étrangères à l'Islam, ragusaines, arméniennes, juives, grecques, occidentales. Il subsiste à Galata et dans les îles des « latinités ». Or, il est symptomatique de voir la décadence rapide de ceux que l'on pourrait appeler les grands marchands de l'Empire, Vénitiens, Génois, Ragusains. Auprès du Sultan, deux grands hommes d'affaires s'aperçoivent : l'un, Michel Cantacuzène[6], est grec, l'autre, Micas, juif[7]. Les Juifs ibériques (espagnols ou portugais) immigrés à la fin du XVe siècle occupent peu à peu les hauts postes du négoce

1. *Op. cit.*, p. 168.
2. Julio Caro Baroja, *La sociedad criptojudia en la Corte de Felipe IV* (Discours de réception à l'Academia de la Historia), 1963, p. 33 et *sq.*
3. Peu d'estime pour la *nobleza de letras*, A. Dominguez Ortiz, *op. cit.*, p. 194.
4. A. Dominguez Ortiz, *ibid.*, p. 266, note 38.
5. *Ibid.*, p. 195.
6. Sur son cas, références, Traian Stoyanovitch, « Conquering Balkan Orthodoxe Merchant », *in : Journal of Economic, History* 1960, p. 240-241.
7. Voir *infra*, p. 435-436.

(surtout les Portugais), au Caire, à Alexandrie, Alep, Tripoli de Syrie, Salonique. Constantinople. Ils prennent une grosse place parmi les fermiers (et même les bureaucrates) de l'Empire. Que de fois les Vénitiens ne se plaignent-ils pas de la mauvaise foi des Juifs, revendeurs de marchandises vénitiennes ! Bientôt ils ne se contentent plus du métier de redistributeurs et concurrencent directement Ragusains et Vénitiens. Dès le xvie siècle, ils pratiquent le grand commerce maritime en direction de Messine, de Raguse, d'Ancône, de Venise. Un des secteurs profitables de la course chrétienne dans le Levant devient la chasse, sur les navires vénitiens, ragusains ou marseillais, aux marchandises juives, cette *ropa de judíos* comme disent les Espagnols, assimilée par eux à la contrebande, prétexte facile quand il s'agit d'opérer quelque saisie arbitraire[1]. Les Juifs sont d'ailleurs bientôt concurrencés par les Arméniens qui, au xviie siècle, fréteront des navires pour l'Occident, s'y rendront eux-mêmes et deviendront les courtiers de l'expansion commerciale du Shah Abbas[2]. Tels sont, dans le Levant, les successeurs de la riche bourgeoisie des marchands italiens, un temps maîtresse de la Méditerranée entière.

En Italie même, la situation est complexe. Car, une fois de plus, là est le cœur du problème, là ont vécu les bourgeoisies et les villes essentielles. Les splendeurs de Florence, au temps de Laurent le Magnifique, coïncident avec celles d'une grande bourgeoisie opulente, cultivée. C'est la confirmation de la thèse d'Hermann Hefele sur la Renaissance[3], cette coïncidence entre l'explosion intellectuelle et artistique et cette puissante évolution sociale qui a travaillé et élargi Florence. La Renaissance y correspond à l'achèvement d'un ordre bourgeois : celui des *Arti Maggiori*[4] qui tient longtemps les avenues du pouvoir et ne dédaigne aucune des tâches du commerce, de l'industrie ou de la banque, qui sacrifie aux raffinements du luxe, de l'intelligence et de l'art. Elle revit sous nos yeux, par les soins des peintres ses amis, dans cette série de portraits que Florence a laissés, signe à soi seul d'une bourgeoisie à son apogée[5]. Mais, aux *Uffizi*, quelques pas de plus amènent le promeneur devant le tableau du Bronzino : Cosme de Médicis armé de pied en cap ; déjà un âge nouveau, avec ses princes et sa noblesse courtisane. Cependant un marchand espagnol, installé à Florence, écrit encore, en mars 1572 : « dans cette ville la coutume très ancienne veut que les hommes d'affaires y soient très estimés »[6]. Il est vrai qu'il s'agit de hauts marchands, *hombres de negocios* et que beaucoup sont nobles ; ils leur suffirait pour que tout soit en ordre de ne plus s'occuper d'affaires commerciales et de vivre de leurs revenus et de leurs terres.

Ailleurs aussi le décor change. En 1528, Gênes reçoit la constitution aristocratique qui durera jusqu'aux troubles de 1575-1576. A Venise, la noblesse marchande à la fin du siècle se détourne franchement des affaires. Dans le Centre et le Sud de l'Italie, l'évolution est analogue. A Rome la mise au pas de la bourgeoisie s'achevait en 1527. A Naples, il n'y a plus de place pour elle que dans l'exercice du droit... Les chicanes seules la nourrissent[7]. Partout,

1. Voir *infra*, p. 152.
2. Voir *supra*, I, p. 45.
3. Hermann HEFELE, *Geschichte und Gestalt. Sechs Essays*, 1940 : le chapitre, « Zum Begriff der Renaissance » p. 294 et *sq.*, publié sous forme d'article *in : Hist. Jahrbuch*, t. 49, 1929.
4. Alfred von MARTIN, *Sociologia del Renacimiento*, 1946, p. 23.
5. Marcel BRION, *Laurent le Magnifique*, 1937, p. 29 et *sq.*
6. Antonio de Montalvo à Simón Ruiz, Florence, 23 septembre 1572. Archives Ruiz, Valladolid, 17, f° 239, cité par F. RUIZ MARTÍN, *Introduction...*, *op. cit.*
7. Benedetto CROCE, *Storia del Regno di Napoli*, 3e édit., Bari, 1944, p. 129-130.

son rôle se restreint. A Lentini, en Sicile, les magistrats de la ville, au XVIe siècle, ne se recrutent que dans la noblesse[1]. Tels Francesco Grimaldi et Antonio Scammacca, syndics de la ville, qui obtiennent en 1517 le retour de la cité dans le domaine royal, ou ce Sébastien Falcone qui, en 1537, en qualité de *giurato e sindaco*, obtient contre un versement de 20 000 écus d'or à Charles Quint que la ville ne soit pas aliénée à de grands feudataires et lui fait octroyer le privilège, confirmant un vieil usage, qui réserve à la noblesse de la ville les fonctions de capitaine de Lentini. Donc n'allons pas croire à une lutte impitoyable entre seigneurs et villes domaniales de Sicile. Même quand ces dernières sont encore entre les mains de leurs bourgeois, ce qui est rare, ceux-ci n'ont que trop tendance à s'entendre avec les nobles et leurs clientèles. Le temps n'est plus où les *consoli* et *sindici* des métiers luttaient contre eux pour le gouvernement des cités. Mieux encore : à Aquila, au Nord du Royaume de Naples, le *sindaco dell'Arte della lana* devient lui-même, à partir de 1550, une prérogative quasiment des nobles[2]. Reprenons ces jalons chronologiques un à un : nul doute, l'évolution s'amorce très tôt.

La trahison de la bougeoisie

Si l'ordre social semble se modifier, c'est autant apparence que réalité. La bourgeoisie n'a pas toujours été éliminée, mise hors du jeu avec brutalité. Elle s'est trahie elle-même.

Trahison inconsciente, car il n'y a pas de classe bourgeoise qui se sente véritablement comme telle. Peut-être parce qu'elle est trop restreinte en nombre. Même à Venise, les *cittadini* constituent au plus 5 ou 6 p. 100 de la population de la ville à la fin du siècle[3]. Partout, enfin, les riches bourgeois de toutes origines sont attirés vers la noblesse : elle est leur soleil. Voyez, d'après leurs lettres, les curieux complexes de Simón Ruiz et de Baltasar Suárez à l'égard de ceux qui vivent noblement et qui grugent à l'occasion ces marchands sages et soucieux de leurs deniers[4]. L'ambition de ces faux bourgeois est de gagner les rangs de l'aristocratie, de s'y fondre, pour le moins d'y placer leurs filles richement dotées.

Dès le début du XVIe siècle, à Milan, les mésalliances ne vont pas sans scandale, mais elles ne cessent pas pour autant. Et notre guide Bandello, pourtant libéral, s'en indigne. Une femme noble a épousé un marchand, sans ancêtres notables ; veuve, elle retire son fils des affaires de son mari et s'efforce, le plaçant hors des tâches commerciales, de lui faire reprendre rang de noble[5]. Ces efforts ne prêtent pas à rire. Ils suivent la mode. Par contre, on s'amuse volontiers et méchamment de toute une série de mésalliances, de taches honteuses infligées à tant d'illustres blasons qui, pourtant, se redorent du coup. Un parent d'Azzo Vesconte épouse, contre 12 000 ducats de dot, la fille d'un boucher. Le conteur n'a pas voulu aller à un tel mariage : « J'ai vu le beau-père, ajoute-t-il, la blouse blanche sur le dos comme c'est l'habitude de nos bouchers, saignant un veau, les bras rouges de sang jusqu'au coude... Moi, si j'avais pareille femme comme épouse, je croirais puer pour toujours le bou-

1. Matteo GAUDIOSO, « Per la storia... di Lentini », *art. cit.*, p. 54.
2. Cf. *supra*, I, p. 311, note 7.
3. D. BELTRAMI, *op. cit.*, p. 72 : 5,1 p. 100 en 1586 : 7,4 en 1624.
4. F. RUIZ MARTÍN, *Introduction...*, *op. cit.*
5. Tome II, nouvelle n° XX, p. 47 et sq.

cher à plein nez. Il me semble que jamais plus je n'oserais relever la tête »[1]. Hélas, le fait n'est pas isolé : voici un Marescotto qui prend comme femme la fille d'un jardinier (encore a-t-il l'excuse d'en être très épris); voici le comte Lodovico, un des comtes Borromée, grands feudataires de l'Empire, qui épouse la fille d'un boulanger, et le marquis de Saluces une simple paysanne. L'amour, oui, l'argent aussi multiplient ces mésalliances. « J'ai entendu dire plusieurs fois, poursuit le narrateur, au comte Andrea Mandello di Caorsi, que lorsqu'une femme avait plus de 4 000 ducats de dot, on pouvait l'épouser sans hésitation, même si elle était de celles qui prostituent leurs corps derrière le dôme de Milan. Croyez-moi, qui est nanti de deniers, et assez bien nanti, est noble ; qui est pauvre ne l'est pas »[2].

Même à Milan qui passe, en ce début de siècle, pour libéral, les mésalliances peuvent être sujet de comédie, mais le ton monte aisément et la tragédie peut surgir d'un coup, comme à Ancône, en 1566. Un médecin[3], fils d'un simple tailleur, soigne la fille d'une jeune veuve noble (elle a sept enfants et 5 000 écus). Que celle-ci veuille épouser le médecin, Mastro Hercule, voilà qui déchaîne le drame : le médecin arrêté s'en sort de justesse, la vie sauve, avec 200 ducats d'amende, et seulement grâce à l'intervention décisive d'un sien protecteur, venu de Ravenne à la rescousse avec quelques cavaliers. Cependant la famille s'oppose d'autant plus au mariage de la veuve avec *un consorte di bassa condi-tione e figliolo di persone infime*. Et comme l'on craint que, libéré, le médecin n'enlève sa bien-aimée, un des fils de celle-ci l'assassine en plein jour...

En Espagne, le drame est toujours possible sur le plan tragique de l'honneur et du déshonneur. Et pourtant, lisez le *Tizón de la Nobleza española*[4], auquel Maurice Barrès s'arrêta pour rêver de l'Espagne tolédane. Le pamphlet est faussement attribué au cardinal de Mendoza. Sans prendre pour argent comptant ce qu'il dit — ou ce que disent d'autres *libros verdes*[5] — il n'en faut pas tout rejeter, ni refuser de croire à ces drames, à ces crimes contre la *limpieza de la sangre*[6], jusqu'au plus haut de la société. Les alliances avec les filles de riches marranes, le drame banal de la mésalliance, prennent dans la pointilleuse Espagne une allure tragique. Elles n'en existent pas moins.

La noblesse à l'encan

Pour qui est entiché de noblesse, il est des moyens rapides d'y parvenir et ils se multiplient à mesure que passe le siècle. Titres de noblesse et fiefs peuvent s'acquérir : ainsi en Souabe où ces biens rapportent cependant fort peu ; ainsi à Naples où ils sont généralement une charge et souvent, au cas où l'acquéreur ne sait pas les administrer, la cause de ruines éclatantes. La vanité cependant y gagne chaque fois et sans tarder : à Boisseron, près de Lunel où Thomas Platter[7] passe, le 3 août 1598, il y a un château et un village qui,

---

1. *Ibid.*, VIII, nouvelle n° LX, p. 278-279.
2. *Ibid*, p. 280.
3. Marciana, Ital. 6085, f° 42 et *sq.*, 1556.
4. Attribué à Francisco Mendoza y Bobadilla, édition de 1880 : *El Tizon de la Nobleza española*.
5. C'est le nom donné aux manuscrits clandestins qui énumèrent les mésalliances des grandes familles, A. DOMINGUEZ ORTIZ, *op. cit.*, p. 163, note 11.
6. Albert A. SICROFF, *Les controverses des statuts de « pureté de sang » en Espagne du XVe au XVIIe siècle*, 1960.
7. *Op. cit.*, p. 379.

tous deux, appartiennent à « M. Carsan, un simple citoyen d'Uzès qui vient de le donner à son fils, devenu par ce fait baron de Boisseron, car c'est une terre titrée ». Des milliers d'exemples analogues sont connus. Dès le xve siècle, en Provence, l'achat d'une terre, pour une bourgeoisie enrichie dans « le négoce, le trafic maritime, la judicature, les offices les plus divers », constitue « à la fois un placement avantageux et sûr, la création d'un patrimoine familial, preuve d'une réussite, enfin le prétexte d'un anoblissement souvent vite obtenu ». Vers 1560, les Guadagni, marchands italiens installés à Lyon, possédaient « une vingtaine de seigneuries en Bourgogne, Lyonnais, Forez, Dauphiné et Languedoc »[1]. Cette même année, en octobre, l'avocat François Grimaudet déclarait à l'assemblée du Tiers d'Angers[2] : « Sont infinis faux nobles, les pères et prédécesseurs desquels ont manié les armes et fait acte de chevalerie ès boutiques de blasterie, vinoterie, draperie, au moulin et ès fermes des seigneurs ». « Beaucoup de gens se sont fourrez parmi les nobles, dit un autre contemporain, marchands contrepetants et suivants au grand galop les anciennes marques des gentilshommes »[3].

A qui la faute ? il n'y a pas un État, au xvie siècle, pas un prince qui ne vende, contre argent comptant, des titres de noblesse. En Sicile, à partir de 1600, on vend à bon compte marquisats, comtés, principautés, et on les vend à n'importe qui, alors que jusque-là, seuls quelques rares titres avaient été concédés[4]. L'ère de la fausse monnaie est aussi celle des faux titres. A Naples, un long rapport espagnol, écrit vers 1600[5], indique que le nombre des titrés, des *titolati*, s'est accru à l'extrême. Du coup, comme toute marchandise abondamment offerte, les titres se sont dépréciés, sinon ceux de comtes, du moins ceux de marquis. On a même « créé quelques ducs et princes qu'il eût mieux valu éviter ». Ainsi partout la noblesse s'achète en foire : à Rome, à Milan, dans l'Empire, en Franche-Comté[6], en France, en Pologne[7], en Transylvanie même où pullulent les « gentilshommes de parchemin »[8]. Au Portugal[9], les concessions ont commencé dès le xve siècle, à l'imitation des Anglais. Les premiers ducs apparaissent en 1415, le premier marquis en 1451, le premier baron en 1475. En Espagne même, la Royauté qui a multiplié bientôt le nombre des Grands, a été à la base peu vigilante. Ses besoins d'argent ne diminuant pas, elle vend des *hidalguías*, des habits des Ordres, à qui est capable de les payer, *indianos* ou *peruleros* enrichis par les Indes ou, pis encore, parvenus de l'usure[10]. Comment ne pas s'y résigner ? Si l'on veut se procurer de l'argent, conseille au secrétaire Matheo Vásquez le comte d'Orgaz, dans une lettre qu'il lui adresse de Séville le 16 avril 1586, que l'on vende des *hidalguías*, même en rompant les promesses données de ne plus les mettre à l'encan[11]. Évidemment les Cortès

1. Lucien ROMIER, *op. cit.*, I, p. 184.
2. *Ibid.*, p. 185-186.
3. *Ibid.*, p. 186, d'après Noël du FAIL.
4. L. BIANCHINI, *op. cit.*, I, p. 151.
5. B.N., Paris, Esp. 127.
6. Lucien FEBVRE, *Philippe II et la Franche-Comté*, 1911, p. 275.
7. Dès le xve siècle, A. TYMIENECKI, « Les nobles bourgeois en Grande Pologne au xve siècle, 1400-1475 », in : *Miesiecznik Heraldyczny*, 1937.
8. *Revue d'histoire comparée*, 1946, p. 245.
9. F. de ALMEIDA, *op. cit.*, III, p. 168 et *sq*.
10. G. SCHNÜRER, *op. cit.*, p. 148.
11. El conde de Orgaz à Matheo Vazquez, Séville, 16 avril 1586, B.M. Add. 28 368, fº 305.

s'en plaignent en Castille[1], mais peut-on écouter les Cortès ? Les ventes continueront au point que, dès 1573, le gouvernement de Philippe II était obligé de promulguer des ordonnances sur les *feudos nuevos*[2].

On a dit que cette mode des titres qui tourne à la folie vient d'Espagne, qu'elle est un de ses objets d'exportation, comme les habits ajustés des hommes, les *bigotes*, les gants parfumés ou les thèmes de ses comédies... Mais la nouvelle mode n'est pas pure vanité. La bourgeoisie sait tirer parti de ses achats, il y entre une part de calcul. En outre, elle s'est tournée vers la terre comme vers la valeur sûre et ceci renforce un ordre social à base seigneuriale. Bref, les hommes sont comme les États avec leurs querelles de préséance, celles-ci habillent souvent des prétentions précises et bien situées sur cette terre. Mais au premier coup d'œil, on ne voit qu'elles. En 1560, Nicot, l'ambassadeur du Très Chrétien à Lisbonne[3], notait à propos des seigneurs portugais : « l'excès de ces gens d'ici est si grand en nombre de criades (serviteurs) superflus, que l'escuyer veut tenir trin de duc et le duc de roy : ce qui leur fait donner du nez en terre à toutes heures ». L'évêque de Limoges fait la même remarque sur l'Espagne de 1561[4]. Il est alors question d'anoblir cinq cents « riches et aguerris », à condition qu'ils s'armeront et serviront chaque année trois mois durant, sur les frontières espagnoles. Et l'évêque enchaînant s'étonne de « la vanité qui est parmi les hommes de ce pays, lesquels se nourrissent d'outrecuidance moyennant qu'ils soient tenus pour nobles et puissent en porter l'habit et l'apparence ».

Mais en 1615, le spectacle est le même en France. « Il est à présent impossible, écrit Montchrestien[5] à propos de son pays, de faire distinction par l'extérieur. L'homme de boutique est vêtu comme le gentilhomme. Au reste qui n'aperçoit point comme cette conformité d'ornement introduit la corruption de notre ancienne discipline ?... L'insolence croîtra dans les villes, la tyrannie dans les champs. Les hommes s'effémineront par trop de délices et les femmes, par le soin de s'attifer, perdront, avec leur chasteté, le souci de leurs ménages. » Discours digne d'un prédicateur, mais témoignage sur une époque, mal satisfaite, au moins en France, de son ordre social.

Contre les nouveaux nobles

Quelques citations l'ont déjà indiqué : nul n'applaudit à la fortune des nouveaux nobles. Qui ne leur chercherait querelle ? Qui ne prendrait plaisir à les humilier ? En 1559, aux États de Languedoc, ordre était donné aux barons de ne se faire représenter que par « des gentilshommes de race et de robe courte »[6]. Le cas échéant, chacun se venge, décharge sa bile. Ainsi en France, tout au cours de notre Ancien Régime et même au delà. Ainsi partout au XVIIe siècle, car « l'étape » ne cesse d'être franchie : le processus joue toujours et la vindicte sociale reste en place, vigilante. On l'aperçoit à Naples à l'occasion

1. *Actas*, III, p. 368-369, pétition XVI, 1571.
2. Simancas E⁰ 156.
3. *Correspondance de Jean Nicot*, p. 117.
4. L'évêque de Limoges à la Reine, Madrid, 28 novembre 1561, B.N., Paris, fr. 16103, f⁰ 104, copie.
5. *Traité d'économie politique*, 1615, p.p. Th. FUNCK-BRENTANO, 1889, p. 60, cité par François SIMIAND, *Les fluctuations économiques à longue période et la crise mondiale*, 1932, p. 7.
6. Lucien ROMIER, *op. cit.*, I, p. 187.

d'un fait divers[1] : un richissime financier de la ville, de modeste origine, d'Aquino, souhaite épouser, en 1640, avec l'appui du vice-roi lui-même, Anna Acquaviva, sœur du duc de Conversano. La fiancée est enlevée par des cavaliers armés de la noblesse, décidés à empêcher par la force que *a mano di vile uomo la gentil giovina pervenisse.* Elle est amenée dans un couvent à Bénévent, et ainsi doublement à l'abri puisque Bénévent appartient à l'État Pontifical. De tels faits divers surabondent au long des chroniques, mais l'évolution n'en est pas moins générale. A l'exception de la seule noblesse vénitienne qui se barricade chez elle à triple tour, toutes les noblesses sont ouvertes, reçoivent un sang nouveau. A Rome, au cœur de l'Église (assurément la plus libérale des sociétés d'Occident), la noblesse romaine évolue plus vite encore que les autres du fait de la régulière promotion à la noblesse et même à la haute noblesse, des parents de chaque nouveau Pape, pas forcément lui-même d'illustre extraction[2]. Toutes les noblesses évoluent, se délestent d'un certain nombre de poids morts, acceptent ces nouveaux riches et ceux-ci apportent leur pierre à l'édifice social. Gros avantage : la noblesse n'a pas à lutter contre le Tiers. Celui-ci vient chez elle, s'appauvrit à son profit.

Évidemment ce mouvement continuel peut se précipiter. A Rome, la Papauté active ainsi ce renouvellement. En Angleterre, après la révolte des barons du Nord qui échoue en 1569, la grande aristocratie est comme relayée par une autre noblesse de fraîche date, appelée à gouverner l'Angleterre jusqu'au temps présent, celle des Russell, des Cavendish, des Cecil[3]... En France, deux séries de guerres, en s'arrêtant les premières avec la paix du Cateau-Cambrésis (1-3 avril 1559), les secondes avec la paix de Vervins (2 mai 1598), précipitent la faillite de la vieille noblesse et ouvrent aux parvenus la voie du pouvoir social[4]. Voici comment, en 1598, un conseiller de Philippe II voit la situation de la noblesse française : « le plus grand nombre des seigneurs étant privé de leurs rentes et revenus (qu'ils ont aliénés) n'ont de quoi maintenir leur estat et se trouvent grandement endebtez ; presque toute la noblesse en est de mesme, tellement que d'un costé on ne peut se servir d'eulx sans leur donner grands gaiges et traictement, chose du tout impossible, et de l'autre il est à craindre que s'ilz n'ont quelque relasche des maulx et ruyne de la guerre, ils seront forcez de penser à quelque remuement... »[5].

3. Misère et banditisme

Sur les pauvres, l'histoire n'apporte que des lumières rares, mais ceux-ci ont leurs façons de forcer l'attention des puissants du jour, et la nôtre par ricochet. Troubles, émeutes, révoltes, multiplication alarmante des « vagabonds et des errants », coups de mains répétés des bandits, tout ce bruit, bien que souvent assourdi, dit l'étonnante montée de misère du XVIe siècle finissant, appelée encore à grandir avec le siècle suivant.

Vers 1650 se situe probablement le fond même de cette détresse collective.

1. Rosario VILARI, *art. cit.,* in : *Studi Storici,* 1963, p. 644 et *sq.*
2. Jean DELUMEAU, *op. cit.,* I, p. 458 et *sq.*
3. Lytton STRACHEY, *Elisabeth and Essex,* 2e édit., 1941, p. 9.
4. Pierre GOUBERT, *Beauvais et le Beauvaisis de 1600 à 1730,* 1960, *passim,* et p. 214 et *sq.*
5. Discours de M. Aldigala, en réalité de Guarnix, Public Record Office, 30/25, no 168, fo 133 et *sq.*

Croyons-en le journal inédit de G. Baldinucci[1] auquel nous avons fait plus d'un emprunt : la pauvreté est telle, en avril 1650, à Florence, que l'on ne peut plus y écouter la messe *in pace*, tant on est assiégé pendant les offices par des misérables, « nus et pleins de gale », *ignudi et pieni di scabbia*. Tout est effroyablement cher dans la ville « et les métiers ne travaillent pas » ; le lundi de Carnaval, pour comble d'infortune, une tempête a détruit oliviers, mûriers et autres arbres fruitiers...

Des révolutions imparfaites

Paupérisation, dureté des riches et des puissants, tout va de pair. Le résultat ne fait aucun doute. Et la raison essentielle s'affirme aussitôt, cette corrélation entre surpeuplement et régression économique : ce double poids, sans cesse accrû, commande tout. Dans un article ancien (1935), Americo Castro[2] posait en principe que l'Espagne n'avait jamais connu de révolution, phrase imprudente sur le plan des affirmations générales, mais pas inexacte si on la restreint à l'Espagne du XVIe siècle. Celle-ci a connu plutôt des intentions de révolution sociale que de vraies révolutions. Seule la flambée des *Comuneros* mériterait de faire exception. On en discute[3]. On peut en discuter[4].

En vérité, à la différence du Nord européen où les guerres dites de Religion recouvrent une série de révolutions sociales en chaîne, la Méditerranée du XVIe siècle, cependant de sang vif, rate les siennes. Ce n'est pas faute de les avoir mises et remises sur le métier. Mais elle est victime d'une sorte d'ensorcellement. Est-ce parce que les villes y ont été tôt démantelées que l'État fort a eu la vocation irrésistible du gendarme ? Le résultat, en tout cas, est net : un énorme livre peut s'imaginer où troubles, émeutes, assassinats, mesures de police, révoltes se succèdent et racontent une perpétuelle et multiple tension sociale. Mais finalement rien n'explose. Le livre des révolutions en Méditerranée est énorme, mais les chapitres ne sont pas rassemblés et le livre lui-même, après tout, fait question[5]. Mérite-t-il seulement son titre ?

Car ces désordres surgissent, chaque année, chaque jour, comme de simples accidents de route auxquels nul ne fait plus attention, ni les acteurs, ni les victimes, ni les témoins, ni les chroniqueurs, ni les États eux-mêmes. Chacun semble avoir pris son parti de ces accidents endémiques, aussi bien du banditisme catalan que de celui de Calabre, ou de celui des Abruzzes. Or pour un de ces faits divers connu dix, cent nous échappent et certains nous échapperont toujours. Les plus importants sont si menus, si mal éclairés, si difficiles à interpréter ! Qu'est-ce au juste que la révolte de Terranova en Sicile, en 1516[6] ? Quelle place accorder à la révolte soi-disant protestante de Naples, en 1561-1562, occasion d'une expédition punitive des autorités espagnoles contre les Vaudois de la montagne calabraise : quelques centaines d'hommes égorgés comme des bêtes[7] ? Ou la guerre de Corse elle-même (1564-1569) sur toute sa longueur, et

1. Marciana, G. BALDINUCCI, *Giornale di Ricordi*, 10 avril 1650.
2. « Intento de rebellión social durante el siglo XVI », in : *La Nacion*, août 1935.
3. Gregorio MARAÑON, *Antonio Perez*, Madrid, 1957, 2e éd.
4. José Antonio MARAVALL, « Las communidades de Castilla, una primera revolución moderna », in : *Revista de Occidente*, 19 octobre 1963.
5. Voir les hésitations de Pierre Vilar au sujet du banditisme catalan, *op. cit.*, I, p. 579 et *sq.*
6. Pino BRANCA, *op. cit.*, p. 243.
7. *Archivio storico italiano*, t. IX, p. 193-195.

la guerre de Grenade sur sa fin, l'une et l'autre se décomposant en épisodes indécis, guerres de la misère autant que guerres étrangères ou religieuses ? Que savons-nous aussi sur tels troubles de Palerme en 1560[1], telles conspirations « protestantes » de Mantoue, en 1569[2] ? En 1571, les sujets du duc d'Urbino se soulevaient contre les exactions de leur maître, Francesco Maria, mais l'épisode mal connu reste difficile à expliquer ; le duché d'Urbino est une terre de soldats mercenaires ; alors qui tire les ficelles[3] ? En 1575-1576, la crise interne de Gênes est à peine plus claire. En 1579, en Provence, la jacquerie des paysans insurgés — les Razas —, la prise par eux du château de Villeneuve, le massacre du seigneur du lieu, Claude de Villeneuve[4], tout se perd dans la trame confuse de nos Guerres de Religion, comme tant d'autres troubles sociaux, comme en 1580, cette jacquerie du Dauphiné, protestante, mais démocratique aussi, qui s'inspire des exemples des Cantons Suisses et se dresse contre la noblesse : elle est à rapprocher des tentatives révolutionnaires et spoliatrices des Protestants de Gascogne, quelques années plus tôt, au temps de Monluc, ou des troubles, bien des années plus tard, du lointain Cotentin (1587)[5]. De même, vers 1590, la révolte des paysans aragonais du comté de Ribargorza, qui leur vaudra finalement d'être rattachés au domaine royal. L'année précédente, les sujets du duc de Piombino, sur la côte toscane, se sont également soulevés[6]. En 1599, l'insurrection de la Calabre, occasion de l'arrestation de Campanella, n'est qu'un gros fait divers[7]. Nombreuses aussi sont les révoltes à travers l'Empire turc, durant les années 1590 à 1600, sans compter les soulèvements endémiques d'Arabes et de nomades en Afrique du Nord et en Égypte, soulèvements assez puissants de « l'Écrivain » et de ses partisans en Asie Mineure, sur lesquels la Chrétienté fondera des espoirs insensés ; émeutes des paysans serbes en 1594 dans le Banat, en 1595 dans la Bosnie et l'Herzégovine, en 1597 à nouveau dans l'Herzégovine[8]. Si, à cette liste très incomplète, on ajoute d'un coup la fantastique masse des faits divers relatifs au brigandage, nous n'aurons pas un livre, mais une énorme collection de récits...

Oui, mais tout cela, ces incidents, ces accidents, ces poussières de faits divers, est-ce la trame d'une histoire sociale valable et qui, faute d'une autre expression, parlerait cette langue confuse, malhabile, peut-être fallacieuse ? Est-ce un témoignage en profondeur cohérent ? Là est le problème. Répondre oui, avec nous, c'est accepter des correspondances, des régularités, des mouvements d'ensemble, là où, au premier abord, il y a incohérence, anarchie, absurdité évidente. C'est admettre, par exemple, que Naples « où l'on vole et croise les épées (quotidiennement) dès la première heure de la nuit » est le théâtre d'une interminable guerre sociale, où le crime pur n'a pas, ne peut avoir la part entière. C'est admettre la même chose pour le Paris déjà politi-

---

1. Palmerini, B. Communale Palermo, Oq. D. 84.
2. Luciano SERRANO, *Correspondancia diplomatica entre España y la Santa Sede*, Madrid, III, 1914, p. 94, 29 juin 1569.
3. J. de Zuñiga au duc d'Alcala, 15 mars 1571, Simancas E⁰ 1059, f⁰ 73. La révolte se poursuivait encore en février 1573 : Silva à Philippe II, Venise, 7 février 1573, Simancas E⁰ 1332, six mille révoltés avec de l'artillerie, le duc se déclare maître de la situation, son état est *quieto*, 10 avril 1573.
4. Jean HÉRITIER, *Catherine de Médicis*, 1940, p. 565.
5. A.N., K 1566, 8 janvier 1587.
6. Simancas E⁰ 109, le gouverneur de Piombino à Philippe II, 6 octobre 1598, R. GALLUZZI, *op. cit.*, III, p. 28 et sq.
7. Léon BLANCHET, *Campanella*, 1920, p. 33 et sq.
8. J. CVIJIĆ, *op. cit.*, p. 131.

quement, mais aussi socialement fanatisé, du printemps 1588. L'ambassadeur vénitien explique que « le duc de Guise est entré dans la ville avec seulement dix des siens, que l'on découvre peu à peu que le Prince manque absolument d'argent, qu'il est grandement endetté et que ne pouvant soutenir une guerre en rase campagne avec de grosses forces (il faudrait les payer évidemment), il a jugé qu'il était plus sûr de se prévaloir de la bonne occasion qui s'offrait à lui dans cette ville remuée de fond en comble... »[1]. Guerre sociale, donc cruelle et à bon marché, appuyée sur des passions et des antinomies profondes.

Justement, tous ces faits divers dont nous parlions portent eux aussi la marque de cruautés vigilantes, d'un côté comme de l'autre. Les crimes agraires qui commencent autour de Venise avec le siècle même sont sans pitié, de même les répressions qui les suivent. Forcément les chroniqueurs, ou ceux qui consignent ces faits sur les registres publics, sont contre ces fauteurs de troubles dont le portrait est régulièrement noirci. Dans la région de Crema, durant l'hiver 1506-1507, une bande pénètre dans la maison d'une certaine Catherine de Revoglara, et *per vim ingressi, fractis foribus, ipsam invitam violaverunt et cum ea rem contra naturam habuere*[2], raconte le scribe du Sénat. Dans tous les rapports, ces adversaires mal identifiés sont coupables avant d'être entendus. Ce sont des *ladri*, d'une « malignité et d'une iniquité qui ne cessent de croître », ce sont des scélérats, et tout spécialement ces paysans qui, un jour de l'hiver 1507, ratent le patricien Leonardo Mauroceno dans sa demeure des champs, mais se vengent sur les arbres du verger[3]... Avec les années, le ton des documents ne changera guère. Ce sont des maudits de Dieu, qui, autour de Portogruaro. au printemps 1562[4] saccagent les propriétés, y coupent les arbres et les vignes. Toute crainte de Dieu est-elle abolie ? Ou toute pitié ? Un *avviso*, fin septembre 1585, déclarait sans sourciller : « Cette année, à Rome, on a vu plus de têtes (coupées de bandits) sur le Pont Saint-Ange que de melons au marché »[5]. Voilà qui donne le ton d'un certain journalisme encore à ses débuts. Que par traîtrise, un prestigieux chef de brigands, le Siennois Alfonso Piccolomini, soit saisi par les hommes du grand-duc de Toscane le 5 janvier 1591[6], puis pendu le 16 mars *al faro solito del palagio del Podestá*[7], l'occasion est bonne d'avilir cette fin misérable en insinuant que le bandit *si lasció vilmente far prigione*[8], sans aucune résistance. Ces passions d'écriture, la cruauté des actes commis et de la répression — ces signes authentifient ces faits divers, leur donnent un sens au milieu de l'interminable révolution larvée qui marque tout le XVIe siècle, puis tout le XVIIe.

Lutte des classes?

Dirons-nous qu'il s'agit d'une *lutte des classes* ? J'imagine que B. Porchnev[9], l'admirable historien des troubles populaires de la France du XVIIe siècle,

---

1. B.N., Paris, ital., 1737, Giovanni Mocenigo au Doge de Venise, Paris, 11 mai 1588, copie.
2. A.d.S., Venise, Senato Terra 16, f° 92, 29 janvier 1506.
3. *Ibid.*, 15, f° 188, 16 décembre 1507.
4. *Ibid.*, 37, Portogruaro, 9 mars 1562.
5. J. DELUMEAU, *op. cit.*, II, p. 551.
6. *Diario fiorentino di Agostino Lapini dal 252 al 1596*, p.p. G. O. CORAZZINI, 1900, p. 310 : arrive à Florence, le 11 janvier.
7. *Ibid.*, p. 314.
8. *Ibid.*, p. 315, note.
9. *Les soulèvements populaires en France de 1623 à 1648*, 1963.

n'hésiterait pas devant l'expression. Après tout, historiens, nous employons bien des mots que nous avons forgés, *féodalité*, *bourgeoisie*, *capitalisme*, sans tenir un compte toujours exact des réalités différentes qu'ils recouvrent, selon les siècles. Question de mots... Si par *lutte des classes* nous désignons, sans plus, ces vengeances fratricides, ces mensonges, ces fausses justices, alors va pour la lutte des classes ! L'expression vaut bien celle de tensions sociales que nous suggèrent les sociologues. Mais si le mot implique, comme je le pense, une certaine prise de conscience, la lutte des classes peut être claire pour l'historien, mais il contemple ce passé révolu avec des yeux du XXe siècle ; elle n'a pas eu cette netteté pour les hommes du XVIe, assurément peu lucides sur ce point.

Le fichier d'un historien réduit à son seul travail reste un sondage forcément insuffisant ; je ne trouve quelques lueurs d'une prise de conscience que durant la première moitié du XVIe siècle. Tel ce mot étonnant de Bayard (ou du Loyal Serviteur) devant Padoue assiégée en 1509[1] ; ou, en octobre 1525, dans le Frioul contaminé par la révolte des paysans allemands, ce rapport qui parle des *nobeli* en armes *contra li villani*[2] ; ou, en décembre 1528, ces paysans autour d'Aquila, dans les Abruzzes qui, morts de faim et de rage, essaient de se soulever contre les « traîtres » et les « tyrans » au cri de : *Viva la povertà !* sans savoir d'ailleurs, au dire suspect du chroniqueur, quels étaient les traîtres à châtier[3] ; ou encore, à Lucques, en 1531-1532, ce soulèvement dit des *Straccioni* (les gens en guenilles) décrit comme une *battaglia di popolo contro la nobiltà*[4]... Ensuite, plus rien, du moins à ma connaissance. Alors, si ce très imparfait sondage est exact, on en déduira que, de la première à la seconde moitié du XVIe siècle, il y a eu baisse de lucidité, hasardons le mot de conscience révolutionnaire, sans quoi il ne peut y avoir de révolution puissante avec ses chances de succès.

En fait, cette première partie, ce printemps du siècle avant les dures années 1540-1560 qui en arrêtent la floraison, semble avoir été particulièrement agitée ; les *Comuneros* en 1521, les *Germanias* valenciennes de 1525-1526, les révoltes de Florence, la crise de Gênes en 1528, le soulèvement des paysans de Guyenne en 1548... Bien plus tard, au XVIIe siècle, se produiront les révoltes intérieures de l'Empire ottoman, les troubles français étudiés par Porchnev, la sécession de la Catalogne et du Portugal, la grande révolte de Naples en 1647, le soulèvement de Messine en 1674[5]... Entre ces séries d'agitations fortes, le long demi-siècle de 1550 à 1600 (et même jusqu'à 1620 ou mieux encore 1630) fait pauvre figure, avec ses révolutions qui n'explosent guère et qu'il faut détecter comme le sourcier l'eau souterraine. En fait et cela complique

---

1. *Le loyal Serviteur*, *op. cit.* (éd. de 1872), p. 179. Bayard n'est pas d'avis d'accepter, comme le demande l'Empereur Maximilien, de mettre la gendarmerie française à pied et de la faire charger aux côtés des lansquenets pour forcer la brèche : « l'Empereur pense-t-il que ce soit chose raisonnable de mettre tant de noblesse en péril et hasard avec des piétons dont l'un est cordonnier, l'autre maréchal, l'autre boulanger, et gens mécaniques qui n'ont leur honneur en si grosse recommandation que des gentishommes ?... ». Tout ce passage mis en vedette par Giuliano PROCACCI, « Lotta di classe in Francia sotto l'Ancien Régime (1484-1559) », *in : Società*, septembre 1951, p. 14-15.
2. M. SANUDO, *op. cit.*, XL, colonne 59, 9 octobre 1525.
3. Bernardino CIRILLO, *Annali della città dell'Aquila*, Rome, 1570, p. 124 v°.
4. *Orazioni politiche*, choisies et p.p. Pietro DAZZI, 1866, discours de Giovani Guidiccioni à la République de Lucques, p. 73 et *sq.* Ce discours n'a, semble-t-il, pas été prononcé.
5. Massimo PETROCCHI, *La rivoluzione cittadina messinense del 1674*, 1954.

l'analyse, ces révoltes et révolutions ne se dressent pas seulement contre les ordres privilégiés, mais contre l'État, ami des grands et collecteur impitoyable d'impôts, lui aussi réalité, construction sociale... Et même l'État a la priorité dans les haines populaires. Il est donc possible, et cela nous ramènerait vers les remarques anciennes et générales de Hans Delbrück[1] et la sagesse des historiens de la politique, que la solidité des États au temps de Philippe II explique cette sourdine, cette discrétion populaire. Le gendarme a tenu le coup, bien qu'on le voie souvent rossé, souvent berné et inefficace, plus souvent encore complice.

Contre les errants et les vagabonds

Forme silencieuse, insistante de la misère, se multiplient alors les « errants et vagabonds », pour reprendre le mot des Consuls et Échevins de Marseille qui, dans leur Conseil du 2 janvier 1566[2], décidaient de visiter les quartiers de la ville pour en chasser tous ces inutiles. Décision qui n'a rien d'inhumain dans l'esprit du temps. Les villes sont obligées de faire leur police et, par salubrité, de se débarrasser périodiquement des pauvres : mendiants, fous, éclopés véritables ou simulés, désœuvrés qui encombrent places, tavernes et portes des couvents distributeurs de soupes populaires. On les chasse, ils reviennent, ou d'autres reviennent. Les expulsions, gestes rageurs, mesurent l'impuissance des villes prudentes devant cette invasion sans répit.

En Espagne, les vagabonds peuplent les routes, font halte dans toutes les villes : étudiants en rupture de ban qui faussent compagnie à leur précepteur pour se joindre au monde grandissant de la *picardía*, aventuriers de tout poil, mendiants et tire-laine. Et ils ont leurs villes préférées, et là leurs places fortes, San Lucar de Barrameda, près de Séville ; l'Abattoir, dans Séville même ; la Puerta del Sol à Madrid... Les *mendigos* forment une confrérie, un État avec ses *ferias*, et parfois se réunissent en nombre fabuleux[3]. Les routes vers Madrid guident leur cortège de pauvres[4], fonctionnaires sans emploi, capitaines sans compagnie, petites gens en quête de travail suivant un bourricot délesté de toute charge, tous mourant de faim, attendant dans la capitale qu'il soit statué sur leur sort. Vers Séville, c'est la foule famélique des émigrants pour l'Amérique, misérables gentilshommes désireux de redorer leurs blasons, soldats en quête d'aventures, jeunes gens sans avoir qui veulent bien faire[5], plus l'entière écume de l'Espagne, voleurs marqués au fer rouge, bandits, vagabonds espérant trouver là-bas un métier lucratif, débiteurs anxieux d'échapper à leurs créanciers, époux fuyant leurs femmes querelleuses[6]... Pour tous, les Indes sont le rêve, le « refuge et protection de tous les *desesperados* d'Espagne, église des révoltés, sauf-conduit des homicides » : ainsi parle Cervantès au seuil d'une de ses plus charmantes nouvelles, *El celoso Extrameño*, histoire d'un de ces enrichis

---

1. *Weltgeschichte*, III, p. 251.
2. A. Communales, Marseille BB 41, fº 45.
3. Federico RAHOLA, *Economistas españolas de los siglos XVI y XVII*, Barcelone, 1885, p. 28-29, B.N., Paris, Oo 1017, in-16.
4. M. ALEMAN, *Guzmán de Alfarache, op. cit.*, I, II, p. 254 : pauvres qui arrivent à Madrid « *tras un asnillo cargado de buena dicha* »; Madrid, la ville où l'on fait fortune, Pedro de MEDINA, *op. cit.*, p. 204 et sq.
5. Fernand BRAUDEL, « Vers l'Amérique », *in : Annales E.S.C.*, 1959, p. 733.
6. Stefan ZWEIG, *Les heures étoilées de l'humanité*, Paris, 1939, p. 53.

retour des Indes qui place son argent, achète une maison, organise bourgeoisement sa vie et, hélas, se marie[1].

Habitués des routes, encore, les soldats, anciennes ou nouvelles recrues, picaresques personnages qui cheminent et, au hasard des rencontres, se perdent dans les *casas de carne*, traînant parfois après eux quelque fille soumise. Un jour, ils suivent le tambourin du recruteur et, par Málaga ou tel autre port, avec un flot d'hommes mêlant enfants inexpérimentés, vieux soldats, fuyards, assassins, prêtres, filles de joie, ils s'embarquent selon les ordres de l'intendance vers les beaux pays d'Italie, ou vers les bagnes des présides africains. Parmi ces déportés, quelques honnêtes gens, tel ce Diego Suárez qui, jeune encore, de maître en maître, a traversé l'Espagne entière, depuis Oviedo jusqu'à Carthagène où il s'embarquera pour Oran, en 1575 : il devait y rester un tiers de siècle, preuve, s'il en était besoin, qu'il est plus facile de gagner ces prisons d'Afrique que d'en sortir[2]...

Danger universel, le vagabondage en Espagne menace campagnes et villes. Au nord de la Péninsule, en Biscaye, des vagabonds gagnent sans cesse le *Señorio*. Les autorités essaient de réagir, dès 1579[3], contre ceux qui se dissimulent dans la foule des pèlerins : « s'ils ne sont vieux ou infirmes et légitimement empêchés, qu'on les envoie dans les prisons... et que médecins et chirurgiens les examinent ». Mais de telles décisions restent comme toujours sans effet : le mal s'aggravant avec les années, les contre-mesures se font en vain plus strictes. A Valence, le 21 mars 1586 — et la mesure vaut pour la ville et toutes les cités et villages du royaume — le vice-roi prend de grandes mesures contre les sans travail[4]. Un délai de trois jours leur est imparti pour qu'ils trouvent un maître, sinon ils seront expulsés[5], spécialement ces *brivons* et *vagamundos* qui, les jours ouvrables, jouent sur les places publiques et se refusent à tout travail sous le beau prétexte qu'ils n'en trouvent pas. Le vice-roi informe aussi les *jornales* sans domicile fixe que s'ils sont pris à jouer à quelque jeu que ce soit, il sera procédé contre eux[6], de même contre les soi-disant mendiants et les étrangers, toutes gens qui cherchent à vivre sans rien faire. Chose invraisemblable, cette colère valencienne portera ses fruits. Autour de Saragosse, dit en effet une lettre vénitienne du 24 juillet 1586, « on voyage par une chaleur grandissime et avec le multiple péril des assassins qui sont par les campagnes en grand nombre. Tout cela parce que, à Valence, ils ont chassé du royaume tous les vagabonds sous un délai de tant de jours, avec la menace des peines les plus graves ; alors ils sont venus partie en Aragon, partie en Catalogne. Raison de plus pour voyager de jour et sous bonne garde ! »[7].

La preuve est faite ainsi, mais elle n'était pas nécessaire, que vagabonds et bandits sont frères de misère et peuvent échanger leurs conditions. La preuve est faite également que l'on ne se débarrasse de ses pauvres que pour en embarrasser autrui. A moins de procéder comme Séville, en octobre 1581 : des vagabonds arrêtés au cours d'une rafle policière sont mis de force sur les navires de

---

1. *Novelas Ejemplares*, p.p. Francisco RODRIGUEZ MARIN, 1943, II, p. 87 et *sq*.
2. Voir *infra*, p. 181 et *sq*.
3. *Gobierno de Viscaya*, II, p. 64-65, 4 août 1579.
4. B.N., Paris, esp. 60, f⁰ 55 (imprimé).
5. *Ibid.*, art. 60.
6. *Ibid.*, art. 61.
7. A.d.S., Venise, Senato Dispacci Spagna, V⁰ Gradenigo au Doge, Saragosse, 24 juillet 1586.

Sotomayor qui s'en vont vers le détroit de Magellan. On leur réserve le sort de terrassiers, de *guastatori*, mais quatre navires sombreront et mille d'entre eux seront noyés[1].

Évidemment tous ces drames posent le problème des bas-fonds urbains, des Cours des Miracles qui ne manquent dans aucune ville d'alors. A partir de *Rinconete y Cortadillo*[2], cette nouvelle « exemplaire » qui ne l'est guère, les bas-fonds sévillans s'aperçoivent même avec une certaine netteté, l'érudition des commentaires y aidant : filles de mauvaise vie, veuves complaisantes, alguazils à double ou triple jeu, truands authentiques, *picaros* dignes d'entrer dans la littérature, *peruleros*, dupes de comédie, rien ne manque au tableau. Et il est le même ailleurs, à Madrid comme à Paris. L'Italie entière est pleine, elle aussi, de mauvais garçons, de vagabonds, de mendiants, tous personnages dont la littérature va s'enticher[3]. Partout on les pourchasse, partout ils reviennent. Seules les autorités responsables croient à l'efficacité des mesures officielles, toujours les mêmes.

A Palerme, en février 1590, des mesures énergiques sont prises contre les « vagabonds, ivrognes et espions de ce royaume »[4]. Deux censeurs incorruptibles, à 200 écus de salaire annuel, se partageront la ville. A eux de poursuivre cette gent oisive, paresseuse, qui passe les jours de travail à jouer, à se rouler dans tous les vices, « détruisant leurs biens et, qui plus est, leurs âmes ». Jouer, mais qui ne joue pas ? Tout est prétexte, et pas seulement les cartes : on parie à Palerme sur le prix du blé, sur le sexe des enfants à naître et, comme partout ailleurs, sur le nombre des cardinaux que créera le Saint Père. Dans un lot de correspondance marchande, à Venise, j'ai trouvé un billet de loterie, resté là par hasard. Pour lutter contre la coalition du jeu, du vin, de la fainéantise, les autorités de Palerme prévoient des visites policières dans les hôtelleries, fondouks, tavernes, maisons meublées, avec enquêtes sur les personnes suspectes qui les fréquentent... On tirera au clair d'où elles viennent, à quelle nation elles appartiennent, d'où viennent leurs ressources...

Ce jeu du gendarme et du voleur, de la ville sage et du vagabond est sans commencement ni fin. C'est un spectacle permanent, une « structure ». Une rafle, tout revient au calme, puis les larcins, les attaques de passants, les assassinats se multiplient. En avril 1585[5], à Venise, c'est le Conseil des Dix qui menace d'intervenir. En juillet 1606, il y a à nouveau trop de méfaits à Naples, alors sont opérées des descentes nocturnes dans les auberges et hôtelleries et 400 arrestations faites, dont beaucoup de soldats des Flandres *avvantaggiati*, c'est-à-dire « surpayés »[6]. En mars 1590 sont chassés de Rome sous huit jours *li vagabondi, zingari, sgherri e bravazzi*, les vagabonds, tsiganes, coupe-jarrets et bretteurs[7]...

L'intéressant serait de relever toutes ces expulsions, de voir si elles ne se commandent pas entre elles comme les dates des foires marchandes, car ces vagabonds qu'elles relancent ainsi dans la circulation, d'où étaient-ils venus ? où

---

1. *Ibid.*, Zane au Doge, Madrid, 30 octobre 1581.
2. *Novelas Ejemplares*, p.p. Francisco RODRIGUEZ MARÍN, 1948, I, p. 133 et *sq.*
3. En Italie le succès du livre de Giacinto NOBILI (de son vrai nom Rafaele Frianoro), *Il vagabundo*, Venise, 1627.
4. Simancas E° 1157, Palerme, 24 février 1590.
5. Marciana, Memorie politiche dall'anno 1578 al 1586, 23 avril 1585.
6. *Archivio Storico italiano*, t. IX, p. 264.
7. A.d.S., Mantoue. A. Gonzaga, séri e E 1522, Aurelio Pomponazzi au Duc, Rome, 17 mars 1590.

vont-ils ? A Venise, ils viennent de fort loin, même du Piémont. En mars 1545, ils étaient plus de 6 000 « *di molte natione* » à investir la ville. Certains sont retournés dans leur village, d'autres se sont embarqués, *lo resto per esser furfanti, giotti, sari, piemontesi et de altre terre et loci alieni sono stati mandati fuora della città* : le reste a été chassé, parce qu'il s'agissait de vauriens, de goinfres, venus du Piémont et d'autres villes et lieux étrangers[1]. Cinq ans plus tôt, en 1540 année de disette, c'étaient au contraire une quantité de malheureux pères de famille, *assaissimi poveri capi di caxa* qui étaient arrivés en barque, avec femmes et enfants, et vivaient sous les ponts, sur les quais des canaux[2]...

Bientôt ce n'est plus à l'étroite mesure des villes revêches que se pose le problème des pauvres. C'est à la dimension des États et de l'Europe. Avec le début du XVIIe siècle, des hommes comme Montchrestien s'affolent devant leur pullulement ; s'il est, et d'autres en France avec lui, « colonialiste », c'est pour se débarrasser de cette silencieuse et épouvantable armée de prolétaires[3]. Dans toute l'Europe, trop peuplée pour ses ressources et que ne soulève plus un élan économique compensateur, en Turquie même, se prépare la paupérisation de masses considérables d'hommes tourmentés par le besoin du pain quotidien. C'est l'humanité qui va se ruer dans les atroces conflits de la guerre de Trente Ans, celle que dessinera Callot, témoin impitoyable, et dont Grimmelhausen est le chroniqueur trop exact[4].

Ubiquité du banditisme

Ces témoignages policiers de la vie citadine sont pâles à côté de l'histoire ruisselante de sang du banditisme en Méditerranée, du banditisme terrestre, frère de la course maritime à laquelle il ressemble tout de même d'assez près. Comme elle, autant qu'elle, il est un vieux trait des mœurs méditerranéennes. Par ses origines, il se perd dans la nuit des temps. Dès que la mer a abrité des sociétés cohérentes, le banditisme a fait irruption pour ne plus disparaître. Aujourd'hui même, il est encore vivant[5]. Ne disons donc pas, comme il arrive à des historiens qui ne cherchent pas à sortir de « leur » siècle, celui qu'ils étudient, que le banditisme fait son apparition en Corse au XVe siècle, ou à Naples au XIVe. Et ne croyons pas trop vite à la nouveauté de ce que nous voyons comme sourdre de tous côtés, au XVIe siècle, avec une force qui, elle, est nouvelle ou renouvelée. Telles instructions que la reine Jeanne de Naples donne, le 1er août 1343, au capitaine d'Aquila[6], pour *procedere rigorosamente contro i malandrini* pourraient être du XVIe siècle et mises au compte du duc d'Alcala ou du cardinal Granvelle. Selon les époques, le brigandage a pu changer de nom ou de forme, mais *malandrini, masnadieri, ladri, fuorisciti, banditi* (les *masnadieri* sont primitivement des soldats, les *fuorusciti* et les

---

1. A.d.S., Venise, Senato Terra 1, 26 mars 1545.
2. *Ibid.*, Brera, 51, fo 312 vo, 1540.
3. *Traité d'économie politique*, p.p. FUNCK BRENTANO, 1889, p. 26.
4. A point nommé en Angleterre, la *poor law* fait disparaître les pauvres de la rue, G. M. TREVELYAN, *op. cit.*, p. 285.
5. *Mercure de France*, 15 juillet 1939, « La Sicile aux temps préfascistes connut des jacqueries dignes du Moyen Age ».
6. G. BUZZI, « Documenti angioni relativi al comune di Aquila dal 1343 al 1344 », *in : Bollettino della Regia Deputazione abruzzese di storia patria*, 1912, p. 40.

banditi des bannis), c'est toujours de brigands qu'il s'agit — à nos yeux, de révoltés sociaux, d'inadaptés.

Aucune région de Méditerranée n'est exempte du mal. Donc ni la Catalogne, ni la Calabre, ni l'Albanie, régions célèbres à ce titre, n'ont le monopole du brigandage. Il est partout, avec ses multiples visages, politique, social, économique, terroriste... Aussi bien aux portes d'Alexandrie d'Égypte qu'à celles de Damas ou d'Alep, dans la campagne de Naples où des tours de guet sont élevées contre les brigands[1], dans la Campagne romaine dont il faut parfois se décider à brûler les maquis pour débusquer des bandes trop bien abritées, même dans un État apparemment aussi policé que Venise[2]. Et quand l'armée du Sultan, en 1566, s'achemine par le Stambouljol vers Andrinople, Nich, Belgrade, puis la Hongrie, elle pend sans arrêt une infinité de brigands que son passage fait sortir de leurs repaires[3]. Évidemment il y a brigands et brigands. Leur présence sur la grande route de l'Empire turc dont on célèbre la sécurité en dit long sur la paix publique de ce temps-là.

A l'autre bout de la Méditerranée, en Espagne, le spectacle est le même. J'ai souvent signalé la plaie des routes d'Aragon et de Catalogne. Inutile, écrit un Florentin en 1567, de vouloir cheminer de Barcelone à Saragosse par la poste. Au delà de Saragosse, oui, non pas entre ces deux villes. Il s'est, quant à lui, joint à une caravane de seigneurs armés[4]. Dans une de ses nouvelles, Cervantès imagine la petite troupe de ses héros surprise par des *bandoleros* près de Barcelone. C'est là réalité banale. Or, par Barcelone, passe l'une des très grandes routes de l'Espagne impériale ; par elle, l'Espagne prend contact avec la Méditerranée et l'Europe. Et il arrive souvent que les courriers officiels soient dévalisés, ou même ne puissent plus passer. Ainsi en juin 1565[5], l'année même où la route de Madrid à Burgos, cet autre bras que l'Espagne jette vers l'Europe et l'Océan, se rompt par suite de la peste[6]. Voilà qui révèle une des mille faiblesses du trop vaste Empire hispanique. Mais il y a autant de *bandouliers* du côté du Languedoc que de *bandoleros* du côté de la Catalogne. Toutes les fermes du Bas-Rhône[7] sont des maisons fortes, à l'image des forteresses paysannes de Catalogne dont nous avons déjà parlé. Au Portugal[8], à Valence, à Venise même, dans toute l'Italie, dans toute l'étendue de l'Empire ottoman, de minuscules États de brigands, mobiles — et c'est leur force — sont capables, sans bruit, de passer des Pyrénées catalanes à Grenade, ou de Grenade en Catalogne, ou de nomadiser des Alpes, près de Vérone, jusqu'en Calabre, de l'Albanie à la mer Noire : ces infiniments petits narguent les États constitués et les usent à la longue. Ils ressemblent aux partisans des guerres populaires récentes. Le peuple est régulièrement de leur côté.

De 1550 à 1600, la Méditerranée se consume ainsi dans cette guerre agile, cruelle, quotidienne. Une guerre à laquelle la grande histoire ne prête pas

---

1. E. ALBÈRI, *op. cit.*, II, V, p. 409.
2. L. von PASTOR, *op. cit.*, X, p. 59.
3. Voir *infra*, p. 339.
4. A.d.S., Florence, Mediceo 4898, Scipione Alfonso d'Appiano au Prince, Barcelone, 24 janvier 1567.
5. *Ibid.* Mediceo 4897, 1er juin 1565, f° 110 v° et 119. Autres ruptures, *La Méditerranée...*, 1re édit., p. 650, note 3.
6. *Ibid.*
7. P. GEORGE, *op. cit.*, p. 576.
8. D. PERES, *Historia de Portugal*, V, p. 263.

l'oreille, qu'elle a abandonnée, comme chose secondaire, aux essayistes ou aux romanciers. Stendhal, dans le cadre de l'Italie, aura dit, à ce sujet, des choses pertinentes.

Le banditisme et les États

Le banditisme, c'est tout d'abord une revanche contre les États établis, défenseurs de l'ordre politique et même de l'ordre social. « Naturellement le peuple vexé par les Baglioni, par les Malatesti, par les Bentivoglio, par les Médicis... aimait et respectait leurs ennemis. Les cruautés des petits tyrans qui succédèrent aux premiers usurpateurs, par exemple les cruautés de Cosme, premier grand-duc (de Toscane)[1] qui faisait assassiner les républicains réfugiés jusque dans Venise, jusque dans Paris, envoyèrent des recrues à ces brigands »[2]. « Ces brigands furent l'opposition contre les gouvernements atroces qui succédèrent aux républiques du Moyen Age »[3]. Ainsi s'exprime Stendhal. En l'occurrence, il est amené à juger d'après le spectacle qu'il a sous les yeux, le banditisme fleurit toujours dans l'Italie de son temps. « De nos jours encore, écrit-il, tout le monde assurément redoute la rencontre des brigands, mais subissent-ils des châtiments, chacun les plaint. C'est que ce peuple si fin, si moqueur, qui rit de tous les écrits publiés sous la censure de ses maîtres, fait sa lecture habituelle de petits poèmes qui racontent avec chaleur la vie des brigands les plus renommés. Ce qu'il trouve d'héroïque dans ces histoires ravit la fibre artiste qui vit toujours dans les masses... le cœur des peuples était pour eux et les filles du village préféraient à tous les autres le jeune garçon qui, une fois dans sa vie, avait été forcé d'*andar alla macchia* »[4]. En Sicile, les exploits des brigands étaient chantés par les *urvi*, chanteurs aveugles errants, soutenant leur voix « d'une manière de petit violon poussiéreux »[5] et que la foule entourait avidement, sous les arbres des promenades. L'Espagne, surtout l'Andalousie, notera encore Théophile Gautier[6], « est restée arabe sur ce point et les bandits y passent facilement pour des héros ». Tout le folklore yougoslave et roumain est pareillement rempli d'histoires d'*haïdouks* et de hors la loi... Revanche contre le maître, contre sa justice boîteuse, le banditisme, un peu partout et à toutes les époques, est redresseur de torts. Tel, hier encore, ce brigand de Calabre qui « se défendit devant la Cour d'Assises en se posant comme un redresseur de torts et un bienfaiteur des pauvres. Il égrenait son chapelet tous les jours et les curés de campagne le bénissaient. Pour réaliser cette justice sociale à lui, il avait, à l'âge de trente ans, tué déjà une trentaine de personnes »[7].

Dressé contre le pouvoir, le banditisme est logé d'ordinaire dans les zones de faiblesse des États. Dans les montagnes où une troupe ne peut guère agir en force et où l'État perd ses droits. Souvent dans des zones frontières : au long du haut pays dalmate, entre Venise et Turquie ; dans la vaste région frontière de

---

1. Et non de Florence comme dit le texte. Lutte contre l'État, auto-défense d'une « civilisation » paysanne, sur ces thèmes voir l'admirable livre de Carlo LEVI, *Le Christ s'est arrêté à Eboli*, Paris, 1948.
2. STENDHAL, *Abbesse de Castro*, éd Garnier, 1931 p. 6.
3. *Ibid.*, p. 7.
4. *Ibid.*
5. LANZA DEL VASTO, *La baronne de Carins*, « Le Génie d'Oc », 1946, p. 196.
6. *Op. cit.*, p. 320.
7. Armando ZANETTI, *L'ennemi*, 1939, Genève, p. 84.

Hongrie, l'une des zones majeures du banditisme au xvie siècle[1], en Catalogne, dans les Pyrénées qui avoisinent la France ; à Messine, une frontière aussi dans la mesure où Messine, ville libre, est un refuge ; autour de Bénévent, enclave pontificale dans le royaume de Naples, car en passant d'une juridiction à l'autre, on nargue les poursuiveurs ; entre l'État pontifical et la Toscane ; entre Milan et Venise ; entre Venise et les États héréditaires des archiducs... Toutes ces jointures offrent d'admirables cantonnements. Plus tard, avec des intentions nullement sanguinaires, Voltaire ne se servira pas autrement de Ferney... Sans doute, les États finissent-ils par s'entendre, mais l'entente dure peu d'ordinaire. En 1561, le roi de France proposait à Philippe II[2] une action en commun contre les bandouliers pyrénéens : sagesse d'un instant, elle sera sans effet. Les accords entre Naples et Rome, au sujet de Bénévent, ne furent pas plus utiles. En 1570, Venise s'entendait formellement avec Naples[3] et, en 1572, elle signait un accord avec Milan, renouvelé en 1580[4], à un moment où les ravages des brigands créaient dans l'État vénitien une insécurité générale[5]. Chacun des deux gouvernements était autorisé à poursuivre les délinquants jusqu'à six mille au delà de ses frontières. En 1578, quand le marquis de Mondejar essaya de frapper les *fuorusciti* calabrais, il alerta tous les voisins, y compris Malte et les îles Lipari[6]. En 1585, Sixte Quint fit de même, à la veille de sa campagne contre les brigands de l'État pontifical[7].

Mais ces négociations, qui mettent en jeu la souveraineté des États, sont lentes, difficiles, souvent menées de mauvaise foi : quel souverain d'Italie ne se réjouit pas, au fond de son cœur, des difficultés de son voisin ? Les extraditions sont rarissimes, sauf par voie d'échange. Quand Marcantonio Colonna, vice-roi de Sicile, obtient de Cosme la livraison d'un bandit de haut vol, Rizzo di Saponara, qui depuis vingt-cinq ans parcourait Naples et la Sicile, impuni parce que protégé des barons, il l'obtient contre la livraison d'un cavalier de la maison Martelli, accusé d'avoir conspiré contre le grand-duc. Encore le bandit sera-t-il supprimé par le poison quand il arrivera à Palerme, sous l'escorte de deux galères.

D'ordinaire, chaque État fera seul sa police. Et ce n'est pas là petite affaire. Dans les grandes patries du banditisme, la tâche est toujours à reprendre. En 1578, le duc de Mondejar, vice-roi de Naples, décidait une nouvelle opération contre les *fuorusciti* de Calabre. Dès son arrivée, il avait été mis au courant de leurs crimes : terres pillées, routes coupées, voyageurs assassinés, églises profanées, incendies, gens capturés et rançonnés, sans compter « beaucoup d'autres graves, énormes et atroces méfaits ». Les mesures prises par le cardinal de Granvelle avaient été inopérantes et même, écrivait le vice-roi, « le nombre des *fuorusciti* a augmenté, leurs délits se sont multipliés, leur pouvoir et insolence ont tellement crû qu'en mille parties de ce Royaume on ne peut voyager sans de grands risques et périls ». Alors où les frapper mieux qu'en Calabre, dans ces provinces de *Calabria citra et ultra* ? (dix ans plus tôt, c'est des Abruzzes que l'on se serait plaint).

---

1. Baron de BUSBEC, *op. cit.*, I, p. 37.
2. Mémoire de l'évêque de Limoges, 21 juillet 1561, B.N., Paris, fr. 16 110, f° 12 v° et 13.
3. Simancas E[o] 1058, f° 107, Notas de los capitulos... (1570-1571).
4. Simancas E[o] 1338.
5. Salazar à Philippe II, Venise, 29 mai 1580, Simancas E[o] 1337.
6. Simancas E[o] 1077.
7. L. von PASTOR, *op. cit.*, X, p. 59 et *sq*.

En Calabre, si nos documents sont exacts[1], favorisés par les circonstances et la nature du terrain, les hors la loi pullulent. Leurs crimes y sont plus nombreux et atroces qu'ailleurs, leur audace sans limites, à tel point « qu'un jour, en plein midi, ils sont entrés dans la ville de Reggio, y ont amené du canon, ont battu une maison, l'ont forcée et tué ses occupants, sans que le gouverneur de la ville ait pu s'y opposer, les citadins refusant d'obéir et de venir à son aide ». Mais agir contre la Calabre n'est pas une petite affaire. Mondejar en fera l'expérience à ses dépens. Après l'incident de Reggio, dont la date exacte m'est inconnue, les poursuites du gouverneur de la ville, renforcé pour l'occasion par un juge commissaire, ne servirent à rien, sinon à augmenter la force et l'activité des brigands. De même échouèrent les efforts du comte Briatico, nommé au gouvernement provisoire des deux provinces calabraises. Les mesures répressives ne firent qu'exaspérer les bandits. Ils forçaient les châteaux, entraient en plein jour dans les grandes villes, osant « tuer leurs ennemis jusque dans les églises, faisant des prisonniers et les mettant à rachat ». Leurs atrocités répandaient la terreur ; « ils dévastaient les terres, mettaient à mort les troupeaux de ceux qui leur résistaient ou qui les poursuivaient sur ordre et mandement des gouverneurs, ces derniers n'osant le faire eux-mêmes ». Bref, « ils avaient totalement perdu le respect, la crainte, l'obéissance qui se doivent à la justice ». En conclusion du rapport dont nous venons de tirer ces citations, le vice-roi indiquait qu'une expédition militaire avait été organisée contre eux, sous le commandement de son fils D. Pedro de Mendoza, pour l'instant maître de camp de l'infanterie du royaume. Il avait différé cette action autant qu'il l'avait pu, pour éviter aux provinces les dégâts qu'y apportent toujours les gens de guerre, si disciplinés soient-ils. Mais à tarder davantage ne risquerait-on pas, au prochain printemps, d'avoir à réunir cette fois une armée, pour en venir à bout, alors qu'un petit corps expéditionnaire pouvait suffire pour le moment ?[2]

A ce corps expéditionnaire participèrent[3] neuf compagnies d'Espagnols (destinées à loger dans les villages suspects d'aider les *fuorusciti*) et trois compagnies de chevau-légers : trois frégates devaient opérer sur les marines, les provinces suspectes étant ainsi bloquées à l'avance. Comme à l'ordinaire, les têtes de brigands furent mises à prix, à 30 ducats pour les comparses, 200 pour les chefs. Don Pedro quitta Naples le 8 janvier et, le 9 avril, le vice-roi annonçait que sa mission était terminée, avec succès[4]. Dès février, dix-sept têtes de brigands avaient été envoyées à Naples et clouées aux portes de la ville, soi-disant pour la plus grande satisfaction populaire[5]. On avait fait également des prisonniers que Don Pedro, en rentrant à Naples, avait livrés à la justice.

Était-ce là un aussi grand succès que le déclaraient les paroles officielles et paternelles du vice-roi ? En fait, la Calabre trop peuplée, malheureuse, productrice de brigands autant que de soie, continua sa vie inchangée, ou presque. L'opération, conduite avec de petits effectifs, pendant trois mois d'hiver, ne pouvait avoir été efficace. En 1580, un agent vénitien[6] signalait que tout le royaume était infesté de bandits, que les coupeurs de routes étaient

---

1. Voir notamment DOLLINGER, *op. cit.*, p. 75, Rome, 5 juin 1547.
2. Vice-roi de Naples à Philippe II, A.N., K, 3 janv. 1578, Simancas E° 107.
3. *Sumario de las provisiones que el Visorey de Napoles ha mandado hacer* ; s.d., *ibid.*
4. Vice-roi de Naples à Philippe II, 9 avril 1578 (reçue le 29 mai), Simancas E° 1077.
5. Le même au même, 17 févr. 1578, *ibid.*
6. E. ALBÈRI, *op. cit.*, II, V. p. 469.

les maîtres dans les Pouilles et surtout en Calabre. La difficulté, c'était qu'à vouloir éviter ces routes périlleuses, on risquait de se livrer aux corsaires infestant alors les côtes jusqu'aux berges romaines de l'Adriatique.

Une vingtaine d'années plus tard[1], la situation est encore pire. Les brigands poussent leurs incursions jusqu'au port de Naples et les autorités en arrivent à préférer l'entente ou la ruse à la lutte. C'est ainsi que la vaste bande d'Angelo Ferro, qui terrorisait la Terre de Labour, est expédiée dans les Flandres pour y combattre sous les bannières espagnoles. On dresse aussi les bandes les unes contre les autres : l'une à Sessa a dévoré sa voisine. Des *fuorusciti* sont acceptés dans l'armée à condition d'aider le gouvernement à lutter contre leurs émules. Enfin, on a recours à la méthode des garnisaires. Les brigands étant toujours en liaison avec tel village où ils ont leurs parents et leur centre de ravitaillement, on commence par suggérer aux dits parents qu'ils « procurent le remède », entendez qu'ils livrent « leur » brigand. Refusent-ils, une compagnie d'Espagnols vient loger à discrétion dans le village, choisissant de préférence les maisons des parents et des gens fortunés de l'endroit. A ceux-ci de se débrouiller avec ceux-là pour trouver le « remède ». Comme ils sont riches et ont de l'influence, ou le coupable est livré sans plus, ou l'on s'arrange pour le faire sortir du royaume. Une indemnité est alors exigée pour les méfaits de l'exilé et les autres frais ; la compagnie est retirée, puis tout rentre dans l'ordre. A ce que nous dit du moins le rapport optimiste qui expose ces méthodes comme un exemple de l'art de gouverner, à Naples.

En réalité, il n'y a là rien de bien neuf. Ce sont de vieilles, d'habituelles méthodes. Un document vénitien les signale à Candie où, en 1555[2], le pardon est accordé à tout brigand (il y en a alors deux cents dans l'île, à ce qu'on dit) qui tuera tel de ses compagnons de vie, plus que lui chargé d'homicides... Sixte Quint y avait également eu recours lors de sa tentative de 1585 contre les brigands romains. C'est une façon de défaire les bandes du dedans. Pardons et primes *fanno il loro frutto*, note un agent des Gonzague à Rome[3]. Cependant que Gênes, en Corse, pardonne à tous les bandits (quelques criminels particulièrement atroces mis à part) qui s'enrôlent dans ses troupes. La solution débarrasse l'île inquiète d'éléments troubles, les pardonnés donnent des gages, cessent, un instant, d'être les ennemis de Gênes pour la servir[4]. Les Turcs ne procèdent pas autrement en Anatolie[5].

N'exagérons point toutefois la portée de ces procédés qui mesurent une faiblesse autant qu'une habileté. De fait, ni la manière forte, ni les astuces policières, ni l'argent, ni la volonté passionnée d'un Sixte Quint qui mit à lutter contre lui une ardeur de paysan, n'ont eu raison de cet ennemi insaisissable qui dispose de puissants appuis.

Le banditisme et les seigneurs

Derrière la course maritime agissent les villes, les États urbains. Derrière cette course terrestre, le banditisme, il y a, étayant l'aventure, l'aide répétée

---

1. B.N., Paris, esp., 127 f⁰ 65 v⁰ à 67.
2. 28 mars 1555, V. LAMANSKY, *op. cit.*, p. 558.
3. 22 juin 1585, L. von PASTOR, *op. cit.*, X, p. 59.
4. A. MARCELLI, « Intorno al cosidetto mal governo genovese », *art. cit.*, p. 147, sept. 1578 et oct. 1586.
5. Voir *supra*, I, p. 90.

des seigneurs. Les brigands ont souvent, pour les conduire ou diriger de près ou de loin, tel seigneur authentique. Ainsi le comte Ottavio Avogadro qu'une correspondance française de Venise signale, avec sa bande, opérant contre les Vénitiens, en juin 1583[1]. « Le comte Ottavio, Sire, travaille toujours ces seigneurs à Sanguene où, depuis que j'ay escrit à Votre Majesté, il est retourné deux fois et a bruslé quelques maisons sur le Véronnois ». Les Vénitiens le poursuivent, obtiennent que Ferrare et Mantoue, où il trouve un asile d'ordinaire, le lui refusent[2]. Pour autant, ils n'arrivent pas à se saisir de lui ; deux ans plus tard il est à la Cour de Ferdinand de Tyrol[3]. Autre exemple, parmi les bandes qui désolent l'État pontifical, rendez-vous des voleurs et assassins du Nord et du Sud de l'Italie, sans compter les autochtones qui sont légion, l'un des plus acharnés, à l'époque de Grégoire XIII, est le duc de Montemarciano, Alfonso Piccolomini, nous l'avons déjà rencontré[4]. Le grand-duc de Toscane le sauve *in extremis*, car il tirait depuis longtemps ses étranges ficelles. Qu'Alfonso, sauvé de justesse, gagne la France — et alors la vraie guerre par opposition à la guerre des partisans — que cette guerre lui plaise peu, à lui, l'homme des *masnadieri*, qu'il écoute bientôt des promesses, des invitations, et le voilà de nouveau en Italie, en Toscane cette fois, dressé sans pitié et sans prudence contre le grand-duc. Logé dans la montagne (elle encore) de Pistoia, loin des forteresses et des garnisons, il est à même de *sollevare i popoli*, de faire *delle scorrerie*, d'autant qu'où il est, en cette année 1590, année de blé très rare, la *miseria potea più facilmente indurre gli uomini a tentare di variar condizione*. Paroles étonnantes de clairvoyance[5]. Avec l'arrivée au cœur du pays toscan de ce conducteur d'hommes, tout est à craindre, d'autant qu'il est en relations avec les présides espagnols et tous les ennemis de la *Casa Medici*. Qu'il pousse sur Sienne et sa Maremme, ce serait un beau gâchis. Toutefois, ses bandes, qui ne savent pas faire la guerre savante, ne peuvent enlever les places-clefs, elles refluent devant les gendarmes de Toscane ou de Rome et le dernier mot reste au prince : le 16 mars 1591, Piccolomini était exécuté à Florence[6]. Ainsi se terminait une curieuse guerre intérieure, suivie avec soin du dehors, car les fils de ces aventures conduisent à des mains étrangères, telle fois jusqu'à l'Escorial, telle autre jusqu'à Lesdiguières, en son Dauphiné[7].

Grands exemples et qui touchent à la grande politique. Des cas plus simples feraient mieux notre affaire. Mais ce sont les moins faciles à saisir... La liaison est cependant indéniable entre la noblesse catalane et le brigandage des Pyrénées, entre la noblesse napolitaine ou sicilienne[8] et le banditisme du Sud de l'Italie, entre les *signori* et *signorotti* de l'État pontifical et le brigandage romain. La noblesse joue partout son rôle, ou politiquement ou socialement. L'argent résumant tout, elle est souvent économiquement malade. Les gentilshommes pauvres, les uns ruinés, les autres cadets de famille sans fortune, sont les cadres, très souvent, de cette guerre sociale larvée, sans cesse renaissante, « pareille aux

1. H. de Maisse au Roi, Venise, 20 juin 1583, A.E., Venise, 31, f⁰ 51 et 51 v⁰.
2. *Ibid.*, f⁰ 56 v⁰, 11 juillet 1583.
3. G. Schnürer, *op. cit.*, p. 102.
4. R. Galluzzi, *op. cit.*, II, *passim*, et t. III, p. 44 et *sq.* Voir *supra*, II, p. 78.
5. *Ibid*, III, p. 44.
6. *Ibid.*, III, p. 53.
7. *Ibid.*, II, p. 443.
8. L. Bianchini, *op. cit.*, I, p. 60.

têtes de l'hydre »[1]. Force leur est de vivre d'expédients et de rapines, d'aller (comme le dit La Noue, en cette France où le spectacle est le même) « à la désespérade »[2]. Ce mécanisme social jouera souvent, et plus tard encore. Au XVIIIe siècle, la Turquie sera troublée par des seigneurs en trop grand nombre pour être tous bien nantis, les *Krdzalcen* de Bulgarie[3]. Au Brésil, au début du XIXe siècle, les bandits sont les hommes de main, les *cabras* de grands propriétaires plus ou moins défavorisés par les temps nouveaux et qui doivent se défendre[4].

Mais ne simplifions pas outre mesure : multiplié et polyvalent, le brigandage, au service de certains nobles, est aussi bien dressé contre certains autres. Ainsi le montrent les exploits, en pays lombard, d'Alexio Bertholoti, « fameux bandit et rebelle du marquis de Castellon ». Le 17 août 1597, avec plus de deux cents hommes, il escalade les murs du château de Solférino, s'empare de la mère du marquis et du fils de ce dernier, un enfant de treize ans. Il transporte les prisonniers à Castellon, essaie de se faire ouvrir les portes du château par la vieille marquise, sa prisonnière, dans l'espoir de saisir le marquis lui-même. Peine perdue, elle s'y refuse, il la blesse alors sauvagement et tue l'enfant, pille ensuite et se livre à des « cruautés de barbare », d'après le rapport du gouverneur de Milan[5].

C'est aussi que le banditisme n'est pas seulement lié à la crise d'une certaine noblesse, il est paysan, il est populaire. Marée sociale, « inondation »[6], dit un historien du XVIIIe siècle — il soulève les eaux les plus diverses. Revendication politique et sociale (non pas religieuse)[7], il est à la fois aristocratique et populaire (les rois des montagnes, ceux de la campagne romaine ou de la campagne de Naples ne sont-ils pas en général des paysans et de petites gens ?). Il est jacquerie latente, fils de la misère et de la surpopulation ; il est reprise de vieilles traditions, souvent brigandage pur, aventure féroce de l'homme contre l'homme. On ne voudrait pas le réduire à ce dernier trait, croire sans plus, à ce propos, les puissants et les riches qui tremblent pour leurs biens, leurs places ou leurs vies.

Cependant, la part faite de l'exagération, comment oublier tant de férocité ? Il est vrai que la vie des hommes est peu précieuse au XVIe siècle : l'existence d'Alonso de Contreras, racontée par lui-même, le plus beau roman picaresque connu, parce que vécu, relate une bonne dizaine d'assassinats ; celle de Benvenuto Cellini l'aurait conduit aujourd'hui à la prison et à l'échafaud... D'après ces modèles, imaginons les scrupules de ceux qui se sont fait un métier de tuer... Ou que dire des réflexions prêtées à Charles Quint, lors du siège de Metz, par Ambroise Paré, médecin des assiégés : « L'Empereur demande quelles gens c'étaient qui se mourraient, et si c'étaient gentilshommes et hommes

---

1. Marciana, 5837, Notizie del mondo, Naples, 5 mars 1587.
2. Cité par E. FAGNIEZ, *L'Économie sociale de la France sous Henri IV*, 1897, p. 7.
3. R. BUSCH-ZANTNER, *op. cit.*, p. 32.
4. Gilberto FREYRE, *Sobrados e mucambos*, p. 80 et *sq.*
5. Simancas Eo 1283, Le connétable de Castille à Philippe II, Milan, 25 août 1597.
6. R. GALLUZZI, *op. cit.*, II, p. 441.
7. *Diario fiorentino di Agostino Lapini...*, 1591, p. 317 : histoire de ce Pape que créent les bandits, autour de Forli, dans la personne d'un Giacomo Galli : ils lui obéissent comme s'il était souverain pontife. Il agit avec un chapeau doré... L'anecdote est autant politique que religieuse. Pas d'autre détail à signaler à cet égard. Les partisans de l'ordre disent bien que les bandits violent les lois divines et humaines, mais c'est là façon de parler.

de remarque : lui fut fait réponse que c'étaient tous pauvres soldats. Alors dit qu'il n'y avait point de danger qu'ils mourussent, les comparant aux chenilles, sauterelles et hannetons qui mangent les bourgeons et autres biens de la terre, et que s'ils étaient gens de bien, ils ne seroient pas en son camp pour six livres par mois... »[1].

La montée du banditisme

Quoi qu'il en soit, à la fin du XVIe siècle, il y a aggravation du banditisme. A travers l'Italie, mosaïque d'États, le brigandage s'en donne à cœur joie ; pourchassé ici, il se réfugie là, reparaît plus loin, renforcé par les liaisons de ces multiples maquis, s'il est affaibli par leurs haines inexpliables. Mecatti, ce bon historien du XVIIIe siècle, nous dit combien l'Italie est submergée, vers les années 1590, par ces bandes de brigands qui profitent souvent, pour leurs querelles, du masque fallacieux de Guelfes et de Gibelins[2]. Tout cela brochant sur un éternel drame de la faim. Telles descentes montagnardes ne sont autre chose que des *rezzous*, comme ceux qui se jetaient à toute allure hier au Maroc, des montagnes insoumises vers les bas pays riches en blé et en bétail. Voilà qui donne à l'Italie de la fin du siècle un curieux climat. La faim y travaille des régions entières[3], le brigandage y fuse de partout, de la Sicile aux Alpes, de la Tyrrhénienne à l'Adriatique, longues séries de vols, d'incendies, d'assassinats, d'atrocités pareilles à celles de la course maritime. Chacun s'en désole. Antonio Serra, l'économiste napolitain, reconnaît, en 1613, que Naples abonde plus que n'importe quelle autre région de l'Italie en crimes, vols et assassinats[4]. De même en Sicile et dans l'État pontifical où, durant les interrègnes, les brigands poussent dru[5], les confins de Naples et des Romagnes leur offrant des champ privilégiés d'action[6]. Une tourbe mêlée passe à l'aventure, assassins de profession, paysans, nobles, prêtres en rupture de ban, moines qui ne veulent plus se soumettre aux ordres du Saint-Siège... On les imaginera d'après les cortèges de galériens que l'État pontifical livre à un Jean André Doria et dont on possède parfois les listes. En Sardaigne, en Corse, le nombre des brigands est considérable. Les embarras de la Toscane sous le règne de Francesco (1574-1587) sont leur œuvre[7]. En 1592-1593, l'Italie pensera se débarrasser de ces encombrants personnages par un pardon général, à condition qu'ils gagnent la Dalmatie au service de Venise[8].

Mais l'Italie n'est pas seule à lutter contre le fléau. En Afrique du Nord où les coupeurs de route n'ont jamais manqué, les voyageurs prudents (les marchands de Constantine par exemple) vont par groupes ; les plus habiles,

1. Ambroise PARÉ, *Œuvres complètes*, 1598, p. 1208.
2. G. MECATTI, *op. cit.*, II, p. 780. Lutte des partis dans l'État Pontifical au temps de Pie V, L. von PASTOR, *op. cit.*, p. XV.
3. *Ibid.*, p. 782.
4. *Op. cit.*, p. 145.
5. 28 mars 1592, Simancas Eo 1093, fo 12 ; G. MECATTI, *op. cit.*, II, p. 781 (1590).
6. G. MECATTI, *op. cit.*, II, p. 784 (1591) ; Amedeo PELLEGRINI, *Relazioni inedite di ambasciatori lucchesi alla corte di Roma, sec. XVI-XVII*, Rome, 1901 : en 1591 poussée de banditisme au voisinage de la frontière entre Rome et Naples, mesures inefficaces de répression.
7. H. WÄTJEN, *op. cit.*, p. 35.
8. G. MECATTI, *op. cit.*, II, p. 786-787.

dit Haado, se font accompagner par des marabouts[1]. En Turquie, voleurs et brigands pullulent. Au XVIIᵉ siècle, d'après Tavernier[2] « toute la Turquie est pleine de voleurs qui vont par grosses bandes et attendent les marchands sur les chemins ». Déjà au XVIᵉ siècle, en Moldavie et Valachie, les commerçants ambulants formaient pour se protéger de long convois de voitures, campaient en groupes, signalés au loin par de grands feux[3]. Ainsi le marchand derrière ses balles de marchandises se trouve autant en danger, sur terre, que sur les bateaux ronds en mer.

Nul pays n'offre meilleure image de la montée du brigandage, pendant ces dernières années du siècle et les premières du XVIIᵉ, que l'Espagne qui, le vieux Roi mort à l'Escorial, va connaître cette étonnante poussée de luxe et de fête, d'art et d'intelligence qu'est le Siècle d'Or, en cette ville neuve qui pousse à vive allure, la Madrid de Velásquez et de Lope de Vega, la double ville des riches qui sont très riches et des pauvres qui sont très pauvres, mendiants endormis au coin des places, corps roulés dans des capes que les seigneurs enjambent pour rentrer dans leurs palais, *serenos* qui veillent à la porte des riches, monde inquiétant de rufians, de capitaines, de valets faméliques, de joueurs aux cartes crasseuses, de filles adroites à plumer leur gibier, d'étudiants joueurs de guitare qui oublient de regagner leurs Universités, ville mêlée que l'Espagne entière nourrit et qu'au matin envahissent les paysans et paysannes de la proche campagne, qui viennent y vendre du pain... Pendant la majeure partie du règne du Roi Prudent, le pays, en dehors de la grosse alerte de Grenade et des attaques anglaises sur les ports, avait connu la paix, une tranquillité que l'étranger souvent lui enviait. Quant aux bandits, ils n'étaient en nombre que dans les Pyrénées Orientales, en liaison avec la petite noblesse catalane et la France proche. Or, avec les dernières années du règne, le banditisme s'accuse dans toute la Péninsule. Des brigands sont sur le chemin de Badajoz, ceci lié à la campagne contre le Portugal, en 1580[4]. A Valence de violentes querelles opposent jusqu'au meurtre, les grandes familles seigneuriales. Le danger est si net en 1577, qu'il fait l'objet d'une nouvelle *real pragmatica*[5].

Ici comme ailleurs, que peuvent les remèdes ? Inefficaces, il faut les appliquer derechef. En 1599, 1603, 1605[6], nouvelles pragmatiques contre les *bandolers de les viles* (du Royaume) *que van divagant per le present regne amb armes prohibides pertubant la quietud de aquell*. La question des « malfaisants »[7] est à l'ordre du jour, à la veille même de la vaste expulsion des Morisques des années 1609-1614 qui va leur offrir tant d'occasions d'agir[8]. La corruption des petits fonctionnaires s'en mêle, les voilà de mèche avec les malandrins[9].

Les esclaves

Un dernier trait singularisera ces sociétés de Méditerranée : malgré leur modernité, elles restent esclavagistes, aussi bien en Occident qu'en Orient.

1. *Op. cit.*, p. 32.
2. J. B. TAVERNIER, *op. cit.*, I, p. 2.
3. ANGELESCU, *op. cit.*, I, p. 331.
4. 11 oct. 1580, *CODOIN* XXXIII, p. 136.
5. B.N., Paris, Esp. 60, fᵒ 112 vᵒ à 123 vᵒ (s.d.), 1577.
6. *Ibid.*, fᵒ 350 à 359.
7. Malhechores de Valencia, 1607-1609, Simancas Eᵒ 2025.
8. A.d.S., Venise, Senato Dispacci Spagna, Pᵒ Priuli au Doge, Madrid, 21 octobre 1610.
9. Jacob van KLAVEREN, *op. cit.*, p. 54, note 16.

C'est là une étrange fidélité au passé, la marque peut-être d'un certain luxe, car l'esclave coûte cher, a ses exigences et se trouve en concurrence avec les pauvres et les misérables, même à Istanbul. C'est la rareté de la main-d'œuvre, le rendement des mines et des plantations de canne à sucre qui permettra l'esclavage à l'antique du Nouveau Monde, ce vaste et profond retour en arrière. En tout cas, l'esclavage, pratiquement effacé dans l'Europe du Nord et en France, se survit dans l'Occident méditerranéen[1], en Italie, en Espagne, sous forme d'un esclavage domestique assez vivace. Les ordonnances du Consulat de Burgos en 1572, fixent les conditions dans lesquelles sont assurés les esclaves noirs transportés dans le Nouveau Monde, mais aussi au Portugal et *a estos Reynos*, c'est-à-dire en Espagne[2]. Guzmán, le héros picaresque, au service d'une dame dont le mari est aux Indes, s'amourache, en tout mal et tout déshonneur, d'une esclave blanche de la dite dame, *una esclava blanca que yo, mucho tiempo, crei ser libre*[3]. A Valladolid, vers 1555 encore capitale de la Castille, des esclaves servent dans les grandes maisons, « bien nourris des restes de la cuisine » et souvent rendus libres par les testaments de leurs maîtres[4]. En 1539, en Roussillon, un Turc qu'on découvre sans maître et voleur par surcroît, est appréhendé et vendu comme esclave à un notaire[5]. En Italie, une série d'actes indiquent la survivance de l'esclavage domestique, dans le Midi principalement, ailleurs aussi. A Naples, des documents notariés[6] signalent des ventes d'esclaves (à 35 ducats la « pièce » d'ordinaire, durant la première moitié du XVIe siècle) ; mêmes notations à Venise dans les minutiers[7], et aussi dans les correspondances des Gonzague, acheteurs de négrillons[8] pour l'amusement, sans doute, de leur Cour. A Livourne, les *portate* signalent, de temps à autre, l'arrivée sur un navire de quelques esclaves noirs[9].

Tout ce commerce ininterrompu ne s'exerce au grand jour que lors d'événements exceptionnels : ainsi la prise de Tripoli, en 1510[10], jette sur le marché sicilien tant d'esclaves qu'ils se vendent à vil prix, de 3 à 25 ducats l'un et que les galères ponentines, du coup, renouvellent leurs chiourmes. En 1549, et il n'est pas le seul, le grand-duc de Toscane envoie un agent à Segna acheter des esclaves turcs ou *morlachi*[11]. L'esclavage est une réalité de cette société méditerranéenne, dure vis-à-vis des pauvres, malgré le grand mouvement de

---

1. Georg FRIEDERICI, *op. cit.*, I, p. 307. Que ferait Sancho Pança de vassaux noirs ? mais il les vendrait. Sur la servitude domestique, R. LIVI, *La schiavitù domestica nei tempi di mezzo e nei moderni*, Padoue, 1928. S'arrêtant au XVe siècle, le livre maître de Charles VERLINDEN, *L'esclavage dans l'Europe médiévale*, I, *Péninsule ibérique, France*, 1955. Esclavage domestique des noirs à Grenade, Luis de CABRERA, *op. cit.*, I, p. 279: à Gilbratar, *Saco...*, p. 51, 77, 79. L'esclavage disparaît en France dès le XIIIe siècle, PARDESSUS, *op. cit.*, V, p. 260 ; Gaston ZELLER, *Les institutions de la France*, 1948, p. 22 : l'esclave vendu comme une marchandise en Sicile. PARDESSUS, *op. cit.*, V, p. 437.
2. E. GARCIA DE QUEVEDO, *Ordenanzas del Consulado de Burgos*, 1905, p. 206, note.
3. *Op. cit.*, II, III, VII, p. 450.
4. VILLALÓN, *Viaje de Turquia*, 1555, p. 78.
5. Archives Départementales Pyrénées Orientales, B. 376 « *por esser latru e sens amo* ».
6. A.d.S. Naples, Notai, Sezione Giustizia, 51, fo 5 (36 ducats, un esclave noir, 1520) ; fo 244 (35 ducats, une esclave noire, 1521).
7. Alberto TENENTI, « Gli schiavi di Venezia alla fine del Cinquecento », *in : Rivista storica italiana*, 1955.
8. A.d.S., Mantoue, E. Venezia, 16 juin 1499.
9. A.d.S., Florence, Mediceo 2080.
10. SANUTO, *op. cit.*, XI, col. 468, Palerme 3 sept. 1510.
11. A.d.S., Florence, Mediceo 2077, fo 34, 9 avril 1549.

piété et de charité religieuses qui grandira à la fin du siècle. En tout cas, il n'est pas l'apanage de l'Atlantique et du Nouveau Monde.

Que conclure?

Un lent, un puissant travail en profondeur aura tordu peu à peu, transformé les sociétés de Méditerranée, de 1550 à 1600, achevant une longue gestation. Le malaise général et grandissant ne se traduit pas par des révoltes en plein jour ; il n'en modifie pas moins tout le paysage social. Et c'est un drame indéniablement de caractère social. Après l'étude précise de Jean Delumeau sur Rome et la Campagne romaine au xvie siècle, qui a l'avantage de mettre en œuvre les mille petits *avvisi* des « journalistes », des *fogliottanti* de la Ville Éternelle, les derniers doutes, si l'on en conservait encore, seraient levés. Reprendre ce dossier serait répéter nos constatations. Aucun doute, tout tend à se polariser entre une noblesse riche, vigoureuse, reconstituée en familles puissantes appuyées sur de vastes biens-fonds, et une masse de pauvres de plus en plus nombreux et misérables, « chenilles ou hannetons », insectes humains, hélas surabondants. Un *cracking* ouvre en deux les sociétés anciennes, y creuse ses gouffres. Rien ne les comblera plus. Pas même, répétons-le, l'étonnante charité catholique de la fin du siècle. En Angleterre, en France, en Italie, en Espagne, en Islam, tout est miné par ce drame dont le xviie siècle étalera au grand jour les plaies inguérissables. Progressivement, tout est atteint par le mal, les États comme les sociétés, les sociétés comme les civilisations. Cette crise donne ses couleurs à la vie des hommes. Si les riches s'encanaillent, se mêlent à la foule qu'ils méprisent, c'est que la vie a ses deux rives proches ; maisons nobles d'un côté, surpeuplées de domestiques ; *picardia* de l'autre, monde du marché noir, du vol, de la débauche, de l'aventure, et surtout de la misère... De même que la passion religieuse la plus pure, la plus exaltée voisine avec les plus étonnantes bassesses et sauvageries. Étonnantes, merveilleuses contradictions du « Baroque », s'est-on écrié. Du Baroque non, mais de la société qui le soutient et qu'il recouvre mal. Au cœur de ces sociétés, quel désespoir de vivre !

La raison de tout cela, est-ce une fois de plus que la mer a failli à sa tâche de distributrice de biens, de services, de richesses, voire de joie de vivre ? Que tout s'achève d'une gloire et d'une prospérité anciennes, que les peuples de la mer épuisent leurs ultimes réserves, comme c'est possible ? Ou bien, même et monotone interrogation de nos recherches, est-ce parce que le monde entier se précipite alors, la Méditerranée comprise, vers cet étonnant reflux de vie que sera bientôt le xviie siècle un peu plus tôt, un peu plus tard ? François Simiand[1] a-t-il, peut-il avoir raison ?

---

1. François Simiand, 1873-1935, philosophe, sociologue, économiste, historien, a été le maître à penser des historiens français, l'un des grands orienteurs, à côté de Marcel Mauss, des sciences sociales en son pays. Ses principaux travaux : *Cours d'économie politique*, 3 vol., 1928-1930 ; *Le salaire, l'évolution sociale et la monnaie*, 3 vol., 1932 ; *Recherches anciennes et nouvelles sur le mouvement général des prix du XVIe au XIXe siècle*, 1932 ; *Les fluctuations économiques à longue période et la crise mondiale*, 1932.

6

LES CIVILISATIONS

Les civilisations sont les personnages les plus complexes, les plus contradictoires de Méditerranée. A peine leur reconnaît-on une qualité que la qualité opposée leur est acquise. Les civilisations sont fraternelles, libérales, mais en même temps exclusives et revêches ; elles reçoivent les visites des autres, elles les rendent aussi ; pacifiques, elles sont, non moins, guerrières ; d'une étonnante fixité, elles sont en même temps mobiles, vagabondes, animées de flux et de tourbillons, dans le détail de leur vie en proie à d'absurdes mouvements « browniens ». Ainsi les dunes, bien accrochées à des accidents cachés du sol : leurs grains de sable vont, viennent, s'envolent, s'agglomèrent au gré des vents, mais, somme immobile d'innombrables mouvements, la dune demeure en place.

Le mérite des esquisses de Marcel Mauss[1] est sans conteste d'avoir rendu aux civilisations leurs qualités de mouvement, de lumière active. Peut-être n'a-t-il pas assez marqué à notre gré leurs permanences. Ce qui change, ce qui se meut dans la vie des civilisations, est-ce le meilleur, est-ce la totalité de cette vie même ? Non sans doute. Ici se retrouvent structure et conjoncture, instant et durée, et même très longue durée. Ni par la force brutale, consciente ou non de ce qu'elle fait ; ni par la force nonchalante qui s'abandonne aux hasards, aux bénévolences de l'histoire ; ni par l'enseignement le plus largement distribué, le plus gloutonnement avalé, une civilisation n'arrive à mordre sensiblement sur le domaine d'une autre. Pour l'essentiel, les jeux sont toujours faits d'avance. L'Afrique du Nord n'a pas « trahi » l'Occident en mars 1962[2], mais dès le milieu du VIIIe siècle[3], peut-être même avant la naissance du Christ, dès l'installation de Carthage, fille de l'Orient.

---

1. « Civilisation, éléments et formes », in : *Première Semaine Internationale de Synthèse*, Paris, 1929, pp. 81-108.
2. Le mot de « trahison » est emprunté à un cours de Lucien FEBVRE à l'Université de Buenos Aires, en octobre 1937.
3. Charles-André JULIEN, *Histoire de l'Afrique du Nord*, 1931, p. 20.

I. Mobilité et stabilité des civilisations

Mouvement et immobilité s'accompagnent, s'expliquent l'un par l'autre. Il n'y a aucun danger de se perdre à aborder les civilisations par l'un ou l'autre chemin, et par le plus absurde en apparence, cette poussière d'événements et de faits divers par laquelle se signale d'abord toute civilisation vivante.

La leçon des faits divers

Ces menus faits disent[1] mieux que de longs discours la vie des hommes de Méditerranée — ondoyante, poussée dans toutes les directions par les vents de l'aventure. Un patron ragusain, à bord d'une nave, quelque part en Méditerranée, en 1598, reçoit les confidences d'un voyageur génois de Santa Margherita, fidéicommis d'un Ragusain, mort riche au Potosi et qui l'a chargé de retrouver ses héritiers à Mezzo, cet îlot au large de Raguse qui est la pépinière de ses marins et de ses capitaines au long cours. Et l'impossible se produit : l'enquête s'engage, les héritiers se retrouvent[2]. Nous en savons moins sur cet autre Ragusain, Blas Francisco Conich, installé au Pérou lui aussi et auquel Venise s'intéresse parce qu'il possède, en cette fin d'année 1611[3], la moitié d'une nave *Santa Maria del Rosario e quatr'occhi*, que la Seigneurie a saisie par représailles. Autre fait divers : à Raguse encore s'engage une action pour constatation de décès. Le mort, capitaine d'une nave, a été se perdre avec cette armada qu'en 1596 Philippe II lançait contre l'Angleterre. Au dossier de l'instance, une lettre écrite par le disparu à sa femme, avant le grand voyage. Elle est datée de Lisbonne, le 15 octobre, un vrai testament : « Nous partons aujourd'hui pour l'Irlande. Dieu sait qui en reviendra... ». Et il n'en reviendra pas[4]. Autre incident mais à Gênes : le 8 juin 1601, le capitaine *Pompeus Vassalus quondam Jacobi*, à l'état civil latinisé pour la circonstance, témoigne devant le magnifique *Magistrato del Riscatto dei Schiavi* au sujet de la mort présumée de Matteo Forte de Portofino. « Étant en Égypte l'an dernier, dit-il, du mois de mai au 11 septembre, j'ai demandé au dit lieu, à diverses personnes, si Matteo Forte, ancien esclave des galères du " bayle " d'Alexandrie, était vivant... car le dit Matteo possède une maison près de la mienne et je voulais l'acheter ». Or « tous ceux qui le connaissaient m'ont dit qu'il était mort, plusieurs mois auparavant, et il y avait là des esclaves de Rapallo qui l'avaient connu »[5].

C'est un fait divers banal aussi que l'aventure d'un Génois de Bogliasco, Gieronimo Campodimeglio, captif à Alger. Il a une cinquantaine d'années, en 1598, et on ne précise pas la date à laquelle il a été capturé, ni le nom de son ancien patron d'Alger, lequel en mourant lui a légué sa boutique. Entre temps, on l'a vu dans les rues *vestito de Turcho* ; l'un affirme qu'il a épousé une musulmane. « Je crois qu'il est renié et ne se souciera plus de revenir »[6] :

---

1. On les trouve dans toutes les séries documentaires et spécialement à Raguse, *Diversa di Cancellaria* et *Diversa de Foris* ; à Gênes, *Magistrato del Riscatto dei Schiavi* ; à Venise, *Quarantia Criminale...*
2. A. de Raguse, *Diversa de Foris*, VII, fᵒ 62 à 66, oct. 1598.
3. A.d.S. Venise, Dispacci Senato Spagna, P. Priuli au doge, Madrid, 3 décembre 1611.
4. Archives de Raguse, *Diversa de Foris*, V, fᵒˢ 152 vᵒ et 153, Lisbonne, 15 oct. 1596.
5. 8 juin 1601, A.d.S. Gênes, Atti 659.
6. *Ibid.*, Atti 659.

conclusion d'une histoire plus fréquente qu'on ne le croit. En fait, c'est par milliers, aux dires même d'un contemporain[1], que les Chrétiens passent aux Turcs et à l'Islam. Les grandes civilisations — ou les gouvernements forts — disent non, luttent, rachètent leurs enfants perdus ; les individus, d'ordinaire, sont plus accommodants. Peu à peu, et plus tard, un statut s'élaborera contre eux. Au XVIe siècle, ils ne subissent même pas la mort civile. On voit tel renié de Tunis disposer de sa succession en faveur de son frère, à Syracuse[2]. On voit même, en 1568, un Fray Luis de Sandoval[3] prendre l'initiative d'une grande opération de sauvetage auprès des princes chrétiens de Méditerranée : le pardon serait offert à ces égarés et ainsi mettrait-on fin aux maux sans nombre qu'ils infligent à la Chrétienté. En attendant, chaque renié peut revenir chez lui, sans danger, tel ce Vénitien Gabriel Zucato, pris par les vainqueurs de Chypre, en 1572, réduit en esclavage et qui revenu à Venise, trente-cinq ans plus tard, en 1607, et à *la sanctissima fede*, demande une place de courtier, de *sansaro*, pétition accueillie avec faveur par les *Cinque Savii*, vu sa misère et ses connaissances du grec, de l'arabe et du turc « qu'il écrit même » ; et cependant *si feci turco*, il a renié[4].

En tout cas, les deux grandes civilisations, hostiles et voisines, ne cessent de fraterniser au gré des circonstances et des rencontres. Lors de l'attaque ratée des Algérois contre Gibraltar, en 1540, quatre-vingts chrétiens se trouvent entre les mains des corsaires. L'alerte passée, on cause, comme c'est la règle. Une sorte d'armistice conclu, des pourparlers s'engagent. Alors les navires algérois entrent dans le port, leurs marins descendent à terre, se promènent dans la ville, retrouvent des connaissances, anciens captifs ou anciens patrons, puis vont manger dans les caboulots, les *bodegones*. Cependant, la population civile aide à transporter les tonneaux d'eau douce pour le ravitaillement de leur flotte[5]. Échange de bons procédés, familiarité, on hésite à dire « fraternisation » comme au temps des tranchées... Imagine qui voudra, entre les deux religions ennemies, une cloison étanche. Les hommes vont, viennent, indifférents aux frontières des États ou des credos. Il y a les nécessités de la navigation et du commerce, les hasards de la course et de la guerre, les connivences, la trahison des circonstances. D'où de multiples aventures, comme celle de ce Melek Jasa, Ragusain passé à l'Islam et qu'on retrouve aux Indes, au début du XVIe siècle, chargé (il occupera le poste pendant des années) de défendre Diu contre les Portugais[6]. Ou celle de trois Espagnols qu'en 1581, à Derbent, sur la Caspienne, recueille, venant d'Astrakan, le petit navire anglais que, tous les deux ou trois ans, frète la *Moscovie Companie*. Trois renégats sans doute, ces Espagnols, déserteurs de l'armée turque, et faits prisonniers à la Goulette, sept ans plus tôt[7]. Qui ne rêverait à leur aventure ? Ou à celle-ci, rigoureusement symétrique : en 1586, le bateau anglais l'*Hercules* ramenait en Turquie vingt Turcs que Drake avait libérés dans les Indes Occidentales :

---

1. H. Porsius, *Brève histoire*, Arsenal 8o H 17458, cité par J. Atkinson, *op. cit.*, p. 244.
2. 25 sept. 1595, P. Grandchamp, *op. cit.*, I., p. 73. Voir l'histoire fictive du père de Guzman de Alfarache, M. Aleman, *op. cit.*, I, I, 1, p. 8-9.
3. A.d.S. Florence, Mediceo 5037, fo 124, Fray Luis de Sandoval au grand-duc de Toscane, Séville 1er août 1568.
4. A.d.S. Venise *Cinque Savii*, Riposte, 142 fos 9 vo et 10, 25 mai 1607.
5. *Saco, op. cit.*, p. 101.
6. V. L. Mazuranic, *art. cit.*, résumé par Zontar, *art. cit.*, p. 369. Voir aussi cette histoire compliquée de renié, 10 nov. 1571, L. Serrano, *op. cit.*, IV, p. 514-515.
7. R. Hakluyt, *op. cit.*, II, p. 282.

97

détail fourni, sans plus, par une incidente du récit qui relate le voyage de ce voilier dans le Levant[1].

Mêmes aventures au début du xviie siècle : en 1608 se trouve, toujours enfermé au château de S. Julião da Barra à Lisbonne, un Francisco Julião, qui a reçu le baptême et qui commandait jadis des galères turques au large de Melinde quand il fut pris[2]. Cependant, en 1611, les Persans prenaient dans les rangs de l'armée turque du Grand Vizir Mourad Pacha, trois Français et un Allemand, venus là Dieu sait comme, par le relais de Constantinople en tout cas, plus un Grec originaire de Chypre, tous épargnés par le vainqueur, puis recueillis par les Pères Capucins d'Ispahan[3].

Dernier exemple, avec le xviie siècle finissant, cette fortune d'un aventurier grec, Constantin Phaulkon, originaire de Céphalonie qui se dit fils d'un noble vénitien et qui devient favori du Roi de Siam : « tout lui passait par les mains... »[4].

Comment voyagent les biens culturels

Voyages des hommes ; voyages aussi des biens culturels, les plus usuels comme les plus inattendus. Ils ne cessent de se déplacer avec les voyageurs. Apportés ici par les uns telle année, repris par les autres l'année suivante ou un siècle plus tard, sans cesse transportés, abandonnés, ressaisis, et par des mains souvent ignorantes. Les premières imprimeries dans les pays danubiens destinées à reproduire des livres de piété orthodoxe, y ont été amenées au début du xvie siècle, par des colporteurs monténégrins de Venise ou de possessions vénitiennes[5]. Les Juifs chassés d'Espagne, en 1492, ont organisé, à Salonique et à Constantinople, le commerce de tout ce qui précisément y manquait : ils ont donc ouvert des boutiques de quincaillerie[6], installé les premières imprimeries, à caractères latins, grecs ou hébraïques (il faudra attendre le xviiie siècle[7] pour voir les premières imprimeries à caractères arabes) ; mis sur pied des tissages de laine[8] et de brocart et, dit-on, construit les premiers affûts mobiles[9] qui dotèrent l'armée de Soliman le Magnifique de son artillerie de campagne, une des raisons de son succès. Et ce sont les affûts de l'artillerie de Charles VIII en Italie (1494) qui auraient servi de modèles[10]...

Mais la plupart des transferts culturels s'accomplissent sans que l'on connaisse les camionneurs. Ils sont si nombreux, les uns si rapides, les autres si lents, ils prennent tant de directions que nul ne s'y reconnaît dans cette immense gare de marchandises où rien ne demeure en place. Pour un bagage reconnu, mille nous échappent ; adresses et étiquettes manquent, et tantôt le contenu, tantôt l'emballage... Passe encore qu'on veuille tout remettre en

1. *Ibid.*, II, p. 282-285.
2. *Boletim de Filmoteca Ultramarina Portuguesa*, no 16, p. 692, Madrid, 8 mai 1608.
3. B. M. Royal, 14 A XXIII, fo 14 vo et *sq.*
4. Abbé Prévost, *Histoire générale des voyages*, IX, p. 135-6, d'après le voyage de Tachard (1685).
5. N. Iorga, *Ospiti Romeni...*, p. 24.
6. Belon du Mans, *op. cit.*, p. 182.
7. *Annuaire statistique du monde musulman*, 1923, p. 21, Prêtres musulmans qui gagnent leur vie à copier des manuscrits, Belon du Mans, *op. cit.* p. 194.
8. Voir *supra*, I, p. 398.
9. J. W. Zinkeisen, *op. cit.*, III, p. 266.
10. *Ibid.*, note 2.

ordre quand il s'agit d'œuvres d'art, des écoinçons de la cathédrale de Bayeux[1], d'une peinture catalane retrouvée au Sinaï[2], d'une ferronnerie d'art barcelonais identifiée en Égypte, ou de curieuses peintures d'inspiration italienne ou allemande qui s'exécutent au XVIe siècle dans les monastères du mont Athos. Passe encore quand il s'agit de ces biens tangibles, les mots, ceux du vocabulaire ou de la géographie : le contrôle en est possible, sinon sûr. Mais quand il s'agit des idées, des sentiments, des techniques, toutes les erreurs sont possibles. Imaginerons-nous le mysticisme espagnol du XVIe siècle, dérivant du çoufisme musulman, par des relais hypothétiques, et celui de la trouble pensée de Raymond Lull[3] ? Dirons-nous que la rime en Occident vient des poètes musulmans d'Espagne[4] ? Que les chansons de geste (ce qui est probable) empruntent à l'Islam ? Méfions-nous de qui reconnaît trop bien les bagages (par exemple les bagages arabes de nos troubadours)[5] ou de ceux qui, par réaction, nient en bloc les emprunts de civilisation à civilisation, alors que tout s'échange en Méditerranée, les hommes, les pensées, les arts de vivre, les croyances, les façons d'aimer...

Lucien Febvre[6] s'est amusé à imaginer les étonnements d'Hérodote refaisant son périple, devant la flore qui nous semble caractéristique des pays de Méditerranée : orangers, citronniers, mandariniers, importés d'Extrême-Orient par les Arabes ; cactus venus d'Amérique ; eucalyptus originaires d'Australie (ils ont conquis tout l'espace entre le Portugal et la Syrie et les aviateurs disent, aujourd'hui, reconnaître la Crète à ses bois d'eucalyptus) ; le cyprès, ce persan ; la tomate, peut-être une péruvienne ; le piment, ce guayannais ; le maïs, ce mexicain ; le riz, « ce bienfait des Arabes » ; le pêcher, « ce montagnard chinois devenu iranien » ou le haricot, ou la pomme de terre, ou le figuier de Barbarie, ou le tabac... La liste n'est ni complète, ni close. Tout un chapitre serait à ouvrir sur les migrations du cotonnier, autochtone en Égypte[7] et qui finit par en sortir pour voyager sur les mers. Une étude serait la bienvenue aussi, qui montrerait, au XVIe siècle, l'arrivée du maïs, cet américain, dans lequel Ignacio de Asso, au XVIIIe siècle, voulait voir à tort une plante à double origine, venue sans doute du Nouveau Monde, mais dès le XIIe siècle aussi des Indes Orientales, et grâce aux Arabes[8]. Le caféier est en Égypte dès 1550 ; le café, quant à lui, est arrivé en Orient vers le milieu du XVe siècle : certaines tribus africaines en mangeaient les grains grillés. Comme boisson, il est connu en Égypte et en Syrie dès cette

---

1. Communication de Marcel AUBERT à l'Académie des Inscriptions et Belles Lettres, 1943.

2. CONYAT BARTHOUX, *Une peinture catalane du XVe siècle trouvée au monastère du Sinaï*.

3. Ou par d'autres cheminements. Voyez les comparaisons entre Ibn Abbad et saint Jean de la Croix. Asin PALACIOS, « Un précurseur hispano-musulman de San Juan de la Cruz », *in : Al Andalous*, 1933 ; J. BARUZI, *Problèmes d'histoire des religions*, p. 111 et *sq.* Mais l'hésitation demeure : filiation, parallélisme, simple coïncidence ?... J. BERQUE, « Un mystique... », *art. cit.*, p. 759, note 1.

4. Abbé MASSIEU, *Histoire de la Poësie françoise avec une défense de la Poësie*, 1739, c.r. dans le *Journal de Trévoux*, fév. et mars 1740, pp. 277-314, 442-476. VIARDOT, *op. cit.*, II, p. 191-193. A. GONZALEZ PALENCIA, « Precedentes islamicos de la leyenda de Garin », *in : Al Andalous*, I, 1933. Maxime RODINSON, « Dante et l'Islam d'après des travaux récents », *in: Revue de l'histoire des religions*, oct.-décembre, 1951.

5. J. SAUVAGET, *Introduction*, p. 186 ; en sens contraire, R. KONETZKE, *op. cit.*, p. 64.

6. « Patate et pomme de terre », *in: Ann. d'hist. soc.*, janv. 1940, II, p. 29 et *sq* ; article reproduit dans : *Pour une Histoire à part entière*, Paris, 1962, pp. 643-645.

7. A. PHILIPPSON, *op. cit.*, p. 110.

8. *Ibid.*, p. 110.

époque. En Arabie, en 1556, on en interdit l'usage à la Mecque : boisson de derviches. Vers 1550, il atteint Constantinople. Les Vénitiens l'importeront en Italie en 1580 ; il sera en Angleterre entre 1640 et 1660 ; en France, il apparaît d'abord à Marseille en 1646, puis à la Cour vers 1670[1]. Quant au tabac, il arriva de Saint-Domingue en Espagne et par le Portugal « l'exquise herbe nicotiane » gagna la France[2] en 1559, peut-être même en 1556, avec Thevet. En 1561, Nicot envoyait de Lisbonne à Catherine de Médicis de la poudre de tabac pour combattre la migraine[3]. La précieuse plante ne tarda pas à traverser l'espace méditerranéen ; vers 1605, elle atteignait l'Inde[4] ; elle fut assez souvent interdite dans les pays musulmans, mais en 1664, Tavernier vit le Sophi lui-même fumant la pipe[5]...

La liste de ces amusants petits faits peut s'allonger : le platane d'Asie Mineure fit son apparition en Italie au XVIe siècle[6] ; la culture du riz s'implanta au XVIe siècle également dans la région de Nice et le long des marines provençales[7], la laitue dite chez nous « romaine » fut rapportée en France par un voyageur qui s'appelait Rabelais ; et c'est Busbec, dont nous avons si souvent cité les lettres, qui ramena d'Andrinople les premiers lilas qui, à Vienne, avec la complicité du vent, peuplèrent toute la campagne. Mais qu'ajouterait cette nomenclature à ce qui, seul, importe ? Et ce qui importe, c'est l'ampleur, l'énormité du brassage méditerranéen. D'autant plus riche de conséquences que, dans cette zone de mélanges, sont plus nombreux dès le principe les groupes de civilisations. Ici, ils demeurent volontiers distincts, avec des échanges et des emprunts à des intervalles plus ou moins fréquents. Là, ils se mêlent dans d'extraordinaires cohues qui évoquent ces ports de l'Orient, tels que nous les décrivent nos romantiques : rendez-vous de toutes les races, de toutes les religions, de tous les types d'hommes, de tout ce que peut contenir de coiffures, de modes, de cuisines et de mœurs le monde méditerranéen.

Théophile Gautier, dans son *Voyage à Constantinople*, décrit minutieusement, à chaque escale, le spectacle de cet immense bal masqué. On partage son amusement, puis on se surprend à sauter l'inévitable description : c'est qu'elle est toujours la même. Partout les mêmes Grecs, les mêmes Arméniens, les mêmes Albanais, Levantins, Juifs, Turcs et Italiens... A considérer ce spectacle vivant encore, bien que moins pittoresque, dans les quartiers du port, à Gênes, à Alger, à Marseille, à Barcelone, ou à Alexandrie — on a l'impression d'une évidente instabilité des civilisations. Mais rien n'est plus facile que de se tromper, si l'on veut démêler cet enchevêtrement. L'historien pensait que la sarabande était une vieille réalité des danses espagnoles ; il s'aperçoit qu'elle vient d'apparaître à l'époque de Cervantès[8]. Il imaginait la pêche du thon

---

1. J. KULISCHER, *op. cit.*, II, p. 26-27. Sur le café, l'abondance de la littérature défie tout recensement. La chronologie reste incertaine à souhait. A. FRANKLIN. *Le café, le thé, le chocolat*, 1893 ; William H. UKERS, *All about Coffee*, New York, 1922 ; Jean LECLANT, « Le café et les cafés de Paris (1644-1693) », in : *Annales E.S.C.*, 1951 ; Günther SCHIEDLAUSKY, *Tee, Kaffee, Schokolade, ihr Eintritt in die europäische Gesellschaft*, 1961.

2. Olivier DE SERRES, *Le Théâtre d'Agriculture*, Lyon, 1675, p. 557, 783, 839 ; Otto MAULL, *Geographie der Kulturlandschaft*, Berlin, Leipzig, 1932 p. 23.

3. D'après les études d'un érudit charentais, Robert GAUDIN.

4. Otto MAULL, voir ci-dessus, note 2.

5. *Op. cit.*, I, p. 451.

6. Rabelais à Jean du Bellay, Lyon, 31 août 1534, *unicam platanum vidimus ad speculum Dianae Aricinae.*

7. QUIQUERAN DE BEAUJEU, *op. cit.*, p. 329.

8. *El celoso extremeño, Novelas ejemplares*, II, p. 25.

comme l'activité spécifique des marins génois, des Napolitains, des Marseillais ou des pêcheurs du cap Corse ; en fait les Arabes la pratiquaient et la transmirent vers le Xe siècle[1]. Bref il serait presque prêt à suivre Gabriel Audisio[2] et à penser que la vraie race méditerranéenne est celle qui peuple ces ports bigarrés et cosmopolites : Venise, Alger, Livourne, Marseille, Salonique, Alexandrie, Barcelone, Constantinople, pour ne citer que les grands. Race qui les réunit toutes en une seule. Mais n'est-ce pas absurdité ? le mélange suppose la diversité des éléments. La bigarrure prouve que tout ne s'est pas fondu dans une seule masse ; qu'il reste des éléments distincts, qu'on retrouve isolés, reconnaissables, quand on s'éloigne des grands centres où ils s'enchevêtrent à plaisir.

Rayonnements et refus d'emprunter

Il n'y a de civilisations vivantes que capables d'exporter leurs biens au loin, de rayonner. Une civilisation qui n'exporterait pas hommes, façons de penser ou de vivre est inimaginable. Il y a eu une civilisation arabe : on sait son importance, puis son déclin. Il y a eu une civilisation grecque, elle a au moins sauvegardé sa substance. Au XVIe siècle, il existe une civilisation latine (je ne dis pas chrétienne sans plus), la plus résistante de toutes les civilisations aux prises avec la mer : rayonnante, elle s'avance à travers l'espace méditerranéen et, par delà, vers les profondeurs de l'Europe, vers l'Atlantique et l'*Ultramar* ibérique. Ce rayonnement vieux de plusieurs siècles, c'est aussi bien celui des constructions navales que les Italiens, maîtres en cet art, s'en allèrent enseigner au Portugal et jusque dans la Baltique ; celui de la soierie dont les Italiens sont devenus les dépositaires, puis les démonstrateurs ; celui des techniques de comptabilité que les Vénitiens, Génois, Florentins, ces marchands de toujours, mirent au point, bien avant les Nordiques. Ce rayonnement, c'est aussi le retentissement énorme de la Renaissance, fille de l'Italie et de la Méditerranée, et dont on peut suivre les étapes, à travers l'Europe.

Pour une civilisation, vivre c'est à la fois être capable de donner, de recevoir, d'emprunter. Emprunter, tâche difficile, n'est pas capable qui veut d'emprunter utilement, pour se servir, aussi bien que le maître, de l'outil adopté. Un des grands emprunts de la civilisation méditerranéenne, c'est assurément l'imprimerie que les maîtres allemands installèrent en Italie, en Espagne, au Portugal et jusqu'à Goa.

Mais on reconnaît, non moins, une grande civilisation à ce qu'elle refuse parfois d'emprunter, à ce qu'elle s'oppose à certains alignements, à ce qu'elle fait un choix parmi ce que les échangeurs lui proposent, et souvent lui imposeraient s'il n'y avait des vigilances ou, plus simplement, des incompatibilités d'humeur et d'appétit. Il n'y a que les utopistes (il en est d'admirables — Guillaume Postel par exemple — au XVIe siècle) pour rêver de fondre les religions entre elles : les religions, ce qu'il y a justement de plus personnel, de plus résistant dans ce complexe de biens, de forces, de systèmes qu'est toute civilisation. Il est possible de les mêler en partie, de déplacer de l'une à l'autre telle idée, à la rigueur tel dogme, tel rite ; de là à les confondre, le chemin est immense.

Refus d'emprunter ? Le XVIe siècle en fournit un des plus éclatants exemples. Au lendemain de la Guerre de Cent ans, la Catholicité subit l'assaut d'une mon-

---

1. R. Lacoste, *La colonisation maritime en Algérie*, Paris, 1931, p. 113.
2. *Jeunesse de la Méditerrannée*, 1935, p. 10, 15, 20... ; *Le sel de la mer, op. cit.*, p. 118.

tée d'eaux religieuses. Sous le poids de ces eaux, elle s'est brisée, comme un arbre dont éclaterait l'écorce. Dans le Nord, la Réforme se répandait à travers l'Allemagne, la Pologne, la Hongrie, les Pays Scandinaves, l'Angleterre, l'Écosse. Dans le Sud, s'épanouissaient la Contre-Réforme Catholique, pour se servir du vieux vocable traditionnel, et bientôt la civilisation que d'aucuns nomment le Baroque.

Certes, il y avait toujours eu un Nord et une Méditerranée. Deux mondes solidement arrimés l'un à l'autre, mais distincts avec leurs cieux, leurs cœurs bien à eux, et religieusement parlant, leurs âmes. Car on use, en Méditerranée, d'une certaine façon d'exprimer le sentiment religieux qui, aujourd'hui encore, choque l'homme du Nord comme elle choqua Montaigne[1] en Italie, ou l'ambassadeur Saint-Gouard[2] en Espagne, comme elle choqua de prime abord l'Europe Occidentale entière quand elle y fut véhiculée par les Jésuites et les Capucins, ces Jésuites du pauvre. Jusque dans un pays aussi profondément catholique que la Franche-Comté, les processions des pénitents, les dévotions nouvelles, ce qu'il y avait de sensuel, de dramatique et, pour le goût français, d'excessif, dans la piété méridionale, scandalisait beaucoup d'hommes pondérés, réfléchis et raisonnables[3].

Toutefois le protestantisme poussa quelques pointes puissantes jusqu'aux Alpes autrichiennes[4], au Massif Central, aux Alpes françaises, aux Pyrénées béarnaises. Mais partout, finalement, il échouera sur les frontières de la Méditerranée. Après des hésitations et des élans qui rendent son refus plus caractéristique encore, la Latinité a répondu non à la Réforme « d'outre monts ». Si certaines idées luthériennes ou, plus tard, calvinistes, ont pu gagner des adeptes en Espagne et en Italie, elles n'ont guère intéressé que des isolés ou des groupes restreints. Et presque toujours, il s'agissait soit d'hommes qui avaient longtemps vécu à l'étranger, gens d'église, étudiants, libraires, artisans, marchands qui rapportaient, cachés dans leurs balles de marchandises, les livres défendus, soit encore (Marcel Bataillon l'a montré dans son *Erasme et l'Espagne*) d'hommes qui plongeaient les racines de leur foi dans un sol bien à eux, qu'ils n'empruntaient à personne, celui que labourèrent en Espagne les Erasmiens, en Italie les Valdésiens.

L'échec de la Réforme au Sud des Pyrénées et des Alpes, est-ce une affaire de gouvernement, comme on l'a dit si souvent, l'effet d'une répression bien organisée ? Nul ne sous-estimera l'action de persécutions systématiques, longuement poursuivies. L'exemple des Pays-Bas, en si grande partie recatholicisés par les rigueurs du duc d'Albe et ses successeurs, nous protégerait au besoin contre une telle erreur. Mais ne surestimons pas non plus la portée des « hérésies » espagnole et italienne ; on ne saurait en vérité les comparer aux puissants mouvements nordiques. Quand on ne s'arrêterait qu'à cette seule différence, le Protestantisme, en Méditerranée, n'a guère touché les masses. Il fut un mouvement de l'élite, et souvent, en Espagne, cette Réforme fut faite en dedans de l'Église. Ni les Erasmiens d'Espagne, ni le petit groupe des Valdésiens de Naples ne cherchèrent la rupture, pas plus qu'en France, le groupe de Marguerite de Navarre.

---

1. *Voyage en Italie, op. cit.*, p. 127-128.
2. *Sources inédites... du Maroc, France*, I, p. 322, Saint-Gouard à Charles IX, Madrid, 14 avril 1572.
3. Note de Lucien FEBVRE.
4. G. TURBA, *op. cit.*, 1, 3, 12 janv. 1562.

Si la Réforme italienne, comme le dit Emmanuel Rodocanachi, « ne fut pas une révolte religieuse véritable » ; si elle est demeurée « humble, méditative, nullement agressive à l'égard de la Papauté » ; si elle est ennemie de la violence[1], c'est que beaucoup plus encore qu'une « Réforme », elle est un renouveau chrétien. Le mot de Réforme ne convient pas. Il n'y a eu danger, ou semblant de danger, que dans le Piémont, à cause des Vaudois[2] (mais le Piémont, est-ce l'Italie ?) ; qu'à Ferrare, à la cour de Renée de France ; à Lucques où la richissime aristocratie des soyeux accueillit la Réforme dès 1525[3] ; à Crémone où se réunissaient quelques assemblées[4] vers la même époque ; à Venise accueillante aux Nordiques et où, vers 1529, des moines franciscains ou augustins, fondèrent de petits groupes où les artisans étaient assez nombreux[5]. Ailleurs, en Italie, la Réforme est le fait d'individus ; son histoire, celle de scandales, comme celui du « senoys » Ochino, autrefois grand et éloquent prédicateur catholique en Italie, aujourd'hui, note de Selve qui le voit arriver en Angleterre en 1547[6], converti « aulx nouvelles oppinions des allemands ». Souvent d'ailleurs il s'agit de prédicants itinérants[7] ; ils ne font que passer et sèment en passant : mais la moisson pousse mal. Il s'agit d'isolés, de méditatifs, aux destins hors série. D'un obscur, comme cet Ombrien Bartolomeo Bartoccio[8], établi marchand à Genève, arrêté lors d'un de ses voyages à Gênes, livré à l'inquisition romaine et brûlé le 25 mai 1569, ou d'une illustre victime comme Giordano Bruno[9], brûlé au Campo dei Fiori, en 1600[10].

---

1. *La Réforme en Italie*, p. 3.
2. En 1561, Emmanuel Philibert avait signé une trêve avec ses Vaudois. « ... e como dire uno interim », écrivait Borromée, J. SUSTA, *op. cit.*, I, p. 97. Depuis 1552, les Vaudois sont liés à l'église réformée de Bâle, avec les réformés français du Dauphiné et de la Provence. F. HAYWARD, *Histoire de la Maison de Savoie*, 1941, II, p. 34-35. Nouvelles concessions du duc aux Vaudois en 1565, Nobili au duc, Avignon, 7 nov. 1565, Medaceo 4897, f° 152. Vers 1600, nouveaux troubles, des hérétiques étrangers, surtout français, mettent à mal catholiques, couvents... Les Chartreux demandent à descendre vers 1600, de Montebenedetto à Banda... Fra SAVERIO PROVANA DI COLLEGNO, « Notizie e documenti d'alcune certose del Piemonte », *in* : *Miscellanea di Storia Italiana*, 1901, t. 37, série 3, vol. 2, *art. cit.*, p. 233.
3. Arturo PASCAL, « Da Lucca a Ginevra », très remarquable étude, *in* : *Riv. st. ital.*, 1932-1935, 1932, p. 150-152.
4. Federico CHABOD, *Per la storia religiosa dello stato di Milano*, Bologna, 1938, nombreuses références à l'index, p. 292.
5. A. RENAUDET, *Machiavel*, p. 194.
6. 23 nov. 1547, p. 258.
7. *Archivio storico italiano* IX, p. 27-29, vers 1535 ; Alonso de la Cueva à Philippe III, Venise, 17 oct. 1609, A.N., K. 1679.
8. M. ROSI, *La riforma religiosa in Liguria e l'eretico umbro Bartolomeo Bartoccio*, *Atti della Soc. Ligure di storia patria*, 1892, compte rendu *in* : *Bol. della Soc. umbra di storia patria*, I, fasc. II, 1895, p. 436-437.
9. Sur G. Bruno voir : Virgilio SALVESTRINI, *Bibliografia di Giordano Bruno*, 1581-1950, 2ᵉ éd. posthume, p.p. Luigi FIRPO, Florence, 1958 ; d'après les sondages auxquels nous avons procédé, cette bibliographie semble exhaustive quant à la période indiquée. Voici pour mise à jour, quelques titres postérieurs à 1950 : Paul-Henri MICHEL, *Giordano Bruno, philosophe et poète*, 1952 (extrait du *Collège philosophique* : *Ordre, désordre, lumière*) ; A. CORSANO, *Il Pensiero di Giordano Bruno nel suo svolgimento storico*, Florence, 1955 ; Nicola BADALONI, *La Filosofia di Giordano Bruno*, Florence, 1955 ; Ádám RAFFY, *Wenn Giordano Bruno ein Tagebuch geführt hätte*, Budapest, 1956 ; John NELSON, *Renaissance Theory of Love, the Context of Giordano Bruno's « Eroici furori »*, New York, 1958 ; Augusto GUZZO, *Scritti di storia della filosofia*, II, *Giordano Bruno*, Turin, 1960 ; Paul Henri MICHEL, *La Cosmologie de Giordano Bruno*, Paris, 1962.
10. Souvent de simples actions judiciaires, ainsi pour cet hérétique, Alonso Biandrato,

Enfin ne jugeons pas du péril protestant en Italie d'après les inquiétudes catholiques, pontificales ou espagnoles, promptes à le grossir. Inquiétudes si vives que pendant l'été 1568, on redouta une descente en Italie des huguenots français qui, disait-on, trouveraient la Péninsule dangereusement travaillée du dedans[1]. Autant vaudrait juger des périls du Protestantisme en Espagne et des mérites ou des crimes de l'Inquisition, d'après les ouvrages de Gonzalo de Illescas, de Paramo, de Llorente, de Castro ou de J. Mac Crie[2].

Or la Réforme en Espagne, si « Réforme » il y eut, a été localisée en deux points : Séville, Valladolid. Après les répressions de 1557-1558, il ne s'agira plus que de cas isolés. Simples fous parfois : tel cet Hernandez Diaz à qui des bergers de la Sierra Morena parlèrent des protestants de Séville ; il en retint de quoi se faire appréhender, en 1563, par l'Inquisition de Tolède[3], un fou satisfait d'ailleurs et content de constater qu'en prison, il mangeait plus de viande que chez lui... Quelques authentiques protestants espagnols courent l'Europe, de refuge en refuge, tel le célèbre Michel Servet ou cette douzaine d'exilés qui, en 1578, « étudient la secte » à Genève et qu'on dénonce à l'ambassadeur Juan de Vargas Mexia, parce qu'ils s'apprêtaient à venir prêcher en Espagne, ou à expédier des livres de propagande aux Indes[4].

En fait, l'Espagne conspire contre ces enfants perdus et les abomine. L'Inquisition y est populaire dans la lutte qu'elle mène contre eux. Le procès par contumace qu'elle entreprend contre Michel Servet est suivi avec une attention passionnée : il y va de l'honneur de la nation[5] ! Le même sentiment pousse Alonso Diaz lorsqu'à Neubourg sur le Danube, en 1546, il fait exécuter par un valet son propre frère Juan, déshonneur de sa famille et de l'Espagne entière[6]. Comment alors parler de Réforme espagnole ? C'est à peu près comme si l'on voulait parler (les proportions sont les mêmes) de Réforme ragusaine à propos de cet hérétique de la ville de Saint-Blaise, Francisco Zacco, qui, en 1540, ne veut croire ni à l'Enfer ni au Paradis — ou de ces « tendances au protestantisme » qui d'après le continuateur de Razzi, l'historien de Raguse, se seraient manifestées en 1570[7]. Ce n'est plus là médecine ordinaire : mais homéopathie.

Un historien, Delio Cantimori[8], se demande si l'histoire de la Réforme italienne, étudiée jusqu'ici dans son détail biographique, ne s'éclairera pas du jour où, à l'image de ce qui a été fait en France et en Allemagne, elle serait replacée dans le milieu social qui la vit germer. Certes, et il y a longtemps qu'Edgar Quinet[9] avait fait ces mêmes réflexions. Mais la question s'éclaire

---

réfugié à Saluces sous la protection française et que le Pape veut qu'on lui livre. Cardinal de Rambouillet à Catherine de Médicis, Rome, 9 déc. 1568, B.N., Fr. 17.989, fos 29 v° à 30 v°, copie.

1. Philippe II au prince de Florence, Aranjuez, 2 juin 1568, Sim. E° 1447 ; Grand Commandeur de Castille à Philippe II, Carthagène, 10 juin 1568, Sim. E° 150, fos 18 et 19 ; D. Juan d'Autriche à Philippe II, Carthagène, 10 juin 1568, ibid., f° 17.

2. E. SCHÄFER, op. cit., I, p. 134-136.

3. Ibid., I, p. 34-36.

4. Relacion de cartas de J. de Vargas Mexia para S. M., 29 déc. 1578, 21 janv. 1579, A.N.,K 1552, B 48, n° 15.

5. Marcel BATAILLON, « Honneur et Inquisition, Michel Servet poursuivi par l'Inquisition espagnole », in : Bulletin Hispanique, 1925, p. 5-17.

6. R. KONETZKE, op. cit., p. 146 ; Marcel BATAILLON, Érasme et l'Espagne, p. 551.

7. Op. cit., p. 258.

8. « Recenti studi intorno alla Riforma in Italia ed i Riformatori italiani all'estero, 1924-1934 », in : Rivista storica italiana, 1936, p. 83-110.

9. Edgar QUINET, Les Révolutions d'Italie, Bruxelles, 1853, p. 235 et sq.

mieux encore sur le plan culturel. Le refus de l'Italie devant la Réforme, analogue à celui de l'Espagne, n'est-ce pas, au sens ethnographique, un refus d'emprunter, un trait majeur de civilisation ? Non point que l'Italie soit « païenne », comme l'ont découverte tant d'observateurs superficiels, mais ce qui, en Italie et sur les bords chrétiens de la Méditerranée, monte de sève dans les vieux arbres de la catholicité produit des fleurs et des fruits d'Italie. Non d'Allemagne. Ce qu'on appelle la Contre-Réforme, c'est si l'on veut *sa* Réforme. On a remarqué que les pays du Midi étaient, moins que ceux du Nord, attirés par la lecture de l'Ancien Testament[1] et qu'à leur différence ils n'étaient pas submergés par cette vague épaisse de sorcellerie qui déborde d'Allemagne jusqu'aux Alpes et jusqu'au Nord de l'Espagne, avec le XVIe siècle finissant[2]. Peut-être à cause d'un vieux polythéisme sous-jacent, la Chrétienté méditerranéenne, dans ses superstitions mêmes, demeure attachée au culte des saints. Est-ce pur hasard si la dévotion aux saints et à la Vierge y redouble de ferveur au moment où l'attaque extérieure devient vigoureuse ? Voir là quelque manœuvre de Rome ou des Jésuites, vanité. En Espagne, c'est le Carmel qui propage le culte de saint Joseph ; partout, les associations populaires du Rosaire soutiennent, exaltent le culte passionné de la Mère de Jésus. Témoin cet hérétique napolitain, Giovanni Micro, qui, en 1564, déclare rejeter mille choses, dont les saints et les reliques, mais continuer à croire en la Vierge[3]. Au moment même où l'Espagne achève de se fabriquer des saints rutilants et combattifs : saint Georges, saint Jacques[4]. Et d'autres suivent : saint Émilien, saint Sébastien, et le saint paysan, Isidro, qui conquiert jusqu'à la Catalogne[5].

Le refus a donc été volontaire, catégorique. On a dit de la Réforme qu'elle avait « fait irruption dans la théologie platonicienne et aristotélicienne du Moyen Age, tout comme les Germains barbares ont fait irruption dans la civilisation gréco-romaine »[6]. En tout cas, ce qui restait de l'Empire romain au bord de la mer latine aura bien mieux résisté au XVIe siècle qu'au Ve.

Et la civilisation grecque ?

La civilisation grecque elle-même n'était pas morte à cette époque. La preuve ? elle était, elle aussi, capable de « refus » non moins catégoriques, non moins dramatiques. Mourante, ou plutôt menacée de mort au XVe siècle, elle avait refusé de s'unir à l'Église Latine. Au XVIe, le problème se pose à nouveau : le refus n'est pas moins énergique. Malheureusement nous connaissons à peine moins mal que la Turquie, les pays orthodoxes de cette époque. Cependant une série de textes curieux (retrouvés à Venise et publiés par Lamansky dans ce recueil si plein de choses) attend encore que quelque historien après combien d'années, veuille en dégager le sens. Cette série de textes

---

1. Herbert SCHOFFLER, *Abendland und Altes Testament*, 2e édit., Francfort-sur-le-Main, 1943.
2. Énorme littérature à ce sujet, et notamment, G. SCHNÜRER, *op. cit.*, p. 266.
3. E. RODOCANACHI, *op. cit.*, I, p. 24.
4. Gilberto FREYRE, *Casa Grande, op. cit.*, p. 298.
5. Voir *supra*, I, p. 149.
6. Julius SCHMIDHAUSER, *Der Kampf um das geistige Reich*, 1933, cité par Jean-Édouard SPENLÉ, *La pensée allemande de Luther à Nietzsche*, 1934, p. 13, note 1.

éclaire l'étonnante position des Grecs du XVIe siècle, face à la catholicité romaine[1].

En 1570, un Grec, gentilhomme de Candie et de Morée, adressait à Venise plusieurs longs rapports. Offrant ses services, il expliquait que l'heure de la révolte contre le Turc était arrivée pour les pays grecs. Cette révolte, elle ne pouvait s'appuyer que sur des pays chrétiens, notamment sur Venise. Mais il faudrait qu'au préalable la Chrétienté comprenne. Or elle n'a jamais compris. Que de vexations stupides durent endurer les évêques grecs ! Le clergé catholique, dans les possessions vénitiennes, a toujours adopté vis-à-vis d'eux une attitude méprisante ; et il n'a cherché à les tirer de leur « erreur », le plus souvent, que par la violence, interdisant ou imposant tel rite, prétendant bannir la langue grecque des églises... Or, plutôt que de se soumettre au culte catholique, les Grecs préféreraient se donner au Turc. D'ailleurs, c'est ce qu'ils ont fait. Contre les Vénitiens, contre les corsaires ponentins, ils ont été presque toujours les alliés du Turc. Pourquoi ? parce que les Turcs ont été d'ordinaire tolérants, qu'ils n'ont jamais cherché à faire de prosélytisme, qu'ils n'ont jamais gêné l'exercice du culte orthodoxe. Régulièrement, le clergé grec s'est ainsi trouvé au rang des adversaires les plus obstinés de Venise et des Occidentaux en général. Et ses membres se sont entremis, chaque fois qu'une révolte contre le maître de Constantinople se préparait, pour ramener les esprits au calme, leur expliquer que, de ce calme, dépendait la survie du peuple grec.

Si aujourd'hui l'étendard de la révolte est prêt à se lever, continue notre informateur, c'est que depuis 1570 environ, une vague d'intolérance commence à submerger les pays turcs. Des églises ont été pillées, des monastères brûlés, des prêtres molestés[2]... Le moment pour Venise est venu d'agir, mais elle n'a qu'une seule chance de réussir : s'entendre avec les métropolites, leur donner les assurances que le clergé catholique recevra des ordres pour n'inquiéter en rien, à l'avenir, le clergé grec. Le correspondant de Venise s'offre d'ailleurs à mener ces tractations, mais insiste pour savoir si Venise est vraiment prête à tenir ses promesses. Auquel cas, le succès lui paraît assuré.

Or, il suffit de lire, toujours dans le recueil de Lamansky, les documents relatifs aux nombreux incidents soulevés à Candie ou à Chypre par des prêtres ou des moines vénitiens zélés, pour croire à la réalité des griefs de l'Église grecque. On s'explique les collusions, les « trahisons » reprochées aux Candiotes et autres Grecs de l'Archipel. Il y a d'autres explications évidemment : le marin grec qui, débarqué d'un vaisseau turc, va voir à terre sa famille, apprendra d'elle tous les détails possibles sur la flotte vénitienne qui vient de passer ou sur le corsaire ponentin qui, la veille, a fait relâche à l'escale ; même si ce vaisseau turc est un pirate et l'escale une possession vénitienne (comme c'est souvent le cas). Mais la raison essentielle est l'hostilité qui sépare de la latine la civilisation orthodoxe.

Permanences et frontières culturelles

En vérité, au delà des changements qui altèrent ou bouleversent les civilisations, se révèlent d'étonnantes permanences. Les hommes, les individus,

---

1. Spécialement le long rapport de Gregorio Malaxa, V. LAMANSKY, *op. cit.*, p. 083 et *sq.*
2. *Ibid.*, p. 087.

peuvent les trahir : les civilisations n'en continuent pas moins à vivre de leur vie propre, accrochée à quelques points fixes, quasi inaltérables.

Pensant à l'obstacle de la montagne, J. Cvijić déclare qu'elle s'oppose « moins à la pénétration ethnique qu'aux mouvements qui résultent de l'activité humaine et aux courants de civilisation »[1]. Interprétée et peut-être modifiée, cette idée paraît juste. A l'homme, toutes les escalades, tous les transferts sont permis. Rien ne peut l'arrêter, lui et les biens, matériels ou spirituels, qu'il transporte, lorsqu'il est seul et qu'il opère en son nom. S'agit-il d'un groupe, d'une masse sociale, le déplacement devient difficile. Une civilisation ne se déplace pas avec la totalité de ses bagages. En traversant la frontière, l'individu se dépayse. Il « trahit », abandonne derrière lui *sa* civilisation.

C'est qu'en fait celle-ci est accrochée à un espace déterminé, qui est une des indispensables composantes de sa réalité. Avant d'être cette unité dans les manifestations de l'art, en quoi Nietzsche voyait sa vérité majeure (peut-être parce qu'avec son époque, il faisait du mot un synonyme de qualité), une civilisation est, à la base, un espace travaillé, organisé par les hommes et l'histoire. C'est pourquoi il est des limites culturelles, des espaces culturels d'une extraordinaire pérennité : tous les mélanges du monde n'y peuvent rien.

La Méditerranée est donc coupée de frontières culturelles, frontières majeures et frontières secondaires, toutes cicatrices qui ne guérissent pas et jouent leur rôle. Dans la masse des Balkans, J. Cvijić, distingue trois zones culturelles[2]. En Espagne, qui ne serait sensible au contraste vif de part et d'autre du parallèle de Tolède, où se trouve le vrai cœur mêlé de la Péninsule ? Au Nord est l'Espagne dure des petits paysans semi-indépendants et des nobles reclus dans leurs villes de province et, vers le Midi, la colonie d'exploitation, la seule Espagne qu'on veuille voir d'habitude, celle où le Chrétien a trouvé, avec une agriculture savante, de vastes propriétés organisées, une masse de fellahs laborieux, mille héritages et qu'il n'a point détruits.

Mais il est de plus grands spectacles, aux marges et au cœur de la Méditerranée. Une charnière essentielle du monde méditerranéen reste l'ancienne limite européenne de Rome, le Rhin et le Danube où la poussée catholique trouvera, au XVIe siècle, sa ligne forte : nouveau *limes* que les Jésuites réoccuperont avec leurs collèges et les coupoles de leurs églises à accolades. La rupture entre Rome et la Réforme s'est faite précisément au long de cette cicatrice ancienne. C'est ce qui confère, plus encore que les querelles d'États, son caractère « solennel »[3] à la frontière du Rhin. La France du XVIe siècle, comprise entre cette ligne avancée de Rome et la ligne des Pyrénées que touche à l'extrême la poussée protestante, la France déchirée entre les deux partis aura, une fois de plus, subi le destin de sa position géographique.

Mais la cicatrice la plus étonnante des pays méditerranéens, c'est, entre Orient et Occident, au delà des barrières maritimes dont il a déjà été question, cette immuable barrière qui se glisse entre Zagreb et Belgrade, s'amorce sur l'Adriatique à Alessio (Ljes), à l'embouchure du Drin et à l'articulation des côtes dalmate et albanaise[4] et, par les anciennes villes de Naissus, Remesiana et

---

1. *La Péninsule balkanique*, p. 27.
2. *Ibid.*, les zones méditerranéenne ou italienne, grecque ou byzantine, patriarcale. Cf. les critiques pas pertinentes d'ailleurs de R. Busch Zantner, *op. cit.*, p. 38-39.
3. Le mot est de Mme de Staël.
4. A. Philippson, « Das byzantinische Reich », *art. cit.*, p. 445.

Ratiara, va jusqu'au Danube[1]. Tout le bloc dinarique a été latinisé, depuis les plaines pannoniennes saisies par la partie occidentale de l'Empire et sur lesquelles débouchent les larges vallées du haut pays[2] jusqu'aux franges littorales et insulaires tournées vers l'Italie. « La dernière famille qui ait parlé un dialecte latin dans l'île de Veglia » (encore des îles !) s'est éteinte dans la première décennie du XXe siècle[3]. En Croatie, aujourd'hui encore, mêlé à beaucoup d'autres héritages, se perpétue un art de vivre qui reste à la mode d'Italie[4]. D'une très ancienne Italie, sans doute.

Un exemple de frontière secondaire : l'Ifriqya

Un exemple moins illustre, celui d'une sous-division culturelle, mérite de nous retenir. Car, ne l'oublions pas, les trois grandes civilisations méditerranéennes, Latinité, Islam, monde grec, sont en fait des groupements de sous-civilisations, des juxtapositions de maisons autonomes, encore que liées par un destin commun. En Afrique du Nord, pas de maison plus nettement délimitée que le vieux pays urbain de l'ancienne Africa, l'Ifriqya des Arabes, l'actuelle Tunisie.

La nature a préparé le logement. Au Nord et à l'Est, le bas-pays tunisien est bordé par la mer ; vers le Sud, assez largement ouvert sur le Sahara, il en prolonge les paysages d'armoise et d'alfa, il en accueille aussi les populations nomades, pastorales et désordonnées que les villes essaient d'apprivoiser, comme elles le peuvent. A l'Ouest l'encadrement physique est caractéristique : au-dessus des plaines sèches et chaudes de Tunisie, surgissent une série de reliefs hostiles et maussades[5], collines, hauts plateaux, chaînons, puis montagnes conduisent jusqu'à la Numidie de jadis, au froid Constantinois[6] d'aujourd'hui qui évoque, au gré des souvenirs, ou le centre de la Sicile, ou l'Andalousie montagneuse, ou la Sardaigne intérieure.

La charnière montagneuse, entre Tunisie et Moghreb central, se situe *grosso modo* au long d'une ligne partant du cap Takouch, passant par l'oued el Kebir, l'oued Cherif, Aïn Beida, le Djebel Tafrent et Guentia. Charles Monchicourt s'est plu à montrer les changements de part et d'autre de cette large articulation : ici, vers l'Ouest, les cigognes, les frênes, les ormeaux, les toits à grosses tuiles brunes sous un ciel à rudesses montagnardes ; là, vers l'Est, les toits en terrasses, les dômes blancs des *qoubbas*, annonce de cette fraternité qui lie les villes de Tunisie aux cités d'Orient, Le Caire ou Beyrouth. « Kairouan n'est qu'un vaste cube blanc..., antithèse de Constantine », celle-ci encore, par plus d'un aspect, gros village chaouia, aux maisons rustiques et ternes[7]. Ce que l'histoire montre, c'est que l'Ifriqya, jadis et hier, a toujours trouvé là son terme, sa frontière occidentale, un peu en deça, un peu au delà

1. Konstantin JIRECEK, *Die Romanen in den Städten Dalmatiens*, 1902, p. 9.
2. A. PHILIPPSON, voir page précédente, note 4.
3. J. CVIJIĆ, *op. cit.*, p. 89.
4. H. HOCHHOLZER, « Bosnien u. Herzegovira », *art. cit.*, p. 57.
5. A. E. MITARD, « Considérations sur la subdivision morphologique de l'Algérie orientale », *in* : 3e *Congrès de la Fédération des Sociétés Savantes de l'Afrique du Nord*, p. 561-570.
6. Sur le Constantinois, R. BRUNSCHVIG, *op. cit.*, I, p. 290 et *sq.*
7. Toits rustiques et terrasses des maisons, le contraste existe aussi dans le Sud de l'Espagne en arrière d'Almeria et de l'Alpujarra. Mais comment l'expliquer ? Julio Caro BAROJA, *Los Moriscos del Reino de Granada*, Madrid, 1957.

des obstacles qui tantôt arrêtent, tantôt laissent filtrer, mais gênent toujours les impérialismes de sa plaine heureuse et attirante[1].

· Cet épais et rustique pays fait écran vers l'Ouest à la fine civilisation de Tunisie. Le marchand de Constantine[2] qui, au XVIe siècle, descendait vers la Tunisie, trouvait, en même temps que les blanches maisons à terrasses et les villes sous le soleil, un pays riche, bien relié à l'Orient, commerçant régulièrement avec Alexandrie et Constantinople ; un pays relativement policé où le parler arabe régnait en maître dans les villes et les campagnes.

A la même époque, le Moghreb central, jusqu'à Tlemcen (ville marocaine et saharienne à la fois) est étonnamment inculte. Alger poussera dans un pays où la civilisation n'avait encore aucun levain, un pays neuf, peuplé de chameliers, de gardiens de moutons, de chevriers. Au contraire, le Levant a de vieilles traditions. Le roi de Tunis, Mouley Hacen, un des derniers Hafsides qui, détrôné par son fils, aveuglé par lui, vint se réfugier en Sicile et à Naples, en 1540, laissa à tous les gens qui l'abordèrent le souvenir d'un prince plein de distinction, ayant le goût des belles choses, amateur de parfums et de philosophie : un « averroïste », nous dit Bandello[3] son contemporain. Un prince philosophe ? Qu'on aille donc en chercher un dans le Moghreb central, même à Alger, ville de parvenus et de rustres... Il est certain que l'horreur que Tunis témoignera aux Turcs, installés chez elle à titre provisoire en 1534, puis en 1569, enfin, à titre définitif, à partir de 1574, est la révolte d'une vieille cité, pieuse et policée, contre les barbares.

Qu'en conclure, sinon que la première réalité d'une civilisation, c'est l'espace qui lui impose sa poussée végétale et, avec rigueur parfois, ses limites. Les civilisations sont des espaces, des zones et pas seulement dans le sens où le veulent les ethnographes quand ils parlent d'une zone de la hache bipenne ou de la flèche empennée ; des espaces qui contraignent l'homme, et sans fin sont travaillés par lui. En vérité, l'exemple de la « Tunisie », est-ce autre chose que l'opposition d'un complexe de plaines à un complexe montagnard de signe opposé ?

Lenteur des échanges et des transferts

La force de résistance de civilisations attachées au sol explique l'exceptionnelle lenteur de certains mouvements. Elles ne se transforment qu'après de longs délais, des cheminements insensibles, malgré d'apparentes cassures. Des lumières leur arrivent d'astres lointains et avec des relais, des pauses d'une invraisemblable durée. Ainsi de la Chine à la Méditerranée et de la Méditerranée à la Chine, ou de l'Inde et de la Perse vers la mer Intérieure.

Qui dira le temps qu'il fallut aux chiffres indiens, dits arabes, pour venir de leur patrie d'origine en Méditerranée Occidentale, par la Syrie et les relais du monde arabe, Afrique du Nord ou Espagne[4] ? qui dira le temps qu'il leur fallut ensuite pour triompher des chiffres romains jugés plus difficiles à falsifier : en 1299, l'*Arte di Calimala* les interdisait à Florence ; en 1520 encore, les « nouveaux chiffres » étaient interdits à Fribourg ; ils n'entrèrent en usage à Anvers

1. *Revue africaine*, 1938, p. 56-57.
2. Léon l'Africain, édit. 1830, II, p. 11.
3. M. Bandello, *op. cit.*, IX, p. 48.
4. Lucien Febvre, *La religion de Rabelais*, 1942, 2e éd., 1947, p. 423.

qu'avec la fin du XVIe siècle[1]. Qui dira le voyage des apologues, issus des Indes ou de la Perse, repris par la fable grecque et la fable latine où puisera La Fontaine — et qui fleurissent aujourd'hui encore, d'un printemps sans répit, dans la Mauritanie atlantique ? Qui dira le temps, les siècles nécessaires pour que la cloche, de chinoise devienne chrétienne, au VIIe siècle, et se loge en haut des Églises[2] ? A en croire certains, il aurait fallu attendre que les clochers eux-mêmes passent d'Asie Mineure en Occident. Le cheminement du papier n'est pas moins long. Inventé en Chine en 105 après J.-C. sous la forme d'un papier végétal[3], le secret de sa fabrication aurait été révélé à Samarkand, en 751, par des Chinois faits prisonniers. Après quoi, les Arabes auraient substitué les chiffons aux plantes et le papier de chiffons aurait commencé sa carrière à Bagdad dès 794[4]. De là, il aurait gagné lentement le reste du monde musulman. Au XIe siècle, sa présence était signalée en Arabie[5] et en Espagne, mais la première fabrique de Xativa (aujourd'hui San Felipe à Valence) ne serait pas antérieure au milieu du XIIe siècle[6]. Au XIe, il était connu en Grèce[7] et, vers 1350, il supplantait le parchemin en Occident[8].

J'ai déjà signalé, d'après G. I. Bratianu[9], que les brusques transformations du costume, en France, vers 1340, la substitution à la robe flottante des croisades du pourpoint court et serré des hommes, complété par des chausses collantes et les pointes allongées des poulaines, toutes nouveautés venues de Catalogne avec la barbiche et la moustache à l'espagnole du Trecento, sont issues en réalité de bien plus loin encore : de l'Orient que fréquentaient les Catalans et, par l'Orient des Bulgares, voire des Sibériens ; cependant que les costumes féminins, notamment l'atour à cornes, proviennent de la cour des Lusignan de Chypre, mais, par delà, à travers l'espace et le temps, de la Chine des T'ang...

Le temps : il en a fallu d'invraisemblables quantités pour que de tels voyages s'accomplissent et qu'ensuite les nouveautés s'implantent, poussent racines et tiges... Les vieilles souches restent par contre étonnamment solides et résistantes. Lorsque E.-F. Gautier, contre les spécialistes[10], soutient qu'en Afrique du Nord et en Espagne, l'Islam a retrouvé les bases puniques anciennes et que cette première civilisation a préparé le terrain à la poussée musulmane — il reste, à mon sens, dans les limites autorisées de l'hypothèse. N'y-a-t-il pas partout d'anciennes survivances, d'anciennes résurgences culturelles, en Méditerranée et autour de la Méditerranée ? Au rayonnement ancien des métropoles religieuses de la première chrétienté, à Alexandrie ou à Antioche, correspondent encore au XVIe siècle, les chrétientés d'Abyssinie et celles des Nestoriens... En Afrique du Nord, à Gafsa, le latin d'Afrique est encore parlé au XIIe siècle, d'après Edrisi. C'est seulement en 1159, avec la persécution d'Abdalmu'min, que disparaissent les dernières Chrétientés autochtones

1. J. KULISCHER, op. cit., II, p. 297.
2. Gal BRÉMOND, op. cit., p. 339.
3. Friedrich C. A. J. HIRTH, chinesische Studien, Munich, t. I, 1890, p. 266.
4. Dates différentes, G. MARÇAIS, Histoire Générale de Glotz, Moyen Age, t. III, 1944, p. 365.
5. Chimie et industrie, août 1940.
6. Berthold BRETHOLZ, Latein. Palaeographie, Munich, 1912, 3e éd., 1926, p. 16.
7. Voir ci-dessus note 5.
8. Ibid.
9. Études byzantines, 1938, p. 269 et sq.
10. Ch. André JULIEN, Histoire de l'Afrique du Nord, 1re édit., p. 320-7.

d'Afrique du Nord[1]. En 1159, c'est-à-dire avec quatre ou cinq siècles de retard sur la conquête musulmane. Mais en cette même Afrique du Nord, Ibn Khaldoun signalait encore des « idolâtres » au XIVe siècle[2]. Et l'enquête ethnographique, menée par Jean Servier en Kabylie (1962) dans la vallée de la Soummam et ailleurs, met aussitôt en cause, à un millénaire de distance, la tardive arrivée de l'Islam apporté là « non par la chevauchée guerrière d'Oqba mais, près de deux siècles plus tard, au IXe siècle, par les Fatimites Chiites établis à Bougie, un Islam spiritualisé par l'Iran, enrichi de courants initiatiques et qui devait nécessairement rencontrer le symbolisme mystique des traditions populaires »[3]. Plus encore, ce livre *actuel*, d'une puissante réalité concrète, s'ouvre sur l'immense perspective de ces traditions populaires, sur cette religion de base, en place depuis des siècles et des siècles et toujours vivante. Pas de prêtres : chaque chef de famille, « chaque maîtresse de maison » a « le pouvoir d'accomplir les rites... qui affermissent sur terre le groupe humain dont ils ont la charge[4] ». Avant tout : une religion des morts, des saints protecteurs; « Saint Augustin s'exclamant : " Notre Afrique n'est-elle pas toute semée des corps des Saints Martyrs ? ", reconnaissait déjà l'existence de ces tombeaux blancs, immuables gardiens des cols et des montagnes et qui plus tard devaient devenir les Saints reconnus de l'Islam magrébin »[5].

Ainsi de l'observatoire des civilisations, la vue porte, doit porter très au loin, au bout de la nuit de l'histoire, et même au-delà. Faut-il avouer qu'un historien du XVIe siècle considère que la nouvelle revue de protohistoire, *Chthonia*[6], préoccupée, entre autres tâches, par l'étude des lointains substrats méditerranéens alpins et nordiques, et attentive à signaler d'archaïques résurgences dans le culte des morts — intéresse son époque ? La civilisation c'est aussi un lointain, un très lointain passé obstiné à vivre, à s'imposer et qui compte pour l'habitat et les pratiques agraires des hommes autant que le relief, le sol en place, le ravitaillement en eau, ou le climat — choses évidemment importantes. C'est ce qu'établit l'admirable livre d'un géographe sur la Provence. Pour Robert Livet, que passionne « une génétique géographique » où l'histoire a sa place primordiale, l'habitat haut perché de Provence si caractéristique — que les grandes explications et notamment la théorie du site défensif expliquent de façon dérisoire — se rattache sans doute à une *civilisation du rocher* (ainsi la baptise-t-il, au passage) dont les assises et les traditions remonteraient « aux vieilles civilisations méditerranéennes qui ont précédé l'installation romaine ». Elle sommeillerait au temps de Rome, se réveillerait ensuite et serait vivante à l'aube du XVIe siècle où tant de remuements affectent le peuplement provençal[7]. Nous voilà loin du XVIe siècle, non pas hors de sa réalité.

Comment conclure ? Négativement sans doute, en nous interdisant de répéter, après tant d'autres et à tout propos que « les civilisations sont mortelles ». Elles le sont dans leurs fleurs, dans leurs créations momentanées, les plus compliquées, dans leurs victoires économiques, dans leurs épreuves

---

1. Robert BRUNSCHWIG, *op. cit.*, I, p. 105.
2. Gal BRÉMOND, *op. cit.*, p. 372, note 1.
3. Jean SERVIER, *op. cit.*, p. 17.
4. *Op. cit.*, p. 21.
5. *Op. cit.*, p. 20.
6. Premier numéro, juillet 1963, Éditorial Herder, Barcelone.
7. *Op. cit.*, p. 221.

sociales, à court terme. Mais les soubassements demeurent. Ils ne sont point indestructibles ; du moins sont-ils mille fois plus solides qu'on ne le croit. Ils ont résisté à mille morts supposées. Ils maintiennent leurs masses immobiles sous le passage monotone des siècles.

2. Recouvrements de civilisations

Si l'on veut revenir à une histoire relativement courte, précipitée, et cependant importante, mieux à la dimension de l'homme, il n'y a pas de meilleur rendez-vous que les conflits violents de civilisation à civilisation voisine, de la victorieuse (ou qui se croit telle) à la subjuguée (qui rêve de ne plus l'être). Ils n'ont pas manqué dans la Méditerranée du XVIᵉ siècle : l'Islam, en la personne de ses mandataires, les Turcs, a saisi les Chrétientés des Balkans. A l'Ouest, l'Espagne des Rois Catholiques s'est emparé, avec Grenade, du dernier réduit de l'Islam ibérique. Que vont faire de ces conquêtes les uns et les autres ?

A l'Est, les Turcs tiendront souvent les Balkans avec quelques hommes, comme les Anglais, hier, tenaient les Indes. A l'Ouest, les Espagnols écraseront leurs sujets musulmans sans pitié. En cela, les uns et les autres obéissent plus qu'il n'y paraît aux impératifs de leurs civilisations : l'une, la chrétienne, trop peuplée ; l'autre, la turque pas assez pourvue d'hommes.

Les Turcs dans les plaines de l'Est balkanique

L'Islam turc recouvre, dans les Balkans, l'aire occupée directement ou indirectement par la civilisation byzantine. Au Nord, il maîtrise le Danube, à l'Ouest, il touche d'un côté les confins latins, à Raguse, en Dalmatie, ou autour de Zagreb en Croatie ; de l'autre, il s'étend sur de vastes cantons montagneux de civilisation patriarcale, pour reprendre une des expressions de J. Cvijić. Étalée largement dans l'espace, appelée à durer un demi-millénaire, peut-on rêver plus ample, plus riche expérience *coloniale* ?

Par malheur, le passé turc reste encore insuffisamment connu. Les historiens ou géographes balkaniques, pour en juger, ne se laissent pas toujours guider par des préoccupations purement scientifiques. Même un J. Cvijić. Et si les histoires générales de Hammer et de Zinkeisen sont démodées, celle de N. Iorga est confuse. D'autre part, une défaveur gratuite est jetée sur les siècles turcs, comme hier, en Espagne, sur les siècles de domination musulmane. Voilà qui ne nous aide guère à voir clair dans un monde (car c'est un monde) qui, pour le moins, nous dépayse.

Impossible, cependant, de sous-estimer la puissance de l'expérience turque, d'ignorer ce qu'elle a introduit dans l'ensemble balkanique, comblé par elle de biens de toutes provenances[1]. Cette allure, ces couleurs d'Asie, si nettes à travers le Balkan, c'est à l'Islam turc qu'elles sont dues. Il a propagé les biens qu'il recevait lui-même du lointain Orient. Par lui, villes et campagnes ont été profondément orientalisées. Il n'est pas sans importance qu'à Raguse, île catholique (et l'on sait de quel ardent catholicisme) les femmes, au XVIᵉ siècle, soient encore voilées et séquestrées, que le fiancé ne voie pas sa fiancée avant le

---

1. R. BUSCH ZANTNER, *op. cit., passim* et notamment p. 22 ; Otto MAULL, *Südeuropa,* p. 391.

mariage[1]. Les voyageurs occidentaux qui débarquaient sur l'étroit promontoire le sentaient aussitôt : là commençait un autre monde. Mais le Turc qui mettait le pied dans les Balkans n'avait-il pas, lui aussi, la même impression ?

En fait, étudiant l'action des Turcs, il faut distinguer deux zones dans les Balkans. La première concerne un Occident slave, barré de montagnes, et un midi grec également montagneux ; leur occupation effective reste clairsemée. Dans les pays dinariques, on a pu soutenir (et le fait ne semble pas inexact) que les Musulmans eux-mêmes n'étaient pas des Turcs de sang turc, mais des slaves islamisés[2]. Bref, tout ce bloc occidental des Balkans ne semble pas avoir été fortement remanié par la civilisation islamique. On ne s'en étonnera pas puisqu'il s'agit d'un bloc montagneux, peu accessible aux invasions « civilisatrices », d'où qu'elles viennent. Quant à son islamisation religieuse, on sait ce qu'il faut penser de certaines « conversions » montagnardes[3].

Au contraire, à l'Est, dans les larges plaines de Thrace, de Roumélie et de Bulgarie, les Turcs ont installé beaucoup d'hommes et étalé en couches épaisses leur propre civilisation. Ces pays, du Danube à l'Égée, sont des régions ouvertes, au Nord comme au Sud, par où, dans les deux sens, les envahisseurs n'auront pas cessé de déferler. Si l'effort turc peut être jugé — comme réussite ou comme échec — c'est dans ces terres qu'il a, autant que possible, faites siennes.

Il y a trouvé une masse devenue homogène, bien que fabriquée avec des groupes ethniques d'origines diverses. Les derniers envahisseurs, Bulgares, Petchénègues et Koumans, venus du Nord, y avaient rejoint des Thraces, Slaves, Grecs, Aromounes, Arméniens, plus anciennement établis. Mais tous ces éléments s'étaient assez bien fondus, le passage à la religion orthodoxe ayant été souvent l'étape décisive de l'assimilation, pour les nouveaux venus : on ne s'en étonnera pas, dans cette zone où Byzance, elle aussi, a si fortement rayonné. Tout cet espace n'est que grandes plaines soumises aux servitudes des grandes plaines. Seuls les massifs du Rhodope et la chaîne des Balkans, surtout la Srednja Gora, y préservent des îlots de vie montagnarde indépendante, celle des *Balkandjis*, aujourd'hui encore peuple de migrants et de voyageurs, l'un des plus originaux de Bulgarie[4].

A l'abri de ces reliefs, dans les pays de Kustendil et de Kratovo, certains seigneurs bulgares se sont réfugiés au moment de la conquête turque, pour échapper à l'esclavage de leurs congénères des plaines, finissant d'ailleurs par obtenir, contre tribut, de conserver leurs anciens privilèges[5]. Exception minuscule à la règle générale : car la conquête turque asservit les pays d'en bas, détruit ce qui pouvait sauvegarder une communauté bulgare, tuant ou déportant en Asie les nobles, incendiant les églises, presque aussitôt enfonçant dans la chair même de ce peuple paysan le système du *Sipahinik*, de sa noblesse de service, tôt transformée en aristocratie foncière... Celle-ci vécut à l'aise sur le dos de cet animal patient et laborieux, apte à tout supporter qu'est le paysan bulgare, le type même de l'homme des plaines, esclave des grands, discipliné, abruti de travail, préoccupé de mangeaille, tel que ses compatriotes nous décrivent Baja Ganje, le Jacques Bonhomme bulgare. Aleko Konstantinov

---

1. Davity, *op. cit.*, 1617, p. 637.
2. J. Cvijić, *op. cit.*, p. 105 ; H. Hochholzer, *art. cit.*
3. Voir *supra*, I, p. 31 et *sq.*
4. J. Cvijić, *op. cit.*, p. 121.
5. I. Sakazov, *op. cit.*, p. 192.

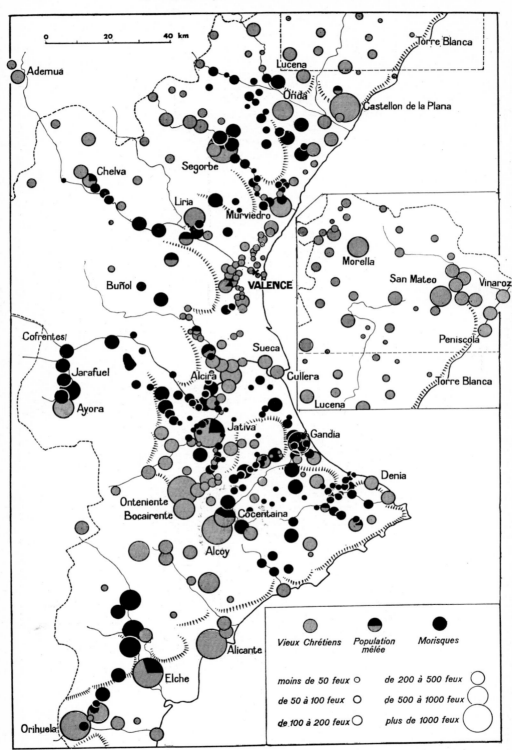

D'après T. HALPERIN DONGHI, « Les Morisques du royaume de Valence», in : **Annales E S.C.,** avril-juin 1956.

Le carton est la continuation de la description du pays Valencien vers le Nord. Le gros intérêt de cette carte exceptionnelle est de montrer l'extraordinaire mélange des deux populations. Tout cela dans un essor presque général de la population, ainsi que le montre la carte suivante, sur l'évolution de la population, de 1565 à 1609.

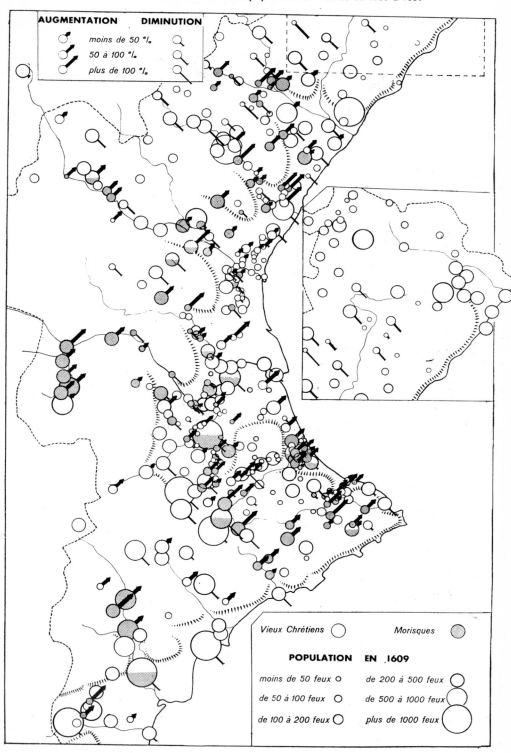

AUGMENTATION   DIMINUTION

moins de 50 °/₀

50 à 100 °/₀

plus de 100 °/₀

Vieux Chrétiens   Morisques

POPULATION   EN 1609

moins de 50 feux   de 200 à 500 feux

de 50 à 100 feux   de 500 à 1000 feux

de 100 à 200 feux   plus de 1000 feux

lui prête la qualité d'être grossier et « brutal jusqu'à la moelle ». « Les Bulgares, dit-il, mangent voracement, ne s'occupent que de ce qu'ils absorbent. Ils ne se dérangeraient pas quand trois cents chiens s'entretueraient à leurs côtés. La sueur qui leur perle du front menace de tomber dans leurs assiettes »[1]. En 1917, un correspondant de guerre en faisait un portrait guère plus flatteur : « Ce sont d'excellents soldats, disciplinés, très braves, mais sans témérité, obstinés, mais sans enthousiasme. C'est la seule armée qui ne sache pas de chansons de route. Les hommes avancent, têtus, silencieux, durs à la peine, indifférents, cruels sans violence et vainqueurs sans joie ; ils ne chantent pas. Dans leur structure générale, dans leur façon de se tenir, on remarque tout de suite je ne sais quoi d'épais, de gourd, de mal raboté. Ce sont des hommes inachevés. Ils n'ont pas l'air pour ainsi dire d'avoir été faits individuellement, mais à la grosse, par bataillons. Lents à comprendre, ils sont laborieux, patients dans l'effort, âpres au gain, très économes... »[2].

On pourrait multiplier ces citations tendancieuses et ajouter à ces croquis injustes, en allant chez les peuples des montagnes de l'Ouest quêter des bons mots sur le paysan d'en bas. Car à l'Ouest, on daube sur lui : mépris du guerrier libre pour ce lourd paysan, habillé de gros drap épais, les pieds bien enfoncés dans sa terre et de tout temps habitué au coude à coude. Un homme à qui ont toujours été interdits l'individualisme, la fantaisie, le goût de la vie libre... Au Nord, la plaine roumaine serait tombée dans la même servitude s'il n'y avait eu, pour la préserver du Turc, son éloignement et pour la tenir en alerte, les raids des nomades tartares ; et surtout, pour faire lever la pâte, le levain de l'émigration des vastes montagnes carpathiques et transylvaines...

Il est certain qu'en pays bulgare, la conquête turque n'a même pas eu à courber ces paysans, asservis déjà, prêts à obéir. Et à continuer leur labeur. Car ils le continuent : les voyageurs des XVIᵉ et XVIIᵉ siècles décrivent les pays bulgares comme de riches pays[3]. Paolo Giorgiu, en 1595, affirme que c'est le grenier à blé de la Turquie[4]. Cependant les ravages des bandits, plus cruels ici qu'ailleurs, les exactions des seigneurs et de l'État, et, non pas certes la fainéantise, mais la pauvreté du paysan, son outillage rudimentaire (il laboure avec la petite charrue de bois, le *rolo*), laissent entre les cultures de larges déserts. Ce n'est que dans les grandes exploitations que de grosses charrues sont en service. Sur ces terres, selon les cas, un élevage extensif ou des cultures de blé tendre et de blé dur. Le riz, arrivé avec les Turcs au XVᵉ siècle, a réussi dans les territoires de Philippopoli et de Tatar Pazardzik, plus modestement dans le canton de Caribrod. La production bulgare au XVIᵉ siècle est évaluée à 3 000 tonnes environ. Le sésame, introduit dans la plaine de la Maritza et le coton dans les régions d'Andrinople, de Kustendil et en Macédoine, autour de Sérès, sont des apports turcs du XVIᵉ siècle[5]. A cette variété de cultures, s'ajoutent quelque peu de mauvais vin, des légumes au voisinage des villes[6], du chanvre, des roses, des vergers autour d'Uskub... Enfin deux autres cultures nouvelles : le tabac et le maïs, sont sur le point de faire leur apparition — laquelle ne peut se dater avec précision.

1. *Baba Ganje*, p. 42, cité par J. CVIJIĆ, *op. cit.*, p. 481.
2. Cité par J. CVIJIĆ, *op. cit.*, p. 487.
3. I. SAKAZOV, *op. cit.*, p. 197.
4. Antoine JUCHEREAU de SAINT-DENIS, *Histoire de l'Empire ottoman, depuis 1792 jusqu'en 1844*, 4 vol., 1844, I, p. 36.
5. F. de BEAUJOUR, *Tableau du commerce de la Grèce*, 1800, I, p. 54 et *sq*.
6. D'après BESOLT, voyageur du XVIᵉ siècle, que cite I. SAKAZOV, *op. cit.*, p. 202.

La plupart de ces cultures s'encadrent dans de larges exploitations. Organisées à la turque (en *tschiftliks*, la plus dure à l'homme des formes rurales balkaniques), elles sont liées à la déformation de la grande propriété turque. Il s'ensuivit, pour la population rurale, certaines vicissitudes et des déplacements vers les bas-fonds des plaines, déplacements qui seront annulés quand, au XIXe siècle, cette grande propriété relâchera sa prise[1]. Surtout, il s'en est suivi une domination absolue du Turc, appuyé sur une administration que la proximité de la capitale rendait plus ferme encore.

A côté de cette société rurale enracinée, fortement tenue, il semble que quelques groupes — Valaques et « Arbanassi » entre autres — qui, sur les terres incultes, mènent une vie pastorale et agricole semi-nomade, dans des villages provisoires aux constructions légères, fort différentes des villages fixes des Slaves[2] — il semblerait que ces groupes jouissent d'une certaine indépendance. Mais, très souvent, l'Asie les rejoint sous forme de nomades qui se mêlent à eux ou les côtoient. Le cas le plus clair est celui des Yourouques qui, franchissant les détroits, viennent périodiquement occuper les larges et puissants pâturages du Rhodope : ils ont gagné à l'Islam ces étranges Pomaques, pauvres Bulgares islamisés qu'a roulés dans son flot le grand courant du nomadisme asiatique...

L'Asie semble ainsi n'avoir presque rien épargné du pays bulgare, avoir posé partout le pied lourd de ses hommes, de ses chameaux, submergeant (avec l'aide de quelques complices, les usuriers surtout, les *corbazi* de sinistre réputation, dénonciateurs à l'occasion) un peuple qui, par son sang, ses origines, sa terre elle-même était plus mal défendu qu'un autre.

Aujourd'hui encore, en Bulgarie, l'imprégnation d'une civilisation exotique, aux parfums puissants, reste visible. Aujourd'hui encore, ses villes redisent quelle a été cette macération : villes d'Orient, aux longues ruelles bordées de murs aveugles, avec leur inévitable bazar aux boutiques étroites, fermées par des volets de bois : sur le volet rabattu, le marchand accroupi attend ses clients, près de son *mangal*, le brasero indispensable en ces pays battus par les grands vents de neige du Nord et de l'Est... Dans ces échoppes, au XVIe siècle, un peuple de petits artisans travaillait pour les caravanes, maréchaux-ferrants, menuisiers, fabricants de bâts, selliers. En avant des portes, autour des fontaines sous les peupliers, chameaux et chevaux faisaient halte, aux jours de foire, dans le bariolage des costumes, des marchandises et des hommes : Turcs, seigneurs de *tschiftliks* revenus un instant sur leurs terres, Grecs du Phanar en route vers les pays danubiens, épiciers ou caravaniers aromounes, maquignons tziganes en qui nul ne peut avoir confiance...

Vivre, pour le peuple bulgare, c'était se soumettre à ces invasions. Et pourtant, le Bulgare a conservé l'essentiel, puisqu'il est resté lui-même. Quels que soient ses emprunts pendant cette longue cohabitation, il ne s'est point dissous dans la masse turque et il a sauvegardé ce qui le préservait de cette dissolution : sa religion et sa langue, gages de résurrection future. Accroché à son sol, il s'est obstiné à le garder, étant resté sur les meilleures régions de sa terre noire. Quand le paysan turc s'est installé près de lui, venant d'Asie Mineure, il a été obligé de se contenter des pentes boisées ou des parties maré-

---

1. J. CVIJIC, *op. cit.*, p. 172.
2. R. BUSCH ZANTNER, *op. cit.*, p. 59 ; J. BURCKHARDT, « Die thrakische Niederung und ihre anthropogeographische Stellung zwischen Orient und Okzident », *in : Geogr. Anz.*, 1930, p. 241.

cageuses, bordées de saules, au fond des bassins, du seul sol que le *raïa* laissait inoccupé[1]. Le Turc supprimé, le Bulgare ne s'est-il pas retrouvé bulgare, le même paysan qui, cinq siècles auparavant, parlait la même langue, priait dans les mêmes églises, cultivait les mêmes terres, sous le même ciel ?

L'Islam morisque

A l'autre bout de la Méditerranée les Espagnols sont eux aussi aux prises avec un peuple inassimilable et prennent la chose au tragique. En profondeur peu de problèmes ont travaillé, autant que celui-là, la Péninsule.

Son nom l'indique : le problème morisque est un conflit de religions, autrement dit, au sens fort, un conflit de civilisations, difficile à résoudre, appelé à durer. Par Morisques, on entend les descendants des Musulmans d'Espagne convertis au christianisme, en 1501 dans les pays de Castille, en 1526 dans ceux de la couronne d'Aragon. Tour à tour malmenés, endoctrinés, favorisés, redoutés toujours, ils seront finalement chassés au cours des grandes expulsions des années 1609-1614.

Étudier le problème revient à mettre au clair, au-delà de la prise de Grenade en 1492, la longue survie, ou mieux le lent naufrage de l'Islam ibérique. De ce naufrage, beaucoup de choses surnageront, même au-delà de la date fatidique de 1609[2].

Des problèmes morisques

Il y a non pas un, mais des problèmes morisques, autant que de sociétés et de civilisations en voie de perdition, aucune de celles-ci ne se trouvant au même point d'usure et de décadence : la chronologie de la Reconquête et de la conversion l'explique à l'avance.

L'Espagne musulmane, au temps de sa plus grande extension n'a tenu sous sa coupe qu'une partie de la Péninsule : les côtes méditerranéennes, l'Andalousie, la vallée du Tage, la vallée de l'Èbre, le Sud et le centre du Portugal. Elle a négligé les régions pauvres de Vieille Castille et n'a touché, du moins de façon durable, ni aux Pyrénées ni, vers l'Ouest, à leurs prolongements cantabriques. Longtemps la Reconquête se sera développée dans le quasi-désert de Vieille Castille où le Chrétien, pour planter ses villes vigilantes et guerrières, a dû amener tout et tout construire. Ce n'est guère avant le XIe siècle que, victorieux, il commence à mordre sur la partie vivante de l'Islam ibérique : la prise de Tolède (1085) lui ouvre ce monde convoité. Encore Tolède n'est-elle pour l'Islam, qu'une avant-garde au cœur continental de la Péninsule.

C'est avec lenteur que les royaumes chrétiens prirent possession des vallées peuplées d'Aragon, de Valence, de Murcie, d'Andalousie. Saragosse est

---

1. Herbert WILHELMY, *Hochbulgarien*, Kiel, 1935 ; R. BUSCH ZANTNER, *op. cit.*, p. 28 ; Wolfgang STUBENRAUCH, *Zur Kulturgeogr. des Deli Orman*, Berlin, 1933.
2. Depuis la première édition de *La Méditerranée* ont paru des études décisives sur le problème morisque : Tulio HALPÉRIN DONGHI, *Un conflicto nacional : Moriscos y Christianos viejos en Valencia*, Buenos-Aires, 1955 ; « Recouvrements de civilisations : les Morisques du Royaume de Valence au XVIe siècle », *in : Annales E.S.C.*, 1956 ; Henri LAPEYRE, *Géographie de l'Espagne Morisque*, 1959, résout le difficile problème statistique de l'expulsion des Morisques ; l'ouvrage déjà cité de Julio CARO BAROJA, *Los Moriscos del Reino de Granada*, est un chef d'œuvre, l'un des plus beaux livres d'histoire et d'anthropologie culturelles que je connaisse.

emportée en 1118, Cordoue en 1236, Valence en 1238, Séville en 1248, Grenade en 1492 seulement. Des siècles séparent les étapes successives de la Reconquête.

Celle-ci, avant 1085, a donc installé dans le vide ses populations chrétiennes, tandis qu'après cette date, elle s'incorpore des terres peuplées de fellahs, musulmans ou chrétiens, et de citadins plus ou moins islamisés. Le passage se fit alors d'une colonisation de peuplement à une colonisation d'exploitation et, tout de suite, se posa, avec ses mille variantes, le problème des complexes rapports entre vainqueurs et vaincus et, au-delà, entre civilisations opposées.

Le débat n'ayant pas commencé au même instant dans les diverses parties de cette Espagne musulmane reprise par le Chrétien, les problèmes au XVIe siècle n'y sont pas d'une seule et même coulée. C'est donc une série de cas divers qu'offre l'Espagne. Cas inséparables d'ailleurs les uns des autres et qui s'éclairent à être rapprochés.

Leurs différences sont autant d'explications. Ainsi les Maures de Grenade furent convertis en 1499 sur ordre gouvernemental. Le cardinal Cisneros s'y résolut contre l'avis des autorités locales, rompant la promesse des Rois Catholiques qui, en 1492, lors de la capitulation de la ville, lui avaient assuré sa liberté religieuse. L'acte, préparé avec la complicité de quelques convertis, fut précédé et accompagné par de larges manifestations, y compris l'autodafé de nombreux Corans et manuscrits arabes... Le résultat fut le soulèvement de l'Albaicin, la ville indigène de Grenade, puis une révolte, longue à mater, dans la Sierra Vermeja. En 1502, cette révolte éteinte non sans peine, les Maures durent se convertir ou s'exiler. Nul doute, malgré plaidoyers et récits officiels, que les Rois Catholiques, qui se sont dits surpris, n'aient été d'accord avec l'archevêque de Tolède : sa responsabilité est leur responsabilité[1].

Les conversions forcées commençaient en Espagne. La mesure prise à Grenade fut appliquée à toute la Castille. Mais remarquons-le, elle n'avait point le même sens s'adressant aux Grenadins, conquis de la veille, ou aux quelques Maures de Castille, aux *Mudejares*, qui, depuis fort longtemps, vivaient au milieu des Chrétiens et avaient jusque-là exercé librement leur culte.

Dans les pays d'Aragon (Aragon, Catalogne et Valence), ce fut bien autre chose encore. La conversion fut plus tardive et tout aussi bâclée, mais n'y fut pas ordonnée par l'État. Ce sont les Vieux Chrétiens, parmi lesquels les Maures se trouvaient disséminés, qui, au cours de la crise des *Germanias* en 1525-1526, baptisèrent de force, par masses, leurs compatriotes musulmans. Ces baptêmes forcés étaient-ils valables ou non ? On en discuta et jusqu'à Rome où, notons-le, les solutions de compromis ont eu bien plus souvent qu'en Espagne des partisans[2]. En 1526, Charles Quint, sollicité de donner son avis, se décida en faveur de la conversion, à la fois pour suivre l'exemple de Grenade et pour rendre grâces à Dieu de sa victoire de Pavie[3]. Mais son rôle ici avait été mince. Il est certain que Grenade et Valence, ces deux versants de l'Espagne (ici l'aragonaise, là la castillane), ne sont pas devenues « chrétiennes » (et comme on dira par la

---

1. Contrairement à ce que disent H. HEFELE ou F. de RETANA... Témoignage rétrospectif, mais catégorique dans notre sens, celui de Diego HURTADO DE MENDOZA, *De la guerra de Granada*, éd. de Manuel GÓMEZ-MORENO, Madrid, 1948, p. 8 et *sq.* J. CARO BAROJA dont on admirera le ton, *op. cit.*, p. 5 et *sq.*
2. En 1609 encore, Clément VIII est opposé à l'expulsion des Morisques et au zèle du saint archevêque de Valence, Juan de Ribera, G. SCHNÜRER, *op. cit.*, p. 196.
3. R. KONETZKE, *op. cit.*, p. 57.

suite : morisques) dans les mêmes conditions. Et ceci distingue au moins deux zones de problèmes morisques.

Une géographie de l'Espagne morisque

En y regardant d'un peu près, il est d'autres distinctions et d'autres zones, selon que les Morisques y sont plus ou moins nombreux, plus ou moins encadrés et depuis plus ou moins longtemps engagés dans la civilisation des vainqueurs. En Biscaye, en Navarre, dans les Asturies, le Morisque n'est pas un personnage inconnu : artisan ou marchand ambulant, voire revendeur de poudre d'arquebuse[1], il n'est certes pas en nombre, bien que la vallée navarraise de l'Èbre fasse exception avec ses descendants de *Moros*. En Castille, leur nombre est plus important et semble augmenter à mesure que l'on va vers le Sud. Chaque ville a les siens[2]. A la fin du XVe siècle, un voyageur, le Docteur Hieronymus Münzer, note qu'à Madrid, une ville qui n'est « pas plus grande que Biberach », il y a deux *morerias*, deux ghettos musulmans[3]. La proportion est plus grande à Tolède et, au-delà de Tolède, dans l'Andalousie grouillante de Morisques, paysans ou prolétaires au service des grandes villes. Dans l'Aragon proprement dit, ils sont, comme artisans, logés dans les agglomérations urbaines (à Saragosse ils travaillent le cuir, fabriquent des armes et de la poudre[4]) et, plus nombreux encore, dans le haut pays[5] entre l'Èbre et les Pyrénées, ils forment d'actives communautés agricoles et pastorales[6]. Quelques grands seigneurs détiennent, dans leurs *lugares de moriscos*, la plus grande partie de ceux qui sont restés au travail de la terre : tel le comte de Fuentes à Exca, l'une des régions les plus houleuses de l'Aragon morisque, ou le Comte d'Aranda à Almonezil, ou le duc d'Aranda à Torellas[7]...

En Catalogne, par contre, peu ou pas de Morisques, voire aucune trace d'Ibérie musulmane. La vieille Catalogne a vécu en marge de l'Islam qui n'a touché ses territoires que vers le Sud, à la hauteur de Tarragone et de l'Èbre. Et en 1516, elle a expulsé les Morisques qui se trouvaient à Tortosa[8]. C'est miracle si, deci delà, l'Inquisition de Barcelone est appelée à juger l'un d'entre eux[9].

Plus vers le Sud, la terre valencienne est un domaine colonial typique, pris en charge au XIIIe siècle par les seigneurs d'Aragon et les marchands catalans, et depuis lors travaillé par mille mouvements, mille immigrations successives. Henri Lapeyre[10] voit la situation de Valence au travers de l'exemple de l'Algérie, avant mars 1962. Les proportions ne sont pas les mêmes, mais les deux popu-

---

1. *Gobierno de Vizcaya*, II, p. 357. En 1582, on évoque contre lui des lois raciales (*ibid.*, II, p. 223) et, en 1585, au nom des exclusives prévues par le *fuero*, *ibid.*, p. 309 ; exclusives mises en pratique aussi, en 1572, dans la proche Navarre, Antonio CHAVIER, *Fueros de Navarra*, 1686, p. 142.
2. Simancas Patronato Real, 15 août 1543, pour Arevalo et Medina del Campo.
3. Cité par L. PFANDL, *Philippe II*, Madrid, p. 310-311, « *habet duas morerias cum Saracenis plenas* ».
4. I. de ASSO, *op. cit.*, p. 219-220.
5. CABRERA, cité par R. MENENDEZ PIDAL, *op. cit.*, I, p. 122.
6. Au total 20 p. 100 de la population aragonaise, H. LAPEYRE, *op. cit.*, p. 96.
7. Apuntamientos del Virrey de Aragon sobre prevenciones de aquel reyno contra los Moriscos, Simancas Eo 335, s.d. (vers mars 1575).
8. *Geografia General de Catalunya*, *op. cit*, p. 343.
9. Voir cependant, A.H.N. Inquisition de Barcelone, Libro I, fo 21, 20 décembre 1543.
10. H. LAPEYRE, *op. cit.*, p. 27.

lations sont imbriquées l'une dans l'autre comme le montrent les cartes décisives de Tulio Halperin Donghi[1]. Les traits généraux de la répartition géographique sont en gros assez clairs : les villes sont essentiellement chrétiennes, les Morisques en occupent faiblement les faubourgs ; les régions de *regadío*, d'irrigation, sont surtout chrétiennes, sauf autour de Jativa et de Gandía ; les régions de *secano*, sauf quelques massifs, relèvent par contre des Morisques. A eux les mauvaises terres du haut pays. « Il n'est donc pas étonnant que les deux principales rébellions se soient produites en pays de montagne, en 1526 dans la Sierra de Espadán, en 1609 dans la région de Mucla de Cortes sur la rive droite du Júcar et dans le val de Laguar, au Sud de Gandía... »[2].

En 1609, les Morisques représentent à peu près le tiers de la population valencienne totale, 31 715 feux contre 65 016 aux « vieux » Chrétiens[3], mais ceux-ci ont des positions dominantes et ils tiennent entièrement Valence et sa fertile *huerta*.

Tout cela est évidemment le fruit des siècles antérieurs, d'une longue évolution. La société vaincue, toujours vivante, mais réduite à la portion congrue, s'y présente comme une étoffe usée, souvent déchirée. Pas d'aristocratie, pas d'élite musulmane, en fait, au-dessus de la masse prolétarienne des vaincus ; et donc pas de résistance à l'occasion savamment orchestrée. Partout, à la ville, aux champs, le Morisque est tenu par la société victorieuse. Les défenseurs des fellahs sont leurs seigneurs eux-mêmes[4]. Ils soutiennent les *moriscos* comme plus tard aux États-Unis, les colons sudistes, leurs esclaves. Mais à côté d'eux, fruit de plusieurs siècles de victoire chrétienne, un prolétariat de Vieux Chrétiens est en place, fanatique et dur, rural autant qu'urbain, et qui évoque assez bien, si l'on veut continuer la comparaison, les pauvres Blancs du Sud des États-Unis.

Ce qu'a dû être Valence au XIIIᵉ siècle, Grenade l'évoque au XVIᵉ. Grenade où la victoire chrétienne est toute récente, acquise au détriment d'un pays riche, trahi plus encore par son manque d'artillerie que par ses évidentes faiblesses intestines[5]. La société musulmane n'y est pas inaltérée — il s'en faut que la conquête n'ait pas entraîné des ravages immédiats — mais elle est encore reconnaissable, dans un pays dominé et discipliné par l'homme, cultivé jusqu'à ses plus hautes terrasses, riche de *Vegas* d'une étonnante fertilité, oasis tropicales au milieu de terres déjà semi-africaines. Des seigneurs chrétiens se sont installés dans les terres riches, tel ce Juan Enríquez[6], défenseur des Morisques, en 1568, qui a ses biens dans la plaine de Grenade. Partout ont emménagé des fonctionnaires et des ecclésiastiques, les uns et les autres plus ou moins honnêtes, souvent prévaricateurs et jouissant sans vergogne de leurs avantages. Tout ce que l'on a pu dire du « colonialisme », à n'importe quel pays, à n'importe quelle époque, est étrangement vrai dans le royaume reconquis de Grenade. A ce sujet, les documents officiels eux-mêmes parlent un

1. Voir p. 114 et 115.
2. H. Lapeyre, *op. cit.*, p. 26.
3. *Ibid.*, p. 30.
4. A ce sujet, innombrables preuves, ainsi Castagna à Alessandrino, Madrid, 15 mars 1569. L. Serrano, *op. cit.*, III, p. 5, les Morisques « sono favoriti da tutti li signori di quel paese perché da loro cavano quasi tutta l'entrata che hanno... », à propos de Valence et du Maestre de Montesa.
5. J. C. Baroja, *op. cit.*, p. 2 et sq., *passim*.
6. *Ibid.*, p. 154.

langage clair. Ainsi le licencié Hurtado[1], enquêtant dans l'Alpujarra au printemps 1561, trouve quelque mérite à la *gente morisca*, si paisible, alors que
depuis vingt ans, il n'y a eu dans la province aucune justice véritable, mais
seulement malversations, délits, méfaits, vols sans nombre à ses dépens. Si les
vrais coupables, qu'il faut prendre à la gorge, répètent à l'envi que les Morisques
sont dangereux, qu'ils entassent des vivres, de la farine, du blé, des armes, dans
l'intention, un beau jour de se soulever, c'est uniquement pour excuser leur
inexcusable conduite, continue l'enquêteur.

S'est-il laissé abuser ? Quand Grenade se soulève à la Noël 1568, l'ambassadeur de Philippe II en France, Francés de Alava, éprouve le besoin, comme
pour décharger sa conscience, de faire des révélations du même ordre. En
octobre 1569, il écrit longuement au secrétaire Çayas[2] et lui précise, dès les
premières lignes, qu'il a, au cours des douze dernières années, été sept ou huit
fois à Grenade, qu'il en connaît les autorités responsables, civiles, militaires et
religieuses. Alors quelles raisons aurions-nous de ne pas le croire ? Quelles
raisons aurait-il de courir au secours de pauvres diables dont il se trouve, à
l'époque, fort éloigné — quelles raisons, sinon celle de faire connaître la vérité ?

Les Morisques sont en révolte, dit-il, mais ce sont les Vieux Chrétiens
qui les poussent au désespoir, par leur arrogance, leurs larcins, l'insolence avec
laquelle ils s'emparent de leurs femmes. Les prêtres eux-mêmes ne procèdent pas
autrement et voilà une anecdote précise : tout un village morisque ayant
protesté à l'Archevêché contre son pasteur, on s'était enquis du motif de la
plainte. Qu'on nous l'enlève, s'étaient écriés les administrés... Ou alors « qu'on
le marie, car tous nos enfants naissent avec des yeux aussi bleus que les siens ».
L'ambassadeur ne se contente pas de cette bonne histoire qu'il rapporte
comme strictement véridique et d'ailleurs point bonne du tout. Désolé, furieux,
il a enquêté lui-même. Il a pu constater les malversations des petits fonctionnaires, même de ceux, qui, morisques d'origine, n'en exploitaient pas moins,
aussi bien que les autres, leurs administrés. Il est entré, en des jours de fête
dans des églises, pour constater combien on s'y souciait peu de respecter et de
rendre respectable la dignité du culte. Il a vu, au moment de la consécration,
entre l'hostie et le calice, un prêtre se retourner pour épier si tout son monde
indigène, hommes et femmes, étaient bien à genoux comme il convenait et
hurler des ignominies à l'égard de ses ouailles — chose si « contraire au service
de Dieu », note Don Francés, *que me temblavan las carnes*, « que j'en frissonnais
dans tout mon corps ».

Rapines, vols, injustices, meurtres, condamnations massives et abusives :
on pourrait sans peine instruire le procès de l'Espagne chrétienne. Mais est-elle
seulement consciente de ce qui s'accomplit, souvent obscurément, en son nom,
ou soi-disant en son nom, dans ce Midi trop riche où chacun arrive en quête de
quelque gain, bénéfice, terre, emploi ; où Flamands et Français ne dédaignent
même pas de venir s'installer comme artisans, ainsi que le signale à Grenade,
en 1572[3], un document inquisitorial ? Il y a là une physique de l'histoire, une loi
inexorable du plus fort. A côté de la ville indigène[4], séparée d'elle depuis 1498[5],

---

1. Simancas E⁰ 328, le licencié Hurtado à S.M., las Alpujarras, 29 juin 1561.
2. F. de ALAVA A ÇAYAS, Tours, 29 oct. 1569, A.N., K 1512, B 24, n⁰ 138 *b* orig. dup.
n⁰ 138 *a*.
3. A.H.N. Inquisition de Grenade, 2602, 20 mars, 28 mai, 17 juillet 1572 ; 7 sep. 1573.
4. Sur l'aspect « colonial » de Grenade, Pedro de MEDINA, *op. cit.*, p. 159 v⁰.
5. J. C. BAROJA, *op. cit.*, p. 13.

une ville officielle et chrétienne grandit, près de l'Alhambra où réside le Capitaine général, dans l'Université fondée en 1537, dans la Chancellerie, créée en 1505, et déjà toute puissante et agressive en 1540[1]... N'oublions pas pour comprendre, je ne dis pas juger, que l'Espagnol s'y trouve — comme hier le Français à Alger, le Hollandais à Batavia ou l'Anglais à Calcutta — au cœur d'une entreprise coloniale, dans un maëlstrom de civilisations opposées, dont les eaux courroucées refusent de se mêler.

En face de ce colonialisme espagnol pas toujours adroit, se dresse une société indigène encore cohérente, avec (ce que n'offre pas, ou n'offre plus Valence) une classe dirigeante, les riches de l'Albaicin, masse de notables aux vêtements de soie, prudents, secrets, régnant sur un peuple d'horticulteurs, ceux-ci éleveurs de vers à soie, paysans savants dans l'art de creuser les rigoles d'eau fertilisante, ou de maintenir les murettes des cultures en terrasse ; régnant aussi sur un peuple de muletiers, de petits marchands et de revendeurs, d'artisans tisserands, teinturiers, cordonniers, maçons, plombiers souvent en concurrence avec des artisans venus du Nord, les uns et les autres avec leurs méthodes et leurs principes. Tous ces pauvres, tous ces humbles en vêtement de coton. Que les nobles de l'Albaicin ne soient pas d'un courage à toute épreuve, l'avenir le démontrera de façon éclatante. Ils ont peur de se compromettre, de perdre leurs « *carmenes* », leurs villas campagnardes. En outre, une partie de l'aristocratie grenadine, ou du moins ses représentants les plus illustres ont abandonné l'Espagne peu après la chute de Grenade. Cependant cette classe dirigeante a conservé ses cadres, ses traditions, le goût éperdu aussi des lignages, des grandes familles et la révolte de 1568 verra renaître des querelles de clans analogues à celles qui avaient précipité la chute de Grenade.

Cette aristocratie survivante a vu pousser à côté d'elle et au-dessus d'elle, une aristocratie chrétienne de fraîche importation, richement dotée (sinon aussi largement qu'à Valence), utilisant sans vergogne ses paysans morisques, sobres, d'autant plus faciles à exploiter. On estime qu'un Morisque consomme moitié moins qu'un Chrétien. Et les proverbes ne laissent aucun doute : *quien tiene Moro, tiene oro* ; *a más Moros, más ganancias, a más Moros, más despojos*, à ses maîtres le Maure laisse de l'or, des gains, des dépouilles[2]...

Les seigneurs chrétiens sont les protecteurs des paysans morisques, on leur a même reconnu longtemps le droit d'asile sur leurs terres, pour les délinquants des terres voisines. Puis l'État, désireux de mettre de l'ordre, a supprimé ce droit et limité à quelques jours l'asile des églises. D'ailleurs, depuis 1540 avec éclat, mais dès avant cette date, les *letrados* de l'*Audiencia* de Grenade essaient de rogner les droits de la grande noblesse et de son chef, le Capitaine Général du Royaume, autrement dit la grande famille des Mendoza. Alors s'esquisse un gouvernement civil appuyé sur les villes chrétiennes et sur la population immigrée à Grenade, contre le gouvernement militaire et seigneurial des Mendoza. Cette crise politique et sociale n'ouvre pas à elle seule le drame de la guerre, mais aggrave les tensions et le désarroi. Au même moment, le gouvernement de Philippe II, à la recherche de ressources fiscales, a remis en cause, depuis 1559 au moins, les titres de propriété. Enfin à Grenade comme à Valence, la population s'accroît ; les difficultés économiques aidant, le banditisme fait son apparition, les brigands — les *monfíes* — ne trouvant plus refuge chez les

---

1. *Ibid.*, p. 142.
2. *Ibid.*, p. 23.

seigneurs ou dans les églises gagnent la haute montagne et ils s'en échappent pour des raids de pillage, d'accord avec les *gandules*, les mauvais garçons des villes ou les corsaires berbères ou turcs[1]... En 1569 quelques mois après le début de la révolte, au lendemain de l'expédition punitive du marquis de Mondejar contre l'Alpujarra, tout pouvait encore s'arranger par l'entremise, une fois de plus, des nobles. Julio Caro Baroja le dit formellement dans son beau livre et il a raison[2]. Mais le problème eût-il été résolu pour autant ? Et puis les civilisations sont autrement exigeantes que les sociétés ; cruelles et sans pardon, leurs colères sont longues. Or ce sont ces visages affreux de la haine, de la cruauté et de l'incompréhension qu'il faut tenter d'apercevoir, sans trop s'attarder aux vicissitudes d'une guerre dont nous aurons l'occasion de reparler[3].

Le drame de Grenade

Toute guerre « coloniale » implique le heurt de civilisations, l'intrusion de passions violentes, insidieuses, aveugles. Tout calcul raisonnable disparaît, d'autant que la politique espagnole est peut-être trop favorisée depuis 1502 à Grenade, depuis 1526 à Valence, depuis toujours en Aragon. Sans la moindre peine, elle a divisé ses ennemis, empêché les remuements de passer d'une région dans la région voisine. Elle n'a jamais eu en face d'elle qu'une question morisque à la fois : celle de Grenade en 1499-1502, celle de Valence en 1525-1526, puis un instant en 1563[4], celle d'Aragon en 1575[5] (mais l'alerte n'est pas sérieuse), celle de Castille en 1580[6], celle de Grenade en 1584[7], celle de Valence encore en 1609[8], de la Castille en 1610, d'Aragon en 1614. Le gouvernement espagnol surveille aussi de près les frontières extérieures, essaie de les fermer aux Morisques fugitifs du côté des Pyrénées ou du côté de la Méditerranée. Cette vigilance n'empêche pas les évasions, mais les rend plus difficiles, ainsi au long des côtes de Valence, au-delà de 1550[9]... Ce sont là gestes et pratiques raisonnables, sous le signe de la sagesse politique et de l'expérience. De même la sagesse est d'écouter les seigneurs de paysans morisques au Conseil de Guerre qui les accueille volontiers[10], comme au Conseil d'État. L'Espagne n'est-elle pas tenue, en terre morisque comme ailleurs, par l'intermédiaire de la haute noblesse ?

Ces règles de bon gouvernement cependant se transgressent à l'heure des dangers. On ne suivra pas les conseils, en 1568, puis en 1569, du marquis de Mondejar, mais les passions du cardinal Espinosa, de don Pedro de Deza, le Président fanatique de l'*Audiencia* de Grenade., l'un et l'autre représentants des *letrados*, de ces *bonetes* qui vont peu à peu, si on les laisse faire, imposer leur loi à l'Espagne. Le cardinal têtu, *resoluto en lo que no era de su profesion*, dit

---

1. *Ibid.*, p. 166.
2. *Ibid.*, p. 193 et *sq.*
3. *Infra*, p. 354 et *sq.*
4. Manuel Danvila y Collado, « Desarme de los Moriscos en 1563 », *in : Boletin de la Real Academia de la Historia*, X, 1887, p. 275-306.
5. Simancas E° 335.
6. 6 juillet 1580, A. E. Espagne, f° 333, défense aux Morisques de Castille d'entrer en Portugal.
7. H. Lapeyre, *op. cit.*, p. 127.
8. *Ibid.*, p. 162 et *sq.*
9. *Ibid.*, p. 29.
10. J. C. Baroja, *op. cit.*, p. 154.

un chroniqueur[1], décidé en ce qui n'était pas son métier, bien sûr celui des armes. En vérité, n'a-t-on pas tout fait pour que l'explosion se produisît, et tout d'abord à Madrid, en n'y croyant guère à l'avance ? Il y a plus de quarante ans que les Morisques sont paisibles, depuis les *Germanias* de 1526. La Pragmatique qui va mettre le feu aux poudres est arrêtée dès le 17 novembre 1566, promulguée le 1er janvier 1567 et pendant plus de deux ans on va discuter à son propos, laissant aux Morisques et à leurs défenseurs l'impression qu'un compromis reste possible et qu'un sursis s'obtiendrait à la rigueur contre un présent d'importance. Or ce que les conseillers de Philippe II ont décidé sur le papier, c'est ni plus ni moins que la condamnation sans appel d'une civilisation entière, de tout un art de vivre : sont prohibés les costumes morisques des hommes et des femmes (celles-ci devront renoncer au voile dans la rue), la fermeture des maisons, abris des cérémonies islamiques clandestines, l'usage des bains publics, l'emploi enfin de la langue arabe. Bref, il s'agit de pourchasser ce que l'on soupçonne de vivre encore de l'Islam grenadin. Ou plutôt il s'agit de le menacer, de lui faire peur et comme les discussions et les marchandages durent, le temps est finalement laissé aux violents pour conspirer, préparer leur action, ainsi dans les conciliabules et les quêtes de l'Hôpital et de la Confrérie de la Résurrection que les Morisques entretenaient à Grenade[2]...

Enfin, dans la nuit de Noël 1568, les *monfíes* pénètrent dans l'Albaicin, essaient de le soulever. l'Alhambra, en face, n'a pas cinquante défenseurs, or l'Alhambra n'est pas attaqué et la ville indigène ne se soulève pas... Pour que la guerre s'engage il faudra que s'en mêlent les passions et les cruautés populaires, que surviennent les massacres des Chrétiens et de leurs prêtres dans l'Alpujarra, les raids vers la plaine, puis ces chasses à l'homme bientôt entreprises de part et d'autre... Une vaste tuerie s'installe, indécise dans ses mouvements, perdue dans un espace immense, sauvage, sans chemins. Quand le Roi a donné finalement aux Vieux Chrétiens le droit de piller à leur guise, leur concédant le *campo franco*[3], il a du coup relancé la guerre, l'a poussée aux extrêmes. Pillages des troupeaux, des balles de soie, des trésors cachés, des bijoux, chasse aux esclaves, voilà la réalité quotidienne de la guerre, avec la maraude des soldats et des ravitailleurs de l'armée. A Saldas, près d'Almeria, les Morisques vendent aux Barbaresques leurs prisonniers chrétiens : « un homme contre une escopette[4] » : à Grenade, cependant, on ne sait que faire des esclaves morisques vendus à l'encan et la population chrétienne rêve de se jeter d'un coup sur la ville indigène pour la piller une bonne fois pour toutes[5]... Passions, frayeurs, paniques, soupçons, tout se mêle. L'Espagne chrétienne victorieuse, mais non pas apaisée, vit dans la terreur d'une intervention turque, dont le projet fut d'ailleurs agité à Istanbul[6]. Elle a toujours, et bien avant 1568, plus tard encore, surestimé la menace de l'Islam.

Dans leur essai de reconstituer un royaume de Grenade, les révoltés ne ressuscitèrent qu'un fantôme. Toutefois, cette tentative, les cérémonies du couronnement du premier roi de la rébellion, la construction d'une mosquée dans l'Alpujarra, les profanations des églises sont importantes du point de vue qui nous occupe... C'est bien une civilisation qui essaie de renaître, puis retombe à terre.

---

1. *Ibid.*, p. 151, le mot est de L. Cabrera de Cordoba.
2. *Ibid.*, p. 169.
3. *Ibid.*, p. 196.
4. *Ibid.*, p. 188.
5. *Ibid.*, p. 199.
6. *Infra*, p. 363.

Avec les victoires chèrement achetées de Don Juan d'Autriche (substitué dans le commandement des troupes au marquis de Mondejar le 13 avril 1569[1]), les mesures radicales l'emportent. Les redditions en masse des insurgés avaient commencé dès avril 1570... Pratiquement la guerre était finie, la révolte pourrie du dedans. Or dès l'année précédente, en juin 1569, les expulsions avaient commencé, 3 500 Morisques de Grenade (entre 10 et 60 ans) avaient été transportés de la capitale dans la Manche voisine. Le 28 octobre 1570, l'ordre d'expulsion de tous les Morisques était donné; le 1er novembre les malheureux étaient rassemblés en longs convois et exilés en Castille, attachés à des chaînes de forçats[2]. Du coup, ce qui restait de la révolte était condamné, sans le secours de ces populations en apparence paisibles, mais complices des soldats de la rébellion et assurant leur ravitaillement[3]. La révolte du haut pays ne comporte plus désormais que quelques centaines de *salteadores*, menant une petite guerre, dit une correspondance génoise, *a guisa di ladroni*[4]. Tout semblait terminé, et une fois pour toutes. Des masses serrées d'immigrants, *gallegos, asturianos* ou castillans, environ 12 000 familles de paysans, gagnaient les villages désertés de Grenade. Cependant les dépouilles des vaincus étaient vendues à l'encan aux seigneurs, aux monastères et aux églises, le Roi en tira, dit-on, des sommes énormes. En fait, rien n'était résolu, la colonisation paysanne allait se terminer assez vite par un fiasco[5], tous les Morisques n'avaient pas quitté le malheureux royaume, certains y revinrent et il fallut, en 1584[6], procéder à de nouvelles expulsions, les recommencer en 1610[7].

Grenade après Grenade

On avait débarrassé Grenade, mais pour encombrer la Castille, surtout la Nouvelle-Castille. On fermait un dossier pour en ouvrir un autre. Les réfugiés grenadins, plantés ici et là comme autant de greffes, n'avaient pas tardé à proliférer[8] et à s'enrichir. A redevenir inquiétants. N'étaient-ils pas condamnés à la richesse du fait même de leur industrie, dans un pays inondé de métaux précieux, peuplé de trop d'hidalgos pour qui travailler, c'était déchoir? Aux environs de 1580-1590, donc en moins de vingt ans, la question de Grenade devint curieusement une question de Castille et d'Andalousie : le péril n'avait fait que se rapprocher du cœur de l'Espagne. Ce n'est plus tant pour Grenade, où bien entendu il restait des Morisques, que pour Séville ou pour Tolède ou pour Avila que l'on avait des craintes et que l'on cherchait, à nouveau, des solutions radicales. Durant l'été 1580, on découvrit à Séville une vaste conspiration en liaison avec le Maroc : ce serait même les ambassadeurs du Chérif, alors préoccupé de s'appuyer sur l'Espagne, qui auraient tout révélé du complot[9]. Au printemps 1588, des troubles commençaient, en Aragon cette

---

1. *Ibid.*, p. 199.
2. H. LAPEYRE, *op,. cit.*, p. 122.
3. A.d.S. Florence, Mediceo 4903, Nobili au Prince, Madrid, 22 janvier 1571.
4. A.d.S. Gênes, Spagna..., Sauli à la République de Gênes, Madrid, 11 janvier 1571; il y a plus de 2 500 « bandolieri ».
5. H. LAPEYRE, *op. cit.*, p. 122 et note 4.
6. *Ibid.*, p. 127.
7. *Ibid.*, p. 162 et *sq.*
8. Dans les terres tolédanes, ils sont 1 500 en 1570 mais 13 000 en 1608, aux dires du cardinal de Tolède, J.C. VAROJA, *op. cit.*, p. 214.
9. A. d. S. Florence, Mediceo 4911, Bernardo Canigiani, ambassadeur du Grand-Duc,

fois[1]. Ils entraînèrent, en juillet, une délibération du Conseil d'État[2] où fut évoqué le danger que constituait pour l'Espagne cette présence d'ennemis domestiques, en constant accroissement numérique. Que sa Majesté ne recommence pas la faute de 1568, à Grenade; qu'elle attaque tout de suite. Or, toute cette alerte, c'était, à l'origine, le soulèvement de quelques centaines de Morisques, à la suite de rixes avec les Vieux Chrétiens[3]. Elle devait s'apaiser très tôt et le vice-roi de Naples y croyait si peu pour sa part qu'il n'hésitait pas à déclarer, en mai, que c'étaient là des bruits répandus par la propagande anglaise[4].

C'était peut-être aussi, outre le signe d'une certaine nervosité, un prétexte. Car, dès novembre de la même année, l'Église d'Espagne intervient une fois de plus. Son interprète, le cardinal de Tolède, siège au Conseil d'État et s'appuie sur les rapports du commissaire de l'Inquisition à Tolède, Juan de Carillo[5]. Il paraît que dans cette ville où la vieille colonie de Morisques *mudejares* a été renforcée, en 1570, par une colonie de Morisques grenadins, ceux-ci, les déportés, parlent encore arabe entre eux, tandis que ceux-là, écrivains publics, maîtres de la langue espagnole, cherchent à se glisser dans les bons offices. Les uns et les autres sont nombreux à s'être enrichis dans le commerce. Et tous mécréants en diable, ils ne vont jamais à la messe, n'accompagnent pas le Saint-Sacrement dans la rue, ne se confessent que par crainte des sanctions. Ils se marient entre eux, cachent les enfants pour ne pas avoir à les baptiser et, quand ils les baptisent, ils prennent comme parrains les premiers venus, sur le pas de l'église. L'extrême-onction n'est jamais réclamée que pour les moribonds incapables de la recevoir. Et comme les gens chargés de surveiller et d'éduquer ces mal pensants surveillent et éduquent peu, ceux-ci vagabondent à leur aise. C'est le devoir du Conseil d'État d'en délibérer au plus vite.

Ainsi fut fait, le mardi 29 novembre 1588, sur la proposition du cardinal qui développa ses arguments[6]. Resterait-on indifférent à la multiplication inquiétante des Morisques en Castille, et spécialement à Tolède, leur « alcazar et forteresse », alors que les Vieux Chrétiens, pris par les « milices », diminuaient de nombre et, mal armés, risquaient un beau jour d'être bel et bien surpris? Pour le moins — le Conseil fut unanime sur ce point — il fallait donner ordre aux Inquisiteurs d'enquêter dans leurs ressorts et de dresser un recensement des Morisques.

La crainte entrait ainsi au cœur de l'Espagne, la crainte mauvaise conseillère. L'année suivante, en 1589, avec les incursions anglaises, on redoute que les Morisques, nombreux à Séville, ne prêtent main-forte à l'assaillant[7]. En 1596, à Valence, on s'inquiétera des mêmes connexions[8]. Cette présence de l'ennemi au centre de la maison préoccupe et va infléchir la politique espagnole :

Madrid, 27 juin 1580, a cru tout d'abord à une fable, puis la confirmation vient par des lettres de marchands de Séville.
1. Longlée au Roi Madrid, 5 mars 1588, *Correspondance*, p. 352.
2. Simancas E⁰ 165, f⁰ 347. Consulta del C⁰ de Est⁰, 5 juill. 1588.
3. Longlée au Roi, 5 juin 1588, p. 380.
4. Simancas E⁰ 1089, f⁰ 268. Miranda au Roi, Naples, 6 mai 1588.
5. Sobre los moriscos, conseil d'État, 14 nov. 1488, Simancas E⁰ 165, f⁰ 34.
6. Los muchos nuevos christianos que ay por toda Castilla, Madrid, 30 nov. 1588, Simancas E⁰ 165, f⁰ 348.
7. A. d. S. Florence, Mediceo 4185, f⁰ʳ 171 à 175, rapport anonyme.
8. Marqués de Denia à Philippe II, Valence, 3 août 1596, Simancas E⁰ 34, f⁰ 42.

ils sont plantés là, dans le cœur, dirions-nous en français, la langue espagnole dit : dans le « rognon » de l'Espagne[1]. En 1589, le Conseil d'État ne parlait encore que de recensement. Mais les événements vont vite; l'année suivante, le Roi est saisi de propositions forcenées : qu'on oblige les Morisques à servir un certain temps sur les galères, contre solde : ceci au moins freinerait leur accroissement; qu'on sépare les enfants des familles, pour les confier à des seigneurs, à des prêtres ou à des artisans chargés de leur éducation; qu'on exécute les plus dangereux; qu'on refoule les Grenadins installés en Castille dans leur ancien quartier, les enlevant ainsi du fameux *riñon*, qu'on les chasse aussi des villes dans les campagnes[2]. Dès le 5 mai, on parlait d'expulsion pure et simple : les Rois Catholiques l'avaient bien fait jadis pour les Juifs et y avaient gagné leur saint renom[3]. En esprit, les indésirables Morisques sont condamnés par tous les membres du Conseil, sans exception. Mais ces condamnés vont jouir d'un assez long répit.

Sans doute parce que l'Espagne engagée aux Pays-Bas, luttant contre la France, opposée à l'Angleterre, a d'autres tâches que ce règlement de comptes intérieurs. Ce n'est pas sa mansuétude, mais son impuissance, curieuse conséquence de sa politique impérialiste, qui sauve les Morisques comme la corde soutient le pendu. Autour d'eux, la colère et la haine ne cessent de monter. Un rapport adressé au roi, en février 1596[4], s'élève contre le laisser-aller de la politique gouvernementale à l'égard de ces mécréants et signale leur immense richesse : ils sont plus de 20 000 en Andalousie et dans le royaume de Tolède qui possèdent des revenus supérieurs à 20 000 ducats. Est-ce tolérable? Et de dénoncer un certain Francisco Toledano, Morisque de Tolède installé à Madrid, le plus riche marchand de fer de la place, trafiquant en raison de son négoce en Biscaye et à Vitoria et en profitant pour commercer d'armes et d'arquebuses. De grâce, qu'on lui mette la main au collet et que l'on sache quels sont ses clients et complices !

En 1599, les interminables discussions reprennent au Conseil d'État. Que le Roi se décide et se décide sans tarder, telle est la conclusion de toutes les propositions. Parmi les signataires, on retrouve encore le cardinal de Tolède, mais aussi D.J. de Borja, D.J. de Idiàquez, le comte de Chinchón, Pedro de Guevara[5]. Dans la vaste masse de papiers qui, à Simancas, concerne ces délibérations, aucune plaidoirie pro-morisque n'est à retrouver[6].

L'épilogue sera l'expulsion de 1609-1614. Il a fallu pour qu'elle s'accomplît, un concours de circonstances, le retour à la paix (1598-1604, 1609) et la mobilisation silencieuse de toute la flotte de guerre de l'Espagne, galions et galères[7], capable d'assurer les embarquements et la sécurité de l'opération. J. C. Baroja pense que les victoires du Sultan de Marrakech, au printemps 1609, sur le « roi » de Fez ont poussé aux décisions radicales, et le fait est vraisemblable[8].

1. Madrid, 22 mai 1590, Simancas E° 165.
2. 22 mai 1590, voir note précédente.
3. 5 mai 1590, Simancas E° 165.
4. Arch. de l'ex-Gouvernement Général de l'Algérie, Registre 1686, f° 101.
5. Consulta del C° de E°, 2 févr. 1599, Simancas E° 165, f° 356. Voir également C° de E° au Roi, 10 août 1600, A.N., K 1603.
6. H. LAPEYRE, *op. cit.*, p. 210, nuance ce jugement : « Cela est vrai pour le Morisque endurci qui se refusait à la civilisation chrétienne, mais on y trouve d'assez nombreuses défenses du Morisque que nous pourrions appeler « bien pensant ». »
7. J. de SALAZAR, *op. cit.*, p. 16-17; Gal BRÉMOND, *op. cit.*, p. 304.
8. J. C. BAROJA, *op. cit.*, p. 231.

Ainsi s'achevait par un échec la longue tentative d'assimilation de l'Islam ibérique, échec clairement ressenti à l'instant même. « Qui fera nos souliers ? » disait l'archevêque de Valence au moment de l'expulsion dont il était cependant très ferme partisan. Qui cultivera nos terres, pensaient les seigneurs des *lugares de Moriscos ?* L'expulsion, on le savait à l'avance, allait entraîner des blessures graves. Les *Diputados del Reino* de l'Aragon s'étaient d'ailleurs prononcés contre elle. En 1613-1614, Juan Bautista Lobana, qui parcourt ce royaume pour en dresser la carte, consigne à plusieurs reprises dans ses notes la désolation des villages abandonnés : à Longares, il reste 16 habitants sur 1 000 ; à Miedas, 80 sur 700 ; à Alfamen, 3 sur 120 ; à Clanda, 100 sur 300[1]... Des historiens ont dit et répété que toutes les blessures se guérissent à la longue. Et c'est vrai[2]. Henri Lapeyre vient de démontrer que l'expulsion a porté au plus sur 300 000 individus pour une population globale de 8 millions peut-être[3]. Mais c'est beaucoup à l'échelle du temps et de l'Espagne, bien que nous soyons très en deçà des chiffres fantastiques avancés hier. En même temps, Henri Lapeyre[4] pense que les blessures dans l'immédiat ont été graves, le reflux démographique du XVIIe siècle retardant la guérison.

Toutefois le problème, difficile à résoudre, n'est pas de savoir si l'Espagne a payé un haut prix ou non pour l'expulsion et la politique violente qu'elle implique, ou si elle a eu raison (ou non) de procéder ainsi. Il ne s'agit pas de reprendre le procès à la lumière de nos sentiments actuels : tous les historiens sont en faveur des Morisques bien sûr... Que l'Espagne ait bien ou mal fait de se priver de la laborieuse et prolifique population morisque, peu importe ! pourquoi l'a-t-elle fait ?

Avant tout, parce que le Morisque est resté inassimilable. L'Espagne n'a pas agi par haine raciale (laquelle semble presque absente dans cette lutte) mais par haine de civilisation, de religion. Et l'explosion de sa haine, l'expulsion, est l'aveu de son impuissance. La preuve que le Morisque, après un, deux, trois siècles suivant les cas, était resté le Maure d'autrefois : costume, religion, langue, maisons cloîtrées, bains maures — il avait tout conservé. Il s'était refusé à la civilisation occidentale ; et c'est l'essentiel du débat. Quelques brillantes exceptions, sur le plan religieux — ou ce fait indéniable que les Morisques des villes adoptaient de plus en plus le costume des vainqueurs[5] — n'y changent rien. Le Morisque est resté lié de cœur à un monde immense qui s'étendait, on le savait en Espagne[6], jusqu'à la Perse lointaine, avec des maisons, des mœurs analogues et des croyances identiques.

Toutes les diatribes antimorisques se résument dans la déclaration du cardinal de Tolède : ce sont « de vrais Mahométans comme ceux d'Alger »[7]. Et sur ce point, on peut reprocher au cardinal son intolérance, non son injustice. Les solutions mêmes que proposent les membres du Conseil le prouvent. Il ne s'agit point de détruire une race haïe : mais il semble impossible de conserver, au milieu de l'Espagne, un irréductible noyau d'Islam. Alors ? Ou bien l'arracher d'un seul coup, en supprimant le support de toute civilisation : la matière humaine ; c'est la solution qui a finalement été adoptée. Ou bien à tout prix, obtenir l'assimilation que le baptême forcé n'a pas réussi à parfaire.

1. I. de Asso, *op. cit.*, p. 338.
2. E. J. HAMILTON, *American treasure...*, p. 304-305.
3. H. LAPEYRE, *op. cit.*, p. 204.
4. *Ibid.*, p. 71 et 212.
5. J. C. BAROJA, *op. cit.*, p. 127.
6. *Ibid.*, p. 107.
7. Simancas E° 165, 11 août 1590.

L'un propose donc de ne conserver que les enfants, matière malléable, et de favoriser le départ des adultes vers la Berbérie, pourvu qu'il se fasse sans bruit. L'autre, le marquis de Denia, pense qu'il faut élever les enfants chrétiennement, les hommes de quinze à soixante ans iraient aux galères à vie, les femmes et les vieillards en Berbérie. Celui-ci juge qu'il suffirait de répartir les Morisques dans les villages, à raison d'un foyer contre cinquante de Vieux Chrétiens, en leur interdisant tout changement de résidence et toute occupation autre que l'agriculture — l'inconvénient de l'industrie, du transport ou du commerce étant de favoriser les déplacements et les relations avec l'extérieur[1].

De toutes ces solutions, l'Espagne a choisi la plus radicale : la déportation, l'arrachement complet de la plante hors de son sol.

Cependant était-ce toute la population morisque qui disparaissait de l'Espagne? Non, certainement. D'abord, il n'était pas facile dans certains cas, de distinguer entre Morisques et non Morisques. Les mariages mixtes étaient assez nombreux pour que l'édit d'expulsion en ait tenu compte[2]. Puis certains intérêts entraient en jeu, qui certainement ont sauvé bon nombre de ceux qui auraient dû être frappés. Ont été expulsés dans leur quasi-totalité, les Morisques des villes; dans une proportion moindre, ceux qui peuplaient les *realengos*, les terres royales; et, avec des exceptions plus larges encore, les Morisques des terres seigneuriales, les montagnards, les paysans isolés[3]...

Car enfin le Morisque est demeuré souvent, noyé cette fois, confondu dans la masse, mais y laissant sa marque indélébile[4]. La population chrétienne, voire son aristocratie, n'était-elle pas déjà marquée par ce sang maure? Les historiens de l'Amérique affirment aussi, et sur tous les tons, que le Morisque a pris sa part dans le peuplement de l'Amérique[5]. Une chose reste certaine, c'est que la civilisation musulmane, appuyée sur les résidus morisques euxmêmes et sur ce que l'Espagne avait déjà absorbé d'Islam au cours des siècles, n'a pas cessé de jouer son rôle dans la complexe civilisation de la Péninsule, même après l'opération chirurgicale de 1609-1614.

La lame de fond n'a pu tout emporter de ce qui s'était fiché à jamais dans le sol de l'Ibérie : ni les yeux noirs des Andalous, ni les mille toponymes arabes, ni les milliers de mots embarqués dans le vocabulaire des anciens vaincus, devenus les nouveaux vainqueurs. Héritage mort, dira-t-on; et peu importe que les recettes culinaires[6], que les métiers, que les fonctions de commandement parlent encore de l'Islam dans la vie quotidienne de l'Espagne ou

1. 2 févr. 1599, référence note 6, p. 128.
2. Gal BRÉMOND, *op. cit.*, p. 170.
3. « Il serait temps d'en finir à ce sujet avec les doléances sentimentales d'une certaine école historique, sur ce qu'elle appelle l'*odieuse et barbare expulsion des Mores d'Espagne*. Ce qui doit étonner, c'est qu'on se soit résigné à supporter pendant plus de cent ans, malgré l'avis du grand Ximénès, la présence d'un million de Morisques en état de conspiration permanente à l'intérieur et à l'extérieur... », Henri DELMAS DE GRAMMONT, *Relations entre la France et la Régence d'Alger au XVIIe siècle*, Alger, 1879, 1re Partie, en note p. 2 et 3.
4. Voyez comme s'y trompent peu des voyageurs, bons observateurs. LE PLAY, 1833, « il y a du sang arabe chez tous ces gens-là », p. 123; Théophile GAUTIER, *Voyage en Espagne*, p. 219-220; Edgar QUINET, *Vacances en Espagne*, p. 196 et tant d'autres.
5. Ainsi C. PEREYRA pour l'Amérique espagnole. Pour le Brésil, N. J. DABANE, *L'influence arabe dans la formation historique et la civilisation du peuple brésilien*, Le Caire, 1911.
6. Pour le Portugal, cet *Arte de Cozinha* de Domingos RODRIGUEZ, 1652, que cite Gilberto FREYRE, *Casa Grande e Senzala*, I, p. 394, livre auquel nous empruntons aussi

du Portugal son voisin. Et pourtant, en plein xviiiᵉ siècle, à l'époque de la prépondérance française, se maintient, dans la Péninsule, un art vivant, véritable art *mudéjar*, avec ses stucs, ses céramiques et la douceur de ses *azulejos* [1].

Suprématie de l'Occident

Mais la question morisque n'est qu'un épisode d'un plus large conflit. En Méditerranée, la grande partie s'est jouée entre Orient et Occident, dans une éternelle « question d'Orient », pour l'essentiel débat de civilisations, repris au gré des avantages qu'alternativement le jeu donne à l'un, puis à l'autre des partenaires. Les bonnes cartes passent de main en main et, suivant que l'un ou l'autre l'emporte, des courants culturels majeurs s'établissent, du plus riche au plus pauvre, d'Occident à Orient ou d'Orient à Occident [2].

Le premier renversement, au bénéfice de l'Occident, est le fait d'Alexandre de Macédoine : l'héllénisme représente une première « européanisation » du Proche Orient et de l'Égypte, appelée à durer jusqu'aux siècles de Byzance [3]. Avec la fin de l'Empire romain et les grandes invasions du vᵉ siècle, l'Occident et l'héritage antique s'effondrent; c'est l'Orient byzantin et musulman qui en conserve ou en recueille les richesses et les projette, des siècles durant, vers

---

nos rapides remarques à propos du xviiiᵉ siècle. Persistance d'une architecture et d'une décoration « morisques » à Tolède, jusqu'au xviⁱᵉ siècle et peut-être au delà, ROYALL TYLER, *Spain, a Study of her Life and Arts*, Londres, 1909, p. 505.

1. Sur la question morisque énorme documentation encore inédite, à Simancas, ainsi Eᵒ 2025 (Moriscos que pasaban a Francia, 1607-1609). Un transport de réfugiés morisques « avec leurs hardes » par une barque marseillaise, A. des B. du Rhône, Amirauté B IX, 14, 24 mai 1610. Un texte admirable, enfoui dans Eugenio LARRUGA, *Memorias políticas y economicas*, t. XVII, Madrid, 1792, p. 115-117. Des Morisques *desterrados* sont revenus en Espagne (1613), sans femmes, sans enfants... Rien que des hommes seuls. Va-t-on les employer dans les mines de mercure d'Almaden? Non, qu'on cherche, parmi les galériens, des spécialistes du travail des mines et qu'à bord des galères on les remplace par ces gens sans aveu, plus coupables que les galériens, « pues han sido de apostasia y crimen loesae Majestatis ».

Sur les survivances de la civilisation musulmane, il faut voir le plaidoyer chaleureux, souvent neuf de Julio CARO BAROJA, *op. cit.*, p. 758 et *sq.* Sur les expulsions mêmes des Morisques et l'énorme transport qu'elles signifient, voir Henri LAPEYRE, *op. cit.*, *passim*. Ce beau livre ne fixe qu'un aspect (statistique) du problème, lequel problème est à replacer dans toute l'histoire politique, sociale, économique et internationale de l'Espagne. Ici la tâche est loin d'être accomplie : « ... l'expulsion des Morisques ne semble pas le fait d'un État en décadence », *ibid.*, p. 213, c'est possible, non pas démontré. De même ont joué la pression démographique, *ibid.*, p. 29 et *sq.*, la haine contre une classe artisanale, marchande et prolifique. Je reste, jusqu'à plus ample informé, fidèle à l'explication ancienne (*supra*, p. 129) : la religion a désigné les partants...

Paru en 1977, le livre de Louis CARDAILLAC, *Morisques et Chrétiens, un affrontement polémique (1492-1640)*, a la valeur, pour les études hispaniques, de l'ouvrage monumental de Marcel Bataillon, *Erasme et l'Espagne*. Il apporte sur le conflit, en terre espagnole, entre Islam et Chrétienté, des lumières neuves d'une rare richesse. Retenir seulement, dans le sens des explications qui précèdent, cet acharnement, cette surexcitation progressive entre les deux religions, c'est marquer la coexistence tendue des deux civilisations; la façon dont elles s'adaptent l'une à l'autre, en grognant et souffrant. Adaptation qui n'est certes pas sous le signe de la tolérance. Tout finit par l'explosion.

2. Alfred HETTNER, *art. cit.*, p. 202, ou les éblouissantes remarques d'André MALRAUX, *La lutte avec l'Ange*, 1945.

3. Sur ce grand problème le livre lumineux d'E. F. GAUTIER, *Mœurs et coutumes des Musulmans* (réédition 1955).

l'Occident barbare. Tout notre Moyen Age est saturé, illuminé d'Orient, avant, pendant, après les Croisades. « Les civilisations s'étaient mêlées par leurs armées ; une foule d'histoires, de récits qui parlaient de ces mondes lointains entraient en circulation : la Légende Dorée foisonne de ces contes ; l'histoire de saint Eustache, celles de saint Christophe, de Thaïs, des Sept Dormants d'Éphèse, de Barlaam et de Josaphat, sont des fables orientales. La légende du Saint-Graal se greffe sur le souvenir de Joseph d'Arimathie ; le Roman de Huon de Bordeaux est une fantasmagorie toute brillante des enchantements d'Obéron, le génie de l'aube et de l'aurore ; l'odyssée de saint Brandan n'est qu'une version irlandaise des aventures de Sinbad le Marin[1] ». Et ces emprunts ne représentent qu'une part de la masse épaisse et substantielle des échanges. « Tel ouvrage, écrit Renan[2], composé au Maroc et au Caire, était connu à Paris ou à Cologne en moins de temps qu'il n'en faut de nos jours à un livre capital d'Allemagne pour passer le Rhin. L'histoire du Moyen Age ne sera complète que lorsqu'on aura fait la statistique des ouvrages arabes que lisaient les docteurs des XIIIe et XIVe siècles. » S'étonnera-t-on qu'on découvre des sources musulmanes de la Divine Comédie ; qu'à Dante, les Arabes apparaissent comme de grands modèles à imiter[3] ou qu'il existe, à saint Jean de la Croix, de singuliers précurseurs musulmans dont l'un, Ibn Abbad, le poète de Ronda, avait développé, bien avant lui, le thème de la « Nuit obscure »[4] ?

Dès l'époque des croisades, un renversement est en voie de s'accomplir. Le Chrétien s'est emparé de la mer. A lui désormais les supériorités et les richesses que signifie la maîtrise des routes et des trafics. Alfred Hettner a bien vu ces alternances, mais il a manifestement tort d'affirmer qu'aux XVIe, XVIIe et XVIIIe siècles[5], les contacts entre Occident et Orient se réduisent. Bien au contraire. « Du milieu du XVIIe à la fin du XVIIIe siècle, les relations de voyage européennes se multiplient dans toutes les langues de l'Europe. » C'est que le séjour de l'Orient « s'est ouvert aux ambassades permanentes, aux consuls, aux colonies de commerçants, aux missions d'enquête économique, aux missions scientifiques, aux missions catholiques..., aux aventuriers qui entrent au service du Grand Turc »[6]. Il y eut alors invasion de l'Orient par l'Occident : une invasion qui portait avec elle les éléments d'une domination.

Mais revenons à l'Occident du XVIe siècle : à cette époque, il surclasse l'Orient et le laisse à la traîne. Aucun doute à ce sujet, malgré les plaidoiries de Fernand Grenard. Le constater, ce n'est d'ailleurs point porter, sur les civilisations en présence, tel ou tel jugement de valeur ; mais constater qu'au XVIe siècle l'alternance joue en faveur de l'Occident dont la civilisation, plus vigoureuse, tient sous sa dépendance celle de l'Islam.

A lui seul le mouvement des hommes l'indiquerait. Ils passent en rangs serrés de la Chrétienté à l'Islam. Celui-ci les attire, par ses perspectives d'aventures et de profit ; il les attire — et il les paie. Le Grand Turc a besoin d'artisans, de tisserands, de spécialistes des constructions navales, de marins qualifiés, de fondeurs d'artillerie, de ces ouvriers en « quincaillerie » (entendez en métaux), qui sont la force principale d'un État : « les Turcs et plusieurs autres peuples

---

1. Louis GILLET, *Le Dante*, 1941, p. 80.
2. Cité par Louis GILLET, *ibid.*, p. 94.
3. Fernand GRENARD, *Grandeur et décadence de l'Asie*, p. 34.
4. Louis GILLET, *in : Revue des Deux Mondes*, 1942, p. 241.
5. *Ibid.*, p. 202.
6. J. SAUVAGET, *Introduction*, p. 44-45.

le savent bien, écrit Montchrestien[1], qui les retiennent quand ils peuvent les attraper ». Une curieuse correspondance d'un marchand juif de Constantinople avec Morat Aga de Tripoli montre le premier à la recherche d'esclaves chrétiens capables de tisser des velours et des damas[2]. Car les captifs jouent aussi leur rôle dans ce ravitaillement en main-d'œuvre.

Est-ce parce qu'elle est trop peuplée, mal ouverte encore à l'aventure d'Outre-Océan que la Chrétienté ne réduit pas ses envois d'hommes vers l'Est ? Souvent le Chrétien, en contact avec les pays d'Islam, est pris par le vertige du reniement. En Afrique, dans les présides, les garnisons espagnoles sont décimées par des épidémies de désertion. A Djerba, en 1560, avant que le fort ne se rendît aux Turcs, nombre d'Espagnols avaient rejoint l'ennemi, « laissant leur foi et leurs compagnons »[3]. Peu après, à La Goulette, on découvrait un complot pour livrer la place aux Infidèles[4]. De Sicile, des barques partaient fréquemment, emportant des cargaisons de candidats à l'apostasie[5]. A Goa, même phénomène chez les Portugais[6]. L'appel est si fort qu'il n'épargne même pas le clergé. Ce « Turc » qui accompagne en France un ambassadeur du Très Chrétien et que l'on conseille aux autorités espagnoles de saisir au passage, est un ancien prêtre hongrois[7]. Le cas ne doit pas être si rare : en 1630, on demandera au Père Joseph de rappeler les Capucins perdus dans le Levant, « de peur qu'ils ne se fassent turcs »[8]. De Corse, de Sardaigne, de Sicile, de Calabre, de Gênes, de Venise, d'Espagne, de tous les points du monde méditerranéen, des renégats sont allés à l'Islam. Dans l'autre sens, rien d'analogue.

Inconsciemment peut-être, le Turc ouvre ses portes et le Chrétien ferme les siennes. L'intolérance chrétienne, fille du nombre, n'appelle pas les hommes : elle les repousse. Et tout ce qu'elle expulse de son domaine — Juifs de 1492, Morisques du XVIᵉ siècle et de 1609-1614 — s'ajoute au contingent des volontaires. Tout part vers l'Islam où il y a places et profits. Le meilleur signe en est le courant d'émigration juive qui, surtout dans la seconde moitié du XVIᵉ siècle, s'établit d'Italie ou des Pays-Bas, en direction du Levant. Courant assez fort pour n'avoir pas échappé aux agents espagnols de Venise, car c'est par cette ville que se font ces migrations curieuses[9].

Par tous ces hommes la Turquie du XVIᵉ siècle complète son éducation occidentale. « Les Turcs, écrivait Philippe de Canaye, en 1573, ont, par les renégats, acquis toutes les supériorités chrétiennes »[10]. Toutes : il exagère. Car à peine le Turc a-t-il acquis l'une d'elles, qu'il en aperçoit une autre, laquelle lui manque encore.

Étrange course, ou étrange guerre, avec de petits ou de grands moyens. Un jour, c'est un médecin que l'on veut acquérir ; une autre fois un bombardier des savantes écoles d'artillerie ; une autre fois un cartographe, ou un peintre[11]. Ou bien de précieux produits : poudre, bois d'if pour la fabrication des arcs,

---

1. *Op. cit.*, p. 51.
2. A. d. S. Florence, Mediceo, 4 279.
3. Paolo Tiepolo, 19 janv. 1563, E. ALBÈRI, *op. cit.*, I, V, p. 18.
4. *Ibid.*
5. Ainsi en 1596, rapport sur Africa, Palerme, 15 sept. 1596, Simancas Eᵒ 1158.
6. J. ATKINSON, *op. cit.*, p. 244.
7. 4 sept. 1569, Simancas Eᵒ 1057, fᵒ 75.
8. E. de VAUMAS, *op. cit.*, p. 121.
9. Francisco de Vera à Philippe II, Venise, 23 nov. 1590, A.N., K 1674.
10. *Op. cit.*, p. 120.
11. Dès le XVᵉ siècle, Pisanello.

qu'on trouve en mer Noire (puisqu'autrefois. Venise allait en chercher pour le revendre en Angleterre[1]) mais qui ne suffit point à la consommation de l'armée turque du XVIᵉ siècle, laquelle en importe d'Allemagne du Sud[2]. En 1570, on accusera Raguse — et à Venise, ô ironie — d'avoir livré aux Turcs de la poudre, des rames et, par surcroît, un chirurgien juif[3] — Raguse qu'on voit souvent elle-même à la recherche de médecins italiens[4]. A la fin du siècle, un des plus importants commerces anglais en Orient portera sur le plomb, l'étain et le cuivre.

Des pièces d'artillerie fondues à Nuremberg ont peut-être été livrées au Turc. Constantinople se ravitaille aussi sur ses zones frontières, par Raguse ou les villes saxonnes de Transylvanie, qu'il s'agisse d'armes, d'hommes ou, comme le signale une lettre d'un prince de Valachie aux gens de Kronstadt, de médecins et de produits pharmaceutiques[5]. Les États Barbaresques lui rendent le même service malgré leur pauvreté et leur réelle « barbarie », ils se trouvent être curieusement — dans le monde musulman s'entend — à la pointe du progrès, du progrès occidental : car, par leur recrutement, par leur position sur la mer du Ponant, bientôt par leurs liaisons avec les Hollandais, ils sont les premiers informés des nouveautés techniques. Ils ont des ouvriers : l'abondante récolte de captifs réalisée chaque été par les corsaires d'Alger, et les Andalous, artisans habiles, certains aptes à fabriquer, tous à manier l'escopette[6]. Est-ce hasard si la refonte de l'armada turque, après 1571, et son équipement à l'occidentale (l'arquebuse se substituant à l'arc, l'artillerie se renforçant considé-rablement à bord des galères) est le fait d'un Napolitain, Euldj Ali, renégat instruit à l'école des corsaires algérois ?

Cependant les emprunts culturels sont des greffes qui ne reprennent pas toujours. En 1548, les Turcs avaient essayé, dans leur campagne contre la Perse, de transformer l'armement des spahis et de les doter de pistolets (*minores sclopetos quorum ex equis usus est*, précise Busbec[7]) ; la tentative sombra dans le ridicule et les spahis, à Lépante et plus tard encore, restèrent armés d'arcs et de flèches[8]. Ce médiocre exemple montre, à lui seul, la difficulté qu'éprouvent les pays turcs à suivre leurs adversaires. Sans les divisions de ces derniers, leurs querelles et leurs trahisons, les Turcs n'auraient pas pu, malgré leur discipline, leur fanatisme et l'excellence de leur cavalerie ou de leurs équipages, tenir contre l'Occident.

Et tous les apports extérieurs[9] n'ont pas suffi à maintenir à flot le monde turc : il menace de sombrer dès le XVIᵉ siècle finissant. La guerre l'avait puis-

1. B. N., Paris, Fr 5599.
2. Richard B. HIEF, « Die Ebenholz-Monopole des 16. Jahrhunderts », *in : Vierteljahrschrift für Sozial-und Wirtschaftsgeschichte*, XVIII, 1925, p. 183 et *sq.*
3. L. VOINOVITCH, *Histoire de Dalmatie*, 1934, p. 30.
4. Les Recteurs à Marino di Bona, consul ragusain à Naples, 8 mars 1593, A. de Raguse, L. P VII, fº 17. Un « lombard » médecin à Galata, N. IORGA, *Ospiti romeni*, p. 39.
5. N. IORGA, *Ospiti romeni*, p. 37, 39, 43.
6. Le fait souvent signalé et même par M. BANDELLO, *op. cit.*, IX, p. 50.
7. *Epist.* III, p. 199.
8. J. W. ZINKEISEN, *op. cit.*, III, p. 173-174.
9. Et les pénétrations européennes catholiques ou protestantes ; G. TONGAS, *op. cit.*, p. 69 ; H. WÄTJEN, *op. cit.*, p. 69 ; le rôle de Venise entre Capucins et Jésuites, E. DE VAUMAS, *op. cit.*, p. 135 ; l'affaire des Lieux Saints en 1625, *ibid.*, p. 199 ; l'histoire mouvementée du patriarche Cyrille Lascaris, K. BIHLMEYER, *op. cit.*, III, p. 181, G. TONGAS, *op. cit.*, p. 130... Même l'Afrique du N. touchée par cette croisade sans guerre, R. CAPOT-REY « La Politique française et le Maghreb méditerranéen 1648-1685 », *in : Revue Africaine*, 1934, pp. 47-61.

samment aidé jusque-là à se procurer les biens nécessaires, hommes, techniques ou produits de cette technique, à se saisir de morceaux de la Chrétienté nourricière, sur terre, sur mer, ou le long de la zone russo-polono-hongroise. Gassot, à l'Arsenal de Constantinople, a vu l'amoncellement de pièces d'artillerie, amenées par des guerres victorieuses plus encore que par d'habiles achats ou par des constructions sur place[1]. La guerre, remise en équilibre de civilisations : ce serait une thèse à soutenir. Or cette guerre, en Méditerranée, à partir de 1574, aboutit à l'impasse et en 1606, sur les champs de bataille de Hongrie, à une position d'équilibre dès lors impossible à dépasser. C'est alors que se manifeste une infériorité qui ne tardera pas à s'aggraver.

Bien des Chrétiens se trompent, il est vrai, sur l'avenir ottoman en ces premières années du XVIIe siècle, fertiles à nouveau en projets de croisade[2]. Mais n'est-ce pas la division de l'Europe et les débuts de la Guerre de Trente Ans qui font illusion sur la force ottomane, et sauvent son vaste Empire ?

3. Une civilisation contre toutes les autres : le destin des Juifs[3]

Les conflits abordés jusqu'ici se limitent, chaque fois, au dialogue de deux civilisations. En face des Juifs, toutes les civilisations sont en cause et en position, chaque fois, de supériorité écrasante. Elles sont la force, la multitude, ils sont presque toujours de minuscules adversaires.

Mais ces adversaires ont d'étranges possibilités : un prince les persécute, un autre les protège ; une économie les trahit, une autre les comble ; une grande civilisation les rejette, une autre les accueille. L'Espagne les chasse en 1492, la Turquie les reçoit, heureuse de jouer peut-être des Juifs contre les Grecs... Il y a aussi les possibilités de pression, d'action oblique : les Juifs portugais en donneront la démonstration cent fois pour une[4]. Ils ont pour eux les complicités que permet l'argent et disposent à Rome d'un ambassadeur d'ordinaire dévoué à leur cause. Rien de plus simple par suite qu'une mise en sommeil des mesures prises contre eux par le gouvernement de Lisbonne, régulièrement ou retirées ou rendues inefficaces. Luis Sarmiento[5] l'explique à Charles Quint, en décembre 1535 : les Juifs convertis, les *conversos*, ont obtenu une bulle pontificale qui leur pardonne leurs fautes passées, voilà qui va gêner l'action gouvernementale, d'autant que ces *conversos* ont avancé de l'argent au roi du Portugal, terrible-

1. Jacques GASSOT, *Le discours du voyage de Venise à Constantinople*, 1550, 2e éd., 1606, p. 11. Dans la fonderie de Péra, 40 ou 50 Allemands « ... font des pièces d'artillerie », 1544, *Itinéraire de J. Maurand d'Antibes à Constantinople*, p.p. Léon DURIEZ, 1901, p. 204.
2. Voir *infra*, p. 4.
3. Pour une bibliographie plus ample que celle que fournissent nos références, se reporter aux livres essentiels d'Attilio MILANO, *Storia degli ebrei in Italia*, Turin, 1963, et de Julio CARO BAROJA, *Los Judios en la España moderna y contemporanea*, Madrid, 3 vol., 1961. Le problème essentiel reste en ce domaine le point de vue qu'adopte l'historien : peut-il rester extérieur, comme Julio Caro Baroja au drame qu'il relate, être purement spectateur? Michelet n'eût pas adopté ce parti-là.
4. Léon POLIAKOV, *Histoire de l'antisémitisme*, II, *De Mahomet aux Marranes*, Paris, 1961, p. 235 et *sq*.
5. Simancas, Guerra Antigua 7, fo 42, Luis Sarmiento à Charles Quint, Evora, 5 décembre 1535.

ment endetté : 500 000 ducats, sans compter le reste en Flandres, « et qui courent sur les changes ». Pourtant le populaire grogne sans fin, contre ces marchands de *peixe seco*, le poisson séché dont se nourrissent les pauvres gens — et il grogne avec beaucoup d'âpreté, *fieramente* dira encore une correspondance vénitienne tardive d'octobre 1604, plus d'un demi-siècle après l'établissement de l'Inquisition portugaise, en 1536[1].

Il y a aussi les armes du plus faible : la résignation, les *distinguo* talmudiques, la ruse, l'obstination, le courage, même l'héroïsme. Pour compliquer encore leur cas comme à plaisir, les Juifs, où qu'ils soient, apparaissent à l'historien comme très capables de s'adapter au milieu ambiant. Ils sont les bons élèves de toute acculturation qui les prend en charge, ou simplement les rencontre. Artistes et écrivains juifs ne sont-ils pas, selon les cas, d'authentiques artistes ou écrivains de Castille, d'Aragon ou d'ailleurs ? Ils s'adaptent non moins vite aux situations sociales qui leur sont imposées ou offertes, les plus humbles comme les plus brillantes. Les voilà donc très vite au bord d'un naufrage culturel, d'un abandon d'eux-mêmes dont nous connaissons des cas multiples. Mais d'ordinaire, ils sauvegardent ce que sociologues et anthropologues appelleraient leur « personnalité de base ». Ils restent au cœur de leurs croyances, au centre d'un univers dont rien ne les déloge. Ces obstinations, ces refus désespérés sont le trait fort de leur destin. Les Chrétiens ont raison de souligner l'obstination des riches marranes (le mot péjoratif désigne les convertis)[2] à judaïser en secret. Il y a bel et bien une civilisation juive, si particulière qu'on ne lui reconnaît pas toujours ce caractère de civilisation authentique. Et pourtant, elle rayonne, transmet, résiste, accepte, refuse ; elle a tous les traits que nous avons signalés à propos des civilisations. Il est vrai qu'elle n'est pas enracinée, ou plutôt qu'elle l'est mal, qu'elle échappe à des impératifs géographiques stables, donnés une fois pour toutes. C'est sa plus forte originalité, non la seule.

Sûrement une civilisation

Son corps est dispersé, éparpillé comme autant de fines gouttelettes d'huile sur les eaux profondes des autres civilisations et jamais confondues, ce qui s'appelle confondues, avec elles, cependant toujours dépendantes de celles-ci. De sorte que leurs mouvements sont aussi les mouvements des autres, par suite des « indicateurs » d'une exceptionnelle sensibilité. Émile-Félix Gautier, cherchant à la *diaspora* juive un équivalent, proposait l'exemple, humble en soi, des Mozabites d'Afrique du Nord, dispersés en colonies très fines, elles aussi[3]. On pourrait songer pareillement aux Arméniens, paysans montagnards et

---

1. A. d. S. Venise, Senato Dispacci Spagna, Contarini au Doge, Valladolid, 4 octobre 1604. Simancas, E⁰ Portugal 436 (1608-1614) « *Licenças a varios judeus e cristãos novos de Portugal para sairem do reino* ». Preuve qu'il y a des façons de s'accommoder, encore à cette époque, avec les autorités portugaises. La concession de sortie pour les nouveaux chrétiens est de 1601, le retrait de la concession de 1610, J. LUCIO DE AZEVEDO, *Historia dos christãos novos portugueses*, 1922, p. 498.
2. Sur le mot, voir I. S. REVAH, « Les Marranes », *in : Revue des Études Juives*, 3ᵉ série, t. I, 1959-1960, pp. 29-77 ; sur l'obstination à judaïser, tout l'ouvrage de J. CARO BAROJA porte témoignage, ou telles pages à propos du cas mineur de Majorque du vieux livre de Francisque MICHEL, *Histoire des races maudites de la France et de l'Espagne*, Paris, 1847, t. II, pp. 33 et *sq.*
3. *Mœurs et coutumes des Musulmans, op. cit.*, p. 212.

qui deviennent, à l'époque de notre Renaissance, des marchands internationaux depuis les Philippines jusqu'à Amsterdam, voire aux Parsis dans les Indes, ou même aux Chrétiens nestoriens d'Asie... L'essentiel ? accepter qu'il y ait, avec une infinité d'îles perdues au milieu d'eaux étrangères, des civilisations de *diaspora* et plus nombreuses qu'on ne le soupçonnerait au premier abord. Ainsi après la conquête musulmane du VIIIe siècle jusqu'aux persécutions des Almohades, au XIIIe, qui mettent à peu près fin à leur existence — les communautés chrétiennes d'Afrique du Nord. De même encore ces colonies européennes d'hier dans les pays du Tiers-Monde, avant l'émancipation de ceux-ci et aujourd'hui encore. Voire les Morisques, héritiers de la civilisation musulmane et dont l'Espagne se débarrasse brutalement, dans un geste de colère froide, comme nous l'avons exposé.

Ces îlots se toucheraient que tout changerait pour eux. Ainsi dans l'Espagne médiévale, jusqu'aux férocités des XIVe et XVe siècles, les communautés juives tendent à former un tissu à peu près continu, une sorte de nation confessionnelle[1], un « millet » comme disent les Turcs, un « mellah » selon le langage d'Afrique du Nord. L'originalité du Portugal, c'est, en 1492, d'avoir reçu une surcharge décisive de population juive avec les réfugiés d'Espagne. L'originalité du Levant est du même ordre et pour des raisons identiques. Ainsi encore dans la Pologne brusquement épanouie de la première modernité, à partir du XVe siècle, il y a une emprise juive accrue, fille du nombre, et presque une nation et un État juifs que vont balayer les difficultés économiques et la répression sans pitié du XVIIe siècle, le *Grand Déluge* des années 1648[2]. Ainsi dans le Brésil naissant et encore peu peuplé, les Juifs sont moins menacés qu'ailleurs jusqu'à la fin du XVIe siècle[3]. Chaque fois, la densité relative du peuplement juif a joué son rôle.

Mais même quand le nombre ne favorise pas, n'exaspère pas la présence juive, ces unités élémentaires sont liées entre elles par l'enseignement, les croyances, d'incessants voyages, ceux des marchands, des rabbins, des mendiants aussi (ils sont légion) ; par l'échange ininterrompu de lettres commerciales, d'amitié ou de famille ; par les livres enfin[4]. L'imprimerie aura servi les querelles, plus encore l'unité juives. Ces livres décisifs, facilement multipliés, qui pourrait les brûler ou les séquestrer tous en une seule fois ? Certaines vies vagabondes, exemplaires, illustrent ces mouvements vifs, unificateurs.

---

1. Léon POLIAKOV, *Histoire de l'antisémitisme*. II, *De Mahomet aux Marranes*, p. 127 et *sq.* : La nation juive en Espagne. Nous avons beaucoup emprunté à ce livre honnête et intelligent.

2. *Ibid.*, I, *Du Christ aux Juifs de Cour*, 1955, p. 266 et *sq.*, particulièrement p. 277 et *sq.*

3. Plinio BARRETO, « Note sur les Juifs au Brésil », *in* : *O Estado de São Paulo*, 31 octobre 1936 ; riche et solide littérature à leur sujet à partir des livres classiques de Gilberto FREYRE, de LUCIO DE AZEVEDO ; le recueil documentaire essentiel reste les trois volumes de la *Primeira Visitação do Santo Officio as Partes do Brasil* pelo Licenciado Heitor FURTADO de MENDOÇA..., deputado do Sto Officio : I. Confissôes da Bahia 1591-92. Introducção de Capistrano de Abreu, São Paulo, 1922 ; *Denunciacôes de Bahia*, 1591-93 São Paulo, 1925 ; *Denunciacôes de Pernambuco*, 1593-95. Introducção de Rodolpho Garcia, São Paulo, 1929. Sur le Portugal, Léon POLIAKOV, *op. cit.*, *De Mahomet aux Marranes*, p. 235 et *sq.*

4. Léon POLIAKOV, *Du Christ aux Juifs de Cour*, p. VI-XII ; *De Mahomet aux Marranes*, p. 139 ; Joseph HA COHEN, *Emek Habakha ou la Vallée des Pleurs* ; *Chronique des souffrances d'Israël depuis sa dispersion*, 1575, et à la suite *Continuation de la Vallée des Pleurs*, 1602, p. p. Julien SÉE, Paris, 1881, p. 167. Nous noterons cet ouvrage, à la suite, sous le seul nom de Joseph Ha Cohen.

Jacob Sasportas est né vers le début du XVIIᵉ siècle à Oran que tiennent les Espagnols ; il est rabbin à Tlemcen, puis à Marrakech et à Fez ; emprisonné, il s'échappe, gagne Amsterdam où il est professeur à l'Académie des Pinto ; il retourne en Afrique ; accompagne, en 1655, Menasse ben Israël lors de son ambassade à Londres ; exerce à nouveau le rabbinat, en particulier à Hambourg, de 1666 à 1673 ; il retourne alors à Amsterdam, est appelé à Livourne, revient à Amsterdam, et c'est là qu'il meurt[1]... Ces liens multiples expliquent, renforcent la cohérence du destin juif. Johann Gottfried von Herder, dans ses *Idées sur la Philosophie de l'histoire de l'humanité* (1785-1792), disait déjà que « les Juifs continuent à être en Europe un peuple asiatique, étranger à notre partie du monde, prisonnier indissolublement de la loi antique qui leur fut donnée sous un ciel lointain »[2].

Pourtant, les Juifs ne sont pas une race[3], toutes les études scientifiques prouvent le contraire. Leurs colonies dépendent biologiquement des pays, des peuples où elles vécurent des siècles durant. Juifs d'Allemagne ou *askhenazis*, Juifs d'Espagne ou *séphardites* sont biologiquement des semi-Allemands, des semi-Espagnols, car les mélanges de sang ont été fréquents et les juiveries sont souvent nées de conversions sur place au judaïsme ; jamais elles n'ont vécu fermées au monde qui les cerne et sur lequel, plus d'une fois, elles se sont largement ouvertes. D'ailleurs comment le temps accumulé, sur d'étonnantes épaisseurs parfois, n'aurait-il pas apporté ses confusions et ses mélanges ? Ces Juifs qui, en 1492, quittent pour toujours la Sicile y étaient tout de même depuis plus de 1 500 années[4].

De plus les Juifs n'ont pas toujours vécu à part, porté des habits particuliers, ou des signes distinctifs, comme le béret jaune, ou la rouelle, ce *segno de tela zala in mezo el pecto*, dit un texte vénitien de 1496[5]. Ils n'ont pas toujours habité un quartier spécial, un *ghetto* (du nom du quartier qui leur fut assigné à Venise et où jadis on *jetait*, versait dans ses moules le fer en fusion des canons)[6]. Ainsi, en août 1540, les Juifs de Naples, en butte à une hostilité opiniâtre et qui aura raison d'eux un an plus tard, protestent encore contre les ordres donnés et qui les obligeraient « à habiter ensemble et à porter un signe particulier », *habitar juntos y traer señal*, ce qui est contraire à leurs privilèges[7]. Et d'ailleurs, là où la règle de ségrégation joue, que d'incartades et de désobéissances ! A Venise, les Juifs de passage et les autres, dit une délibération sénatoriale de mars 1556, « vont depuis peu se répandant dans tout le territoire de la ville, s'installent dans des maisons chrétiennes, allant où bon leur semble, de jour et de nuit ». Que le scandale cesse, qu'ils soient contraints à habiter le *ghetto* « et ne puissent tenir d'auberge en aucun lieu de la ville sauf celui-là »[8]. Vers la même époque, les Juifs en provenance de Turquie arrivent en Italie avec des turbans blancs, privilège des Turcs, alors que les leurs devraient être

1. Hermann KELLENBENZ, *Sephardim an der unteren Elbe. Ihre wirtschaftliche und politische Bedeutung vom Ende des 16. bis zum Beginn des 18. Jahrh.*, 1958, p. 45.
2. Cité par J. LUCIO DE AZEVEDO, *op. cit.*, p. 52.
3. Léon POLIAKOV, *op. cit.*, I, p. 307 et *sq.*
4. A. MILANO, *op. cit.*, p. 221.
5. A. d. S. Venise, Senato Terra 12, fᵒˢ 135 et 135 vᵒ, 26 mars 1496. Cf. M. SANUDO, *op. cit.*, I, col. 81, 26 mars 1496.
6. Giuseppe TASSINI, *Curiosità veneziane*, Venise, 1887, p. 319.
7. Simancas, Eᵒ Napoles 1031, fᵒ 155, Naples, 25 août 1540. Nombreuses références relatives aux Juifs dans ce *legajo*.
8. A. d. S. Venise, Senato Terra 31, 29 mars 1556.

jaunes. C'est rouerie de leur part, assure Belon du Mans[1], ils usurpent la bonne
foi des Turcs qui est mieux établie en Occident que celle des Juifs. En 1566,
mais ce n'est pas la première alerte, les Juifs de Milan sont contraints à porter
le chapeau jaune[2].

Souvent la ségrégation tarde et s'établit mal. A Vérone, en 1599 (on en parle
au moins depuis 1593), les Juifs qui « vivaient disséminés, l'un ici, l'autre là »,
doivent fixer leur résidence « dans le voisinage de la grande place de la ville »[3],
là « où l'on vend le vin », au long de cette rue qui va jusqu'à l'église S. Sebastiano, vulgairement appelée par la suite *via delli Hebrei*[4]. En 1602 seulement,
une mesure analogue intervenait à Padoue où jusque-là les « Israélites vivaient
la plupart disséminés aux quatre coins de la ville »[5]. En août 1602, à Mantoue,
des incidents surgissent du fait que les Juifs s'y promènent comme tout un
chacun, avec des bérets noirs[6].

En Espagne et au Portugal, des siècles durant, la coexistence a été la règle.
Au Portugal, une des réclamations populaires les plus fréquentes concerne
l'obligation faite par le Pape aux Juifs — qui ne l'observent pas — de porter
des marques distinctives sur leurs vêtements, pour empêcher, disent même
les Cortès de 1481, les tentatives de séduction dont les Juifs sont coutumiers
à l'égard des femmes chrétiennes. Tailleurs et cordonniers juifs séduisent souvent femmes et filles dans les maisons de laboureurs où ils vont travailler[7]...
En fait, au Portugal, les Juifs se sont mêlés à l'aristocratie, plus encore qu'au
peuple. En Turquie, les Juifs ont des esclaves, chrétiens et chrétiennes, et
« se servent des femmes chrétiennes esclaves, ne faisans autre difficulté de se
mesler avec elles, ne plus ne moins que si elles estoient juifves »[8]. Non, quels
que soient les interdits, ce n'est pas le sang, puissance erronée, qui maintient
les communautés juives, mais l'hostilité des autres à leur endroit et leur propre
répugnance à l'endroit de ceux-ci. Tout cela affaire de religion, conséquence
d'un faisceau serré de croyances et d'habitudes, d'héritages divers, voire
d'habitudes culinaires. Parlant des Juifs reniés, « ils ne perdirent jamais leur
manière de manger à la juive, explique Bernaldez, l'historien des Rois Catholiques[9], préparant leurs plats de viande avec oignons et aulx et les faisant
revenir dans l'huile, dont ils se servaient à la place du lard ». On croirait lire
une description de la cuisine espagnole actuelle... Mais la cuisine au lard,
c'était l'habitude des Vieux Chrétiens et comme le dit Salvador de Madariaga,
le triomphe de l'huile, par la suite, a été un héritage juif, un transfert culturel[10]...
Le converti, le *marrane*, se trahissait non moins quand, le samedi, il oubliait
sciemment d'allumer du feu dans sa maison. Un inquisiteur dit un jour au
gouverneur de Séville : « Seigneur, si tu veux savoir comment les *conversos*
fêtent le sabbat, monte avec moi sur la tour ». Et quand ils y parviennent :
« Lève les yeux, et regarde toutes ces maisons habitées par des *conversos* ;
si froid qu'il fasse, tu ne verras jamais, le samedi, la fumée sortir de leurs

---

1. *Op. cit.*, p. 181.
2. Septembre 1566, Joseph HA COHEN, *op. cit.*, p. 158.
3. *Ibid.*, p. 207.
4. Lodovico MOSCARDO, *op. cit.*, p. 441, ce projet de ghetto remonterait à 1593.
5. Joseph HA COHEN, *op. cit.*, pp. 215-216.
6. Museo Correr, Cicogna 1993, f° 261, 16 août 1602.
7. J. LUCIO DE AZEVEDO, *op. cit.*, p. 10.
8. BELON DU MANS, *op. cit.*, p. 180, 193 v°.
9. Cité par Léon POLIAKOV, *op. cit.*, II, p. 180.
10. *Ibid.*, d'après S. de MADARIAGA, *Spain and the Jews*, 1946.

cheminées »[1]. Cette histoire rapportée par Ibn Verga (aux environs de 1500) a un accent de vérité et ces coups de froid à Séville, l'hiver, ne sont que trop réels... Petits signes révélateurs : dans le Levant, les Juifs « ne mangeront jamais de la chair qu'un Turc, Grec ou Frank ait apprestée et ne veulent rien manger de gras ne des Chrestiens, ne des Turcs ; ne boivent de vin que vende le Turc ou le Chrestien »[2].

Mais bien entendu, toutes les communautés juives sont condamnées au dialogue, parfois dans des conditions dramatiques quand, autour d'elles, change le paysage entier de la civilisation dominante. Les Musulmans en Espagne se substituent aux Chrétiens, puis ceux-ci reviennent avec les triomphes tardifs de la Reconquête. Les Juifs arabophones se mettent à pratiquer l'espagnol. Même tragédie en Hongrie où, avec la poussée impériale de 1593 à 1606, les Juifs de Bude sont pris entre deux craintes, celle des Impériaux, celle des Turcs[3]... Toutes ces circonstances font d'eux les héritiers involontaires de civilisations ambiantes dont ils propagent ensuite les biens dans un sens ou dans l'autre. Sans le vouloir, vis-à-vis de l'Occident, ils ont été, jusqu'au XIIIe siècle et même au delà, les intermédiaires de la pensée et de la science arabes, philosophes, mathématiciens, médecins, cosmographes. Au XVe siècle, les voilà prompts à s'enthousiasmer pour l'imprimerie : au Portugal, le premier livre imprimé est le Pentateuque, en 1487, à Faro, par les soins de Samuel Gacon. Ce n'est qu'une dizaine d'années plus tard qu'apparaissent au Portugal les imprimeurs allemands[4]. Si l'on songe que l'imprimerie, apportée par les Allemands en Espagne, n'y est pas antérieure à 1475, on mesure cette hâte juive à imprimer les textes sacrés. Or, chassés d'Espagne en 1492, les Juifs porteront l'imprimerie en Turquie. Vers 1550, ils ont « traduit toutes sortes de livres en leur langage hébraïque »[5]. Fonder une imprimerie, c'est œuvre pie, ce que fait, dans les campagnes de Koregismi, près d'Istanbul, la veuve de Jean Micas, duc de Naxos[6].

En 1573, Venise s'apprête, selon sa décision du 14 décembre 1571[7], à chasser ses Juifs. Mais la roue a tourné depuis Lépante et Soranzo arrive sur ces entrefaites de Constantinople où il remplissait les fonctions de baile. Écoutez le discours que lui prête un chroniqueur juif[8], devant le Conseil des Dix : « Quelle action pernicieuse avez-vous commise là d'avoir chassé les Juifs! Ne savez-vous pas ce que plus tard il peut vous en coûter ? Qui a rendu le Turc si fort et où aurait-il trouvé de si habiles artisans pour la fabrication des canons, des arcs, des boulets, des épées, des boucliers et des targes, qui lui permettent de se mesurer avec les autres peuples, si ce n'est parmi les Juifs que les Rois d'Espagne avaient chassés ! ». Vers 1550, une description française de Constantinople[9]

1. *Ibid.*, p. 191. IBN VERGA, *Le fouet de Juda*, cité par L. POLIAKOV, *op. cit.*, t. II, p. 64, d'après la traduction allemande due à Wiener, Hanovre, 1856.
2. BELON DU MANS, *op. cit.*, p. 181.
3. *Ibid.*, p. 209-210.
4. J. LUCIO DE AZEVEDO, *op. cit.*, p. 36.
5. BELON DU MANS, *op. cit.*, p. 180 v°.
6. J. HA COHEN, *op. cit.*, p. 251, d'après E. CARMOLY, *Archives israélites de France*, 1857.
7. A. MILANO, *op. cit.*, p. 180 et sq.
8. Le continuateur de J. HA COHEN, *op. cit.*, p. 181.
9. B. N., Paris, Fr. 6121 (s. d.). Voir également L. POLIAKOV, *op. cit.*, II, p. 247, références au voyage de G. d'Aramon et de Nicolas de Nicolay.

le dit déjà : « lesquels (marranes) sont ceulx qui ont donné à cognoistre auxdicts turqz les manières tant de traffiquer que de négocier es affaires de quoy nous usons mécaniquement »...

Autre privilège : les Juifs sont, en Orient, les interprètes nés de toute conversation et sans eux rien ne serait possible ou facile. Belon du Mans[1] l'explique : « ceux qui se partirent d'Espaigne, d'Alemaigne, Hongrie et Boesme ont apprins le langage (de ces pays) à leurs enfants : et leurs enfants ont apprins la langue de la nation où ilz ont à converser, comme Grec, Esclavon, Turc, Arabe, Arménien et Italien »... « Les Juifs qui sont en Turquie sçavent ordinairement parler quatre ou cinq sortes de langage : et y en a plusieurs qui en sçavent dix ou douze ». Cette observation lui revient à l'esprit à Rosette, en Égypte, où les Juifs « se sont si bien multipliez partout (*sic*) les pays où domine le Turc qu'il n'y a ville, ne village qu'ilz n'y habitent et aient multiplié. Aussi parlent-ilz toutes langues, chose qui nous a si bien servis non seulement à nous interpréter, mais aussi à nous racompter les choses comme elles estoyent en ce pays là »[2].

Sur le plan linguistique, il est curieux que les Juifs chassés d'Allemagne aux XIVe, XVe et encore au XVIe siècles et qui vont faire la fortune de la Pologne juive y introduisent leur langue, un allemand particulier, le *yiddisch*[3], de même que les Juifs espagnols qui, après 1492, formeront les fortes colonies d'Istanbul et surtout de Salonique, y apporteront leur langue, le *ladino*, l'espagnol de la Renaissance, et ils garderont une vraie tendresse à l'égard de l'Espagne dont les manifestations abondent[4] (preuve que l'on emporte quelquefois sa patrie à la semelle de ses souliers). Petits détails à côté de ces immenses réalités : un hispaniste retrouve aujourd'hui les airs et les mots de romances médiévales espagnoles, auprès des Juifs du Maroc[5] ; un historien nous apprend aussi la lenteur avec laquelle les Séphardites de Hambourg s'adaptent (et mal) à la langue allemande[6]. Fidélité aussi, celles de ces communautés juives de Salonique, intitulées *Messina, Sicilia, Puglia, Calabria*[7].

Ces fidélités ne vont pas sans inconvénients : elles créent des catégories. Des nations juives se dessinent et, à l'occasion, se querellent. Ainsi Venise a créé, l'un à côté de l'autre, de 1516 à 1633, trois *ghettos*, le *vecchio*, le *nuovo*, le *nuovissimo*, îlots joints de très hautes maisons (jusqu'à sept étages) car l'espace y manque et l'occupation humaine y est la plus dense de la ville. Le *vecchio*, celui des Juifs *levantini*, est sous le contrôle des *Cinque Savii alla Mercanzia*, depuis 1541 ; le *nuovo*, sous le contrôle des *Cattaveri*, abrite les Juifs allemands, les *Todeschi* qui, ne pouvant y loger tous, passent en partie dans le vieux ghetto. Ces *Todeschi*, acceptés à l'époque de la Ligue de Cambrai, sont les Juifs pauvres s'occupant de friperie et de prêts sur gages, c'est à eux que sera confié le Mont de Piété de Venise — *li banchi della povertà*. Cependant, les Juifs spécialistes du grand commerce, portugais et levantins, tour à tour détestés ou choyés par la Seigneurie, obtiennent un statut à part, sans doute

---

1. *Op. cit.*, p. 180 vo, p. 118.
2. *Ibid.*, p. 100 vo.
3. L. POLIAKOV, *op. cit.*, I, p. 270-271.
4. *Ibid.*, p. 249 et 250 ; *La Méditerranée*, 1re édition, p. 707-708.
5. Paul BENICHOU, *Romances judeo-españoles de Marruecos*, Buenos Aires, 1946.
6. H. KELLENBENZ, *op. cit.*, p. 35 et *sq*.
7. A. MILANO, *op. cit.*, p. 235.

à partir de 1581[1]. Mais, en 1633, tous les Juifs, y compris les *Ponentini*, sont réunis dans les mêmes ghettos. D'où des querelles sociales, religieuses, culturelles dans ce faux petit monde concentrationnaire.

Ces traits n'empêchent pas qu'il n'y ait, avec ses vivacités et ses remous, une civilisation juive, et certes pas inerte ou « fossile », comme le soutient Arnold Toynbee[2]. Vigilante, agressive, au contraire, parfois en proie à d'étranges messianismes, particulièrement en cette première modernité où elle est partagée entre un rationalisme qui débouche, pour quelques-uns, sur le scepticisme et l'athéisme, bien avant Spinoza, et une propension des masses à la superstition et à l'exaltation gratuites. Toute persécution entraîne, par choc en retour, des mouvements messianiques, ainsi au temps de Charles Quint, de 1525 à 1531, ces pseudo-messies, David Rubeni et Diogo Pires, qui soulèvent les Juifs portugais[3] ; ainsi au XVIIᵉ siècle, l'immense marée que provoquera la propagande messianique de Sabbataï Zevi[4] en Orient, en Pologne et même au delà.

Mais ces crises aiguës mises à part, il serait erroné de supposer que l'attitude juive ait été d'ordinaire paisible ou tolérante. Elle s'est montrée active, prompte au prosélytisme et au combat. Le ghetto n'est pas seulement le symbole de la prison où l'on a enfermé les Juifs, mais de la citadelle où ils se sont retirés d'eux-mêmes pour défendre leurs croyances et la continuité du Talmud. Un historien aussi sympathique aux Juifs que le grand Lucio de Azevedo peut soutenir que l'intolérance juive, au seuil du XVIᵉ siècle, a été « plus grande certainement que celle des Chrétiens »[5], ce qui est sans doute trop dire. Mais enfin cette intolérance est évidente. Le bruit courut même — absurde en soi, mais il courut vers 1532 — que les Juifs avaient tenté de convertir Charles Quint à la foi mosaïque, lors de son passage à Mantoue[6] !

Ubiquité des communautés juives

Ne le voudraient-ils pas, que les Juifs seraient obligatoirement condamnés à être de grands artisans des échanges. Ils sont, ou ont été partout ; chassés, ils ne quittent pas forcément les lieux interdits, ils y reviennent. Ils seraient absents, officiellement, d'Angleterre de 1290 à 1655, date de leur pseudo-réadmission au temps de Cromwell ; en fait, Londres a ses marchands juifs dès le début du XVIIᵉ siècle, peut-être plus tôt. De même la France s'en débarrasse une fois pour toutes, en 1394, mais ils sont très tôt à nouveau (marranes, il est vrai, et apparemment chrétiens) à Rouen, à Nantes, à Bordeaux, à Bayonne, ces étapes habituelles pour les marranes du Portugal gagnant Anvers et Amsterdam. Henri II, « roi de France, permit aux marchands juifs de Mantoue de se rendre dans les villes de son royaume, de faire du commerce dans le pays. Il les affranchit également de leurs taxes et lorsqu'ils allèrent lui présenter leurs hommages et leurs remerciements, il se montra bienveillant

1. Cecil Roth, *in* : *Mélanges Luzzatto*, pp. 237 et *sq.* ; et à titre d'échantillon, A. d. S. Venise, Cinque Savii 7, fos 33-34, 15 décembre 1609. Sur les trois ghettos et l'origine évidemment discutable du mot, arguments et détails dans G. Tassini, *op. cit.*, pp. 319-320 ; tout n'est pas clair au sujet de la répartition des trois communautés juives dans les trois ghettos, même après la lecture d'A. Milano, *op. cit.*, p. 281.
2. Arnold Y. Toynbee, *L'Histoire, un essai d'interprétation*, Paris, 1951, pp. 30-153, 398, 428.
3. J. Lucio de Azevedo, *op. cit.*, p. 68-73.
4. L. Poliakov, *op. cit.*, II, p. 262 et *sq.*
5. *Op. cit.*, p. 39.
6. F. Amadei, *Cronaca universale della città di Mantoa*, II, p. 548.

envers eux, cette année-là »[1], sans doute en 1547. Plus curieux, sinon plus important, le bruit qui court au printemps 1597 à Paris, et peut-être à Nantes où le recueille le service des renseignements espagnol : le roi de France songerait à « faire revenir les Juifs que le Très Chrétien Roi saint Louis avait chassés »[2]. Le bruit se répète, quatre ans plus tard, en 1601. « Un Juif principal (du Portugal), explique à Henri IV l'ambassadeur Philippe Canaye, m'a dit que si Votre Majesté voulait permettre à la nation d'habiter la France, elle en tirerait de la commodité et peuplerait son royaume de plus de 50 000 familles de gens avisés et industrieux »[3]. Vers 1610, parmi les Morisques qui entrent en France où ils ne feront d'ordinaire que transiter, des Juifs notamment et des marranes portugais se sont mêlés aux exilés et « se seraient installés sous le masque chrétien en France, et particulièrement en Auvergne »[4].

Dans le Midi de la France, les Juifs ont été peu nombreux. Vers 1568-1570, ils étaient chassés des villes de Provence et se réfugiaient à l'amiable en Savoie[5]. A Marseille où la politique de la ville a été variable, ils sont seulement quelques-uns au début du XVIIe siècle[6]. Des Juifs chassés d'Espagne, en 1492, s'installèrent dans le Languedoc, y restèrent et « accoutumèrent (les Français) à trafiquer en Barbarie »[7]. Sous le masque de Nouveaux Chrétiens, ils sont apothicaires et médecins à Montpellier ; Félix Platter loge chez l'un d'eux. A Avignon, à la fin du siècle, abrités par le Pape, ils sont 500, mais n'ayant le droit « d'acheter ni maison, ni jardin, ni champ, ni pré dans ou hors la ville », réduits au métier de fripiers ou de tailleurs[8]...

Bien entendu, l'Allemagne et l'Italie sont trop diverses pour qu'ils puissent y être chassés de partout à la fois en même temps, et Dieu sait pourtant qu'ils furent débusqués dix fois pour une. Une ville leur ferme ses portes, une autre leur ouvre les siennes. Quand Milan, en 1597, après bien des hésitations, se débarrasse de ses « Hébreux », d'ailleurs peu nombreux, ceux-ci, dans la mesure où nous sommes renseignés à leur sujet, gagnent Verceil, Mantoue, Modène, Vérone, Padoue « et les localités environnantes »[9]. Ce sont là souvent comédies de porte à porte (même quand elles tournent mal). Comédie à Gênes où, chassés solennellement en 1516, les Juifs rentrent en 1517[10]. Comédie à Venise, à Raguse, puisque tout s'y arrange : en mai 1515, la petite ville enflammée par un moine franciscain chasse ses Juifs ; ceux-ci aussitôt, en Pouille et en Morée, font le blocus des grains contre la République de saint Blaise (preuve qu'ils sont les maîtres de ce ravitaillement) et celle-ci doit les accueillir à nouveau ; en 1545, à peine songe-t-on à les expulser que le Sultan rappelle les Ragusains à l'ordre[11]...

---

1. Joseph HA COHEN, *op. cit.*, p. 127.
2. A. N., K 1600, 4 avril 1597, Relacion de algunas nuebas generales que se entienden de Nantes de Paris y otras partes desde 4 de abril 97 : « ... *quiere hazer benir los judios que hecho el cristianissimo Rey St Luis...* »
3. Cité par L. POLIAKOV, *op. cit.*, II, p. 368, Lettres et ambassades de Messire Philippe Champagne, 1635, p. 62.
4. Cité par L. POLIAKOV, *op. cit.*, II, p. 367-8, d'après Francisque MICHEL, *Histoire des races maudites de la France et de l'Espagne*, 1847, p. 71 et 94.
5. J. HA COHEN, *op. cit.*, p. 160.
6. H. KELLENBENZ, *op. cit.*, p. 135.
7. Jean BODIN, *Response...*, *op. cit.*, éd. H. Hauser, p. 14.
8. Thomas et Felix PLATTER, *op. cit.*, p. 252, p. 391.
9. J. HA COHEN, *op. cit.*, p. 200.
10. *Ibid.*, p. 112-113.
11. S. RAZZI, *op. cit.*, p. 118-119 (1516); p. 159 (1545). Voir aussi l'intervention de Soliman le Magnifique contre les persécutions des Juifs et des marranes d'Ancône, A. MILANO, *op. cit.*, p. 253 ; C. ROTH, *The House of Nasi, Doña Gracia*, Philadelphie, 1947, p. 135-174.

En 1550, c'est Venise qui voudrait chasser les siens, mais elle s'aperçoit qu'ils contrôlent et cernent son commerce : laine, soie, sucre, épices — et que les Vénitiens eux-mêmes se contentent souvent de revendre leurs marchandises, *guadagnando le nostre solite provizioni*, en y gagnant seulement les commissions habituelles[1]. En fait, l'Italie s'est remplie d'une grande quantité de Juifs avec les expulsions successives de France, d'Espagne et de Portugal, principalement dans l'État du Saint Siège où ils se sont réfugiés de préférence. A Ancône, une étonnante fortune a commencé pour eux : avant les persécutions violentes de Paul IV en 1555 et 1556, ils sont 1 770 chefs de famille, qui achètent comme ils veulent des biens immobiliers, des maisons, des vignes, « ne portant aucun signe qui puisse les distinguer des Chrétiens »[2]. En 1492, l'expulsion des Juifs de Sicile a porté sur plus de 40 000 personnes[3], nous dit-on, en énorme majorité de modestes artisans dont l'île supportera mal le départ. A Naples, au contraire, qui ne sera que dix ans plus tard sous le contrôle du Roi Catholique, des Juifs peu nombreux, mais riches et actifs comme les Abravanel, se maintiendront jusqu'en 1541[4]...

Il serait incongru de comparer ces Juifs chassés aux troupes alertes des bandits, mais enfin Hébreux et hors-la-loi profitent des facilités d'une carte politique compliquée, en Allemagne comme en Italie. D'ailleurs près de l'Allemagne, il y a les commodités de la Pologne que gagnent des chariots où les fugitifs, le cas échéant, s'entassent avec leurs hardes ; et près de l'Italie, les commodités de la mer et du Levant. Les Vénitiens, en 1571, parlent d'expulser leurs Juifs, certains sont déjà à bord de navires en partance quand l'ordre est révoqué[5]. Ces départs par mer ne vont pas bien sûr sans danger : prendre les bagages, vendre les personnes, la tentation est grande pour le maître du navire. En 1540, un capitaine de vaisseau ragusain pille ses passagers, des Juifs qui fuient Naples, et les abandonne à Marseille où le roi de France, François Ier, a pitié d'eux et les renvoie sur ses propres vaisseaux dans le Levant[6]. En 1558, des Juifs fugitifs de Pesaro[7] gagnent Raguse, puis font voile vers le Levant : l'équipage, peut-être ragusain, s'empare d'eux et les vend dans les Pouilles comme esclaves. En 1583, des matelots, grecs cette fois, massacrent 52 de leurs 53 passagers juifs[8].

Toujours en quête de villes « où leurs pieds pourraient trouver du repos »[9], les Juifs sont finalement et forcément partout. En voici, en 1514, à Chypre où les recteurs reçoivent de la Seigneurie de Venise l'ordre de n'autoriser aucun de ces Juifs à porter le béret noir au lieu et place du béret jaune[10]. Voici, à Istanbul, douze Juifs candiotes en mauvaise posture, occasion d'apprendre

1. W. Sombart, *Die Juden und das Wirtschaftsleben*, 1922, p. 20. D'après le document p. p. David Kauffmann, « Die Vertreibung der Marranen aus Venedig im Jahre 1550 », in : *The Jewish Quarterly Review*, 1901. Sur cet ordre d'expulsion des Marranes, Marciana, 2991 C. VII. 4, fo 110 vo et 111 ; Museo Correr, Donà delle Rose, 46, fo 155, 8 juil. 1550.
2. Marciana, 6085, fo 32 vo et sq. : récit des persécutions de 1555 et 1556. Cf. également A. Milano, *op. cit.*, p. 247-253.
3. L. Bianchini, *op. cit.*, I, p. 41. Mais non pas 160 000, A. Milano, *op. cit.*, p. 222.
4. A. Milano, *op. cit.*, p. 233.
5. J. Ha Cohen, *op. cit.*, p. 180.
6. *Ibid.*, p. 121.
7. *Ibid.*, p. 143.
8. A. Hananel et E. Eskenazi, *Fontes hebraici ad res œconomicas socialesque terrarum balcanicarum saeculo XVI pertinentes*, Sofia, 1958, I. p. 71.
9. L'expression prise à Joseph Ha Cohen est banale.
10. Museo Correr, Donà delle Rose, 46, fo 55, 5 juin 1514.

que dans leur île, « ils sont plus de 500 »[1]. Dans une autre île vénitienne, à Corfou, en 1588, ils sont 400, *sparsi per la città con le lor case conggionte con quelle di Christiani*, éparpillés dans la ville et leurs maisons mêlées à celles des Chrétiens : il serait bon, dit notre document, de les séparer les uns des autres, pour la satisfaction de chacun[2]. En fait, les Juifs corfiotes jouiront toujours d'avantages évidents auprès des autorités vénitiennes[3].

Si nous voulions marquer la dispersion juive à l'échelle de la plus Grande Méditerranée et du monde, nous les retrouverions sans difficulté à Goa, à Aden, en Perse, « soubs le baston à l'ombre duquel ils passent leur misérable vie dans tout le Levant », mais cette remarque est de 1660[4], la roue a tourné et tournera encore. En 1693, en effet, un document français nous montre des Juifs portugais et italiens qui se sont établis dans le Levant « depuis 40 ans » et se sont glissés sous la protection des consuls de France à « Smirne ». Ils s'étaient glissés également à Marseille, ou « insensiblement ils s'estoient mis en possession d'une grosse partie du commerce du Levant, ce qui obligea feu M. de Seignelay de les faire chasser de Marseille par une ordonnance du Roi »[5]. Mais l'affaire est reprise par eux à l'autre bout des trafics, dans le Levant même. Des Juifs sont à Madère et si nombreux dans l'île de São Tome que (ce sont évidemment de nouveaux chrétiens) ils y judaïsent « ouvertement »[6] ; en Amérique, ils sont les premiers arrivés et les premiers martyrs, dès 1515, à Cuba, de l'Inquisition espagnole[7] qui ne s'en tiendra pas là ; en 1543, Philippe, alors régent des royaumes d'Espagne, les avait chassés — geste tout théorique — des Indes de Castille[8]... Les Juifs sont nombreux aussi en Afrique du Nord et jusqu'au Sahara.

Judaïsme et capitalisme

Le Juif, paysan jadis comme l'Arménien, s'est détourné depuis des siècles et des siècles du travail de la terre. Partout il est financier, munitionnaire, marchand, usurier, prêteur sur gages, médecin, artisan, tailleur, tisserand, voire forgeron... Très pauvre parfois ; médiocre prêteur sur gages à l'occasion. Très pauvres assurément ces Juives, vendeuses à la toilette, offrant sur les marchés de Turquie des mouchoirs, des serviettes, des pavillons de lit[9], ou tous ces Juifs, par monts et par vaux, dont les décisions rabbiniques nous disent dans les Balkans les querelles et les occupations, modestes le plus souvent[10]. Les prêteurs sur gages, même les plus humbles, sont presque une bour-

---

1. Museo Correr, Donà delle Rose 21, fᵒ 1, Constantinople, 5 mars 1561. Voir également sur le ghetto, la « zudeca » de Candie, A. d. S. Venise, Capi del Consᵒ dei X, Lettere, Bᵃ 285, fᵒ 74, Candie, 7 mai 1554.
2. Museo Correr, Donà delle Rose, 21, 1588.
3. A. MILANO, *op. cit.*, pp. 236, 281, 283...
4. *État de la Perse en 1660*, par le P. Raphaël du Mans, p.p. Ch. SCHEFER, Paris, 1890, p. 46.
5. A. N., A. E., B III 235, 1693.
6. A Madère, encore en 1682, Abbé PRÉVOST, *op. cit.*, III, p. 172 ; Lisbonne, 14 février 1632 : « ... l'île (de São Tome) est tellement infestée de nouveaux chrétiens qu'ils font les pratiques juives presque ouvertement », J. CUVELIER et L. JADIN, *L'ancien Congo d'après les archives romaines, 1518, 1640*, 1954, p. 498.
7. Prologue de Fernando ORTIZ, à Lewis HANKE, *Las Casas...*, p. XXXVI.
8. Jacob van KLAVEREN, *op. cit.*, p. 143.
9. BELON DU MANS, *op. cit.*, p. 182 et 182 vᵒ.
10. A. HANANEL et E. ESKENAZI, *op. cit*, I, 1958 (XVIᵉ siècle) ; II, 1960 (XVIIᵉ siècle).

geoisie dans ces colonies souvent faméliques. En Italie, le nombre de ces prêteurs est élevé et leurs services efficaces dans les campagnes et les petites villes qui les animent. En septembre 1573, le podestà de Capodistria[1] demande qu'un banquier juif soit appelé dans la ville, sinon les habitants, en proie à de continuelles chertés iront, comme ils le font, chez les usuriers de Trieste qui prêtent à 30 et 40 p. 100, ce qui n'arriverait pas avec un prêteur juif sur place ; l'année suivante, en 1574, la *povera communità* de Castelfranco demande à la Seigneurie de Venise, qui le lui accorde le 6 avril, de concéder à *Josef ebreo... di tener banco nella cittadina, col divieto però di poter prestare salvo che sopra beni mobili*, il ne prêtera que sur biens meubles[2]. De même en 1575, la *communità* de Pordenone suppliait à son tour « pour l'avantage de nombreux pauvres » de pouvoir autoriser *un ebreo a tener banco*[3] ; ce qui ne veut pas dire qu'ensuite tout allait pour le mieux entre prêteurs juifs et emprunteurs chrétiens. En 1573, la *communità* de Cividale del Friul[4] avait demandé ainsi « à être libérée de la voracité hébraïque qui ronge sans fin et consume les pauvres de cette ville ». Un *monte di hebrei* est dévalisé à Conegliano, en juillet 1607, par des bandits de grands chemins, des *fuorusciti*. Les *capelletti* de la Seigneurie (nous dirions les *carabinieri*) les prennent en chasse, récupèrent le butin (5 000 ducats entre bijoux et autres gages), tuent quatre des bandits dont ils portent les têtes à Trévise, y conduisant deux prisonniers vivants[5].

Mais à côté de ces prêteurs à la petite semaine et de ces usuriers, il y a, souvent expulsés, puis rappelés, toujours sollicités, de gros marchands juifs. On les aperçoit à Lisbonne, malgré leurs masques de nouveaux chrétiens, ou, s'ils sont riches, de parfaits chrétiens, les Ximenes, les Caldeira, les Evora... On voit leur action novatrice, ainsi celle de Michel Rodriguez, ou mieux Rodrigua, juif levantin, inventeur à Venise de l'escale de Spalato[6] ; on devine leur puissance, ainsi celle de Samuel Abravanel et de sa riche famille qui tiennent à bout de bras, des années durant, le sort des Juifs de Naples, prêtant au roi et que nous voyons intéressés au commerce du sucre de Madère et aux foires de Lanciano, au trafic céréalier[7] ; on devine une colossale réussite à travers la carrière sans pareille de la famille portugaise des Mendes et de leur neveu, Juan Minguez dit Jean Miques, le Juan Micas des *avisos* espagnols du Levant[8].

---

1. A. d. S. Venise, Senato Terra, 62, 20 septembre 1573.
2. *Ibid.*, 63, 6 avril 1574.
3. *Ibid.*, 66, 1575.
4. *Ibid.*, 60, 1573.
5. A. d. S. Florence, Mediceo 3087, f° 348, 14 juillet 1607.
6. Voir *supra*, I, 262-263.
7. La *casa* des *Abravaneles* est d'origine espagnole, ses prêts au Roi, Simancas, E° Napoles 1015, f° 101, 6 octobre 1533 ; *ibid.*, f° 33 ; 1018, f° 21, 15 janvier 1534, si l'usure n'est pas faite par les Juifs, elle sera faite par les Chrétiens à un taux triple, « porque el fin de Ytalia como V.M. tiene mejor experimentado y conocido, es ynterese » ; *ibid.*, f° 58, 3 octobre 1534, « à Naples, de 300 à 400 familles juives ; 1017, f° 39, 28 mars 1534, arrestation de Nouveaux Chrétiens à Manfredonia, « que debaxo de ser xpianos han bidido y biben como puros judios » ; 1018, f° 58, 3 octobre 1534 : la ville de Naples demande à conserver les Juifs, sans eux l'année passée les pauvres seraient tous morts de faim ; 1031, f° 155, 25 août 1540, mesures anti-juives ; 1033, f° 70, 19 juin 1541, leur expulsion décidée... A. d. S. Naples, Sommaria Partium, 242, f° 13 v°, 16 avril 1543, Samuel Abravanel fait extraire par son facteur Gabriele Isaac, 120 *carri* de grain de Termoli ; *ibid.*, 120, f° 44, 8 juin 1526, un Simone Abravanel, « Juif habitant Naples », importe du sucre de Madère.
8. L. POLIAKOV, *op. cit.*, II, p. 254 et *sq.*, excellent résumé de cette vie hors série. Le livre de base est celui de Cécil ROTH, *The house of Nasi*, 2 vol., 1947, et *The Duke of Naxos*, 1948.

Marrane, il retourne au judaïsme à Istanbul où il devient une sorte de Fugger, tout puissant presque jusqu'à sa mort (1579), rêvant d'être un « roi des Juifs » et de constituer un État en Terre Sainte (il a relevé les ruines de Tibériade), d'être « roi de Chypre », et se contentant finalement d'être nommé par le Sultan, faute de mieux, duc de Naxos, nom sous lequel il est connu des historiens, volontiers hagiographes, qui se sont occupés de lui.

Mais même cette réussite éclatante dépend d'une situation d'ensemble. Les historiens qui s'occupent de la Turquie du XVIᵉ siècle y signalent (trop tard peut-être) le triomphe des marchands juifs[1]. C'est eux qui bientôt, avec les marchands grecs, afferment les revenus fiscaux et même les revenus des riches propriétaires fonciers et le réseau de leurs affaires s'étend à l'Empire tout entier. Belon du Mans qui les a observés, vers 1550, dit déjà à leur sujet : « Ilz ont tellement embrassé le traffic de la marchandise de Turquie que la richesse et revenu du Turc est entre leurs mains : car ilz mettent le plus hault pris à la recepte du tribut des provinces, affermans les gabelles et le labordage des navires et autres choses de Turquie... » Et, conclut-il, « pource que j'ay souventes fois esté contrainct de me servir des Juifs et de les hanter, j'ay facilement connu que c'est la nation la plus fine qui soit et la plus pleine de malice »[2]. Sans ces fortunes collectives rien ne serait possible de vies comme celle du duc de Naxos. De même, j'imagine que la fortune des financiers juifs allemands à partir de la Guerre de Trente Ans, de ces *Hofjuden*, de ces « Juifs de Cour »[3], n'est guère pensable sans les accumulations d'argent des années paisibles qui suivent la Paix d'Augsbourg (1555), et qui ont préparé pour les juiveries allemandes les revanches à venir. De même, à la fin du XVIᵉ siècle, la liaison des Juifs portugais, maîtres du sucre et des épices, possesseurs de gros capitaux, a aidé le succès d'Amsterdam. De même l'Amérique entière a été prise dans leur réseau d'affaires...

Cela ne veut pas dire que tous les marchands juifs soient riches ou sans inquiétude. Ni que le judaïsme soit responsable, en raison de sa vocation spéculative ou de son éthique, de ce que nous appelons le capitalisme, ou plutôt le précapitalisme du XVIᵉ siècle ; ni qu'« Israel aille au-dessus de l'Europe tel le soleil, et qu'où il brille, la vie nouvelle jaillisse, tandis que dans les régions qu'il abandonne, tout ce qui avait fleuri se flétrit »[4]. Mais plutôt que les Juifs ont su s'adapter à la géographie comme à la conjoncture changeante des affaires. S'ils sont un « soleil », rassurons-nous, c'est un soleil téléguidé à partir de la terre. Les marchands juifs vont vers les régions en essor, ils en profitent autant qu'ils contribuent à leur éclat. Il y a réciprocité des services rendus. Le capitalisme, c'est mille choses à la fois et aussi un système de calculs, un usage de techniques, celles de l'argent et du crédit : or, dès avant la prise de Jérusalem par les Croisés, en 1099, les Juifs connaissent la *suftaya*, lettre de change, le *sakh*, le chèque[5], couramment utilisés dans le monde musulman. Cet acquis a pu se conserver malgré les déménagements des communautés juives.

De plus, tout capitalisme implique un réseau, une série de confiances, de complicités disposées, à point nommé, sur l'échiquier du monde. La Révoca-

---

1. Voir *supra*, II, p. 69 et *sq.*
2. *Op. cit.*, p. 180 vᵒ et 181.
3. Werner SOMBART, *op. cit.*, p. 53 et *sq.* ; L. POLIAKOV, *op. cit.*, I, p. 249 et *sq.*
4. W. SOMBART, *op. cit.*, p. 15.
5. Je pense évidemment aux *Geniza* du Caire et à leur prochaine publication par A. GOTHEIN.

tion de l'Édit de Nantes (1685) n'a pas, à elle seule, entraîné le succès de la banque protestante, inauguré dès le xvie siècle, mais en a ouvert la grande période, les Protestants disposant, entre la France, Genève, les Pays-Bas et l'Angleterre, d'un réseau de vigilances et de collaborations. Il en a été ainsi des siècles durant, pour les marchands juifs. Ils sont le premier réseau marchand du monde, car ils sont partout : dans les zones mortes ou sous-développées où ils jouent les rôles de l'artisan, du boutiquier, ou du prêteur sur gages, et dans les villes essentielles où ils prennent leur part des essors et des bonnes affaires. Parfois en très petit nombre : à Venise, ils sont 1 424 en 1586[1] ; à Hambourg[2], au début du xviie siècle, à peine y a-t-il une centaine de personnes : 2 000 au plus à Amsterdam, 400 à Anvers en 1570[3]. Giovanni Botero[4], à la fin du xvie siècle, parle bien de 160 000 Juifs à Constantinople et à Salonique[5], cette ville étant le principal refuge des exilés, mais à peine compte-t-il 160 de leurs familles à Valona, autant à Sainte Maure, 500 à Rhodes, 2 500 personnes entre le Caire, Alexandrie, Tripoli de Syrie, Alep et Angora... Précisions plus ou moins sûres. Cependant on peut affirmer que là où la population est dense, à Salonique et à Constantinople par exemple, des destins difficiles sont à prévoir et la nécessité pour les exilés de pratiquer tous les métiers, même ceux qui sont peu lucratifs. Que l'on songe aux tisseurs de laine, aux teinturiers de Salonique, d'Istanbul et d'ailleurs, aux marchands itinérants des foires paysannes, acheteurs de toisons ou de cuirs... Les petites colonies, au contraire, sont souvent celles de marchands opulents, favorisés par la localisation de riches trafics, souvent attirés par ces trafics mêmes et alors nouveaux venus.

Au xiiie siècle, les foires de Champagne sont le centre de l'économie marchande de l'Occident. Tout afflue vers elles, tout en repart. Les Juifs sont au rendez-vous, dans les villes et villages de Champagne[6], un certain nombre mêlés à la vie agricole et, plus encore, artisanale du pays, possèdent des prés, des vignes, des biens-fonds, des maisons qu'ils vendent ou achètent, mais ils sont déjà, et avant tout, des marchands et des usuriers, « le prêt semblant l'emporter de beaucoup sur le commerce », prêts aux seigneurs, notamment aux comtes de Champagne, et aux monastères. Attirés par les foires de Champagne et la prospérité qu'elles dispensent, les Juifs n'y jouent pas un rôle direct (les exceptions confirment la règle) ni surtout prépondérant. Toutefois ils en tiennent certaines avenues.

Avec le repli du xive siècle, la seule région économiquement à l'abri en Occident, c'est l'Italie : les marchands juifs s'y multiplient à plaisir, une étude récente[7] les montre colonisant les bas postes de l'usure, évinçant leurs concurrents, sur ce plan élémentaire de la vie marchande.

Aux xve et xvie siècles, les grands commerces en Méditerranée sont ceux d'Afrique du Nord et du Levant. Or, en 1509, quand les interventions espagnoles provoquent à Tlemcen le massacre, par la foule, des marchands chrétiens,

---

1. Daniele BELTRAMI, *Storia della popolazione di Venezia...*, *op. cit.*, p. 79.
2. H. KELLENBENZ, *Sephardim an der unteren Elbe*, 1958, p. 29.
3. *Ibid.*, p. 139.
4. Giovanni BOTERO, *op. cit.*, III, p. 111.
5. Simancas, Eo Napoles 1017, fo 42, vice-roi de Naples à S.M., Naples, 26 avril 1534, Salonique « donde ay la mayor juderia de Turquia ».
6. Paul BENICHOU, « Les Juifs en Champagne médiévale », *in* : *Évidences*, novembre 1951.
7. L. POLIAKOV, *Les banchieri juifs et le Saint-Siège du XIIIe au XVIIe siècle*, 1965.

les Juifs partagent leur sort[1]. Ils sont également à Bougie, à Tripoli où s'installe l'Espagnol, en 1510[2]. Dans cette même ville de Tlemcen en 1541, lors de l'entrée des troupes espagnoles, « les Juifs qui y étaient en grand nombre furent faits prisonniers et vendus par le vainqueur comme esclaves... Une partie d'entre eux furent rachetés à Oran et à Fez, d'autres se virent emmener captifs en Espagne, où on les força d'abjurer l'Éternel, le Dieu d'Israël »[3]. Quelques années plus tôt, le spectacle avait été le même lors de la prise de Tunis, en 1535, par Charles Quint. Les Juifs « furent vendus, hommes et femmes, raconte le médecin Joseph Ha Cohen[4], dans les contrées les plus diverses, mais à Naples et à Gênes, les communautés d'Italie en rachetèrent un grand nombre. Dieu s'en souvienne en leur faveur ! »

En Afrique du Nord, les communautés juives sont vivaces, belliqueuses encore au début du XVIᵉ siècle, selon le témoignage de Léon l'Africain, capables de résister, survivant ainsi au cœur ingrat du préside espagnol d'Oran jusqu'en 1668[5], mêlées à tous les trafics. Une enquête menée dans le préside oranais, en 1626[6], signale l'arrivée de caravanes chamelières en provenance du Sahara ; l'une d'entre elles, venant du Tafilalet et du Figuig, est accompagnée de « Juifs de guerre », simples marchands en vérité car en Espagne, comme en pays d'Islam, on distingue les *Moros de paz*, sujets qui vivent près de la citadelle, et les insoumis, les *Moros de guerra* ; il y a de même des Juifs *de paz* et *de guerra*. Mais cette présence de marchands juifs sur cet axe d'un trafic ancien n'est pas sans intérêt.

Dans le Levant, nos témoignages insistent sur l'énorme participation des marchands juifs ; maîtres à Alep et plus encore (les Juifs portugais) au Caire, prêteurs d'argent auxquels les Chrétiens ont recours et entre les mains de qui l'activité caravanière aboutit de toute évidence.

Que dire encore ? Qu'à Venise, la présence juive est continue malgré des tensions, des querelles suivies d'accords ou de réconciliations. Une expulsion a eu lieu, sans doute, celle des riches marranes en 1497[7], à la suite de leurs spéculations sur le blé sicilien dont se nourrit Venise, mais il s'agit là d'une petite fraction, et de nouveaux venus (tout laisse à penser qu'ils sont revenus, puisqu'il est question de les chasser encore en 1550[8], et que nous les trouvons nommément à Venise jusqu'à la fin du siècle et au-delà). De même, j'ai signalé la présence juive à Milan et dans le Milanais jusqu'en 1597. A Rome, ils continuent une vie un peu étriquée, mais triomphent à Ancône, tant qu'Ancône reste vivante, c'est-à-dire jusqu'aux premières années du XVIIᵉ siècle ; à Livourne, ils sont les

---

1. H. HEFELE, *op. cit.*, p. 321. La puissance de la présence juive en Afrique du Nord explique la longue survie de la juiverie d'Oran sous la domination espagnole ; Diego Suarez décrit leur quartier au beau milieu de la ville avec synagogue et école ; en 1667, le ghetto compte plus de 100 maisons et 500 personnes : les Juifs furent expulsés d'Oran sur ordre de Charles II, le 31 mars 1669, d'après J. CAZENAVE, *in : Bulletin de la Société de Géographie d'Alger*, 1929, p. 188.

2. J. HA COHEN, *op. cit.*, p. 110-111.

3. *Ibid.*, p. 124.

4. *Ibid.*, p. 120.

5. J. CARO BAROJA, *op. cit.*, I, p. 217.

6. « Cargos y descargos del Marques de Velada », answers to the charge of maladministration brought against Don Antonio Sancho Davila y Toledo, marques de Velada during his government of Oran, 1626-1628, fᵒ 57 (P. DE GAYANGOS, *Cat. Mss, in the Spanish language*, B. M., IV, 1893, p. 133).

7. M. SANUDO, *op. cit.*, I, colonne 819, 13 novembre 1497.

8. Marciana 7991 C VII. 4, fᵒˢ 110 vᵒ et 111, et Museo Correr, Donà delle Rose 46, fᵒ 155, 8 juillet 1550.

ouvriers de la réussite médicéenne dès son vrai départ, c'est-à-dire à partir de 1593[1].

Où il serait intéressant de voir leur jeu, c'est évidemment à Gênes, capitale de la richesse du monde, mais à ce propos, nous manquons de bons renseignements. D'une seule chose nous sommes sûrs, de l'hostilité à leur endroit. A Gênes, la jalousie des artisans et des médecins contre la concurrence juive aboutit à l'expulsion de la communauté, le 2 avril 1550, le décret « proclamé à son de trompe, comme on l'avait fait, dit un témoin, du temps de mon père, Rabbi Yehochoua ha-Cohen », en 1516. Ce même témoin, le médecin Joseph Ha Cohen, alla s'installer non loin, sur le territoire de la *Dominante*, à Voltaggio où il continua à exercer son métier[2]. On retrouve, en 1559, l'hostilité génoise — ou du moins celle d'un Génois important, Negron de Negri, « l'homme pervers qui était comme un aiguillon dans le flanc »[3] des Juifs ; il tentera de les chasser du Piémont, en vain d'ailleurs. En juin 1567, les Génois les chassaient de leur *Dominio* où ils les avaient tolérés après l'expulsion qui en avait débarrassé la seule ville de Gênes. Le médecin Joseph Ha Cohen quitte alors Voltaggio et va s'établir « à Castelleto, sur le territoire du Montferrat où tout le monde m'accueillit avec joie »[4]. Des renseignements plus précis feraient mieux notre affaire. Les grands marchands juifs eurent-ils ou non, comme je le pense, accès aux foires de Plaisance ?

Dernier trait à rappeler : cette poussée marrane à travers la Méditerranée qui prépare la venue hollandaise et signale les débuts du siècle d'Amsterdam, à l'horloge de l'histoire générale. En 1627, le comte duc Olivares pousse sur la scène décisive des *asientos* les marranes portugais ; un autre âge de la finance s'affirme qui d'ailleurs avait commencé bien avant cette date[5]. Il s'annonçait à bien des signes. En 1605 déjà, il avait été question de donner à 10 000 Juifs licence de s'établir en Espagne pour aider à mieux organiser les finances du Roi Catholique que sous le régime des *asentistas* chrétiens[6]. Nous pourrions continuer nos relevés et indiquer la présence juive au XVIIᵉ siècle à Marseille, à Livourne, à Smyrne, les trois villes vivantes de Méditerranée ; à Séville, à Madrid, à Lisbonne, places essentielles encore, à Amsterdam enfin et déjà à Londres où s'installait le riche marchand Antonio Fernandez Carvajal, *the great Jew*, entre 1630 et 1635[7]. Mais notre démonstration se suffit à elle même.

Juifs et conjoncture

Si l'on met en forme de tableau chronologique la liste des persécutions, massacres, expulsions et conversions forcées qui sont le martyrologe de l'histoire juive, une corrélation se marque entre les mouvements de la conjoncture et ces mesures féroces. Celles-ci sont toujours sous la dépendance des intempéries de la vie économique, elles les accompagnent. Ce ne sont pas seulement les hommes, les princes, ou les « pervers » dont il ne s'agit pas de nier le rôle, qui mettent fin aux facilités et aux splendeurs des juiveries occidentales en Angleterre (1290), en Allemagne (1348-1375), en Espagne (*pogrome* de Séville et conversion forcée en 1391), en France (expulsion définitive des Juifs de Paris en 1394). La culpabilité majeure est celle de la récession entière du monde occidental. Sur ce point,

1. F. Braudel et R. Romano, *op. cit.*, pp. 26-27.
2. J. Ha Cohen, *op. cit.*, p. 130-131.
3. *Ibid.*, p. 152.
4. *Ibid.*, p. 158.
5. Voir *supra*, I, p. 577-578.
6. Espejo y Paz, *Las antiguas ferias de Medina del Campo*, 1912, p. 137.
7. W. Sombart, *Krieg und Kapitalismus*, 1913, p. 147.

aucune discussion ne me semble possible. De même, pour ne prendre que l'exemple de l'expulsion des Juifs d'Espagne (1492), cet événement mondial, aux dires de Werner Sombart[1], se situe tardivement dans une période de régression longue : elle commence avec le règne des Rois Catholiques et court jusqu'en 1509 au moins, peut-être 1520.

Comme la régression séculaire de 1350-1450 a rejeté les marchands juifs vers l'Italie et son économie à l'abri[2], la crise de 1600-1650 les trouve dans le secteur, lui aussi à l'abri, de la mer du Nord. Le monde protestant les a alors sauvés, privilégiés et, à l'inverse, ils ont sauvé, privilégié le monde protestant. Après tout, comme le remarque Werner Sombart, Gênes était aussi bien placée que Hambourg ou Amsterdam par rapport aux routes maritimes qui courent vers l'Amérique, les Indes ou la Chine[3].

Mais ces ajustements entre conjoncture et vicissitudes du peuple juif ne valent pas seulement pour les grands événements et les phases longues, ils valent pour les crises de détail, presque au fil des années et des jours. Il est logique, pour reprendre ce minuscule exemple, que Raguse, en 1545, ait songé à expulser ses Juifs, c'est qu'elle connaît alors, comme tout un chacun, des affaires difficiles. De même, ces mesures que Venise prend si volontiers contre ses Juifs et ceux de Terre Ferme, pendant la longue régression de 1559 à 1575, tout se précipitant avec les années de guerre contre le Turc de 1570 à 1573[4] : Juifs levantins arrêtés, marchandises juives séquestrées, conditions étroitement fixées au maintien des Juifs à Venise (18 décembre 1571), projet d'expulsion des Juifs de Brescia, de Venise même ; jeunes Juifs saisis en Adriatique et mis à la rame « jusqu'à la fin de la guerre »... Ce fut alors une époque d'angoisse pour « Jacob »[5]. Tout cela, jusqu'à l'évidence, relève de la conjoncture. De même les persécutions violentes contre les Juifs de Ferrare, en 1581, qui sont à joindre au dossier copieux déjà de la crise cyclique, si accusée, de 1580-1584[6]...

Mais que la conjoncture *longue* se rétablisse de 1575 à 1595 et tourne au beau, cela facilite la vie économique entière de la mer et en particulier celle des colonies juives, où qu'elles soient plantées. (A Rome, Sixte Quint (1585-1590) les protège[7].) Si l'on ne se trompe pas, la part du capitalisme juif dans les échanges maritimes ne cesse alors de grandir. Il est le maître à Ancône[8], mais aussi à Ferrare[9], sinon à Venise. Tous ces succès « portugais » ou « levantins »,

---

1. *Die Juden und das Wirtschaftsleben*, p. 15.
2. L. POLIAKOV, *Les banchieri juifs...*
3. *Die Juden und das Wirtschaftsleben*, p. 14.
4. Arrestation à Venise des marchands turcs et des Juifs levantins, 5 mars 1570, Chronique de Savina, Marciana, f° 326 v° ; plaintes des marchands juifs à Constantinople, 16 décembre 1570, A. d. S. Venise, Annali di Venezia, serie antica ; les 24 points du règlement que les Juifs doivent respecter, A. d. S. Venise, Senato Terra 58, 18 décembre 1571 ; sur le même thème, Museo Correr, Cicogna 1231, f° 16 ; les Juifs chassés de Brescia, 4 septembre 1572, A. d. S. Venise, Senato Terra 60 ; délai accordé jusqu'en septembre 1573, *ibid.*, 61, 8 mars 1573 ; règlement des activités permises et défendues aux Juifs, *ibid.*, 11 juillet 1573 ; concordat accordé à la banque de « Cervo hebreo », dont la faillite doit remonter à 1565, *ibid.*, 20 juin 1573. Alors le climat cesse d'être aussi tendu. Sur les Juifs chassés d'Urbino et mis à la rame : J. HA COHEN, *op. cit.*, p. 161.
5. *Ibid.*, p. 174.
6. Cecil ROTH, *art. cit.*, p. 239.
7. A. MILANO, *op. cit.*, p. 257, J. DELUMEAU, *op. cit.*, II, p. 854, 887-890.
8. Ce qui va de soi, mais à noter les nouvelles exemptions accordées aux Juifs levantins à Ancône, menaces graves sur Venise. Admirable document, A. d. S. Venise, Cinque Savii, Busta 3, 10 août 1597.
9. J. HA COHEN, *op. cit.*, p. 205, 1598.

la liaison avec le Sous marocain et ses engins à sucre[1], la création de Spalato[2], ou telle proposition, en mars 1587[3], du grand homme qu'est Daniel Rodriga de constituer à Istanbul un dépôt de 20 000 ducats aux ordres du baile contre une avance équivalente sur les douanes de Venise, ou l'intention, vers 1589, d'accueillir les Juifs de Ferrare[4] : cette liberté dans les projets et les actions signale un changement de climat. Le régime accordé aux Juifs *levantini* et *ponentini* en 1598 est d'une réelle libéralité ; un sauf-conduit leur est donné pour dix ans et, au terme de ce délai, s'il n'est dénoncé, il sera reconduit *ipso facto* ; les conditions sont les mêmes qu'en 1589, dix ans plus tôt. Petite amabilité, « ils pourront porter en voyage le béret noir et les armes habituelles, non à Venise »[5]. En fait, Venise est alors devenue, au détriment de Ferrare, le grand centre de rassemblement des marranes en Italie, le point où ils prennent contact avec les Juifs d'Allemagne et du Levant. Signe qui ne trompe pas : Venise joue le rôle d'une capitale intellectuelle, une littérature marrane, portugaise et espagnole s'imprime sur les presses vénitiennes avant que le relais ne soit pris par les imprimeurs d'Amsterdam et de Hambourg[6].

Il y a ainsi, d'Amsterdam à Lisbonne, à Venise et Istanbul, une victoire, pour le moins un mieux-être des colonies juives. La chasse, en Méditerranée, aux marchandises juives à bord des navires n'est pas une chasse vaine, ni un signe sans valeur, mais la marque d'une certaine prospérité contre laquelle s'emploient de multiples adversaires. La chasse est commencée d'ailleurs depuis longtemps. Dès 1552[7] et encore en 1565[8], les plaintes juives signalent les vaisseaux des « très méchants moines » de Malte, ce « piège et filet où se prend le butin enlevé aux dépens des Juifs »[9]. A la fin du siècle, Toscans, Siciliens, Napolitains, Grecs des îles se sont joints aux galères de course[10] : c'est peut-être que le butin a grossi. De ce relèvement des affaires juives, il y a d'autres signes, ainsi la réouverture, à leur bénéfice, d'un commerce avec Naples. Après leur expulsion de 1541, seul l'accès des foires de Lanciano et de Lucera leur avait été permis, semble-t-il. Mais, dès 1590, on envisageait une reprise des rapports commerciaux[11] ; celle-ci fut acquise en septembre 1613[12].

Forçons les termes : de même qu'il est courant de parler d'un « siècle » des Fugger, d'un « siècle » des Génois, il n'est pas hors de saison, dans l'état actuel des recherches, de parler d'un « siècle » des grands marchands juifs, à partir des années 1590-1600 et se poursuivant jusque vers 1621, ou même 1650. Et ce « siècle » a eu de vives couleurs intellectuelles.

---

1. A. d. S. Venise, Cinque Savii 22, f⁰ 52, 20 novembre 1598 ; f⁰ 73, 16 août 1602, privilège et renouvellement du privilège de Rodrigo di Marchiana ; *ibid.*, 138, f⁰ 191, 22 février 1593, des Juifs portugais proposent d'établir un trafic commercial avec le Cap de Gué, ces Juifs sont déjà Rodrigo di Marchiana et ses frères.
2. Voir *supra*, I, p. 262 et *sq.*
3. A. d. S. Venise, Cinque Savii 138, 18 mars 1587.
4. Cecil ROTH, *art. cit.*, p. 239.
5. A. d. S. Venise, Cinque Savii 7, f⁰ 30, 5 octobre 1598.
6. Hermann KELLENBENZ, *op. cit.*, p. 43 ; voir également C. ROTH, *Gli ebrei in Venezia*, 1932, et « Les marranes à Venise », *in : Revue des Études Juives*, 1931.
7. J. HA COHEN, *op. cit.*, p. 131.
8. *Ibid.*, p. 172.
9. *Ibid.*
10. Ainsi *infra*, p. 203.
11. A. d. S. Naples, Sommaria Consultationum, 10, f⁰ˢ 91-93, 30 mars 1590.
12. *Ibid.*, 25, f⁰ˢ 152 v⁰ à 159, 8 septembre 1613.

Comprendre l'Espagne

Le destin juif ne peut se peser hors du contexte de l'histoire mondiale, hors de l'histoire du capitalisme (on a dit trop vite que les Juifs n'en étaient pas les inventeurs, ce qui est peut-être vrai, mais y a-t-il eu *un* inventeur ? en tout cas ils y participent à part entière). Peut-être le débat sera-t-il plus clair si nous le réduisons, pour finir, au seul cas puissant de l'Espagne. L'image du destin juif est dans le miroir multiple de l'histoire de l'Espagne, et celle-ci à son tour se reflète dans la glace qui lui fait face.

La difficulté majeure ? ne pas glisser dans ce débat passionné les sensibilités, les vocabulaires, les polémiques d'aujourd'hui, ne pas croire au langage simpli-ficateur des moralistes, traçant leur ligne étroite de partage entre les bons et les mauvais, le bien et le mal. Je me refuse à considérer l'Espagne comme coupable du meurtre d'Israël. Quelle serait la civilisation qui, une seule fois dans le passé, aurait préféré autrui à soi-même ? Pas plus Israël, pas plus l'Islam que les autres ! Je dis cela sans passion particulière, étant l'homme de mon temps et, quoi qu'il arrive, en faveur de ceux qui souffrent dans leur liberté, leurs corps, leurs biens, leurs convictions. Donc, ici, dans le cadre de l'Espagne, je suis en faveur des Juifs, des *conversos*, des Protestants, des *alumbrados*, des Morisques... Mais ces sentiments auxquels je ne puis échapper n'ont rien à voir avec le vrai problème. Parler à propos de l'Espagne du XVIe siècle de « pays totalitaire », voire de racisme, n'est pas raisonnable. Bien sûr, ces spectacles sont tristes, mais aussi aux mêmes moments, ceux de France, ou d'Allemagne, ou d'Angleterre, ou de Venise (à travers ses archives judiciaires).

Répétons-le : la conjoncture, force aveugle en Espagne, comme en Turquie ou dans le Nouveau Monde qui naît à une vie universelle — la conjoncture a sa part de responsabilité. Pour chasser les Juifs, en 1492, les Rois Catholiques ne sont pas seuls, au lendemain de la prise de Grenade, d'une victoire comme toujours mauvaise conseillère : il y a aussi ce temps économiquement maussade, ces blessures qui guérissent mal... Enfin les civilisations, elles aussi, ont leurs conjonctures longues, elles sont en proie à des mouvements de masse, comme si la pesanteur de l'histoire les emportait sur des pentes secrètes, juste assez déclives pour que tout glisse sans que nul n'en soit conscient, ou responsable. Et c'est le sort des civilisations de se « partager »[1] d'elles-mêmes, de subir ce dur travail de soi sur soi, de laisser derrière elles une partie de leurs héritages et de leurs bagages. Sans fin, toute civilisation hérite d'elle-même et choisit entre les biens que les pères lèguent aux enfants. Certains bagages sont laissés au bord de la route. Or aucune civilisation n'a été contrainte de travailler sur elle-même, de se « partager », de se déchirer autant que l'ibérique au temps de sa splendeur, des Rois Catholiques à Philippe IV. Je dis bien la *civilisation ibérique*. Elle est une variété particulière de la civilisation d'Occident, une avancée, une extré-mité de celle-ci, jadis presque entièrement recouverte par des eaux étrangères. Durant le « long » XVIe siècle, la Péninsule, pour redevenir Europe, s'est faite Chrétienté militante ; elle s'est partagée de ses deux religions superfétatoires, la musulmane et l'hébraïque. Elle a refusé d'être Afrique ou Orient, selon un processus qui ressemble, d'une certaine manière, à des processus actuels de décolonisation. Chacun peut rêver, pour elle, d'un autre destin. Elle aurait pu rester un pont entre Europe et Afrique, selon son destin géographique et sa

---

1. Le mot est de Michel FOUCAULT. *L'Histoire de la folie à l'âge classique*, 1961, p. IV.

vocation historique, des siècles durant. Elle aurait pu... Mais un pont signifie une double circulation. L'Europe gagne la Péninsule par les Pyrénées, les routes de l'Atlantique et celles de la mer Intérieure et, sur cette marge frontière, elle l'emporte sur l'Islam avec les succès de la Reconquête qui sont aussi les siens. Les historiens de la Péninsule le savent, aussi bien Claudio Sánchez Albornoz qu'Américo Castro, les « ultramontains » l'emportent, une reconquête de l'Espagne par l'Europe s'ajoute à une reconquête proprement espagnole de l'espace musulman. Les grandes découvertes, plus tard, feront le reste : elles situent la Péninsule au centre du monde moderne, c'est-à-dire de la conquête du monde par l'Europe.

Dire que l'Espagne n'aurait pas dû devenir une Europe, c'est avancer une thèse, et elle a été soutenue[1]. Mais pouvait-elle ne pas le devenir ? Ce n'est pas la politique seule qui a voulu l'expulsion des hétérodoxes, qui a fait l'Inquisition espagnole en 1478, l'Inquisition portugaise en 1536, mais le populaire, la masse frénétique. A nos yeux, l'Inquisition est odieuse, moins par le nombre relativement limité de ses victimes[2] que par ses procédés. Mais sa responsabilité, celle des Rois Catholiques, celle des dirigeants de l'Espagne et du Portugal, sont-elles les forces majeures dans un combat mené par le désir profond d'une multitude ?

Avant les nationalismes forgés par le XIX⁰ siècle, les peuples ne se sentaient vraiment liés que dans un sentiment d'appartenance religieuse. Autant dire de civilisation. La cohésion massive de l'Espagne du XV⁰ siècle, c'est celle d'un peuple qui a été longtemps, en face d'une autre civilisation, le plus faible, le moins brillant, le moins intelligent, le moins riche et qui, d'un coup, s'est libéré. Redevenu le plus fort, il n'en a pas encore acquis la certitude intime, ni les réflexes. Il continue à se battre. Si la terrible Inquisition a fait finalement peu de victimes, c'est que son combat se déroule un peu dans le vide. L'Espagne était encore obscurément trop craintive, trop militante pour que l'hétérodoxie puisse s'y glisser aisément. Il n'y a place chez elle ni pour l'Érasmisme, ni pour le *converso* au cœur douteux, ni pour le Protestant...

Dans cette perspective de conflits de civilisations, la plaidoirie chaleureuse et séduisante de Léon Poliakov me laisse insatisfait. Il n'a vu qu'un des deux miroirs du drame, les griefs d'Israël, non ceux des Espagnes qui ne sont pas illusoires, fallacieux ou démoniaques. Une Espagne chrétienne est en train de s'achever. Le glacier que pousse son poids brise les arbres et les maisons qu'il rencontre. Et ne disons pas, pour moraliser et égarer le débat, que l'Espagne a été largement punie de ses méfaits, de l'expulsion de 1492, des persécutions réservées à trop de *conversos* et de ses colères contre les Morisques, de 1609 à 1614. Ces méfaits, ces passions-là lui auraient coûté sa grandeur. Or cette grandeur commence précisément en 1492 et ne s'achève pas avant Rocroi (1643), ou mieux le milieu du XVII⁰ siècle. La punition, selon les dates choisies, a tardé plus d'un siècle, ou plus de quarante ans. Nous n'accepterons pas davantage que l'expulsion des Juifs ait privé l'Espagne d'une bourgeoisie vigoureuse. En fait, une bourgeoisie d'affaires ne s'est pas formée en Espagne, Felipe Ruiz Martín vient de le démontrer, du fait de l'implantation d'un capitalisme international nocif, celui des banquiers génois et de leurs congénères. Autre argument le drame de la *limpieza de sangre*, de la pureté, de la limpidité du sang sera le tourment, la punition de l'Espagne. Nul ne niera ce tourment, ses séquelles, ses

_____

1. *La Méditerranée...*, 1re éd., p. 136, n. 1.
2. Léon POLIAKOV, *op. cit.*, II, p. 204 à 217.

rebondissements affreux, mais toutes les sociétés d'Occident se barricadent avec le XVIIᵉ siècle, sacralisent les privilèges sociaux, sans avoir pour autant les raisons qu'on invoque pour l'Espagne.

Acceptons plutôt que toute civilisation s'achemine vers son destin, le voulant ou ne le voulant pas. Le train dans lequel j'attends en gare part, le voisin du train d'en face a le sentiment souvent de partir lui aussi, dans l'autre sens. Et réciproquement les civilisations croisent leurs destins. Se comprennent-elles ? je n'en suis pas sûr. L'Espagne est en route vers l'unité politique qu'elle ne peut concevoir, au XVIᵉ siècle, que comme une unité religieuse. Cependant Israël suit le destin de sa *diaspora*. Destin unitaire lui aussi, mais aux dimensions du monde, il enjambe les océans et les mers, les nations naissantes, les civilisations anciennes. Celles-ci, il les nie, il les nargue. Il est une modernité qui a trop d'avance à l'allumage. Même un esprit aussi lucide que Francisco de Quevedo le voit sous des traits diaboliques. Le diable, c'est toujours autrui, l'autre civilisation. *L'Ile des Monopantes* (1639) est un pamphlet dirigé contre le comte duc Olivares et les banquiers marranes de son entourage, peut-être pas écrit par Quevedo lui-même. « A Rouen, nous sommes, disent les Juifs de l'*Ile des Monopantes*, la bourse de la France contre l'Espagne et en même temps de l'Espagne contre la France ; et en Espagne sous un habit qui masque notre circoncision, nous secourons le monarque (il s'agit de Philippe IV) avec la richesse que nous possédons à Amsterdam, dans le pays de ses mortels ennemis... Nous en faisons autant en Allemagne, en Italie, à Constantinople. Nous créons toute cette intrigue aveugle et cette source de guerres en puisant le secours donné à chacun dans la poche de son plus grand adversaire, car nous secourons comme le banquier qui donne, à gros intérêt, de l'argent à celui qui joue et qui perd, afin qu'il perde davantage... »[1] En somme c'est le procès du capitalisme.

D'une civilisation à l'autre, chacun se dit volontiers sa vérité. Celle-ci n'est jamais bonne quand c'est le voisin qui la formule. La seule chose sûre, c'est que le destin d'Israël, sa force, sa pérennité, son tourment, tiennent à ce qu'il est resté un noyau dur refusant obstinément de se diluer, c'est-à-dire une civilisation fidèle à elle-même. Et toutes les civilisations sont à la fois le paradis et l'enfer des hommes[2].

4. Les rayonnements extérieurs

Rayonner, donner, c'est dominer. La théorie du don vaut pour les individus et les sociétés, non moins pour les civilisations. Que ce don risque d'être appauvrissement à la longue, c'est possible. Mais il signale, tant qu'il dure, une supériorité et cette constatation achève la thèse d'ensemble de ce livre : la Méditerranée reste, un siècle durant après Christophe Colomb et Vasco de Gama, le centre du monde, un univers brillant et fort. La preuve ? elle éduque les autres et leur enseigne l'art de vivre. Disons bien que c'est *toute* la Méditerranée qui jette alors ses lumières au delà de ses rivages, aussi bien la musulmane que la chrétienne. Même l'Islam nord-africain, qu'on traiterait volontiers en frère pauvre, rayonne vers le Sud, vers les bordures sahariennes et à travers tout le désert jusqu'au *Bled es Soudan*. Quant à l'Islam turc, il

---

1. Passage cité par Léon POLIAKOV, *op. cit.*, II, p. 290.
2. Voir dans une ligne analogue, mais d'explication *sociale*, le livre novateur (à paraître) d'Antonio José SARAIVA, *L'Inquisition et la légende des Marranes*.

éclaire toute une aire culturelle qui lui appartient à moitié, dans les Balkans, vers l'Afrique et l'Asie arabes, vers l'Asie profonde et jusqu'à l'océan Indien. Un art impérial turc, dont la Süleymaniyé à Istanbul, est le chef-d'œuvre, rayonne au loin, affirme sa suprématie, et l'architecture n'est qu'un élément d'une vaste expansion.

Plus caractéristique encore à nos yeux, se révèle le rayonnement intense de l'Occident méditerranéen. En somme il rayonne à contre-courant de l'histoire, il illumine le Nord européen où le centre de la puissance mondiale va bientôt s'installer : la latinité méditerranéenne, vis-à-vis de l'Europe protestante, c'est la Grèce vis-à-vis de Rome. De même, ce rayonnement traverse d'un seul coup l'Atlantique au XVIᵉ, comme au XVIIᵉ siècle, et c'est au travers de cette géographique océanique que le rayonnement de la Méditerranée s'accomplit et touche la vaste Amérique hispano-portugaise, la plus brillante des Amériques d'alors. Pour comble de facilité, un mot lancé par Jacob Burckhardt, le Baroque, désigne la civilisation de la Méditerranée chrétienne : partout où le Baroque est visible, la mer Intérieure a des droits et que nous pouvons réclamer en son nom. Le rayonnement de la Renaissance — tout jugement de valeur mis à part — ne se compare pas en poids, en quantité, à l'énorme explosion du Baroque. Celle-là était fille des villes italiennes. Celui-ci s'appuie simultanément sur l'énorme force de l'Empire spirituel de Rome, sur l'énorme force temporelle de l'Empire espagnol. Il s'agit évidemment d'une lumière toute nouvelle ; elle a, depuis 1527 et 1530, depuis la fin tragique des grandes villes nourricières, Florence et Rome, changé de couleur. Comme dans les théâtres où la lumière des projecteurs passe brusquement du blanc au vert ou du rouge au bleu...

Ceci dit, puisse le lecteur comprendre notre propos. Nous ne pouvons, écrivant le livre de la Méditerranée, tout dire de cette énorme transgression, sinon un livre du monde serait à écrire. Il m'a semblé qu'une démonstration suffirait à la gloire de la Méditerranée et à l'équilibre du présent livre. Nous délaisserons à regret l'Islam, à regret aussi l'Amérique hispano-portugaise et les splendeurs tardives mais rares d'Ouro Preto, au cœur minier du Brésil. Le Baroque, l'encombrant Baroque peut nous suffire, dans le secteur à lui seul immense de l'Occident.

Les étapes du Baroque

Après Jacob Burckhardt, ce sont les historiens allemands, H. Wölfflin, A. Riegl, A.-E. Brinckmann, W. Weisbach... qui ont fait la fortune du mot Baroque[1]. Ils ont lancé le navire sur lequel tant d'autres ont voyagé. Leur tentative, en son principe, est un essai utile de classification, de reconnaissance d'une couche d'art, à la manière, si l'on veut, d'une couche géologique. A la séquence Roman, Gothique, Renaissance, on nous propose d'ajouter un quatrième terme, celui de Baroque[2], à placer juste avant le classicisme d'inspiration

---

1. Sur le mot, voir Pierre CHARPENTRAT, « De quelques acceptions du mot Baroque », in : Critique, juillet 1964.
2. L'origine du mot, obscure : de la logique formelle (de baroco une des désignations de la séquence barbaro, celarent, baroco), selon L. PFANDL, Geschichte der spanischen Literatur, p. 214, note 1 — ou du mot espagnol baruco qui désigne en parler de joaillerie, une perle irrégulière, selon G. SCHNÜRER, op. cit., p. 68 — ou du nom de Federigo Barroccio (Le Baroche de nos manuels français) (1526 ou 1528-1610), selon P. LAVEDAN, Histoire de l'Art, Clio, p. 302. Resterait à savoir quand ce mot réapparaît dans la littérature historique où J. BURCKHARDT a assuré sa vogue.

française. Un terme qui ne recouvre pas une notion tout à fait claire ou simple, puisque le Baroque est décrit comme un édifice à trois, sinon à quatre étages superposés.

Aux origines sont placés cette *Pietá* que Michel Ange a sculptée pour Saint-Pierre, de 1497 à 1499, et aussi les *Stanze* de Raphaël, les mouvements tumultueux de l'*Incendie du Borgo* et de l'*Héliodore chassé du Temple*, la *Sainte Cécile* de Bologne. qui porte déjà en elle, à en croire Émile Mâle, quelque chose du génie des temps nouveaux[1]. Et, ajoute-t-on, «du langage gestuel du Baroque »[2]. On pourrait retrouver ces origines dans le carton de la *Bataille d'Anghiari* ou bien (hors d'Italie cette fois) dans certaines gravures de Dürer... Tout cela faisant en vérité un étrange concile. On précise qu'un des pères indéniables du Baroque, c'est le Corrège, le Corrège de l'*Ascension de la Vierge* à Parme[3]. Il ne lui manquerait, pour être un Baroque accompli, que de marquer plus de dédain ou d'éloignement pour les joies de la terre et la beauté du Nu. De ce Nu par quoi Michel Ange, de son côté, s'était exprimé avec prédilection : mais son goût du grandiose, par contre, son pathétique, sa *terribilità* seraient, au même titre que la *grazia* de Raphaël, le mouvement et les jeux de lumière du Corrège, les premiers cadeaux des fées bienfaisantes sur le berceau du Baroque. Ainsi doté, l'enfant grandit vite. Il est presque adulte quand disparaît le Corrège, en 1534, et à coup sûr quand Michel Ange, après sept années de labeur épuisant, en 1541, aura achevé son *Jugement dernier* où revivent « les terreurs du Moyen Age »[4].

Sur les splendeurs de la Renaissance, le rideau est donc brusquement tombé, après le sac de Rome de 1527 et la prise de Florence de 1530. « L'affreux sac de Rome »[5] a semblé aux contemporains un jugement de Dieu. Il a brusquement rappelé la ville à sa mission chrétienne. Pendant que Clément VII résistait dans le château Saint-Ange, la ville était la proie de la soldatesque et des paysans pillards, des mois durant. Rien n'y fut épargné. Les élèves de Raphaël s'étaient dispersés au loin : Penni à Naples, Pierino de Vaga à Gênes, Jules Romain à Mantoue d'où il ne voudra plus revenir. « Ainsi les élèves de Raphaël n'eurent pas d'élèves », conclut vite Stendhal[6]. Ainsi se révéla, une fois de plus, la fragilité de toute vie artistique, de toute vie de l'esprit. « Un second Jugement de Dieu », le siège et la prise de Florence dont G. Parenti a montré la violente incidence sur la vie économique, renouvelle, en 1530, le désastre de 1527. Alors « quelque chose est mort, et mort vite »[7]. Une nouvelle génération, dont Julien de Médicis prévoit qu'elle sera plus spartiate qu'athénienne, se met en place[8], de nouvelles modes triomphent. Ce qui est mort, c'est la Renaissance, peut-être l'Italie elle-même. Ce qui triomphe, c'est la *maniera*, l'imitation, l'emphase, la boursouflure : elles gonflent l'œuvre des élèves de Raphaël qui travaillent encore et leur académisme fera école[9].

La peinture est la première à signaler cette saute de vent. Le Maniérisme commence, dont Lodovico Dolce donnera, en 1557, la définition et le programme

1. *L'art religieux après le Concile de Trente...*, p. 188.
2. Le mot de Marcel Brion, dans son *Michel Ange*, 1939, p. 149.
3. G. Schnürer, *op. cit.*, p. 80.
4. Pierre Lavedan, *op. cit.*, p. 293.
5. Stendhal, *Promenades dans Rome*, éd. Michel Lévy, 1858, II, p. 121.
6. *Ibid.*, p. 121.
7. Gonzague Truc, *Léon X*, p. 303.
8. *Ibid.*
9. *Ibid.*

dans une plaidoirie en forme pour la *maniera*. Toute l'Italie en est imprégnée, à partir des années 1530-1540[1], sauf Venise où il y a quelques *manieristi*, mais aussi et longtemps, l'irréductible Titien.

Ce Maniérisme, le vingtième siècle le rebaptise, c'est le Pré-Baroque, longue période illustrée par le Tintoret et qui meurt avec lui, en 1590[2]. Le dernier chef-d'œuvre du Maniérisme serait l'immense *Paradis* peint de 1589 à 1590, dans la salle du Grand Conseil de Venise. Et presque aussitôt entre en scène le Baroque I, son introducteur, pour G. Schnürer, étant ce Federico Baroccio d'Urbin dont la célèbre *Madonna del Popolo* se trouve aux *Uffizi*[3]. Il fera école jusque vers 1630. Est-ce la fin ? Non, car de ce « Baroque » italien dérive aussitôt un art vigoureux appelé à vivre en Suisse, en Haute-Allemagne, en Autriche et en Bohême, jusqu'aux XVIIIe et XIXe siècles, appuyé sur une inspiration populaire assez drue : elle lui fournit la sève qu'il n'avait jamais eue au moment de sa grandeur italienne. C'est là d'ailleurs, dans les territoires de l'Europe moyenne, que le mot de Baroque (quelle que soit son origine) commence, au XVIIIe siècle, à s'appliquer à un art alors finissant. D'où, déclarent les érudits allemands, l'équation : baroque = allemand. Équation fausse, si l'on regarde aux sources.

Faut-il discuter ?

On pourrait discuter sans fin sur cette chronologie et les intentions qu'elle révèle : assurément elle valorise, elle étend la signification du Baroque. On pourrait discuter sans fin également sur ce qu'est et ce que n'est pas le Baroque, ce Baroque que Gustav Schnürer voit même comme une civilisation, la dernière civilisation œcuménique proposée et imposée à l'Europe. La dernière ? Là encore, on peut ergoter et je me suis hier abandonné à ce plaisir, dans la première édition de cet ouvrage. Mais ces problèmes sont assez différents de celui qui nous préoccupe, à savoir que, quelle que soit la couleur exacte de cette civilisation, elle rayonne à partir de la Méditerranée. Il y a don, transmission, supériorité de la mer Intérieure. Ses leçons, son art de vivre, ses goûts font la loi, très loin de ses rivages. C'est cette preuve de santé qui nous préoccupe et ses moyens, voire ses raisons.

Un grand centre de rayonnement méditerranéen : Rome[4]

Rome a été l'un des grands centres de ce rayonnement, non le seul, mais le plus important. Au début du XVIe siècle, elle était misérable encore. Telle l'a vue Rabelais à son premier voyage de 1532 ; telle est-elle décrite dans la *Topographie* de Marliani et nombre d'autres guides. Ville étroite, cernée par la vie pastorale ; semée, bordée de monuments anciens, souvent à demi-détruits, outrageusement défigurés, plus souvent encore ensevelis, jusqu'à leurs fondations, sous la terre et les décombres. La ville vivante a des maisons de briques, des ruelles sordides, de vastes espaces vides.

---

1. G. BIHLMEYER, *op. cit.*, III, p. 131.
2. Erich von der BERCKEN, *Die Gemälde des Jacopo Tintoretto*, Munich, 1942, 360 illustrations.
3. G. SCHNÜRER, *op. cit.*, p. 86-87.
4. Voir l'admirable ouvrage de Jean DELUMEAU, *Vie économique et sociale de Rome dans la seconde moitié du XVIe siècle*, 1957, p. 246 et sq.

Au XVIᵉ siècle, cette ville se transforme, se gonfle de vie, bâtit palais et églises ; sa population croît ; elle se maintiendra même au XVIIᵉ siècle, en un temps cependant peu favorable aux villes méditerranéennes. Rome est ainsi devenue un immense chantier. Tous les artistes y trouvent de l'embauche. Une armée d'architectes maçons d'abord : Balthasar Peruzzi de Sienne †(1536), Sammicheli de Vérone († 1549), le Sansovino de Florence († 1570), Vignola († 1573) du Nord de la Péninsule (d'où sont venus presque tous les grands architectes italiens), Ligorio de Naples († 1580), André Palladio de Vicence († 1580), Pellegrini de Bologne († 1592). Par exception, Olivieri est romain († 1599). Derrière ces artisans, architectes et tailleurs de pierre, se presse l'armée des peintres, nécessaire à un art qui voit le triomphe de la peinture ornementale. Voûtes, plafonds offrent aux peintres un espace illimité, tout en leur imposant des thèmes parfois strictement définis. La peinture sacrée du « Baroque » est fille d'abord de son architecture.

A cette époque, s'achevait la basilique de Saint-Pierre, l'église du Gesù était édifiée, de 1568 à 1575, par Giacomo Vignola qui mourut en 1573, sans avoir eu le temps de parachever son œuvre. La première église jésuite était née, qui, non pas toujours mais souvent, allait servir de modèle dans toute la Chrétienté. Chaque ordre allait vouloir posséder, à Rome et hors de Rome, ses églises à lui, avec ses décorations spéciales, les images de ses dévotions particulières. Ainsi naissent dans la Ville Éternelle, puis dans le monde chrétien, ces premières églises à accolades et coupoles, d'une sobre géométrie, et dont le Val-de-Grâce est, chez nous, une assez bonne image, bien que tardive.

Cette prodigieuse croissance de Rome a exigé d'énormes dépenses. Stendhal a deviné le problème lorsqu'il a noté que ce sont « les pays qui n'avaient pas à trembler pour leur autorité qui ont fait exécuter les plus grands travaux de peinture, de sculpture, d'architecture des temps modernes »[1]. Voilà qui ramène à l'histoire des finances de la Papauté, dont Clemens Bauer a renouvelé les bases dans un remarquable article[2] ; les papes, c'est un fait, ont su tirer de grandes ressources de leur État et ils ont eu recours utilement au crédit public. Leur politique religieuse et leur politique tout court, dans la Chrétienté, ont été poursuivies moins encore à leurs frais qu'à ceux des Églises nationales : les Églises de France et d'Espagne ont été livrées aux convoitises et aux besoins financiers du Roi Catholique et du Très Chrétien. L'État Pontifical, pendant les cinquantes années qui nous occupent, n'a engagé que rarement (en 1557 et pendant les trois années de la Sainte-Ligue) de grosses dépenses de guerre. La Papauté a donc pu se doter d'un large budget des Beaux-Arts. L'invasion de la Méditerranée par l'argent d'Amérique facilita ces politiques luxueuses. C'est au delà des années 1560-1570 que s'est construit tout ce dont avaient rêvé Léon X et Jules II. D'autre part, les ordres multipliés par la piété catholique ont ajouté leurs efforts à celui de la papauté. Rome étant aussi la capitale de ces petits États dans l'État, leur capitale ostentatoire, Jésuites, Dominicains, Carmes, Franciscains ont chacun apporté leur part d'effort financier et d'émulation artistique et copié, hors de Rome, les leçons de la capitale. S'il y a eu expansion artistique et religieuse du Baroque, c'est à cause de ces ordres, celui de saint Ignace particulièrement. Et c'est pourquoi le qualificatif de

1. STENDHAL, *op. cit.*, II, p. 191.
2. « Die Epochen der Papstfinang », *in : Hist. Zeitschrift*, 1928.

Jésuite nous paraîtrait, bien plus que celui de Baroque, digne de désigner cette expansion, malgré toutes les réserves qu'on a pu faire à ce sujet.

Il n'est pas nécessaire de reprendre ici l'étude de cette puissante et multiple poussée monastique, de montrer comment elle précède, et de loin, la réussite du Concile de Trente, cette première victoire des nouvelles générations. Dès 1517, s'implantait à Rome l'Oratoire de l'Amour Divin, fondé à Gênes au siècle précédent par Bernardin de Feltre. En cette même année 1517, Léon X acceptait de séparer les Franciscains de l'Observance des Conventuels. Des rangs de ces Franciscains Réformés sortiront entre autres, en 1528, les Capucins. Mais c'est vers 1540 seulement, année de la fondation de l'Ordre des Jésuites, que le mouvement s'affermit, qu'on peut le considérer comme définitivement lancé.

Trois ans plus tôt, en 1537, la Commission des Cardinaux réunie par Paul III avait été pessimiste ; elle avait même envisagé de laisser s'éteindre les congrégations corrompues, pour les repeupler plus tard avec de nouveaux moines. Puis, au cours des années 1540, tout s'éclaircit ; la première partie est jouée et gagnée : créations et réformes d'ordres se continuent et le mouvement de rénovation monastique grandit. Il se précipite après le Concile de Trente : l'Oratoire de saint Philippe de Néri est de 1564 ; les Oblats de saint Charles Borromée de 1578 ; les Frères Mineurs du Génois Jean Adorno et de saint François Caracciolo de 1588 (leur première fondation à Naples date de 1589) et trois ans plus tard, en 1592, s'installent en Avignon les Pères de la Doctrine Chrétienne.

Qui dira ce que les ordres, souvent délestés, pour les besoins de la lutte, des anciennes contraintes de la vie chorale et de l'observance monastique, « vrais clers réguliers », ont pu apporter de force à la Papauté? Grâce à eux, l'Église s'est sauvée. Elle a pu, de Rome, mener une des plus étonnantes révolutions par en haut que l'histoire connaisse. La bataille, menée par elle, l'a été de façon réfléchie. La civilisation qu'elle propage — peu importe son nom — est une civilisation de combat ; et son art, un moyen, un moyen de plus.

Aussi bien cet art relève-t-il, souvent, de la propagande. C'est, si l'on veut, avec ses bons et ses mauvais côtés, un art dirigé. A Rubens comme à Caracciolo, au Dominiquin comme à Ribera ou à Zurbaran, ou à Murillo, des religieux avertis, des théologiens ont demandé l'exécution de tableaux composés par eux en esprit : quitte à les refuser après coup si l'exécution paraissait défectueuse. Contre le Protestantisme, ennemi des temples somptueux et des images, l'Église a voulu construire les plus belles maisons qui soient de Dieu sur terre, images de Paradis, morceaux du ciel. L'art est un moyen puissant de combattre et d'instruire. Un moyen d'affirmer, par la puissance de l'image, la Sainteté immaculée de la Mère de Dieu, la valeur efficace des saints, la réalité puissante de l'Eucharistie, l'éminence de saint Pierre, un moyen de tirer argument des visions et des extases des saints. Patiemment dénombrés, enseignés, des thèmes iconographiques identiques traversent ainsi l'Europe entière. Si le « Baroque » force la note, s'il a le goût de la mort, de la souffrance, des martyres présentés avec un réalisme sans faiblesse, s'il semble s'abandonner au pessimisme, au *desengaño* espagnol du XVIIᵉ siècle, c'est qu'il veut et doit prouver, qu'il recherche le détail dramatique qui frappe et fait balle. Il est à l'usage des fidèles que l'on veut convaincre et entraîner, à qui l'on veut apprendre, par l'action, une sorte de vérisme, l'exactitude de tant de notions contestées, celles du Purgatoire, ou de l'Immaculée Conception. Art théâtral, consciemment théâtral : le théâtre n'a-t-il pas servi d'arme aux Jésuites, notamment pour la conquête de l'Allemagne, à une époque, ajoutons-le, où partout il avait ses droits, ses troupes ambulantes, bientôt ses scènes fixes ?

Oui, un art de vivre, une façon de croire chemine des rives de la Méditerranée vers le Nord, vers les routes danubiennes et rhénanes comme vers le cœur de la France, à Paris où commencent à s'élever avec les premières années du XVIIᵉ siècle, tant d'églises et de couvents. Un art de vivre et de croire spécifiquement méditerranéen : voyez ce que Jacob Burckhardt rapporte déjà de Pie II traversant Viterbe avec le Saint-Sacrement, « entouré de tableaux vivants simulant la Cène, la lutte de saint Michel et du Diable, la Résurrection du Seigneur, le triomphe de la Vierge dérobée au ciel par les Anges »[1]. On songe aux processions espagnoles avec les *tratos* où figurent les personnages de la passion. Ceci n'excluant pas plus qu'en Italie les *autos sacramentales*[2]. Au total, un christianisme dramatique, étonnant pour les gens du Nord. Les dévotions et flagellations des Espagnols dans les Flandres surprenaient et faisaient scandale[3]. L'art du Baroque, nourri de cette religiosité méridionale en a véhiculé quelque chose. Il y aurait un livre à écrire sur ces dévotions d'importation à travers l'Europe, sur la part qui revient aux Méditerranéens dans la reprise véhémente des terres contestées du Nord, ramenées dans le giron de Rome. Quand on y songe, on ne peut plus parler de décadence méditerranéenne. A moins qu'il ne faille attribuer aux décadences, aux désintégrations qu'elles impliquent, un efficace pouvoir de rayonnement.

Autre centre de rayonnement : l'Espagne

Si l'on passe, sur le cadran occidental, de Vienne à Lyon, puis à Toulouse et, mettons, à Bayonne, on voit s'affirmer un autre rayonnement : celui de l'Espagne. A Vienne, à Munich, Rome et l'Italie (toutes les Italies) triomphent. A travers la France, Rome et l'Italie sont agissantes par leurs hommes, leurs modes, leurs leçons, mais l'influence de l'Espagne se fait violemment sentir.

L'un des drames des Pyrénées, c'est que leurs portes n'ont jamais servi dans les deux sens à la fois. Ou la France est éducatrice, et tout transite du Nord au Sud : c'est le cas à partir des XIᵉ, XIIᵉ siècles, jusqu'au XVᵉ siècle. Ou le flambeau passe à l'Espagne, et tout circule du Sud au Nord : c'est le cas aux XVIᵉ et XVIIᵉ siècles. Le dialogue ancien de la France et de l'Espagne a donc brusquement changé de sens ; il en changera encore au XVIIIᵉ siècle. Au temps de Cervantès la France recherche les modes et les leçons du pays voisin, pays raillé, honni, craint et admiré tout à la fois. L'Espagne rompt au contraire les contacts, surveille ses frontières, interdit aux sujets des Pays-Bas d'aller étudier en France, retire de Montpellier ses apprentis médecins[4].

Étrange dialogue, une fois de plus sans affection. Où, si ce n'est aux Pays-Bas — l'Espagnol a-t-il alors été plus raillé que chez nous ? On connaît dans

1. Cité par G. Truc, *Léon X*, p. 123.
2. M. La Torro y Badillo *Representación de los autos sacramentales en el periodo de su mayor florecimiento*, 1620 à 1681, Madrid 1912 ; Ludwig Pfandl, *Geschichte der spanischen Literatur*, p. 124 ; Henri Mérimée, *L'art dramatique à Valence depuis les origines jusqu'au commencement du XVIIᵉ siècle*, 1913.
3. Georg Friederici, *op. cit.*, I, p. 469.
4. Sur ce dernier point, Francés de Alava à Philippe II, Montpellier, 18 déc. 1564, A.N., K 1502, B 18, no. 67, D.

161

sa traduction française de 1608, la fantaisie satirique éditée à Middelbourg de Simon Molard : *Emblèmes sur les actions, perfections et mœurs du Segnor espagnol*[1]. Pauvre *Segnor* ! Le voilà comparé à toutes les bêtes, diable en la maison, loup en table, pourceau en sa chambre, paon en la rue, renard avec les femmes... et j'en passe. « Gardez-vous donc du *Segnor* en tous lieux. », conclut le pamphlet. Mais ce *Segnor* dont on se moque, on l'envie, on l'imite. Le rayonnement de l'Espagne est celui d'un peuple fort, d'un Empire immense, « sans crépuscule », d'une civilisation plus raffinée que la nôtre. Tout honnête homme, en France doit savoir et sait l'espagnol : ce qui vaudra à quelques Péninsulaires, comme le *murciano* Ambrosio de Salazar, de faire en France une belle carrière de professeur et de grammairien, à l'époque de Marie de Médicis. Le vocabulaire castillan colonise notre langue et Brantôme est le prince de nos espagnolisants[2]. Il ne discute pas, il *blasonne*, dit des *bourles*, *busque fortune*, *hable*, ne lance pas une pierre, mais la *tire*, *trepe* au lieu de monter, se donne une *care* ou un *garbe* (un air), marche à la *soldade bizarrement*[3]. C'est un genre que d'émailler sa conversation de mots espagnols[4], aussi nombreux à l'époque que les italianismes, et cette mode exige des études, de nombreux professeurs et des importations de livres. Le père de Montaigne a lu les *Épîtres familières*, le *Livre d'Or de Marc Aurèle*, l'*Horloge des Princes* et le *Réveil-matin des courtisans*, ouvrages du célèbre évêque de Mondonedo, Antonio de Guevara[5]. Les traductions pullulent. « Il y a à Paris une véritable agence de traducteurs du castillan »[6]. Cervantès a la vogue. En 1617, son grand livre, les *Aventures de Persiles et de Sigismonde*, est réimprimé à Paris, en castillan, puis traduit en français[7]. Plus encore, le roman picaresque a ses lecteurs assidus. Ensuite viendront les adaptations des comédies espagnoles à la scène française... En Angleterre également, les livres italiens et espagnols sont traduits et incorporés à la substance intellectuelle du pays.

A côté des influences littéraires, resteraient à évaluer mille autres petits emprunts. La cour de Louis XIII, aussi espagnole que française a-t-on pu écrire, donnait le ton. Tout ce qui était espagnol avait la vogue. Les femmes se barbouillaient de « blanc d'Espagne » et de « vermillon d'Espagne » qui ne venaient pas forcément d'aussi loin. Elles s'arrosaient — les hommes aussi — de parfums dont quelques-uns venaient de Nice et de Provence, mais la plupart, les plus précieux, ceux dont on interdisait l'usage « aux manans »[8], d'Espagne ou d'Italie. Si l'on en croit Brantôme, les femmes, dans ces deux pays, « ont resté de tout temps plus curieuses et exquises en parfums que nos grandes dames de France »[9]. On s'arrachait les secrets d'essences savantes et de recettes de beauté, aussi compliquées au moins que celles des précieuses de Molière. Un galant promettait à sa dame de la ganter de « cuir d'Espagne » et de fait, bien qu'on fabriquât déjà à l'époque de beaux produits en France et que

1. A. Morel Fatio, *Ambrosio de Salazar*, 1900, p. 52 et *sq*.
2. A. Morel Fatio, L'*Espagne en France*, in : *Études sur l'Espagne*, I, Paris, 1895, 2ᵉ éd., p. 30.
3. *Ibid.*, p. 32.
4. *Ibid.*, p. 40.
5. *Ibid.*, p. 27 ; *Essais*, II, 1.
6. *Ibid.*, p. 41.
7. *Ibid.*
8. Alfred Franklin, *La vie privée d'autrefois. Les magasins de nouveautés*, 1894-1898 II, p. 39. Voir également I, p. 183 ; II, p. 23-25, 75.
9. IX, p. 253, cité par Alfred Franklin, II, p. 39.

commençât à poindre la réputation de la mode et de l'élégance française, les gants d'Espagne, aux peaux souples et fines, l'eau de Cordoue, les *guadameciles*, ces cuirs dorés employés comme tapisseries, jouissaient du même genre de prestige qu'aujourd'hui « l'article de Paris »... Comme lui, ils étaient fort coûteux. Quand la femme de Simón Ruiz se met dans la tête de « faire des affaires » et expédie d'Espagne à Florence des « gants parfumés » à échanger contre des marchandises italiennes, le correspondant de son mari, Baltasar Suárez, prétend que dans cette ville de bourgeois sérieux, personne ne veut de cet objet de grand luxe (trois écus la paire). Mais c'est en 1584[1]. On aimerait savoir ce que pensaient les Florentines quelques lustres plus tard.

Limitée aux seules importations littéraires, celles qu'on connaît le mieux, l'influence espagnole ne déclinera guère qu'avec la fin du règne de Louis XIII[2], ce qui, une fois de plus, nous ramène aux environs des années 1630-1640, à un terme d'histoire financière et économique, à une grande date de la richesse du monde. La meilleure période du rayonnement espagnol a été, en gros, cette première moitié du XVIIe siècle. Au XVIe, mille contacts avaient été pris, la France ne se trouvant pas impunément saisie dans la masse de l'Empire espagnol. Mais ce n'est qu'avec le grand retour à la paix de la fin du siècle et des premières décennies du XVIIe siècle que les germes recueillis ont donné plantes et fleurs. C'est le retour à la paix qui conduit à travers l'Europe les « triomphes » du Baroque.

Une fois de plus : la décadence de la Méditerranée

Si l'on n'avait pas longtemps cru que la Méditerranée était épuisée dès le lendemain même de la Renaissance, on aurait étudié plus tôt et plus largement son influence, à la fin du XVIe et au début du XVIIe siècle. Je n'ai pas cherché à en exagérer la valeur, la durée ou l'efficacité. Et cependant, cette nappe projetée au loin par le Baroque a peut-être été plus dense et plus épaisse, plus continue que celle de la Renaissance elle-même. Le Baroque est le fait de civilisations impériales massives, celle de Rome ou celle d'Espagne. Mais comment l'établir et suivre leur expansion, leur tumultueuse vie extérieure, sans posséder les indispensables cartes qui font défaut? Nous avons des catalogues de musées, non des atlas artistiques. Des histoires de l'Art ou des Lettres, non pas des histoires de la civilisation.

En tout cas, et une fois de plus, c'est en des régions marginales que le destin de la Méditerranée s'annonce ou se déchiffre, mieux qu'en son cœur tumultueux. Ces influences méditerranéennes débordantes disent sa présence et sa force, dans les échanges et compétitions dont se fait la grande vie du monde. Elles soulignent, en ce début du XVIIe siècle, la place éminente de la Méditerranée, vieux berceau de vieilles civilisations, dans l'élaboration du monde moderne, auquel elle a imposé largement sa marque.

---

1. F. RUIZ MARTIN, *Lettres de Florence...* CXXI.
2. A. MOREL FATIO, *op. cit.*, I, p. 27. Signalons l'opinion de BRÉMOND, *op. cit.*, p. 310, que l'on ne saurait garantir, selon laquelle les habits ajustés des hommes, qui firent scandale, viendraient en France de l'Espagne de Philippe IV. Sur l'influence espagnole en Angleterre et particulièrement sur Shakespeare, Ludwig PFANDL, *Geschichte der spanischen Literatur*, p. 98, et J. de PERROT, *in : Romanic Review*, V, 1914, p. 364.

LES FORMES DE LA GUERRE

La guerre n'est pas, sans plus, la contre-civilisation.

Historiens, nous la mettons constamment en cause sans connaître, ni chercher à connaître *sa* ou *ses* natures. Le physicien n'est pas plus ignorant de la constitution secrète de la matière... Nous la mettons en cause, il le faut bien : elle ne cesse de travailler la vie des hommes. Les chroniqueurs la poussent au premier plan de leurs récits : les contemporains n'ont pas de plus grand souci que d'épiloguer à son sujet, d'en dégager responsabilités et conséquences.

Si nous sommes décidés à ne point grossir l'importance de l'histoire-bataille, nous ne songeons pas à écarter la puissante histoire de la guerre, formidable, perpétuel remous de la vie des hommes. Durant le demi-siècle qui nous occupe, elle marque les rythmes et les saisons, ouvre et ferme les portes du temps. Même apparemment apaisée, elle continue sa sourde pression, elle le survit.

Mais je n'aurai pas la prétention, à propos de ces drames, de tirer des conclusions philosophiques sur la « nature » de la guerre. La *polémologie* n'est qu'une science dans l'enfance, si même elle est une science. Il lui faudrait, dépassant les incidents, saisir les rythmes longs, les régularités, les corrélations. Nous n'en sommes pas encore là.

1. La guerre des escadres et des frontières fortifiées

Parle-t-on de grande guerre en Méditerranée, aussitôt s'évoquent les fines et puissantes silhouettes des galères, leur vie endormie l'hiver, leurs courses l'été au long des rivages. Les documents abondent en détails sur leurs déplacements, leur entretien, leur luxe coûteux. Cent discours de spécialistes disent, essaient de dire ce qu'elles coûtent de soins, de vivres, d'hommes, d'argent. Et l'expérience montre aussitôt qu'il est difficile de les regrouper pour des mouvements d'ensemble, d'autant qu'en grosses formations, elles doivent s'adjoindre des bateaux ronds qui porteront les ravitaillements volumineux. Après ces lents préparatifs, les départs sont brusques et les voyages en somme rapides. Tout point du rivage peut être atteint. Cependant n'exagérons pas la

63 — Le duc d'Albe gagne les Flandres, avril-août 1567

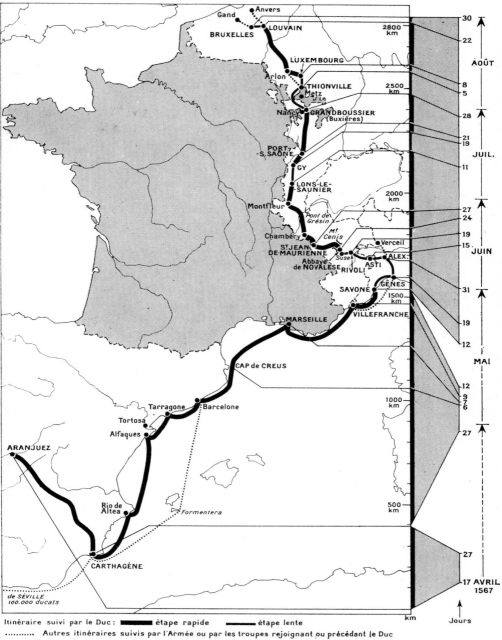

Itinéraire suivi par le Duc: ▬▬▬ étape rapide   ▬▬▬ étape lente

·········· Autres itinéraires suivis par l'Armée ou par les troupes rejoignant ou précédant le Duc

Le déplacement, pacifique il est vrai, du duc d'Albe et de ses troupes, sur presque 3 000 km est un exploit. A noter les étapes rapides en mer et pour la traversée des Alpes... ; la nécessité de contourner l'espace hostile de la France. Calculs et vérifications faits par J. J. HÉMARDINQUER.

portée des coups que frappent les escadres de galères. Les troupes qu'elles débarquent, le cas échéant, ne s'éloignent guère des rivages. En 1535, Charles Quint s'empare de Tunis et ne va pas plus loin ; en 1541, il essaie de prendre Alger sans succès : sa campagne ne l'a mené que du cap Matifou aux hauteurs qui dominent la ville. En 1565 pareillement, l'armada turque aboutit au siège de Malte où elle s'immobilise. En 1572, le vieux Garcia de Toledo conseille à Don Juan d'Autriche, au lendemain de Lépante, au cas où il y aurait une expédition des vainqueurs dans le Levant, d'attaquer une île, plutôt que la terre ferme.

Parler de guerre, c'est songer tout aussi vite à ces armées nombreuses qui, avec le xvie siècle, nous frappent par le gonflement de leurs effectifs. Les déplacer et, au préalable, les assembler, autant de gros problèmes. Il faut des mois à Lyon pour réunir mercenaires et pièces de canons, afin qu'un beau jour, le roi de France « saute à l'improviste par dessus les monts »[1]. En 1567, le duc d'Albe réalise l'exploit de conduire ses troupes de Gênes à Bruxelles, mais ce sont là des transports pacifiques, non pas une série de combats. De même, il faut l'énorme potentiel turc pour jeter les armées du Sultan d'Istanbul au Danube, ou d'Istanbul à l'Arménie, et pour engager la lutte si loin des bases de départ. Ce sont prouesses coûteuses, hors série. Et dès qu'il faut s'opposer à l'ennemi, tout mouvement un peu long dépasse les possibilités ordinaires.

Dernière image à évoquer, celle des places fortes, décisives déjà au xvie siècle, et qui seront tout, ou presque tout, au xviie. Face aux Turcs et aux corsaires, la Chrétienté s'est hérissée de protections, s'abritant derrière l'art de l'ingénieur et le travail des terrassiers. Cette vaste fortification porte témoignage sur la mentalité d'un monde. *Limes*, murailles de Chine sont toujours les signes d'un certain état d'esprit. Que la Chrétienté s'enveloppe de points fortifiés (et non l'Islam) n'est pas un fait négligeable. C'est l'un des tests majeurs sur lequel nous reviendrons.

Mais ces images habituelles, essentielles, ne posent pas tout le problème de la guerre méditerranéenne. De la grande guerre, oui. Or que celle-ci soit suspendue, aussitôt des formes secondes la remplacent — course maritime et brigandage terrestre — qui, bien entendu, existaient déjà, mais qui, proliférant alors, occupent la place devenue vide, comme la haute futaie, une fois détruite, laisse la place aux formes dégradées des sous-bois ou du maquis. Il y a donc des guerres à des « paliers » différents et c'est à partir de leurs oppositions qu'historiens et sociologues nous avancerons dans leur explication. Cette dialectique est essentielle.

Guerres et Techniques

La guerre, ce sont toujours des armes et des techniques. Celles-ci changent et bouleversent le jeu. L'artillerie ainsi a brusquement transformé les conditions de la guerre, en Méditerranée comme ailleurs. Son apparition, sa propagation, ses modifications — car l'artillerie ne cesse de se modifier — sont une suite de révolutions techniques. Resterait à les dater. Quand, de quelle façon prend-elle ainsi possession des ponts étroits des galères ; quand fait-elle la redoutable fortune des grosses galères, les *galéasses*, avec leur énorme puissance de feu, puis des galions et des navires ronds à hauts bords ; quand s'installera-

---

1. A. d. S. Modène, Venezia 15, 77. VI. 104, J. Tebaldi au Duc, Venise, 16 août 1522.

t-elle sur les remparts et plates-formes des forteresses ; enfin comment suit-elle les déplacements des armées ? Il y a eu, sans doute, avec le raid de Charles VIII en septembre 1494, et dès avant les conquêtes de Soliman le Magnifique, une brusque et large fortune de l'artillerie de campagne. Des âges successifs de l'artillerie se devinent — artillerie de bronze, artillerie de fer, artillerie renforcée — et non moins des âges *géographiques*, selon la localisation des industries productrices. La politique de Ferdinand le Catholique s'appuie sur les fonderies de Málaga et de Medina del Campo, celle-ci créée en 1495, celle-là en 1499, appelées l'une et l'autre à décliner vite : le matériel qu'elles auront construit s'usera en Italie, s'immobilisera en Afrique ou sur les frontières, face à la France [1]. Plus long sera le règne des fonderies de Milan et de Ferrare [2]. Puis, très tôt, la primauté reviendra aux fonderies allemandes, françaises et plus encore, en ce qui concerne le ravitaillement de l'Espagne et du Portugal, aux Flandres. Dès les premières décennies du XVIᵉ siècle se dessine une suprématie de l'artillerie et peut-être de la poudre nordiques [3]. Toutes questions d'importance. Qu'une centaine de pièces d'artillerie arrivent, en 1566, des Flandres à Málaga [4], l'événement est aussitôt noté par les correspondances diplomatiques. De même la nouvelle d'un envoi de quarante pièces de Málaga à Messine paraît, à tel ambassadeur toscan, l'annonce d'une expédition contre Alger ou Tripoli de Barbarie [5]. En 1567, Fourquevaux déclare que 15 000 boulets suffiraient à forcer Alger [6]. Ce qui ne paraîtra pas excessif si l'on accepte — en dehors de l'âpre controverse qu'a soulevée la question — que Malte ait été sauvée, en 1565, parce que le duc de Florence lui avait fait livrer, l'année précédente, deux cents barils de poudre. C'est du moins l'avis transmis par un informateur espagnol [7]. Occasion d'apercevoir l'importance de la Toscane pour la fabrication de la poudre à canon, des boulets et de la mèche d'arquebuse.

Mais la difficulté subsiste de dater avec précision ces transformations et leurs incidences. Quelques lignes, quelques perspectives, c'est tout ce que nous apercevons. De même si nous pouvons dater de 1550 [8] l'apparition dans

---

1. Jose ARANTEGUI Y SANZ, *Apuntos históricos sobre la artilleria española en los siglos XIV y XV*, 1887 ; Jorge VIGON, *Historia de la artilleria española*, tome I, 1947. Décadence des fonderies de Málaga ? Cependant voir Simancas Eº 499, Cobre entregado al mayordomo de la artilleria de Málaga, 1541-1543. Sur Málaga et son arsenal vers le milieu du siècle, Pedro de MEDINA, *op. cit.*, p. 156.

2. Les historiens italiens ne marquent-ils pas trop volontiers la décadence des fonderies de Milan ? L'expédition des pièces se faisait tantôt par Gênes (surtout arquebuses et armes blanches, 30 août 1561, Simancas Eº 1126) ou par le Pô et Venise (artillerie chargée à bord d'une nave portugaise pour Messine. Venise, 25 avril 1573, Simancas Eº 1332)

3. Cf. un curieux texte de 1587 que je compte publier sur la tentative anglaise contre Bahia, A. N., K. Pour la place, des pièces nordiques en Espagne, 1558, E. ALBÈRI, *op. cit.*, VIII, p. 259.

4. Nobili au Prince, mardi 6 juin 1566, A. d. S. Florence, Mediceo 4897 *bis*. Bien entendu des Flandres arrivent aussi les autres armes et notamment les arquebuses, témoin ce navire venu des Flandres, chargé d'armes pour les présides et qui est enlevé en deça du détroit de Gibraltar par les corsaires d'Alger, l'évêque de Limoges à la Reine, 24 août 1561, B. N., Paris, Fr. 16 103 «... depuis dieu permis qu'un bon et fort navire venu de Flandres pour munir tous les fortz de Barbarie d'armes a esté combattu et gaigné après avoir passé le destroict ou il s'est perdu cinq ou six mille harquebuzes, corselets, pistoletz et autres sortes d'armes offensives... ».

5. Voir note précédente. Mediceo 4897 *bis*.

6. *Op. cit.*, I, p. 167, 4 janv. 1567.

7. D. Francisco Sarmiento au Grand Commandeur de Castille, Rome, 28 sept. 1565, *CODOIN*, CI, p. 112-114. L'opinion rapportée est celle du Grand Maître de Malte.

8. F. C. LANE, *op. cit.*, p. 31-32.

la flotte vénitienne des redoutables galées munies d'artillerie, les *galéasses* (sans doute responsables, techniquement parlant, de la victoire de Lépante), nous suivons de façon dérisoire le développement, en Méditerranée, des galions armés que l'on voit brusquement, à la fin du siècle, utilisés par les Turcs eux-mêmes, sur le trajet de Constantinople à Alexandrie[1]. Car si la Chrétienté a une nette avance, les techniques passent d'une rive à l'autre de la mer, les matériels tendent à devenir les mêmes, à limiter par suite la portée politique de ces innovations. L'artillerie sert aussi bien à la poussée des Chrétiens contre Grenade et l'Afrique du Nord qu'aux victoires des Turcs dans les Balkans lors de la bataille décisive de Mohacs[2], ou en Perse[3], ou dans cette même Afrique du Nord.

Guerre et États

La guerre est une dépense, un gaspillage. Rabelais disait déjà, sans l'avoir inventé bien sûr, que « les nerfs des batailles sont les pécunes ».

Choisir à son heure ou la guerre, ou la paix, ne subir ni l'une ni l'autre, c'est en principe le privilège des forts : mais il ne va pas sans surprise. Près de chaque prince, et en son cœur même, le difficile partage est toujours en suspens. Il s'incarne souvent dans ces éternels antagonistes. les partis de la guerre et de la paix. L'Espagne de Philippe II en a donné, jusqu'en 1580, l'exemple classique. Des années durant, la question a été posée : qui l'emporterait auprès du Roi Prudent, des amis de Ruy Gomez le pacifique (ils resteront groupés même après sa mort) ou des partisans du duc d'Albe, le belliciste, toujours prêt à prôner les vertus de la manière forte ? Mais quel prince, quel maître politique n'a pas toujours eu en face de lui ces deux tendances, dûment représentées par des séries d'hommes ? Contre Richelieu lui-même, à la fin de la dramatique année 1629, n'y aura-t-il pas le pacifique Garde des Sceaux Marillac[4] ? Entre les deux partis, les événements souvent forcent le choix et poussent en avant « l'homme des circonstances ».

Les dépenses de guerre accablent les États et innombrables sont alors les guerres qui ne paient pas. On verra la misérable, la dispendieuse guerre d'Irlande ruiner les finances d'Élisabeth à la fin de son règne glorieux et, plus que toute autre raison, préparer à l'avance la paix de 1604. En Méditerranée, la guerre est si coûteuse que des banqueroutes s'ensuivent, en Espagne comme en Turquie. Les dépenses de Philippe II sont énormes. En 1571, on calculait à Madrid que l'entretien d'une flotte alliée (celle de Venise, du Pape et de l'Espagne), forte de 200 galères, 100 navires ronds et 50 000 soldats, coûterait chaque année plus de quatre millions de ducats[5]. Ces flottes, véritables villes voyageuses, dévorent crédits et ravitaillements. L'entretien annuel d'une galère coûtait autant que sa construction, soit 6 000 ducats[6] vers 1560 et le chiffre

---

1. E. ALBÈRI, *op. cit.*, III, V (Matteo Zane), p. 104 (1594).
2. Le succès des Turcs y est dû à une concentration d'artillerie sur la ligne de combat.
3. Les Perses craignent l'artillerie et les arquebuses turques, J. GASSOT, *op. cit.*, p. 23 ; « ... car n'usent guère de bastons à feu... ».
4. Georges PAGÈS, *in : Rev. d'hist. mod.*, 1932, p. 114.
5. *Relatione fatta alla Maestá Cattolica in Madrid alli XV di luglio* 1571... B. N., Paris, Oc 1533, f°s 109 à 124.
6. Voir pour le début du règne de Philippe II *l'asiento* à demi-solde pour les galères toscanes (Simancas E^o 1446, f° 107), une galère reçoit par mois 250 ducats, à onze réaux d'argent le ducat. Pour le prix de construction, Relacion de lo que han de costar las XV galeras que V. M. manda que se hagan en el reyno de Sicilia este año, 1564, Sim. E^o 1128 ; pour 15 galères on arrive à un total arrondi de 95 000 escudos, sans compter les armes à

devait par la suite grandir encore. De 1534 à 1573, les armements maritimes ont été, au bas mot, multipliés par trois. Au moment de Lépante, il y a en Méditerranée entre 500 et 600 galères, tant chrétiennes que musulmanes, c'est-à-dire (que l'on se reporte aux calculs donnés en note)[1] de 150 000 à 200 000 hommes, entre rameurs, marins et soldats, tous lancés au hasard de la navigation, ou pour parler comme Garcia de Toledo, des éléments — l'eau, le feu, la terre, l'air — car tous les éléments menacent la vie précaire des hommes en mer. En 1573, un relevé de compte sicilien pour fournitures faites à la flotte (biscuit, vin, viande salée, riz, huile, sel, orge) s'élève à quelque 500 000 ducats[2].

La guerre des escadres, ce sont donc de grandes mobilisations d'argent et d'hommes : soldats dépenaillés qu'on lève en Espagne et que l'on habillera en route, quand on les habillera, lansquenets qui gagnent à pied l'Italie par Bolzano et vont s'entasser à la Spezia, dans l'attente du passage des galères, Italiens, aventuriers qu'on lève ou qu'on accueille pour combler les vides que creusent les désertions et les épidémies. Et surtout ces longues chaînes de galériens en route vers les ports, jamais assez nombreux pour manier les rames rouges des galères... D'où la nécessité de faire violence aux misérables[3], de posséder des esclaves, de recruter des rameurs volontaires ; Venise en trouvera jusqu'en Bohême. En Turquie, en Égypte, d'énormes razzias d'hommes épuisent les ressources de la population. Volontaires ou non, une masse considérable est précipitée vers les rives de la mer.

Si l'on ajoute que l'armée de terre est elle-même dispendieuse — un *tercio* espagnol (5 000 combattants environ) revenait pour une campagne, solde, approvisionnement et transports compris, à 1 200 000 ducats, d'après une estimation de la fin du siècle[4] — alors on comprend quelle corrélation s'établit

distribuer aux mariniers. Ce prix est représenté comme très avantageux par le rapport que nous mettons en cause. Relevons que le corps brut de la galère, représente moins de la moitié du prix de revient, l'autre moitié étant représentée par les voiles, les rames, les antennes, les arbres, les cordages, les chaînes, les fers, les récipients, les bêches et autres outils de bord, les barils, le fil pour coudre les voiles, le suif pour espalmer... Sur un total, répétons-le, de 95 000 écus, les corps des 15 galères représentent 37 500, les cordages 9 000, les voiles presque 20 000, les arbres et antennes, 3 000, les rames 2 900, l'artillerie 22 500. On laisse ainsi dans ces calculs de côté le prix d'achat des forçats ou des esclaves. C'est là, avec les indispensables ravitaillements en biscuits, la grosse dépense d'entretien. Sur les 22 galères de Sicile, il y a en mai 1576, 1 102 forçats, 1 517 esclaves, 1205 rameurs volontaires ; en mai 1577, les chiffres en décrue sont respectivement de 1 027, 1 440 et 661 (Simancas E° 1147), ce qui fait à la rame, par galère, dans le premier cas 173 hommes, dans le second 143. Or il est des galères renforcées. La galère d'un petit-fils de Barberousse (7 oct. 1572, SERRANO, *op. cit.*, II, p. 137) compte 220 esclaves. Aux chiourmes s'ajoutent les officiers, équipages et infanterie. En août 1570, pour 20 galères napolitaines, on compte un effectif total de 2 940 hommes, soit en gros un effectif de 150 hommes par galère. Donc chaque galère représente au moins 300 hommes entre forçats, mariniers et soldats. En 1571-1573 avec quelque 500 ou 600 galères, d'Islam ou de Chrétienté, c'est de 150 à 200 000 hommes que la guerre des escadres fait voguer, sans compter ceux qu'elle immobilise à terre, dans les ports et les arsenaux. Pour une étude des prix de revient, signalons les admirables ressources de l'Archivio di Stato de Florence et notamment : Nota di quel bisogna per armar una galera atta a navicare, Mediceo 2077, f° 128. Voir aussi Mediceo 2077, f° 60.

1. Voir note précédente.
2. Simancas E°, 1141.
3. Voir ainsi le traitement des gitans espagnols emmenés sur les galères non pour leurs délits, mais *por la necessidad que havia de gente por el remo...*, Don Juan d'Autriche à Philippe II, Carthagène, 17 avril 1575, Simancas E° 157, f° 11.
4. MOREL FATIO, *L'Espagne aux XVIᵉ et XVIIᵉ siècles, op cit.*, p. 218 et sq. ; Nicolas SANCHEZ-ALBORNOZ, « Gastos y alimentación de un ejército en el siglo XVI segun un presupuesto de la época », *in : Cuadernos de Historia de España*, Buenos Aires, 1950.

entre la guerre, dépense prodigieuse, et les revenus des princes. Par le truche-
ment de ces revenus, la guerre se lie finalement à toutes les activités des hommes.
Cependant sa modernité, son évolution vive font qu'elle rompt les amarres,
casse les ressorts les plus solides et, un beau jour, se condamne elle-même à
l'arrêt. La paix est faite de ces faiblesses chroniques, des retards répétés dans
le paiement des soldes, des armements insuffisants, de ces pannes que les
gouvernements redoutent et qu'ils subissent comme il faut accepter le mauvais
temps ou la tempête.

Guerre et civilisations

Tout participe à ces violences. Mais il y a guerre et guerre. Si l'on met en
cause les civilisations, larges personnages, il faudra forcément distinguer les
guerres « intérieures » à telle ou telle de ces civilisations, et les guerres « extérieures » entre ces univers hostiles. Pratiquement ce sera mettre d'un côté
les Croisades, les *Djihads*, de l'autre les guerres internes de la Chrétienté ou de
l'Islam, car les civilisations se brûlent elles-mêmes dans d'interminables
guerres civiles, fratricides, le Protestant contre le Romain, le Sunnite contre
le Chiite...

Ces distinctions sont d'une grande importance : elles nous offrent tout
d'abord une localisation géographique régulière, car Chrétienté et Islam
sont des espaces donnés, avec leurs frontières connues, continentales ou liquides.
Ceci va de soi. Et elles nous offrent aussi, plus curieusement, une chronologie.
Au fil des années, une période de guerres « intérieures » succède à une période
de guerres » extérieures », dans un ordre assez net. Il ne s'agit ni d'un orchestre
parfait, ni de ballets réglés dans leur détail. Et cependant, la succession est
claire : elle suggère des perspectives au milieu d'une histoire confuse et qui
d'un coup s'éclaire, sans qu'il y ait supercherie ou illusion. On n'échappe pas à
la conviction que des conjonctures idéologiques de signe contraire s'affirment,
puis se remplacent. Du côté de la Chrétienté, où la documentation est la plus
riche, la croisade, c'est-à-dire la guerre extérieure, impose son climat jusque
vers 1570-1575. Elle est réclamée avec plus ou moins de ferveur, avec déjà
des détours, des habiletés, des tiédeurs, des refus — refus de contribuables
ici, de têtes froides ailleurs. Mais, de tout temps, la croisade n'avait-elle pas
eu ses fervents et ses défaitistes ? Les notes dissonantes n'enlèvent rien au
fait qu'un sentiment général de religion combattive traverse la Chrétienté
du XVIe siècle. En Espagne, cela va de soi. Mais en France aussi, malgré les
habiletés et les compromissions de la politique royale. On trouverait aisément
chez Ronsard des traces de cet esprit de croisade, teinté d'hellénisme. Sauver
la Grèce, « œil du monde habitable », et œuvrer pour le Christ... Le sentiment
persiste même dans les pays du Nord, passés ou sur le point de passer au
protestantisme. Dans toute l'Allemagne, se chantaient des *Türkenlieder* venus
des lointains champs de bataille du Sud-Est. En même temps qu'il demandait
que l'Allemagne se libérât de l'exploitation romaine, Ulrich de Hutten réclamait
qu'avec l'argent qu'on récupérerait ainsi, on fortifiât le Reich et qu'on l'étendît
au détriment du Turc. De même, Luther aura toujours milité en faveur d'une
guerre contre les maîtres de Constantinople ; à Anvers, on parla souvent d'en
découdre avec l'Infidèle et mieux encore, en Angleterre, où l'on s'inquiétait
toujours des succès catholiques en Méditerranée, on se réjouissait en même

temps des défaites du Turc: Lépante aura tout à la fois inquiété et réjoui les cœurs anglais[1].

Mais Lépante, c'est une conclusion. Une éclipse de la croisade s'annonçait depuis longtemps. L'éclat de la victoire de 1571 fait illusion : qui dira l'isolement de Don Juan d'Autriche, croisé attardé, comme plus tard son neveu Dom Sébastien, le héros d'Alcazar Kébir? Leur rêve retarde sur leur époque. La raison en est, en partie, la montée de la réaction catholique contre la Réforme, au moins à partir de 1550, un changement de front idéologique. La Chrétienté méditerranéenne renonce à une guerre pour en courir une autre, sa passion religieuse a changé de sens.

A Rome, le revirement se manifeste avec les débuts du pontificat de Grégoire XIII (1572-1585) qui s'inaugure, en effet, par une brusque hostilité en direction de l'Allemagne protestante. Telle est la grande tâche du Souverain Pontife, non plus cette Sainte-Ligue moribonde dont il a hérité et qui se brise, en avril 1573, avec la trahison des Vénitiens... Toute la politique romaine bascule vers le Nord, à point nommé pour le succès des tractations hispano-turques. Plus d'une fois, on craignit alors dans l'entourage de Philippe II les conséquences de ces trêves annuelles conclues avec le Sultan, entre 1578 et 1581. Mais la Papauté resta silencieuse. Son but, c'était désormais la lutte contre le Nord protestant et donc, de pousser le Roi Catholique dans les affaires d'Irlande et, au delà de l'Irlande, contre l'Angleterre : occasion pour nous de voir le Roi Prudent non pas précédant, mais suivant les troupes de la Contre-Réforme...

Qu'avec cette saute de vent du dernier tiers du XVIe siècle, l'idée de croisade contre l'Islam perde de sa force, rien de plus naturel. En 1581, l'Église d'Espagne protestera non contre l'abandon de la guerre turque, mais contre le paiement d'impôts devenus sans objet...

Pourtant, au delà de 1600, avec le ralentissement des guerres protestantes et le lent retour à la paix de l'Europe chrétienne, l'idée de croisade reprend force et vigueur sur les rives mêmes de la Méditerranée, ainsi qu'en France à l'occasion de la guerre turco-impériale de 1593-1606. « Après 1610, note un historien[2], la turcophobie dont était travaillée l'opinion publique dégénéra en véritable manie ». Tout un feu d'artifice de projets et d'espoirs fuse alors ; jusqu'à ce qu'une fois de plus, la guerre protestante, la guerre « intérieure », y mette un terme, en 1618.

Ces explications d'ensemble sont à peu près irréfutables, même si nous ne pouvons disposer d'une chronologie fine qui permettrait de voir si les passions suivent ou précèdent — ou, comme je le pense, précèdent et suivent ces retournements, les provoquant, les nourrissant, puis se brûlant dans l'action entreprise. Mais une explication qui ne tient compte que de l'un des belligérants a des chances d'être tout à fait insuffisante. Notre façon de raisonner en Occidentaux reste assez plaisante. En effet, l'autre moitié de la Méditerranée fait, vit aussi son histoire. Or une étude neuve, et d'autant plus exemplaire qu'elle est brève[3], suggère qu'il y a eu, du côté turc, des phases analogues, des *conjonctures*

1. Voyez encore les curieuses interprétations possibles de la politique d'Élisabeth vis-à-vis du Sultan, elle ne veut pas avoir trop l'air de pactiser avec les ennemis de la Chrétienté, W. A. R. Wood, *op. cit.*, p. 27.

2. L. Drapeyron, *art. cit.*, p. 134. Sur toutes ces questions, G. de Vaumas, *op. cit.*, p. 92 et *sq.*

3. W. E. D. Allen, *Problems of Turkish Power in the XVIth Century*, Londres, 1963.

synchrones. Le Chrétien délaisse le combat, boude la Méditerranée, mais le Turc en fait autant, et au même moment ; il s'intéresse à la frontière de Hongrie, ou à la guerre maritime dans la mer Intérieure, mais non moins à la mer Rouge, à l'Inde, à la Volga... Selon les époques, les centres de gravité et les lignes d'action du Turc se déplacent, en corrélation avec les modalités d'une guerre « mondiale ». Cette idée a souvent été évoquée dans nos conversations par Frédéric C. Lane. Tout se tient d'une histoire belliqueuse qui va du détroit de Gibraltar ou des canaux de Hollande jusqu'à la Syrie ou au Turkestan. Et cette histoire a un seul rythme, ses changements sont électriquement les mêmes. A point nommé, Chrétiens et Musulmans s'affrontent, dans le *Djihad* et la Croisade, puis se tournent le dos pour retrouver leurs conflits internes. Mais cette algèbre de passions confluentes est aussi, comme j'essaierai de le dire, en conclusion de ce second livre[1], une conséquence des pulsations lentes de la conjoncture matérielle, la même pour le monde entier qui, au XVIe siècle, a inauguré sa vie unitaire.

La guerre défensive face aux Balkans

Devant les Turcs, la Méditerranée chrétienne se hérisse de forteresses. C'est une des formes constantes de sa guerre. En même temps qu'elle combat, elle étend ses lignes d'arrêt et de protection, elle couvre, cuirasse son corps. Politique instinctive et unilatérale : le Turc de son côté, en effet, fortifie peu et mal. De même, les Algérois ou le Chérif. S'agit-il là de différences de techniques ou d'attitudes ? une confiance ici, dans la force vive des janissaires, des spahis et des galères ; là, au contraire, un besoin de sécurité et, même au cours des grandes luttes, un certain souci d'économies des forces et des dépenses ? De même, si les États chrétiens entretiennent, dans le Levant, des services d'espionnage importants, ce n'est pas seulement par crainte, c'est aussi pour mesurer avec exactitude le danger qui menace et y proportionner l'effort de la défense. Le Turc ne viendra pas : alors vite on démobilise ce qui peut l'être, on décommande ce qui n'est pas encore en place. C'est un jeu ridicule, dit Bandello[2], de se casser la tête pour savoir ce que feront ou ne feront pas le Turc ou le Sophi; et il a raison, car les beaux discuteurs auxquels il pense ne savent rien des projets et secrets de ces puissants personnages, s'ils en discourent à perdre haleine. C'est autre chose pour les princes : ce jeu détermine souvent l'importance des moyens de défense à mettre en œuvre.

La Chrétienté méditerranéenne a donc disposé contre l'Islam d'une série de « rideaux », de « fronts » fortifiés, longues lignes défensives derrière lesquelles, consciente de sa supériorité technique, elle se sent mieux à l'abri. Ces lignes s'étendent de la Hongrie jusqu'aux frontières méditerranéennes, en une série de zones fortifiées qui séparent les deux civilisations l'une de l'autre.

Le « limes » vénitien

Aux lisières de la mer occidentale, la vigilance de Venise est ancienne. Face aux Turcs, la Seigneurie étire ses présides, ses guettes littorales, sur les côtes d'Istrie, de Dalmatie et d'Albanie, jusqu'aux îles Ioniennes et au delà, pour joindre Candie et Chypre : ce dernier point d'appui, acquis par la Seigneurie en

---

1. Voir *infra* p. 218-219.
2. *Op. cit.*, IX, p. 138.

1479, sera conservé par elle jusqu'en 1571. Mais ce long et étroit Empire maritime — cette plante parasite a été atteinte par les poussées successives des Turcs. Ainsi, pour ne pas remonter plus haut, la paix du 12 octobre 1540[1] l'avait amputée de précieux postes sur la côte dalmate, Nadino et Laurana, de quelques *isolette* de l'Archipel, Chio, Patmos, Casino, d'îles « féodales », Nio, le fief des Pisani, Stampalia, le fief des Quirini, Paros, la possession des Venier. Elle avait dû abandonner aussi, en Grèce, les postes importants de Malvoisie et de Napoli di Romania. Trente-trois ans plus tard, par la paix séparée d'avril 1573 complétée par les accords difficiles de 1575[2], elle cédait encore des postes en Dalmatie, payait une indemnité de guerre et renonçait à Chypre, perdue en fait dès 1571. On a comparé souvent Venise à l'Empire britannique ; alors la Venise de la fin du XVIe siècle serait comme un Empire britannique qui n'aboutirait plus aux Indes. Mais que cette comparaison n'égare pas : ces terres frontalières de Venise sont formées d'éléments minuscules, de places fortes souvent archaïques... Les villes et les îles y comptent rarement quelques milliers d'habitants. En 1576, Zara en a un peu plus de 7 000[3], Spalato un peu moins de 4 000[4], Cattaro un millier seulement à cause de l'épidémie de 1572, Céphalonie à peine 20 000[5], Zante 15 000[6], Corfou 17 517[7]. Seule Candie, avec ses 200 000 habitants, a un certain poids, c'est l'élément lourd de la nouvelle chaîne. Mais on sait que l'île grecque n'est pas sûre, on l'a vu en 1571, on le verra en 1669. Au total, tel qu'il est, cet empire ne pèse guère démographiquement par rapport à Venise et sa Terre Ferme, à qui l'on donnait vers la même époque une population globale d'un million et demi d'habitants[8].

C'est donc miracle si le barrage tient, au large des côtes turques. Rappelons qu'en 1539, les Espagnols n'ont pas pu se maintenir dans la tête de pont de Castelnuovo, sur les rives balkaniques[9]. L'anormale solidité vénitienne est un triomphe d'adaptation, le résultat de calculs répétés : entretien minutieux des postes, vigilance de l'Arsenal, cette puissante usine, incessant passage des naves et des galères. Ajoutons l'entraînement, le dévouement des populations frontalières, la valeur des hommes qui y commandent pour la Seigneurie, le courage des déportés qui y purgent leur peine. Sans compter l'efficacité des écoles pratiques d'artillerie et la facilité de recruter des soldats parmi les Albanais, les Dalmates ou les Grecs de ces confins agités.

Cependant, aux deux extrémités de sa chaîne de postes, Venise éprouve des difficultés. A l'Est, Chypre est à bout de course, peu défendable et sa population pas très sûre. L'île, comme Rhodes, a le tort d'être trop proche de l'Asie Mineure et donc à la merci des entreprises turques : la défaite de 1571 obligera au repli de l'antenne vénitienne sur Candie, sauvée de justesse en 1572 et que la Seigneurie sent dès lors constamment menacée par les convoitises de son vainqueur. A l'autre extrémité de la chaîne, au Nord, sur les frontières de l'Istrie et du

1. Giuseppe CAPPELLETTI, *Storia della Repubblica di Venezia*, VIII, p. 302 et *sq.*
2. H. KRETSCHMAYR, *op. cit.*, III, p. 74.
3. Relation d'Andrea GIUSTINIANO, 1576, B. N., Paris, Ital. 1220, fo 81.
4. *Ibid.*, fo 69.
5. *Ibid.*, fo 34 vo et 35.
6. *Ibid.*, fo 25 vo.
7. *Ibid.*, fo 39 et *sq.*
8. B. N., Paris, Ital. 427, fo 274, 1569.
9. A. MOREL FATIO, in : *Mémoires de l'Académie des Inscriptions et Belles Lettres*, t. XXXIX, 1911, p. 12 et *sq.* du tirage à part. Tentative aussi vaine, cinq ans plus tôt, à Coron, en Morée.

Frioul, Venise touche aux terres habsbourgeoises et presque aux terres turques. D'où un double danger, d'autant plus grave qu'il menace la Terre Ferme, l'être même de Venise. Déjà, de 1463 à 1479, des raids turcs étaient parvenus jusqu'au Piave[1] et vis-à-vis des terres habsbourgeoises, les limites, stabilisées en fait dès 1518[2], ne le sont pas encore en droit, c'est-à-dire sans contestation. C'est contre tous ces périls que Venise construira la coûteuse et solide place forte de Palma, à la fin du siècle.

L'Empire vénitien, qui n'est qu'un fil, une série de positions avancées, n'enserre pas l'énorme État turc, mais il le gêne. A Venise, on n'est pas sans connaître l'extrême fragilité de ces positions. Sans fin les ambassadeurs et les bailes de la Seigneurie essaieront, par des ententes et des achats de conscience, de les défendre à Constantinople contre la possibilité d'une attaque. Sans fin, pour des raisons politiques ou commerciales, à la suite d'incidents de voisinage, pour un navire qui charge du grain sans autorisation, pour un corsaire qui agit trop à sa guise, pour une galère vénitienne qui fait trop rudement la police, des incidents surgissent, s'enveniment. En 1582, Sinan Pacha cherche querelle à la Seigneurie, sciemment et l'occasion est bonne pour lui de vitupérer contre les Vénitiens, de réclamer leurs îles « qui sont les pieds du corps même de l'État du Sultan »[3].

Mais peut-être la ligne vénitienne n'a-t-elle tenu qu'à cause de sa faiblesse même, parce que le Turc y a ménagé de larges ouvertures, les fenêtres et les portes qui lui permettent de gagner l'Occident : Modon qui, bien que mal fortifiée, résistera lors du siège dramatique de 1572, et que, vers 1550 déjà, Belon du Mans considérait comme « la clé de la Turquie » ; plus au Nord, Navarin qui sera fortifiée à partir de 1573[4], et enfin Valona, en Albanie, malheureusement entourée par un pays sans cesse troublé, cependant base excellente de départ vers le large et la Chrétienté. Peut-on dire que cette déchirure du *limes* vénitien, en le rendant moins gênant, lui aura permis de se maintenir plus longtemps ?

Sur le Danube

Au Nord des Balkans[5], l'Empire turc a atteint et dépassé le Danube, importante mais fragile frontière. Il s'est à demi saisi des Provinces Danubiennes

---

1. Fernand GRENARD, *Grandeur et décadence de l'Asie*, p. 77.
2. Carlo SCHALK, *Rapporti commerciali tra Venezia e Vienna*, Venise, 1912, p. 5.
3. X. de Salazar à S. M., V. 24 mars 1582, Simancas E⁰ 1339.
4. P. de CANAYE, *op. cit.*, p. 181.
5. Pour tout ce paragraphe se présente à nous l'énorme et pas toujours saisissable littérature relative à la Hongrie. A. LEFAIVRE, *Les Maggyars pendant la domination ottomane en Hongrie* 1526-1722, Paris, 1902, 2 vol. Des livres allemands récents en partie orientés par des préoccupations actuelles, Rupert von SCHUMACHER, *Des Reiches Hofzaun*, *Gesch. der deutschen Militärgrenze im Südosten*, Darmstadt, 1941 ; Roderich GOOSS, *Die Siebenbürger Sachsen in der Planung deutscher Südostpolitik*, 1941 (politique et détaillé) ; Friedrich von COCHENHAUSEN, *Die Verteidigung Mitteleuropas*, Iéna, 1940, partial et sommaire; G. MÜLLER, *Die Türkenherrschaft in Siebenbürgen*, 1923; Joh. LOSERTH, « Steiermark und das Reich im letzten Viertel des 16. Jahrhunderts », *in*: Zs. d. hist. Ver. f. *Steiermark*, 1927, au sujet de la mission de Friedrich von Herberstein allant, en 1594, demander secours au Reich, contre les Turcs. Sur la vie religieuse et la pénétration du protestantisme, une abondante bibliographie que l'on trouvera résumée au t. III du *Manuel* de K. BIHLMEYER, p. 69 ; *Mémoires de Guillaume du Bellay*, *op. cit.*, II, p. 178. Les soldats hongrois formant de la cavalerie légère « auxquels on donne parfois le nom d'Hussirer sont considérés par les Allemands comme des demi-barbares... », G. ZELLER, *Le siège de Metz*, Nancy, 1943, p. 15. Sur le ravitaillement de la guerre de Hongrie, Johannes MÜLLER, *Zacharias Geizkofler 1560-1617*, Vienne, 1938.

s'il n'a jamais été le maître, du moins le maître assuré, de la forestière et montueuse Transylvanie. A l'Ouest, il a poussé à travers les vallées longitudinales de la Croatie, au delà de Zagreb jusqu'aux coupures stratégiques de la Kulpa, de la haute Save et de la Drave, face à des régions pauvres, montagneuses, difficiles d'accès, à moitié vides d'hommes, par lesquelles le bloc dinarique s'articule avec la masse puissante des Alpes. Ainsi, la frontière turque, au Nord des Balkans, s'est immobilisée assez vite, à l'extrême Ouest comme à l'Est, gênée des deux côtés par l'hostilité des reliefs. Les hommes bien entendu y ont ajouté du leur : vers l'Est moldave et valaque se produisent, dévastatrices, difficiles à contenir ou à orienter, les grandes poussées tartares. A l'Ouest, une frontière allemande s'est organisée, au moins dans le Windischland, entre la moyenne Save et la moyenne Drave, sous le commandement du *Generalkapitän* de Laybach. L'ordonnance impériale qui l'organisa fut donnée à Linz, en 1538. Pour le Windischland, puis pour la Croatie, des institutions militaires frontalières allaient pousser d'elles-mêmes, à l'époque de Charles Quint et de Ferdinand. Un règlement de 1542 fixa l'organisation de la zone entière. Comme l'écrira bientôt Nicolas Zriny, en 1555, elle était le rempart, la *Vormauer* de la Styrie et, par là, de tout l'État héréditaire autrichien. N'est-ce pas d'ailleurs cette défense en commun, nécessaire et menée à ses frais, qui allait peu à peu cimenter, en une unité assez réelle, cet *Erbland* autrichien, jusque-là partagé en petits États et patries diverses[1] ? En 1578, sur la Kulpa, s'élevait la solide forteresse de Karlstadt ; à la même époque, Hans Lenkowitch avait autorité sur la frontière croate et slavone dont l'organisation était à nouveau définie par le *Brucker Libell* (1578). Le trait le plus original en était l'enracinement, au long de la frontière, de nombreux paysans serbes, fuyant l'autorité et le territoire des Turcs. Ces paysans recevaient terres et franchises. Ils étaient groupés en grandes familles, véritables compagnies patriarcales et démocratiques où l'Ancien répartissait les tâches militaires et économiques.

Avec les années, l'organisation de ces confins militaires s'était donc renforcée ; on est peut-être en droit de penser, d'après une note de Busbec[2], que si une telle frontière a pu se stabiliser, c'est qu'elle est restée longtemps, jusque vers 1566 au moins, assez tranquille. Tranquillité, immobilité partielles. Car si aux ailes, la résistance était possible, elle restait plus aléatoire au centre de la frontière, à travers l'énorme pays découvert de Hongrie. Nous avons trop souvent parlé des désastres de ce malheureux pays, de l'horrible confusion qui fut son partage au-delà de 1526, de ses querelles, de ses divisions fratricides, de sa réduction presque complète à l'ordre turc en 1541, pour qu'il soit nécessaire d'y revenir. Incorporée au monde turc, la Hongrie ne laissait entre les mains chrétiennes qu'une étroite bande frontière. Ses plaines et ses routes d'eau s'offraient aux invasions, la plus importante étant celle du Danube. Après la poussée turque sur Vienne en 1529, il fallut, pour défendre ce qui était devenu le rempart du monde allemand, multiplier les obstacles artificiels au long des routes et des fleuves ; créer et entretenir une flotte danubienne, une centaine de navires estimait déjà, en 1532, le *Generaloberst* de l'arsenal de Vienne, Jeronimo de Zara. Ce fut le *Salzamt* de Gmünden qui reçut l'ordre de construire ces bateaux, en plus de ses habituelles barques pour le transport du sel... On les appelait *Nassarnschiffe, Nassadistenschiffe*. Dans notre français du xvie siècle,

---

1. F. von Cochenhausen, *op. cit.*, p. 86-87
2. *Op. cit.*, II, p. 82 et *sq.*

il est question de *nassades*, mais le nom de *Tscheiken*, copié sur le mot turc de *Caïque*, l'emporta finalement. Il y eut ainsi jusqu'aux XIXe siècle, sur le Danube, des *Tscheiken*, et à leur bord des *Tscheikisten*. En 1930, au cours d'une fête rétrospective à Klosterneuburg, on exposa encore des *Tscheiken* du temps du prince Eugène.

Avec la fin du XVIe siècle, la longue frontière hongroise se stabilisa. Jamais elle ne s'apaisa. La petite guerre, avec ses incessantes razzias, ses chasses à l'esclave ou à l'impôt n'en déplaça plus guère le tracé. Une zone de tours de guet, de forts, de châteaux, de forteresses, y forma peu à peu un réseau fortifié, aux mailles plus ou moins serrées, entre lesquelles passaient sans effort les troupes des coups de mains, mais où s'arrêtaient et s'empêtraient les armées compactes contre lesquelles le filet était tendu. Ici, comme ailleurs, comme en Croatie et en Slavonie, la paix avait été organisatrice, surtout au-delà de 1568 et de la trêve d'Andrinople, renouvelée en 1574-1576 et en 1584. Cette paix relative ne fut rompue qu'en 1593, mais vingt-cinq années d'accalmie avaient suffi à incruster dans le sol la longue et longtemps flexible frontière. En 1567, de toute évidence, elle était encore fragile : « certainement, de ce côté-là, écrivait Chantonnay de Vienne[1], la Chrétienté est mal couverte » d'autant, ajoutait Fourquevaux, que les soldats allemands de Hongrie sont particulièrement piètres. Les Turcs les « mettent en compte d'autant de femmes et les ont battuz aussi souvent qu'ilz sont venuz aux mains »[2]. Vérité de 1567 — et encore — mais certainement plus de 1593, quand la guerre va reprendre avec le Turc. Le Français Jacques Bongars[3] qui visitera cette zone frontière depuis Raab jusqu'à Neutra, au printemps de l'année 1585, note dans son *Journal* les précautions multiples de la défense chrétienne : dans le seul district de Raab se dressent douze forteresses avec — et nous sommes en temps de paix — plus de 5 000 fantassins et 300 cavaliers de garnison. A Comorn, précaution supplémentaire, un atelier fabrique des balles et de la poudre à l'intérieur même de la place. Sur tout le *limes*, courses, escarmouches sont quotidiennes[4].

Au centre de la mer : sur les côtes de Naples et de Sicile

Avec les côtes de Naples et de Sicile, ajoutons Malte qui fait la liaison en direction du Moghreb, un secteur bien différent se présente à nous. Sa position, à la charnière médiane de la mer, lui donne sa valeur stratégique. « Il est le front de mer de l'Italie contre le danger turc »[5], c'est-à-dire face aux guettes que celle-ci possède en Albanie et en Grèce. Sa mission est à la fois d'offrir une base aux flottes hispaniques, de résister aux armadas turques, de défendre son propre territoire contre les attaques des corsaires.

Brindisi, Tarente, Augusta, Messine, Palerme, Naples pouvaient servir de centres de ralliement aux galères chrétiennes. Brindisi et Tarente trop à l'Est peut-être, Palerme et Augusta beaucoup plus pointées vers l'Afrique que vers le Levant, Naples trop loin sur les arrières. La position de Messine l'emporta.

1. *CODOIN*, CI., 7 juin 1567, p. 229.
2. FOURQUEVAUX, *op. cit.*, I, p. 239, 17 juillet 1567.
3. L. ANQUEZ, *Henri IV et l'Allemagne*, p. XXI-XXIII.
4. *Ibid.*, p. XXII.
5. A. RENAUDET, *L'Italie...*, p. 12.

25. LE SIÈGE D'UNE PLACE D'AFRIQUE, par Vicente Carducho. Peut-être le Peñon de Vélez (1564). Beauté des types de navires. Madrid, Academia di S. Fernando.

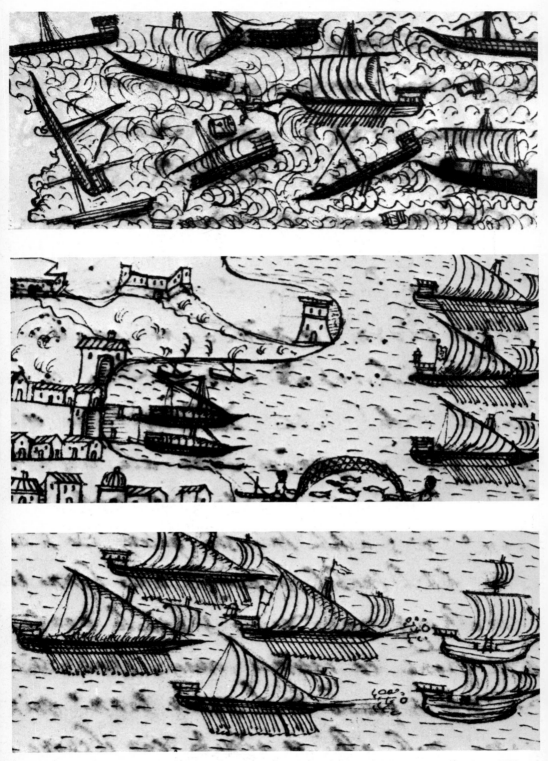

26, 27, 28. GALÈRES DANS LA TEMPÊTE, AU PORT, AU COMBAT. D'après les dessins d'un forçat toscan vers 1560. Manuscrit de la Bibliothèque Marciana, à Venise.

Elle fut, aux heures de péril, la place maritime essentielle de l'Occident. Sa position d'embuscade, sur son couloir d'eau, ses facilités de ravitaillement en blé sicilien et étranger, sa proximité de Naples ont servi sa fortune. De Naples lui parvenaient des hommes, des voiles, du biscuit, des barriques de vin, du vinaigre, de la poudre « subtile », des rames, de la mèche et des « cannes » d'arquebuse, des boulets de fer... Quant à la position de la ville, n'en jugeons pas trop d'après nos idées actuelles : au temps de la primauté turque, il fut toujours loisible aux armadas musulmanes de forcer la route du détroit, exploit que réussissaient le cas échéant, à leurs risques et périls, des galères isolées ou des flotilles de corsaires. C'est que l'étroite voie d'eau était immense, à la mesure des tirs de l'artillerie du temps, et difficile à surveiller.

Dès le début du XVIe siècle, Naples et la Sicile, sur leurs rives comme dans l'intérieur de leurs terres, sont semées de forteresses et de fortifications, souvent désuètes et dont les murs tombent en ruines. Rarement, elles tiennent compte de l'artillerie, de la nécessité de lui ménager boulevards et cavaliers et, en prévision de celle de l'ennemi, de renforcer les murs, les terre-pleins et de diminuer les œuvres vives au-dessus du sol. La destruction et la remise en état de ces forteresses démodées, la construction de nouveaux éléments représentèrent le travail de plusieurs générations : Catane, à partir de 1541[1], commença à ajouter à l'enceinte médiévale des bastions capables de croiser leurs feux. L'entreprise ne sera achevée qu'en 1617, après trois quarts de siècle d'efforts et de dépenses.

C'est au voisinage de 1538 que ce grand travail aura commencé dans tout le Mezzogiorno, à Naples, sous l'impulsion de Pietro di Toledo, en Sicile, sous l'impulsion de Ferrante Gonzaga. C'est que 1538 est l'année de La Prevesa, que les flottes turques, dès lors, viennent battre de leurs coups puissants et, sur mer, impossibles à parer, les côtes de Naples et de la Sicile. L'anonyme *Vita di Pietro di Toledo*[2], indique que le vice-roi fit alors commencer les fortifications de Reggio, Castro, Otrante, Leuca, Gallipoli, Brindisi, Monopoli, Trani, Barletta, Manfredonia, Vieste et qu'il travailla aussi à fortifier Naples. A partir de cette époque, semble-t-il, des tours de guet se construisirent sur les côtes napolitaines. On en élevait encore, en 1567, trois cent treize dans le Royaume[3]. Ce que Pietro di Toledo fit à Naples, Ferrante Gonzaga l'accomplit en Sicile, de 1535 à 1543[4]. Il fit construire cent trente-sept tours[5] sur les littoraux de l'Est et du Sud, celui-ci défendu quelque peu par la nature, celui-là exposé aux coups des Turcs et bientôt réduit à ne plus être, « face à l'Empire ottoman, qu'une simple frontière militaire »[6]. Sur cette ligne névralgique, dès 1532, des travaux de fortification avaient été engagés à Syracuse[7]. C'était là, comme le dira Ferrante Gonzaga lui-même dans un rapport au Roi[8], le seul côté exposé de l'île. Le côté Nord est montagneux; le côté Sud, «*la più cattiva e più fluttuosa*

---

1. Rosario PENNISI, « Le Mura di Catania e le loro fortificazioni nel 1621 », *in : Arch. st. per la Sicilia Orientale*, 1929, p. 110.

2. *Arch. st. it.*, t. IX, p. 34.

3. Simancas E⁰ 1056, f⁰ 30.

4. G. CAPASSO, « Il governo di D. Ferrante Gonzaga in Sicilia dal 1535 al 1543 », *in : Arch. st. sic.*, XXX et XXXI.

5. G. LA MANTIA, « La Sicilia e il suo dominio nell'Africa settentrionale dal secolo XI al XVI », *in : Arch. st. sic.*, XLIV, p. 205, note.

6. Hans HOCHHOLZER, *art. cit.*, p. 287.

7. L. BIANCHINI, *op. cit.*, I, p. 259-260.

8. Milan, 31 juil. 1546, B. N., Paris, Ital. 772, f⁰ 164 et *sq.*

spiaggia di quei mari »[1], n'offre aucun réduit où la flotte ennemie puisse se loger. Il n'en est pas de même pour l'Est, avec ses côtes basses, fertiles, d'accès facile. D'où la nécessité de fortifier, outre Syracuse, Catane et Messine qu'à son arrivée en 1535, il a trouvées « *abandonate et senza alcuno pensamento di defenderle* »[2]. Mais elles ne seront pas encore fortifiées quand il les laissera.

Ce n'est donc pas en un jour, ni même en un éphémère règne de vice-roi, que tout a pu être changé. En Sicile, les fortifications se poursuivront sous les successeurs de Ferrante, comme à Naples sous les successeurs de Pietro di Toledo. La tâche toujours en cours[3], souvent recommencée, n'est jamais achevée, elle est coupée d'ordres et de contre-ordres. On disait à Naples que chaque vice-roi aux prises avec les chantiers des vingt forteresses du Royaume (19 exactement en 1594), défaisait ce que son prédécesseur avait fait[4]; c'est beaucoup dire et ne pas reconnaître les difficultés. Les responsables sont gênés par le manque de crédits, obligés d'arrêter les travaux, ici, pour les ouvrir plus loin, ou de réparer ce qui croule (les tours de guet de Sicile, achevées en 1553, doivent être reconstruites de 1583 à 1594), reprendre et moderniser une à une toutes les forteresses. Enfin, il faut étendre les chantiers plus loin vers l'Occident, preuve que le danger que l'on veut endiguer gagne vers l'Ouest. La course barbaresque et les grands voyages turcs d'avant 1558 ont pris à revers les positions siciliennes et napolitaines ; si bien qu'il est nécessaire de faire face désormais du côté de la Tyrrhénienne, de s'occuper de Palerme[5], Marsala[6], Trapani[7], Sorrente[8], Naples[9], Gaète...

Le gros danger n'en reste pas moins à l'Est. C'est dans cette direction surtout que fonctionne le système défensif. Nous voici à Naples, en 1560. Depuis un an, des travaux sont en cours pour fortifier Pescaire[10], l'île de Brindisi, la grosse place de Tarente[11]. Après discussions, on a révoqué définitivement l'ordre, donné, puis repris par le duc d'Albe (alors qu'il était vice-roi de Naples, en 1557), d'avoir à démanteler une série de petites places du cap d'Otrante et de la terre de Bari : Nolseta, Sovenazo, Vigella, Galignano, Nola, à condition que ces petites villes se fortifieraient et se garderaient elles-mêmes, tous détails qui montrent à plaisir la difficulté des travaux et l'imperfection de la ligne défensive. Aussi bien, à la veille de l'été, renforce-t-on ces diverses places fortes. La milice de Naples fournit de 8 à 10 000 hommes et pourrait en fournir 20 000. Comme elle doit traverser le Royaume et y loger, on se réjouit que ce soient soldats du pays et non étrangers[12]. On place ainsi, en mai 1560, 500 fantassins à Manfredonia, 700 à Barletta, 600 à Trani, 400 à Bisceglie, 300 à Monopoli, 1 000 à Brindisi, plus trois compagnies d'Espagnols dans le fort,

1. *Ibid.*, f⁰ 164 v⁰.
2. *Ibid.*
3. Simancas E⁰ 1050, f⁰ 136, 3 déc. 1560, et E⁰ 1052, f⁰ 10.
4. *Arch. st. it.*, t. IX, p. 248 ; Simancas E⁰ 1051, f⁰ 68.
5. 2 mai 1568, Simancas E⁰ 1132 ; 1576, Simancas E⁰ 1146, la question est toujours à l'ordre du jour.
6. G. LA MANTIA, *art. cit.*, p. 224, note 2.
7. L. BIANCHINI, *op. cit.*, I, p. 55.
8. Après qu'elle eut été saccagée par les Turcs, 31 janv. 1560, Simancas E⁰ 1050, f⁰ 14.
9. 26 févr. 1559, Simancas E⁰ 1049, f⁰ 91.
10. Fourquevaux au courant, 29 déc. 1565, FOURQUEVAUX, *op. cit.*, I, p. 36.
11. G. C. SPEZIALE, *Storia militare di Taranto*, Bari, 1930.
12. 10 janv. 1560, Simancas E⁰ 1050, f⁰ 9 ; *Ordenanzas de la milicia de Napoles* (1563), imp., Simancas E⁰ 1050, f⁰ 54.

500 miliciens à Tarente, 800 à Otrante, 800 à Cotron. En outre, un millier d'hommes d'armes et 200 chevau-légers sont logés en Pouilles et 6 000 Italiens levés pour constituer une réserve où l'on puisera en cas d'attaque[1]. Tout en occupant les marines et en renforçant les places fortes, on veille à l'évacuation des *lugares abiertos*, des villes et villages ouverts de la côte. En Sicile, en 1573, le rideau de défense ne pouvant s'étendre à l'île entière[2], on s'est contenté de garder Messine, Augusta, Syracuse, Trapani et Milazzo, abandonnant momentanément, comme trop faibles, Taormina, Catane, Terranova, Licata, Girgenti, Sciacca, Mazzara, Marsala, Castellammare, Termini, Cefalù et Patti...

Telles sont les occupations d'été (à l'approche de l'hiver tout le système est replié) des vice-rois de Naples et de Sicile, jusque vers les années 1580 et même au-delà. A cette époque, la menace turque étant moins vive, on sentira davantage le poids de ces charges militaires, notamment en Sicile où la cavalerie (garde essentielle de l'île montueuse) dévore littéralement les revenus du Royaume. Au total, si l'on veut bien considérer encore un instant ce savant système de défense, la masse d'hommes qu'il emploie, les rouages compliqués d'estafettes, de liaisons, de signaux optiques qu'il implique, on ne s'étonnera pas des surprises souvent désagréables des Turcs, aux prises avec cette défense souple. Si, en gros, 1538 marque le début de ce flexueux système de défense, c'est au-delà de 1558 qu'il semble être au point[3]. Son efficacité est signalée par les Vénitiens. En 1583, un rapport du Proéditeur de la flotte, Niccolò Suriano, déclare : « Il n'y a pas si longtemps que toute la côte de Pouille du Cap Santa Maria jusqu'au Tronto, possédait fort peu de tours de garde. Aussi les fustes turques côtoyaient-elles sans cesse ces rivières, faisant de grands dommages à la navigation et aux territoires, et se contentant de ces bonnes occasions, elles ne pénétraient pas au cœur du Golfe. Maintenant à cause de ces tours, il apparaît que les gens de terre sont défendus... et les petits bateaux naviguent avec beaucoup de sécurité pendant le jour. Si un bateau ennemi apparaît, ils peuvent se cacher sous les tours où ils sont en sûreté, gaillardement défendus par l'artillerie dont elles sont bien fournies. Si bien qu'à présent les fustes dépassent le mont d'Ancône, sûres de trouver de belles proies sans grand risque ». Comme à cette hauteur, ce sont les bateaux vénitiens qui sont pris, au lieu des bateaux espagnols en route pour Naples, on comprend le sens de ce discours et ces conclusions, à savoir que le Pape, les ducs de Ferrare et d'Urbino devraient bien faire des tours de guet, semblables à celles du royaume de Naples[4]. Le travail des vice-rois espagnols est-il tellement à dédaigner ?

La défense des côtes d'Italie et d'Espagne

La ligne napolitaine et sicilienne, prolongée par le relais puissant de Malte jusqu'à la côte de Berbérie où le préside de la Goulette sera solidement fiché jusqu'en 1574, n'est pas dépassée généralement par les armadas turques. Non qu'elle soit capable de les arrêter. Mais, leur butin ramassé, les Turcs se soucient

---

1. Simancas E° 1050, f° 43 (18 mai 1560) ; dispositions analogues en 1561, Simancas E° 1051, f° 52 (5 avril 1561).
2. E. ALBÈRI, *op. cit.*, II, V, p. 483.
3. Voir ainsi un relevé des garnisons côtières à Naples en mai 1567, Simancas E° 1056, f° 67 ; en Sicile, en 1583 ou 1585, Simancas E° 1154.
4. V. LAMANSKY, *op. cit.*, p. 600-601.

rarement de pousser plus loin. Rien ne les en empêche pourtant, quand ils le désirent, pas plus que n'est empêché le mouvement des navires entre Turquie et Berbérie. D'autre part, la course algéroise est active. Très au loin, la Chrétienté doit donc défendre ses marines, les équiper de tours et de forteresses, s'organiser en profondeur.

Comme les travaux de défense de Sicile, cette muraille ne pousse pas en un jour ; on l'élève, on la déplace, on la modernise. Quand, comment ? Il est difficile de le préciser. En 1563[1], on s'avise qu'il faudrait substituer, aux vieilles tours de Valence, des ouvrages nouveaux où l'artillerie trouverait place. A Barcelone, la question est aussitôt de savoir qui devra payer : le Roi, la ville, la *Lonja*[2] ? A Majorque, en août 1536[3], des guetteurs signalent des voiles ennemies du haut des *atalayas*. Il y a donc des tours dans l'île à cette époque. De quand datent-elles ? en 1543, on commence des fortifications à Alcudiat, mais quelles fortifications ? De même, quand construit-on, en Corse, les tours rondes de guet, qu'il faut distinguer des tours carrées des fortifications villageoises[4] ? Est-ce à partir de 1519-1520 que s'organise à Valence une garde côtière, sur le modèle de la Sainte Hermandad[5], avec des « montres » et des services d'alerte ? Peu de chose au demeurant, puisque, en 1559, Philippe II, de Bruxelles, s'étonne qu'il n'y ait que six hommes à la forteresse d'Alicante[6]. En 1576, on en est encore à faire des projets sur la fortification de Carthagène[7]. Par contre, à Grenade, en 1579, il y a un service de défense des côtes, sous la direction de Sancho Davila, *Capitan general de la costa*[8]. Peut-être, parce que ce secteur donne des craintes particulières. De même la Sardaigne, obligée de penser à sa défense (nous avons les projets détaillés de la fortification de l'île vers 1574[9]) construit des tours sous le gouvernement du vice-roi, Don Miguel de Moncada, vers 1587[10]. A côté des bancs de corail de l'île, les pêcheurs se réfugiaient derrière ces tours et utilisaient l'artillerie pour se défendre[11].

Bien sûr, ces travaux ne sont jamais terminés. Il y a toujours quelque chose à compléter pour assurer la protection des *poveri naviganti*[12] et des habitants des côtes. Et dans l'ensemble, il s'agit de travaux à une bien plus petite échelle que ceux dont nous parlions plus haut. Les côtes d'Espagne reçoivent souvent la visite des corsaires surtout barbaresques, mais ont peu à redouter des escadres de Constantinople. Et c'est tout de même fort différent.

---

1. 31 mars 1563, référence d'archive égarée.
2. A. de CAPMANY, *op. cit.*, IV, appendice p. 84, 20 juil. 1556.
3. 29 août 1536, A. N., K 1690.
4. P. B., « Tours de guet et tours de défense. Constructeurs de tours », *in: Petit Bastiais*, 19 juin-14 juil. 1937.
5. K. HÄBLER, *Gesch. Spaniens*, t. I, p. 26-27.
6. 31 mars 1559, Simancas E⁰ 137.
7. *CODOIN*, II, p. 183.
8. *CODOIN*, XXXI, p. 162, 165, 169. J. O. ASIN, articles *in : Boletin de la R. Academia Española*, 1928, XV, p. 347-95 et 496-542 et *Bulletin Hispanique*, XXXV, 1933, p. 450-453 et XXXIX, 1937, p. 244-245. Cf. également Mariano ALCOCER MARTINEZ, *Castillos y fortalezas del antiguo reino de Granada*, Tanger, 1941; A. GAMIR SANDOVAL, *Organización de la defensa de la costa del Reino de Granada desde su reconquista hasta finales del siglo XVI*, Grenade 1947.
9. Relacion de todas las costas del Reyno de Cerdaña (s. d.), Simancas E⁰ 327, document d'une extrême importance, postérieur à 1574.
10. Francesco CORRIDORE, *op. cit.*, p. 18.
11. F. PODESTA, *op. cit.*, p. 18.
12. 20 mars 1579, A. d. S. Gênes L. M. Spagna 8 2417.

Sur les côtes d'Afrique du Nord

En Afrique du Nord, le problème défensif se pose avec plus de clarté qu'ailleurs[1]. Il n'est pas plus simple, mais il est mieux connu. Si étroite qu'elle soit, la chaîne des présides se mêle aux histoires des régions qu'elle délimite : elle est une confluence. De là les multiples lumières qui en précisent les détails et l'ensemble. Établies à l'époque de Ferdinand le Catholique, surtout de 1509 à 1511, les *fronteras* ont été alors plantées en bordure d'un pays archaïque, inconsistant, incapable de se défendre. Seules, peut-être, les préoccupations de l'Aragonais, trop tenté par les richesses de l'Italie, ont empêché l'Espagne de se saisir des profondeurs du pays moghrébin. Mais l'occasion perdue ne s'est plus représentée. Dès 1516, les Barberousse s'implantaient à Alger ; en 1518, ils se plaçaient sous la protection du Sultan ; en 1529, leur ville se libérait de la petite forteresse gênante du Peñon, que les Espagnols possédaient depuis 1510. Dès avant cette date, Alger avait rayonné par tout ce pays fruste du Moghreb central, y jetant ses rapides colonnes, y installant ses garnisons, ramenant vers elle les trafics de cette vaste zone intermédiaire. Dès lors, un pays tenu du dedans s'oppose aux Espagnols et les menace. Les grandes expéditions de Charles Quint contre Tunis, en 1535, contre Mostaganem, en 1558, ne changèrent rien à cette situation. D'ailleurs, après l'échec contre Mostaganem qui entraîna avec lui l'abandon de vastes projets d'alliance marocaine, un autre âge, le troisième âge des présides commençait déjà.

Inauguré par Philippe II, il est sous le signe de la prudence et du calcul, non plus de l'aventure. Certes, les grands projets d'expédition africaine ne cessent de fleurir. Mais on délibère beaucoup et l'on agit peu, ou sur des points que l'on sait, que l'on croit du moins, particulièrement faibles. C'est le cas de l'expédition de Tripoli qui se termine par un désastre à Djerba, en 1560. Encore est-elle plus que du souverain, le fait du vice-roi de Sicile, le duc de Medina Celi, et du Grand Maître de Malte. La grande tentative contre le Penon de Velez, montée avec plus de 100 galères en 1564, c'est la montagne qui accouche d'une souris. 1573, la reprise de Tunis par Don Juan d'Autriche et l'obstination de ce dernier à conserver sa conquête, contre son frère et ses conseillers qui ne désirent que l'évacuation et le démantèlement de la place, c'est une brusque poussée de mégalomanie, résurgence brève des temps de Charles Quint comme il y en eut quelques-unes dans l'histoire du Roi Prudent...

Au vrai, patiemment, par une politique continue, sans éclat, mais efficace à la longue, entre les années 1560 et 1570, on a renforcé et développé la masse même des présides. Mortier, chaux, briques, poutres, madriers de bois, pierres, corbeilles à terre pour les terrassements, pelles, pioches, voilà ce dont parlent les lettres des présides. A côté de l'autorité des capitaines des places, grandissent le rôle et l'autorité du *veedor*, cet « économe », ce trésorier payeur. Et aussi celle de l'ingénieur, ce civil, ce qui ne va pas toujours sans conflits. Giovanni Battista Antonelli sera ainsi chargé de travaux à Mers el Kébir[2] et un autre

1. Fernand BRAUDEL, « Les Espagnols et l'Afrique du Nord », *in : Revue Africaine*, 1928 ; « Les Espagnols en Algérie », *in : Histoire et Historiens de l'Algérie*, 1930. Depuis cet article, une seule contribution d'ensemble, Robert RICARD, « Le Problème de l'occupation restreinte dans l'Afrique du Nord (XVᵉ-XVIIIᵉ siècle) », *in : Annales d'histoire économique et sociale*, 1937, p. 426-437.
2. Juan Baptista Antoneli à Eraso, Mers el Kebir, 29 mars 1565, Simancas Eº 486. En conflit avec F. de Valencia, F. de Valencia au Roi, Mers el Kebir, 8 févr. 1566, Simancas Eº 486.

Italien, Il Fratino (que Philippe II emploiera aussi en Navarre) déplacera d'un bloc l'ancien préside de Melilla pour le replanter près de sa lagune. Deux dessins de lui, conservés à Simancas, donnent la perspective de la petite place, dans son site nouveau, minuscule amas de maisons autour de l'église, face à la côte abrupte, immense. Il Fratino a travaillé également à la Goulette[1], ce qui lui valut des rapports assez orageux avec le gouverneur Alonso Pimentel, querelle typique de gens reclus, aiguisée jusqu'au meurtre, avec dénonciations réciproques[2]..! Le préside n'en grandissait pas moins ; autour du primitif rectangle bastionné de la « vieille Goulette », les estampes de 1573 et 1574 montrent tout un feston de fortifications nouvelles, achevées dès l'été 1573[3]. Ajoutons un moulin à vent, des magasins, des citernes, des « cavaliers », sur lesquels on met en place une puissante artillerie de bronze. Car l'artillerie est la force, la raison d'être des forteresses d'Afrique.

Au temps de Philippe II, les présides grossissent, se hérissent de fortifications neuves, dévorent les matériaux de construction apportés souvent de très loin (à Mers el Kébir, un bateau débarque de la chaux de Naples), réclament sans arrêt de nouveaux « pionniers », des *gastadores*. A Oran et dans son annexe de Mers el Kébir — après 1580 un chef-d'œuvre du genre — c'est une activité inlassable de fourmis. A la fin du siècle, ce n'est plus une forteresse, mais une zone fortifiée organisée au prix de grosses dépenses et d'épuisants travaux. Le soldat, comme le vulgaire *gastador*, y manie pelle et pioche. Diego Suárez, ce soldat chroniqueur d'Oran qui avait travaillé à l'Escorial au temps de sa jeunesse, n'a pas de mot pour vanter l'ouvrage accompli. C'est aussi beau que l'Escorial, résume-t-il. Mais cet exceptionnel chef-d'œuvre ne s'est construit qu'avec les dernières années du règne de Philippe II, non sans avoir, en 1574, couru un risque singulier... Le gouvernement espagnol était alors au bord de la seconde banqueroute du règne, celle de 1575. En Tunisie, Don Juan d'Autriche, qui venait de s'emparer de Tunis, s'y maintenait contrairement à ses instructions[4] et son entêtement aboutissait au désastre d'août-septembre 1574 qui permit aux Turcs de s'emparer à la fois de la Goulette et de Tunis. Ce double échec démontrait que ces deux forteresses, se partageant le ravitaillement de la métropole, s'étaient finalement nui l'une à l'autre. De là à penser que le double préside d'Oran et de Mers el Kébir, qu'unissait un mauvais chemin terrestre d'une lieue, impraticable pour l'artillerie, était peut-être lui aussi une faute, il n'y avait qu'un pas. L'enquête du prince Vespasiano Gonzaga, achevée sur place en décembre 1574[5], concluait à la nécessité d'abandonner

---

1. Sur les fortifications de la Goulette, Alonso Pimentel au Roi, 29 mai 1566, Simancas E° 486 ; 9 juin 1565, *ibid.* ; Luis Scriva au Roi, 7 août 1565, *ibid.*, la fortification « va de tel arte que a bien menester remedio » ; Philippe à Figueroa, 5 nov. 1565, Simancas E° 1394, il a décidé de fortifier la Goulette, emprunte 56 000 écus à Adam Centurione ; Fourquevaux au courant, 24 déc. 1565, annonce le départ du Fratino et de charpentiers, *op. cit.*, I, p. 10 et 19 ; *Lo que se ha hecho en la fortificacion de la Goleta; Instruction sopra il disegno della nova fabrica della Goleta*, 1566, Simancas E° 1130 ; Philippe II à D. Garcia de Toledo, Madrid, 16 février 1567, ordre de remettre 50 000 écus à Figueroa pour les envoyer aussitôt à la Goulette, Simancas E° 1056, f° 88 ; Fourquevaux, 30 sept. 1567, *op. cit.*, I, p. 273.
2. El Fratin au Roi, La Goulette, 5 août 1566, Simancas E° 486.
3. 20 mai 1573, Simancas E° 1139.
4. Voir *infra*, IIIe partie, chapitre IV.
5. Vespasiano Gonzaga à Philippe II, Oran, 23 déc. 1574, Simancas E° 78, voir sur son retour, B. N., Paris, Esp. 34, f° 145 v° ; Medicco 4906, f° 98 ; consulte du Conseil d'État, 23 févr. 1575, E° 78 (ou le repli sur Mers el Kebir ou la fortificatilon d'Arzeu).

Oran, qu'on démantèlerait et raserait, pour consacrer toute la puissance du préside à Mers el Kébir, mieux situé et disposant d'un bon port. « La Goulette, écrivait l'enquêteur, s'est perdue le jour où Tunis nous a appartenu ». Fortifier Oran ? Tous les ingénieurs du monde n'y réussiraient pas, à moins d'y élever une énorme ville. Or justement, l'alerte passée, c'est cette « énorme » ville[1] que les Espagnols ont patiemment creusée dans le roc, préparant le cadre de sécurité où fleurira plus tard la « Corte chica », la petite Madrid oranaise, comme on dira au XVIIIe siècle, non sans quelque exagération...

La chute des points d'appui de Tunisie, en 1574, n'eut pas les conséquences qu'on aurait pu craindre. Aucune catastrophe ne s'ensuivit pour la Sicile et pour Naples. Il est vrai que celles-ci se servirent de l'arme qui leur restait, leurs escadres de galères[2]. En 1576, le marquis de Santa Cruz, avec les galères de Naples et de Malte, conduisait une expédition punitive sur les rivages du Sahel tunisien et y saccageait les îles Kerkenna, y prenant les indigènes, un bétail abondant, brûlant les maisons, laissant derrière lui des dégâts pour plus de 20 000 ducats. Du coup, toutes les côtes du Sahel se vidèrent de leurs habitants et une galiote renforcée alla porter l'alarme jusqu'à Constantinople[3]. Les escadres mobiles avaient du bon. Il semble que les Espagnols l'aient alors compris et se soient avisés que la meilleure défense des côtes menacées était de lancer les galères, au lieu de les laisser, comme on avait trop souvent fait avant les années 1570, précautionneusement groupées à Messine, dans l'attente des attaques turques. Bien des projets de reconquête furent mis en avant après la chute de Tunis. L'un d'eux, en 1581, pose en principe: et tout d'abord, être fort sur mer[4]... C'était enfin commencer par le commencement.

Ce nouveau mode de défense — par l'agression — risquait même d'être plus profitable qu'autrefois à cause du rétablissement économique du Moghreb. Une relation espagnole de 1581[5] signale Bône comme une ville populeuse, fabriquant de l'assez belle faïence, exportant beurre, laine, miel et cire ; Bougie ou Cherchell comme des portes de sortie pour les produits agricoles de leur arrière-pays que ne draine pas exclusivement l'énorme place commerciale d'Alger, à telle preuve que, plus près encore de la ville des raïs, dans l'estuaire de l'Oued el Harrach et à la pointe du cap Matifou, des barques viennent enlever de la laine, du blé, des volailles pour la France, Valence et Barcelone. Ces précisions rejoignent ce que dit Haedo de l'activité du port d'Alger vers ces mêmes années 1580... Donc, au long des dures et inhospitalières côtes du Moghreb, il y a, à la différence de jadis, des proies nombreuses et payantes. Par surcroît la méthode n'est-elle pas plus économique que celle des présides ? Un rapport financier[6], à situer entre les années 1564-1568, fait le bilan des frais des présides depuis le Peñon de Velez, récupéré à l'Ouest en 1564, jusqu'à la Goulette (Tripoli perdu en 1551 et Bougie enlevé par les Algérois

---

1. Sur les travaux d'Oran et de Mers el Kébir, Diego SUÁREZ, *op. cit.*, p. 27-28 (en 30 ans les fortifications d'Oran ont coûté 3 millions), p. 148-149, 209, 262.
2. Le fait bien vu par E. PELLISSIER DE RAYNAUD, » Expéditions et établissements des Espagnols en Barbarie », *in : Exploration scient. de l'Algérie*, t. VI, 1844, in-8°, p. 3-120. Cf. aussi B. N., Paris Ital. 127, f° 72.
3. Relacion de lo que se hizo en la isla de los Querquenes, Simancas E° 1146.
4. Relation de todos los puertos de Berberia que deben de ganarse y fortificarse, Simancas E° 1339.
5. *Ibid.*
6. Relacion de lo que monta el sueldo de la gente de guerra que se entretiene en las fronteras de Africa, Simancas E° 486.

en 1555 manquent à l'appel). La solde des garnisons s'y établit ainsi : le Peñon 12 000 ducats, Melilla 19 000, Oran et Mers el Kébir 90 000, La Goulette 88 000. Soit un total de 209 000 ducats[1]. On notera la dépense relativement grosse de la Goulette : sa garnison, forte d'un millier d'hommes, effectif ordinaire, plus un millier, effectif extraordinaire, coûte aussi cher que le double préside oranais, qui compte alors 2 700 soldats et 90 chevau-légers. C'est que la solde allouée au fantassin d'Oran (1 000 maravedis par mois) est plus basse *por ser la tierra muy barata*, la vie y étant à bon marché[2]. A l'Ouest, seule la garnison du Peñon a la haute paye d'Italie[3]...

Ce chiffre de 200 000 ducats ne concerne que les dépenses de personnel, à quoi s'ajoutent une infinité d'autres. Il y a l'entretien et la construction des fortifications : Philippe II envoie ainsi pour la construction de la nouvelle Goulette 50 000 ducats en 1566, et de nouveau 50 000 deux ans plus tard, ces deux envois n'étant forcément pas les seuls. Il y a, en outre, le ravitaillement en munitions et il est fort onéreux. Par exemple, en 1565, un envoi[4] pour la Goulette seulement, se monte à 200 quintaux de plomb, 150 de corde à arquebuse, 100 de poudre subtile (à 20 ducats le quintal), 1 000 corbeilles à terre, 1 000 pelles avec leurs manches, le tout se montant à 4 665 ducats, sans compter les frais de transport. Or, en 1560, pour un envoi du même ordre de grandeur, il avait fallu utiliser 8 galères. Pour les constructions, chaque préside avait sa caisse personnelle, sur laquelle on prélevait, le cas échéant, quitte à rembourser ensuite. Il vaudrait la peine d'étudier ces budgets avec précision. On pourrait dresser (indépendamment de la première mise de fonds nécessitée par la conquête elle-même, 500 000 ducats par exemple pour la prise du Peñon, en 1564, non compris les frais de la flotte), le lourd bilan de ces minuscules forteresses, constamment à rapetasser, à consolider ou à étendre, à ravitailler, à nourrir...

Pour comparer, notons qu'à la même époque, la garde des Baléares (fort menacées cependant) ne coûte que 36 000 ducats et autant la garde de la côte entre Carthagène et Cadix. Quant à l'entretien annuel d'une galère, il est alors de 7 000 ducats. La garde des présides immobilise, entre 1564 et 1568, à peu près 2 500 hommes à titre de garnisons normales (2 850) et 2 700 à titre extraordinaire (c'est-à-dire transportés au printemps, retirés au début de l'hiver, en principe au moins, car les retards dans les arrivées et plus encore dans les relèves sont fréquents). 5 000 hommes, plus que le Roi Catholique n'en entretient dans tout le Royaume de Naples[5] ! Sans vouloir entrer dans des calculs et des considérations dignes de ces *speculativi* dont parle un agent génois, peut-on dire qu'il eût mieux valu peut-être entretenir trente galères que les présides d'Afrique ? Le mérite de ces chiffres, en tout cas, est de montrer, sans l'ombre d'un doute, l'importance de l'effort que l'Espagne a consenti, face aux côtes barbaresques.

---

1. B. N., Paris, Dupuy 22.
2. Philippe II à Peralte Arnalte, Escorial, 7 nov. 1564, Simancas E° 144, f° 247.
3. En 1525, la dépense totale des présides estimée à 77 000 ducats, E. ALBÈRI, *op. cit.*, I, II, p. 43. En 1559, l'entretien estimé très lourd sans plus, E. ALBÈRI, *op. cit.*, I, III, p. 345.
4. Simancas E° 1054, f° 170.
5. Où le chiffre est variable : 2 826, avril 1571, Simancas E° 1060, f° 128 ; 3 297, 11 mai 1578, Simancas E° 1077.

Les présides, « un pis aller »

Robert Ricard[1] se demande si cette solution, qui était « un pis aller », n'a pas été prolongée hors de saison. Au Mexique, Cortès, en débarquant, brûlait ses vaisseaux : il lui fallait triompher ou mourir. En Afrique du Nord, on peut toujours compter sur le bateau porteur d'eau, de poisson, de tissus ou de *garbanzos*. L'intendance vous a pris en compte... La supériorité technique du Chrétien, en lui permettant de planter et de maintenir des présides « où l'on se défendait avec le canon », l'a-t-elle dispensé d'un effort plus direct et plus profitable ? Oui, dans une certaine mesure. Mais le pays s'est aussi défendu par son immensité et son aridité. Impossible d'y vivre, comme les conquérants de l'Amérique, en poussant devant soi des troupeaux de bœufs et de porcs. Planter des hommes, on y a pensé ; dès l'époque de Ferdinand le Catholique, il fut question de peupler les villes de Morisques castillans ; vers 1543, de coloniser le cap Bon[2]. Mais comment faire vivre les transplantés ? Et dans cette Espagne aventureuse qu'attirent l'Amérique et les bonnes auberges d'Italie, où trouver les hommes ? On a pensé aussi à animer économiquement ces villes fortes, à leur rattacher tant bien que mal le vaste intérieur dont elles auraient pu vivre. Il y a eu, à l'époque de Ferdinand le Catholique, puis de Charles Quint, une curieuse politique économique[3] pour le développement des échelles nord-africaines, avec le propos d'y faire une grande place aux navires catalans et d'obliger les galées vénitiennes à y relâcher. En vain d'ailleurs... En 1516[4], le doublement des droits de douane, dans les ports méditerranéens de la Péninsule, n'obligera pas les navires vénitiens à concentrer leur commerce d'Afrique à Oran. D'eux mêmes, les courants commerciaux du Moghreb se détournaient des présides espagnols et préféraient, comme points de sortie, Tadjoura, la Misurata, Alger, Bône, tous ports ou plages échappant au contrôle des Chrétiens. Le trafic de ces ports libres marque à sa façon l'échec des *fronteras*

1. *Art. cit.*, *supra*, II, p. 181, note 1, et *Bulletin Hispanique*, 1932, p. 347-349.
2. Memorial de Rodrigo Cerbantes, Contador de la Goleta (vers 1540), *Rev. Africaine* 1928, p. 424.
3. Les privilèges nord-africains accordés aux voiliers catalans ; pragmatique du 18 déc. 1511, donnée à Burgos, pragmatique nouvelle accordée par la Reine Germaine en 1512 ; *Real executoria* donnée à Logroño cette même année 1512 contre les officiers d'Afrique ; nomination d'un consul catalan à Tripoli ; protestations encore en 1537 aux Cortès de Monzon contre les gouverneurs d'Afrique..., A. de Capmany, *op. cit.*, I, 2, p. 85-86, II, p. 320-322. Mais les courants nord-africains se détournent des postes chrétiens, ou tripolitains, M. Sanudo, *Diarii*, XXVII, col. 25 (déviation vers Misurata ou Tadjoura) ; vérité oranaise, *CODOIN*, XXV, p. 425, Karl J. von Hefele, *op. cit.*, p. 321 (massacre des marchands chrétiens à Tlemcen en 1509), caravanes allant vers Bône, en 1518, La Primaudaie, *art. cit.*, p. 25. Je crois que pour la politique espagnole à l'égard du négoce vénitien entre l'Afrique du Nord et l'Espagne la note juste est donnée, jusqu'à ample informé, par H. Kretschmayr, *op. cit.*, II, p. 178, l'Espagne essayant de faire passer en 1516 par Oran ce commerce entre Afrique et Ibérie. D'où le doublement des droits de douane dans les ports espagnols qui ruinerait le commerce vénitien. En 1518, Venise (C. Manfroni, *op. cit.*, I, p. 38) essaierait en vain de forcer la porte oranaise, le fait se rattache mal à ce que nous apercevons de la question. Plus tard, Charles Quint s'emparant de Tunis (1535) pratiquera la politique de la porte ouverte, J. Dumont, *op. cit.*, IV, 2e partie, p. 128, Jacques Mazzei, *Politica doganale differenziale*, 1930, p. 249, note 1. Sur ces questions économiques, en arrière de la « croisade » hispanique, toute une immense recherche reste à faire. Cf. la précieuse étude de Robert Ricard, « Contribution à l'étude du commerce génois au Maroc durant la période portugaise (1415-1550) », *in* : *Ann. de l'Inst. d'Ét. Orientales*, t. III, 1937.
4. G. Cappelletti, *Storia della Repubblica di Venezia*, VIII, p. 26-27.

espagnoles, de même qu'au Maroc, avec la fin du xvie siècle, la fortune des ports marocains de Larache, Salé, le Cap de Gué souligne l'effondrement des points d'appui portugais, comptoirs qui longtemps avaient été prospères. Aussi bien le commerce entre l'Espagne et l'Afrique du Nord[1] — si l'on ne se trompe, beaucoup plus infléchi vers l'Atlantique marocain que vers la Berbérie méditerranéenne — peut bien s'animer à nouveau au delà des années 1580, amener, jusqu'aux rives africaines, des tissus (draps, soies, velours, taffetas, draps villageois), de la cochenille, du sel, des parfums, de la laque, du corail, du safran, des milliers de douzaines de bonnets, simples ou doubles, de Cordoue ou de Tolède, rapporter des pays barbaresques du sucre, de la cire, du suif, des cuirs de bœufs ou de chèvres, voire de l'or, tous ces échanges (hors quelques passages par Ceuta et Tanger) se font en dehors des présides. Ceux-ci sont à peu près hors des circuits commerciaux. Dans ces conditions, les présides, en proie au seul commerce des mercantis et des cantiniers, n'ont ni prospéré, ni provigné. Les greffes ont à peine repris, elles se sont contentées de ne pas mourir.

La vie des présides ne pouvait être que misérable, Près de l'eau, les vivres pourrissent, les hommes meurent de fièvre[2]. Le soldat crève de faim, à longueur d'année. Longtemps, le ravitaillement s'est fait par mer. Ensuite, mais à Oran seulement, le pays environnant fournira de la viande et du blé, appoint régulier à l'extrême fin du siècle[3]. Les garnisons vivent généralement comme des équipages de navires, non sans aléas.

La gare régulatrice de Malaga, avec ses *proveedores*[4], aidée parfois par les services de Carthagène, assure le ravitaillement du secteur Ouest, Oran, Mers el Kébir et Melilla. Qu'il y ait des fautes de service, des prévarications, nous en avons la preuve et le contraire seul étonnerait. Ne grossissons pas ces faits véniels. Le trafic de Malaga est considérable. Tout, par ses soins, s'achemine vers l'Afrique : munitions, vivres, matériaux de construction, soldats, forçats, terrassiers, filles de joie[5]. Ravitaillements et transports posent de gros problèmes. Ainsi pour le blé : il faut l'acheter, le faire venir de l'intérieur, par des convois de bourricots[6], fort onéreux. Des magasins de l'intendance au port, puis du port aux présides, nouvelles tâches, nouveaux délais. La mer grouille de pirates. C'est donc en hiver, quand la course chôme, que l'on se hasarde à lancer sur Oran un *corchapin*, deux ou trois barques, une tartane, voire un

---

1. Outre Haedo, *op. cit.*, p. 19, B. N., Paris, Esp. 60, f°s 112-113 ; 18 juin 1570, Simancas E^o 334 ; *CODOIN*, XC, p. 504, Riba y Garcia, *op. cit.*, p. 293 ; Enquête sur le commerce en Berbérie, 1565, Simancas E^o 146 ; 1598, Simancas E^o 178 ; 4 nov. 1597, E^o 179 ; 26 et 31 janv. 1597, *ibid.*, 18 juil. 1592, A. N., K 1708. En 1565, de Cadix, 30 navires partent vers le Maroc. En 1598, s'exportent environ 7 000 douzaines de *bonetes*.
2. Pescaire au Roi, Palerme, 24 déc. 1570, Simancas E^o 1133, les hôpitaux de Palerme remplis de malades de La Goulette.
3. Le duc de Cardona au Roi, Oran, 18 juin 1593, G. A. A. Série C 12, f° 81.
4. D'assez nombreuses lettres de ces proveedores conservées à Simancas dans les legajos E^o 138, 144, 145 : 7, 21, 28 janv., 14 févr., 6 mars 1559 ; E^o 138, f°s 264, 265, 266, 276, 7 janv., 14 sept., 25 sept., 29 nov., 17 nov., 31 déc. 1564 ; E^o 144, f°s 22, 91, 96, 278 ; E^o 145, f°s 323 et 324. Cette série Castilla n'est pas en ordre et les folios ne correspondent pas à un classement numérique.
5. Défense est faite de les emmener bien sûr, ainsi que les soldats contagieux, ou les prêtres déguisés en soldats. La orden ql Señor Francisco de Cordoba.... Valladolid, 23 juin 1559, Simancas E^o 1210, f° 37. Une courtisane espagnole à la Goulette et à Tunis, Isabella de Luna, M. Bandello, *op. cit.*, VI, p. 336.
6. Simancas E^o 145, f°s 323 et 324, 25 sept. 1564.

galion marseillais ou vénitien[1] sur qui l'on a jeté l'embargo et que l'on oblige à transporter les vivres ou les munitions. Plus d'une fois, la barque est saisie par des galiotes de Tétouan ou d'Alger et c'est un bonheur si on peut la racheter aux corsaires, au moment où, selon leur habitude, ils s'arrêtent à l'abri du cap Falcon. Aussi bien le pirate, autant que l'intendance négligente, porte-t-il la responsabilité des famines répétées des présides de l'Ouest.

La Goulette n'a pas un sort différent, elle qui a pourtant la chance d'être auprès des inépuisables greniers du pain, du vin, du fromage, des pois chiches napolitains et siciliens. Mais ne traverse pas qui veut, et quand il veut, l'étroit canal de Sicile. Quand Pimentel, en 1569, prend le commandement de La Goulette, la place n'a plus, pour son ordinaire, que ses réserves de fromages. Ni pain, ni vin. Bien sûr, les intendances d'Italie y sont pour quelque chose. Est-ce d'elles ou d'Espagne que la garnison aura reçu 2 000 paires de souliers, en bon cuir d'Espagne, mais pointure fillette[2] ?

En outre l'organisation intérieure n'est pas favorable à la bonne marche des présides. C'est ce que laisse apercevoir le règlement de 1564 à Mers el Kébir[3]. La fourniture des vivres aux soldats est faite par les magasiniers, au prix fixé par les bordereaux d'envoi des marchandises[4], et souvent à crédit : c'est le dangereux système des avances sur solde, occasion de dettes effroyables pour les soldats qui achètent toujours à crédit aux marchands qui passent. Parfois, en cas de difficultés ou de complicité des autorités locales, les prix montent sans mesure. Pour ne pas régler leurs dettes insoutenables, des soldats désertent et passent à l'Islam. Ce qui aggrave tout, c'est que la solde est moins élevée en Afrique qu'en Italie. Raison de plus, quand on embarque les troupes destinées aux présides, de ne pas leur dire à l'avance leur destination et, quand elles y sont, de ne pas les relever. Ainsi Diego Suárez passera-t-il vingt-sept ans à Oran, malgré plusieurs essais pour s'enfuir comme passager clandestin, sur les galères. Seuls les malades, et encore, peuvent revenir de la mauvaise rive jusqu'aux hôpitaux de Sicile et d'Espagne. Aussi bien les présides sont-ils lieux de déportation. Des nobles et des riches y vont purger leurs peines. Le petit-fils de Colomb, Luis, arrêté à Valladolid pour trigamie, condamné à dix ans d'exil, arrivait à Oran en 1563 ; il devait y mourir, le 3 février 1573[5].

Pour ou contre les razzias

Imaginons l'atmosphère de ces garnisons. Chaque place est le fief de son capitaine général, Melilla longtemps celui des Medina Sidonia ; Oran, longtemps, celui de la famille des Alcaudete ; Tripoli, en 1513, est concédé à Hugo de Moncada, sa vie durant[6]. Le gouverneur règne, avec sa famille et les seigneurs qui vivent autour de lui. Or le jeu des maîtres, c'est la razzia, la sortie bien calculée, à la fois sport et industrie et aussi, reconnaissons-le, stricte nécessité :

1. R. de Portillo au Roi, Mers el Kebir, 27 oct. 1565, Simancas E° 486.
2. Vers 1543, rapport de Rodrigo Cerbantes, G. G. A. Série C. liasse 3, n° 41.
3. Relacion de lo que han de guardar los officiales de la fortaleza de Melilla, 9 avril 1564, Simancas E° 486.
4. Diego Suárez, 28 juil. 1571, B. N., Madrid, ch. 34.
5. Alfredo GIANNINI, « Il fondo italiano della Biblioteca Colombina di Seviglia », in : R. Instituto Orientale, Annali, févr. 1930, VIII, II. Autres desterrados : Felipe de Borja, frère naturel du Maestre de Montesa, Suárez, op. cit., p. 147 ; le duc de Veragua, Almirante de las Indias, ibid., p. 161 ; Don Gabriel de la Cueva, ibid., p. 107 (1555).
6. G. LA MANTIA, art. cit., p. 218.

il faut faire la police autour de la forteresse, disperser les uns, protéger les autres, prendre des gages, avoir des renseignements, saisir des vivres. Nécessité mise à part, la tentation reste grande de jouer à la petite guerre, de s'embusquer dans les jardins, au voisinage de Tunis, d'y saisir quelques paisibles propriétaires, venus cueillir leurs fruits ou moissonner un champ d'orge; ou bien, près d'Oran cette fois, au delà de la *sebka* tour à tour éblouissante de sel ou couverte d'eau, d'aller surprendre un douar dont les espions à gages ont dénoncé la présence. C'est là une chasse plus passionnante, plus dangereuse, plus profitable que celle des bêtes sauvages. Sur le butin, chacun a sa part et le Capitaine Général prélève parfois « le quint », privilège royal[1], qu'il s'agisse de blé, de bêtes ou de gens. Il arrive que des soldats, las de l'ordinaire, partent d'eux-mêmes à l'aventure, goût du lucre, de la nourriture fraîche ou coups de cafard. Forcément ces razzias ont empêché souvent l'indispensable contact pacifique entre l'arrière-pays et la forteresse si elles ont, comme on le désirait peut-être, porté au loin la terreur du nom espagnol. A ce sujet l'unanimité des jugements n'est pas réalisée. Il faut frapper, dit Diego Suárez et, en même temps s'entendre, augmenter le nombre des *Moros de paz*, les indigènes soumis qui s'abritent autour de la forteresse et la protègent à leur tour. « ...*Cuantos mas moros, mas ganancia* », écrit le soldat chroniqueur : reprenant à son compte le proverbe banal, plus il y a de Maures, plus il y à gagner, c'est-à-dire plus il y a de blé, de « petits vivres », de bétail[2]... Mais peut-on s'abstenir de frapper, de terroriser, donc d'éloigner les précieux ravitailleurs, sans rompre avec ce qui, pour les présides, est un système traditionnel de vie et de défense, le développement, de gré et de force, d'une zone d'influence et de protection, indispensable aux présides espagnols comme aux présides portugais du Maroc ? Sans quoi la place ne respirerait plus.

Un tel système n'allait pas sans à-coups, ni fautes graves. D'Espagne, l'ordre supérieur était venu, en 1564, de suspendre les razzias, en août et septembre : les indigènes, dûment prévenus, s'empressèrent d'apporter du blé et des vivres à Oran. Sur ces entrefaites, l'Oranais Andrés Ponze montait une razzia et revenait avec onze prisonniers. Le coup de main, d'après les prix en vigueur, peut représenter un bénéfice d'un millier de ducats, et la somme certes est importante. Mais Francisco de Valencia, qui commande alors à Mers el Kébir, a refusé de participer au coup. On devine que ce Francisco aime peu les gens d'Oran. Il a refusé et il écrit son rapport. Cette désobéissance aux ordres supérieurs prive Oran de son ravitaillement en blé et en orge — les indigènes cessent, en effet, de venir jusqu'au préside — est-ce un bien ? Plus généralement encore, « je

---

1. Diego SUÁREZ, *Historia del Maestre ultimo de Montesa*, Madrid, 1889, p. 127.
2. Diego Suárez, paragr. 471, G. G. A. ; en faveur d'une entente, paragr. 469 et 470, *ibid.*, 481 et 482, mais ailleurs B. N., Madrid, ch. 34, les razzias sont utiles, c'est par la terreur qu'ils inspirent que les Espagnols dominent le plat pays, imposent *seguros* et suzeraineté. Une razzia, 13-16 nov. 1571, rapporte 350 prisonniers et un immense butin de chameaux, chèvres, vaches... Par contre, d'innombrables *correrias* tournent mal et coûtent beaucoup d'hommes. Les razzias se font l'hiver pour profiter de la longueur des nuits, Diego SUAREZ, *op. cit.*, p. 87, double avantage de cette politique frapper les uns, protéger les autres, p. 69 ; ce que les Maures apportent à Oran, p. 50 ; ce que lui livre parfois le royaume de Tlemcen, p. 50, (blé parfois exporté vers l'Espagne, Oran a besoin de 40 000 fanègues de blé et 12 000 d'orge par an) ; soldats retraités à Oran, p. 263 ; la technique des razzias, p. 64 et *sq.* ; le partage du butin, p. 125 et *sq.*, exemples, p. 228-229, p. 260, p. 293. Le régime du partage a changé, au delà de 1565, p. 90 et de façon curieusement favorable au soldat.

le dis à Votre Majesté, les razzias que l'on a faites jusqu'ici, à mon avis, ont attiré les Turcs dans le Royaume de Tlemcen »[1].

C'est beaucoup dire. S'il faut, parmi les causes de la vie difficile et repliée des présides, faire leur place aux razzias, elles n'expliquent point l'échec final de l'Espagne en terre d'Afrique. Pas plus que la faim des soldats en guenilles, ou les étranges prêtres qui s'occupent de leur nourriture spirituelle, comme ce Français qui, à Melilla, s'est improvisé curé, peut-être sans avoir jamais reçu les ordres, et qui d'ailleurs ne cesse, par quel miracle, de vivre entre deux vins[2] ; pas plus que la mauvaise foi des indigènes, « les plus grands menteurs du monde », dit un capitaine espagnol, « les moins loyaux du monde », s'exclame un Italien... Ces raisons qui sautent aux yeux d'un contemporain, se rapetissent devant l'histoire. Le médiocre usage que l'Espagne a fait des présides africains n'est plus qu'un des aspects de la politique des Habsbourgs, ou mieux, de la Catholicité.

Psychologie de la défensive

Ce large spectacle d'un monde, la Chrétienté, hérissé de défenses face à l'Islam, est un grand signe, un important témoignage. L'Islam, spécialiste des guerres d'attaque poussées avec des masses de cavalerie, ne prend pas de telles précautions. Il est, comme le dit Guillaume du Vair[3] au sujet du Turc, « toujours pendu dans l'air » pour fondre sur ses ennemis. Deux attitudes en somme. Peut-on les expliquer ? Émile Bourgeois[4] notait, il y a longtemps, la façon désinvolte dont la Chrétienté a abandonné à l'Islam tant d'espaces, notamment les Balkans et Constantinople, toute prise qu'elle était par son expansion au-delà de l'Atlantique. Vis-à-vis de l'Islam, quoi de plus logique qu'elle essaie de se défendre aux moindres frais, avec ses canons et ses forteresses savantes. C'est façon de lui tourner le dos.

Si l'Islam cherche le contact, et au besoin le contact désespéré qu'est la bagarre, c'est au contraire qu'il veut poursuivre la conversation, ou l'imposer, qu'il a besoin de participer aux techniques supérieures de son adversaire. Sans elles, pas de grandeur. Sans elles, impossible de jouer, vis-à-vis de l'Asie, le même jeu que la Chrétienté vis-à-vis de lui. A ce point de vue, quel trait de lumière de voir les Turcs, après en avoir fait l'expérience à leurs dépens sur la frontière de Carniole, essayer, en vain d'ailleurs, de mettre au point l'emploi par les Spahis et contre les Perses, des dangereuses pistolades[5]. Plus concluant encore le rapprochement que l'on peut faire du vocabulaire nautique des Turcs et des Chrétiens : *kadrigha* (galère), *kaliotta* (galiote), *kalioum* (galion)[6]. Le mot, mais aussi la chose, ont été empruntés par les élèves de l'Est. On les voit, à la fin du siècle, construire des mahonnes, pour la mer Noire, à l'image des galéasses d'Occident, et, qui plus est, imiter les galions de la Chrétienté[7]. Le Turc en possède une vingtaine, gros porteurs d'un tonnage de 1 500 *botte* qui assurent, dans le dernier quart du siècle, la liaison Égypte-Constantinople,

---

1. Francisco de Valencia à Philippe II, Mers el Kébir, 8 févr. 1565. Simancas E⁰ 486.
2. 12 févr. 1559, Simancas E⁰ 485 ; 2 mars 1559, *ibid.*
3. *Actions et traités*, 1606, p. 74, cité par G. Atkinson, *op. cit.*, p. 369.
4. *Manuel historique de politique étrangère*, t. I, Paris, 1892, p. 12.
5. J. W. Zinkeisen, *op. cit.*, III, p. 173-174.
6. J. von Hammer, *op. cit.*, VI, p. 184, note 1.
7. E. Albèri, *op. cit.*, III, V, p. 404 (1594).

pour le transport des pèlerins, du sucre et du riz[1]. Ajoutons de l'or, qui, il est vrai, se transporte aussi par terre.

Par contre, les Turcs ont construit un *limes* vis-à-vis des Perses. On est toujours le riche d'un plus pauvre que soi.

2. La course, forme supplétive de la grande guerre

Au delà de 1574, la guerre des armadas, des corps expéditionnaires et des grands sièges est pratiquement terminée. Elle esquissera bien un retour, après 1593, mais elle ne sera effective que sur la frontière de Hongrie, hors de Méditerranée. La grande guerre écartée, était-ce la paix ? Pas absolument, car d'autres formes belliqueuses surgissent et s'épanouissent. La règle est sans doute générale.

En France, les grandes démobilisations qui suivirent la paix du Cateau-Cambrésis ont puissamment contribué à la mise en place de nos Guerres de Religion, troubles bien plus graves à la longue que les guerres majeures. Par contre, si l'Allemagne est tranquille de 1555 à 1618, c'est qu'elle porte au dehors le surplus de ses forces aventureuses vers la Hongrie, l'Italie, plus encore les Pays-Bas et la France. La fin des guerres extérieures lui sera mortelle, au début du XVIIe siècle. Giovanni Botero a curieusement senti ces vérités en opposant, pour son temps, la guerre française à la paix espagnole, la France payant la rançon de son inactivité extérieure, l'Espagne tirant avantage d'être engagée dans toutes les guerres du monde à la fois[2]. Paix chez soi, à condition de porter le trouble chez autrui.

La suspension de la grande guerre en Méditerranée, au-delà de 1574, a été sûrement l'une des raisons des troubles politiques et sociaux en chaîne, et du brigandage. En tout cas, la fin de la lutte entre les grands États met au premier rang de l'histoire de la mer, la course, cette guerre inférieure[3]. Elle tenait déjà sa large place de 1550 à 1574, se pavanait, s'étalait aux moments creux de la guerre officielle. Au-delà de 1574-1580, elle s'enfle plus que jamais et domine dès lors une histoire méditerranéenne à sa taille. Les nouvelles capitales de la guerre ne sont plus Constantinople, mais Alger, non plus Madrid ou Messine, mais Malte, Livourne ou Pise. Les parvenus remplacent les puissants de la veille. Une histoire confuse prend le relais de la grande histoire[4].

---

1. *Ibid.*, p. 402.
2. *Op. cit.*, p. 127.
3. Sur la piraterie, immense sujet sans frontières, voir les pages brillantes de Louis DERMIGNY, *La Chine et l'Occident. Le commerce à Canton au XVIIIe siècle, 1719-1833*, 1964, I, p. 92 et *sq.* Ces pages mettent en cause au XVIIe siècle la « grande ceinture » de la piraterie des Antilles à l'Extrême-Orient. Cette montée et cette ubiquité sont mises en rapport avec la désorganisation des grands Empires : le turc, l'espagnol, l'Empire du Grand Mongol, la Chine finissante des Mings.
4. Les pages qui suivent s'appuient sur les résultats de trois livres essentiels : Otto ECK, *Seeräuberei im Mittelmeer*, Munich et Berlin (1re éd. 1940, 2e 1943) que je n'ai pu me procurer que très tardivement (manque toujours à notre Bibliothèque Nationale). Godfrey FISHER, *Barbary Legend. War, Trade and Piracy in North Africa*, Oxford, 1957, plaidoyer en faveur des Barbaresques, oblige à reprendre les dossiers que l'on croyait classés une fois pour toutes. Enfin le livre riche de documents inédits de Salvatore BONO, *I corsari barbareschi*, Turin, 1964. Les bibliographies copieuses de ces trois volumes, surtout du dernier, me dispensent de multiplier les références.

La course, industrie ancienne et généralisée

La piraterie, en Méditerranée, est aussi vieille que l'histoire. Elle est chez Boccace[1], elle sera chez Cervantès[2], elle était déjà chez Homère. Elle doit même à cette ancienneté une allure plus naturelle (dirons-nous plus humaine ?) qu'ailleurs. Sur l'Océan, bouleversé lui aussi, sévissent au XVIᵉ siècle des pirates plus cruels sans doute que ceux de la mer Intérieure. D'ailleurs, en Méditerranée, les mots de *piraterie* et de *pirates* ne sont guère d'usage courant, au moins avant le début du XVIIᵉ siècle ; c'est de *course* et de *corsaires* qu'il est question et la distinction, claire sur le plan juridique, sans changer les problèmes de fond en comble, a sa grande importance. La course, c'est la guerre licite, rendue telle ou par une déclaration formelle de guerre, ou par des lettres de marque[3], des passeports, des commissions, des instructions... Si étrange que puissent nous paraître, rétrospectivement, ces remarques, la course a « ses lois, ses règles, ses vivantes coutumes et traditions »[4]. Que Drake parte ainsi vers le Nouveau Monde sans aucune commission semblera un acte illégal à beaucoup de ses compatriotes[5]. On aurait tort de croire, en effet, qu'il n'y a pas, au XVIᵉ siècle déjà, un droit international avec ses usages et une certaine force de contrainte. Islam et Chrétienté échangent des ambassadeurs, signent des traités et souvent en observent les clauses. Dans la mesure où la Méditerranée en son entier est une zone de conflits continuels entre univers mitoyens et fratricides, la guerre s'affirme une réalité permanente, elle excuse, elle justifie la piraterie ; or la justifier, c'est la classer dans la catégorie voisine et noble à sa façon qu'est la course. Les Espagnols auront, au XVIᵉ siècle, deux langages : ils parlent de la course barbaresque en Méditerranée et de la piraterie française, anglaise ou hollandaise sur l'Atlantique[6]. Si le mot de piraterie s'étend au XVIIᵉ siècle aux entreprises de Méditerranée, c'est que l'Espagne veut marquer d'infamie les déprédations de la mer Intérieure et se rend compte que la course de jadis dégénère, qu'elle n'est plus qu'une guerre camouflée et illicite des puissances chrétiennes contre ses trafics, sa grandeur et ses richesses. Le mot de piraterie ne serait appliqué aux corsaires algérois, aux dires d'un historien[7], qu'après la prise de la Marmora par les Espagnols (1614) quand les corsaires de la ville, chassés de leur base, se réfugient à Alger. Le mot, avec les navires de l'Atlantique, aurait passé le détroit de Gibraltar. Mais le détail n'est pas sûr.

Course et piraterie, pensera cependant le lecteur, c'est souvent la même chose : des cruautés analogues, des contraintes qui s'imposent, monotones, pour la conduite des opérations, la vente des esclaves ou des marchandises dérobées. Bien sûr, mais une différence subsiste : la course est une piraterie ancienne, vieillie sur place, avec ses usages, ses accommodements, ses dialogues répétés. Voleurs et volés ne sont pas d'accord à l'avance, comme dans une parfaite *Commedia dell'Arte*, mais ils sont toujours prêts à discuter, puis à s'entendre.

---

1. 5ᵉ journée, 2ᵉ nouvelle.
2. Et elle s'y trouve au complet dans le *Quichotte*, dans l'*Ilustre Fregona*, II, p. 55 ; *El amante liberal*, I, p. 100-101 ; *La española inglesa*, I, p. 249, 255.
3. Peu de lettres de marque en Méditerranée. Un exemple, lettres de représailles de Philippe IV sur les Français, Madrid, 2 août 1625, B.N., Paris, Esp. 338, fᵒ 313. Sur l'Océan, la piraterie s'exerçant entre Chrétiens a de ce fait besoin de lettres de marque.
4. S. Bono, *op. cit.*, *passim* et pp. 12-13, 92 et sq.
5. G. Fisher, *op. cit.*, p. 140.
6. *Ibid.*, *passim* et pp. 84 et 139.
7. C. Duro, d'après G. Fisher, *op. cit.*, p. 138.

D'où ces multiples réseaux de connivence et de complicité (sans la complicité de Livourne et sa porte ouverte, les marchandises dérobées pourriraient dans les ports de Barbarie). D'où pour l'historien trop naïf tant de faux problèmes et de dangereuses simplifications. La course n'appartient pas à une seule rive, à un seul groupe, à un seul responsable, à un seul coupable. Elle est endémique. Tous, les misérables[1] et les puissants, les riches et les pauvres, les villes, les seigneurs et les États sont pris dans les mailles d'un filet étendu à la mer entière. Les historiens occidentaux nous ont appris hier à ne voir que les Musulmans et de préférence les Barbaresques. La fortune d'Alger dérobe le reste du paysage. Mais cette fortune n'est pas unique ; Malte, Livourne sont des Algers chrétiennes, elles ont leurs bagnes, leurs marchés d'hommes, leur marchandages sordides... De plus, cette fortune algéroise appelle les plus sérieuses réserves. Qui se cache, qui agit derrière ses activités à la hausse, surtout au XVIIe siècle ? Godfrey Fisher dans son beau livre, *Barbary Legend*, a mille fois raison de nous démystifier. C'est par toute la Méditerranée que l'homme se chasse, s'enferme, se vend, se torture, qu'il connaît toutes les misères, horreurs et saintetés des « univers concentrationnaires ».

Souvent l'aventure d'ailleurs n'a ni patrie, ni religion, elle est métier, moyen de vivre. Que les corsaires fassent buisson creux et à Alger c'est la famine[2]. La course alors ne regarde ni aux personnes, ni à la nationalité, ni aux credos. Elle tourne au pur brigandage ; les Uscoques de Segna et de Fiume pillent Turcs et Chrétiens ; les galères et galions des corsaires *ponentini* — ainsi appelle-t-on les Occidentaux dans les mers du Levant — font la même chose[3] ; ils saisissent ce qu'il peuvent atteindre, y compris les navires vénitiens ou marseillais, sous le prétexte de confisquer à bord les marchandises de Juifs ou de Turcs. En vain protestent la Seigneurie et le Pape, protecteur d'Ancône, qui voudrait qu'une fois pour toutes le pavillon couvrît la marchandise. Mais le droit de visite, abusif ou non, reste aux corsaires chrétiens. De même, les galères turques en usent pour saisir sur les navires les marchandises siciliennes ou napolitaines... D'un côté comme de l'autre, ce n'est qu'un prétexte. On s'y tiendra, malgré les coups durs que portent de temps à autre les galères vénitiennes aux corsaires de tout poil.

Mais sont-ils français ou turcs, ces navires qui viennent piller Ibiza, en août 1536[4] ? Comment le savoir au juste ? Français sans doute puisqu'ils ont dérobé quelques quartiers de lard. Même entre eux, Chrétiens ou Musulmans se dévorent. A Agde, durant l'été 1588, des soldats de Montmorency (sans solde, du moins ils le disent) se mettent à pirater avec un brigantin et saisissent le tout venant du golfe[5]. En 1590, des corsaires de Cassis pillent deux barques provençales[6]. En 1593, un navire français, le *Jehan Baptiste* (il vient probablement de Bretagne), avec tous les certificats et laissez-passer nécessaires du duc de Mercœur et de l'agent espagnol de Nantes, D. Juan de Aguila, est cepen-

---

1. S. Bono, *op. cit.*, p. 7, d'après A. Riggio : « la course barbaresque avait pris en Calabre la forme authentique d'une lutte de classe ».
2. D. de Haedo, *op. cit.*, p. 116.
3. Marin de Cavalli au Doge, Péra, 8 sept. 1559, A. d. S. Venise, Senato Secreta, Costantinopoli, 2/B, fo 186.
4. Bernard Pançalba, gouverneur de l'île à l'Impératrice, Ibiza, 26 août 1536, A. N., K 1690 (orig. catalan, tr. en castillan).
5. Barcelone, 24 juill. 1588, Simancas Eo 336, fo 164.
6. A. Com. Cassis, E E 7, 21 déc. 1580.

29. EN VUE DE TUNIS (1535). Tapisserie d'après Vermeyen. Au loin La Goulette et son canal, le lac de Tunis et la ville. Au premier plan les galères.

30. ALGER 1563. Dessin naïf mais souvent exact: le môle, la roche à l'entrée du port, le cavalier construit par les Français, l'Arsenal, la mosquée de la marine, la place du Soco (Zoco, souk, marché), la Casbah, les remparts. A. General de Simancas, Eº 487, mapas, planos y dibujos, VII-131.

31. RAGUSE EN 1499-1501, d'après le tableau de Nicolas Bozidarevitch. Saint Blaise dont on voit les mains au premier plan présente le plan de la ville. Le port avec sa chaîne, ses amarres, les murailles de la ville. Couvent des Dominicains à Dubrovnik.

dant saisi par le prince Doria, ses marchandises vendues et l'équipage mis à la chaîne[1]. En 1596, des tartanes françaises et spécialement provençales, saccagent les côtes de Naples et de Sicile[2]. Une vingtaine d'années plus tôt, durant l'été 1572[3], un navire marseillais, *Sainte-Marie et Saint-Jean*, patron Antoine Banduf, revient d'Alexandrie avec une riche cargaison. Le gros temps le sépare de la flottille des autres navires marseillais et il rencontre un navire de commerce ragusain venant de Candie, allant chercher du blé en Sicile pour le porter à Valence. Le gros cargo s'empare de la barque marseillaise, la « met en fondz, submergeant le d. patron, ses officiers et mariniers, ayant auparavant pillé et volé ses marchandises ». Ainsi va souvent le monde de la mer. En 1566, un capitaine de vaisseau français se trouve en difficultés à Alicante et Dieu sait si l'Espagnol, à en croire les innombrables plaintes des marins français, peut, quand il le veut, créer d'admirables difficultés ! Mais le capitaine est hardi, il se saisit des gens qui sont montés à son bord et, par surcroît, escalade les remparts de la ville[4]. Tout est permis, pourvu qu'on réussisse. En 1575, une nave française charge à Tripoli de Barbarie des passagers mores et juifs à destination d'Alexandrie, « gens de tout âge et des deux sexes ». Le patron de la nave n'hésite pas à conduire passagers et bagages à Naples et là, à vendre le tout[5]... Fait divers, sans doute, mais qui se répète : ainsi, en 1592, un certain Couture de Martigues embarque des Turcs, à Rhodes, pour l'Égypte et les transporte à Messine[6]. Pur brigandage : des bandits pendant l'été 1597 ont armé quelques *leuti* et piratent sur la côte de Gênes, au hasard des rencontres[7]. Comment nous a-t-on conté l'histoire pour que ces actes coutumiers aux marins de toute nationalité, nous paraissent malgré tout étonnants ?

La course liée aux villes

Comme monsieur Jourdain faisait de la prose, combien de marins naviguent *more piratico*, qui seraient stupéfaits de s'entendre traiter de corsaires, plus encore de pirates ? Sancho de Leyva, en 1563, ne propose-t-il pas de partir, avec quelques galères de Sicile, sur les côtes de Barbarie, pour en ramener des captifs destinés à la rame, *para ver si puede haver algunos sclavos*[8] ? Comment qualifier le procédé ? Souvent les escadres détachent quelques galères pour aller prendre langue et pirater si le gibier surgit. Car pirater, c'est faire la guerre, l'indispensable guerre aux hommes, aux embarcations, aux villes, aux villages, aux troupeaux ; c'est manger le bien d'autrui, s'en nourrir pour être fort. En 1576, le marquis de Santa Cruz est allé faire une ronde policière sur les côtes de Tunisie. D'autres diraient plus simplement qu'il est allé piller les pauvres îles Kerkennah[9]... Pour marauder, chacun est habilité : les navires marchands anglais, au-delà de 1580, ne s'en privent guère ; ils ont même la réputation (les Méditerranéens la leur fabriquent) d'être sans pitié et sans scru-

1. Henri IV à Philippe III, Paris, févr. 1600, Lettres de Henri IV à Rochepot. p. 3-4.
2. 25 déc. 1596, Simancas Eᵒ 343.
3. Les consuls de Marseille à Messeigneurs les ducs et gouverneurs de la ville et République de Gênes, Marseille, 20 avr. 1574, A. d. S. Gênes, Francia, Lettere Consoli, 1 2618.
4. Madrid, 28 mars 1566, A. N., K 1505, B 20, nᵒ 91.
5. Henri III à Philippe II, Paris, 30 sept. 1575, A. N., K 1537, B 38, nᵒ 113, copie esp.
6. P. GRANDCHAMP, *op. cit.*, I, p. 42.
7. A. d. S. Florence, Mediceo 2845, Giulio Gotti à son frère, Gênes, 22 août 1597.
8. 20 nov. 1563, Simancas Eᵒ 1052, fᵒ 44.
9. Simancas Eᵒ 1146 ou même relation, Simancas Eᵒ 1071, fᵒ 78.

pules. Mais la course, au bord de la piraterie, est dans les mœurs, selon l'usage de la mer, *l'usanza del mare*[1]. Les marines officielles des États lui ouvrent leurs rangs, en vivent, en dérivent parfois : c'est par la course que la puissance turque aura débuté, dès le XIVe siècle, sur les côtes d'Asie Mineure[2]. Et la flotte turque elle-même, au cours de ses randonnées vers l'Ouest, que fait-elle, sinon « pirater » à grande échelle ?

La course — dirons-nous la « vraie » course ? — est le plus souvent le fait d'une ville, agissant de sa propre autorité, pour le moins en marge d'un grand État. Vérité au XVIe siècle, vérité encore à l'époque de Louis XIV. Quand le Grand Roi ne peut plus soutenir, contre l'Angleterre et ses alliés, la guerre d'escadre, il pratique ou laisse se pratiquer la guerre de course. Saint-Malo et Dunkerque se substituent à la France.

Au XVIe siècle déjà, Dieppe et, plus encore, La Rochelle ont été des centres de course, cette dernière dans le cadre d'une vraie république municipale. En Méditerranée, énumérer les centres de course revient à énumérer quelques villes décisives. Du côté chrétien, La Valette, Livourne et Pise, Naples, Messine, Palerme, Trapani, Malte, Palma de Majorque, Almeria, Valence, Segna, Fiume ; du côté musulman, Valona, Durazzo, Tripoli de Barbarie, Tunis-La Goulette, Bizerte, Alger, Tétouan, Larache, Salé[3]... Sur ce lot, trois villes neuves se détachent : La Valette que les Chevaliers ont construite à partir de 1566 ; Livourne, refondée en quelque sorte par Cosme de Médicis ; enfin et surtout Alger, qui les résume toutes dans son étonnante fortune.

Certes ce n'est plus l'Alger berbère du début du siècle ; mais une ville neuve poussée « à l'américaine », avec son môle, son phare, ses archaïques mais solides remparts et, au delà, les gros ouvrages d'art qui achèvent de la protéger. La course y trouve protection et ravitaillement, plus une main-d'œuvre qualifiée, des calfats, des fondeurs, des charpentiers, des voiles, des rames, un marché actif sur lequel écouler les prises, des hommes à embaucher pour l'aventure de mer, des esclaves pour la rame, enfin les plaisirs de l'escale sans quoi la vie à contrastes violents des corsaires ne trouverait pas son compte. Au retour de ses courses, Alonso de Contreras a vite fait, à La Valette qui n'est pas seulement la ville des duels et des prières, de dépenser ses pièces d'or avec les *quiracas*, les fillettes de plaisir. A Alger, les raïs, à chaque rentrée de croisière, festoyaient à table ouverte, dans leurs maisons de ville et leurs villas du Sahel, où les jardins sont les plus beaux du monde.

La course, forcément, exige un circuit d'échanges. Alger ne sera un grand port de course qu'en devenant un centre commercial actif. C'est chose faite quand Haedo la regarde de son œil attentif, vers 1580. Pour s'équiper, se nourrir, revendre les prises, il faut laisser venir jusqu'à la ville les caravanes et les naves étrangères, les barques des racheteurs de captifs, les vaisseaux de Chrétienté, marseillais ou catalans, valenciens, corses, italiens des diverses Italies, anglais, hollandais. Il faut qu'affluent aussi, attirés par la bonne odeur de l'auberge, les *raïs* de toutes nationalités, musulmans ou demi musulmans, parfois nordiques, avec leurs galères ou leurs fins voiliers de course.

Donc une ville puissante, aux coudées franches, tel est le meilleur terrain pour la course. Chaque État, au XVIe siècle, est engagé profondément, malgré

1. S. BONO, *op. cit.*, p. 3.
2. F. GRENARD, *op. cit.*, p. 54 ; W. HEYD, *op. cit.*, II, p. 258.
3. R. COINDREAU, *Les corsaires de Salé*, Paris, 1948.

tout, dans le droit des gens et censé le respecter. Or, du droit des gens, les villes de corsaires se moquent à l'occasion. Elles constituent des mondes en marge. Alger, au sommet de sa prospérité, de 1580 à 1620, écoute ou n'écoute pas les ordres du Sultan, selon ses convenances, et il y a loin d'Istanbul à Alger. Malte aussi est un carrefour de Chrétienté et qui veut s'administrer lui-même. Rien de plus révélateur, en 1577-78[1] par exemple, que les efforts du grand-duc de Toscane, maître des Chevaliers de Saint-Étienne, dans la négociation avec le Turc, pour distinguer sa cause de celle des Chevaliers. Curieux Prince qui nie son autorité, cependant bien réelle.

Le rôle de la ville n'est pourtant pas tout. Au-dessous de la course urbaine, cette grande course, existe une piraterie d'un degré inférieur, voisine souvent du plus misérable des maraudages. De minuscules fauves hantent les mers, rôdent entre les îles de l'Archipel, sur les côtes grecques de l'Ouest, à la recherche d'un gibier à leur taille. La simple vue des tours de guet, sur le littoral des Pouilles, les chasse de ces parages malsains et les rabat sur les côtes et les îles de l'Est. Minuscule humanité, aux minuscules ambitions : saisir un pêcheur, piller un grenier, enlever quelques moissonneurs, voler du sel aux salines turques et ragusaines de la Narenta... C'est à eux que songe Belon du Mans[2], qui les a vus à l'œuvre dans l'Archipel, « trois ou quatre hommes duicts à la marine, hardiz à se mettre à l'aventure, pauvres n'ayants que quelque petite barque ou frégate ou quelque brigantin mal équipé : mais au reste ont une boete de quadran à naviguer nommée *bussolo*, qui est le quadran de marine : et ont aussi quelque peu d'appareil de guerre, sçavoir est quelques armes légières pour combattre de plus loin. Pour eux vivre, ils ont un sac de farine et quelque peu de biscouit, un bouc d'huile, du miel, quelques liaces d'aulx et oignons et un peu de sel qui est pour la provision d'un mois. Cela faict, ilz se mettent à l'aventure. Et si le vent les contrainct de se tenir au port, ils tireront leur barque en terre, qu'ilz couvriront de rameaux d'arbres et tailleront du bois avec leurs cognées et allumeront du feu avec leur fusil... feront un tourteau de leur farine qu'ilz cuiront à la mesme manière que les soldats romains faisoient, le temps passé, en guerre ». Tels seront aussi les débuts des boucaniers dans la mer des Antilles, au XVIIe siècle[3].

Ce ne sont pas, au demeurant, ces petits carnassiers qui ont les mâchoires les moins solides, ou qui feront les moindres fortunes plus tard. Car le vent a ses sautes et ses caprices. La course est un monde « américain ». Qui a gardé les troupeaux y devient, ou peut y devenir Roi d'Alger. Les biographies des heureux de la loterie sont pleines de ces merveilleuses réussites. Quand en 1569, les Espagnols voudront gagner Euldj Ali, le petit pêcheur calabrais devenu « roi » de la ville et qui, bientôt, allait étonner le monde et redresser la marine du Sultan, on lui offrit chez lui un marquisat... Le genre d'offre qu'on pense devoir tenter un vilain.

Course et butins

Il n'y a pas de course sans butin. Parfois de petits profits : si de Corfou on ne portait du sel en Albanie pour en ramener des noix de galle, l'île ne

1. A. d. S. Florence, Mediceo 4274, 4279 ; Simancas E° 489, 1450, 1451 ; A. N., K 1672, n° 22 ; G. VIVOLI, *op. cit.*, III, p. 155.
2. *Op. cit.*, p. 86 v° et *sq.*
3. Alexandre O. OEXMELIN, *Histoire des aventuriers flibustiers...*, Trévoux, 1775, t. I, p. 124-131.

souffrirait pas d'une incessante piraterie albanaise, explique-t-on, en 1536, au Sénat de Venise[1]. Un lien s'établit entre pilleurs et pillés, lien variable, d'autant que les victimes se défendent. L'artillerie, très tôt, a escaladé les bords des galères et s'y est installée, bien qu'assez mal à son aise, puis elle a fait la conquête des naves de commerce. L'opération est plus qu'achevée vers le milieu du siècle[2]. En 1577, même les plus petits des navires qui relâchent à Séville ont leur artillerie, de fer ou de bronze, et le nombre des pièces est en gros fonction de leur tonnage[3]. Les littoraux aussi se défendent, et de plus en plus efficacement. Selon les années, le corsaire sera mangeur de navires ou pilleur de rivages. Simple question de provende et d'opportunité.

Durant les années 1560-1565, la course barbaresque désole toute la mer occidentale. En ces années-là, il serait presque licite de parler d'une fermeture de la mer du Ponent. Les plaintes de la Chrétienté, mises bout à bout, le disent assez bien (ou trop bien), et aussi ce fait que les pirates barbaresques attaquent alors les côtes de Languedoc et de Provence[4]. C'est que le succès même de la course réduit les butins, que celle-ci ne peut vivre sans manger, même chez ses amis. Tant pis alors pour les sujets du roi de France ! Alger se développe encore avec le début du XVIIᵉ siècle, mais pourquoi ? La course algéroise se hasarde en Orient (moins qu'on ne le prétend peut-être[5]) ; elle se précipite vers l'Adriatique, prend en chasse les barques marseillaises, puis, au-delà de Gibraltar, avec l'aide de ses recrues nordiques, pousse ses entreprises à travers l'Océan, touche les côtes anglaises à partir de 1631, court sus aux lourdes caraques portugaises, surgit en Islande, à Terre-Neuve, en Baltique... Peut-être le butin normal de Méditerranée se raréfie-t-il ? Bref, la course, dans ses mouvements et ses transformations, traduit à sa façon, directe et rapide, les plus grands mouvements de la vie méditerranéenne. Le chasseur suit le gibier. Le malheur pour le maniement de cet « indicateur » — la course — c'est que le recours à une statistique sérieuse nous est pratiquement refusé. Descriptions, affirmations, on-dit, fausses nouvelles n'impliquent aucune possibilité sérieuse de chiffrer.

Chronologie de la course

Quelques dates jalonnent, commandent l'histoire de la course : 1508, 1522, 1538, 1571, 1580, 1600. Vers 1500, on substitue, sauf à Venise, les captifs et les forçats aux rameurs volontaires, jusque-là seuls, ou peu s'en faut, sur les bancs des galères[6]. 1522 : la chute de Rhodes ouvre le barrage qui s'opposait encore

---

1. V. LAMANSKY, *op. cit.*, p. 592, note 1.
2. BELON DU MANS, *op. cit.*, p. 88 vᵒ.
3. Voir ci-dessus I, chap. V, p. 276 et *sq.*
4. A. Com. Marseille BB 40 fᵒ 197 et *sq* ; 19 août 1561, Sim. Eᵒ 13 ; E. CHARRIÈRE, *op. cit.*, II, p. 659-661 (27 juin 1561), p. 799-803 (27 sept. 1561); Bayonne, 28 juin 1565, A.N., K 1504 B 19, nᵒ 34 ; Venise, 18 août 1565, Simancas Eᵒ 1325 ; Charles IX à Fourquevaux, Orcamp, 20 août 1566, FOURQUEVAUX, *op. cit.*, p. 48-49.
5. G. FISHER, *op. cit.*, p. 144.
6. D'après M. Sanudo, cité par C. MANFRONI, *op. cit.*, I, p. 37. De même en France, lettres royales de 1496, Alfred SPONT, « Les galères dans la Méditerranée de 1496 à 1518 », in : *Revue des Quest. hist.*, 1895 ; Alberto TENENTI, *Cristoforo da Canal. La marine vénitienne avant Lépante*, 1962, p. 78 et *sq.* Venise n'aura de galères de *condennati* qu'à partir de 1542, *ibid.*, p. 82.

vers l'Est à la grande course musulmane[1]. 1538 : La Prevesa donne à l'Islam la maîtrise de la mer que lui reprend la victoire chrétienne à Lépante, en 1571. C'est entre ces deux dates (1538-1571) que la course barbaresque a connu son premier large essor, surtout de 1560 (après Djerba) à 1570, en ces années où, le siège de Malte mis à part, la guerre des armadas a connu assez peu de très grandes opérations. Au-delà de 1580, les courses chrétiennes et musulmanes, avec l'inaction des grandes flottes, montent d'un même élan. Enfin au-delà de 1600, la course algéroise, entièrement rénovée dans ses techniques, déborde sur l'Atlantique.

La course chrétienne

Il y a toujours eu, en Méditerranée, une course chrétienne qui n'a jamais chômé, même aux heures les plus sombres. Cette course est mal saisie par l'histoire, pour quelques raisons psychologiques, et parce qu'elle est le fait de très petits navires, brigantins, frégates, *fregatillas*, barques, esquifs parfois minuscules. Ainsi le permettent les faibles distances des côtes de Sicile ou d'Espagne aux rivages africains, ainsi l'exige la modicité du butin. La côte du Moghreb, bien gardée par les Turcs, est en effet montueuse, déserte. Jadis, oui, au XVe siècle peut-être encore, la course y était profitable. « *Non si puó corseggiare la riviera di Barberia, come già si soleva* », dit une relation vénitienne de 1559[2]. Que prendrait-on au long de ces côtes, aux environs de 1560 ? Quelques indigènes, une barque, un brigantin chargé de *baracans*, ces lainages grossiers, ou de beurre rance. A ce maigre butin, correspond une maigre course. Nos documents n'en parlent pas, sauf par hasard. C'en est un que ce rayon de lumière qu'Haedo projette sur les faits et gestes du Valencien Juan Canete[3], maître d'un brigantin de quatorze bancs, basé à Majorque, chasseur assidu des côtes de Barbarie, allant de nuit jusqu'aux portes d'Alger, y ramassant les indigènes endormis sous les remparts de la ville... Au printemps de 1550[4], il se hasardait jusque dans le port, à la nuit tombée, avec le projet d'y incendier fustes et galiotes mal gardées. La tentative fut un échec. Neuf ans plus tard, au bagne, il devait être exécuté par ses gardiens. En 1567, un autre Valencien reprenait son projet, un certain Juan Gascon, employé avec son brigantin au ravitaillement et à la poste d'Oran, pirate à l'occasion[5]. Plus heureux que son prédécesseur, il pénétra dans le port, fit flamber quelques navires, mais fut ensuite saisi en haute mer par les raïs.

Ces faits divers n'ouvrent que d'étroites lucarnes sur les secteurs du Sud espagnol. Nous avons l'impression cependant qu'ils se réveillent en 1580 parce que, beaucoup plus vivants à cette époque, ils apparaissent mieux dans nos documents. Sans doute ne se sont-ils jamais endormis. Quand nous commençons à mieux les apercevoir, ils utilisent encore les mêmes esquifs légers, aux hautes voilures, toujours aussi audacieux. Témoin ce récit du troisième voyage

---

1. Relacion de lo de Tremeti (1574). Les îles Tremiti sont des positions-clés sur le rivage adriatique du royaume de Naples... Simancas E⁰ 1333. « Despues de la perdida de Rodas multiplicandose los cossarios en el mar Adriatico... ».
2. *Relazione di Soriano*, p. 54.
3. *Op. cit.*, p. 158.
4. Non pas en 1558 comme le dit C. Duro, *op. cit.*, II, p. 16. Courses analogues, en 1562, d'un certain Francisco de Soto, basé à Majorque, D. de Haedo, *op. cit.*, p. 163 v⁰.
5. Madrid, 13 juin 1567, Simancas E⁰ 333.

d'un certain Juan Phelipe Romano, « passeur » pour les évadés d'Alger[1]. Le 23 mai 1595, il quittait le Grao de Valence, sans doute à bord d'une frégate barbaresque, prise l'année précédente[2]. Le 7 juin, il relâchait près d'Alger, dans une anse, en bordure d'un jardin, lieu de rendez-vous. Mais personne ne l'y attendait le premier soir. Ce que voyant, il resta à terre, renvoyant à bord son compagnon, avec ordre de gagner la haute mer et d'attendre un signal pour revenir. Le lendemain, en effet, arrivent le propriétaire du jardin et sa femme, avec lesquels Romano est depuis longtemps d'accord. Il s'agit d'un certain Juan Amador de Madrid, fait prisonnier à Mostaganem en 1558 (donc une quarantaine d'années plus tôt). Il a renié entre temps, mais désire revenir en Espagne, avec sa femme et un petit-fils de sept mois... Dans la frégate où il s'embarque cette nuit-là, montent encore une « princesse », la *soldina*, fille de Mustapha, dix captifs chrétiens et deux esclaves noirs à elle, plus une jeune Morisque de 22 ans ; une femme de Mami raïs, fille d'un lieutenant de Minorque, accompagnée elle aussi d'esclaves, quatre chrétiens et une chrétienne ; un Portugais, maître serrurier à Alger, sa femme, ses deux enfants : enfin des esclaves chrétiens qui, se trouvant là, profitent de l'aubaine et s'embarquent. Au total, trente-deux passagers que Romano conduira sans encombre à Valence...

Oui, une belle histoire. Mais de tels coups de hasard sont l'exception. Cette piraterie artisanale reste modeste, comme celle des pêcheurs de Trapani, à bord de leurs *liutelli*[3], ou celle qu'organisa, en 1614, peut-être plus tôt, au bénéfice de particuliers, le gouvernement espagnol de Sardaigne[4]. L'unique gibier important, à l'Occident de la mer, ce sont les navires de course algérois, mais seules les grosses galères des escadres peuvent s'attaquer à ces proies, particulièrement redoutables. Par contre, vers 1580, les barques de pêche, près d'Alger, n'osaient s'éloigner à plus d'une demi-lieue, dans la crainte des frégates chrétiennes[5].

Mais c'est en Orient que la course chrétienne trouve son terrain de chasse fructueux. Elle y jette sans fin ses galères renforcées, ses brigantins, ses galions, ses frégates[6], ses voiliers de course aptes à bourlinguer sur les mers raboteuses de l'hiver finissant ou du printemps. La raison est toujours la même : l'Orient est, pour les corsaires, la mer des riches proies, celles de l'Archipel et, plus encore, celles qui suivent la route de Rhodes à Alexandrie, route des pèlerins, des cargaisons d'épices, de la soie, du bois, du riz, du blé, du sucre... Proies d'ailleurs bien défendues : au début de chaque printemps, les Turcs placent leurs galères de garde, beaucoup moins destinées à défendre leurs côtes que leurs mers.

Vers le milieu du siècle, ne travaillent dans le Levant que les galères de Malte, quelques galères toscanes et des voiliers de course comme le galion du Génois Cigala, mis hors de cause en 1561[7] ; de ci, de là, un navire sicilien,

---

1. Relacion del tercero viaje q. ha hecho Juan Phelipe Romano a Argel (1595), Simancas E⁰ 342.

2. Vice-roi de Valence à Philippe II, Valence, 30 juill. 1594, Simancas E⁰ 341.

3. Salomone MARINO, *in : A. st. sic.*, XXXVII, p. 18-19 ; un brigantin de Trapani en course, 17 nov. 1595, Simancas E⁰ 1158.

4. AMAT DI S. FILIPPO, *Misc. di storia italiana*, 1895, p. 49.

5. D. de HAEDO, *op. cit.*, p. 44.

6. Avis de C., octobre 1568.

7. D. de HAEDO, *op. cit.*, p. 160 v⁰ ; Péra, 9 avr. 1561, A. d. S. Venise, Senato Secreta Costant., 3/C, Venise, 22 mars 1561, Simancas E⁰ 1324, f⁰ 83.

comme le galion armé, en 1559, par le vice-roi lui-même ou cette galiote qu'avait équipée, l'année précédente, le capitaine Joseph Santo[1]. Le dit capitaine ayant pris à Alessio un navire turc de plus de 15 000 ducats, fut obligé par le mauvais temps à se réfugier chez les Vénitiens, qui n'eurent rien de plus pressé que de s'emparer du navire. Ce sont d'ailleurs ces incidents qui nous révèlent l'existence du bateau. En 1559, une galère toscane, la *Lupa*, et une galiote d'André Doria étant également parties à l'aventure, la seconde se fit saisir par la garde de Rhodes, la première, après diverses péripéties, finit par tomber, exténuée, dans les filets vénitiens de Chypre[2]. On imagine l'irritation

64 — La course toscane

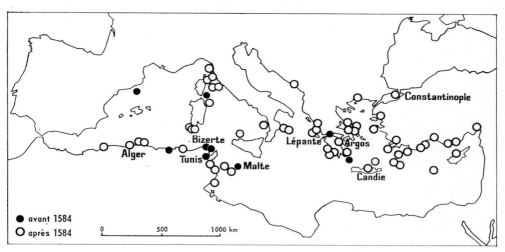

● avant 1584
○ après 1584

D'après G. G. GUARNIERI, **op. cit.**, entre les pages 336 et 337. Les grands exploits des galères toscanes de l'ordre de Saint-Étienne sont reportés sur la carte de 1563 à 1688. Sans attribuer une valeur trop grande à ce relevé, on remarquera qu'avant 1584 les actions toscanes se situent plutôt à l'Ouest qu'à l'Est de la mer ; ensuite elles se généraliseront dans toute son étendue.

occidentale contre ces demi-turcs de la Seigneurie. Les Vénitiens ont-ils le droit, argumente le duc de Florence, d'empêcher un Chrétien d'aller contre les Infidèles, si le dit Chrétien n'entre pas dans leurs ports ? « La mer n'est-elle pas à tout le monde ? »[3]. Pauvres Vénitiens ! Le Turc ne leur reproche-t-il pas, au même instant de ne pas faire bonne garde contre les *ponentini*[4] ? et ses représailles, souvent annoncées, souvent effectives, menacent tous les Chrétiens voyageurs et marchands paisibles en Orient[5].

En ce milieu du siècle, les plus hardis corsaires de l'Ouest sont les Chevaliers de Malte, menés par La Valette vers les années 1554-1555[6], par Romegas

1. Venise, 27 sept. 1559, Simancas E⁰ 1323.
2. A. de HERRERA, *Historia general del mundo...*, Madrid, 1601, I, p. 15.
3. *Ibid.*
4. Péra, 13 juill. 1560, A. d. S. Venise, Sena Secreta Cost., 2/B f⁰ 253.
5. Baron de BUSBEC, *op. cit.*, II, p. 279, vers 1556.
6. J. B. E. JURIEN DE LA GRAVIÈRE, *Les chevaliers de Malte...*, 1887, I, p. 16-18.

vers 1560. En 1561, ce dernier prenait 300 esclaves aux bouches du Nil et quelques bonnes cargaisons[1] ; en 1563, parti avec deux galères[2], on le voyait revenir au cap Passaro[3] avec plus de 500 esclaves, noirs et blancs, avec aussi, sur deux navires (les autres ont été coulés), les cargaisons entassées de huit bateaux qu'il avait enlevés. Ces prises, ajoutent les lettres, « ne peuvent qu'être très riches venant d'Alexandrie... ». En 1564, Romegas faisait son butin de trois corchapins chargés de rames, d'étoupes et de munitions pour Tripoli de Barbarie, et d'une nave turque de 1 300 salmes partie de Tripoli pour Constantinople avec, à son bord, 113 noirs... La nave fut conduite à Syracuse, les corchapins à Naples[4]...

En ces années-là, la seconde place revenait déjà aux Toscans qui, un peu plus tard, disputeront la première aux Chevaliers eux-mêmes. En 1562, Baccio Martelli[5] poussait jusqu'à Rhodes, battait la mer entre Syrie et Berbérie et s'emparait d'un bateau de Turcs et de Mores éthiopiens, ces derniers chargés de présents destinés au Sultan : des pierres précieuses, une croix d'or, des étendards conquis sur les Chrétiens, et une *filza* de nez chrétiens dûment coupés... En 1564[6], les Chevaliers de Saint-Étienne faisaient, avec quatre galères, leur première sortie *in forma di religione* et allaient au Levant se saisir de deux riches navires turcs.

Sans doute ce relevé de prises n'est-il pas complet. A cette époque cependant, le Levant n'est pas encore pillé sans merci. Un rapport vénitien, au début du printemps 1564, signalait douze galères ponentines dans l'Archipel[7]. Chiffre certes pas négligeable, mais à la même époque, c'est par vingtaines, par trentaines de fustes et de galiotes que la course musulmane mord à pleines dents dans les richesses de l'Occident. Il n'y a pas alors équilibre entre les ravages des uns et des autres.

Ravages chrétiens dans le Levant

Avec les années 1574, par contre, le Levant s'ouvre largement à la piraterie ponentine. Les Chevaliers de Malte pratiquement délaissent les rivages proches de Barbarie pour ces exclusives randonnées vers l'Est. L'augmentation est visible aussi en ce qui concerne les galères toscanes. Elles courent toujours par bandes de quatre ou cinq navires rapides et puissants. En 1574[8], un aller et retour d'Italie jusqu'à Rhodes et Chypre, leur demandera vingt-neuf jours seulement (du 7 août, départ de Messine, au 5 septembre, arrivée à Catane). Ce qui nè les empêche pas de pousser des pointes brusques vers l'Ouest. De temps à autre, un galion du Grand-Duc tente aussi sa chance[9]. Le livre pittoresque de Guarnieri[10], qui magnifie ces exploits sauvages, ne dit pas tout de cette histoire vive, pressée, à chaque instant révélatrice du trafic de l'Orient turc, plein de *gerbe*, de *caramusali*, de *passa cavalli*, de barques, de brigantins,

1. *Ibid.*, p. 63-64 et Simancas E° 1050, f° 27, 28 mai 1562.
2. *Ibid.*, p. 64.
3. Avis de Messine, 1er juin 1563, Simancas E° 1052, f° 189.
4. Per lre (= lettere) di Messina, 7 mai 1564, Simancas E° 1383.
5. G. MECATTI, *op. cit.*, II, p. 723.
6. G. VIVOLI, *op. cit.*, III, p. 53.
7. Daniel Barbaro au Doge, Péra, 28 mars 1564, A. d. S. Venise, Senato Secreta 4/D.
8. Voir page suivante, note 4.
9. Silva à Philippe II, V, 10 sept. 1574, Simancas E° 1333.
10. *Cavalieri di San Stefano...*, Pise, 1928.

de grosses naves ponentines. Les rapports des courses, aux Archives de Florence, documents de grande précision, sont pleins de détails vivants. C'est, encore une fois, le Vénitien avec ses galères qui, entre Cérigo et Cérigotto, fonce comme un chien de garde ; et les galères à croix rouge de virer de bord vers l'Italie et de se perdre dans la nuit protectrice[1]. C'est, en une ligne, le récit de longs voyages en droiture, sans histoire. On s'engoulfe, par bon vent, et tout d'un coup apparaît la terre que l'on vise, un cap, mille feux allumés de nuit, ou des voiles, signe très souvent de la terre proche. Ou bien ce sont les lents voyages au long des côtes, d'aiguade en aiguade, dans les criques ou près du sable des sèches. Les prises elles-mêmes sont décrites rapidement, sans la moindre sensiblerie : un caramusali, tant de coups de canons de la capitane pour briser ses vergues ou le démâter, tant de tués chez soi, tant de tués chez les autres... Puis, ce qu'on trouve à bord : des Grecs, des Turcs, du poisson séché, des sacs de riz, des épices, des tapis... Et l'on passe au suivant. D'un mot, sont expliquées les ruses classiques : si l'on ose entrer dans l'Archipel « *alla turchesca costeggiando la terra firma* »[2], il arrive qu'on prenne sans combat ceux qui se présentent pour s'embarquer, croyant avoir affaire aux galères du Grand Turc. Et l'on apprend aussi les pratiques habituelles du métier : couler les navires inutiles après en avoir pris l'essentiel ; torturer le patron génois de telle nave vénitienne, un bon poids au pied, jusqu'à ce qu'il avoue avoir à bord des « robbe » de Juifs ou de Turcs ; ensuite convenir d'un forfait[3], 1 000 écus par exemple, payables en balles de soie de 250 livres, comptées à un écu la livre ; ou bien encore si c'est possible, armer le navire plein de riz ou de blé que l'on vient de saisir, et après y avoir placé un équipage grec, le lancer vers la Sicile, en priant Dieu et ses saints qu'il arrive à bon port... Sur tel bateau turc vidé, on placera les Grecs du navire précédent que l'on a dû couler ; et si l'on rencontre un pope par trop protestataire, on le conduira à Malte, sans plus de formalités[4]...

Pour tout connaître de ces voyages violents, il faudrait retrouver les comptes rendus des batailles et des prises, calculer le doit et avoir de ces entreprises commerciales d'un genre spécial, étudier les marchés non moins spéciaux que crée la course, particulièrement celui des hommes à vendre et à acheter, spécialité de Malte, de Messine, de Livourne... Un relevé de captifs décidés à payer rançon (les lieux de naissance sont indiqués et ils promènent le lecteur de Fez à la Perse et à la mer Noire)[5], une liste de forçats avec leurs âges et leurs lieux d'origine, suffisent pour supputer les bénéfices des pirates de Saint-Étienne et de leur maître avisé. On les devine aussi aux innombrables lettres que les maisons rivales, Tripoli ou Alger, adressent au Grand-Duc[6] : veut-il libérer un tel contre qui il voudra ? Consentira-t-il à écouter les recommandations, en

---

1. Pour la police vénitienne, rôle considérable de la guette de Cerigo, à partir de 1592 (E. ALBÈRI, *op. cit.*, III, V, p. 430), la garde vénitienne de Cerigo aurait réussi à protéger la navigation turque. Cerigo, dit Cigala « ...fanale e lanterna dell' Arcipelago e la lingua e la spia di tutti gli andamenti turcheschi... ».
2. Nota di vascelli presi (1575), A. d. S., Florence, Mediceo 2077, f° 536.
3. Autre exemple, 10 déc. 1558, *Corpo dipl. port.*, VIII, p. 78.
4. Tous les détails de ce paragraphe pris à une relation de 1574, A. d. S., Florence, Mediceo 2077, f°s 517 à 520 v°, et à une relation de 1597, *ibid.*, f° 659 et *sq.*
5. *Nota delli schiavi...* (1579-1580), *ibid.*, f° 606 et *sq.* Liste de forçats, blessés ou morts, *ibid.*, f° 349.
6. *Ibid.*, 4279, nombreuses missives d'Alger, de Mustafa Aga, 15 avril 1585 ; de la femme d'Arnaut Mami, 20 oct. 1586 ; de Mahamat Pacha, « roi » de Tripoli, juin et juill. 1587 ; d'Arnaut Mami, 9 oct. 1589 ; de Morat Bey, *capitan general de mar y tierra deste reyno de Argel*, 16 févr. 1596, etc.

forme respectueuse, de la femme de Arnaut Mami à la Grande-Duchesse elle-même ? En tout cas, qu'il daigne accepter en présent le cheval qu'on lui envoie...

Là aussi, la roue a tourné. En 1599, les cinq galères à croix rouge s'emparent de la citadelle de Chio qu'elles garderont un instant[1]. Mieux encore, en 1608, près de Rhodes, la flotte de Saint-Étienne s'empare de tous les vaisseaux turcs, chargés de pèlerins pour La Mecque[2]. A Constantinople, les représailles mêmes que l'on envisage sont représailles de faibles... En 1609, on parle au Divan d'interdire le pèlerinage de Jérusalem, dans l'espoir d'indigner le monde chrétien contre les pilleries toscanes[3]. Oui, les temps sont bien changés. Et les Toscans, les Maltais, ces envahisseurs de l'Archipel comme les appelle un document de 1591[4], ne sont pas seuls à l'avoir compris. D'autres corsaires forcent les entrées du Levant, des Siciliens, des Napolitains, voire des Barbaresques[5], sans compter ces redoutables infiniment petits, les Levantins, souvent d'accord avec les gens de garde pour tondre ce qui peut encore être tondu dans un Archipel misérable... Les Napolitains (un intermède mis à part, de 1575 à 1578) ne paraissent guère en nombre avant la fin du siècle[6], si l'on en croit des renseignements issus de Venise. C'est alors seulement que les vice-rois laissent des navires s'armer en course pour leur compte ou celui de particuliers. S'étonnera-t-on de trouver, parmi ces corsaires, Alonso de Contreras dont le récit sur les pilleries des îles est particulièrement cru, et deux capitaines provençaux à qui, de Paris, l'on prête de noirs projets[7] ?

Par contre, de Sicile, tout un essaim de corsaires commence, dès avant 1574, à foncer vers le Levant. Certains célèbres : Filipo Corona, Giovanni di Orta, Jacopo Calvo, Giulio Battista Corvaja et Pietro Corvaja, présents à Lépante avec quelques autres, et notamment avec l'étonnant Cesare Rizzo, spécialiste des reconnaissances dans le Levant : de la grande bataille à laquelle il assistera avec sa *fregatina* légère, empanachée de voiles, il rapportera comme trophée, à la Chapelle de Sainte-Marie de la Grâce, dans la paroisse de S. Nicolo Kalsa, à Messine, une cloche que les Turcs, l'année précédente, *havianu priso a l'isola di Cipro*[8]. Et il y a bien d'autres noms : ainsi ce Pedro Lanza, Grec de Corfou, chasseur de frégates et de galiotes, de navires et de sujets vénitiens, et qu'emploie en 1576-1577, Ribera, le gouverneur de Bari et d'Otrante[9]. Ainsi encore ce Philippe Cañadas, corsaire fameux qui, en 1588, monte l'une des galiotes de course de Pedro de Leyva, général des galères de Sicile[10], pilleur lui aussi de navires vénitiens.

---

1. Les galères de Saint-Étienne portent la croix rouge dans le Levant, G. VIVOLI, *op. cit.*, IV, p. 11. Prise de la forteresse de Chio, G. MECATTI, *op. cit.*, II, p. 816.
2. G. VIVOLI, *op. cit.*, IV, p. 29-30.
3. Alonso de la Cueva à Philippe III, Venise, 7 févr. 1609, A. N., K 1679.
4. C. 19 avril 1591, A. N., K 1675 « ... para\ guardar el Arcipielago de la inbasion de Malta... ».
5. Des fustes barbaresques pillent Candie, Hᵒ Ferro au Doge, Péra, 12 nov. 1560, A. d. S. Venise, Senᵒ Secreta Cost., 2/B fᵒ 291 vᵒ ; Simancas Eᵒ 1326, 12 août 1567 ; A. N., K 1677, 7 juill. 1600. Pour le XVIIᵉ siècle, Paul MASSON, *op. cit.*, p. 24, 33, 380.
6. Fᵉᵒ de Vera à Philippe III, Venise, 10 juill. 1601, A. N., K 1677.
7. J. B. de Tassis à l'ambassadeur espagnol à Gênes, Paris, 20 juill. 1602, A. N., K 1630.
8. Salomone MARINO, in : *Arch. Stor. Sic.*, XXXVII, p. 27.
9. Relacion sobre 'lo del bergantin de Pedro Lanza..., Simancas Eᵒ 1336, 1577. Silva à Philippe II, Venise, 20 nov. 1577, *ibid.*
10. Relacion que ha dado el embaxador de Venecia..., Simancas Eᵒ 1342. Le document signale deux autres galiotes expédiées en course par P. de Leyva pour son propre compte, contrairement aux ordres du Ro

Car le monde entier des corsaires, à la fin du XVIᵉ siècle, demande des comptes à Saint-Marc et se sert à ses dépens. En vain, les galères de la Sérénissime font-elles vigilance. Il y a bien des moyens — ne serait-ce qu'une imposition sur ses marchands à Tarente — de faire lâcher prise à la Seigneurie. Ses remontrances diplomatiques, à Florence ou à Madrid, ne sont guère écoutées. Elle obtient bien de Philippe II des interdictions contre la course à Naples et en Sicile : à Naples, on obéit plus ou moins ; en Sicile les particuliers et le vice-roi lui-même continuent leur fructueux trafic. D'ailleurs, l'interdiction de Philippe II[1] (elle date de 1578) a été prise beaucoup plus par égard pour le Turc, avec qui des conversations sont en cours, que pour les Vénitiens. Ceux-ci peuvent dire et répéter qu'à saisir sur leurs naves les *ropas de judios y de turcos*, on compromet leur commerce et, par ricochet, celui des Espagnols avec qui ils sont en liaison, et qu'ainsi l'on moleste de pauvres Juifs « sans État » qui, chassés d'Espagne, ne s'en considèrent pas moins sujets du Roi Catholique, et de modestes et paisibles marchands turcs[2]... A Madrid, on voit toujours sans déplaisir les difficultés de la Seigneurie que l'on sait malveillante et que l'on juge abusivement enrichie par une paix qu'elle a soigneusement conservée, et par n'importe quel moyen. Dans le Levant, les Turcs eux-mêmes pillent les navires de Venise. Si bien que cette montée complexe de la course doit aussi être considérée attentivement de Venise et de Raguse (les naves ragusaines n'échappent pas non plus au droit de visite). Il est essentiel de se demander si la course ponentine triomphante n'est pas, en partie, la raison du double repli de Raguse et de Venise sur les routes sûres de l'Adriatique, loin des mers et des îles « travaillées » et « affamées » par l'insolence des « *vasselli christiani* »[3]. Les taux d'assurances à Venise sont en tout cas parlants : pour le voyage de Syrie, en 1611, ils montaient à 20 p. 100 et à 25 p. 100 en 1612[4].

La première et prodigieuse fortune d'Alger

De l'autre côté de la mer, la course musulmane n'est pas moins prospère et elle l'est depuis plus longtemps. Ses centres sont nombreux, mais sa fortune se résume tout entière dans la prodigieuse croissance d'Alger.

De 1560 à 1570, la Méditerranée Occidentale est infestée de pirates barbaresques, surtout algérois ; certains poussent vers l'Adriatique, ou les côtes de Candie... La caractéristique de ces années, c'est peut-être l'attaque régulière par larges bandes, voire véritables escadres. En juillet 1559, voici quatorze navires de corsaires près de Niebla, en Andalousie[5] ; deux ans plus tard, ils sont quatorze encore (galères et galiotes) près de Santi Pietri, au large de Séville[6]. En août, Jean Nicot signale « 17 galères turcquesques » sur l'Algarve portugais[7]. Au même instant, Dragut opère en Sicile et devant Naples, il s'est, d'un seul coup de filet, emparé de huit galères siciliennes[8]. Avec 35 voiles il

---

1. Marcantonio Colonna à Philippe II, Messine, 10 juill. 1578, Simancas Eᵒ 1148.
2. Fᶜᵒ de Vera à Philippe III, Venise, 5 févr. 1601, A. N., K 1677. Important et long plaidoyer.
3. V. LAMANSKY, *op. cit.*, p. 578 (1588), également p. 592, 599, 601-602. Complicité des populations grecques.
4. G. BERCHET, *op. cit.*, p. 130 et 139.
5. Simancas Eᵒ 138, 7 juill. 1559.
6. El Prior y los Consules de Sevilla à Philippe II, 7 mai 1561, Simancas Eᵒ 140.
7. *Op. cit.*, p. 69.
8. A. d. S. Naples, Farnesiane, fasc. II, 2, fᵒ 271, 28 juin 1561 ; Simancas Eᵒ 1126, 29 juin 1561 ; J. NICOT, *op. cit.*, p. 70, 17 août 1561.

bloque Naples[1], au cœur de l'été. Deux ans plus tard, en septembre 1563 (donc après la moisson), il rôde autour de la Sicile et se trouve par deux fois à la fosse Saint-Jean, près de Messine, avec vingt-huit bateaux[2]. En mai 1563, douze navires, dont quatre galères sont signalés à la hauteur de Gaète[3]. En août, neuf navires d'Alger apparaissent entre Gênes et Savone[4]; en septembre ils sont treize sur la côte corse[5]. Trente-deux apparaissent, début septembre, sur la côte de Calabre[6], les mêmes sans doute qu'on évalue à une trentaine lorsqu'ils arrivent, de nuit, devant Naples, à l'abri de l'île de Ponza[7]. En septembre toujours, ils sont huit qui passent devant Pouzzoles, tirant sur Gaète[8], cependant que vingt-cinq voiles surgissent *sopra Santo Angelo in Ischia*[9]. En mai 1564, c'est une escadre de quarante-deux voiles qui surgit devant l'île d'Elbe[10], quarante-cinq même d'après une lettre française[11]. C'est encore quarante voiles, cette fois le long du Languedoc, à l'affût des galères d'Italie, que signale Fourquevaux, en avril 1569[12]. Un mois plus tard, vingt-cinq corsaires défilent devant le littoral sicilien, qu'ils n'endommagent guère tant ils sont acharnés à poursuivre barques ou vaisseaux[13].

On s'explique la puissance de coups si vivement assénés qu'une fois, les corsaires enlèvent huit galères d'un coup, une autre fois, devant Malaga, vingt-huit navires biscayens (juin 1566)[14]. En une saison, ils raflent cinquante navires dans le détroit de Gibraltar et sur les côtes océanes de l'Andalousie et de l'Algarve[15], un raid à l'intérieur des terres de Grenade leur fournit 4 000 captifs[16]... En ces années, l'audace des corsaires, disent les Chrétiens, ne connaît plus de bornes[17]. Hier, ils agissaient de nuit, maintenant en plein jour. Jusque dans les *Percheles*, le quartier des mauvais garçons, à Malaga, ils viennent faire des prises[18]. Les Cortès de Castille, en 1560, disent la désolation, l'abandon des côtes de la Péninsule[19]. En 1563, quand Philippe II est à Valence, « ne se parle, écrit Saint-Sulpice[20], que de faire tournois, jeux de bagues, bals et tous honnestes exercices, cependant que les Mores ne perdent pas temps et ne craignent de prendre vaisseaux jusqu'à une lieue de cette ville et détrousser tout ce qu'ils peuvent ».

Que Valence soit menacée, Naples bloquée (ainsi en juillet 1561, 500 hommes ne peuvent passer de Naples à Salerne à cause des corsaires[21]), que la Sicile ou

1. L'évêque de Limoges au Roi, Madrid, 12 août 1561, B. N., Paris, Fr. 16103, f⁰ 33 et *sq.*
2. Relacion de lo que ha hecho Dragut, 15-30 sept. 1563, Simancas E⁰ 1127.
3. Simancas E⁰ 1052, f⁰ 182.
4. Simancas E⁰ 1392, 18 sept. 1563.
5. *Ibid.*
6. Simancas E⁰ 1052, f⁰ 212.
7. *Ibid.*, vice roi de Naples à J. André Doria, 20 sept., 1563.
8. *Ibid.*, f⁰ 214, 9 sept. 1563.
9. *Ibid.*, f⁰ 217, 10 sept. 1563.
10. Simancas E⁰ 1393, 24 mai 1564.
11. Oysel à Charles IX, Rome, 4 mai 1564. E. CHARRIÈRE, *op. cit.*, II, p. 755, en note.
12. *Op. cit.*, II, p. 69, 7 avril.
13. Simancas E⁰ 1132, Pescaire à Philippe II, 18 juin 1569.
14. FOURQUEVAUX, *op. cit.*, I, p. 90.
15. *Ibid.*, p. 122.
16. *Ibid.*, p. 135.
17. Simancas E⁰ 1052, f⁰ 184.
18. Pedro DE SALAZAR, *Hispania victrix*, 1570, p. 1 v⁰.
19. Cité par C. DURO, *op. cit.*, II, p. 45-46.
20. Cité par H. FORNERON, *op. cit.*, I, p. 351-352.
21. 3 juillet 1561, Simancas, E⁰ 1051, f⁰ 108.

les Baléares soient encerclées, la géographie l'explique, toutes ces régions méridionales sont aux portes de l'Afrique du Nord. Mais les corsaires atteignent aussi les côtes du Languedoc, de Provence, de Ligurie, jusque-là plus tranquilles. Près de Villefranche, en juin 1560[1], le duc de Savoie lui-même leur échappe de justesse. En ce même mois de juin 1560, à Gênes, pas de blé, pas de vin, et les prix montent : les barques qui apportent les vins de Provence ou de Corse n'osent se risquer en mer, par crainte de vingt-trois navires de corsaires qui y rôdent[2]. Et il ne s'agit pas là d'accidents. A chaque bonne saison, le territoire génois sera saccagé. En août 1563, c'est le tour de Celle et d'Albissola, sur la rivière du Ponent. Tout « cela vient, écrit la République à Sauli, son ambassadeur en Espagne, de ce que ces mers sont vides de galères, pas un seul esquif chrétien n'y flotte »[3]. Résultat : personne n'ose plus naviguer. En mai de l'année suivante, un avis de Marseille, que Philippe II annotera lui-même[4], dit que sont sortis en course cinquante navires d'Alger, trente de Tripoli, seize de Bône et quatre de Velez (le Peñon qui ferme ce port ne sera enlevé par les Espagnols qu'en septembre 1564). S'il fallait prendre l'information à la lettre, cent navires travailleraient les mers, galères, galiotes ou fustes... Les mêmes informateurs ajoutaient : « les pauvres chrétiens pleuvent en cet Alger »...

La seconde et toujours prodigieuse fortune d'Alger

De 1580 à 1620, une seconde fortune d'Alger se dessine, aussi éclatante que la première, sûrement d'une ampleur accrue. Il y a, au bénéfice d'Alger, une concentration de la course, plus une rénovation technique décisive.

Comme vers le milieu du siècle la course déplace de larges escadres. Les îles méridionales sont encerclées des semaines, des mois durant. « Les corsaires font de grands dommages en cette île, écrit Marcantonio Colonna, vice-roi de Sicile, en juin 1578, dans les multiples régions côtières où manquent les tours »[5]. En 1579, à la hauteur de Capri, les fustes barbaresques prennent deux des galères de l'escadre de Sicile et en vain alertera-t-on les galères de Naples ! Une fois de plus, elles sont au port, désarmées, sans soldats, leurs chiourmes occupées à débarquer les marchandises des navires de commerce ou à telle autre besogne aussi pacifique[6]. En 1582, le vice-roi de Sicile est fort pessimiste : « la mer grouille de pirates »[7]. Avec les années, la situation ne cesse de s'aggraver. Détail révélateur, à lui seul, la course est insistante sur les côtes Nord de la mer. Ni la lointaine Catalogne, elle surtout, ni la Provence, ni Marseille ne sont épargnées. Le 11 février 1584, on discute, au Conseil[8], du rachat de captifs marseillais à Alger ; le 17 mars 1585, le Conseil[9] décide « d'aviser aux moyens

---

1. H. FORNERON, *op. cit.*, I, p. 365 ; CAMPANA, *op. cit.*, II, XII, p. 87 et v° ; Pietro EGIDI, *Emmanuele Filiberto*, II, p. 27 donne la date du 1er juin, Campana celle du 31 mai. Le raid conduit par Euldj Ali. La nouvelle arrive en Espagne, Maçuelo à Philippe II, Tolède, 12 juil. 1560, Simancas E° 139.
2. Figueroa à Philippe II, Gênes, 19 juin 1560, Simancas E° 139.
3. A. d. S. Gênes, L. M. Spagna 3.2412.
4. Avisos de Marsella, 2 mai 1564, Simancas E° 1393.
5. Marcantonio Colonna à Philippe II, Messine, 26 juin 1578, Simancas E° 1148.
6. E. ALBÈRI, *op. cit.*, II, V, p. 469.
7. A Philippe II, Palerme, 6 juin 1582, Simancas E° 1150, « ... el mar lleno de corsarios... ».
8. A. Communales Marseille BB 46, f° 91 et *sq.*
9. *Ibid.*, f° 228 et *sq.*

les plus prompts pour faire cesser les ravages que font les corsaires de Barbarie sur la côte de Provence ». Les années passent sans apporter de remède. Durant l'hiver 1590, Marseille décide d'envoyer un député au roi d'Alger pour les rachats de captifs[1]. A Venise que son éloignement en principe mettrait à l'abri, les procurateurs *sopra i capitoli* ont élu, le 3 juin 1588, un consul pour Alger, avec la charge de s'occuper particulièrement des esclaves vénitiens[2].

Les corsaires sont partout en ces années terribles. Il faut lutter contre eux dans le détroit de Gibraltar ; et presque journellement sur les rivières de Catalogne[3] et les côtes romaines ; ils pillent à la fois les madragues d'Andalousie et celles de Sardaigne[4]. Mais déjà en 1579, Haedo s'exclamait : « soixante-deux ecclésiastiques captifs en même temps à Alger, on n'a jamais vu cela en Berbérie ! »[5]. On devait le revoir par la suite.

A cette seconde prospérité d'Alger, les explications ne manquent pas : elle découle tout d'abord de la prospérité générale de la mer. Répétons-le : pas de bateaux de commerce, alors pas de corsaires. C'est l'une des constantes remarques de Godfrey Fisher : la prospérité, un certain tonus de la vie économique se sont maintenus envers et contre tout en Méditerranée au moins jusqu'au-delà de 1648[6]. D'où cette conclusion, à savoir que la course n'a pas eu les effets désastreux qu'affirment ou suggèrent tant de témoignages ou de plaintes excessives, puisque la prospérité continue malgré le développement de ces activités hostiles. En fait, course et activité économique sont liées, celle-ci monte, celle-là profite de l'essor... Disons vite : la course est une forme des échanges forcés dans tout l'espace méditerranéen. Autre explication[7] : l'atonie évidente, et qui s'accentue, des grands États. Le Turc livre les mers du Levant, comme l'Espagnol celles du Ponent. La tentative de Jean André Doria contre Alger, en 1601[8], sera un geste, rien de plus. Enfin et surtout, le dynamisme d'Alger s'avère celui d'une ville neuve, en rapide croissance. Elle est avec Livourne, Smyrne, Marseille, la jeunesse de la mer. Tout y dépend, bien sûr, des volumes et des succès de la course, même la pitance du plus pauvre ânier de la ville[9], ou la propreté des rues dont se charge le travail multiplié des esclaves, à plus forte raison les chantiers de construction, les coûteuses mosquées, les villas des riches, les adductions d'eau dues, semble-t-il, au travail des réfugiés andalous. Cependant le niveau de vie reste souvent modeste. Tous les janissaires ne font pas fortune dans le commerce, bien qu'ils y participent souvent. La course, industrie majeure, fait la cohérence de la ville, crée son unanimité dans la défense comme dans l'exploitation de la mer, ou celle de l'arrière-pays, ou des masses d'esclaves. L'ordre y règne, celui d'une justice stricte, qu'instaure et garantit, au vrai, une armée campée dans les casernes urbaines. J'imagine que Haedo a gardé toute sa vie dans les oreilles le bruit des souliers

---

1. *Ibid.*, BB 52, fos 10 et 10 vo et fo 29.
2. A. d. S. Venise, Cinque Savii, 26.
3. A. de Capmany, III, *op. cit.*, p. 226-227 ; IV, Appendice, p. 85 ; A. d. S. Florence, Mediceo 4903, Madrid, 3 juin 1572.
4. F. Corridore, *op. cit.*, p. 21. En Corse, à la fin du siècle, 61 villages détruits ou brûlés, Casanova, *Histoire de l'Église corse*, 1931, I, p. 102.
5. *Op. cit.*, p. 153.
6. *Op. cit.*, p. 158.
7. Voir *supra*, II, p. 48.
8. Voir *infra*, p. 511-512.
9. O. Eck, *op. cit.*, p. 139 et *sq*. Pour tout ce paragraphe, G. Fisher, *op. cit.*, *passim* et p. 96 et *sq*.

ferrés des janissaires dans les rues d'Alger... Il est certain aussi que l'activité de la course stimule les autres secteurs, les entraîne, les organise, fait confluer vers Alger vivres et marchandises. Très loin de la ville blanche, jusque dans les montagnes et les plateaux lointains, la tranquillité devient la règle. Il s'ensuit pour la ville une croissance rapide, anormale, avec des changements dans ses apparences et ses réalités sociales.

Alger, en 1516-1538, était une ville berbère et andalouse, une ville de Grecs reniés et une ville turque, le tout mêlé tant bien que mal. C'est l'Alger du temps créateur des Barberousse. De 1560 à 1587, l'Alger d'Euldj Ali est de plus en plus italienne. Au-delà de 1580-1590, puis vers 1600, voici les Nordiques, Anglais et gens des Pays-Bas, un Simon Danser[1] (le *Dansa* des documents italiens et français), c'est-à-dire *der Tantzer*, le danseur, de son vrai nom Simon Simonsen, natif de Dordrecht. Le consul anglais, à Alger, le voit arriver, en 1609, à bord d'un navire de gros tonnage (*of great force*), fabriqué à Lubeck et monté par un équipage à la fois turc, anglais et hollandais, avec à son actif, cette année-là, une trentaine de prises[2]. Raconter sa vie, son retour en Chrétienté à Marseille où il a femme et enfants, puis son entrée au service de la ville marchande, sa capture, enfin des années plus tard son exécution *probable* à Tunis, sur l'ordre du Dey, en février 1616, ces détails dont nous ne sommes pas sûrs[3] demanderaient explications, discussions, recherches. Est-ce nécessaire ? Mais les blonds envahisseurs ne sont pas venus seuls. Ils arrivent avec des cargaisons de voiles, de madriers, de poix, de poudre, de canons — avec leurs voiliers aussi, ces mêmes voiliers qui courent l'Océan et, depuis longtemps, ont ridiculisé les énormes caraques et les galions des Ibériques. Livourne les accueille au même moment. Mais Alger saura mieux les utiliser. Le voilier y écarte les fines galères, les galiotes traditionnelles, aux coques légères et effilées, surchargées non de canons, de bagages et de poids morts, mais de chiourmes, celles-ci martyrisées à l'occasion pour que l'esquif aille contre la mer démontée et, devant les lourdes galères des Chrétiens, conserve toujours l'avantage de la vitesse. Des chiourmes incomparables, ç'avait été la force des *raïs* d'Alger. Mais Alger adopte le voilier léger, fait lui aussi pour la vitesse et la surprise.

Alger, en 1580, c'était peut-être trente-cinq galères, vingt-cinq frégates, plus un certain nombre de brigantins et de barques. Vers 1618, c'est peut-être une centaine de voiliers dont le plus petit a de 18 à 20 bouches à feu. En 1623 (chiffre plus probable, donné par Sir Thomas Roe, chargé des intérêts anglais à la Corne d'Or), c'est soixante-quinze voiliers et plusieurs centaines d'autres esquifs. Alors, la course barbaresque se concentre presque entièrement à Alger ; Tripoli, la redoutable Tripoli (on disait en Italie, vers 1580, à qui partait en mer : que Dieu vous garde des galères tripolitaines !) ne possède en 1612 qu'une paire de voiliers, et Tunis sept, en 1625[4]. En est-il de même à l'Ouest où, en 1610 puis en 1614, les Espagnols ont pris Larache et la Marmora sans coup férir[5] ? En tout cas, Alger se gonfle, éclate de richesses. Un captif portugais[6] nous dit qu'entre 1621 et 1627, il y a quelque vingt mille captifs à Alger, pour moitié gens de la « meilleure Chrétienté », Portugais, Flamands,

1. E. MERCIER, *Histoire de l'Afrique septentrionale*, Paris, 1891, III, p. 189.
2. G. FISHER, *op. cit.*, p. 174.
3. S. BONO, *op. cit.*, p. 361 et note 21.
4. *Ibid.*, p. 89.
5. 20 nov., A. BALLESTEROS, y BERETTA, *op. cit.*, IV, 1, p. 485.
6. *Historia tragico-maritima*, *Nossa Senhora da Conceyção*, p. 38.

Écossais, Anglais, Danois, Irlandais, Hongrois, Esclavons, Espagnols, Français, Italiens ; pour moitié hérétiques ou idolâtres, Syriens, Égyptiens et même des Japonais et des Chinois, des gens de la Nouvelle-Espagne, des Éthiopiens. Et chaque nation, bien entendu, fournit son lot de renégats... Faisons sa part à l'imprécision du témoignage : il reste indéniable que l'habit d'Arlequin d'Alger a multiplié ses couleurs. Cependant, les corsaires algérois emplissent la mer, leur ville est désormais à la taille de la Méditerranée entière. En 1624, des Algérois pillent Alexandrette, s'y saisissent de deux navires, un français et un hollandais[1]. Plus encore, ils essaiment au-delà de Gibraltar, pillent Madère en 1617, l'Islande en 1627, touchent l'Angleterre (nous l'avons dit) en 1631[2], piratent dès lors dans l'Atlantique (surtout de 1630 à 1640)[3]. La course musulmane s'est mariée à la course océane... Et c'est, dit-on, Simon Danser, alias Simon Raïs, lui encore, qui aurait appris aux Algérois, peut-être dès 1601, à passer avec prestesse le difficile détroit de Gibraltar[4].

Peut-on conclure ?

Ce dossier de la course algéroise, mal résumé, ne comporte pas de conclusions péremptoires. J'aurais tendance, pour ma part, à inscrire cette activité algéroise au compte d'une conjoncture pas encore catastrophique pour la Méditerranée. L'ouvrage novateur de Godefrey Fisher n'y contredit pas, au contraire. Mais il complique le problème non sans raison. Pour lui, on a surfait le rôle nocif et comme coupable, au regard de l'Occident, de la course musulmane en général et de l'activité algéroise en particulier. La bonne foi a été aussi souvent du côté des adversaires de la Chrétienté que du côté de ses défenseurs et serviteurs. Sur ce point, aucun « juge » ne lui donnera tort. Mais l'histoire rejette les juges. Il est autrement important de constater, toujours avec notre collègue anglais, que l'activité entière de la course en Méditerranée a été surestimée. Nous avons trop écouté les plaintes et les arguments des riverains de la mer chrétienne et les historiens ont déposé leurs conclusions avec trop de hâte.

La course n'a pas été cette calamité de Dieu s'abattant sur les prospérités de la mer. Pour mieux établir ses conclusions, G. Fisher voudrait réviser nos chiffres : les cent voiliers d'Alger lui semblent trop nombreux. En fait, nous ignorons le chiffre exact, et surtout ses variations avec les années. Mais il est sûr que ces voiliers sont de petite jauge, qu'ils sacrifient à la vitesse la puissance de leur armement[5]. Souvent, ils ne sont que des maraudeurs, enlevant à bord des navires quelque baril de poisson de Terre-Neuve ou d'ailleurs... Quand ils surgissent ainsi sur la côte anglaise en 1631, c'est la *novelty*, la nouveauté qui frappe, non le danger réel[6]. Là comme ailleurs, il s'est agi de piqûres d'épingle.

Pouvons-nous nous laisser convaincre ? Oui et non. Oui, car nous avions résolu le problème trop vite, et de façon unilatérale ; oui, car Alger est un phénomène mondial, international, non pas seulement islamique ou nord-

1. H. WÄTJEN, *op. cit.*, p. 138, note 2 ; Paul MASSON, *op. cit.*, p. 380.
2. S. BONO, *op. cit.*, p. 178.
3. J. DENUCÉ, *op. cit.*, p. 20 et même plus tôt, ainsi Barbaresques (Turcs) en face de
4. Voir *supra*, I, pp. 109-110.
4. Voir *supra*, pp. 109-110.
5. G. FISHER, *op. cit.*, p. 186.
6. *Ibid.*, p. 138.

africain. Non tout de même, car d'autres témoignages que ceux qu'emploie G. Fisher font entendre un son de cloche différent. Des études attentives comme celle d'Alberto Tenenti[1] nous restituent à point nommé l'image d'une course multiple, aux coups sérieux. Le sondage qu'il offre de 1592 à 1609, mettant en cause les navires en route vers Venise, ou ayant quitté son port, ne peut valoir à l'échelle de toute la Méditerranée. Cependant comme Venise a le privilège d'être la cible de toutes les courses, le test n'est pas strictement local. Sur les quelque 250 à 300 navires pillés pendant ce bref espace de temps et que l'on a pu localiser sur la carte, nous connaissons avec une précision relative l'agresseur dans 90 cas. Aux corsaires musulmans reviennent 44 prises, aux Nordiques (Anglais et Hollandais) 24, aux Espagnols 22. Course chrétienne et musulmane en gros s'équilibrent. En face de ces 250 à 300 captures, il y a eu 360 naufrages. Les hommes sont donc presque aussi nocifs que les éléments[2]... Si l'on acceptait un instant, sans trop y croire, que le trafic de Venise est le dixième de celui de la mer, toutes choses égales, il faudrait compter de 1598 à 1609, pendant 18 années, 2 500 ou 3 000 prises à l'actif de la course, soit 138 à 166 prises annuelles en moyenne (sans compter les hommes, les marchandises, les biens enlevés sur les rivages). Chiffres modestes. Ne nous fions pas trop toutefois à la modicité de ces chiffres incertains[3]. Et pas davantage à la modicité de l'outillage, de la flotte corsaire. Il est à la hauteur de la résistance offerte dans une mer où surabondent les très petits bateaux et où la police est mal faite. La course, c'est d'ailleurs l'abordage, l'arme blanche, l'arquebuse bien plus que le canon. Si l'on jugeait selon leur armement les barques des Uscoques, on ne pourrait imaginer qu'elles aient jamais été un danger. Et pourtant !

L'essentiel, évidemment, reste la corrélation positive entre course et vie méditerranéenne, je dis bien positive : tout monte, tout descend ensemble. Si la course mord à peine sur la vie pacifique des échanges, la provende offerte risque d'être insuffisante, il a pu y avoir retrait de la Méditerranée. Pour l'établir, il nous faudrait des chiffres, ils nous manquent encore. Nous n'avons aucune idée précise sur le nombre global des navires de course, le volume des prises, la masse des captifs... Cette masse *semble* grossir.

Rachat de captifs

Partout, en Chrétienté, des institutions se créent pour le rachat des pauvres : les riches, on le sait, s'échangent d'eux-mêmes. En 1581, la Papauté donne l'exemple : Grégoire XIII créait l'*Opera Pia della Redenzione de' Schiavi* et la rattachait à l'ancienne et active *Arciconfraternita del Gonfalone* de Rome. Les premiers rachats avaient lieu en 1583, la première mission parvenait à Alger en février 1585[4]. En 1596, se fonde en Sicile l'*Arciconfraternita della Redenzione dei Cattivi* qui eut son siège à l'église Santa Maria Nuova, à Palerme. C'était

---

1. *Naufrages, corsaires et assurances maritimes à Venise, 1592-1609*, 1959.
2. *Ibid.*, p. 27 et *sq.*
3. La difficulté est surtout de mesurer les importances *relatives*. J'aborde ce problème dans un autre ouvrage en cours d'impression : *Capitalisme et civilisation matérielle, XV*e*-XVIII*e *siècles*, vol. 1, chapitre 1. Suivre de près une série de chiffres du XVIe siècle, c'est retrouver une autre *échelle*. Tout dépendra de celle-ci.
4. Salvatore Bono, « Genovesi schiavi in Algeri barbaresca », *in* : *Bollettino Ligustico*, 1953 ; « La pirateria nel Mediterranéeo, Romagnuoli schiavi dei Barbareschi », *in* : *La Piè, Rassegna d'illustrazione romagnuola*, 1953.

d'ailleurs la reprise de vieilles institutions qui avaient fonctionné déjà au XVIᵉ siècle[1]. Le 29 octobre 1597[2], à Gênes, se constituait l'actif *Magistrato del Riscatto degli Schiavi* qui pareillement reprenait la suite d'un organisme remontant à 1403, le *Magistrato di Misericordia*. Il fallait des administrations, des tribunaux aussi pour ces prisonniers, frappés en quelque sorte de mort civile provisoire, qui rentraient, quand ils rentraient, avec d'invraisemblables situations à résoudre. Disparus depuis trop longtemps, ou reniés, ils laissaient en suspens trop d'affaires si bien que les familles devaient intervenir, faire dresser des actes de disparition, cependant que le « ministère des captifs » intervenait, de son côté, pour sauvegarder les droits et les ressources des absents. Quelle magnifique source documentaire que la longue série des papiers génois, pour qui voudrait préciser l'histoire de ces captivités, non leur littérature facile !

Sauver les prisonniers, c'était bien. Avant tout, il fallait sauver leurs âmes. Les ordres religieux s'occupèrent avec passion de cette grande tâche. Encore fallait-il se glisser en Berbérie, sous le prétexte plausible de rachats, s'entendre avec les organisations charitables, obtenir un passage et, de Rome, d'Espagne, de Gênes ou d'ailleurs, les aumônes justificatives. De ces négociations difficiles, on prendra une idée en lisant la lettre du capucin Fra Ambrosio da Soncino, datée de Marseille, le 7 décembre 1600, et adressée au *Magistrato del Riscatto*, à Gênes... Capucins et Carmes se sont partagés la besogne spirituelle, à ceux-ci Tétouan, à ceux-là Alger. Mais les négociations sont interminables pour obtenir l'occasion d'un voyage et « le temps nécessaire au salut des âmes, car c'est cela seul que l'on recherche et rien d'autre »[3].

Avec ces rachats, ces échanges d'hommes et de marchandises, une géographie nouvelle des marchés et des trafics s'ébauche. Les voyages des rédempteurs se multiplient, ils emportent dans leurs barques ou du numéraire, ou des marchandises, le tout dûment assuré[4]. A Alger, depuis 1579, tout s'enregistre au Consulat de France, de même qu'à Tunis, à partir de 1574. A Tabarca[5], vers les années 1600, fonctionne un autre centre actif de rachat, en direction de Tunis et de Bizerte. Au retour des libérés, de grandes cérémonies se déroulent, avec défilés et actions de grâces. En 1559 déjà[6], à Lisbonne, un convoi de captifs libérés se promenait dans la ville, portant au bout d'un bâton le petit pain bis, la seule nourriture des bagnes... Qui ne voit combien ces prises, ces voyages, ces libérations créaient de contacts et de liens ? Avec la réciprocité de la course, on aboutissait à des situations enchevêtrées. Un document du Consulat français de Tunis[7] signale un prêtre sarde, esclave de la femme de Mamet Arnaout, lui-même esclave du Roi Catholique. Ces enchevêtrements rendent les échanges possibles, sinon rapides.

D'autre part, avec les bagnes surpeuplés, les évasions se multiplient. Nous avons vu les exploits de la frégate de Philippe Romano, le Valencien, passeur

---

1. G. LA MANTIA, *in : Archivio storico siciliano*, XLIV, p. 203.
2. R. RUSSO, *in : Archivio storico di Corsica*, 1931, p. 575-578. Sur les rachats, énorme documentation inédite.
3. A. d. S. Gênes, Mᵒ del Rᵒ degli Schiavi, Atti, 659.
4. *Ibid.*, 14 et 15 mai 1601, assurance sur 2 532 lire, à 4 p. 100 (deux assureurs).
5. *Ibid.*, très nombreux documents et ainsi, à titre d'exemple, Giacomo Sorli à Philippe Lomellini, Tunis, 7 novembre 1600.
6. J. NICOT, *op. cit.*, p. 25, 21 sept. 1559.
7. P. GRANDCHAMP, *op. cit.*, I, p. 43, 26 août 1592.

attitré des bagnards d'Alger. Les bagnards organisent eux-mêmes leurs fuites et leurs évasions en groupe sont monnaie courante[1]. Un jour, ils prennent une fuste, une autre fois une galère, et vogue l'aventure ! Ce ne sont pas les détails les moins sympathiques de ces vies malheureuses. La facilité des fuites vient en grande partie du nombre croissant de cette gent interlope, mi-musulmane, mi-chrétienne, qui vit à la frontière des deux mondes, dans une alliance fraternelle qui serait plus apparente encore si les États n'étaient là pour maintenir une certaine décence. Fraternisation dans le reniement (ce n'est pas la plus belle, c'est sans doute la plus ample) ; fraternisation dans le commerce, le trafic sur les rachats et les marchandises. A Constantinople, c'est la spécialité de renégats italiens ; à Alger, des marins du cap Corse, familiers des *raïs* et du bagne, corailleurs à l'occasion, transporteurs de cire, de laines, de cuirs peloux; à Tunis, c'est presque le monopole des consuls français que l'on accuse de pouvoir faire sortir qui ils veulent et de se charger à l'occasion, contre argent, de faire en sorte que tel captif ne revienne pas[2]. Partout se rencontrent les intermédiaires juifs.

Toutes opérations fructueuses. Trafiquer à Alger, c'est 30 pour 100 de bénéfice assuré, dit un marchand génois interrogé... Aussi bien faut-il rappeler plus d'une fois, en Espagne, qu'il est interdit de porter à Alger des marchandises prohibées et aussi d'acheter des marchandises pillées[3], qu'il est interdit d'y acheter des marchandises de corsaires. Mais celles-ci trouvent facilement preneurs, vers l'Italie et vers Livourne. Au XVIIᵉ siècle, la liaison existe toujours. La prise d'une nave portugaise, en 1621, laisse entre les mains des *raïs* algérois, un lot de diamants « avec quoi s'enrichit toute l'Italie », rapporte le narrateur[4]. Les Turcs s'y connaissant peu en pierres précieuses, les ont vendues à bas prix... Mais nous ne faisons qu'apercevoir ces réalités quotidiennes, celles qui font le moins de bruit. Autant, peut-être plus qu'Alger, Tunis est un rendez-vous d'échanges interlopes. Une sorte de Shanghaï avant la lettre, dit un historien sicilien[5]. Il a sûrement raison.

Une guerre chasse l'autre

Donc, lorsqu'on dit : en 1574, la guerre s'arrête en Méditerranée, il faut préciser de quelle guerre il s'est agi. La grande guerre, bien en ordre, soutenue à gros frais par la poussée autoritaire de vastes États, oui celle-là s'en va. Mais ses forces vives, les hommes que ne peuvent plus attacher, à la vie des armadas, des bénéfices et salaires devenus insuffisants (le fait n'échappe pas à un Vénitien perspicace, le Capitaine du Golfe Filippo Pasqualigo, en 1588), la faillite de la grande guerre les rend à l'aventure. Les marins de galères, parfois les galères elles-mêmes, qui s'échappent des flottes, les soldats ou ceux qui normalement auraient été soldats, les aventuriers à plus ou moins large rayon d'action, tous sont repris en compte par la petite guerre, terrestre ou maritime.

---

1. Relacion del tercer viaje que ha hecho J. Phelipe Romano a Argel (1594), Simancas Eº 342.
2. G. ATKINSON, *op. cit.*, p. 133.
3. Ainsi défense faite aux Valenciens, 4 janvier 1589, B. N., Esp. 60, fᵒˢ 441 et vᵒ. Énumération non moins fréquente des *mercaderias no prohibidas*, 17 juillet 1582, Simancas Eº 329, I.
4. *H. tragico-maritima*, *N. Senhora da Conceyção*, p. 19.
5. Carmelo TRASSELLI, Noti preliminari sui *Ragusei in Sicilia*, article inédit, p. 32 du dactylogramme.

Une guerre chasse l'autre, remplace l'autre. La grande guerre, savante, moderne et coûteuse gagne le Nord de l'Europe et l'Atlantique, du coup la Méditerranée ne va plus abriter que des formes secondaires et dégradées. Comme elles le pourront, ses sociétés, ses économies, ses civilisations s'accommoderont de la guerre des partisans et de la guerre des bateaux de course. A vrai dire, elles y brûleront forces, repentirs, mauvaise conscience, vengeances, revanches... La guerre des brigands consume aussi, comme par avance, une guerre sociale qui n'éclate pas. La guerre des pirates brûle une croisade (ou un djihad) : ni l'un ni l'autre n'intéressent plus personne, sauf les fous et les saints.

Avec les retours massifs à la paix (1598, 1604, 1609), la grande guerre quitte pareillement le Nord et l'Atlantique, elle projette alors vers la Méditerranée ses menaces, ses projets, ses rêves... Va-t-elle revenir ? Non, et c'est ce qui fait la valeur du test de la guerre avortée du duc d'Ossuna et de l'Espagne contre Venise (1618-1619). Non, et c'est la preuve que la Méditerranée n'est peut-être plus capable d'en porter le poids, c'est-à-dire d'en payer le prix. Mais elle n'est pas libérée pour autant.

A cette hauteur, notre conclusion sera pessimiste. Si le XVIe siècle méditerranéen, dans sa vie belliqueuse, n'est pas mensonge ou illusion — par ses métamorphoses, ses relèves, ses feintes, ses revalorisations et ses dégradations, la guerre y assure sa pérennité : ses fils rouges ne cassent pas tous ensemble. *Bellum omnium pater*, l'adage antique est familier aux hommes du XVIe siècle. Père de toutes choses, fils de toutes choses, fleuve aux mille sources, mer sans rivages. Père de toutes choses, mais non de la paix elle-même, tant rêvée, si rarement atteinte. Chaque époque fabrique *sa* guerre et même *ses* guerres. Pour la Méditerranée, après Lépante, c'en est fini d'une grande guerre bien à elle. La grande guerre est logée au Nord, à l'Ouest sur l'Atlantique — et pour des siècles — là où elle doit être, là où bat le cœur du monde. Cet éloignement, à lui seul, mieux qu'un long discours, annonce, souligne le retrait de la Méditerranée, et le consacre. Quand, en 1618, avec les premiers feux de la Guerre de Trente Ans, la grande guerre recommence, c'est loin de chez elle : la mer Intérieure n'est plus le cœur violent du monde.

65. — Prisonniers chrétiens en route vers Constantinople.

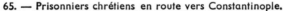

D'après un dessin de S. SCHWEIGGER, 1639.

EN GUISE DE CONCLUSION :
LA ET LES CONJONCTURES

Parler de conjoncture à la suite de chapitres consacrés à la vie économique, politique, culturelle et belliqueuse de la Méditerranée, ce n'est pas conclure en dressant, comme de juste, un bilan récapitulatif, mais ouvrir une voie et des explications nouvelles.

En effet, dans les pages qui précèdent, le dialogue du mouvement et de la semi-immobilité n'a jamais été rompu. Mais que la scène entière soit abandonnée dès lors au seul mouvement, tout change, doit changer : autant, par la suppression d'une dimension, passer d'une géométrie dans l'espace à une géométrie plane — celle-ci, et pour cause, plus simple que celle-là. Pratiquement, un récit s'offre à nous, avec ses alignements, ses phases, ses périodes, ses crises, ses années tournantes, tout son pathétisme et ses explications commodes, à l'occasion un peu fallacieuses. Car la conjoncture économique, la plus bruyante, la mieux connue de toutes, s'impose très vite aux autres, les écrase sous son langage, ses précisions. Un néo-matérialisme offre ses services. Est-il, ou non, licite ?

Les paris au départ

Expliquer, dès lors, c'est repérer, imaginer des corrélations entre les respirations de la vie matérielle et les autres fluctuations, si diverses, de la vie des hommes. Car il n'y a pas *une*, mais *des* conjonctures, plusieurs éventails d'histoires en train de s'accomplir. Il serait trop simple, trop beau de pouvoir les ramener toutes à un rythme majeur. Et quel rythme au demeurant ? Il n'y a pas *une* conjoncture économique simple et qu'il suffirait d'accepter, avec ses impératifs et ses conséquences logiques. François Simiand lui-même en distinguait deux au moins, quand il parlait des marées portant sur leur mouvement le propre mouvement des vagues. Or la réalité n'est pas aussi claire que cette claire image. Dans cet univers de mouvements vibratoires que l'économie reconnaît, le calcul isole à volonté des dizaines de mouvements selon la longueur de leur période : le mouvement séculaire (le *trend*), « le plus long des longs mouvements » ; les conjonctures longues (cycles cinquantenaires de Kondratieff, cycles doubles ou hypercycles, intercycles[1]) ; les conjonctures courtes, cycles intra-décennaux, mouvements saisonniers. Plusieurs langages contradictoires se dégagent ainsi du mouvement brut de la vie économique, et par un certain artifice.

Si donc nous voulons utiliser l'économie pour, à travers le temps révolu, retrouver le fil des causalités, c'est dix, vingt langages possibles qui se présentent et autant de fils différents. L'histoire aussitôt redevient multitude, incertitude, et peut-être à suivre toutes ces vibrations, toutes ces ondes du temps vécu qui devraient s'additionner finalement comme les secondes, les minutes, les heures, voire les journées dans le mécanisme d'une montre — peut-être est-ce l'ensemble qui va fuir entre nos doigts.

Mais un langage concret vaudra mieux qu'une discussion théorique. Soit donc, devant nos yeux, la Méditerranée entière du long XVIe siècle, telle que nous avons essayé de la reconstituer. Oubliant nos réserves et nos prudences, essayons un instant d'en prendre plusieurs mesures, selon les normes du *trend* séculaire. puis des conjonctures longues. Nous laisserons de côté les fluctuations courtes et saisonnières.

Le *trend* séculaire

Une montée séculaire de la vie économique s'amorce peut-être vers 1470 et s'interrompt, sans doute, ou pour le moins se ralentit, avec les chertés records des années 1590-1600, le mouvement se poursuivant vaille que vaille jusqu'en 1650. Ces dates : 1470 (ou 1450), 1590, 1595 ou 1600, 1650, ne valent que comme des repères très approximatifs. Cette longue montée se vérifie essentiellement à partir des variations du prix des grains. Nul doute que ce ne soit là une donnée nette, décisive. Si l'on partait des courbes des salaires, si l'on pouvait partir des courbes de production, d'autres chronologies se dégageraient, mais il faudrait aussitôt les ramener, les comparer aux courbes autoritaires du blé...

En tout cas, durant ce long XVIe siècle, une hausse lente, en profondeur, a favorisé l'essor de la vie matérielle et de tout ce qui pouvait s'en nourrir ; elle a été une sorte de santé secrète de l'économie. « Au XVIe siècle, me disait un jour Earl J. Hamilton, toutes les blessures se guérissent ». Chaque fois, des compensations surgissent ; ainsi dans le domaine industriel, les départs en flèche se relaient ; ainsi dans le domaine marchand, un capitalisme se ralentit, un autre prend la relève.

Cette vigueur sous-jacente ne disparaît pas, du jour au lendemain, avec la fin du XVIe siècle ; en vérité le reflux tarde à s'affirmer. Pas avant la crise courte, structurelle (c'est-à-dire poussée très loin en profondeur) de 1619-1623, c'est l'opinion de Ruggiero Romano[2] et presque celle de Carlo M. Cipolla[3]...

---

1. Gaston IMBERT, *Des mouvements de longue durée Kondratieff*, 1959, et notamment p. 24 et *sq.*
2. Ruggiero ROMANO, *art. cit.*, *in* : *Rivista storica italiana*, 1962.
3. Avant tout, l'article écrit en collaboration avec Giuseppe ALEATI, « Il trend economico nello stato di Milano durante i secoli XVI e XVII : il caso di Pavia », *in* : *B.S.P.S.P.*, 1950.

Peut-être pas avant les années 1650, comme le suggèrent Emmanuel Le Roy Ladurie[1], René Baehrel[2], Aldo de Maddalena[3] et Felipe Ruiz Martín[4] et comme je le pense moi-même de plus en plus, à la limite des observations que j'ai pu faire. Il y a, en effet, sur la voie de la régression, des freinages, des récupérations visibles, même dans le domaine agricole que l'on imagine frappé en premier lieu. Felipe Ruiz Martín m'écrit[5] : « La décadence de l'agriculture espagnole, après la crise de 1582, n'est pas aussi vertigineuse qu'on a l'habitude de le dire ; au long de son reflux, il y a une récupération cyclique (c'est-à-dire courte) de 1610 à 1615 et une autre avec les années 1630 ; la catastrophe n'est pas antérieure à 1650 ».

On ne saurait trancher d'un mot un débat qui, assez compliqué par lui-même, pose le problème des possibles décalages conjoncturels entre les différentes parties de l'Europe. Bien que sur ce dernier point aussi, je croie beaucoup trop simple d'opposer une conjoncture de l'Europe du Nord à une conjoncture méditerranéenne, celle-ci plus rapidement prise que celle-là dans le repli séculaire du XVIIe siècle... Mais le débat reste ouvert. Pour nous, historiens de la Méditerranée, il s'agit, au vrai, de nous débarrasser, une fois de plus, de l'idée obsédante et fausse d'une décadence prématurée. J'en avais placé le terme, lors de la première édition de ce livre, au delà de 1600, ou même de 1610-1620[6]. Volontiers je reculerais ce terme d'une trentaine d'années.

Ceci dit, il est curieux que les calculs généraux d'économistes, faits il y a longtemps, donnent à l'avance comme terme de ce long essor les années médianes du XVIIe siècle, lui adjoignant ainsi les cinquante premières années du siècle, sous le signe évident d'une certaine décélération.

Au contraire, ils ne manifestent aucun accord pour la fixation du point de départ. Nous avons le choix entre le calcul de Marie Kerhuel[7], auquel je me rallie (1470, ou mieux 1450) et celui de Jenny Griziotti Kretschmann[8] (1510). Les deux calculs peuvent se défendre. Le terme le plus précoce, 1470, se déduit des courbes de prix nominaux, le terme le plus tardif des prix argent. Je préfère, comme René Baehrel, les calculs en prix nominaux, mais ne désire pas entrer dans cette querelle.

En ce débat, sans doute pourra-t-on appeler à l'aide des données d'un autre ordre, que les historiens éclairciront peu à peu. A Venise où j'ai étudié les choses d'assez près, je suis frappé, pour ma part, par l'importance des constructions et des embellissements de la ville, à partir de 1450, par la transformation

---

1. *Les paysans du Languedoc...*, en cours d'impression.
2. *Une croissance : la Basse Provence rurale (fin du XVIe siècle-1789)*, 1961. René Baehrel pense à la coupure de 1690 ; n'est-elle pas déjà nette aux alentours de 1660? Cf. Emmanuel LE ROY LADURIE, « Voies nouvelles pour l'histoire rurale (XVIe-XVIIIe siècles) », in : *Études rurales*, 1964, p. 92-93.
3. *Art. cit.*, in : *Rivista int. di scienze econ.*, 1955.
4. Lettre qu'il m'adresse, 11 août 1964.
5. Voir note précédente.
6. *La Méditerranée...*, 1re édit., p. 613, 1095, 1096-97. « Je ne sais pas si, de 1550 à 1580, se dessinerait une phase B, puis de 1580 à 1610, une phase A, celle des dernières splendeurs de la Méditerranée ».
7. *Les mouvements de longue durée des prix*, 1935, Thèse soutenue devant la Faculté de droit de Rennes. Cf. le résumé de Gaston IMBERT, *op. cit.*, p. 20.
8. *Il problema del trend secolare nelle fluttuazioni dei prezzi*, 1935 : la hausse longue commencerait en 1510 et se retournerait en 1635 (France) ou 1650 (Angleterre).

des ponts de bois sur les canaux en ponts de pierre[1], par le creusement de tel grand puits près de l'église de Santa Maria de Brolio, en août 1445[2], par la construction, en mai 1459[3] d'une nouvelle loggia *in loco Rivoalti*, où l'on supprime, à cet effet, des boutiques de tisserands pour la poursuite des travaux du Palais des Doges. « Chaque jour, cette ville s'embellit, note un texte de 1494[4]. Qu'au moins les gens respectent ces embellissements! » Il faudra ainsi, en mars 1504[5], débarrasser la place Saint-Marc (qui possède sa magnifique horloge, depuis 1495[6]) des cabanes que les tailleurs de pierre y ont dressées, plantant à côté des arbres et des vignes, « *et quod pejus est : è facta una latrina che ogniuno licensiosamente va lì a far spurtitie...* » Ces arguments bien sûr ne règlent pas la question, ni à Venise (les constructions se font-elles *avec* ou *contre* une conjoncture favorable ?), ni à l'échelle de la Méditerranée. Mais ils m'encouragent à lier toutes ces années vives de 1450 à 1650, dans ce que j'ai appelé souvent le « long XVIe siècle », et donc à voir celui-ci, comme le suggèrent Jean Fourastié[7] et ses élèves, indépendant dans son premier essor du lancement métallique dû à l'Amérique. Cette mise en cause d'une ville — Venise — prise comme « indicateur » est sans doute valable, elle révèle une conjoncture plus vraie peut-être que celle que signalent les courbes de prix. C'est ce que pense Gilles Caster quand il écrit que « l'énergie revient à Toulouse en 1460-1470 », ou quand il affirme que cette même ville de Toulouse a connu un siècle entier (pour nous le premier XVIe siècle) d'enrichissement (1460-1560)[8]. Mais il faudrait que l'expérience fût répétée.

L'unité, une certaine unité de ces deux cents années, entre 1450 et 1650, appelle évidemment de larges explications. Cause ou effet, une large montée démographique traverse ces deux siècles, plus ou moins vive selon les régions et les années, mais jamais absente dès que l'observation est possible. Toutefois le *trend* à la hausse, ce n'est pas, nous l'avons montré, une augmentation du niveau de vie. Du moins jusqu'au XVIIIe siècle, les progressions économiques se font toujours, à un moment ou à un autre, au détriment des masses accrues d'hommes, par des « massacres sociaux »[9].

Indéniablement, cette constante poussée de la montée séculaire semble avoir favorisé la mise en place des États territoriaux, puis des Empires[10]. Le retournement va leur créer d'évidentes difficultés. Elle a favorisé aussi, malgré des à-coups, une société relativement ouverte. L'aristocratie se reconstitue, nous l'avons vu, par une invasion « bourgeoise », celle-ci est poussée par une suite de bonnes affaires... Les bonnes affaires supposent l'élan de la vie économique, du moins les nombreuses bonnes affaires. Il y aurait ensuite, avec le retournement séculaire, blocage des sociétés, mais ici les études nous manquent pour fixer une chronologie acceptable.

1. Ainsi, A. d. S. Venise, Notatoio di Collegio 12, fo 32 vo, 18 novembre 1475 ; 13, fo 17, 14 novembre 1482 ; 14, fo 9, 10 février 1490.
2. *Ibid.*, 9, fo 26 vo, 12 août 1445.
3. A. d. S. Venise, Senato Terra, 4, fo 107 vo, 25 mai 1459.
4. *Ibid.*, 12, fo 42 vo, 18 février 1494.
5. *Ibid.*, 15, fo 2, 4 mars 1504.
6. *Ibid.*, 12, fo 115, 3 nov. 1495, l'horloge est *quasi fornito*, ne reste plus qu'à *fabricar il loco.*
7. Voir *supra*, I, p. 368 et note 2.
8. Gilles CASTER, *Le commerce du pastel et de l'épicerie à Toulouse (1450-1561)*, 1962, p. 381 et 383.
9. Le mot est d'Ernest Labrousse.
10. Voir *supra*, II, p. 7 et *sq.*, chapitre sur « Les Empires ».

Les fluctuations longues

Les historiens de l'économie[1] sont à peu près d'accord en ce qui concerne les oscillations *longues* suivantes, entre une série de points bas : 1460, 1509, 1539, 1575, 1621 — et de sommets : 1483, 1529, 1595, 1650. Ces dates valent à une ou deux années près. Nous aurions ainsi quatre « vagues » successives, chacune avec flux et reflux, la première sur 49 ans, la seconde sur 30, la troisième sur 36, la dernière sur 46. Cette régularité n'est aussi claire que dans la mesure où notre schéma ne signale pas que flux et reflux de la troisième vague, 1539-1575, n'ont pas eu la netteté habituelle. Le milieu du vrai XVIe siècle (1500-1600) a été marqué par une torsion, une pause dont les effets se sont répercutés avec une certaine brièveté en Espagne, de 1550 à 1559-1562 à l'heure de Séville[2], mais plus longuement en France, en Angleterre, dans les Pays-Bas et, sans doute, ailleurs. Il y a ainsi, différents d'allure, un premier XVIe siècle (celui de l'or abondant), un second XVIe siècle (celui de l'argent abondant[3]), le raccord se faisant mal entre les deux.

Est-ce pour cette raison (entre autres) qu'il y a eu, au XVIe siècle *lato sensu*, des capitalismes successifs (semblables et différents), des salaires sous le signe tantôt du jeûne, tantôt de l'abondance ? Pierre Chaunu voit à Anvers deux expansions capitalistes. « C'est le grand jeûne des années 1470-1490 — la chute du niveau de vie ouvrier —, écrit-il, qui a permis à la classe négociante de poser les fondations de la puissance d'Anvers. L'apogée d'Anvers correspond au second grand jeûne du prolétariat, de 1520 à 1550... La mise à mort d'Anvers, entre 1566 et 1585, est imputable, autant qu'aux troubles, à ce que j'appellerais, à la rigueur, les secondes débauches du prolétariat anversois »[4]. Ces remarques, dans le sens des thèses classiques d'Earl J. Hamilton, ont peut-être leurs correspondances en Méditerranée : j'y vois se succéder en gros trois étapes capitalistes, sans pouvoir les lier à des variations différentielles du profit : un capitalisme surtout marchand avant 1530, un capitalisme industriel (à direction marchande) vers le milieu du siècle, un capitalisme de type financier quand le siècle s'achève[5]. Il y a « débauche » du salariat à Venise à la fin du siècle[6].

Ce schéma imparfait résume un certain nombre de données, et bien sûr appelle la discussion. C'est surtout la largeur de la stagnation médiane qui fait problème, au plus 1529-1575, peut-être 1539-1575. En tout cas, cette stagnation a coïncidé avec l'arrêt des voyages de bateaux nordiques en Méditerranée. Ce point me semble acquis[7].

Banqueroutes espagnoles et conjonctures

Sur notre schéma, les banqueroutes espagnoles, dont il a été longuement parlé[8], se situent assez bien pour que des explications se suggèrent d'elles-

---

1. Gaston IMBERT, *op. cit.*, p. 181 et *sq.*
2. Pierre CHAUNU, *op. cit.*, *Conjoncture*, I, p. 255 et *sq.* Récession qui serait purement américaine, *ibid.*, p. 429 et *sq.*
3. Frank SPOONER, *op. cit.*, p. 8 et *sq.*
4. Pierre CHAUNU, « Sur le front de l'histoire des prix au XVIe siècle : de la mercuriale
5. Voir *supra*, I, p. 292 et *sq*, p. 312 et *sq.*
6. Domenico SELLA, *art. cit.*, *in : Annales E.S.C.*, 1957, p. 29-45.
7. Voir *supra*, *I*, pp. 557-560.
8. Voir *supra*, I, pp. 459-468 ; II, p. 273 et *sq.*

mêmes. Pour la première (1557 et 1560) elle est au voisinage du troisième sommet ; pour la troisième, 1596, au voisinage du quatrième : une fois de plus, l'arrêt d'une montée intercyclique ouvre son chemin à la banqueroute. Ce sont là, en somme, des banqueroutes normales, imposées du dehors, logiques si l'on veut. Pour celles de 1575, 1607 et 1627, elles seraient à ce compte anormales, non pas subies du seul fait des intempéries économiques, qui ne manquent guère, mais voulues aussi du dedans, préparées, pour le moins acceptées de propos délibéré. Nous l'avons montré à propos de la crise décisive de 1575, décidée par Philippe II et ses conseillers qui croient possible, alors que le temps tourne au beau, d'éliminer les Génois, ce que réussira seulement, cinquante ans plus tard, la banqueroute de 1627. Celle de 1607 résulte d'un gaspillage accéléré des finances espagnoles, à l'origine de ce qui sera le Siècle d'Or de Philippe III, puis de Philippe IV[1].

Il y aurait ainsi à distinguer parmi les banqueroutes celles qui ont été en partie voulues, celles qui ont été en partie subies. Donc, et le conseil est précieux, à ne pas les croire identiques malgré les apparences monotones par quoi elles se signalent.

Guerres internes et externes

Les guerres obéissent mieux encore à un essai de classement. Nous avons distingué[2] entre les guerres selon qu'elles furent intérieures (à la Chrétienté comme à l'Islam) ou extérieures et alors situées à la charnière des deux mondes hostiles. On peut dire que *Djihad* et *Croisade* sont obstinément favorisés par le mauvais temps économique. Les guerres fratricides, entre Chrétiens ou entre Musulmans, sont au contraire portées par la « vague » montante, chaque descente les bloque avec régularité. Ainsi, en Chrétienté, les grands accords diplomatiques : 1529 (la paix des Dames), 1559 (le traité de Cateau-Cambrésis), 1598 (la paix de Vervins) — sont soit sur les sommets mêmes de notre graphique, soit à leur voisinage immédiat ; au contraire, les grandes batailles turco-chrétiennes : la Prevesa 1538, Lépante 1571, sont à leur place logique, en période de reflux. Je ne soutiens pas que la corrélation soit parfaite (ni surtout inévitable). La prise de Belgrade par le Turc est de 1521, la bataille de Mohacs de l'été 1526, au vrai l'une et l'autre à contretemps. Autre contretemps, Charles VIII a passé les Alpes en septembre 1494, alors que selon notre diagnostic, les guerres d'Italie n'auraient dû commencer, disons-le avec le sourire, qu'en 1509, l'année d'Agnadel. Mais si le calendrier ne vaut pas exactement pour la France de Charles VIII ou de Louis XII, il vaut dans une large mesure pour l'Espagne des Rois Catholiques : la période 1483-1509 voit tout à la fois la reconquête de Grenade, puis les attaques contre l'Afrique du Nord ; celles-ci se précipitent de 1509 à 1511, pour cesser avec le rebondissement des Guerres dites d'Italie[3].

Sans vouloir plaider outre mesure et écarter les témoignages contrariants, remarquons que les Guerres d'Italie s'allument mal en 1494, c'est un fait. De même, les années 1521 et 1526 ouvrent la Hongrie aux Turcs, il est vrai, mais des historiens soutiennent que la Hongrie ne sera saisie que plus tard, qu'un processus lent de conquête ne s'y achève que vers 1541...

---

1. Voir *supra*, I, pp. 467-468.
2. Voir *supra*, II, pp. 170-172.
3. Fernand BRAUDEL, *art. cit.*, in : *Revue Africaine*, 1928.

Remarquez, par contre, qu'avec la fin du XVIᵉ siècle, au-delà de 1595, donc à point nommé, fusent les projets anti-turcs ; une croisade s'esquisse qui, il est vrai, n'aura pas lieu. Cependant une guerre de course réciproque recouvre la Méditerranée entière, s'intensifie de façon anormale et pas seulement pour des raisons techniques, économiques ou qui relèveraient de la seule aventure ; la passion y a sa part ; en Espagne, l'extirpation de 300 000 Morisques se situe de 1609 à 1614, elle relève d'une guerre atroce s'il en fut; enfin au voisinage de 1621, année critique, la guerre allumée en Bohême en 1618 va se poursuivre et ravager le cœur de l'Europe centrale. C'est le drame de la Guerre de Trente Ans, situé lui aussi à point nommé.

Ces coïncidences ont leur prix. Par beau temps, la querelle de famille l'emporte ; par mauvais temps la querelle avec les Infidèles. La règle vaut aussi pour l'Islam. Du lendemain de Lépante à la reprise de la guerre contre l'Allemagne en 1593, la Turquie, préoccupée d'Asie, s'est jetée dans une guerre éperdue contre la Perse... Toute une psychologie, toute une psychanalyse des grandes guerres s'amorceraient à partir de ces remarques.

Dans le cadre de la Chrétienté, ajoutons que tous les mouvements anti-sémites obéissent à la conjoncture de la guerre contre l'extérieur. C'est aux périodes de reflux que le Juif est persécuté, où qu'il se trouve en Chrétienté.

Conjoncture et histoire générale

Je ne garantis pas la régularité des explications qui précèdent, pas plus que de toute tentative pour glisser, dans la masse connue de l'histoire générale, les grilles des conjonctures, lâches ou fines selon les paliers choisis[1]. L'explication conjoncturelle, même répétée à ses différents paliers, ne peut être complète, ni sans appel. Elle est cependant *une* des explications nécessaires, et une mise en demeure utile.

Nous avons à classer les conjonctures économiques d'une part et, de l'autre, les conjonctures non économiques. Celles-ci sont à mesurer, à situer selon leur durée même; dignes de rejoindre le *trend* séculaire : les mouvements démographiques en profondeur, la taille des États et des Empires (leur conjoncture géographique en somme), la société avec ou sans mobilité sociale, la puissance des poussées industrielles ; dignes d'occuper le rang des conjonctures longues: les industrialisations, elles encore, les finances des États, les guerres... L'échafaudage conjoncturel nous aide à mieux construire la maison de l'histoire. Mais il y faudra encore beaucoup de recherche et bien des précautions. Les classements seront difficiles, sujets à caution. Ainsi les mouvements longs des civilisations, leurs floraisons au sens traditionnel du mot, nous surprennent et nous déconcertent. La Renaissance, entre 1480 et 1509, se situe en période d'évidente régression *cyclique* ; l'âge de Laurent le Magnifique est, économiquement parlant, un âge maussade[2]. Le Siècle d'Or en Espagne et tous les grands éclats

---

1. Je pense aux beaux articles trop riches et discutables de Pierre CHAUNU, « Séville et la " Belgique ", 1555-1648 », *in : Revue du Nord*, 1960 ; « Le renversement de la tendance majeure des prix et des activités aux XVIIᵉ siècle. Problèmes de fait et de méthode », *in : Studi in onore di Amintore Fanfani*, 1962 ; « Minorités et conjoncture. L'expulsion des Morisques en 1609 », *in : Revue Historique*, 1961 ; et l'*art. cité* plus haut, p. 217, note 4. La chasse aux événements politiques, c'est un peu la chasse aux papillons.
2. Roberto LOPEZ et Harry A. MISKIMIN, « The economic depression of the Renaissance », *in : The Economic History Review*, XIV, n° 3, avril 1962, p. 115-126.

du XVIIᵉ siècle, partout en Europe, et même à Istanbul se situent au delà du premier grand renversement séculaire. J'ai avancé une explication — mais que vaut-elle ? Tout ralentissement économique laisserait inemployée une masse d'argent, entre les mains des riches. Une prodigalité relative de ces capitaux impossibles à investir créerait les années, puis les siècles d'or...

Cette réponse pose le problème, elle ne le résout pas. Pas plus que nos habituelles images sur ces floraisons d'arrière-saison, Renaissance et Baroque, et sur les sociétés mal à l'aise qui les entraîneraient avec elles et dont elles seraient le produit presque morbide. Avec la Renaissance s'achèvent les États-villes, avec le Baroque les vastes Empires commencent à ne plus avoir le vent en poupe. Le luxe des civilisations impliquerait ces ratages... Tous ces problèmes débordent les cadres étroits de la conjoncture, ou longue ou courte. Mais celle-ci nous permet de les aborder, une fois de plus, de façon utile.

Les crises courtes

J'ai éliminé les crises courtes intra-décennales, dont l'histoire se précise chaque jour davantage à nos yeux. Elles sont évidemment contagieuses, impérieuses. R. Romano l'a montré dans son article, souvent cité par nous, sur la crise internationale de 1619-1623. Se répercute-t-elle, comme je le suppose, dans l'espace turc et dans le Nouveau Monde ? Rien jusqu'ici ne l'établit encore à coup sûr. Il serait possible aussi, à la suite des études récentes de Felipe Ruiz Martín, de reprendre l'étude, dans son extension, de la crise courte des années 1580-1584. Elle n'est pas seulement due, comme je l'avais pensé au premier examen, à ce mouvement de bascule qui entraîne l'Espagne et ses crédits vers le Portugal, mais à la crise céréalière qui gagne alors toute la péninsule Ibérique et l'oblige à des paiements massifs, en argent comptant, au bénéfice des pays du Nord, « ces ennemis complémentaires », une fois de plus liés à la Péninsule. Cette énorme secousse se marque dans le mouvement des prix en Espagne, à Venise, à Florence, en France même, et dans les trafics. A Venise la banque Tiepolo Pisani dépose son bilan. L'étude de ces crises courtes, de ces houles violentes, de leur extension et surtout de leur nature variable jalonnerait l'évolution de l'économie méditerranéenne. Cette recherche événementielle, poussée en profondeur, aurait sa grande valeur. Mais elle reste à faire. La difficulté serait d'y inclure l'espace turc où, selon les sondages connus, la conjoncture, au XVIᵉ siècle du moins, semble la même qu'en Occident[1].

---

1. Voir *supra*, I, p. 470. Les indications d'Ömer LUTFI BARKAN, et Traian STOIANOVICH, « Factors in the decline of ottoman society in the Balkans », *in* : *Slavic Review*, 1962.

LES ÉVÉNEMENTS
LA POLITIQUE
ET LES HOMMES

J'ai beaucoup hésité à publier cette troisième partie sous le signe des événements ; elle se rattache à une histoire franchement traditionnelle. Léopold von Ranke y reconnaîtrait ses conseils, sa façon d'écrire et de penser. Il est vrai, cependant, qu'une histoire globale ne peut se réduire à la seule étude des structures stables, ou des évolutions lentes. Ces cadres permanents, ces sociétés conservatrices, ces économies prisonnières d'impossibilités, ces civilisations à l'épreuve des siècles, toutes ces façons licites de cerner une histoire en profondeur donnent, à mon avis, l'essentiel du passé des hommes, du moins ce qu'il nous plaît, aujourd'hui, en 1966, de considérer comme l'essentiel. Mais cet essentiel n'est pas totalité.

Et cette façon de reconstruire aurait déçu les contemporains. Spectateurs et acteurs du xvie siècle, en Méditerranée et ailleurs, ont eu le sentiment d'être pris dans un drame vif et qu'ils ont considéré au premier chef comme le leur. Que ce soit illusion, c'est possible et même probable. Mais cette illusion, cette attention à un spectacle d'ensemble achève de donner un sens à leur vie.

Les événements sont poussière : ils traversent l'histoire comme des lueurs brèves ; à peine naissent-ils qu'ils retournent déjà à la nuit et souvent à l'oubli. Chacun d'eux, il est vrai, si bref qu'il soit, porte témoignage, éclaire un coin du paysage, parfois des masses profondes d'histoire. Et pas seulement d'histoire politique, car tout secteur — politique, économique, social, culturel, géographique même — est peuplé de ces signes événementiels, de ces lumières intermittentes. Nos chapitres précédents ont utilisé à longueur de pages ces témoignages incisifs sans lesquels, souvent, il serait impossible d'y voir clair. Je ne suis pas l'ennemi, sans plus, de l'événement.

Mais le problème, au seuil de cette troisième partie, est bien différent. Il s'agit non pas d'exploiter les lumières de l'histoire événémentielle pour des recherches qui la déborderaient, mais de se demander, dans le sens même de l'histoire traditionnelle la plus réfléchie, si ces lumières jointes, si ces messages mis au bout les uns des autres, dessinent ou non, une histoire valable — une *certaine* histoire des hommes. Sans doute. Mais à la condition d'être conscient que cette histoire-là est un choix entre les événements eux-mêmes, et ceci à un double titre au moins.

Tout d'abord, l'histoire ainsi conçue ne retient que les événements « importants » et ne bâtit que sur ces points solides, ou présentés comme tels. Cette importance est évidemment matière à discussion. Est important l'événement qui explique, le petit fait significatif à la Taine, mais il nous conduira souvent hors de notre propos, bien loin de l'événement lui-même. Est important l'événement qui a des conséquences, qui rebondit au loin, se répercute, Henri Pirenne aimait à le dire. A ce compte-là, pour reprendre le mot d'un historien allemand[1], la prise de Constantinople en 1453 n'est même pas un événement

---

1. R. Busch-Zantner, *op. cit.*.

et Lépante (1571), la grande victoire chrétienne, n'a eu aucune suite, Voltaire s'en amusait. Ces deux opinions, l'une comme l'autre, très discutables, je m'empresse de le dire... Est important aussi tout événement que les contemporains jugent comme tel, vers lequel ils se reportent comme à une référence, à une coupure essentielle, même si le volume exact en est gonflé. Pour les Français, la Saint-Barthélémy (24 août 1572) coupe en deux l'histoire de leur pays et Michelet l'aura dit à leur suite de façon passionnée. Or la coupure, si coupure il y a, se situerait croyons-nous, quelques années plus tard, vers 1575 ou mieux peut-être 1580. Enfin est important tout événement qui est lié à des antécédents et qui a des suites, tout événement qui est pris dans une chaîne. Mais cette histoire « sérielle » est le fruit elle-même d'un choix, fait par l'historien, ou pour lui par les sources documentaires essentielles.

En gros, s'offrent à nous deux chaînes assez serrées, l'une reconstituée par l'érudition des vingt ou trente dernières années — celle des événements économiques et de leurs conjonctures courtes —, l'autre inventoriée depuis longtemps, celle des événements politiques au sens large, guerres, actes diplomatiques, décisions et bouleversements intérieurs. C'est cette seconde chaîne que les contemporains ont vue de préférence à toutes les autres séries d'événements. En ce XVIe siècle où les chroniqueurs abondent, où les « journalistes » font leur apparition (ainsi à Rome, ou à Venise, les *fogliottanti*, les rédacteurs d'*avvisi*), la politique mène le jeu, du point de vue de tous ces spectateurs qui s'associent passionnément à son déroulement.

Pour nous, deux chaînes et non pas une. De sorte que même en ces domaines traditionnels, il serait difficile aujourd'hui de suivre exactement Leopold von Ranke. Le danger, cependant, serait de croire ces deux chaînes exclusives de toute autre et de tomber dans ce piège puéril qui consisterait à expliquer une série par l'autre, alors que se devinent d'autres chaînes de faits : sociaux, culturels, ou même relevant de la psychologie collective.

Toutefois, que l'économique et le politique se classent mieux dans le temps court, ou très court, que les autres réalités sociales, c'est déjà une façon d'esquisser un ordre global qui les dépasse, de rechercher, au-delà de la part d'événement qu'ils contiennent, les structures, les catégories... André Piganiol m'écrivait, après la première édition de ce livre, que j'aurais pu renverser l'ordre choisi : commencer par l'événement, puis en dépasser les aspects brillants et souvent fallacieux, atteindre ensuite les structures, puis les permanences. Le sablier peut assurément se retourner. Et cette image nous dispensera d'un long discours.

ARIADENO BARBAROSSA

32. BARBEROUSSE, d'après Capriolo, *Ritratti di cento capitani illustri,* Rome, 1596, f° 113 v°.

33. CHARLES QUINT, d'après le Recueil d'Arras.

1

1550-1559 : REPRISE ET FIN D'UNE GUERRE MONDIALE

De 1550 à 1559 courent des années maussades. La guerre, suspendue depuis cinq ou six ans, fait à nouveau son apparition. Bien qu'elle occupe mal la Méditerranée, elle en traverse violemment l'espace à plusieurs reprises. Mais c'est une guerre poussée à contre-courant, à contre-cœur. L'Allemagne, l'Italie, les Pays-Bas sont, pour l'Europe, des champs d'un attrait plus fort. Pour la Turquie, la Perse est alors la grande précoccupation. La mer Intérieure ne connaît donc pas, au fil de ces années-là, une histoire autonome. Son destin est lié à celui de régions voisines et lointaines. Ces liaisons sont l'essentiel, nous semble-t-il. Quand elles se rompent, en 1558-1559, avec la crise de ces années difficiles, la Méditerranée va se trouver seule à fabriquer ses guerres, elle y dépensera beaucoup d'ardeur.

1. Aux origines de la guerre

1545-1550 : la paix en Méditerranée

En 1550, la mer vivait, depuis plusieurs années, sous le signe de la paix. L'une après l'autre, les guerres s'étaient apaisées. Le 18 septembre 1544[1], le traité de Crespy-en-Laonnois avait été signé entre Charles Quint et François Ier, accord bâclé, sans sincérité, et dont les combinaisons dynastiques devaient rapidement s'effondrer ; il allait cependant établir une paix durable. Un an plus tard, le 10 novembre 1545, après des négociations relativement aisées,

---

1. Après le raid des Impériaux qui les amena jusqu'à Meaux, Ernest LAVISSE, *Hist. de France*, V, 2, p. 116. Le 18 septembre, Jean DUMONT, *Corps universel diplomatique*, Amsterdam, 1726-1731, IV, 2, p. 280-287, et non 18 novembre, comme l'écrit à tort S. ROMANIN, *Storia documentata di Venezia*, Venise, 1853-1861, VI, p. 212.

Ferdinand concluait une trêve avec le Turc[1]. Le Sultan la voulut humiliante : elle comporta le paiement d'un tribut à la Porte. Mais plus qu'aucune autre mesure, elle travailla à vider la Méditerranée de ses guerres, à l'Est comme à l'Ouest. Dès 1545, la France pouvait en retirer vingt-cinq galères qui, sous la conduite de Paulin de la Garde, franchissaient le détroit de Gibraltar pour participer, au Nord, à un essai de débarquement contre l'île de Wight[2]. Ces velléités belliqueuses s'apaisèrent à leur tour : en juin 1546, à Ardres, France et Angleterre arrivaient à un accord[3].

Les nécessités financières avaient commandé ce retour au calme. Et aussi quelques puissants hasards : les grands lutteurs de la première moitié du siècle disparaissaient, l'un après l'autre. Luther mourait le 18 février 1546 ; en juillet de la même année s'achevait la vie romanesque de Barberousse, l'ancien « roi » d'Alger devenu, à partir de 1533 et jusqu'à sa mort, le Capitan Pacha du Sultan, maître de toutes ses flottes[4]. Dans la nuit du 27 au 28 février 1547[5], c'était le tour de Henri VIII d'Angleterre, le 31 mars celui de François 1er[6]. L'arrivée d'hommes et de personnels nouveaux signifiait politique et idées nouvelles ; d'où un temps d'arrêt dont la paix profita.

En Méditerranée, l'accalmie succédait à une série de catastrophes, telles que la Méditerranée n'en avait plus connues depuis des siècles. Il y avait longtemps, en effet, qu'en dépit des habituelles pilleries des corsaires et des guerres continentales, l'ordre, un certain ordre du moins, s'était établi chez elle. Depuis le XIIe siècle au moins, elle était un lac chrétien. En Afrique du Nord, par ses marchands et ses soldats, dans le Levant par ses points d'appui insulaires, en tous lieux par ses flottes puissantes, la Chrétienté avait su, pour le plus grand profit de ses trafics et de ses civilisations, maintenir sa loi, face à un Islam contenu, rejeté vers ses domaines continentaux. Or cet ordre venait de s'écrouler. Après la rupture des barrages (dans le Levant, la chute de Rhodes en 1522, en Afrique Mineure le plein affranchissement d'Alger en 1529), les portes de la mer s'étaient ouvertes à la flotte turque. Jusque-là, elle ne s'y était guère risquée, sauf au cours d'aventures comme le sac d'Otrante, en 1480. Mais de 1534 à 1540 et à 1545, une lutte dramatique renversait la situation : les Turcs, alliés aux corsaires barbaresques, commandés par le plus illustre d'entre eux, Barberousse, réussissaient à se saisir de la suprématie dans presque toute la Méditerranée.

Ce fut un énorme événement. Le bruit des luttes impériales contre la France ou contre l'Allemagne l'ont rejeté à l'arrière-plan de l'histoire de Charles Quint. Bien à tort, car avec les débuts de cette grande poussée maritime, avec le rapprochement de François 1er et de Soliman (1535), puis avec l'alliance forcée de

---

1. A. E. Esp. 224, Philippe à Juan de Vega, Madrid, 5 décembre 1545, sur la trêve entre le roi des Romains et le Sultan, minute, f° 342. Sur le renouvellement de la trêve en 1547, B. N., Paris Ital. 227.

2. E. LAVISSE, *op. cit.*, V, 2, p. 117 ; Georg MENTZ, *Deutsche Geschichte, 1493-1618*, Tubingen, 1913, p. 227.

3. *Ibid.*, p. 117 (8 juin), Henri HAUSER et Augustin RENAUDET, *Les débuts de l'âge moderne*, 2e édit., 1946, p. 468.

4. Pour sa nomination à la tête des flottes ottomanes, 1533 et la date de sa mort, Charles-André JULIEN, *H. de l'Afrique du Nord*, Paris, 1931, p. 521. Sur sa vie, le livre romancé, haut en couleurs, parfois très juste, de Paul ACHARD, *La vie extraordinaire des frères Barberousse, corsaires et rois d'Alger*, Paris, 1939.

5. O. de SELVE, *op. cit.*, p. 95 ; S. ROMANIN, *op. cit.*, VI, p. 23.

6. E. LAVISSE, *op. cit.*, V, 2, p. 122 ; S. ROMANIN, VI, p. 222 ; O. de SELVE, *op. cit.*, pp. 124 et 126.

Venise et de Charles Quint durant les années de la première ligue (1538-1540), c'est le sort de la mer entière qui s'est joué. La partie fut quasiment perdue pour la Chrétienté. Par la faute de ses divisions ; par la faute du prince Doria ennemi né de la République de Saint-Marc, capable de toutes les roueries qu'on lui a prêtées ; par la faute de Charles Quint lui-même qui n'a pas pu, ni voulu pratiquer loyalement l'alliance avec Venise. La diplomatie des Habsbourgs, croyant une fois de plus à l'efficacité des petits moyens, a essayé de suborner Barberousse; celui-ci s'est prêté à ces interminables marchandages. Trahirait-il, ou non, contre honnête récompense ? Et, s'il trahissait, quel serait le prix ? Toute la côte africaine qu'il réclamait, ou seulement Bougie, Tripoli et Bône, qu'on lui proposait[1] ? Finalement, ces jeux de coulisse n'empêchèrent rien : le 27 septembre 1538[2], la flotte de Doria abandonnait sans combattre aux galères et aux fustes de Barberousse le champ de bataille de la Prevesa.

La défaite chrétienne de 1538 n'a rien de comparable au désastre turc de 1571, a-t-on dit ; elle fut une reculade, une perte de prestige. Voire. Ses conséquences ont duré plus d'un tiers de siècle. En 1540, Venise abandonnait la ligue et acceptait de payer cher la paix séparée que lui ménageait la diplomatie française. Or, sans la flotte de Venise, il était impossible à la coalition occidentale de faire face à l'armada turque, renforcée bientôt par les galères françaises, promptes à piller au long des côtes catalanes ou dans les eaux des Baléares. La sauvegarde collective de la Chrétienté méditerranéenne était ainsi sérieusement compromise, la poussée turque allait non plus battre, mais dépasser Malte et la porte de Sicile. La Chrétienté était réduite sur mer à une défensive peu efficace et néanmoins coûteuse. Elle ne pourrait plus se permettre que des raids de corsaires ou quelques opérations hâtives, à l'approche de la mauvaise saison, sur les arrières de la flotte ennemie. Le dernier gros effort dans ce sens, l'expédition de Charles Quint contre Alger, échouait en 1541, devant la ville et ses « saints » protecteurs. La situation apparut sous son vrai jour quand la flotte turque, après la prise de Nice, hiverna à Toulon, de 1543 à 1544[3]. Occasion de s'indigner contre le Très Chrétien. De se désespérer.

Le Musulman réoccupe ainsi, après plusieurs siècles, tous les jardins de la mer. Jusqu'aux Colonnes d'Hercule et même au-delà, jusqu'aux abords de Séville et des riches cargaisons d'Amérique, on ne peut plus circuler en Méditerranée qu'en se méfiant de lui ; ou si l'on s'est acquis ses complaisances, comme les Marseillais, ces alliés, les Ragusains, ces sujets, les Vénitiens, ces hommes d'affaires résignés à la neutralité. Et c'est aux Musulmans que vont les aventuriers de la mer, la foule des renégats prêts à se louer au plus fort. Ils ont les vaisseaux les plus rapides, les chiourmes les plus nombreuses et les mieux exercées, la plus puissante enfin des villes neuves de la Méditerranée : Alger, centre de l'aventure barbaresque.

Est-ce à dire que cette victoire, à Constantinople, soit voulue, consciente, pesée à son poids[4] ? La politique turque en 1545 ferait plutôt penser le contraire.

---

1. C. Capasso, « Barbarossa e Carlo V », in : *Rivista storica ital.*, 1932, pp. 169-209.
2. *Ibid.*, p. 172 et note 1 ; C. Manfroni, *Storia della marina italiana*, Rome, 1896 p. 325 et *sq.* ; Hermann Cardauns, *Von Nizza bis Crépy*, 1923, p. 24 et 29 ; C. Capasso, *Paolo III*, Messine, 1924, p. 452 ; Alberto Guglielmotti, *La guerra dei pirati e la marina pontificia dal 1500 al 1560*, Florence, 1876, t. II, p. 5 et *sq.*
3. E. Lavisse, *op. cit.*, V, 2, p. 112.
4. N. Iorga, *G. des osm. Reiches*, Gotha, 1908-1913, III, p. 76 et *sq.* Sur l'ensemble de la politique turque à l'Ouest, sur les complications asiatiques, *ibid.*, p. 116 et *sq.*

La trêve avec l'Empereur s'explique à la rigueur par la paix de Crespy : sans la diversion française, impossible d'avoir raison des forces de l'Empereur. Il fallait donc, provisoirement, renoncer à cette faible portion de la Hongrie que Soliman n'avait pas encore conquise. Mais sur mer aussi, et c'est plus étonnant, la Turquie n'exploite pas ses avantages. Il n'y aura aucune grande rencontre jusqu'en 1560. Est-ce parce que Barberousse vient de disparaître ? ou que la puissance turque est obligée de poursuivre, contre les Perses, une lutte difficile, à des milliers de lieues de Constantinople, à travers des pays montueux, vides, où la guerre se bloque chaque hiver, où l'armée exige d'énormes caravanes pour son ravitaillement ? La guerre de Perse de 1545, compliquée d'une lutte dynastique de Soliman contre son fils révolté, Mustapha[1], plus une vraie guerre dans la mer Rouge et l'océan Indien contre les Portugais (le second siège de Diu est de 1546[2]), tout cela oblige la puissante machine turque à se détourner de la Méditerranée.

Malheur des uns, bonheur des autres : les villes méditerranéennes se reprennent à respirer. Quand elles sont prudentes, c'est le cas en Sicile[3], elles profitent du répit pour se fortifier. Leurs bateaux sillonnent la mer. Et même derechef tentent le voyage quelques-uns de ces bateaux nordiques qui avaient presque disparu de Méditerranée, aux environs de 1535[4]. Ils se mêlent aux naves florentines ou vénitiennes revenant d'Angleterre, lesquelles, à l'occasion, n'hésitent pas à aller jusqu'aux ports de la côte marocaine. Est-ce la paix, le rétablissement de ces mille liens tendus d'une rive à l'autre, d'une religion à l'autre de la mer ?

L'affaire d'Africa

Oui, mais la paix, en Méditerranée, c'est immanquablement le renouveau de la course. Il ne peut être question, naturellement, de la mesurer, chiffres à l'appui. Mais, dans un fichier en ordre, le rapprochement des références montre nettement l'impunité avec laquelle la petite guerre peut multiplier ses allées et venues, dans les régions centrales de la Méditerranée. Dans ce livre d'un contemporain, Pedro de Salazar, paru en 1570[5], on peut suivre l'odyssée d'été de quelques-uns de ces pillards : deux fustes et un brigantin turcs, appartenant à la flotte groupée autour de Dragut, ayant donc leurs bases dans le Sahel tunisien et le Sud de Djerba. En juin 1550 — juin, c'est la bonne période pour les corsaires — ces trois navires sont postés près d'Ischia, à l'entrée du golfe de Naples, surveillant les arrières de la flotte espagnole de Don Garcia de Toledo qui vient de faire mouvement vers la Sicile. Et c'est d'abord la prise — sans péril — d'un ravitailleur (les galères ont toujours derrière elles leur service d'intendance sous forme de bateaux ronds, difficiles à défendre). Ensuite vient le tour d'une frégate chrétienne. Puis, toujours au large de Naples, entre les îles de Ventotene et de Ponza, celui d'une barque chargée de pèlerins pour Rome. Le brigantin, se séparant de ses compagnons de voyage, s'en retourne alors à Djerba. Les deux fustes, continuant vers le Nord, apparaissent à l'embouchure du Tibre, puis donnent sur l'île d'Elbe. Mais l'une d'elles, mal en

---

1. *Ibid.*, p. 117.
2. Voir *supra*, I, p. 496, note 6.
3. Voir *supra*, II, p. 178.
4. Voir *supra*, I, p. 554-555.
5. *Hispania victrix*, Medina del Campo, 1570.

point, retourne à Bône et de là à Alger, où elle vendra son butin. L'autre poursuit le voyage. Au large de Piombino, elle vogue un instant de conserve avec quatre galiotes de Dragut, mais elle les laisse bientôt partir vers l'Espagne et gagne les côtes de Corse où son butin est d'ailleurs maigre. Elle se décide alors au retour, gagne Bizerte en longeant les côtes de Sardaigne, puis Bône. Elle arrive à Alger au mois d'août... Multiplions par dix ou vingt ce récit de voyage, pensons aux corsaires chrétiens qui s'affairent de leur côté[1], et nous aurons une idée du poids dont peut peser la course dans la vie de la mer, en ces années 1550.

Rien d'analogue, certes, à la menace des grandes armadas. La course se contente de petits moyens, se tenant à distance respectueuse des villes, des fortifications, des flottes de guerre. Elle ne se hasarde pour ainsi dire jamais sur certaines côtes. Mais certaines autres, les rives de Sicile et de Naples par exemple, sont ses objectifs « privilégiés » ; une vraie chasse à l'homme s'y poursuit. C'est en même temps, non moins pressante pour les corsaires d'Afrique, une chasse au blé, aux navires des *caricatori* de la côte Sud de la Sicile quand ce ne sont pas les *caricatori* eux-mêmes qu'on attaque.

De ces corsaires mangeurs de blé sicilien, Dragut est le plus dangereux. Grec d'origine, il a une cinquantaine d'années et, derrière lui, une longue vie d'aventures, dont quatre ans de captivité sur les galères génoises où il ramait encore au début de 1544, quand Barberousse lui-même négocia son rachat[2]. En 1550, il est installé à Djerba[3]. C'est là qu'il revient entre ses voyages, qu'il hiverne entouré de ses reis, qu'il recrute ses équipages. Mais toléré seulement par les Djerbiens, il profite de querelles intestines pour s'emparer à point nommé, en 1550, de la petite ville d'Africa, dans le Sahel tunisien. Étroit promontoire nu, sans arbres ni vignes, au Nord de Sfax, approximativement à la hauteur de Kairouan, Africa eut jadis, au temps des Fatimides, son heure de splendeur. Très déchue, village plutôt que ville, elle représente pourtant pour Dragut, avec l'abri de ses eaux et de ses mauvaises murailles, une escale utile sur le chemin de la Sicile. Et une maison à lui, en attendant mieux.

Ce changement de propriétaire alarma aussitôt les autorités responsables, de l'autre côté de la porte de Sicile. Le vice-roi de Naples, informé par un exprès de Gênes, transmettait aussitôt l'avis de la prise du petit port, *luogo forse di maggior importanzia che Algieri*[4], disait-on. Ne crions pas trop vite à l'exagération. Ce que mettaient en question les progrès de Dragut, ce n'était pas seulement la sécurité des côtes de Sicile, indispensable au ravitaillement de la Méditerranée occidentale. C'était aussi la « Tunisie », ce royaume décadent des Hafsides, mal tenu par les maîtres de Tunis que l'Espagne tolérait parce qu'elle pouvait (grâce au préside de La Goulette) les protéger et, le cas échéant, les rappeler à l'ordre. Or cette Tunisie, cette Ifriqya, riche encore et convoitée par les Siciliens, voilà qu'elle allait peut-être s'organiser à la turque, avec plus de cohérence et de force. Charles Quint s'était déplacé lui-même, en 1535, pour arracher Tunis à Barberousse qui s'y était installé l'année précédente[5]. Allait-on

---

1. Charles MONCHICOURT, « Épisodes de la carrière tunisienne de Dragut, 1550-1551 », *in : Rev. tun.*, 1917, sur les exploits de Jean Moret, tir. à part, p. 7 et *sq.*
2. *Ibid.*, p. 11. Sur la vie de Dragut, l'ouvrage de l'historien turc Ali RIZA SEIFI, *Dorghut Re'is*, 2e éd., Constantinople, 1910 (édition en alphabet turco-latin, 1932).
3. *Ibid.*, p. 11.
4. *Archivio storico ital.*, t. IX, p. 124 (24 mars 1550).
5. F. BRAUDEL, « Les Espagnols et l'Afrique du Nord de 1492 à 1577 », *in : Revue Africaine*, 1928, p. 352 et *sq.*

laisser Dragut, qu'un jour la Turquie pouvait directement appuyer, se saisir de la maison voisine ? On se souvenait de la rapide croissance d'Alger. Africa pouvait n'être qu'un début.

Charles Quint, le 12 avril (il a donc été mis vite au courant), se plaignit, de Bruxelles, dans une lettre au Sultan, des agissements de Dragut. Le reis n'avait-il pas rompu la trêve ? L'ambassadeur Malvezzi, qui gagnait alors Constantinople pour le compte de Ferdinand, reçut aussi les instructions de l'Empereur[1].

Cependant, dès avril, Dragut s'apprêtait à commencer sa saison. Ayant laissé Africa avec une garnison de cinq cents Turcs, il était le 20, à Porto Farina. Un avis de Sicile y signalait la présence de ses trente-cinq voiles, ajoutant qu'il partirait en course dès qu'il aurait despalmé et que le temps lui serait favorable[2]. Aussitôt, grosse inquiétude à Naples où l'on attendait l'arrivée des galères du prince Doria. Elles n'y parviendront qu'avec un gros retard, le 7 mai[3]. Une dizaine de jours plus tôt, le 29 avril, un avis signalait Dragut près de Messine, à l'affût des bateaux de grains[4]. Après quoi ses navires, groupés ou dispersés, tels les trois dont nous suivions plus haut le voyage, poursuivirent leurs randonnées au large des côtes chrétiennes. Et les vigies ne réussirent plus à les signaler à temps. A Naples, le 7 mai[5], on ne savait plus rien du corsaire, sinon qu'il avait pris le chemin de l'Ouest, peut-être même celui de l'Espagne.

Une riposte était donc naturelle. Le « Capitan Pacha » de Charles-Quint, le vieux prince Doria, arrivait à Naples le 7 mai avec ses galères mal équipées (il leur manquait au bas mot mille rameurs) très capables, néanmoins, de mener à bien une opération de police. Deux mille fantassins se trouvaient à bord[6]. Quand Doria quitta Naples, le 11[7], son intention était de s'emparer d'Africa, en profitant de l'absence de Dragut. Mais, commençant par s'attaquer au petit port de Monastir, au Nord d'Africa, il s'y heurta à tellement plus de difficultés qu'il ne l'avait supposé — si la défense avait été plus experte, toute l'infanterie espagnole périssait dans l'affaire[8] — qu'il tint compte de l'avertissement. Avant de poursuivre contre Africa, où il savait que l'attendaient du canon et des arquebuses, il expédia vingt-quatre galères à Naples avec mission d'y embarquer mille soldats espagnols de renfort et les grosses pièces d'artillerie nécessaires au siège. Il réclamait, en outre, la nomination d'un général commandant le corps expéditionnaire : un soldat chevronné, Juan de la Vega, vice-roi de Sicile, était nommé le 3 juillet[9].

Ces mesures suffirent pour faire vivre Naples, pendant tout le mois de juin, dans une fièvre de préparatifs et d'exaltation. Des moines franciscains se joignirent au convoi *con grandi crucifissi e con grande animo di far paura a quei cani*. Et chacun partait « avec la plus extrême résolution de combattre ou de mourir »[10]. Bref, moral excellent, comme nous dirions aujourd'hui.

---

1. Carl LANZ, *Correspondenz des Kaisers Karl V*, Leipzig 1846, III, p. 3-4 (12 avr. 1550).
2. *Archivio storico ital.*, IX, p. 124 (20 avr. 1550).
3. *Ibid.*, p. 126-127.
4. *Ibid.*, p. 125.
5. *Ibid.*, p. 126-127.
6. *Ibid.*, p. 127 (11 mai 1550).
7. *Ibid.*
8. *Ibid.*, p. 129-130 (10 juin 1550).
9. *Ibid.*, p. 132 (5 juill. 1550).
10. *Ibid.*, p. 131 (16 juin 1550).

Le 28 juin, le siège commençait[1]. Il dura presque trois mois. C'est le 10 septembre seulement, sous l'œil de Doria et des marins, simples spectateurs, que les Espagnols, Italiens et chevaliers de Malte s'empareront d'Africa[2]. La tâche n'avait pas été simple : il avait fallu demander, dans l'intervalle, un nouveau renfort de 500 chevaliers et la facture envoyée par le *proveditore* du duc de Florence à Pise montre que le corps expéditionnaire n'avait économisé ni les boulets, ni la poudre[3].

Petit succès au demeurant. Dragut était écarté. Mais les Siciliens ne garderont que quelques années ce poste perdu, nouant quelques intrigues avec le pays nomade du Sud, tâche aisée, mais assez vaine[4]. Les chevaliers de Malte ne voulant pas se charger de sa garde, la petite place fut démantelée, et ses remparts détruits à la mine[5], après une assez étrange mutinerie de la garnison. Le 4 juin 1554[6], les troupes qui l'occupaient étaient repliées sur la Sicile et de là, car tout se tient, engagées dans la guerre de Sienne[7].

C'est à cette petite échelle que l'affaire apparut à l'Empereur qui, en 1550, à Augsbourg, avait bien d'autres soucis en tête. Ne serait-ce que ceux que lui valaient sa famille et la situation politique et religieuse de l'Allemagne. Il écrivait cependant, le 31 octobre, une longue lettre au Sultan[8], où il se plaignait à nouveau des agissements de Dragut, en contradiction formelle avec les termes de la trêve ; où il expliquait pourquoi il avait dû intervenir. En somme presque une lettre d'excuses. Car jamais plus qu'en 1550, l'Empereur n'avait été attaché à une politique de paix à tout prix avec les Turcs, sans quoi il lui était impossible de dicter ses volontés à l'Europe et à l'Allemagne. Mettre au pas un corsaire, un hors-la-loi, ce n'était pas forcément, suivant les règles de l'époque, avoir affaire au Sultan. Tous les jours, la trêve avait à s'en accommoder et s'en accommodait. Charles Quint ne crut donc pas à l'importance de l'affaire d'Africa. Mauvais calcul, puisqu'il devait y avoir, l'année suivante, la puissante riposte des Turcs... Mais d'autres raisons et bien plus graves que l'épisode d'Africa, y avaient travaillé. Africa fut un prétexte, rien d'autre.

Lendemains et surlendemains de Muhlberg

Pour y voir clair, il faut retourner en arrière, à ces années de paix apparente, 1544, 1545, 1546, puis à la grande bataille de Muhlberg du 20 avril 1547 qui, d'un coup, fixa le destin de l'Allemagne et de l'Europe (autant que peut se fixer un destin aussi mouvant) et, par voie de conséquence, celui de la Méditerranée. Pour l'Empereur, c'était le grand triomphe, plus grand même que celui de Pavie. L'Allemagne devenait sa chose, alors que dans le passé, ce qui avait

---

1. Contrairement aux erreurs de E. MERCIER, *Hist. de l'Afrique septentrionale*, Paris, 1891, III, p. 72.
2. *Archivio storico ital.*, t. IX, p. 132, C. MONCHICOURT, *art. cit.*, p. 12.
3. A. S. Florence, Mediceo 2077, f° 45.
4. Accord du gouverneur d'Africa avec le cheick Soliman ben Saïd ; 19 mars 1551, Sim. E° 1193.
5. E. PÉLISSIER DE RAYNAUD, *Mém. historiques et géographiques*, Paris, 1844, p. 83.
6. Charles MONCHICOURT, « Études Kairouanaises », 1re Partie : « Kairouan sous le Chabbîa », *in : Revue Tunisienne*, 1932, pp. 1-91 et 307-343 ; 1933, pp. 285-319.
7. Évacuation des troupes en Espagne, Alphonse ROUSSEAU, *Annales tunisiennes*, Alger, 1864, p. 25, ce qui est erroné; E. PELISSIER DE RAYNAUD, *op. cit.*, p. 83 ; Charles FÉRAUD, *Annales Tripolitaines*, Paris, 1927, p. 56.
8. C. LANZ, *op. cit.*, III, p. 9-11.

manqué à Charles Quint, c'était, presque toujours, l'appui régulier du monde allemand. Triomphe, miracle aussi : toutes les difficultés s'étaient aplanies autour de lui, comme pour lui faciliter l'exécution du plan si longtemps rêvé. Le 18 septembre 1544, la guerre s'était achevée avec la France. En décembre 1545[1], le Concile s'était réuni à nouveau à Trente et l'Église avait marqué un point décisif. En novembre, survenait la trêve avec le Turc. En juin 1545[2], enfin, la Papauté concluait une alliance avec l'Empereur, consécration précieuse d'une alliance de fait qui existait depuis des années déjà contre les Protestants d'Allemagne, mais qui n'empêchait pas Rome de se méfier de la politique d'atermoiement pratiquée par Charles Quint à l'égard de la puissante ligue de Smalkade, ni l'Empereur d'être souvent contraint à la prudence, en face de cette singulière puissance de Rome qui lui montrait tour à tour hostilité et sympathie. Cette fois, tout s'était éclairci dès les négociations du cardinal Farnèse à la Diète de Worms, en mars 1545[3]. Or, l'appui de Rome signifiait des troupes et de l'argent — plus de trois cent mille ducats — sans compter la moitié des revenus ecclésiastiques de l'Espagne, les *mezzi frutti*, comme on disait à Rome. Un triomphe financier[4]...

Pourtant, l'Empereur se décida tardivement à porter les premiers coups, sans doute à cause d'une chancellerie embarrassée dans ses papiers et par suite de l'habituelle lenteur des armements. A Rome, en septembre 1545[5], voyant fuir la bonne saison, Juan de la Vega, alors ambassadeur impérial, s'impatientait. L'occasion était si belle d'intervenir, avec la neutralité, voire la demi-complicité de la France, avec ne disons pas la neutralité mais l'inaction du Turc. En septembre, Juan de la Vega confiait à son secrétaire, Pedro de Marquina, qu'il dépêchait vers l'Empereur, un long discours destiné à être lu au souverain. Que de rêves et d'utopies dans ce discours ! En cas de victoire, il faudrait que Charles Quint transformât l'Empire en État héréditaire, *y quittar aquella cirimonia de election de manera que viniesse hereditario el imperio como los otros estados.* Puis le Pape, l'Empereur, le roi de France pourraient s'allier en vue de la conquête de l'Angleterre et de la reconquête de la Hongrie sur les Turcs. La France, en compensation de Milan, recouvrerait Boulogne. Au duc d'Orléans reviendrait, avec la main d'une fille de Ferdinand, la Hongrie reconquise. Projets, rêves, fumées, mais qui ouvrent de singulières perspectives sur les milieux impériaux et pontificaux d'alors. Dans le monde du XVIe siècle, divisé contre lui-même, on ne saurait dire à quel point certains esprits ont été hantés par l'idée de retour à l'unité et par les vieux rêves de croisade. Charles Quint lui-même est incompréhensible en dehors de ce courant-là.

Mais il n'est pas dans notre intention, étudiant un monde, celui de la Méditerranée, de nous perdre dans un autre, celui de l'Allemagne, si décisif qu'il soit en ce milieu du siècle. Notre but, c'est de montrer comment, longuement préparée par les circonstances allemandes et extra-allemandes, et au

---

1. S. ROMANIN, *op. cit.*, VI, p. 214 ; le 13 déc. 1545, P. RICHARD, *H. des Conciles*, Paris, 1930, t. IX, 1, p. 222.

2. P. RICHARD, *op. cit.*, IX, 1, p. 214.

3. *Ibid.*, p. 209 et *sq.*

4. *Ibid.*, p. 214 et BUSCHBELL, « Die Sendung des Pedro Marquina... », *in* : *Span. Forsch. der Görresgesellschaft*, Münster, 1928, I, 10, p. 311 et suivantes. Les concessions en 1547, J. J. DÖLLINGER, *Dokumente zur Geschichte Karls V...*, Regensburg, 1862, p. 72 et *sq.*

5. Cité par BUSCHBELL, *art. cit.*, p. 316.

premier chef, par la pacification même de la Méditerranée, la guerre explose en Allemagne. Comment elle assure le triomphe de l'Empereur, mais du même coup comment elle provoque le rapprochement de ses adversaires par ce triomphe même : leurs efforts conjugués vont renverser contre lui, une nouvelle fois, la bascule européenne. Ce qui nous intéresse, c'est que la guerre, circonscrite à l'Allemagne, s'étend peu à peu à l'Europe voisine et à la Méditerranée. C'est le lien jamais décelé, bien qu'il soit visible, entre les lointains événements de Mühlberg, en avril 1547, et, trois ans plus tard, le renouveau de la guerre méditerranéenne.

Cette victoire du 24 avril 1547, dans les brouillards de l'Elbe, qu'a-t-elle donné exactement à l'Empereur ? Tout d'abord un incontestable succès de prestige, tant elle était inattendue, rapide à surprendre le vainqueur lui-même. Non que la guerre ait été admirablement conduite : le secret n'en avait pas été bien gardé, les concentrations de troupes menées lentement, les transports de grosse artillerie, faits sans escortes, auraient pu être interceptés[1]. Mais les Protestants, divisés eux-mêmes, affolés au dernier instant par la traîtrise de Maurice de Saxe laissèrent, entre les mains de l'ennemi, leurs chefs et des milliers d'hommes. Leur retraite tourna à la débâcle[2]. Du coup, Charles Quint était délivré de ce qui « était depuis quinze ans son pire tourment », la ligue de Smalkade, l'organisation princière de l'Allemagne protestante, rebelle à Rome et aux volontés de l'Empereur[3].

Cette Allemagne vaincue, Charles Quint entendit l'organiser sur le plan politique et religieux, et ce fut la grosse question de l'Intérim d'Augsbourg (1548) et celle, non moins grosse, de la sucession à l'Empire. Celle-ci nous intéresse plus encore que celle-là. L'Empereur tenta, en effet, d'assurer à son fils, Philippe d'Espagne, la direction éventuelle de l'Allemagne, donc de lier l'héritage allemand à l'héritage bourguignon et espagnol. Ceci contre l'évidente volonté de l'opinion allemande. Dès 1546, la propagande protestante disait : *Kein Walsch soll uns regieren, dazu auch kein Spaniol*[4]. Les Allemands non protestants n'étaient pas d'un autre avis. En septembre 1550, l'électeur de Trèves disait ouvertement *che non vuol che Spagnuoli commandino alla Germania*[5]. En novembre de la même année, le cardinal d'Augsbourg exhalait sa mauvaise humeur contre les insolences espagnoles et affirmait que l'Allemagne ne tolérerait à sa tête qu'un prince allemand[6]. « Il y a beaucoup de princes qui, plutôt que d'élire Philippe, déclarent qu'ils aimeraient mieux s'accorder avec le Turc », disaient les Vénitiens, en février 1551[7].

C'était folie que de passer outre. Mais tout n'était-il pas permis au vainqueur, dans l'Allemagne des lendemains de Muhlberg ? Seules quelques villes libres résistaient encore, mais pour combien de temps ? Aucun appui n'était à attendre du dehors : le Turc lui-même avait renouvelé pour cinq ans la trêve avec les Impériaux (19 juin 1547[8]). La France avait bien montré quelques velléités

---

1. S. Romanin, *op. cit.*, VI, p. 221, d'après la relation de Lorenzo Contarini, en 1548.
2. Georg Mentz, *op. cit.*, p. 209.
3. G. de Leva, *Storia documentata di Carlo V...*, Venise, 1863-1881, III, p. 320 et *sq.*
4. Joseph Lortz, *Die Reformation in Deutschland*, Fribourg-en-Brisgau, 1941, II, p. 264, note 1.
5. Domenico Morosino et Fco Badoer au Doge, Augsbourg, 15 sept. 1550, G. Turba, *Venetianische Depeschen*, 1, 2, p. 451 et *sq.*
6. *Ibid.*, p. 478, Augsbourg, 30 nov. 1550.
7. *Ibid.*, p. 509, Augsbourg, 15 févr. 1551.
8. B. N., Paris, Ital. 227, S. Romanin, *op. cit.*, VI, p. 214.

d'agir, mais François 1er était mort avant Muhlberg et le nouveau Roi était déjà engagé au Nord, au moins en intention : la guerre franco-anglaise — la guerre pour Boulogne — recommençait avec l'année 1548[1]. A Rome, surgissaient pour l'Empereur, de graves difficultés, singulièrement révélatrices de la position pontificale. Mais ces difficultés n'étaient pas insurmontables et d'ailleurs, Paul III mourait, le 10 novembre 1549[2]. Les Habsbourgs avaient donc les mains libres en Allemagne. Ce fut surtout pour s'y quereller...

Les Habsbourgs ont longtemps entouré l'Empereur d'un faisceau de dévouements sans lequel l'Empire de Charles Quint eût été presque impensable. Mais vienne l'héritage, et, comme dans la plus ordinaire des familles, le faisceau se délie. La succession de l'Empereur s'était déjà posée avant Muhlberg, en 1546 et plus tôt sans doute. On en reparle dès 1547, quand la Diète se réunit à Augsbourg, dans la ville encore remplie de soldats. L'Empereur la met lui-même en question à chaque instant, par ce besoin de méditer sur sa propre mort, cette *meditatio mortis* qui a inspiré ses nombreux testaments.

N'est-il pas un vieillard d'ailleurs, cet homme de 47 ans ? A cette époque, tout soldat, ayant vécu de la dure vie des camps, est usé à cinquante ans. La longévité d'un Anne de Montmorency étonnera ses contemporains. Henri VIII et François Ier, ces frères en âge de Charles Quint, viennent de mourir, l'année même de Muhlberg ; le premier à 56 ans, le second à 53. L'Empereur est en outre affreusement travaillé par la goutte, mourant, affirment de temps à autre les ambassadeurs. Et chacun de tabler sur la disparition prochaine du vieil homme « qu'on voit, des jours entiers, d'humeur sombre, une main paralysée, une jambe repliée sous lui, refusant de donner audience à personne et occupant tout son temps à monter et démonter des horloges et des montres »[3].

Cet homme reste pourtant animé d'un désir passionné : transmettre à son fils Philippe la totalité de son héritage. Rêve politique et de tendresse, car il aime ce fils ordonné, réfléchi, respectueux, ce disciple qu'il s'est plu à former, de près et de loin. Maître de l'Allemagne et de l'Europe, il pense immédiatement à l'appeler auprès de lui. Philippe qui gouverne l'Espagne depuis 1542, part de Valladolid le 2 octobre 1548, laissant à sa place son cousin Maximilien, le fils de Ferdinand. C'était, à vingt et un ans, son premier tour d'Europe qu'un chroniqueur scrupuleux, sinon pittoresque[4], nous a conté dans tous ses fastes. Avec Philippe voyage la fleur de la noblesse d'Espagne, pères et fils[5]. Pour les transporter du petit port catalan de Rosas à Gênes, la flotte entière du vieux Doria est de service ; les musiques jouent sur les galères aux rames multicolores, aux proues éblouissantes de dorures. A terre se succèdent les arcs de triomphe, les fêtes, les discours, les festins, jusqu'à Bruxelles où l'héritier du monde rejoint son père, le 1er avril 1549. Charles le fait alors reconnaître comme héritier des Pays-Bas. Procédure inusitée, puisque ceux-ci sont encore sous l'autorité nominale du Saint Empire. On « inaugure » pourtant le jeune prince comme comte de Flandre, comme duc de Brabant. On le montre aux villes du

---

1. Depuis le mois de mars 1548, cf. Germaine GANIER, *La politique du Connétable Anne de Montmorency*, diplôme de l'École des Hautes Études, Le Havre (1957).
2. P. RICHARD, *op. cit.*, IX, 1, p. 439.
3. Le détail est souvent signalé, Fernand HAYWARD, *Histoire de la Maison de Savoie*, 1941, II, p. 12.
4. Juan Christoval CALVETE DE ESTRELLA, *El felicisimo viaje del... Principe don Felipe*, Anvers, 1552.
5. L. PFANDL, *Philippe II, op. cit.*, p. 170.

Nord et du Sud qui, l'une après l'autre, du printemps à l'automne 1549, subissent leur tour de réjouissance officielle. Puis c'est le voyage d'Allemagne qui va soulever, plus aiguës que jamais, les querelles d'héritage.

A Augsbourg où la Diète a été convoquée, les Habsbourgs tiennent, à partir d'août 1550, un vrai conseil de famille ; au milieu des sourires et des grâces officielles, la discussion s'engage, à peine coupée de pauses. Elle durera plus de six mois, Charles Quint se heurtant aux ambitions de son frère, ou plutôt de la famille de son frère, « les Ferdinandiens », dont le plus acharné était le fils aîné, Maximilien, roi de Bohême à l'époque, neveu et gendre de l'Empereur. Au vrai, c'est Charles lui-même qui avait créé la puissance des Ferdinandiens. En 1516, au moment de la succession d'Espagne, Ferdinand s'était effacé devant son aîné, malgré des chicanes possibles. La récompense n'avait pas tardé : il avait reçu l'intégrité de l'*Erbland* autrichien par le traité de 1522. Neuf ans plus tard, en janvier 1531, il avait été promu roi des Romains et à ce titre, avait gouverné l'Allemagne pendant les longues absences de son frère. La maison « apanagée » avait su grandir par elle-même, s'annexant, en 1526, la Bohême, cette forteresse de l'Europe moyenne et la Hongrie ou, du moins, ce que l'Islam en avait laissé. Elle rencontrait en 1550, des circonstances favorables. Dans la mesure même où l'Allemagne ne voulait ni de la réduction à l'obéissance, ni de la loi catholique, donc de l'ordre espagnol qui personnifiait l'une et l'autre chose, elle se tournait vers les princes de Vienne. C'est Maximilien non Philippe, qu'elle voulait voir succéder à Ferdinand.

Charles avait une alliée : sa sœur, Marie de Hongrie, passionnément dévouée à sa famille, qui gouvernait les Pays-Bas depuis 1531. Peut-être le projet de succession est-il son œuvre[1]. En tout cas, c'est elle qui entreprit de convaincre Ferdinand. N'était-il pas son obligé autant que l'obligé de Charles ? En 1526, après Mohacs où son mari, Louis de Hongrie, avait été tué, elle avait aidé Ferdinand à se saisir de l'héritage du mort. Dès septembre, elle se rendit à Augsbourg, chapitra le récalcitrant, insista, recommença. Quand elle regagna les Pays-Bas, elle laissait derrière elle la détente et le calme. Il est vrai que si l'on se taisait, c'était dans l'attente de Maximilien. Dès son arrivée, la discussion se ranima, pour s'aggraver aussitôt. Étranges conciliabules, poursuivis en français en souvenir des aïeux bourguignons de la Chartreuse de Dijon et où, discutant d'eux-mêmes comme de simples héritiers un peu fébriles devant notaire, les Habsbourgs discutaient du même coup de l'Allemagne et de l'Europe.

Avec Maximilien, le ton de la réunion change, ses indiscrétions laissant passer sur la place publique les échos d'une discussion jusque-là calfeutrée. Les journaux des ambassadeurs se peuplent de détails sensationnels. Charles Quint s'indigne et se désespère : « Je vous puis certifier que je n'en puis plus, si je ne creive », écrit-il[2] à sa sœur, en décembre 1550. Rien ne l'a jamais autant affecté que l'attitude du roi son frère, pas même ce qu'a pu lui faire « le roy de France mort », ni les « braveries » dont le connétable de Montmorency use à présent. Sur ce, retour en janvier de Marie. Cette fois toutes les tentatives de conciliation sont vaines ; alors Charles Quint décide d'imposer sa volonté par le *Diktat* du 9 mars 1551[3] dont le texte sera écrit, assez mystérieusement, dans la chambre même de l'Empereur, par l'évêque d'Arras. La dignité impériale était

---

1. L. PFANDL, *op. cit.*, p. 161.
2. C. LANZ, *op. cit.*, III, p. 20.
3. F. Auguste MIGNET, *Charles Quint, son abdication et sa mort*, Paris, 1868, p. 39 et note 1.

réservée à Philippe, dans l'avenir du moins, car son oncle hériterait d'abord de la couronne d'or et Philippe du titre de roi des Romains. A la mort de Ferdinand, Philippe deviendrait Empereur et Maximilien Roi des Romains. Philippe recevait en outre, peu après, la promesse d'être investi de l'autorité « féodale » dont l'Empereur disposait en Italie, avec le titre de vicaire impérial pour les terres italiennes[1].

Mais cet accord restera lettre morte[2]. Chapitrés, menacés, les Ferdinandiens savaient qu'ils pouvaient compter sur des jours meilleurs. Maximilien saura être l'ami des Luthériens, l'ami de Maurice de Saxe, quand il ne sera pas en coquetterie avec le roi de France. C'est même, dit Ludwig Pfandl[3] sans bien nous convaincre, la raison de l'obstination de Charles Quint : il n'aurait pas voulu livrer l'Empire à un homme aussi peu sûr, à un demi-hérétique. Pourtant la solution trouvée par l'Empereur n'était guère viable. Dès la fin des conversations d'Augsbourg, des libelles et des placards avertissaient l'Empereur. On a souvent accusé de l'échec le jeune Philippe, et sans doute cet enfant distant, appliqué, étranger à la langue et aux mœurs d'un pays qu'un contemporain disait plus adonné à la boisson qu'à la doctrine de Luther[4], a-t-il perdu la partie personnelle qu'il avait à jouer. Mais pouvait-il la gagner ? Le règlement d'Augsbourg n'était-il pas condamné d'avance par l'Allemagne, par l'Europe ?

Par l'Allemagne tout d'abord. Comment prétendre la tenir avec des régiments étrangers d'Italiens et d'Espagnols, méridionaux sans retenue contre qui la haine populaire, tout de suite violente, n'a cessé de croître ? Régiments d'ailleurs qu'on ne pouvait maintenir éternellement : une armée coûte cher. Leur départ d'Allemagne, en août 1551[5], quel terrible amoindrissement déjà de la victoire de Muhlberg ! L'Empereur avait peu d'alliés dans la place. Même les cités catholiques du Sud ne se rangeaient pas sans réticence à ses côtés. Elles tenaient à leurs franchises, plus encore à la paix. Quant aux princes, il n'y fallait pas songer. D'autant que ce monde allemand disparate, si difficile à gouverner, était à chaque instant, pour l'Europe qui l'entoure, une occasion d'intervenir. Or, l'Europe, elle non plus, ne voulait pas de la victoire impériale.

Ainsi grossit lentement, en Allemagne et autour de l'Allemagne, la menace de guerre. Lentement, car il faut du temps pour conclure les accords, lever les troupes, constituer les approvisionnements nécessaires. Les diplomates ont tout loisir pour signaler longtemps à l'avance la marche pesante de ces préparatifs.

Cette fois, c'est Simon Renard, l'ambassadeur impérial à la cour du Très Chrétien, qui en est le plus minutieux rapporteur, car la France joue le premier rôle dans l'offensive en préparation. Elle a les mains libres depuis qu'elle a su se dégager de la guerre anglaise par le traité du 24 mars 1550[6] et, dès avant cette date, Simon Renard s'inquiétait, à bon droit, de ses menées diplomatiques. Le roi de France n'a-t-il pas essayé de convaincre le Turc de rompre les trêves avant l'expiration des délais ? (lettre du 17 janvier 1550[7]). Il agissait en même temps à Brême, entretenait à sa cour des exilés espagnols ; l'on disait même

---

1. Convention du 6 octobre 1551, Simancas Capitulaciones con la casa de Austria, 4.
2. Dirons-nous avec Ranke que ce fut là un des chefs-d'œuvre de la diplomatie autrichienne?
3. L. Pfandl, *Philippe II*, *op. cit.*, p. 159.
4. Le Vénitien Mocenigo, en 1548, L. Pfandl, *op. cit.*, p. 199.
5. Charles Quint à Ferdinand, Munich, 15 août 1551, C. Lanz, *op. cit.*, III, 68-71.
6. A. N., 1489 ; W. Oncken, *op. cit.*, XII (édit. portug.), p. 1047 ; S. Romanin, *op. cit.*, VI, p. 224.
7. A. N., K 1489.

qu'il avait l'intention d'attaquer du côté de Fontarabie (lettre de Philippe à Renard du 27 janvier[1]). *Mañas de Franceses*, écrit Philippe[2]. Mais la correspondance diplomatique française confirme l'exactitude de ces bruits. Au centre de ce va-et-vient de nouvelles, se retrouvent la politique et la personne bougonnes du connétable de Montmorency, ses prudences, mais aussi ses violences et sa rudesse de langage. Ce n'est plus, certes, la « collaboration » de 1540[3].

Du jour où l'hypothèque de la guerre anglaise est levée, le contre-jeu français gagne en force et en efficacité. Simon Renard en note les coups et les échos. Le 2 avril, envoi d'agents français en Turquie et à Alger ; déplacement vers le Piémont des troupes devenues libres devant le fort de Boulogne[4] ; le 25[5], joie non dissimulée des Vénitiens à l'annonce de la paix franco-anglaise : elle leur semble garantir que la France ne restituera pas le Piémont et continuera à faire contre-poids dans le Nord, et dans toute l'Italie, à la domination espagnole. Ce même 25 avril, un agent français est envoyé au Chérif : or celui-ci inquiète l'Espagne par ses incursions en Oranie et les projets qu'on lui prête contre la Péninsule elle-même[6]. L'agent français, à ce qu'on dit, doit lui offrir l'aide de la flotte française devenue sans emploi contre l'Angleterre. Le point visé serait le Royaume de Grenade.

Évidemment, on ne sait jamais avec la France. « Sire, écrivait Simon Renard, ce même 25 avril, les affaires et délibérations sont ici tellement sujettes à changements et à variations que l'on peut difficilement découvrir et signaler la vérité de leurs agissements. » Trop parler après tout — c'est le défaut français — n'est-ce pas, autant que le silence où s'enferment soigneusement les Espagnols, cacher son jeu ? Pourtant, conclut Renard, quelques mois plus tard : « Le Roi de France n'a pas confiance dans l'Empereur et, pour briser ses desseins, négocie avec les Allemands, les Suisses, les Mores, les Infidèles »[7] et aussi, ajoute-t-il le 1er septembre, avec les bannis de Naples, *los foraxidos*, avec le duc d'Albret, avec le Chérif marocain[8]. Le 6 décembre, il est à nouveau question de Fontarabie où le roi de France se porterait, « sachant que Fontarabie est le clef de l'Espagne »[9]. Les Vénitiens ne souhaitent rien tant que de voir éclater cette guerre franco-espagnole et il semble que les Français y soient décidés. « Ce qui les incite, ce sont les intelligences et pratiques qu'ils ont en Allemagne. » Au premier geste hostile, celle-ci se révoltera. Maurice de Saxe n'a-t-il pas donné le signal, à la Diète ? Il y a aussi les encouragements du Grand Turc qui a promis d'accourir « avec une telle armada qu'il chassera Votre Majesté de Berbérie, Sicile et Naples, pour ensuite remettre aux Français ce qu'il aura enlevé ». Projets dont Simon Renard a eu vent par diverses sources et confirmation par un certain Demetico, Grec qui sert d'interprète (ès langues arabe et sans doute turquesque) et demeure à Paris. Un ambassadeur du « Roi » d'Alger au roi de France serait arrivé le jour même où Henri II a fait son entrée à Blois. Il a été reçu par le Roi et le Connétable. On a parlé «de la

1. *Ibid.*
2. A. Simon Renard, 27 janv. 1550, *ibid.*
3. J'utilise le travail déjà cité de Mlle GANIER.
4. A. N., K 1489, copie.
5. *Ibid.*, Poissy, 25 avr. 1550. Déchiffrement et trad. espagnole.
6. Sur l'invasion de l'Oranie par ce dernier, avis du 17 août 1550, *Alxarife passa en Argel con un gruesso exercito por conquistar...*, *ibid.*
7. *Ibid.*, Simon Renard au roi et à la reine de Bohême, 31 août 1550.
8. *Ibid.*
9. *Ibid.*

victoire que V. M. a remportée cette année à Africa ». Aux dernières nouvelles, le Turc rompait la trêve sous prétexte de fortifications en Hongrie, contraires aux conventions passées.

L'année suivante, la correspondance de Simon Renard[1] relate encore, minutieusement, des choses toutes semblables à propos de Fontarabie, des villes allemandes, de l'Italie, de la Berbérie où un chevalier de Malte signale l'envoi de voiles et de rames marseillaises. Puis les signes se multiplient : c'est le retour de l'ambassadeur français à Constantinople, le 12 avril, annonce sûre de grands événements. C'est, le 27 mai, le voyage de Montluc en Italie et les 40 galères que le roi équipe à Marseille. La guerre s'engage en fait à propos de Parme où le Pape Jules III a attaqué les Farnèse : derrière les Farnèse, il y a le roi de France ; derrière le Pape, les Impériaux. Guerre indirecte, assourdie, mais premier signe des hostilités dont la rumeur grandit partout et qui finalement éclatent : le 15 juillet, à Augsbourg, on apprend que la flotte turque vient d'arriver, au large des côtes de Naples[2].

2. La guerre en Méditerranée et hors de Méditerranée

Le premier coup porté l'a été, en effet, par les Turcs. Pouvaient-ils laisser les Chrétiens s'établir fortement sur les côtes d'Afrique, depuis Tripoli que tiennent les chevaliers de Malte[3] jusqu'à Africa et La Goulette ? Sur cette ligne essentielle, qui peut leur interdire ou, pour le moins, leur rendre difficile le chemin de l'Ouest. Dragut n'est pas de taille à résister seul aux flottes d'André Doria. Il n'a pu leur échapper, à Djerba, en avril 1551, que par un stratagème désespéré, en creusant un canal à travers les sèches, au Sud de l'île[4]. Dragut risque d'être déraciné des côtes d'Afrique. D'autre part, les Chevaliers de Malte songeraient à abandonner leur île montueuse et stérile pour se transporter jusqu'à Africa et Tripoli et s'y installer au large. Va-t-on leur donner le temps de construire, à l'entrée même de la Berbérie, un nouveau château de Rhodes, inexpugnable[5] ?

La chute de Tripoli : 14 août 1551

Cependant tout va si lentement que les Turcs peuvent se donner le luxe d'une rupture selon les meilleures règles diplomatiques. L'Empereur a fortifié, contrairement aux stipulations de la trêve, sur la frontière de Hongrie. Il intrigue en Transylvanie[6]. Il a attaqué Dragut, allié du Sultan. En février 1551, un émissaire du Turc, un Ragusain (il a pris la route de terre de Constantinople à Augsbourg) arrive auprès de l'Empereur. Que ce dernier démantèle Zœnok et restitue Africa, sinon c'est la guerre[7]. Petit détail curieux, Sinan Pacha, à

---

1. Toujours sous la même cote, A. N., K 1489.

2. Fano à Jules III, 15 juill. 1551, *Nunt.-Berichte aus Deutschland*, Berlin, 1901, I, 12, p. 44 et *sq.*

3. Depuis 1530. La ville prise en 1510 par Pedro Navarro, F. BRAUDEL, *art. cit.*, in : *Revue Africaine*, 1928, p. 223.

4. C. MONCHICOURT, « Épisodes de la carrière tunisienne de Dragut », in : *Rev. Tunisienne*, 1917, p. 317-324.

5. Giacomo BOSIO, *I Cavalieri gerosolimitani a Tripoli negli anni 1530-31*, p.p. S. AURIGEMMA, 1937, p. 129.

6. J. W. ZINKEISEN, *op. cit.*, II, 869.

7. G. BOSIO, *op. cit.*, p. 164.

son arrivée devant le phare de Messine, toute sa flotte rassemblée dans la Fossa di San Giovanni, renouvellera cette demande de restitution d'Africa, dans une lettre au vice-roi[1]. Bien entendu, la restitution fut refusée. Mais chacun se demandait avec anxiété ce qu'allait faire la flotte du Sultan. Irait-elle sur Malte, Africa, Tripoli ? Ou bien poursuivrait-elle en direction de l'Ouest pour rejoindre les galères françaises ? Et alors que feraient les Français, c'est ce dont s'inquiétait Charles Quint à Augsbourg[2].

La flotte après un simulacre d'attaque, gagna le port de Malte, le 18 juillet[3], essaya d'y débarquer, puis poussa jusqu'à l'île de Gozzo qui fut horriblement ravagée, les Turcs y enlevant 5 ou 6 000 captifs[4]. Le 30 juillet, elle mettait à la voile vers les rivages d'Afrique. A Malte comme à Tripoli, on eut, dans les premiers jours d'août, l'espérance que ce n'était qu'une feinte. L'ambassadeur de France en Turquie, d'Aramon, étant arrivé à Naples le 1er août, en route pour Constantinople, le bruit courut qu'il venait chercher l'armada pour l'accompagner en Occident, où elle hivernerait. Mais le corps expéditionnaire commença bientôt à débarquer, à Zuara à l'Ouest, et à Tadjoura à l'Est de Tripoli.

Tripoli, conquis en juillet 1510 par les Espagnols, avait été cédé par eux aux chevaliers de Malte, en 1530. La place est médiocre : une petite ville indigène, peuplée d'Arabes au service de la Religion, entourée d'une mauvaise muraille, renforcée de tours, mais construite essentiellement en terre. En face du port, un château fort de style ancien, avec quatre tours d'angle et des murs, de pierre en partie, de terre fort souvent. Enfin, commandant de ses canons les passes d'entrée du port (port vaste et profond dont le plan d'eau est suffisant pour des naves de 1 200 salmes) un petit château, construit sur une langue de terre, en direction des îles qui ferment le port à l'Ouest, le *castillegio*, le Bordj el Mandrik comme l'appellent les Arabes ; forteresse médiocre que les circonstances, dans ce pays de sables où il n'y a ni pierre ni bois, et, dit-on, l'avarice du Grand Maître, Jean d'Olmedes, ont empêché de mieux construire. A l'intérieur, sous le commandement de Fra Gaspar de Vallier, maréchal de la langue d'Auvergne qui, à l'épreuve, se révélera un assez piètre chef, il y a trente chevaliers et 630 mercenaires calabrais et siciliens, recrutés à la dernière heure et de médiocre qualité[5].

Aussi le siège fut-il sans histoire, malgré le temps limité dont disposaient les Turcs avant la mauvaise saison. Les assaillants purent débarquer et se ravitailler à leur aise, creuser leurs tranchées d'approche, mettre en place trois batteries de douze pièces contre le château-fort ; les soldats assiégés se mutinèrent alors et imposèrent à leurs chefs la capitulation. Les pourparlers allèrent grand train. Les Turcs exigèrent qu'on leur rendît, intactes, les forti-

---

1. G. Turba, *Venetianische Depeschen*, 12, p. 507, Augsbourg, 10 févr. 1551.
2. Le Nonce à Jules III, Augsbourg, 15 juill. 1551 « *... hora si starà aspettando dove ella batta, benché si crede che habbia a fare la impresa di Affrica. Sua Maestà aspetta parimente con sommo desiderio veder quel che Francia farà con questa armata...* ». *N.-Berichte aus Deutschland*, I, 12, p. 44 et sq.
3. G. Bosio, *op. cit.*, p. 164.
4. E. Rossi, *Il dominio degli Spagnuoli e dei Cavalieri di Malta a Tripoli*, Airoldi, 1937, p. 70 ; 6 000, dit Charles Féraud, *Ann. trip.*, p. 40 ; 5 000, C. Monchicourt, « Dragut amiral turc », *in : Revue tun.*, 1930, tiré à part, p. 5 ; 6 000, Giovanni Francesco Bela, *Melite illustrata*, cité par Julius Beloch, *op. cit.*, I, p. 165.
5. Sur ces détails, C. Féraud, *op. cit.*, notamment, p. 40 au sujet de l'avarice d'Olmedes, E. Rossi et G. Bosio, *op. cit.*

fications de la ville. En échange, sur l'intervention de l'ambassadeur français qui avait joint l'armada turque, les chevaliers eurent la vie sauve et la liberté. Ils firent, à bord des galères de l'ambassadeur, une assez piètre rentrée à Malte, cependant que les soldats étaient laissés aux mains de l'ennemi, en juste punition de leur indiscipline[1]...

Tel est du moins le récit de Bosio, ce « bourgeois » de Malte qui, en toute tranquillité d'âme, donne ses sources : les débats du procès fait par la suite à Malte aux chefs responsables. Il semble bien qu'on ait chargé de tous les péchés les soldats captifs qui n'étaient plus là pour se défendre. Mais l'affaire, à l'époque, donna lieu à des bruits multiples. Sans parler des ignominies dont on accusa l'ambassadeur d'Aramon, le chevalier français Gaspar de Vallier trahit-il, comme le soutient l'historien Salomone Marino ? Ou bien faut-il accuser du désastre le Grand Maître lui-même, l'Espagnol d'Olmedes, qui, pour le moins, s'était montré peu prévoyant ?

Peu importe ! Ce qui compte c'est qu'avec Tripoli était tombé aux mains du Turc un instrument appréciable de combat et de liaison avec la Berbérie. Traditionnel débouché de l'intérieur africain, la ville allait retrouver sa dignité. Tant que les Chrétiens l'avaient occupée, le trafic saharien s'était détourné vers Tadjoura, proche de Tripoli, fief d'un rude homme, Morat Aga, que la victoire de 1551 mit à la tête du Pachalik de Tripoli. Alors poudre d'or et esclaves reprirent le chemin de la ville « riche en or ».

Ce raid turc sonne aussi l'heure de la guerre générale que préparait l'Europe. La politique française multiplie ses braveries, cependant que les Impériaux, prenant leurs précautions, saisissent dès le mois d'août, les bateaux français aux Pays-Bas[2]. Le nonce, malmené par Henri II et le connétable, annonce à qui veut l'entendre, que la guerre est toute proche[3]. On lève des troupes en Gascogne[4] et les 30 000 hommes et les 7 000 chevaux du duc de Guise quittent les frontières du Barrois et de la Bourgogne. Ils ne seront tout de même pas de sitôt en Italie où les affaires de Parme et de la Mirandole vont assez mal pour les Français, dit Renard[5]. Mais les galères de Marseille auraient reçu l'ordre de rejoindre l'armada turque[6].

Ces périls pèsent sur la politique de l'Empereur. Et non moins les embarras financiers, graves en cette heure difficile où il lui faut faire front partout. Craignant pour la Sicile, il donne l'ordre, en août, d'y faire passer les troupes espagnoles et italiennes du Wurtemberg... Peu d'actes ont été plus importants que cette simple mesure. Charles Quint, abandonnant l'Allemagne, laissait à son frère le soin d'occuper, mais à ses frais et s'il le jugeait bon, les places dont il retirait ses troupes. Or Ferdinand, à cette heure, a de gros soucis du côté de la frontière hongroise où la guerre s'est également étendue et où, bien qu'appuyé sur la Transylvanie un instant ralliée à la cause des Habsbourgs, il résiste avec peine aux raids profonds du Beylerbey de Roumélie, Mohamed Sokolly[7].

---

1. Pour le récit du siège, outre les ouvrages déjà indiqués, Salomone MARINO, « I siciliani nelle guerre contro l'Infedeli nel secolo XVI », in : *A. Storico Siciliano*, XXXVII, p. 1-29 ; C. MANFRONI, *op. cit.*, p. 43-44 ; Jean CHESNEAU, *Voyage de Monsieur d'Aramon dans le Levant*, 1887, p. 52 ; Nicolas de NICOLAÏ, *Navig. et pérégrinations...*, 1576, p. 44.
2. Simón Renard à Charles Quint, 5 août 1551, A. N., K 1489.
3. *Ibid.*
4. Simon Renard à Philippe, Orléans, 5 août 1551, A. N., K 1489.
5. Cf. note 2, ci-dessus.
6. Simon Renard à S. Alt., Blois, 11 avr. 1551, A. N., K 1489.
7. J. W. ZINKEISEN, *op. cit.*, II, p. 869.

Philippe II. Roy d'Espagne
mort le 13. 7.bre 1598. aig de 71 ans

34. PHILIPPE II, VERS 1555. Dessin anonyme, B.N. Paris.

35. PHILIPPE II. Détail de la Gloria, dans l'*Enterrement du Comte d'Orgaz*, du Greco, Tolède, 1586.

Par cette relève des troupes d'occupation, Charles Quint a directement préparé l'explosion allemande de 1552. A-t-il surestimé le danger turc ? Dans ce cas il n'était pas le seul. De Valence, le 15 août, le vice-roi Tomas de Villanueva prévenait Philippe du danger d'un débarquement[1]. De Malte, le 24 août, Villegaignon suppliait Anne de Montmorency : « s'il ne plaist au Roy et à vous intercéder envers le Grand Seigneur de nous laisser en paix, nous sommes en danger d'être défaits[2]... ».

Sauver Malte ! le roi de France avait bien d'autres soucis. Commencées autour de Parme sans être déclarées, les hostilités s'étendaient peu à peu à l'Europe. Il ne leur manquait plus qu'une consécration officielle dont le roi de France prit l'initiative. En tant qu'allié du duc de Parme, il commença par rompre avec le pape, le 1er septembre, jour de la réouverture du Concile de Trente. Le 12, il donnait son congé à l'ambassadeur impérial Simon Renard[3] et rappelait ses propres ambassadeurs[4]. Déjà, commençant les hostilités directes, Brissac s'était emparé, sans difficulté, des petites places de Chieri et de Saint-Damian[5]. Plus tôt encore, en août, Paulin de la Garde, général des galères de France, avait saisi sur les côtes d'Italie quinze vaisseaux espagnols[6], et l'attentat s'était renouvelé, le même mois, dans le port de Barcelone d'où des marins français avaient emmené quatre gros navires, une galère qu'on venait de lancer et une frégate du prince Doria[7]. Ensuite les mesures de guerre n'avaient cessé de se succéder : mouvements de troupes vers l'Italie, armements de vaisseaux en Bretagne[8], saisie en France des navires des sujets de l'Empereur[9]. Enfin, en octobre, les bases étaient jetées de l'entente définitive du roi de France avec les princes protestants d'Allemagne[10].

Ce dénouement a-t-il surpris les Impériaux ? Il ne semble guère (quoi qu'en dise Fueter[11]) à lire les lettres de Marie de Hongrie qui, des Pays Bas, s'inquiète avec lucidité et, comme toujours, songe aux grands moyens : briser l'hostilité de l'Angleterre, s'y assurer un port indispensable aux navires impériaux. « On dit même, suggère-t-elle[12], que le dit royaume est bien conquestable et mesme à ceste heure en leur division et extrême pauvreté. » En tout cas, il serait à propos de simuler confiance et affection vis-à-vis des fils de Ferdinand et de ne plus parler, pour un temps, de la question de l'Empire. Les Allemands pourraient en avoir quelques contentements et être incités à aider S. M. Si la guerre est gagnée, il sera facile d'assurer l'Empire à qui l'on voudra. Mais il faut la gagner. Marie de Hongrie semble tout prévoir, le jeu des Français appuyés sur l'Angleterre protestante et qui « brouillassent » l'Allemagne, aussi

1. Valence, 15 août 1551, *Colección de documentos ineditos* (abréviation *CODOIN*),V, 117.
2. Malte, 24 août 1551, Guillaume RIBIER, *Lettres et mémoires d'État*, Paris, 1666, p. 387-389.
3. M. TRIDON, *Simon Renard, ses ambassades, ses négociations, sa lutte avec le cardinal Granvelle*, Besançon, 1882, p. 54.
4. *Ibid.*, p. 55 et 65, les ambassadeurs de Henri II sont l'évêque de Marillac et l'abbé de Bassefontaine.
5. S. ROMANIN, *op. cit.*, VI, p. 225.
6. Antoine de Bourbon à M. d'Humières, Coucy, 8 sept. 1551, *Lettres d'Antoine de Bourbon*, p.p. le marquis de ROCHAMBEAU, 1877, p. 26 et note 2.
7. Philippe à Simon Renard, Toro, 27 sept. 1551, A. N., K 1489, min.
8. *Ibid.*
9. Avisos del embassador de Francia, sept. 1551, A. N., K 1489.
10. W. ONCKEN, *op. cit.*, XII, p. 1064, 3 et 5 oct. 1551.
11. Eduard FUETER, *Geschichte des europäischen Staatensystems*, Munich, 1919, p. 321.
12. Marie de Hongrie à l'évêque d'Arras, 5 oct. 1551, C. LANZ, *op. cit.*, III, p. 81-82.

bien que l'entente des dits Français avec le duc « Mauris » de Saxe. Celui-là, suggère-t-elle, ne pourrait-on pas lui offrir une charge du côté des Turcs[1], puisque de nouveau il y a, en Hongrie, un côté des Turcs ? Ce serait une façon de l'éloigner ou, s'il refusait, de lui faire découvrir son jeu.

Ce jeu, Charles Quint s'obstine à ne pas le comprendre. C'est sa seule faute de tactique. Pour le reste, il n'a guère d'illusions et tout podagre qu'il soit, il s'installe à Innsbruck, pour être à même de surveiller l'Italie proche. Ainsi se prépare-t-il, une fois de plus, à la guerre contre le Très Chrétien[2].

Les incendies de l'année 1552

C'est l'année suivante, en 1552, que se résout en un vaste incendie cette lente accumulation d'explosifs ; un seul et même incendie, mais qui, du Nord au Sud, allume successivement ou simultanément, tant de foyers divers qu'on ne s'est pas toujours aperçu qu'il n'était qu'un. Partout ou presque partout en Europe, cette année 1552 déchaîne une série de guerres.

D'abord une guerre intérieure allemande, celle que les historiens d'outre-Rhin appellent la *Fürstenrevolution*, bien qu'elle ne soit pas seulement une « révolution de princes » : cette guerre est aussi religieuse[3], voire sociale. Elle se termine catastrophiquement pour Charles Quint. Délogé d'Innsbruck, il doit fuir, le 19 avril, devant les troupes de Maurice et perd l'Allemagne, aussi vite qu'il l'avait gagnée en 1547. Sa « tyrannie », pour parler comme Bucer, s'écroule en quelques mois, entre le début de février et le 1er août 1552 qui rétablit, avec le traité de Passau, les libertés allemandes et, provisoirement, un accord entre l'Empereur et l'Allemagne.

A l'Ouest, guerre extérieure allemande, à deux temps. Premier temps, le roi de France, en exécution de ses accords avec les protestants allemands, confirmés par le traité de Chambord du 15 janvier 1552, fait le « voyage du Rhin » : occupation de Toul et Metz le 10 avril[4], arrivée sur le Rhin en mai, suivie, quand les alliés d'Allemagne engagent les négociations avec l'Empereur, d'une retraite prudente vers l'Ouest. A cette occasion, Verdun est occupé, sur le chemin du retour, en juin[5]. Second temps, l'Empereur, ayant traité avec l'Allemagne, la traverse du Sud au Nord, ses forces rassemblées, pour ressaisir Metz dont le siège, commencé le 19 octobre, s'achève, le 1er janvier 1553, par la défaite et la retraite de l'Empereur[6]. Une troisième guerre allemande, à l'Est celle-là, se déroule sur la frontière hongroise, contre les Turcs. Particulièrement dure, elle tourne mal pour Ferdinand que les princes allemands, au premier rang desquels Maurice de Saxe, ne viendront secourir qu'à la fin de l'année. Le 30 juillet 1552, Temesvar était enlevé par les Turcs[7].

---

1. Les événements y tournent mal pour les Impériaux, F^{co} Badoer au Doge, Vienne, 22 oct. 1551, G. TURBA, *Venet. Depeschen, op. cit.*, I, 2, p. 518 et *sq.* Temesvar est menacé par les Turcs.
2. Camaiani à Jules III, Brixen, 28 oct. 1551, *Nunt.-Ber. aus Deutschland*. Série I, 12, p. 91 et *sq* ; Fano à Montepulciano, Innsbruck, 6 nov. 1551, *ibid.*, p. 97 et *sq*, 14 déc. 1551, *ibid.*, p. 111.
3. Charles Quint à Philippe, Villach, 9 juin 1552, J. J. DÖLLINGER, *op. cit.*, p. 200 et *sq.*
4. E. LAVISSE, V, 2, p. 149 ; G. ZELLER, *La réunion de Metz à la France, 1552-1648*, 2 vol., Paris-Strasbourg, 1927, I, p. 35-36, 285-9, 305-6.
5. E. LAVISSE, V, 2, p. 150.
6. G. ZELLER, *Le siège de Metz par Charles-Quint, oct.-déc. 1552*, Nancy, 1943.
7. J. W. ZINKEISEN, *op. cit.*, II, 873.

Sur les frontières du Luxembourg et des Pays-Bas, autre série d'hostilités, insignifiantes en comparaison des précédentes.

En Italie, la guerre est sporadique : coups de main, sièges, guerre de montagne au Piémont, avec, de temps en temps, des trêves. L'accord du 29 avril met fin ainsi à la guerre entre le roi de France et le pape Jules III[1], mais tout aussitôt, ceci compensant cela, Sienne se soulève, le 26 juillet, aux cris de *Francia, Francia* ; et, chassant les Impériaux, proclame son indépendance. Épisode assez grave parce qu'il rompt les grandes routes de liaisons espagnoles, il ne sera clos qu'après la chute de Sienne, prise en avril 1555 par les Impériaux et Cosme de Médicis[2].

A ces guerres continentales, ajoutons des opérations maritimes en Méditerranée. On les comprendrait mal si on ne les rattachait à cet ensemble de luttes dont elles ne sont qu'un détail, et sûrement pas le plus important du point de vue militaire. Elles se réduisent, en 1552, aux déplacements de l'armada turque qui, par le chemin habituel, arrive jusqu'à Messine et, le 5 août, défait la flotte d'André Doria entre l'île Ponza et Terracine[3] — et aux voyages des galères françaises qui, sous la conduite de Paulin de la Garde, ont reçu l'ordre de se joindre à l'armada turque.

Mais celle-ci, malgré toutes les demandes françaises, ne poursuivra pas sa route vers l'Ouest. Le vice-roi de Valence annonçait bien à Philippe d'Espagne que l'armada levantine, le 13 août 1552, était entrée dans Majorque, mais en fut quitte pour la peur, cette année-là comme la précédente[4]. Peut-être Sinan Pacha se sentait-il pressé de rejoindre l'Orient, pour ses affaires personnelles et à cause de la guerre contre la Perse. En tout cas, il n'attendit pas les galères françaises et celles-ci, à l'inverse de ce qui s'était passé en 1543 à Toulon, durent aller hiverner en Orient, dans l'île de Chio[5]. Un document les signale à leur passage sur la côte napolitaine, près de Reggio où elles mettent des gens à terre et se ravitaillent à bon compte, tuant vaches et porcs, coupant les arbres des jardins pour leur provision de bois. Deux mousses qui désertent alors, l'un italien, l'autre niçois, racontent que les galères sont en route pour faire retourner l'armada turque, afin de prendre Naples et Salerne... Faut-il mettre cet incident en relation avec la conjuration du prince de Salerne, D. Ferrante Sanseverino, qui est justement à bord de la flotte française, cette conjuration à laquelle Venise avait refusé de donner son aide et qui aurait échoué par suite de l'arrivée tardive de la flotte[6] ? Une fois de plus, on peut voir avec quelle insistance la politique française continue à rêver de Naples. Peut-être, sans la hâte à s'en retourner des galères turques, eût-elle obtenu

---

1. Accord accepté par Charles Quint, Innsbruck, 10 mai 1552, Simancas, *Patronato Real*, n° 1527.
2. S. Romanin, *op. cit.*, VI, p. 226, Henri Hauser, *Prépondérance espagnole*, 2e édit., 1940, p. 475.
3. Pour toutes ces dates, C. Monchicourt, *art. cit.*, tiré à part, p. 6, références à E. Charrière, *op. cit.*, II, p. 167, 169, 179-181, 182 note, 200, 201. Sur la défaite de Ponza, Édouard Petit, *André Doria, un amiral condottiere au XVIe s.*, 1887, p. 321. Dans la nuit qui suit la défaite de Terracine, les Turcs prennent sept galères chargées de troupes, C. Manfroni, *op. cit.*, III, p. 382.
4. *CODOIN*, V, p. 123.
5. C. Monchicourt, *art. cité*, p. 7.
6. Relacion del viaje de las galeras de Francia despues del ultimo aviso s.d. (le jeudi 25 août ou 25 sept. 1552). A. N., K 1489. Le refus de Venise, S. Romanin, *op. cit.*, VI, 226, à ce sujet documents dans V. Lamansky, *op. cit.* Difficultés d'une résistance éventuelle de Gênes et de Naples, C. Manfroni, *op. cit.*, III, 382-383.

des résultats substantiels ? Ni Gênes, ni Naples n'auraient pu résister aux efforts combinés des deux alliés et André Doria n'aurait pas eu tout loisir de reprendre ses voyages pour ravitailler et renforcer les points menacés.

Mais le Turc ne voit pas si loin. Pour son armada, il s'agit de simples opérations de pillage. On remplit ses coffres et dès qu'ils sont pleins, on reprend le chemin du Levant. Peut-être, comme le bruit s'en répand bientôt, obstiné mais incontrôlable, à la suite de gros pourboires espagnols ou génois ?

Aussi bien les grands problèmes politiques de cette dramatique année 1552 ne sont-ils pas là, en Méditerranée. Ils ne dépendent ni de Dragut, ni de Sinan Pacha, ni du très vieil André Doria. Ceux qu'on voudrait percer à jour, c'est encore l'Empereur, ou Henri II, ou l'énigmatique Maurice de Saxe. Indifférent en matière de religion, réaliste, d'aucuns disent amoral, il y a peu de personnages aussi troubles que ce Maurice de Saxe. C'est lui qui a mené le jeu contre Charles Quint et lui a fait payer la rançon de Muhlberg en l'obligeant à fuir par les Alpes jusqu'à Villach, au delà du Brenner. Puis, il s'est arrêté en plein succès, alors qu'il avait, comme on le disait, des lettres de change sur l'Italie. Pourquoi ? Parce que les soldats ne l'auraient pas suivi ? ou parce qu'il ne veut pas être à la remorque des Français ? Serait-il, chose rare, un politique lucide et pondéré, désireux de mettre un terme à la guerre allemande ; ou bien, plus simplement, s'entend-il avec les Ferdinandiens, en cette année si ondoyante, et prend-il conscience des difficultés allemandes vers l'Est, face à l'Islam ? On s'est posé toutes ces questions et s'il est difficile de se prononcer, c'est, en dernière analyse, parce que l'étonnant personnage va brusquement disparaître du monde[1], emportant avec lui la meilleure des réponses : sa propre vie.

Quant au vieil Empereur, a-t-il vraiment, comme le dit Édouard Fueter, été victime des erreurs de ses services diplomatiques ; ou, comme nous le pensons, de son obstination ? Il a cru peut-être s'en tirer sans combattre, puisque huit années durant, il avait réussi ce tour de force du côté de la France. Sans combattre, c'est-à-dire sans bourse délier. Or, ses difficultés d'argent sont grandes ; ce n'est qu'après la fuite d'Innsbruck que l'Empire habsbourgeois s'est décidé à un immense effort. Peut-être, comme le risque Richard Ehrenberg, Charles Quint n'a-t-il été sauvé, en juin 1552, que par les 400 000 ducats que lui a avancés Anton Fugger[2] ? Ce crédit lui a permis, à Passau, de parler avec fermeté. L'aide puissante venue de Florence (sous forme d'un prêt de 200 000 ducats), de Naples (800 000 ducats) et surtout d'Espagne, a envigoré le grand corps impérial[3]. Et c'est à partir de 1552 que les exportations espagnoles d'argent hors de la Péninsule, en direction de Gênes et surtout d'Anvers, sont, pour la première fois, devenues considérables[4]. On accuse Charles Quint d'imprévoyance. Mais pouvait-il, devait-il compter sur la demi-trahison des Ferdinandiens qui lui fut si préjudiciable ? Son grand tort a été de s'obstiner à rester près d'Augsbourg, au lieu de se porter (ce qu'il essaiera de faire, mais trop tard) vers les Pays-Bas, qui sont le réduit de sa puissance, sa place forte et encore sa place d'argent[5]. C'est de là, il aurait dû le savoir depuis 1544, et de là seulement, qu'on peut frapper la France.

1. Le 11 juill. 1553, W. Oncken, éd. portugaise, op. cit., XII, 1084.
2. Richard Ehrenberg, Das Zeitalter der Fugger, Iéna, 1896, I, p. 152-154.
3. G. Turba, Venet. Depeschen, I, 2, p. 526, Innsbruck, 13 mai 1552.
4. Voir supra, I, p. 436 et sq.
5. G. Zeller, L'organisation défensive des frontières du Nord et de l'Est au XVIIe siècle, Nancy-Paris-Strasbourg, 1928, p. 4.

On a discuté tout aussi longuement à propos de la politique de Henri II. Le voyage d'Allemagne, est-ce un renversement de la politique des Valois, se demande Henri Hauser, pour répondre aussitôt par la négative[1]. Henri II retourne presque aussitôt aux préoccupations d'Italie, à ce mirage, à cette nécessité. Le nonce Santa Croce écrira, au début de 1553 : « Le Roi Très Chrétien est tourné complètement vers les choses d'Italie »[2]. Donc ce voyage d'Allemagne n'est qu'un accident. En fait, le roi n'a guère eu à choisir. Le problème, pour lui est de résister à l'énorme masse habsbourgeoise, par suite de frapper en même temps que les autres et le plus fort possible, au point le plus sensible. Les événements l'entraînent alors d'un côté ou de l'autre. En cette année 1552, c'est un fait qu'ils l'ont entraîné vers l'Est et y entraînent à sa suite l'historien de la Méditerranée, dans la mesure même où la puissance hispanique s'installe en Allemagne et puise aux Pays-Bas ses moyens, y trouve parfois une de ses décisives positions stratégiques.

La Corse aux Français, l'Angleterre aux Espagnols

L'année suivante, en 1553, la Méditerranée et ses dépendances terrestres continuent à ne pas être au centre de la politique internationale. Qu'y voit-on en effet ? Une sortie des corsaires algérois, poussée jusqu'à Gibraltar ; une campagne de l'armada turque, un peu tardive, menée jusqu'en Corse, en collaboration avec les galères françaises ; enfin, à la fin de la bonne saison, l'occupation de la Corse par les troupes françaises et les *fuorusciti* de l'île[3]. Trois opérations spectaculaires, moins importantes qu'il n'y paraît.

Salah Reis[4], un « more » né à Alexandrie d'Égypte, élevé à l'école de Barberousse, est, depuis 1552, « roi d'Alger », le septième roi d'Alger. Arrivé dans sa ville en avril, il remet d'abord à la raison des chefs de Touggourt et d'Ouargla qui refusaient de payer tribut : raids fructueux dont il revient chargé d'or et avec la promesse que le « tribut » c'est-à-dire quelques dizaines de femmes noires venues des profondeurs de l'Afrique, serait versé tous les ans. L'hiver de 1552-1553, à Alger, fut consacré à un équipement minutieux de la flotte et, dès le début de juin, Salah Reis sortit avec 40 vaisseaux, galères, galiotes et brigantins — tous bien armés. Cependant la première tentative de la saison, sur Majorque, se termina par un échec cuisant ; et ensuite, au long de la côte d'Espagne, les marines ayant été alertées en temps voulu, les corsaires firent buisson creux. C'est seulement dans le détroit que l'occasion leur fut donnée de saisir cinq caravelles portugaises qui, par hasard, transportaient un gouverneur de Velez, prétendant au trône du Chérif et revenant de la Péninsule où il avait, avec ses partisans, tenté d'avancer son affaire. Tout fut enlevé, caravelles, Portugais et Marocains, et transporté à Velez où Salah Reis, dit Haedo, fit cadeau du butin au Chérif, en gage d'amitié et de bon voisinage, et pour qu'il épargnât à l'Oranie voisine ses fréquentes incursions. N'empêche que trois mois plus tard, de nouveaux incidents de frontière surgissaient du côté de Tlemcen et le maître d'Alger devait passer son hiver à préparer une expédition, cette fois contre le Maroc... Il est vrai qu'il avait eu la précaution de ramener à Alger le prétendant Ba Hassoun.

1. *La prépondérance espagnole*, p. 475.
2. Cité par H. HAUSER, note précédente.
3. Henry JOLY, *La Corse française au XVIe siècle*, Lyon, 1942, p. 55.
4. D. de HAEDO, *Epitome de los Reyes de Argel*, fo 66 vo et *sq.*

Salah Reis était probablement rentré à sa base quand la flotte turque, sous le commandement de Dragut (avec, à ses côtés, Paulin de la Garde et les galères de France) arriva devant les côtes italiennes. Des intrigues, peut-être la complicité du vizir Rustem Pacha, acheté par les Impériaux[1], avaient retardé le départ de l'armada, moins forte que celle de l'année précédente et qui avait changé de maître, Dragut remplaçant Sinan Pacha. De plus, au lieu de se porter tout de suite jusqu'aux côtes de la Maremme toscane, les vaisseaux turcs perdirent leur temps à des pillages : l'île de Pantellaria fut saccagée en août, puis le port à blé de La Licata, sur la côte sicilienne. Des pourparlers de Dragut avec les Tunisiens (le roi de Tunis venait de rompre avec les Espagnols de La Goulette) retinrent aussi la flotte entre Sicile et Afrique. Grâce à ces retards, André Doria eut le temps, tout en plaçant le gros de sa flotte à Gênes, de ravitailler les places et de disposer, au long des côtes italiennes, assez de navires rapides pour être prévenu à temps des mouvements de l'ennemi.

Celui-ci n'arriva dans la mer Tyrrhénienne que le 3 août[2]. Quelques jours plus tard, les navires attaquaient l'île d'Elbe, saccageaient Capoliveri, Rio Marina, Marciana, Porto Longone. Mais l'essentiel, Cosmopolis — autrement dit Porto Ferraio — résistait à leurs attaques. C'est alors seulement, après avoir songé à l'attaque de Piombino, que la flotte s'employa au transport en Corse des troupes françaises de la Maremme de Sienne.

Il y avait eu, en effet, conseil de guerre des chefs français, à Castiglione della Pescara[3], et c'est l'avis du Maréchal de Termes, commandant des forces françaises à Parme, qui avait prévalu. Avec l'appui de Paulin de la Garde et des exilés corses (au premier rang desquels Sampiero Corso), il avait décidé, sans ordre précis du Roi, l'invasion de la grande île. La chose se fit avec une extrême facilité. Bastia enlevé le 24 août, le baron de la Garde arrivait à Saint-Florent le 26. Puis c'était le tour de Corte où s'étaient réfugiés, au milieu des terres, les commissaires génois de Bastia. Enfin, au début de septembre, Bonifacio capitulait[4], après un essai de résistance : on sait qu'elle était dans l'île, avec Calvi, la ville des Génois. Riches de butin, et en plus d'une promesse d'argent extorquée à Paulin de la Garde par Dragut lui-même, les Turcs refusèrent de prolonger le blocus de Calvi, dernière place occupée par les Génois dans l'île, et s'en retournèrent. Le 1er octobre[5], leur flotte franchissait le détroit de Messine. Elle arrivait en décembre à Constantinople.

Dirons-nous qu'une grande occasion d'abattre la Maison d'Autriche venait d'être perdue ? C'est un fait que les Turcs n'ont pas alors frappé de toutes leurs forces[6]. Manœuvres de corruption, disent certains. Mais d'autres raisons peuvent expliquer cet effort mesuré, mesuré dès le départ, puisque, de Constantinople, soixante galères seulement sont parties cette année-là. C'est que vers l'Est, la guerre de Perse continue. En cette année 1553[7], un marchand de Londres installé à Alep, Anthony Jenkinson, voit entrer dans la ville Soliman le Magnifique et son somptueux cortège en route pour la Perse : 6 000 chevau-légers,

---

1. C. LANZ, op. cit., III, p. 576, G. de RIBIER, op. cit., II, p. 436.
2. C. MANFRONI, op. cit., III, p. 386.
3. Paul de Termes à Montmorency, Castiglione della Pescara, 23 août 1553, B. N., Paris, Fr. 20 642, fo 165, copie, cité par H. JOLY, op. cit., p. 55.
4. J. CHESNEAU, Le voyage de Monsieur d'Aramon, op. cit., p. 161.
5. H. JOLY, op. cit., 53. Le détour à l'aller pour éviter des pillages au royaume de Naples, considéré un peu comme terre française.
6. Ibid., p. 385, C. MONCHICOURT, art. cit.
7. R. HAKLUYT, The principal navigations..., II, p. 112.

16 000 janissaires, 1 000 pages d'honneur « tout habillés d'or » accompagnant le Sultan qui, monté sur un cheval blanc, porte une robe brodée d'or et un énorme turban de soie et de lin. L'armée compte plus de 300 000 hommes et 200 000 chameaux suivent pour les transports... N'est-ce pas ce tableau qui fait contrepoids à la guerre méditerranéenne, qui la limite et l'amenuise ?

Cependant, grâce aux Turcs, les Français ont pris pied en Corse. A la fin de la bonne saison, l'île est à eux. La nouvelle du débarquement a stupéfié le gouvernement de Gênes, affolé Cosme de Médicis et les Impériaux, déchaîné les blâmes de la Papauté. La conquête a été très rapide. Sampiero Corso et les exilés, aidés des insulaires, ayant fait à eux seuls presque toute la besogne. Qu'on le veuille ou non, à juste titre ou non, la Corse haïssait les Génois, elle haïssait en eux les maîtres, les marchands usuriers des villes, les immigrants désargentés qui venaient, comme en pays colonial, refaire fortune. « Elle », est-ce à dire toute la Corse ? Assurément toutes les grandes familles que l'ordre génois remet au pas, et le petit peuple aussi, ensauvagé par les mauvaises récoltes et la crise économique, dérangé dans ses habitudes de vie par les nouvelles méthodes agricoles des colonisateurs. Pour tous ces gens, la domination génoise est un « *assassinio perpetuo* »[1].

Ce qui n'empêche que, dans l'île trop peuplée pour ses ressources, la guerre n'aggrave les misères. Français, Génois, Turcs, Algérois, lourds soldats allemands, mercenaires italiens ou espagnols de la *Dominante* et, ajoutons-le, partisans de Sampiero, toute cette foule de soldats doit vivre. Elle pille, gâte les récoltes, brûle les villages. Le tort de la Corse est d'avoir une signification extérieure plus grande que la sienne propre et de compter, dans cette guerre des Valois contre les Habsbourgs, comme un nœud de communication. Plus qu'à Parme, plus même qu'à Sienne, l'occupation française en Corse gêne les communications internes des Impériaux et de leurs alliés. « Tout navire allant de Carthagène, Valence, Barcelone (ajoutons de Malaga et d'Alicante) à Gênes, Livourne ou Naples passe fatalement en vue des côtes de Corse ; et ceci vaut plus encore pour le XVIe siècle, où les pirates barbaresques infestant la partie de la Méditerranée comprise entre la Sardaigne et les rivages de l'Afrique, la voie maritime normale contournait le cap Corse ou empruntait les bouches de Bonifacio. De plus, le tonnage réduit des bâtiments leur interdisait alors les grandes traversées sans escales et les navires allant d'Espagne en Italie relâchaient tout naturellement dans les ports des Corses »[2]. Les contemporains furent tout de suite conscients, les uns pour s'en réjouir, les autres pour s'en inquiéter, de l'importance de la conquête de ce « frein de l'Italie », comme disait Sampiero Corso[3].

La contre-attaque impériale ne tarda pas. Dès que le mauvais temps, rompant la coopération estivale des Français et des Turcs, rétablit l'ordinaire proportion entre les flottes occidentales, la situation se trouva renversée, Gênes et la Toscane ayant pour elles la proximité de leurs bases, tandis que l'île, loin des galères françaises retournées à Marseille[4] et de plus, directement menacée par les Génois toujours accrochés à Calvi, n'était que sous la garde des insurgés et de 5 000 vieux soldats. Henri II semble bien d'ailleurs avoir

1. Tommaseo, *Proemio alle lettere di Pasquale Paoli*, p. CLIII, cité par H. Joly, *op. cit.*, p. 28.
2. H. Joly, *op. cit.*, p. 8.
3. *Ibid.*, p. 9.
4. *Ibid.*, p. 71 et 72.

engagé, en novembre, des négociations indirectes avec Gênes[1]. Mais celle-ci, poussée dans cette voie par le duc de Florence, faisait déjà appel à l'Empereur[2], engageait 800 000 ducats, levait 15 000 hommes. Le corps expéditionnaire envoyé par Doria quitta la ville le 9, il s'attarda un peu sur la rivière génoise et atteignit le 15 le Cap Corse. Le 16, il entra dans le golfe de Saint-Florent dont la garnison capitula, le 17 février suivant[3]. Une guerre difficile s'engageait.

L'année 1553 a donc été une année mouvementée en Méditerranée. Mais au regard de la vaste guerre qui couvre l'Europe, ces événements méditerranéens comptent-ils autant que ceux du Nord ? Le grand épisode est la dramatique succession d'Angleterre. Le 3 juillet 1553[4], Édouard VI était mort ; une Angleterre officiellement protestante disparaissait avec lui, presque amie de la France, hostile aux Habsbourgs, si bien qu'on put, aux Pays-Bas, rendre simultanément grâce à Dieu de la disparition de Maurice de Saxe (mort le 11 juillet) et de l'avènement de Marie Tudor[5]. Pourtant cet avènement, dans un pays convulsé, fut particulièrement difficile et posa aussitôt la question, peu simple également, du mariage de la reine. Après mille traverses, après avoir au dernier instant écarté la candidature d'un infant un peu mûr, Don Luis de Portugal, oncle de Marie[6], le jeune prince Philippe l'emporta. Ce succès, « qui portait avec soi grande jalousie »[7], était dû à l'Empereur, à Granvelle, à l'ambassadeur Simon Renard dont ce fut le chef-d'œuvre incontestable. Le 12 juillet, le traité de mariage était signé ; il fut publié dans le royaume deux jours plus tard[8].

Au moment où l'Empire habsbourgeois recevait de si grands coups, la fortune rétablissait sa cause par ce succès inattendu. Des Pays-Bas, renonçant à s'appuyer sur l'Allemagne divisée et qu'il laisse, comme à dessein, se diviser davantage, l'Empereur s'accote maintenant à l'Angleterre. Il concentre ses forces près de la mer du Nord, cette Méditerranée septentrionale qui lui appartient presque toute, ainsi que les grandes routes qui y conduisent venant de l'Océan. Il fait des Pays-Bas sa place inexpugnable[9]. Pour le Roi Très Chrétien, les perspectives de cet hiver 1553-1554 sont donc assez sombres. Aurait-il même, comme l'espère l'ambassadeur vénitien, le pouvoir d'empêcher le prince d'Espagne de gagner son nouveau royaume (et l'occasion s'en présentera à Villegaignon sans qu'il s'en saisisse[10]), où serait l'avantage ? En Allemagne, le coup n'est pas moins fortement ressenti. « Les princes d'Allemagne, écrit l'ambassadeur vénitien auprès de Charles Quint, le 30 décembre 1553[11], sont encore en doute que le prince d'Espagne, s'approchant d'Allemagne comme il le fera en gagnant l'Angleterre, ne puisse, avec l'aide nouvelle de ce

1. *Ibid.*, p. 117.
2. *Ibid.*, p. 14, note 1.
3. Le 17, H. JOLY, *op. cit.*, p. 106, et non le 27, C. MANFRONI, *op. cit.*, III, p. 389.
4. W. ONCKEN, *op. cit.*, XII, p. 1086, le 6 juillet.
5. Da Mula au Doge, Bruxelles, 29 juillet 1553, G. TURBA, *Venetianische Depeschen*, I, 2, p. 617. Sur la reconnaissance de Marie Tudor, comme reine d'Angleterre, *Reconocimiento de Maria Tudor por Reina d'Inglaterra*, Simancas E° 505-506, f° 7.
6. Enrique PACHECO Y DE LEIVA, « Grave error politico de Carlos I », *in : Rev. de Archivos, Bibl. y Museos*, 1921, p. 60-84.
7. Granvelle à Renard, 14 janvier 1553, cité par M. TRIDON, *op. cit.*, p. 85.
8. M. TRIDON, *op. cit.*, p. 84. Dès novembre 1553, le résultat était acquis, Charles Quint à la reine de Portugal, Bruxelles, 21 novembre 1553, *in :* E. PACHECO, *art. cit.*, p. 279-280.
9. W. ONCKEN, *op. cit.*, XII, p. 1086.
10. Ch. de la RONCIÈRE, *H. de la marine française*, 1934, III, p. 491-492.
11. Da Mula au Doge, Bruxelles, 30 déc. 1553, G. TURBA, *op. cit.*, I, 2, p. 640.

royaume et grâce aux divisions germaniques, tenter avec les armes de s'approprier la « coadjuterie » de l'Empire, qu'il avait autrefois essayé de gagner en négociant. »

Avant même d'être conclu, le mariage anglais pèse dans les balances de la diplomatie[1]. La seule consolation, pour les ennemis de l'Empereur, c'est que le mariage n'est pas encore consommé, que l'île anglaise est secouée de troubles graves, que les Français, par leurs appels au peuple de Londres, voudraient les rendre plus graves encore[2]. On ira jusqu'à songer, en février 1554, à transporter la reine en lieu sûr, à Calais[3]. Ce n'est donc pas l'appui de l'Angleterre que Charles Quint s'est acquis, mais la bonne volonté d'une reine qui n'en est que la maîtresse contestée, encore peu assurée de ses moyens et pas même des secours espagnols dont les Français peuvent arrêter[4] le passage vers l'Angleterre, une reine enfin plus démunie d'argent que l'Empereur lui-même ou son fils.

Les abdications de Charles Quint : 1554-1556

Or, le manque d'argent pèse lourdement sur cette phase de la guerre. Du côté de l'Empereur, des difficultés ne cessent de surgir avec les Fugger, les Schetz et autres prêteurs d'Augsbourg, d'Anvers ou de Gênes[5]. Du côté français, le Roi trouve bien à emprunter sur la place de Lyon : 1553 sera l'année du « grand party ». Mais cet argent qu'on emprunte, il faut le rembourser et, à cet effet, demander toujours davantage d'impôts. Il s'ensuit dans le pays un étrange malaise, et qui date d'assez loin.

Déjà, en 1547[6], le connétable avait dû réprimer, en Guyenne, des troubles paysans à cause des tailles. En avril 1552[7], des avis transmis en Espagne signalaient que la France ne manquait ni de blé, ni de pain, mais que le mécontentement y était très grand contre l'impôt qui n'épargnait ni les monastères, ni les hôpitaux de Saint-Antoine ou de Saint-Lazare. La guerre qui recommençait en cette année 1552, c'était la ruine des petites gens, des marchands, des paysans qui avaient tout à craindre des exactions des gentilshommes. « Chaque gentilhomme, poursuit le même avis, ne prend-il pas partout ce dont il a besoin ? Tous ces gens sont comme Maures sans maîtres. » Il s'agit, il est vrai, d'un avis espagnol, sujet à caution, mais en avril 1554, un avis de France destiné à la Toscane[8] signale lui aussi la lassitude des gens, le mauvais état des armées, l'impossibilité où se trouve le roi, faute d'argent, de lever des Suisses, la montée des impôts, une fois de plus, et la fonte de l'argenterie privée, la vente des lettres

1. Charles Quint à Philippe, 1er janv. 1554, A. E. Esp. 229, f⁰ 79. Sur l'attitude de Soranzo en Angleterre, da Mula, 2 mars 1554, G. TURBA, *op. cit.*, I, 2, p. 645, note 2.
2. Le connétable au cardinal de Paris (à Rome), Paris, 3 févr. 1554, A. N., K 1489 (copie en italien). Simon Renard à Charles Quint, Londres, 29 janv. 1554, A. E. Esp. 229, f⁰ 79 ; du même au même, 8 févr. 1554, f⁰ 80 ; 19 févr. 1554, mars 1554, *ibid.* ; *CODOIN*, III, p. 458.
3. E. LAVISSE, *op. cit.*, V, 2, p. 158.
4. Ils postent à cet effet des troupes près de Calais, le connétable au cardinal de Paris, Paris, 3 févr. 1554, copie italienne, A. N., K 1489.
5. Charles Quint à Philippe, Bruxelles, 13 mars 1554, A. E. Esp. 229, f⁰ 81 ; 21 mars 1554, f⁰ 82 ; 1er avr. 1554, f⁰ 83 ; 3 avr. 1554, f⁰ 84. Da Mula au Doge, Bruxelles, 20 mai 1554, G. TURBA, *op. cit.*, I, 2, p. 648 et *sq.*
6. E. LAVISSE, *op. cit.*, V, 2, p. 137.
7. Avisos de Francia, Nantes, 26 juin 1552, A. N., K 1489.
8. Avisos de Francia, 3 avril 1554, A. d. S. Florence, Mediceo 424, f⁰ 5, cité par H. JOLY, *op. cit.*, p. 119.

249

de noblesse, les contributions exigées du clergé... Dans tous les pays chrétiens, d'ailleurs, France, Espagne, Italie ou Allemagne, la lassitude est la même : le pape essaiera, en août, de s'en servir pour une tentative de paix[1].

L'empire turc lui-même, dont les forces sont engagées en Perse, n'est pas en meilleure posture. Il faut, en 1555, que l'ambassadeur du Très Chrétien, Codignac, aille jusqu'au milieu de l'armée qui opère contre le Sophi solliciter du Sultan lui-même l'envoi de l'armada[2].

Ainsi, là où les historiens imaginent intrigues et calculs, n'y-a-t-il pas eu, souvent, manque de moyens financiers ? Pendant ces deux années 1554-1555, la guerre est partout mollement menée : guerre de places sur la frontière des Pays-Bas et les lisières du Piémont où Brissac[3] prend par surprise la ville forte de Casal, en juin 1555 ; petite guerre maritime en Méditerranée où l'armada turque ne fait qu'apparaître : en 1554, sous la conduite de Dragut, elle s'attarde à Durazzo plus que de raison, c'est du moins l'avis des Français qui, de concert avec les galiotes d'Alger, ont essayé, pendant ce temps, d'intervenir en Corse et sur les côtes de la Maremme toscane[4]. En face d'eux, aucune réaction, d'autant qu'un certain nombre de galères espagnoles ont été envoyées dans l'Atlantique pour accompagner Philippe en Angleterre. Mais Dragut arrive tard et court à peine le long de la côte de Naples, pour regagner l'Orient presque aussitôt. Les agents français crient à la trahison[5] et, dès lors, s'emploieront à écarter le personnage du commandement de la flotte. Il est possible, après tout, que Dragut ait reçu de l'argent des Impériaux. Mais l'année suivante, il n'occupe dans la flotte qu'une place de second plan, sous les ordres du nouveau capitan pacha, Piali Pacha, homme jeune, inexpérimenté. Or, malgré le roi de France qui a demandé une guerre « forte et royde »[6], la flotte turque ne fait guère qu'assister, sans y prendre part, au siège de Calvi qui, bien ravitaillé par les Génois, fera échec aux Français. Elle assiste, avec autant de nonchalance, à la tentative d'août contre Bastia qui, depuis l'année précédente, était retombée aux mains de l'ennemi. Enfin, après quelques tentatives manquées sur les côtes et les îles toscanes, arguant du manque de vivres[7] et du mauvais temps, elle vire de bord et s'en retourne. N'a-t-on pas le droit de penser qu'elle avait reçu, comme celle de l'année précédente, des instructions de prudence ?

Cette carence des grands États permet aux petits de se montrer plus efficaces qu'à l'ordinaire. On a vu avec quelle énergie Gênes mène sa guerre en Corse ; en 1554-1555, elle rejette les Français d'une grande partie de l'île[8]. L'effort de Cosme de Médicis n'est pas moins puissant : mal soutenu sur mer par André Doria qui d'une part est prudent et de l'autre, comme Génois, voit sans plaisir l'expansion toscane, Cosme a tout de même obligé les Français de Sienne à capituler, le 21 avril 1555 ; quelques mois plus tard, il reprend Orbitello sur la côte de la Maremme. Seule subsiste alors la « République »

1. H. JOLY. op. cit., p. 118.
2. C. MANFRONI, op. cit., III, p. 392 et références à E. CHARRIÈRE, op. cit.
3. H. JOLY, op. cit., p. 122.
4. C'est au cours de ces opérations que périt Leone Strozzi.
5. C. MANFRONI, op. cit., III, p. 391.
6. Ibid., p. 392; E. CHARRIÈRE, Négociations..., II, p. 351.
7. Marquis de Sarria à la princesse Jeanne, Rome, 22 nov. 1555, J. J. DÖLLINGER, op. cit., pp. 214-216.
8. Durant l'hiver, la flotte génoise sort de sa tanière. Sur 12 galères qui lui sont confiées, Jean André Doria, dont ce sont les débuts, en perd neuf en janv. 1556, par suite d'un coup de libeccio, sur les côtes de Corse, C. MANFRONI, op. cit., III, p. 394.

de Montalcino, dans les montagnes de l'Apennin, refuge des patriotes siennois et de quelques Français[1]. Mais dès la fin de 1555, Cosme s'y attaque en commençant par le nettoyage du Val di Chiana[2].

De son côté, l'État algérois mérite à lui seul, pour ces deux années, une mention plus large que la flotte ottomane. En 1554[3], Salah Reis, conduisant son armée par mer jusqu'au port « neuf » de Melilla, puis par terre jusqu'à Taza et à Fez où il est entré en vainqueur, a mené contre le Maroc un raid d'une étonnante rapidité. La cavalerie marocaine ne put résister aux arquebuses des Turcs. Mais le raid victorieux fut sans lendemain, car les vainqueurs, ayant installé à Fez leur protégé (leur esclave de la veille, ce Ba Hassoun fait prisonnier l'année précédente) celui-ci se faisait bientôt tuer par l'ancien Chérif, revenu dans la ville dès le départ des vainqueurs qui, chargés de butin, gratifiés de grosses sommes d'or par leur protégé reconnaissant, s'en étaient retournés sur les chevaux et les mulets des Marocains. Tout ce qui restera aux Algérois de cette expédition, c'est le petit rocher du Peñon de Velez, cet îlot dont nous aurons à reparler[4].

L'année suivante, en 1555, c'est vers l'Est qu'ils retournent leur activité, contre Bougie, ou plutôt contre le préside espagnol de Bougie, car il ne s'agit plus d'une vraie ville, mais, en deçà des anciennes limites de l'agglomération indigène, d'une petite zone fortifiée, en forme de triangle, avec à chaque angle un fort ; le château impérial, ouvrage rectangulaire analogue à la forteresse primitive de La Goulette ; le grand Château et le petit Château de la mer, anciennes constructions maures, face au rivage[5]. A l'intérieur de ces remparts, une centaine d'hommes et quelques dizaines de chevaux. Pour nourrir les uns et les autres, il fallait compter autant sur les sorties que sur l'arrivée des bateaux ravitailleurs. C'est en allant faire une corvée de fourrage que le vieux Luis Peralta, gouverneur de la place, avait trouvé la mort dans une embuscade. laissant à son fils Alonso la charge de lui succéder[6]. En juin 1555, Salah Reis quittait Alger avec quelques milliers de soldats, dont des renégats *excopeteros*, tandis qu'il dépêchait par mer, pour le transport des vivres et de l'artillerie, une petite flotte : deux galères, une barque, une « saète » française réquisitionnée à Alger, bien peu de chose on le voit, la plupart des vaisseaux corsaires étant partis se joindre à la flotte de Leone Strozzi. Mais ces moyens suffirent : le fort ne put résister à l'artillerie et ses défenseurs gagnèrent la ville proche où la défense n'était guère possible. Alonso de Peralta capitulait bientôt contre promesse, pour lui-même et quarante de ses compagnons, à son choix, de la vie sauve et du rapatriement en Espagne, à bord de la saète française. En Espagne, le retentissement fut énorme[7]. A Valence, en Catalogne, en Castille, on parla de monter une expédition de revanche et l'archevêque de Tolède, Siliceo[8], se mit à la tête du mouvement. Puis tout se calma. comme il arrive, note Luis

---

1. Lucien ROMIER, *Les origines politiques des guerres de religion*, Paris, 1914, II, pp. 393-440.
2. COGGIOLA, « Ascanio della Corna », p. 114, note 1, déc. 1555.
3. D. de HAEDO, *Epitome,... op. cit.*, fos 68 et 68 v°.
4. Voir *infra*, pp. 307-308.
5. Paule WINTZER, « Bougie, place forte espagnole », in : *B. Soc. géogr. d'Alger*, 1932, p. 185-222, spécialement p. 204 et *sq.*, et 221.
6. Diego SUÁREZ, *Hist. del maestre ultimo que fue de Montesa...* Madrid, 1889, p. 106-107.
7. Luis de CABRERA, *Felipe II, Rey de España*, Madrid, 1877, I, p. 42.
8. Peticiones del Cardenal de Toledo para la jornada de Argel y Bugia y Conquista de Africa, Simancas E° 511-513.

Cabrera, en ces affaires d'honneur et de réputation lorsqu'elles demandent beaucoup d'argent. L'expédition fut ajournée sous le prétexte que l'Empereur n'était pas en ses royaumes ; mais le ressentiment resta si vif qu'Alonso de Peralta fut appréhendé à son retour, jugé et décapité à Valladolid, le 4 mai 1556[1]. Était-il si coupable ? Bougie attaquée, il avait envoyé en temps voulu sa demande de secours en Espagne, d'où les ordres avaient été expédiés avec lenteur jusqu'au duc d'Albe, alors vice-roi de Naples. Quand le prince Doria, alerté par le duc, se trouva à Naples, en mars 1556, avec ses galères prêtes à mettre la voile, arriva la nouvelle de la capitulation[2]...

Tandis que les petits pays réglaient leurs affaires particulières, le jeu des grands États se poursuivait sur le plan diplomatique. La mort du pape Jules III, le 22 mars 1555[3], avait fait perdre à Charles Quint un appui indéniable. Le roi de France hérita de ce qu'il avait perdu quand, après le règne de Marcel II qui ne devait durer que quelques semaines[4], Paul IV fut élu, le 23 mai 1555[5], le jour même où s'engageaient, à la Marche, des négociations franco-impériales en vue de la paix[6]. Rien ne fit paraître, au début, les sentiments d'hostilité violente du Pape à l'égard de l'Empereur, mais à eux seuls, ils menaçaient la paix qui semblait vouloir s'établir dans le Nord. En effet, un traité secret (dont on a cependant connu l'existence alors à Venise et à Bruxelles), en date du 13 octobre 1555, assurait les Français de l'alliance formelle du Pape, au cas où les espoirs de paix s'évanouiraient[7].

A l'intérieur même de l'Empire, s'annonçaient de non moins importants changements. Philippe était arrivé en Angleterre sans encombre, en 1554[8], et ç'avait été la manchette de toutes les correspondances diplomatiques. Était-il, ou non, aimé de la Reine ? Aurait-il des enfants ? (on disait non, dès 1555). En même temps, on apprenait que Charles Quint cédait à son fils, roi d'Angleterre, les royaumes de Naples et de Sicile et le duché de Milan[9]. Sans doute le geste était-il surtout destiné à valoriser le nouveau marié, geste analogue à celui de Ferdinand faisant nommer son fils Maximilien roi de Bohême, en 1551 : questions de prestige et de protocole. Cependant, dans ces renonciations — nous avons pour nous en convaincre le testament que Charles Quint rédigeait en cette même année 1554 — il y a déjà, en puissance, l'abdication de l'Empereur. Ou plutôt les abdications, car on ne pense d'habitude qu'à la

---

1. Paule WINTZER, art. cit., p. 221. En sa faveur, Diego SUÁREZ, op. cit., p. 107.
2. Le duc d'Albe à la princesse Jeanne, 29 mars 1556, Simancas Eo 1049, fo 11.
3. G. MECATTI, Storia cronologica della Città di Firenze, op. cit., II, p. 697.
4. COGGIOLA, « Ascanio..., » p. 97.
5. H. JOLY, op. cit., p. 122 ; S. ROMANIN, op. cit., VI, p. 230.
6. H. JOLY, op. cit., p. 120.
7. Simancas Po Real, no 1538, 13 oct. 1555, COGGIOLA, art. cit., p. 246.
8. Philippe à la princesse Jeanne, Windsor, 9 août 1554, A. E. Esp. 229, fo 84. Viaje de Felippe II (sic) à Inglaterra quando en 1555 fué a casar con la Reina Da Maria, CODOIN, I, p. 564.
9. Ici les dates sont difficiles à fixer avec exactitude. Le 25 juil. 1554, la minute de la renonciation de Charles Quint au royaume de Naples était présentée à Philippe par le régent Figueroa (Simancas Eo 3636, 25 juil. 1554, G. MECATTI, op. cit., II, 693). Le 2 oct. de cette même année, Jules III concédait l'investiture des royaumes de Naples et de Sicile à Philippe (Simancas Eo 3638, 23 oct. 1554), puis, le 18 nov., le Pape lui concédait en fief les royaumes de Sicile et de Jérusalem (Simancas Eo 1533, Rome, 18 nov. 1554). Pour Naples, Lodovico BIANCHINI, Della Storia delle Finanze del Regno di Napoli, 1839, p. 52-53. La renonciation de Charles Quint au royaume de Sicile serait, à l'en croire, du 16 janv. 1556, mais cette renonciation est faite au nom de « Carolus et Joana reges Castelle » donc forcément avant la mort de Jeanne la Folle en 1555.

grande scène de Gand, mouillée de larmes, à l'abdication des Pays-Bas où, devant les États, le 25 octobre 1555, Charles annonça, pour la première fois, son intention de quitter le monde[1]. Or, à cette époque, il s'était déjà dépouillé de la Sicile, de Naples et du Milanais ; en janvier 1556, sans bruit et de loin, il se dépouillera de l'Espagne[2]. En 1558 seulement, peu avant sa mort, il abandonnera la couronne d'or impériale, ultime renoncement qu'avaient retardé les instances de Ferdinand lui-même[3], inquiet des aléas d'une élection impériale, peut-être aussi celles de Philippe qui, aux Pays-Bas et en Italie, sentait le besoin de cette ombre protectrice.

Ces abdications, on a peut-être tort, depuis Mignet et Gachard, de les réduire à un conflit intérieur, tout personnel. Il faut tenir compte aussi du climat de guerre de ces années 1554-1556. Charles Quint a peut-être voulu éviter à son fils les dangers d'une succession s'improvisant dans le désordre, au lendemain de sa mort. S'il renonce au plus cher de ses projets, s'il abandonne aux Ferdinandiens le gros vaisseau de l'Allemagne, c'est qu'il a mesuré, depuis 1552 et 1553, l'impossibilité de le conduire. Il en a lui-même lâché la barre quand il a laissé à Ferdinand, en 1555, le soin et la responsabilité de la paix d'Augsbourg, cette paix qui va donner à l'Allemagne une évidente tranquillité pour le restant du siècle, mais qu'il a détestée en son cœur. D'ailleurs, cette Allemagne si peu sûre, l'Angleterre, cadeau de noces de Philippe, peut la remplacer dans l'équilibre des forces. L'abandonner, c'est peut-être le seul moyen d'en finir avec la guerre et ses colossales dépenses.

Quoi qu'il en soit, et c'est une chose importante pour le monde méditerranéen, l'Empire de Philippe se détache de la masse allemande. Le dernier lien tombera, en juillet 1558, lorsque Philippe II réclamera ce vicariat de l'Empire en Italie que lui avait promis la convention de 1551[4]. Son ambassadeur auprès de Ferdinand reçut de ce dernier, le 22 juillet 1558, une assez belle réponse : « ...ayant examiné ce que vous aviez à traiter avec moi... de la part du Sérénissime Roi d'Espagne et d'Angleterre, notre très cher et très aimé neveu, au sujet de la charge de lieutenant impérial en Italie..., vous pourrez dire de notre part à son Altesse que, de même que nous avons le souvenir de lui avoir fait cette promesse, nous avons le désir de la tenir ». Mais l'affaire est délicate. « ...Son Altesse doit bien se souvenir que lorsque, entre l'Empereur mon maître et moi et d'autres que sait son Altesse, il fut question de le faire notre Coadjuteur à l'Empire, ainsi que mon fils le Roi Maximilien, nous leur représentâmes les inconvénients, altérations et tumultes qui pouvaient s'ensuivre dans l'Empire ; et que l'on ne réussirait pas dans cette voie. Avec tout cela, par respect pour l'Empereur et pour obéir à sa volonté, nous dûmes faire ce qui fut fait ; et peu après, on reconnut que j'avais été meilleur prophète que nous ne l'aurions voulu puisque, mis au courant de notre destin, le duc Maurice et les princes prirent les armes... »[5]

Alors aujourd'hui va-t-on, à propos du vicariat, courir les mêmes risques, renforcer l'accusation faite aux Habsbourgs de vouloir rendre l'Empire *heredi-*

1. Pour le récit abrégé, voir Charles BRATLI, *Philippe II, roi d'Espagne*, Paris, 1912, p. 87 et sq. ou L. PFANDL, *op. cit.*, p. 272 et sq.
2. *Renuncia de Carlos V en favor de Felipe II de los reinos de Castilla*, Simancas E° 511-513.
3. Ainsi Ferdinand à Philippe II, Vienne, 24 mai 1556, *CODOIN*, II, p. 421 ou Charles Quint à Ferdinand, Bruxelles, 8 août 1556, *ibid.*, p. 707-709.
4. Cf. ci-dessus, I, pp. 235-236.
5. *CODOIN*, XCVIII, p. 24.

tario ? Lutter contre les grandes forces de l'Allemagne est hors de saison, « étant donné les tâches et nécessités qui nous accablent, Son Altesse du côté de la France et aussi du Turc, moi du côté du Turc et des rebelles de Hongrie, sans compter les questions religieuses et autres embarras qui ne nous manquent pas », sans compter les difficultés que fera le pape, ennemi de la Maison d'Autriche. « A tout cela, continue Ferdinand, s'ajoute un autre inconvénient : pour exercer sa charge, il faut que Son Altesse réside forcément en Italie ; c'est à cette condition implicite que nous l'avons promise et jamais il n'a été dans notre intention, comme c'est trop évident, que l'on puisse l'exercer des Flandres, d'Angleterre ou d'Espagne... » Abrégeons cette prose plus ironique sans doute à nos yeux qu'à ceux de Philippe, pour en arriver à la conclusion : « dans ces conditions, nous promettons dès maintenant qu'à quelque moment que son Altesse ait à se rendre en Italie, nous lui enverrons nos patentes en la forme qui convient... ». Promesse que devait emporter le vent : Philippe II allait bientôt n'être plus que roi d'Espagne.

C'est peut-être son renoncement à l'Allemagne, implicite dès les premières abdications de l'Empereur, qui a, plus que tout, contribué à la paix européenne. Les pourparlers engagés à la Marche et qui, contrairement à l'opinion courante, n'avaient pas été interrompus[1], ont fini par aboutir à la trêve de Vaucelles, bâclée le 5 juin 1556[2], grâce à l'entremise de la reine d'Angleterre et, comme de juste, à la veille de l'été.

Cette trêve ne résolvait rien sans doute, elle se contentait de reconnaître le *statu quo*. Mais elle arrêtait les hostilités, c'est-à-dire d'énormes dépenses ; et c'est ce que chacun désirait : « Faulte d'argent en ceste saison est par tout le monde », s'écriait Ferdinand qui, de son côté, espérait obtenir, par l'entremise des Français, une trêve avec le Turc[3], cependant que Charles Quint, dans cette atmosphère apaisée, songeait à partir[4] pour l'Espagne, abandonnant enfin le monde et le pouvoir et laissant derrière lui Philippe aux Pays-Bas. Ainsi l'Empire se continuerait à peu près sous la même forme, avec Bruxelles comme capitale politique et militaire, Anvers comme capitale de l'argent. Beaux projets : de Bruxelles, on pouvait, en effet, voir et gouverner l'Europe. Mais l'Europe était-elle disposée à se laisser gouverner ?

3. Retour à la guerre. Les décisions viennent encore du Nord

La rupture de la trêve de Vaucelles

C'est un problème difficile à comprendre que la rupture de la trêve de Vaucelles. Vu l'épuisement des adversaires, elle pouvait assez bien contenter, pour un temps, les uns et les autres : la France qui conservait ses conquêtes,

---

1. A ce sujet, la démonstration chez H. JOLY, *op. cit.*, p. 126, contrairement à l'opinion de Francis DECRUE de STOUTZ, *Anne de Montmorency*, Paris, 1899, II, p. 1.
2. A. d'AUBIGNÉ, *Histoire universelle*, Paris, 1886, I, p. 125 ; E. LAVISSE, *op. cit.*, V, 2, p. 160, dit 15 févr., mais le roi de France publie la trêve dès le 13 (13 févr. 1556, A. N., K 1489), F. HAYWARD, *op. cit.*, II, 18.
3. Ferdinand à Charles Quint, Vienne, 22 mai 1556, C. LANZ, *op. cit.*, III, p. 69, 702.
4. Il débarquera à Laredo, le 6 oct. 1556, L. P. GACHARD, *Retraite et mort de Charles Quint*, Bruxelles, 1854, p. 137.

et notamment la Savoie et le Piémont ; les Habsbourgs qui apparaissaient, une fois de plus, comme les maîtres du monde. Ils tenaient la Sicile, Naples, Sienne, Plaisance, Milan, autant dire que la Péninsule était à eux. Car le Piémont, est-ce encore l'Italie, au XVIe siècle ? Enfin, il y avait pour la Papauté une merveilleuse occasion de s'employer à transformer cette trêve en paix générale. C'était son rôle traditionnel[1] et Paul IV se sentit obligé de s'en donner au moins les apparences : il se réjouit officiellement[2], députa auprès des signataires, alla jusqu'à s'attribuer le mérite de l'accord auprès de l'ambassadeur vénitien Navagero[3], mais ne trompa personne et surtout pas les Vénitiens.

En fait, l'annonce de la trêve avait éclaté à Rome comme un coup de foudre[4]. La nouvelle courut aussitôt qu'elle avait été conclue malgré le pape, en dépit de tous ses efforts[5]. C'est grâce à lui, en tout cas, qu'elle devait se rompre. Qu'un homme ait pu, à lui seul, et avec cette rapidité ranimer la guerre mal éteinte, voilà qui rappelle à propos le rôle des individus dans le jeu précipité de l'histoire. En ce très vieil homme (né en 1477, il avait 79 ans quand il fut porté sur le trône de Saint-Pierre), mais étonnant d'ardeur, d'une vitalité débordante, d'une magnifique piété (il est le fondateur des Théatins), l'Église a trouvé un défenseur intransigeant et qui rouvre, contre Charles Quint, le conflit que la mort de Paul III avait interrompu en 1549, l'éternel conflit de Rome contre César, contre l'homme du sac de 1527, celui qui a laissé triompher les Protestants en Allemagne et accepté la paix d'Augsbourg.

Ceci, c'est un des aspects de l'antipathie de Paul IV pour Charles Quint, l'antipathie du Pontife qu'il ne faut pas sous-estimer. Mais il y a l'autre, celle du Napolitain, chef de la famille francophile des Caraffa, qui hait en Charles Quint le maître de Naples et l'ennemi de sa parenté, riche de rancunes et d'appétits. Assez vieux pour avoir connu une Italie libre, il hait dans l'Empereur, par surcroît, l'étranger, l'occupant, le représentant des Espagnols, « ces hérétiques, ces schismatiques, maudits de Dieu, semence de Juifs et de Maures, la lie du monde »[6]. Que cette idée de liberté italienne ait été puissante chez lui, ces paroles (adressées à l'ambassadeur vénitien, après l'échec de la politique du Souverain Pontife) en font foi : « Vous vous repentirez, mes chers Seigneurs Vénitiens et vous autres qui, tous, n'avez pas voulu reconnaître l'occasion de vous libérer de cette peste... Français et Espagnols, tous deux sont des barbares et il serait bon qu'ils restent chez eux »[7].

Or Paul IV est homme à agir suivant les impulsions de son esprit et de son cœur. Prédicateur et théologien, il vit dans ses idées et ses rêves plus que dans le monde qui l'entoure. « C'est un homme qui n'entend la conduite des affaires d'État qu'en gros, comme philosophe », note Marillac[8].

En rapprochant ces traits, on s'explique la politique du Souverain Pontife et sa force explosive pendant les années 1556, 1557. Partiellement, car le Pape n'est pas seul ; il n'a pas une, mais *des* politiques, et il n'est pas responsable de toutes. Près de lui se tiennent ses parents et ses conseillers, dont un homme

1. Philippe II à la princesse Jeanne, Londres, 13 avril 1557, A. E. Esp., 232, f° 232.
2. Badoero au Sénat, Bruxelles, 7 mars 1556, COGGIOLA, *art. cit.*, p. 108, note.
3. Navagero au Sénat, Rome, 21 févr. 1556, COGGIOLA, *art. cit.*, p. 232-233.
4. Badoero au Sénat, Bruxelles, 1er mars 1556, COGGIOLA, *art. cit.*, p. 108, note.
5. *Ibid.*
6. Relation de Bernardo Navagero, 1558, E. ALBÈRI, *Relazioni...*, II, 3, p. 389.
7. Ernesto PONTIERI, « Il papato e la sua funzione morale e politica in Italia durante la preponderanza spagnuola », *in : Archivio storico italiano*, 1938, t. II, p. 72.
8. E. LAVISSE, *op. cit.*, V, 2, p. 163.

redoutable, le cardinal Carlo Caraffa, personnage étrange, aussi passionné que le Souverain Pontife, mais sans ses magnifiques qualités. Avide, insatiable, coléreux, forçant les volontés, pas très scrupuleux : négociant avec les Impériaux comme avec les Français, et dans cette voie capable d'aller loin.

Venu à la cour de France, en juin 1556, comme légat *a latere*, il en était reparti avec des promesses formelles[1] d'intervention du « pacifique » Montmorency ; Coligny lui-même s'était laissé prendre à ses projets[2]. Quelques mois passent et, en octobre et novembre, au cours des pourparlers qui s'engagent entre le pape et le duc d'Albe et qui aboutiront, le 18 novembre, à une trêve de quarante jours[3], le cardinal Caraffa se trouve en contact direct avec le duc d'Albe qui a poussé jusqu'à Ostie. Les combinaisons qui en résultent sont assez inattendues : les Caraffa ne demandent-ils pas aux Espagnols les places que les Français possédaient encore en Toscane, et Sienne par surcroît ? Les papiers de Della Casa contiennent un curieux *Discorso al Card. Caraffa per impetrare dalla M. dell'Imperatore lo stato e dominio di Siena*[4], et les archives espagnoles un mémoire du 22 janvier 1557 qui détaille *las condiciones con que S. M. tendra por bien de dar al conde de Montorio* — c'est le frère du Cardinal — *el Estado de Sena para la efectuation del accordio que se trata con S. S.*[5]. Et c'est ce même Caraffa qui traite à Venise pour entraîner la Seigneurie dans la lutte contre les Habsbourgs et dans l'éventuel partage de leurs possessions italiennes. Les Vénitiens refuseront, ne voulant pas, disent-ils, « avoir les mains pleines de mouches », nous dirions pleines de vent...

Voilà le personnage qu'on a affirmé, qu'on a nié être l'interprète fidèle de la politique et de la pensée de Paul IV ; il n'est pas facile de départager les avis.

Ce qui est sûr, c'est que Paul IV donna très tôt des signes non équivoques de sa mauvaise volonté à l'égard des Habsbourgs[6]. On prétendit même qu'il allait convoquer un concile pour priver l'empereur de sa dignité. Aussi bien le gros problème pour les Habsbourgs était-il de savoir ce que ferait le roi de France : ou bien il restait neutre, et le pape pouvait fort bien être mis au pas ; ou bien c'était la reprise de la guerre, même si le Très Chrétien avait l'intention de rester en état de guerre « couverte », comme on dira couramment au XVIIe siècle. Dès juillet, on fut fixé, les négociations de paix entre Ruy Gomez et le connétable avaient tourné court, le connétable étant peu satisfait des pourparlers au sujet des prisonniers et de la rançon accrue que l'on demandait pour son fils. A Bruxelles, on n'avait pas d'illusions : « Pour rompre avec l'ombre d'un prétexte, ils attendent que le duc d'Albe fasse quelque chose contre le pape »[7].

1. Henri II à Ottavio Farnese, Fontainebleau. 29 juin 1556, COGGIOLA, *art. cit.*, p. 256-257 ; F. DECRUE, *Anne de Montmorency*, II, p. 186.
2. H. PATRY, « Coligny et la Papauté en 1556-1557 », *in : Bul. de la Soc. de l'hist. du protestantisme français*, t. 41, 1902, pp. 577-585.
3. Le duc d'Albe est rentré à Ostie le 14 nov. : lo que refiere un hombre que fue a Francia estos dias a entenderlo que alla se hazia (déc. 1556), A. N., K 1490. La trêve signée le 18 nov. (Sim. Patronato Real, nº 1580), prorogée le 27 déc. 1556, *ibid.*, nº 1591.
4. *Opere*, Milan, 1806, p. 119-131, cité par COGGIOLA, p. 225 et *sq.*
5. Même date, Philippe II au cardinal Caraffa, Simancas *Patronato Real*, nº 1614.
6. Ainsi dans l'affaire des Colonna qu'il dépouille de leurs terres, alors que les Colonna sont des partisan notoires de l'Espagne. Ainsi à propos des rapports toujours épineux avec Naples.
7. Lo que contienen dos cartas del embaxador en Francia de 9 y 13 de julio 1556, A. N., K 1489.

Répétons-le : que la politique des Caraffa ait produit aussi vite d'aussi grands résultats, c'est étonnant. Mais les Français pouvaient craindre, en ne se rangeant pas du côté de Rome, de grandir leur adversaire. Ils cherchèrent d'ailleurs à biaiser, à soutenir le pape sans rompre la trêve. En fait, c'est peut-être à cause de sa rapidité que l'intervention pontificale s'est montrée efficace. Les passions n'étaient pas éteintes ; les Français pensaient encore à Naples et au Milanais et l'empereur lui-même, qu'on veut déjà voir hors du monde — s'enflamme contre Paul IV. Il se fait lire les dépêches, décide au mois de juin de surseoir à son voyage en Espagne et, le souvenir aidant, sans doute, de ses vieilles luttes passionnées contre Rome, donne des instructions au duc d'Albe pour riposter aux préparatifs du Souverain Pontife. Ceci, contre l'avis de Philippe qui, à tout prix, voudrait éviter la rupture. Le conflit qui s'annonce est bien un conflit de passions, voulu par de vieilles gens, entraînées par le trouble courant de vieilles idées et de vieilles querelles, qui ne demandent d'ailleurs qu'à se grossir de nouvelles rancunes.

Saint-Quentin

C'est si vrai que, contre toute logique apparente, la guerre, renaissant en Italie et à cause de l'Italie, ne trouvera pas, dans la Péninsule et son voisinage, donc en Méditerranée, son champ d'action. Peut-être, il est vrai, à cause de l'abstention des grandes armadas turques, la France ne pouvant, sans sa puissante alliée, rien tenter de décisif dans la mer méridionale. Or il n'y eut que quelques galères turques qui, en 1556, en compagnie de corsaires et d'Hassan Corso, allèrent un instant assiéger Oran[1]. Et, en 1557, année décisive de la guerre, les Turcs n'organisèrent même pas l'équivalent de cette médiocre diversion.

En décembre 1556, François de Guise avait traversé les Alpes avec une grosse armée : 12 000 piétons, 400 hommes d'armes, 800 chevau-légers[2]. Le bruit courut qu'il avait des forces plus nombreuses encore[3]. Que faire de cette armée et des Italiens que levait[4] son seul allié d'outre-monts, le duc de Ferrare, nommé au commandement — tout théorique d'ailleurs, puisqu'il le laissait en fait entre les mains de son gendre, François de Guise — des forces françaises d'Italie ? Attaquer le Milanais, ç'eût été peut-être la sagesse. Mais ambitieux, rêvant de conquêtes et de couronnes, peut-être celle de Naples pour lui-même, François de Guise pouvait difficilement rester sourd aux appels de Paul IV, lequel venait de dénoncer les trêves signées avec les Espagnols en novembre et reconduites en décembre 1556, lequel aussi ne ménageait pas les promesses. Simon Renard rapporte, le 12 janvier, que le pape était décidé à employer tout son « papage » et les rentes de l'Église pour poursuivre la guerre[5]. Il aurait le projet de remettre aux Français Bologne et Pérouse, d'où l'on pouvait

---

1. D. de Haedo, *op. cit.*, f⁰ 69 v⁰ et 70; Jean Cazenave, « Un Corse, roi d'Alger (Hassan Corso) », *in : Rev. Afrique Latine*, 1923, p. 397-404; Socorro de Oran, Simancas E⁰ 511-513.

2. E. Lavisse, *op. cit.*, V, 2, p. 167.

3. Un hombre que se envio a Francia y bolvio a Perpiñan a los XXV de enero ha referido lo siguiente — 28 janv. 1557 — A. N., K 1490. 30 000 fantassins, 10 000 cavaliers en Piémont. Une note en marge : « todo es mentira ». Simon Renard mieux informé (Simon Renard à Philippe II, 12 janv. 1557) donne un total de 12 000 hommes, A. N., K 1490.

4. Simon Renard à Philippe II, 12 janv. 1557, A. N., K 1490.

5. *Ibid.*

mieux nuire au duc de Florence. On comprend que François de Guise ait poussé son armée jusqu'à Rome. Mais là, un mois durant, il se perdit dans des intrigues et n'attaqua le Royaume de Naples que le 5 avril, sans grand succès. En mai, il était obligé de se maintenir sur la défensive. En août, il recevait l'ordre de rentrer en France.

Ainsi abandonné, le Pape dut traiter, et définitivement. La paix, conclue avec une grande modération par le duc d'Albe, fut publiée le 14 septembre[1]. La nouvelle donna lieu à de vastes réjouissances dont nous relevons deux manifestations, l'une à Palerme, en septembre, où « *si ficiro li luminarii per la pace fatta fra la Santità del Papa Paolo quarto con la Maestà del Re Filippo Secondo, nostro Re* »[2] ; l'autre, le 18 novembre[3], à Valladolid, avec sonneries de cloches, procession et Te Deum.

Inutile de dire l'importance de cette paix hispano-pontificale ; elle marque un tournant de l'histoire du monde occidental, la réduction de Rome à l'obéissance vis-à-vis des Habsbourgs ou, si l'on veut (car avec Paul IV, cette réduction ne fut jamais parfaite : que l'on songe aux difficultés qu'il fit, en 1558, à l'Empereur nouvellement élu pour le reconnaître dans sa dignité) l'union de Rome et de l'Espagne. Celle-ci durera jusqu'en 1580-1590, pour la sauvegarde du catholicisme et de l'Église[4], pour le triomphe de la Contre-Réforme qui n'a été assuré que par cette alliance du temporel et du spirituel.

François de Guise, déjà replié sur le Milanais[5], dut repasser les monts, à la nouvelle du désastre de Saint-Quentin (10 août 1557). Coligny, on le sait, s'était glissé, dans la place, un jour après son investissement par les Espagnols. L'armée que le connétable conduisit pour débloquer la ville, fut surprise, dispersée au long de la Somme par le gros de l'ennemi, le 10 août. Il s'ensuivit un massacre et des prisonniers en masse, dont le connétable en personne. En arrière des troupes, Philippe recevait d'heure en heure les nouvelles de la victoire. « A onze heures du soir, écrit-il à son père, un courrier est arrivé du champ de bataille, nous disant la déroute de l'ennemi et la capture du Connétable ; à une heure, par un autre courrier, confirmation de la défaite, non de la capture du Connétable.., Je suis venu ici ce matin (à Beaurevoir), pour être demain sur les lieux. Un familier de mon cousin (Emmanuel Philibert) affirme avoir aperçu le Connétable et les prisonniers dont V. M. verra la liste[6]. »

Saint-Quentin enlevé, le roi de France désarmé, que ne pouvait-on faire dans son royaume ? « A condition toutefois, remarque Philippe II, que l'argent ne manque pas », *si no falta el dinero*[7]. Le grand mot était prononcé. Or, la situation du trésor était désastreuse. Le décret du 1er janvier 1557 avait ouvert la banqueroute de l'État espagnol. Tout grand projet était difficilement réalisable, à moins de jouer le tout pour le tout, de fondre sur Paris contre toutes les règles, ainsi que le voulait Emmanuel Philibert, ainsi que, du fond

1. Cavi, 14 sept. 1557. Capitulación publica sobre la paz entre Felipe II y Paulo IV ortogada entre el duque de Alba y el Cardinal Caraffa. Simancas Patronato Real, nº 1626. Clauses secrètes sur les fortifications de Paliano, *ibid.*, nº 1625.

2. Palmerino B. Com. Palerme Qq D 84. Sa date du 11 sept. n'est-elle pas fautive ?

3. Juan Vasquez à Charles Quint, Valladolid, 18 nov. 1557, L P. GACHARD, *La retraite...*, I, doc. nº C XXI.

4. Paul HERRE, *Papsttum und Papstwahl im Zeitalter Philipps II.*, Leipzig, 1907.

5. Philippe II à Charles Quint, Beaurevoir, 11 août 1557, aut. A. N., K 1490. Dans ce carton, nombreux documents sur la bataille de Saint-Quentin.

6. Philippe II à Charles Quint, cf. note précédente.

7. *Ibid.*

de sa retraite, Charles Quint allait le souhaiter au reçu de la grande nouvelle. Quel eût été le résultat ? On ne sait. Mais, à perdre leur temps au siège de petites places comme Ham, Le Catelet, Saint-Quentin et Noyon (Saint-Quentin résista après la défaite de l'armée de secours), les Impériaux perdirent le bénéfice de leur victoire.

66 — Les emprunts de Charles Quint et de Philippe II sur la place d'Anvers, 1515-1556

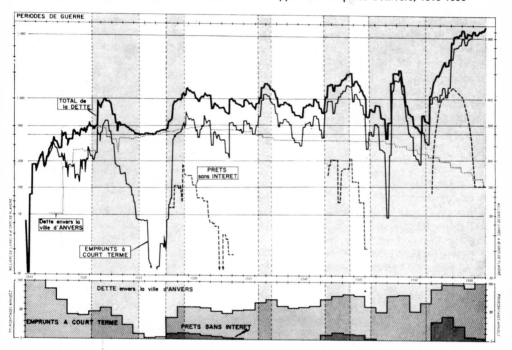

D'après Fernand BRAUDEL, « Les emprunts de Charles Quint sur la place d'Anvers » in : **Charles Quint et son temps** (C.N.R.S.), 1959.
Trois sortes de dettes : envers la ville d'Anvers ; envers les marchands de la place (emprunts à court terme), auprès des grands personnages (prêts sans intérêt). Le pourcentage est donné par le graphique inférieur : les emprunts à court terme finissent par l'emporter. Les oscillations de cette énorme dette flottante suivent les vicissitudes de la guerre. Les zones en grisé correspondent aux périodes de guerre. Chacune entraîne une montée immédiate de l'endettement. La guerre contre les Protestants d'Allemagne s'y inscrit avec ses deux temps successifs. L'échelle logarithmique tempère la montée finale de 500 000 livres en gros à 5 millions : le règne de Philippe II commence. Il faudrait, pour compléter ce tableau, avoir les mêmes enregistrements au moins pour Medina del Campo.

Le roi de France eut le temps de prendre des contre-mesures, de réunir des hommes, d'attendre le retour de Guise. Et, chose curieuse, sur les places de l'argent, le crédit du roi battu continuait à valoir mieux que celui de son vainqueur. Au cœur de l'hiver, le 31 décembre, Guise attaquait Calais et l'emportait, le 6 janvier. Les Anglais perdaient leur vieille position, par excès de confiance, peut-être aussi pour ne pas avoir accepté, en temps voulu, un renfort d'Espagnols. Quoi qu'il en soit, la situation était rétablie. Sans doute, le 13 juillet 1558, le maréchal de Termes se faisait-il battre à Gravelines et le désastre était assez grave en raison de l'intervention de la flotte anglaise ; mais le duc de Guise[1] avait enlevé, fin juin, Thionville qui pouvait menacer Metz, et ceci, une fois de plus, compensait cela.

Cette même année 1558, en Méditerranée, une grande et puissante flotte arrivait d'Orient, à la sollicitation des Français[2]. Dans les premiers jours de juin, elle apparaissait sur les côtes napolitaines ; le 7, on l'apercevait à Esquilache[3], petit port de Calabre ; le 13, elle était *in le bocche di Napoli*[4] et continuait son voyage à rapide allure[5], renonçant à ses stations habituelles. Elle put surprendre Sorrente et Massa car les habitants, prévenus par courrier spécial, n'avaient pas cru à l'imminence du danger. Le 26 juin, pillant toujours, elle se trouvait à la hauteur de Procida d'où elle mit à la voile vers le Ponent[6]. Ne trouvant pas les galères françaises dans le golfe de Gênes, elle poussa sur les Baléares où Piali Pacha s'empara, à Minorque, de la petite ville de Ciudadella[7], jetant l'alarme à Valence où l'on craignit un soulèvement des Morisques[8]. Les Français obtinrent alors qu'elle revînt vers Toulon et Nice, mais une fois là, Piali Pacha refusa de faire quoi que ce fût contre Bastia. Ce refus avait des raisons diverses : la nouvelle de Gravelines, la maladie qui décimait les chiourmes et obligeait à remorquer des galères, mais surtout, ceci est sûr, le fait que Piali avait été acheté, à bon prix, par les Génois.

Il s'en retourna suivi à distance respectueuse par les galères au service de l'Espagne, malgré les vaines protestations des Français. Ce raid, coûteux pour la Chrétienté, n'avait pas été d'un grand poids dans les balances de la guerre.

Aussi bien, à un moment où la querelle romaine était liquidée depuis septembre 1557, les deux adversaires pouvaient-ils reprendre les pourparlers de paix. On revenait, en somme, à la situation de 1556, avec cependant deux nouveautés : le 21 septembre 1558, Charles Quint mourait à Yuste et la présence de Philippe II en Espagne devenait, de ce fait, plus nécessaire encore que par le passé (nous y reviendrons) ; puis, le 17 novembre[9], Marie Tudor mourait à son tour et, du coup, se trouvait dissoute cette union, dangereuse pour la France, de l'Angleterre et de l'Empire hispanique. Avec toutes ses menaces et ses complications la question de succession se posait en Angleterre. Le Nord, une fois de plus, réclamait l'attention entière des diplomates.

---

1. Philippe II au comte de Feria, 29 juin 1558, *CODOIN*, LXXXVII, p. 68.

2. Cesáreo FERNÁNDEZ DURO, *Armada española*, Madrid, 1895-1903, II, p. 9 et *sq.* Doge et gouverneurs de Gênes à Jacomo de Negro, ambassadeur en Espagne, Gênes, 23 mai 1558, A. d. S. Gênes, Inghilterra, I, 2273. Sur le rôle de notre ambassadeur de la Vigne, Piero au duc de Florence, Venise, 22 janv. 1558, Mediceo 2974, fo 124. La flotte arrive plus tôt que d'ordinaire. Avis de Constantinople, 10 avril 1558, Simancas Eo 1049, fo 40.

3. Pedro de Urries, gouverneur de Calabre, au vice-roi de Naples, 7 juin 1558, Simancas Eo 1049, fo 43. Le 13, elle sera prise, ensuite pillage de Reggio, C. MANFRONI, *op. cit.*, III, p. 401.

4. Instruction data Mag co Fran co Coste misso ad classem Turchorum pro rebus publicis, Gênes, 20 juin 1558, minute A. d. S. Gênes, Costantinopoli 1558-1565, 1-2169. C. MANFRONI, *op. cit.*, III, p. 401, note, me semble citer une autre copie de cette instruction.

5. Elle passe devant Torre del Greco, le cardinal de Sigüenza à S. A., Rome, 16 juin 1558, Simancas Eo 1889, fo 142, A. E. Esp. 290, fo 27.

6. Don Juan Manrique à S. A., Naples, 26 juin 1558, Simancas Eo 1049, fo 41.

7. C. FERNANDEZ DURO, *Armada Española...*, II, p. 11.

8. *Ibid.*, p. 12.

9. G. TURBA, *op. cit.*, I, 3, p. 81, note 3.

La paix du Cateau-Cambrésis

La question d'Angleterre a peut-être pesé, plus que ne le pensent les historiens, sur les négociations qui devaient aboutir à la paix du Cateau-Cambrésis des 2 et 3 avril 1559.

Nul doute que l'épuisement financier n'ait contraint les adversaires à la paix. De plus, la preuve était faite qu'ils ne pouvaient obtenir une décision par les armes. Du côté français, la situation intérieure pesait aussi d'un poids très lourd. Qui prendrait à la lettre les avis qui passaient les frontières du royaume, trouverait difficilement pays plus mécontent, noblesse plus pauvre, plus misérable, peuples plus gémissants qu'en France. Si la peinture est excessive, elle n'est point inexacte. Le pays est également travaillé dans toute sa masse par le protestantisme vis-à-vis duquel le gouvernement de Henri II est décidé à agir avec violence : c'est lui assurément le plus « catholique » des deux signataires, le plus décidé à frapper l'hérésie. Pour cela, la paix lui est nécessaire. Enfin, il faudrait tenir compte du jeu des clans, si puissant sous le règne du faible Henri II, des querelles politiques des Guise et des Montmorency qui demain alimenteront les guerres de religion, si souvent simples luttes pour le pouvoir. Les correspondances vénitiennes soulignent « qu'avec la paix, le Connétable est le premier homme de France et qu'avec la guerre, il est prisonnier, privé de toute grandeur »[1], ce qui est trop évident.

Ces faits, ces réalités ont été pesés dans l'ouvrage ancien d'Alphonse de Ruble[2] comme dans les brillants livres de Lucien Romier[3]. Mais plusieurs éclairages sont possibles. La paix du Cateau-Cambrésis a été considérée par les historiens français, et aussi par certains contemporains (je pense surtout à Brissac[4], l'organisateur du Piémont français), comme un désastre. Peut-être serait-il juste de plaider un peu en sens contraire. L'essentiel des avantages que la France retirait du traité, c'était deux mariages : celui d'Emmanuel Philibert avec Marguerite, celui de Philippe II avec Élisabeth de France, une enfant encore, qui devait être, en Espagne, la « reine de la paix ». Nous avons tendance, aujourd'hui, à sous-estimer de tels avantages. Or c'est un fait que toute politique, au xvie siècle, reste, au premier chef, une politique de famille ; les mariages sont d'importantes affaires, l'occasion de longs calculs, de roueries sans nombre, d'attentes et d'embuscades. Le mariage espagnol est un éclatant succès français, ne serait-ce que parce qu'il écarte la possibilité d'un autre mariage. Il n'a tenu qu'à Élisabeth d'être la femme de Philippe II : la demande lui en a été faite, et le plus sincèrement du monde, en octobre 1558, mais Élisabeth déclina les avances[5]. Le mariage français, en dehors de ses avantages propres, est une garantie contre une nouvelle union de l'île et de l'Empire hispanique.

Le passif du traité, ce serait d'avoir consacré l'abandon de l'Italie par la France, d'avoir restitué Savoie et Piémont, ces terres soudées au royaume et

1. Marin de Cavali au Doge, Péra, 16 déc. 1558, A. d. S. Venise, Senato Secreta, Cost., Filza 2 B, f⁰ 102.
2. *Le traité de Cateau-Cambresis*, 1889.
3. *Les origines politiques des guerres de religion*, Paris, 2 vol., 1913-1914.
4. Guy de Brémond d'Ars, *Le père de Mme de Rambouillet, Jean de Vivonne, sa vie et ses ambassades*, Paris, 1884, p. 14 ; Lucien Romier, *Origines, op. cit.*, II, livre V, chap. II, p. 83-86 ; B. N., OC 1534, f⁰ 93, etc.
5. Elisabeth à Philippe II, Westminster, 3 oct. 1558, A. N., K 1491, B 10, n⁰ 110 (en latin).

facilement assimilables, créant ainsi une barrière contre toute intervention éventuelle de la France dans la Péninsule ; d'avoir enfin, en abandonnant la Corse malgré les promesses formelles, perdu une des grandes positions stratégiques de la Méditerranée. Mais la France n'a restitué qu'une partie de la Corse, non sa totalité qu'elle ne possédait pas. Puis le traité lui laissait, dans le Piémont, cinq places fortes, dont Turin. C'était sauvegarder l'avenir immédiat. Les places, il est vrai, seront restituées, le 2 novembre 1562[1]. Mais même après cette date, il restera au-delà des monts une tête de pont française. D'où la colère du duc de Nevers[2], en septembre 1574, quand il apprit que Henri III, de passage à Turin, avait fait cadeau à « Monsieur de Savoie » des deux places de Pignerol et de Savillian, remises à la France, en 1562, à titre de dédommagement. Ne restait à Henri III dès lors au delà des monts que les indéfendables villes et villages du marquisat de Saluces. « Et me seroit d'un grand crève-cœur, ajoutait le duc, cregnant que cela ne donnast beaucoup à dire à tout l'univers de veoir qu'à peine Votre Majesté soit entré en son royaulme, qu'elle le veut démembrer et davantage quasi fermer la porte de jamais plus (aller) en Italie après avoir veu à l'œil la beauté d'icelle. » Quant à la pauvre Italie « infortunée de se veoir perdre les moyens d'estre secourue,... [elle] haura juste occasion de grandement plorer sa misère, se voyant du tout avec le temps soubmize à la puissance espagnolle ». Si l'on pouvait encore « se fermer la porte » de l'Italie, en 1574, quinze années après le Cateau-Cambrésis, c'est peut-être que le renoncement de 1559 n'était pas aussi net qu'on veut bien le dire.

Malheureusement ce n'est pas à l'Italie, sans plus, qu'on renonçait, mais à la Savoie et au Piémont, à cet État à moitié engagé dans le monde français, lié aux Cantons suisses, touchant à la mer par les étroites fenêtres de Nice et de Villefranche et, au delà de la retombée des monts, soudé à la grande plaine de l'Italie du Nord. Certes pas une partie indissoluble de l'Italie, un pays à part, de par ses mœurs et ses usages, même aux yeux d'un Italien comme Bandello[3], témoin peu suspect en l'occurrence. La France de Henri II y renonce assez gratuitement, semble-t-il, dans sa hâte d'atteindre la paix, avec un manque évident du sens des possibilités, avec une cruauté sans excuse aussi. Froidement, elle abandonnait aussi les Siennois à Cosme de Médicis, les Corses à Gênes. Les *fuorusciti* siennois essayèrent en vain d'acheter leur liberté de Philippe II, à prix d'or.

Le traité de 1559 cependant cache un calcul français. Le zèle même de Henri II contre l'hérésie, à l'intérieur et à l'extérieur des frontières, ne fait-il pas partie d'une manœuvre vis-à-vis de l'Angleterre ? Avec la mort de Marie, en novembre, c'est une autre Marie, Marie Stuart, mariée au dauphin de France le 24 avril 1558[4], qui a, du point de vue dynastique, des droits évidents à la couronne anglaise, d'autant qu'au même moment, Élisabeth glisse vers le protestantisme, avec prudence, mais de façon visible. A Rome, on s'en inquiète. Philippe II s'efforce, au contraire, d'écarter une excommunication possible de la jeune reine : elle risquerait d'ouvrir les chemins à une invasion française dont l'éventualité n'est pas un secret : les poètes en parlent, Ronsard, en avril 1559, dans son chant de liesse au roi Henri II, et, un peu plus tôt, au lendemain

---

1. Baron A. RUBLE, *op. cit.*, p. 55.
2. A Henri III, 25 sept. 1574, copie, Simancas E⁰ 1241.
3. *Op. cit.*, VII, p. 198, 205.
4. T. A. D'AUBIGNÉ, *op. cit.*, I, p. 41.

de la mort de Marie Tudor, du Bellay dans un sonnet aussi explicite que possible[1].

Rien de mieux, pour montrer l'importance du Nord et de l'affaire anglaise, qu'un long mémoire remis à Philippe II, en juin 1559[2], et qui l'a troublé au point de le faire renoncer à son voyage en Espagne. Ce papier non signé, que Philippe II fit parvenir à sa sœur Jeanne, gouvernante en son absence des royaumes d'Espagne, a été sans doute l'œuvre des conseillers non espagnols du prince. C'est, en trente-quatre points, un plaidoyer pour que le souverain demeure en Flandres, au cœur des Pays du Nord. Les Français projettent une invasion de l'Angleterre. « Et si l'Angleterre se perdait, que la perte des Pays de Flandres soit imminente, on peut en discuter, mais non soutenir le contraire avec de bons arguments. Or la perte de l'Angleterre est tenue pour certaine et à brève échéance, pour toutes sortes de raisons. » Il y a les droits du dauphin de France, la faiblesse du royaume anglais, ses divisions, le mauvais état de ses défenses, la nécessité pour les Catholiques anglais d'avoir un protecteur, les facilités qu'ont les Français avec leurs marines et l'utilisation de l'Écosse, sans compter que le pape peut priver la reine actuelle de sa couronne... Le roi ne peut évidemment soutenir en Angleterre les ennemis de l'Église, pour des raisons morales ; et il le ferait-il qu'il aurait contre lui « la majorité des gens de l'île » (ce qui nous indique qu'aux Pays-Bas on considère que l'Angleterre est en majorité catholique). Va-t-on laisser le Roi de France mener à bien cette grande entreprise ? Juridiquement, il va sûrement proclamer et maintenir la paix en son nom et confier l'expédition au dauphin, donc agir nonobstant la paix signée. Mais si Philippe II reste aux Pays-Bas, lui présent, le roi de France n'attaquera pas.

Les papiers d'état-major ne sont jamais à prendre à la lettre ; mais on a les preuves que ce projet était plus que de la fumée. Si Philippe II ne veut pas, pour regagner l'Espagne, passer par la France, s'il fuit les caresses qu'on lui préparait, c'est sans doute pour ne pas se laisser entraîner dans l'aventure. Le duc d'Albe représentait Philippe à la cérémonie de son mariage à Notre-Dame de Paris. « Les Français s'étudient, écrivait-il en chiffres au Roi, à montrer à V. M. une grande amitié dans toutes leurs conversations... Tous ceux qui approchent le roi ne disent pas trois mots sans que deux ne soient sur l'amour et l'amitié que professe le Très Chrétien à l'endroit de V. M. et l'aide qu'il lui apportera dans toutes ses entreprises. C'est peut-être la vérité, ainsi que le voudrait la raison. Il se peut aussi qu'ils n'offrent de participer aux entreprises de V. M. que dans l'espoir de l'obliger à ne pas faire échouer les leurs[3]... » On voit le soupçon, au moment même où le Très Chrétien offrait, dans les premiers feux d'une entente cordiale, la collaboration de ses galères à une expédition que Philippe II, on le croyait du moins du côté français, préparait contre Alger. Soupçon que précise une autre lettre du duc[4] où il s'étonne, non sans quelque mépris, que chacun à la cour de France, jusqu'aux simples écuyers, soit au courant des délibérations secrètes du Conseil d'État, raconte à qui veut

1. « Ils veulent que par vous la France et l'Angleterre changent en longue paix l'héréditaire guerre ».

2. Apuntamientos para embiar a España (s. d., mai-juin 1559), Simancas E° 137, f°s 95-97. Une copie de cet important document, A. E., Esp., 290. Sur la réunion des principaux personnages « di qsti paesi » et leur désir, à cause du « garbuglio » d'Angleterre et d'Écosse, de voir le roi rester cet hiver dans les Flandres, Minerboti au duc, 2 juillet 1559, A. D. S., Florence, Mediceo, 4029.

3. Le duc d'Albe à Philippe II, Paris, 26 juin 1559, A. N., K 1492, B 10, f° 43 a.

4. Le même au même, juin 1559, ibid., f° 44.

l'entendre que la France et l'Espagne pourraient, à elles deux, dicter leurs lois à la Chrétienté et que « si V. M. aidait le Très Chrétien dans l'entreprise d'Angleterre, il pourrait aider V. M. à être le maître de l'Italie »[1]. Or, il ne faut pas, dit-il en substance dans une lettre de juillet contresignée par Ruy Gomez, qu'on laisse les Français s'installer en Angleterre. S'associer à leur entreprise serait dangereux et aléatoire « étant donné ce qui s'est passé à Naples » autrefois. « Il nous paraîtrait bon que V. M. fît annoncer dès maintenant, avec insistance, même si l'on ne doit pas le faire..., que le prince Notre Seigneur [Don Carlos] viendra aux Pays-Bas dès que V. M. en sera partie, de façon que Français comme Anglais sachent que V. M. ne laisse pas cette position dégarnie[2]. »

De son côté, Élisabeth s'inquiétait des préparatifs français dans les ports de Normandie et s'employait à agir du côté de l'Écosse et du côté de la France. La conjuration d'Amboise, en 1560, autant qu'un drame social et religieux, sera un drame de l'étranger[3]. Il est vrai qu'à cette époque la France de Henri II avait cédé la place à un État beaucoup moins vigoureux. Le signataire de la paix du Cateau-Cambrésis avait disparu accidentellement, le 10 juillet 1559[4], et sa mort, grosse de troubles, enlevait à la France, pour un temps au moins, la possibilité de jouer une grande partie.

Hasard malencontreux ! Mais si l'on veut dresser le bilan du traité de 1559, il convient de placer, en face des vieilles réalités si souvent mises en cause par les historiens, en face de la perte de l'Italie et de la perte de la Corse, l'espoir de l'Angleterre, cet espoir un instant si proche et que l'avenir a déçu.

Le retour de Philippe II en Espagne

Philippe II n'a jamais aimé les pays du Nord. Dès 1555, il avait songé à laisser son père dans les Flandres et à regagner l'Espagne[5]. Marie de Hongrie[6] avait bondi d'indignation : le « brouilly » du Nord était-il fait pour les vieux et le soleil du Midi pour les jeunes ? En 1558, Philippe n'a pas changé d'avis et pense se faire substituer dans les Pays-Bas par sa tante elle-même, laquelle avait accompagné l'Empereur en Espagne à l'automne 1556. Mais Marie de Hongrie, qui avait finalement accepté[7], mourait en 1558. Ce ne fut qu'en 1559, quatre mois après les signatures du Cateau-Cambrésis, un mois après la mort de son beau-père Henri II, que Philippe put faire le voyage.

Biographes et historiens ne s'y attardent guère[8]. Il arrive même au continuateur de Mariana[9] de n'en point parler et son texte saute sans explication

---

1. *Ibid.*
2. Paris, 11 juil. 1559, *ibid.*, f⁰ 49.
3. J. DURENG, « La complicité de l'Angleterre dans le complot d'Amboise », in : *Rev. Hist. mod.*, t. VI, p. 248 et sq. ; Lucien ROMIER, *La conjuration d'Amboise*, 3ᵉ édit., p. 73 ; E. CHARRIÈRE, *op. cit.*, II, p. 595.
4. Ruy Gomez et duc d'Albe à Philippe II, Paris, 8 juil. 1559, A. N., K 1492, f⁰ 48, Henri II est perdu.
5. L. P. GACHARD, *op. cit.*, I, p. 122 et sq., 27 mai 1555.
6. *Ibid.*, p. 124, la reine de Hongrie à l'évêque d'Arras, 29 mai 1556.
7. *Ibid.*, I, p. XLI et sq ; p. 341-352 ; II, p. CXXXVII et sq, p. 390.
8. *Historiae de rebus Hispaniae...*, le tome I (le seul publié) de la continuation, par le P. Manuel José de MEDRANO, Madrid, 1741.
9. Ajoutons que les erreurs sont fréquentes et la chronologie généralement inexacte. Philippe II s'est embarqué le 25 août à Flessingue, il débarque le 8 sept. à Laredo. Pour Campana le Roi a mis à la voile le 27, pour Gregorio Leti le 26... Les historiens modernes dont la lignée commence avec Robertson et Prescott ont reproduit ces données anciennes.

de la scène des Pays-Bas à celle d'Espagne. Or, avec ce voyage, c'est l'Empire personnel de Philippe II, cette valeur stable pour des années, qui achève de se dégager de l'héritage de Charles Quint. En même temps, s'établissait un nouvel ordre européen. En 1558, sans guerre, deux positions essentielles ont été perdues par le nouveau souverain : la mort de Marie Tudor et l'abdication impériale de son père ont privé Philippe II de l'Angleterre et de l'Empire. De ces événements, l'un, on l'a montré, était dans la ligne des choses : contre l'hostilité réunie de l'Allemagne protestante, de Ferdinand et Maximilien, il était impossible de lutter. Mais, presque au moment où l'Allemagne se constituait définitivement, vis-à-vis de Philippe II, comme un monde fermé, étranger, un fait tout accidentel, la mort inopinée de Marie Tudor, en novembre, rompait l'alliance anglo-espagnole et mettait fin au rêve d'un état anglo-flamand dont la mer du Nord eût été le centre vivant.

Il suffit de songer à ce qu'aurait pu être Philippe II, maître du monde germanique et de l'Angleterre, pour calculer l'incidence de ces événements. Le titre impérial, même dépouillé de toute substance, eût évité les querelles irritantes de préséance ; il eût renforcé l'autorité espagnole sur l'Italie et donné à la guerre contre le Turc, tant dans les plaines de Hongrie qu'en Méditerranée, un seul et même rythme. D'autre part, avec l'appui ou la neutralité de l'Angleterre, la guerre des Pays-Bas n'aurait pas eu la même allure, la mêlée pour la domination de l'Atlantique, qui devrait être l'essentiel de la seconde moitié du siècle, ne se serait pas terminée en catastrophe. Mais surtout qui ne voit que, par la force de ces événements, l'Empire de Philippe II se trouvait rejeté du Nord vers le Sud ? La paix du Cateau-Cambrésis, en renforçant l'emprise espagnole sur l'Italie, contribuait encore à orienter la politique du Roi Catholique vers le Midi européen, aux dépens peut-être de tâches plus urgentes et plus fructueuses.

Le voyage de retour de Philippe II en Espagne, en août-septembre 1559, met le point final à cette évolution. Philippe demeurera désormais dans la Péninsule, il sera comme le prisonnier de l'Espagne. Sans doute, et contrairement à la légende qui le représente cloîtré à l'Escorial, a-t-il beaucoup voyagé encore[1], mais toujours à l'intérieur de la Péninsule.

Gounon Loubens[2], dans un vieil ouvrage toujours utile, reproche à Philippe II de ne pas avoir, après la conquête du Portugal, transporté sa capitale de Madrid à Lisbonne, de ne pas avoir senti l'importance de l'Atlantique. A première vue, il semble que l'abandon de Bruxelles au printemps 1559 soit une erreur du même genre. Philippe II s'est placé, de propos délibéré, pour toute la durée de son règne, en marge de l'Europe. Il a imposé à sa politique une arithmétique défavorable des distances : on peut, chiffres à l'appui, montrer que les nouvelles touchaient plus vite Bruxelles que Madrid, que leur point de départ fût Milan, Naples ou Venise, sans parler de l'Allemagne, de l'Angleterre ou de la France. L'Espagne est devenue le cœur des États de Philippe II, le cœur puissant, exclusif d'où viendra, plus ou moins lente et énergique, l'impulsion vitale de sa politique. C'est d'Espagne que le Roi va désormais voir et juger les événements ; dans un climat moral espagnol que sa politique s'élaborera ; ce sont les intérêts hispaniques que son entourage grossira toujours ; les hommes d'Espagne qui graviteront autour de lui.

1. Voyez le résumé de ces voyages dans C. Bratli, *op. cit.*, p. 188, note 280, et p. 101-102.

2. *Essai sur l'administration de la Castille au XVIe siècle*, 1860, p. 43-44.

Car le retour du Roi a eu une répercussion sur la composition de son entou-rage. Déjà du temps de Charles Quint, les déplacements de l'Empereur, malgré leur caractère provisoire, faisaient varier les faveurs et l'importance de tel ou tel de ses ministres. En 1546, parlant de Perrenot, l'ambassadeur vénitien, Bernardo Navagero, le notait incidemment[1] : « ...aussi longtemps que l'Empe-reur est sorti d'Espagne et est resté en Allemagne ou en Flandres, son crédit s'est accru notablement ». En quittant les Pays-Bas, Philippe II s'est séparé de ses conseillers flamands et comtois : la séparation a sa valeur, comme le montre l'exemple de Granvelle, le fils même de Perrenot. L'évêque d'Arras que sa vie vagabonde avait promené à travers tout l'Empire de Charles Quint, est demeuré aux Pays-Bas dans une situation enviable : il est auprès de Marguerite de Parme l'homme de confiance de Philippe II. Mais sa situation ne se compare pas à celle qu'il avait tenue dans les conseils, du temps de l'Empereur, et dans ceux de Philippe avant le départ de 1559. Vingt ans durant, il restera ainsi loin du souverain. On sait l'importance de la rencontre tardive des deux hommes, l'arrivée de Granvelle à Madrid en 1579[2], la poussée d'impé-rialisme qu'elle inaugurera.

En revenant en Espagne, Philippe II s'est abandonné, pour de longues années, à ses conseillers espagnols. Il y a gagné l'inappréciable affection de ses royaumes péninsulaires. Sa présence continue, après les interminables voyages de l'empereur — l'Espagne l'aura appréciée comme un bienfait et ressentie « dans ses entrailles[3] ». « Je doute, écrivait en 1595 le duc de Feria, si nombreux et si vastes que soient les États du Roi, qu'il règne ailleurs aussi complètement que sur les cœurs d'Espagne »[4].

Au vrai, rien ne ressemble moins à un acte improvisé que ce voyage, sans cesse projeté, sans cesse différé. On a cru trop belle la part des goûts de Philippe II : aimant les Pays-Bas aussi peu qu'il en était aimé, « dégoûté de ce séjour », il aurait eu hâte de le quitter pour n'y plus revenir[5]. Voilà qui est bien caté-gorique. Seule sa hâte est certaine. L'ambassadeur français Sébastien de l'Aubespine écrivait à son maître[6], de Gand, le 27 juillet : « il n'est pas croiable combien ce prince haste et presse toutes choses pour ne faillir et n'avoir aucun empeschement qui le retarde ». L'ambassadeur d'Élisabeth rapporte le bruit, répandu dans les milieux espagnols, que le roi ne reviendrait jamais aux Pays-Bas, et Marguerite de Parme parle du « désir de S. M. d'arriver en Espagne ». Mais ce désir est appuyé sur de sérieux motifs. Les conseillers espagnols de Philippe à Bruxelles l'appuient depuis 1555, contre le parti « bourguignon », celui de Granvelle, de Courteville, d'Egmont, du prince d'Orange. Ils ont leurs raisons personnelles : retrouver leurs maisons, leurs habitudes, leurs intérêts, certains peut-être profiter des ventes massives de biens domaniaux qui se poursuivent dans leur pays. Mais ils pensent aussi à l'Espagne.

L'absence prolongée du souverain y entraînait un relâchement de la machine gouvernementale. Les États espagnols avaient trois capitales et trois gouver-nements : Bruxelles, d'où le Roi conduisait la guerre et tenait les fils essentiels

---

1. E. ALBÈRI, *Relazioni*, I, 1, p. 293 et *sq.*, juillet 1546.
2. M. PHILIPPSON, *Ein Ministerium unter Philipp II. Kardinal Granvella am spanischen Hofe, 1579-1586*, 1895.
3. Cf. article de C. PEREZ-BUSTAMANTE, « Las instrucciones de Felipe II à Juan Bautista de Tassis », *in : Rev. de la Biblioteca, Archivo y Museo*, t. V, 1928, pp. 241-258.
4. Simancas E° 343.
5. Louis PARIS, *op. cit.*, p. 42, note 1.
6. *Ibid.*, p. 42.

de la diplomatie ; le monastère de Yuste, où Charles Quint, très tôt et malgré ses décisions premières, s'était remis à gouverner; enfin Valladolid, où la princesse Jeanne écoutait l'avis des Conseils et assumait l'essentiel de l'administration. Entre ces trois capitales, le partage se faisait mal ; la liaison, malgré le nombre des courriers, était imparfaite. Toutes les lettres s'en plaignent et ce défaut de coordination a eu de rapides conséquences. Les affaires, après avoir été négociées à Valladolid, devaient passer sous les yeux du souverain : on calcule le retard qu'impliquait cet invraisemblable détour ! L'Espagne n'était quasi plus gouvernée. La mort de Charles Quint à Yuste, en septembre 1558, aggrava les difficultés, la princesse Jeanne n'étant certainement pas à la hauteur des circonstances.

C'est dans l'euphorie d'une atmosphère de victoire que Philippe II a quitté Bruxelles. Toute l'Italie s'y trouve alors représentée, bourdonnant autour du vainqueur, offrant de l'argent et présentant ses requêtes, Cosme de Médicis pour s'assurer de Sienne, le grand-maître de Malte pour obtenir les ordres nécessaires à l'expédition contre Tripoli, la République de Gênes pour régler le détail du recouvrement de la Corse, les Farnèse pour évincer la duchesse de Lorraine et réserver à Marguerite de Parme le gouvernement des Pays-Bas... C'est au milieu des réceptions, des *Te Deum* que Philippe II distribue aux seigneurs flamands ses dernières faveurs, délimite les pouvoirs de la nouvelle gouvernante. Le 11 août, il est à Flessingue. Il y attend deux semaines le vent favorable, trompant son attente en courant d'île en île et de château en château. Le 25 enfin, la flotte royale met à la voile.

On a un récit très complet du retour[1] dans le *Journal* de Jean de Vandenesse que complètent quelques lettres adressées à Marguerite de Parme par Ardinghelli[2], le précepteur du jeune Alexandre Farnèse : otage de la politique

---

1. Voici le court récit de Jean de Vandenesse : « ...le joeudy, jour de sainct Barthelemey, écrit-il, 23e en aougst, Sa Majesté soupa au dict Sonbourg ; et après souppé vint à Flessinghe. Et environ les unze heures de nuict s'embarqua en sa nave, demeurant sur l'ancre jusques le vendredy sur le tard qu'il feit voille. Ledit jour environ les neuf heures du matin, les princes et seigneurs des Pays Bas prinrent congié du Roy et de tous ; que ne fut sans regret, soupirs et larmes et pitié a veoir, voyant leur Roy naturel les habandonner... Et environ le midy arriva la duchesse de Parme, accompaignée du prince son fils et de plusieurs autres seigneurs, vint prendre congié de Sa Majesté. Et sur l'heure de vespres Sa Majesté feit voille, et passant avec assez bons vens les detroictz et dangiers des bancqz a veue de Dunckercke de Calaix et de Douvre naviga jusques au cannal près l'isle de Vicq (Wich). Entrant en la mer d'Espaigne, nous prindrent les calmes de sorte que fumes quinze jours en mer. Et le huictième de septembre jour de Nostre Dame, Sa Majesté et aulcunes navieres prindrent port à Laredo où Sa Majesté désembarqua et fut ouyr la messe en l'église et y coucha ce dit jour, questoit un vendredy, et fut l'on empesché tout le jour à desembarquer ce que l'on peust. Les ulques que sont vasseaulx pesantz et aulcunes aultres navieres ne peurent prendre port si tost. Et le samedy Sa Majesté partist du dit Laredo environ une heure après midy pour aller à Colibre qu'est demye lieue plus en terre que Laredo. A la quelle heure s'en commença une si véhémente tormente en mer et en terre que les navieres qu'estoient au port sur l'ancre ne pouvoient résister qu'elles ne vinssent à périr et donner à travers ; qu'est grande pitié a veoir perdre les naves gens et bagues. Et les aultres furent contrainctes courir la fortune par la mer. En terre les arbres desracinoient et les thuilles vouloient des thoiz des maisons et dura tout le jour et toute la nuict... », *in* : L. P. Gachard et Piot, *Collection des voyages des souverains des Pays-Bas*, 1876-1882, IV, p. 68 et *sq.*

2. Voici résumé le témoignage d'Ardinghelli : Ardinghelli suit en Zélande les déplacements de Philippe II, assure la liaison avec lui. Le 23 août, il prévient Marguerite de Parme pour que celle-ci vienne faire ses adieux à Philippe II. Embarqué le 25, il profite en route des commodités qu'offrent les bateaux rencontrés pour donner des nouvelles de la santé du prince. Le 26 août, entre Calais et Douvres, il indique que tout marche à souhait

espagnole, que sa mère a accepté de faire élever dans la Péninsule, il accompagne le Roi dans son voyage. Signalons au passage que le récit traditionnel — tel qu'on peut le lire dans Watson, Prescott ou Bratli — du débarquement romantique de Philippe II à Laredo est faux d'un bout à l'autre. Le souverain n'est pas arrivé seul, au péril de sa vie, sur une simple barque, tandis que s'abîmait derrière lui, dans l'Océan, toute sa flotte — ses trésors, mille seigneurs de sa suite et leurs précieux bagages. Il y a bien eu une tempête qui a durement secoué les hourques pesantes qui suivaient le convoi, mais une lettre de Philippe II lui-même, du 26 septembre 1559, déclare qu'un seul bâtiment manque à l'appel[1]. Quant au Roi, il était déjà à terre et, sans doute, depuis une journée déjà. Tout le scénario est une invention, peut-être du cru de Gregorio Leti qui a raconté bien au long ce désastre, « véritable prédiction de toutes les disgrâces et infélicités qui, par la suite, succédèrent`au Roi »[2].

4. L'Espagne au milieu du siècle

Dans quelle Espagne le Roi abordait-il ? Assurément une Espagne anxieuse de le revoir.

Depuis des années, chacun y réclamait son retour : la régente et les Conseils, dès 1555[3] ; les Cortès de Castille, réunies en 1558[4] ; Charles Quint lui-même qui

---

et que des pilotes ont été pris à bord pour assurer la sécurité de la navigation à travers les bancs de sable. Philippe II ne voudra pas relâcher, écrit-il le 27, les précieux pilotes avant l'île de Wight. Le Roi est peut-être responsable de la lenteur de la marche, le vent s'est levé mais le souverain ne veut pas se séparer des hourques, sinon les navires auraient déjà fait trente lieues de plus. « Le voyage ne peut être que prospère, conclut-il, tous les lieux dangereux étant dépassés, d'aujourd'hui en huit nous espérons être en Espagne ». Une barque espagnole rencontrée en route, emporte une lettre datée du 31. Le voyage se poursuit par très beau temps. « Nous serons cette nuit hors du canal... ». La corespondance s'interrompt ensuite jusqu'au 8 septembre. Ce jour-là, Ardinghelli écrit : « Louanges à Dieu qui nous a finalement conduits tous sains et saufs dans ce port de Laredo. Après notre sortie du canal d'Angleterre, le temps a été si variable qu'il a trompé les marins plus d'une fois, nous avons été incommodés, tantôt par la bonace, tantôt par le vent contraire, mais grâces à Dieu nous n'avons pas eu de tempête. Hier soir enfin, s'est levé un mistral qui nous a conduits cette nuit à plaisir jusques à terre... ». De Laredo encore (il ne doit quitter le port que le 14) Ardinghelli écrit, le 10 : « ...samedi dernier (9 septembre) dans le milieu de la journée se déchaîna en mer une tempête si terrible que ce fut une grande grâce de se trouver à terre. Les navires qui étaient dans le port se sont sauvés avec la plus grande peine... trois d'entre eux ont donné par le travers dans le port même sans qu'il y ait toutefois perte d'hommes ni de marchandises. Les hourques qui sont demeurées en arrière auront forcément couru de grands dangers, on est jusqu'à présent sans nouvelles d'où des craintes très vives... ». Pourtant le 13, la « flotte des Flandres » arrivait « sans avoir aucunement souffert de la tempête passée... ». Joie de chacun : les hourques transportaient les serviteurs et les biens des seigneurs qui accompagnaient Philippe II. Ces lettres d'Ardinghelli aux Archives farnésiennes de Naples, Spagna fascio 2, du f° 186 au f° 251.

1. Philippe II à Chantonnay, 26 sept. 1559 (et non 1560, indication du classement), A. N., K 1493, B 11, f° 100 (minute) « ... des navires qui vinrent avec l'armada sur laquelle j'ai gagné ces royaumes, un seul manque qui n'ait pas paru jusqu'à présent. Il appartient à un dénommé Francisco de Bolivar de Santander. Il transportait la garde-robe des régents de mon conseil d'Italie et de quelques-uns de mes secrétaires et autres serviteurs, ainsi que vous le verrez d'après un mémoire joint à cette lettre... ». Certains bruits affirmaient que le navire avait gagné La Rochelle. Sur ce navire perdu, L. P. GACHARD, Retraite..., op. cit., II, p. LVII.
2. G. LETI. La vie de Philippe II, 1679, I, p. 135.
3. L. P. GACHARD, Retraite..., op. cit., I, p. 122 et sq.
4. Actas de las Cortès de Castilla, 1558, I.

le jugeait indispensable, et tous les fonctionnaires de la Péninsule. Dans la correspondance de Francisco Osorio[1], presque chaque page fait allusion à ce retour qui arrangerait tout, dit-il, quand les nouvelles sont mauvaises, qui les améliorerait encore, affirme-t-il, quand elles sont bonnes. Lorsqu'enfin parvient la grande nouvelle : « la joie et le contentement à propos de la paix et de la bonne venue de V. M. à ces royaumes sont si grands, écrit-il le 17 mai 1559, que je ne saurais le dire ! »[2].

Certes les circonstances sont graves. L'Espagne a échappé aux atteintes directes de la guerre, mais elle a fourni sans arrêt des hommes, des vaisseaux, de l'argent, beaucoup d'argent. Socialement, économiquement, politiquement, elle en reste bouleversée, en proie à un malaise profond qu'accentue encore une crise religieuse, apparemment très inquiétante.

L'alerte protestante

En 1558[3], on avait découvert à Séville, à Valladolid et dans plusieurs petits centres, des communautés « protestantes » ; servons-nous de l'expression, bien qu'elle soit peu exacte : après tout, elles furent tenues pour telles. La nouvelle accabla Charles Quint, autant que son fils, au point qu'on a quelquefois établi un lien entre le voyage de 1559 et l'explosion protestante. Le second autodafé, sur la Plaza Mayor de Valladolid, fera suite au débarquement de Laredo[4]. Un mois sépare les deux événements. L'historien danois Bratli continue une tradition quand il écrit que Philippe II, après avoir reçu les mauvaises nouvelles de Séville et de Valladolid, « ne soupirait plus qu'après le moment où il pourrait retourner en Espagne »[5].

En fait, la répression à grand spectacle organisée par l'Inquisition signifiait-elle vraiment qu'un grand mouvement s'était étendu en Espagne et la menaçait ? A lire attentivement les pages de Marcel Bataillon, on n'a pas cette impression. L'auteur d'*Érasme et l'Espagne*[6] a montré que les soi-disant « protestants » de 1558 étaient, pour l'essentiel, les continuateurs d'un mouvement spirituel dont les origines, déjà anciennes en Espagne, ne sont pas liées au luthéranisme. Les flammes spirituelles de Valladolid et de Séville, vues de près, sont diversement colorées, telles ces flammes où brûlent à la fois les poussières de dix métaux différents ; certains précieux, très rares. Qui pourrait peser au juste ce que les *conversos* — un Augustin Cazalla, un Constantino — par leurs traditions mystiques juives, ont pu apporter à ce foyer ; ce qui y brûle d'illuminisme, cet étrange métal, pur produit d'Espagne, et qui, épuré, est sa très grande matière mystique ; qui dira ce qui revient aussi, dans cet alliage, aux idées érasmiennes d'une religion en esprit, tournée vers le dedans ? Les années 1520 à 1530 ont jeté dans la Péninsule, alors ouverte aux biens spirituels du vaste monde, les idées des Érasmiens, puis des Valdésiens... Vingt ans plus

1. *CODOIN*, XXVII.
2. *Ibid.*, p. 202.
3. L. P. Gachard, *Retraite...*, op. cit., II, p. 401 et sq., mais surtout les ouvrages classiques d'E. Schäfer et de Marcel Bataillon ; E. Albèri, op. cit., I, III, p. 401-402.
4. Juan Ortega y Rubio, *Historia de Valladolid*, 1881, II, p. 57 (premier autodafé) ; p. 58 (second autodafé) ; p. 64 : on avait réservé la moitié des victimes pour l'arrivée du Roi.
5. C. Bratli, op. cit., p. 93.
6. P. 555 et sq. Voir le compte rendu de Lucien Febvre « Une conquête de l'histoire : l'Espagne d'Érasme », in : *Ann. d'hist. soc.*, t. XI, 1939, p. 28-42.

tard, ces idées vivent encore, transposées mais reconnaissables ; et s'il s'y est mêlé quelque chose de la pensée luthérienne, il n'y a pas eu, en Espagne, de culte protestant, organisé comme en France en confession dissidente. L'hérésie, si elle s'oppose à la tradition catholique, aurait plutôt tendance à essayer de sauver, en même temps que l'esprit, l'Église et ses institutions, bref l'orthodoxie. Elle a espéré le faire.

Alors pourquoi la répression de 1559, si rien, ou presque rien de nouveau ne semble être intervenu dans les foyers du nouvel esprit religieux ? Pour Marcel Bataillon[1], c'est la méthode répressive qui est nouvelle ; l'intransigeance catholique a pris conscience d'elle-même, elle désire frapper pour frapper, inspirer la terreur de l'exemple. Finies, la politique irénique de l'Empreur, les incertitudes d'une situation tendue qui mêlait les lignes et confondait les positions ! L'intransigeance protestante a éclairci les choses. Après 1555, après le succès des réformés en Allemagne et l'abdication de Charles Quint, les oppositions se dessinent avec dureté ; une répression intransigeante s'installe en Italie, puis en Espagne, les deux choses étant d'ailleurs indépendantes ; l'Inquisition espagnole est autonome et les relations de Philippe II et de Paul IV peu amicales, bien qu'ils soient entraînés l'un et l'autre dans un même mouvement. La situation a évolué avec rapidité. L'Espagne que Philippe II retrouve est déjà passée à la Contre-Réforme, à la répression, sans que ce soit pour autant l'œuvre du roi, mais bien celle de son temps, des événements d'un bout à l'autre de la Chrétienté, de la poussée de Genève et de celle de Rome, vastes flux spirituels qui entraînent Philippe II lui-même et qu'il n'a pas créés. Pourtant le roi ne s'est pas trouvé par hasard sur la *Plaza Mayor*, le 8 octobre, rehaussant de sa présence l'exemplaire punition des « luthériens ».

Ne sous-estimons pas l'inquiétude de Philippe II : instruit par les leçons de l'Allemagne, de la France, il pouvait tout craindre, en 1558. Mais en 1559, dès avant son retour, le péril était apparu dans sa minceur, la correspondance de Philippe II avec la princesse Jeanne le montre, dès lors, peu inquiet de cette question dont il parle rarement. Le 26 juin[2], accusant réception de la longue relation sur le premier autodafé de mai, il ajoute qu'il espère bien qu'ainsi « on remédiera au si grand mal qui avait été semé ». Le ton est calme. *Tan gran mal como estava sembrado* : mais la moisson n'avait pas eu le temps de mûrir.

La répression sonna les dernières heures de l'hérésie espagnole. Peut-être ce succès facile (il est d'autres élans que les méthodes de terreur n'ont jamais su réduire) tient-il au fait que l'érasmisme ou le protestantisme étaient en Espagne des greffes étrangères ; des greffes qui ont « pris », bourgeonné, fleuri, mais combien de temps ? Sur le plan de l'histoire des civilisations, qu'est-ce que cinquante ans ? Le terrain était peu favorable, l'arbre mal conformé pour la greffe. Il n'est resté finalement de ce « protestantisme » que ce qui a pu se continuer en direction du mysticisme espagnol, ce refuge de l'oraison individuelle, en direction de sainte Thérèse et de saint Jean de la Croix.

Le mouvement d'ailleurs n'avait jamais été populaire, au contraire. L'archevêque de Tolède précise, dès mai 1558, que le peuple ne paraît pas contaminé[3]. On a dû transférer les détenus de nuit à Valladolid, dans la crainte que le

---

1. *Op. cit.*, p. 533 et *sq.* Faut-il tenir compte d'une économie en régression, mauvaise conseillère ? Voir *supra*, II, p. 218-219.
2. Simancas E° 137, f° 123 et 124.
3. Luis Quijada à Philippe II, 1er mai 1558, p.p. J. J. DÖLLINGER, *op. cit.*, p. 243.

peuple et les enfants ne les lapident, si grande est contre eux l'indignation publique[1]. Seul un petit groupe d'hommes est en cause, une élite d'humanistes et de mystiques. Et aussi une élite sociale de seigneurs espagnols que le Grand Inquisiteur, en 1558, n'épargnera point comme ses prédécesseurs.

Sans doute est-ce l'explication du bruit répandu par les Vénitiens, et qui paraît parfaitement inexact que, « sous couleur de religion, s'étaient organisées quelques séditions d'accord avec de grands seigneurs »[2]. Plus explicite, une lettre de l'évêque de Dax, écrite de Venise en mars 1559[3], rapporte que « depuis quelques jours s'est levé un bruict à Saint-Marc qui a depuis été confirmé comme très certain, qu'en Espagne se sont eslevez quatre des plus grands princes du royaume en faveur de l'hérésie luthérienne, en laquelle ils se montrent si obstinez... qu'ils vont contraignant par force tous leurs vassaux à être de leur party ; si le roi Philippe n'y remédie de bonne heure, il est en danger de s'y trouver le plus faible ». Mais Venise est par excellence, avec Rome, la ville des fausses nouvelles : le cardinal de Rambouillet écrivait un jour à Charles IX que « les nouvelles qui s'écrivent d'icy (Rome) à Venize et de Venize icy ont autant de crédit et de réputation, en Italie, que les nouvelles du Palais, en France ». Il ne semble pas que le « protestantisme » espagnol ait eu des aboutissements politiques. Mais la confusion était possible parce qu'à côté de la révolte religieuse, il y avait, en Espagne, un malaise politique, inquiétant lui aussi.

Le malaise politique

On parle couramment de l'Espagne unifiée de Philippe II. Il faut s'entendre. La centralisation s'est certainement accentuée au cours de ce long règne autoritaire, mais les franchises populaires, vers 1559, ne font encore que s'effacer, les lois n'ont pas changé et le souvenir demeure des révoltes passées. L'autorité royale n'est ni sans limite, ni sans contrepoids. Elle se heurte aux *fueros*, à la richesse fabuleuse du clergé, à l'indépendance d'une noblesse opulente, à l'indiscipline parfois ouverte du Morisque, à la désobéissance du « fonctionnaire ». On remarque même au cours des années 1556-1559, un amoindrissement sérieux du prestige de l'État, une sorte de crise d'insubordination.

Il ne s'agit pas de révolte ouverte, mais d'une vague de mécontentement et de désaffection, visible dans les petits faits du genre de ceux que l'historien Llorente[4] a collectionnés et qui ne prennent de sens que juxtaposés. Ainsi quand Charles Quint, « chargé d'années, de lauriers et d'infirmités », débarque à Laredo, en 1556, il n'y a que quelques gentilshommes à l'attendre et le vieil Empereur en est peiné et surpris[5]. Un peu plus tard, ce sont les sœurs de Charles Quint, Élisabeth et Marie, reines de France et de Hongrie, qui voyagent dans la Péninsule ; sur le trajet de Jarandilla à Badajoz, quelques seigneurs, requis de les accompagner, ne répondent pas à la convocation et jugent superflu de s'en excuser[6]. Quelque temps auparavant, les reines désireuses de s'installer

---

1. Mémoire de l'archevêque de Séville à Charles Quint, 2 juin 1558, p.p. L. P. GACHARD, *La retraite...*, *op. cit.*, II, p. 417-425 : « Béni soit Dieu, écrit Vasquez à Charles Quint, le 5 juil. 1558, le mal est moindre qu'on ne le pensait », *ibid.*, p. 447-449.
2. Relation de Marcantonio da Mula, E. ALBÈRI, *Relazioni...*, I, 3, p. 402 et *sq.*
3. 6 et 11 mars 1559, E. CHARRIÈRE, *Négociations...*, *op. cit.*, II, p. 563.
4. « La primera crisis de hacienda en tiempo de Felipe II », *in* : *Revista de España*, I, 1868, p. 317-361.
5. *Ibid.*
6. *Ibid.*

à Guadalajara avaient demandé au duc de l'Infantado de leur céder ses maisons, les maisons mêmes où se célébrera le troisième mariage de Philippe II[1]. Le duc avait refusé, au grand scandale des deux femmes et de l'empereur qui, pourtant, ne voulut pas, quoi qu'on lui dit, forcer la main au duc, personnage important dont il avait reçu des services. En janvier 1558, le *corregidor* de Plasencia ayant décidé d'exécuter certains mandements à Cuacos, un village proche de Yuste où l'empereur tient un alguazil, une controverse s'engage entre les deux hommes. Le *corregidor* la termine en se saisissant de l'alguazil et en le faisant emprisonner[2].

Profitant des déficiences gouvernementales, de l'insuffisance des juristes et des ministres, chacun tente de s'octroyer quelque privilège supplémentaire. En octobre 1559[3], Philippe II, préoccupé par le déficit de ses finances, est à la recherche d'abus à supprimer, d'économies à faire. Un vieux conseiller, alcade de la Chancellerie de Valladolid, le *licenciado* Palomares, lui envoie une curieuse lettre au sujet des prétentions excessives des grands seigneurs en matière judiciaire. Il lui rappelle que lors de son voyage en Allemagne, en 1548-1550, sept ou huit grands d'Espagne, réunis au couvent de San Pablo de Valladolid, avaient réclamé, pour tous les cavaliers titrés, le privilège de n'être plus justiciables que du souverain. Ils avaient demandé aussi que, dans les causes criminelles des terres seigneuriales qui arrivaient devant les tribunaux royaux, l'argent des condamnations fût pour le seigneur. Ceci au nom d'une prétendue loi de Guadalajara, datant de Jean 1er et qui, au témoignage de Palomares, devait être apocryphe ou avoir un double sens. En 1556 (détail symptomatique, le Roi est encore absent, parti en Angleterre depuis 1554), même réunion, toujours au couvent de San Pablo ; mêmes exigences que la princesse Jeanne a rejetées. Les seigneurs se sont alors avisés d'un détour : dans les actes de ventes domaniales, principalement celles conclues en 1559, les rédacteurs ont introduit des clauses dangereuses pour l'autorité de l'État, soi-disant en vertu de la loi de Guadalajara. C'est un fonctionnaire royal, le licencié Juan de Vargas, qui a le premier glissé ces mots redoutables dans le texte d'une vente passée à son profit, afin de se réserver les bénéfices de la justice criminelle sur la terre qu'il achetait. Son exemple a été naturellement suivi. « Certains de vos serviteurs et de vos conseillers d'État ont passé de telles ventes, ajoute Palomares, et V. M. devra s'en garder. » On le voit, les plus hauts fonctionnaires se sont laissé tenter.

Le geste des seigneurs et des acheteurs de *lugares de vasallos* signale la carence de l'État, ses besoins et ses faiblesses qui encouragent les empiétements. On comprend qu'au même moment, les obstacles rencontrés habituellement par l'autorité royale aient pris un relief nouveau. Les villes que l'on essaie de dépouiller de leurs juridictions se défendent âprement, députent auprès du roi en personne et souvent l'emportent. De même, ce sont souvent les propres officiers de la *Contratación* qui aident les marchands de Séville à échapper aux mesures gouvernementales. Au printemps de 1557, le gouvernement avait saisi l'argent que la flotte des Indes apportait aux particuliers : « alors que sur sept ou huit millions de ducats arrivés, on avait réussi à prendre 5 millions, les marchands se sont arrangés tant et si bien qu'il n'en reste plus que 500 000 »,

---

1. L. P. GACHARD, *La Retraite...*, *op. cit.*, I, p. 206-207, 7 nov. 1557, et II, p. 278-279, 15 nov. 1557.
2. *Ibid.*, I, p. 240-242, 5 janv. 1558.
3. Simancas, E° 137.

s'indignait Charles Quint[1] ! Il ne fallut pas moins que sa violente colère pour mettre en marche la machine judiciaire contre les délinquants. A l'automne de la même année[2], on jugea plus prudent de dépêcher, au devant de la flotte des Indes, l'escadre d'Alvaro de Bazan qui, arrivant à San Lucar le 7 septembre, se saisit du numéraire et le transporta à Santander, d'où il fut expédié aux Pays-Bas. L'autorité royale en était réduite à des expédients.

Il lui arrivait aussi de ne point oser intervenir. Ainsi quand le vice-roi d'Aragon, le duc de Francavila, fait garrotter un « manifestant », contre les droits du *fuero* : son acte déchaîne une émeute, les Cortès se réunissent d'elles-mêmes sans convocation du souverain, le vice-roi est contraint de se réfugier dans l'Aljaferia et le gouvernement de Valladolid, mis au courant, le désavoue[3]. Il ne s'agit pas de s'aliéner l'Aragon, surtout en temps de guerre contre la France ! De même, à Valence, les inquisiteurs qui instruisent — c'est leur pain quotidien — les causes des *Tagarinos*, c'est-à-dire des Morisques de la région, reçoivent des instructions de prudence. Une lettre au Conseil de l'Inquisition, du 4 juin 1557[4], s'exprime en ces termes : « Vous nous avez écrit..., le 4 septembre dernier... que, comme le temps était si dangereux, nous devrions suspendre pour le présent la poursuite des causes des Tagarins ».

On conçoit que nantis de ces conseils, les fonctionnaires soient timorés et hésitent à agir, même sur ordre. L'inquisiteur Arteaga, écrivant le 28 février 1559[5] à la *Suprema*, raconte que l'alguazil du Saint-Office de Barcelone est venu lui demander l'exécution à Valence de jugements portés par ce tribunal. « Si je n'ai pas fait prendre les personnes indiquées dans la lettre de réquisition, ce fut pour éviter le scandale et le grand trouble qui pouvaient en résulter dans cette ville, étant donné ce que sont les temps présents et que les personnages incriminés sont, pour la plupart, officiers prééminents de cette cité... » *Étant donné ce que sont les temps présents...* Temps graves assurément et qui mettent l'œuvre monarchique à l'épreuve.

Les difficultés financières

Le souverain n'a pas les mains libres : tout ce qu'il fait est dominé par le plus gros des soucis qui ont imposé son retour en Espagne : un souci d'argent.

L'énorme passif des finances impériales dont il avait hérité était tel qu'aux premières dépenses rendues nécessaires par la reprise des hostilités, son crédit s'était effondré. Au 1er janvier 1557, la banqueroute était officielle[6]. Mais était-ce une vraie banqueroute ? Le premier des fameux décrets de Philippe II n'a été qu'une consolidation de la dette flottante. Le trésor royal vivait d'emprunts ou d'avances, consentis à des taux élevés et dans des conditions onéreuses, par les marchands qui, seuls (vu la dispersion de l'Empire espagnol et la présence du souverain aux Pays-Bas) pouvaient mobiliser, à son bénéfice, des

1. L. P. GACHARD, *op. cit.*, I, p. 137-139, 1er avril 1557 ; p. 148-149, 12 mai 1557 ; sur ces questions et sur la punition des « oficiales », A. E. Esp. 296, 8 et 9 juin 1557 ; sur le détournement d'un navire chargé de métal précieux au Portugal, L. P. GACHARD, *op. cit.*, I, p. 142-144.
2. *Ibid.*, I, p. 172, Martin de Gaztelu à Juan Vasquez, 18 sept. 1557.
3. Juan A. LLORENTE, *La primera crisis...*, *art. cit.*
4. A. H. N. Inquisition de Valence, Libro I.
5. *Ibid.*, ceci à propos de demandes barcelonaises d'exécution de jugements.
6. A ce sujet, voir les livres classiques de K. HAEBLER et de R. EHRENBERG, et *supra* I, p. 455 et *sq.*

revenus éloignés dans l'espace et dans le temps. Le trésor leur payait de gros intérêts et les remboursait aux échéances des foires. Les dettes de l'État étaient ainsi représentées par une masse de papiers les plus divers. Le décret n'a pas annulé les dettes, mais prévu leur remboursement en *juros*, rentes perpétuelles ou viagères, portant, en principe, intérêt à 5 pour 100. Le 1er janvier 1557 était fixé comme date initiale de ces règlements.

Les banquiers protestèrent, puis se soumirent, les Fugger après une résistance plus vive que les autres. Le décret, évidemment, portait un tort grave aux marchands. On réduisait l'intérêt de leurs créances ; on immobilisait leurs capitaux. Il leur restait la possibilité de vendre ces rentes perpétuelles — on ne se fit pas faute d'en user — mais il s'ensuivit une chute rapide des cours dont les vendeurs firent les frais. C'est ainsi que lorsque les Fugger capitulèrent[1], les « juros » étaient tombés à 50-40 pour 100 de leur valeur nominale. Cet échange forcé d'obligations à court terme, portant de gros intérêts (12 et 13 pour 100) contre des rentes perpétuelles à 5 pour 100, si grand que fût le préjudice causé, n'était cependant pas une banqueroute totale.

L'expédient permit à l'État de durer, tant bien que mal, jusqu'à la paix du Cateau-Cambrésis, mais il ne supprimait pas les difficultés. Les banquiers génois, les seuls à consentir encore des avances au Roi Catholique, se montrèrent plus exigeants que par le passé. Je n'en veux pour preuve que les deux « partis » conclus à Valladolid, en 1558. Par le premier, Niccolo Grimaldi, banquier génois[2], avance au roi un million d'or : « s'oblige le dit Niccolo Grimaldi à payer en Flandres 800 000 écus à raison de 72 gros par écu et de la façon suivante : 300 000 à la première arrivée des navires d'Espagne, 250 000 à la fin novembre et les 250 000 de surplus à la fin décembre de cette année 1558. Les autres 200 000 écus, il s'oblige à les payer à Milan, à raison de 11 réaux par écu, dans le courant de novembre et décembre de cette année, moitié dans l'autre mois ». En revanche, le Roi donne des sûretés : « S. M. lui paie le dit million d'or en Espagne, à raison de 400 maravedis par écu et de la façon suivante : 300 000 immédiatement de l'argent qui est à Laredo, 300 000 de l'or et de l'argent qui arriveront par les premiers navires provenant du Pérou et, au cas où on ne le paierait pas au courant d'octobre de cette année, le dit Grimaldi ne sera pas obligé de faire les paiements à la fin de novembre et de décembre, ni en Flandre ni à Milan ; 300 000 écus sur le service de Castille de 1559 et des lettres de change, sans intérêt, lui seront délivrées ; 166 666 écus pour complément des 400 millions de maravédis payables en rentes 10 p. 100. On lui paiera 540 000 écus de dettes anciennes de la façon suivante : 110 000 en rentes à 10 p. 100, 135 000 à 12 p. 100, 170 000 à 14 p. 100 et 25 000 assignés sur les mines. Les intérêts de cette somme lui seront comptés jusqu'à la fin de l'année 1556 à 14 p. 100 et pour l'année 1557, à 8 p. 100. On lui donne en outre la permission d'exporter d'Espagne un million d'or ».

Ces chiffres indiquent une dureté exceptionnelle. Le commentaire français anonyme qui l'accompagne constate que « ce marchand genevoys ne preste rien du sien, comme pouvez veoir, et toutefois pour le plaisir qu'il fet au roy filippe de lui faire bailler l'argent sur le change d'Envers et de Milan a mesmes condittion qu'on lui baillera par deça : il gainge (*sic*) 50 mrs pour chacun escu, attendu que l'on luy baille par deça quatre ce(n)s et il n'en vault que 350,

---

1. Le texte de l'asiento avec les Fugger, A. d. S. Naples, Carte Farnesiane, fasc. 1634.
2. B. N., Paris, Fr. 15 875, fo 476 et 476 vo.

qui vient a raison de 15 p. 100, oultre qu'il en gaigne quasi autant en Flandres pour ce qu'il ne baille que 72 gros pour escu et il en vaut 78 ». Et le commentateur de se demander pourquoi le roi d'Espagne a signé pareil accord. S'il disposait d'argent à Laredo, n'était-il pas plus simple de le faire directement venir ? Il n'y voit que deux avantages, la suppression du risque de mer et la réduction du taux des rentes représentant les dettes anciennes. Tout ce passif financier pèse sur la politique d'emprunt de Philippe II.

Mauvaise affaire également que le prêt de 600 000 écus consenti, cette même année 1558, par Constantino Gentile[1], lui aussi marchand génois. Le remboursement est prévu à raison de 125 000 écus immédiatement à Séville ; puis, toujours à Séville, en juillet 1558, une somme équivalente ; enfin, 350 000 écus assignés sur le service de Castille. Ajoutez les bénéfices extravagants du change et la consolidation de 1 400 000 écus de dettes anciennes : le même commentateur anonyme a beau jeu de montrer qui profite de l'opération.

Que, dans les deux exemples donnés ici, tout le poids en retombe sur la Castille (de même que dans le curieux *asiento* conclu avec les Fugger, le 1er janvier 1557, et dont les archives farnésiennes de Naples[2] possèdent une copie), il ne faut pas s'en étonner. C'est le cas de tous les partis conclus en ces années difficiles et qui sont gagés sur les services ordinaires et extraordinaires de Castille, sur les métaux précieux qu'apportent les flottes venues des Indes. Le crédit de Philippe II s'appuie, en dernière analyse, sur le crédit de l'Espagne. Or celui-ci est fortement endommagé.

On l'a, en effet, exploité sans modération. Au temps de la guerre contre Paul IV, il a fallu littéralement extorquer de l'argent aux prélats qui ne l'ont fourni que de guerre lasse. Puis, comme nécessité n'a pas de lois, on s'est saisi, dans la mesure du possible, de l'argent qu'apportaient les flottes des Indes. Il faut entendre, par là, l'argent destiné aux marchands de Séville ou trouvé sur les passagers retour des Indes. Ces saisies, répétées en 1556, 1557, 1558, ont laissé très mauvais souvenir. Ce n'est qu'en 1559 que Philippe II se décidera à rembourser les capitaux saisis, mais en offrant pour les deux tiers des *juros*. La joie qui s'ensuivit dans les milieux marchands dit assez combien la mesure, si injuste en soi, était, aux yeux de la plupart, inespérée[3]...

Au lendemain du Cateau-Cambrésis, Philippe II semble en éprouver un remords : « ... il nous paraît raisonnable, dit-il, de ne rien prendre ni aux marchands passagers (des flottes des Indes), ni aux particuliers, mais, au contraire, de leur remettre librement ce qui arrivera pour eux »[4]. Sagesse tardive ! Dix ans plus tard, le bruit se répandant que le gouvernement allait revenir à ses anciennes méthodes, bien des gens aimèrent mieux rester en Amérique que de risquer, en rejoignant l'Espagne, la saisie de leur argent[5].

Quant aux ressources normales, elles semblent, sauf les services de Castille, avoir été engagées par anticipation. Il en fallut trouver d'autres, d'où divers expédients financiers dont une lettre de la princesse Jeanne au roi, du

---

1. B. N., Paris, Fr. 15 875, f° 478 à 479.
2. A. d. S. Naples, Carte Farnesiane, fasc. 1634.
3. Joie relative bien sûr, au début même mécontentement. Il y a eu annulation d'un tiers de la dette, le reste payé en juros à 20 p. 100, Philippe à la princesse Jeanne, 26 juin 1559, Simancas E° 137, f° 121.
4. Philippe II à la princesse Jeanne, Bruxelles, 26 juin 1559, Simancas E° 137, f°s 123 et 124.
5. Simancas E° 137, 13 juil. 1559.

26 juillet 1557[1], dresse la liste : ventes de titres d'hidalgos, légitimations de fils d'ecclésiastiques, création d'offices municipaux, ventes de terres et juridictions domaniales... Ces ventes ont, plus que tout le reste, troublé les royaumes espagnols. Elles ont profité, de toute évidence, aux grands seigneurs, mais on en sait peu de chose : elles mériteraient d'être étudiées avec soin, de même que les ventes des terres ecclésiastiques, au-delà de 1570. Les villes en furent les premières victimes, les biens domaniaux étant en réalité souvent des biens municipaux, qui passèrent ainsi des villes à la noblesse. Mais bien des villages profitèrent de l'occasion pour s'acheter eux-mêmes et s'affranchir des juridictions urbaines. Simancas se libéra ainsi du contrôle de Valladolid.

Les créations de nouveaux offices municipaux étaient une autre façon de mettre les villes à contribution, car l'État touchait le prix de la vente des offices, et la ville payait ensuite les traitements[2]. On comprend les plaintes de ces dernières[3]. Défendant leurs deniers, elles n'hésitèrent pas à envoyer des agents jusque dans les Flandres. Philippe II ne put rester sourd à toutes leurs requêtes. Il cassa des marchés presque conclus et interdit finalement les ventes insignifiantes. Mais là encore les mesures sages furent tardives. Bien des excès furent commis, comme le dit la lettre déjà citée du licencié Palomares et certains, comme les usurpations domaniales à Grenade, échappent à notre contrôle[4]. En 1559, la détresse du trésor est immense. Philippe II a conclu la paix avec la France, mais il a fallu jusqu'à sa conclusion maintenir une armée sur pied ; puis la démobiliser, ce que l'on ne peut faire qu'en payant les arriérés de solde. L'argent manquant, on ne démobilise pas, et la dette ne cesse de croître : cercle vicieux... Philippe II demande à l'Espagne dix-sept cent mille écus, en mars[5], mais la Régente ne réussit à conclure que deux partis l'un de 800, l'autre de 300 000, ce dernier effort mettant d'ailleurs en péril le crédit du facteur Francisco López del Campo, chargé des paiements du trésor en Espagne. On a déjà, pour le sauver, prorogé jusqu'en juin le terme de la foire de Villalón : « Le facteur, écrit la princesse Jeanne à son frère, le 13 juillet 1559[6], se préparait à y aller et à satisfaire au mieux ses obligations qui portent sur les quantités de maravédis que verra V. M. par le mémoire qu'on lui envoie. Le principal fondement, à cet effet, était ce que l'on attendait des Indes par la flotte qui, vient d'arriver et qui, on le sait aujourd'hui, n'a rien apporté ni pour V. M. ni pour personne d'autre ». C'est le vice-roi de la Nouvelle-Espagne qui, au dire des officiers municipaux de Séville[7], a voulu que rien ne fût embarqué sur la flotte, de crainte des corsaires.

Dans ces conditions, impossible de faire face aux échéances de juin : « On prorogera la foire de Villalón[8] jusqu'à la fête de Saint-Jacques, continue la

---

1. Manuel DANVILA, *El poder civil en España*, *Madrid*, 1885, V, p. 364 et *sq.*

2. M. DANVILA, *op. cit.*, V, p. 346 et *sq.*

3. Ainsi de Burgos (10 févr. 1559), de Séville (Simancas Eº 137), de Guadalajara (B. N., Paris, Esp. 278, fº 13 à 14, 5 nov. 1557).

4. Sur l'enquête au sujet des terres usurpées de Grenade, je ne connais que le nom de l'enquêteur, le Dr Sanctiago, « oydor de Valladolid » que donne une lettre de Philippe II à la princesse Jeanne, 29 juillet 1559, Simancas Eº 518, fºs 20 et 21. Simple mention dans une autre lettre de Philippe II, 27 avril 1559, Simancas Eº 137, fº 139.

5. Voir à ce sujet la réponse de la princesse Jeanne, 27 avril 1559, Simancas Eº 137, fº 139 ; M. DANVILA, *op. cit.*, V, p. 372.

6. Simancas Eº 137.

7. Voir note suivante.

8. 13 juil. 1559, Simancas Eº 137.

princesse, pour trouver entre temps un remède possible, car le Conseil des Finances a décidé qu'il ne fallait absolument pas manquer aux échéances de la foire, même s'il était nécessaire d'emprunter sur le service (de la Castille) pour l'année 1561, bien qu'il ne soit pas encore accordé, ou sur tout autre chapitre. N'importe quel gros intérêt ou autre dommage doit être préféré, et de beaucoup, à la ruine du crédit du facteur. C'est, en effet, grâce à lui que V. M. a été servie et pourvue jusqu'à présent et qu'elle pourra l'être, si nous satisfaisons aux échéances de la foire. Les ressources sur lesquelles on pourrait tabler sont quelques ventes de vassaux, mais V. M. les a restreintes et spécialement en ce qui concerne Séville, alors que l'on concertait déjà une vente de 150 000 ducats, pour le compte du duc d'Alcala, désireux d'y acquérir 1 500 vassaux... » En même temps, la Régente envoie à Philippe des experts, comme le Dr Velasco, pour lui peindre exactement la réalité[1]. Elle craint que son frère ne garde des illusions.

Or, aux Pays-Bas, Philippe II ne trouve aucune solution. « A rester ici, écrit-il le 24 juin[2], je ne gagnerai rien que de me perdre moi et ces États (les Pays-Bas)... Le mieux est que nous cherchions tous le remède... et s'il n'est pas ici, j'irai le chercher en Espagne. » Voilà qui est net. Philippe II croit peu à l'efficacité de la princesse Jeanne, occupée de ses libéralités, de ses dévotions, de ses rêves ambitieux, libéralités que son frère rogne, rêves qui tournent autour de l'Infant Don Carlos qu'elle voudrait épouser, dit-on, pour se maintenir au premier rang. Peut-être le Roi se rappelle-t-il le voyage de Ruy Gomez dans la Péninsule, en 1557[3] ? Où le favori a réussi, le souverain ne peut-il tenter sa chance ? Le salut doit être cherché en Espagne, et par le souverain lui-même. Quand les vents contraires lui imposent la longue attente dont nous avons parlé dans les îles de Zélande, le roi s'afflige, non certes pour ses commodités personnelles, « mais, comme il l'écrit le 24 août à l'évêque d'Arras, pour voir qu'avec mon arrivée en Espagne, se retarde le moment où je pourrai chercher le remède nécessaire, pour ici et pour là-bas »[4].

Ces précisions aident à comprendre la lettre dramatique de Philippe II à ce même Granvelle, le 27 décembre 1559[5], à une date où la véritable situation de l'Espagne n'avait plus de secret pour lui. « Croyez, écrivait le souverain, que j'ai beaucoup désiré pourvoir ces Pays-Bas de tout ce que je sais leur être nécessaire... Mais je vous donne ma parole que j'ai trouvé ici une situation pire que celle de là-bas, qu'il m'est impossible de vous secourir et même de pourvoir, ici, à des besoins si infimes que vous vous étonneriez s'il vous était donné de les voir. Je vous confesse que jamais je n'ai pensé, là-bas, qu'il pouvait en être ainsi et je n'ai pas trouvé de remède en dehors de l'argent de la dot[6], comme vous le verrez d'après la lettre que j'écris à ma sœur [Marguerite de Parme]. » On ne se trompera pas sur la sincérité de cette désillusion. Il n'y avait plus rien en Espagne, parce qu'on en avait trop tiré, et peut-être avait-on ainsi stupidement

---

1. Nombreuses indications au sujet de la mission de ce personnage (Velasco et non de Lasco comme le disent les papiers du cardinal GRANVELLE, *Papiers d'État, op. cit.,* V, p. 454). Ainsi mention de la mission dans la lettre de Philippe II à la princesse, Bruxelles, 18 juin 1559, Simancas E⁰ 137 et du 20 mai, *ibid.,* f⁰ 116.
2. GRANVELLE, *op. cit.,* V, p. 606.
3. L. P. GACHARD, *La Retraite..., op. cit.,* II, p. LIII-LIV ; M. DANVILA, *op. cit.,* V, p. 351 (1557).
4. GRANVELLE, *Papiers d'État,* V, p. 641-644.
5. *Ibid.,* Tolède, 27 déc. 1559, p. 672.
6. De la nouvelle reine d'Espagne.

tari, pour un temps, les sources de la richesse de l'Empire. D'où le retour de Philippe II à la modération tardive dont nous parlions plus haut. Est-ce parce qu'il a reconnu la nécessité de maintenir ces sources à un débit normal qu'il s'est décidé à rester en Espagne, sa vie durant ?

En 1570, s'ouvrait à Cordoue la session des Cortès de Castille qui devait se clore, l'année suivante, à Madrid. A la séance d'ouverture, Eraso porta la parole au nom du roi et fit l'historique rapide des années écoulées depuis la précédente réunion, en 1566 : « Le roi a résidé au cours de ces années, comme vous le savez, en Espagne, bien qu'il ait eu d'urgentes et graves raisons de s'en absenter pour se rendre en personne vers certains de ses autres États, comme on le fit savoir au *Reino*, dans les précédentes Cortès. Mais S. M. sait combien son séjour en ces royaumes est nécessaire... non seulement pour leur bien et bénéfices particuliers, mais aussi pour pourvoir... aux nécessités des autres États, car ces royaumes sont, entre tous, le siège essentiel, la tête et principale partie. Et comme s'ajoute à tout cela le grand amour qu'elle vous porte, S. M. donna tel ordre que tout en donnant remède suffisant aux nécessités instantes, son absence fut évitée »[1].

Traduisons ce discours officiel et disons que Philippe, sauf danger exceptionnel, ne pouvait s'éloigner de l'Espagne, cœur de ses États, et leur trésor. Bruxelles était une admirable capitale politique, d'accord, mais il n'y a pas que la politique. Valladolid était bien la capitale financière de l'Empire hispanique ; les « partis » s'y établissaient et le rythme des foires de Castille, à ses portes, en fixait les échéances. Il fallait qu'il en fût ainsi, que le maître de l'Empire, concentrant autour de lui l'essentiel des dépenses de l'État, se trouvât au pays même où arrivait l'argent d'Amérique. Tout cela néanmoins le roi ne l'a vraiment compris qu'après son retour en Espagne. Les ordres que jusque-là il envoyait de loin aux gouvernants d'Espagne manifestaient, sans doute, une telle ignorance — l'ignorance que Philippe II reconnaît lui-même dans sa lettre à Granvelle — que ses correspondants les trouvèrent plus d'une fois risibles. L'aveu est de Philippe II : annotant une lettre de la princesse Jeanne qui déclarait qu'après réunion des conseillers de Valladolid, elle devait lui apprendre que tout le monde était d'un avis contraire au sien et jugeait impossible de lui envoyer de l'argent, qu'il lui fallait venir, le Roi a écrit dans la marge (ce que sans doute quelque médisant lui avait rapporté) : *se han harto reydo de mi*, ils se sont rudement moqués de moi. Ils ? les conseillers, la princesse, tous au courant des réalités de la Péninsule et partisans de son retour.

Philippe II est donc rentré en Espagne pour y apprendre que la situation était plus grave encore qu'il ne l'imaginait. Reste à comprendre par quelle aberration ce pays épuisé allait s'acharner à ne pas mettre un terme à la guerre en Méditerranée, à laisser se développer une lutte qu'il eût été possible d'éteindre et que l'on va voir, au contraire, se développer de plus belle. Mais le Roi Prudent en est-il responsable ?

---

1. Il est fait ici allusion au voyage projeté de Philippe II aux Pays-Bas (1566-1568). *Actas de las Cortès de Castilla*, III, p. 15-24.

2. Notes de Philippe II en marge de la lettre que lui a adressée la princesse le 14 juillet 1559, Simancas E° 137, f° 229. Ce texte a été vérifié à ma demande par D. Miguel Bordonau, alors archiviste en chef de Simancas.

LES SIX DERNIÈRES ANNÉES DE LA SUPRÉMATIE TURQUE : 1559-1565

Du traité du Cateau-Cambrésis, avril 1559, au siège de Malte, mai-septembre 1565, l'histoire de la Méditerranée, à elle seule, forme un tout cohérent. Six années durant, elle n'est plus à la remorque des grands événements de l'Europe de l'Ouest et du Nord ; libérés de leurs autres tâches, les géants qui occupent les deux moitiés de la mer — le Turc et l'Espagnol — reviennent à leur duel. Sans trop d'acharnement encore. Veulent-ils, l'un et l'autre, une guerre sans merci ? Ne sont-ils pas victimes de projets précis, à courtes visées, qui les entraînent finalement plus loin qu'ils ne le voudraient ? C'est ce que l'on pense à suivre le jeu incertain de l'Espagne, plus à la remorque des événements que sous le signe de l'audace. Le jeu turc, en ces dernières années du grand règne de Soliman, est analogue. Le seul grand fait, à l'Ouest, est la création d'une puissante force navale au service de l'Espagne. Mais la question est de savoir si, de cette force, l'Espagne se servira et si elle est suffisante pour maîtriser la mer.

1. La guerre contre les Turcs, une folie espagnole ?

La guerre continue en Méditerranée, au moment où l'Occident s'en libère, les Allemagnes par la paix intérieure d'Augsbourg, l'Empire hispanique et la Papauté par l'accord de septembre 1557, la France et l'Espagne par la paix du Cateau-Cambrésis. Partout ainsi, s'opère un puissant retour à la paix : partout, sauf en Méditerranée. La guerre s'y maintient, coupée d'à-coups brutaux et de très longues pauses, difficile à saisir dans ses mobiles et dans ses actions. La régression économique de 1559 à 1575 ne peut en porter toute la responsabilité.

La rupture des pourparlers hispano-turcs

En ce qui concerne les grands États, l'Espagne et la Turquie, la guerre n'était pas inévitable. On le pensait, en 1558, dans l'entourage de Philippe II. Une trêve de quelques années en direction de la Turquie semblait la condition d'un effort plus libre vers l'Ouest. Le 21 mai 1558, Philippe envoyait l'évêque del Aguila à son oncle Ferdinand, avec des instructions très nettes[1]. Une lettre de l'empereur, en date du 2 janvier, lui ayant indiqué qu'à |Vienne on avait engagé des pourparlers avec le Turc, qu'on y était décidé à s'acquitter de l'arriéré du tribut annuel (prévu par l'accord de 1547, et non payé depuis 1550) et même à consentir une augmentation, Philippe II donnait son approbation : « connaissant au jour d'aujourd'hui le peu de possibilité qu'il y a, en Chrétienté, de s'opposer, avec les forces qui seraient nécessaires, à une puissance aussi considérable que celle du Turc, je ne puis m'écarter de l'avis prudent que vous ont donné vos sujets eux-mêmes, Hongrois, Bohémiens, Autrichiens, et auquel se sont ralliés les Électeurs... ». Or, un intermédiaire, « qui a pratique et intelligence en la cour du Turc », s'est fait fort, il y a quelques jours à peine, d'obtenir du sultan, si le roi le désirait, une paix avec l'Espagne. « Pour quelques raisons particulières, continue le roi, je n'ai pas voulu qu'*on proposât de ma part* pareille négociation. Je n'ai pas voulu non plus rompre entièrement les ponts, retenant en considération que le Turc, redoutant mes forces en Méditerranée, pourrait, s'il savait que je puis être persuadé de me laisser comprendre dans la paix en préparation avec V. M., en adoucir et modérer peut-être les conditions. » Voilà bien de la diplomatie à l'espagnole, orgueilleuse et tenant à respecter le *puntonor*, mais ne refusant pas à biaiser, le cas échéant. Philippe II, qui ne veut point faire les premiers pas vers le Turc, laisse ses scrupules quand il croit pouvoir utiliser le relais et l'intermédiaire de Vienne[2].

Durant les premiers mois de 1559, le roi n'avait pas abandonné ces tractations. Nous avons trouvé, daté du 5 mars, un relevé des conditions éventuelles d'une trêve de dix ou douze ans avec le Grand Turc[3]. Dans une lettre du 6 au secrétaire de son ambassadeur à Venise, Garci Hernandez, le roi annonçait qu'il avait « fait élection de Nicolo Secco pour qu'il se rende auprès du Grand Turc, en compagnie de Francisco de Franchis, et y traite de la trêve que ce dernier a, comme vous le savez, mise en route »[4]. Le dit Nicolo Secco est allé à la Cour de l'empereur, il devra se rendre ensuite auprès du duc de Sessa pour y prendre ses instructions. Le 6 également, ordre est donné à Nicolas Cid,

---

1. *Instrucción de lo que vos el Reverendo padre obispo del Aguila habéis de decir a la Majestad del Serenissimo Rey é Emperador, nuestro muy caro y muy amado tío donde de presente os enviamos.* Bruxelles, 21 mai 1558, *CODOIN*, XCVIII, p. 6-10.
2. Quant à la personne « qui a pratique et intelligence en la cour du Turc » et qui a été chargée, sans l'être, de tâter le terrain à Constantinople, nul doute que ce ne soit Francisco de Franchis Tortorino, un Génois apparenté à la mahonne de Chio. Chargé de mission par Gênes à la suite des tractations corruptrices avec Piali Pacha durant l'été 1558, il a sans doute proposé en même temps ses services à Philippe II. Aux Archives de Gênes, un registre calligraphié raconte en détail le voyage de Francisco de Franchis (Costantinopoli, 1.2169) et des lettres consulaires nous le montrent à Naples et à Messine, en difficultés d'ailleurs avec les autorités espagnoles, puis gagnant Venise, A. d. S. Gênes, Napoli, Lettere Consoli, 2, 2635 ; Gregorio LETI, *op. cit.* I, p. 302, parle de sa mission en compagnie d'un certain Nicolo Gritti.
3. *CODOIN*, XCVIII, p. 53-54.
4. Bruxelles, 6 mars 1559, Simancas E° 485.

trésorier de l'armée de Lombardie, de payer 2 000 écus à Nicolo Secco, *para el gasto de cierto camino que ha de hazer a mi servicio*, et 5 000 à Garci Hernandez qui sait à qui il devra verser cette somme. Du même jour encore, l'instruction à Nicolo Secco[1] fournit des renseignements supplémentaires. L'instigateur de l'affaire semble bien être Francisco de Franchis Tortorino, alors de passage à Venise pour se rendre une seconde fois à Constantinople, et toujours pour le compte de la République de Gênes. Il a parlé longuement avec l'ambassadeur Vargas des possibilités qu'il a d'agir auprès de Roustem Pacha (lequel est alors grand vizir) et des cadeaux qu'il serait bon de lui faire.

Nicolo Secco, qui a déjà été ambassadeur en Turquie, devra rejoindre Franchis à Venise et, en sa compagnie, aller jusqu'à Raguse. De là, Franchis continuera seul sa route et n'appellera Secco qu'au cas d'une ratification à peu près certaine de la trêve. Ainsi, de même qu'en 1558, Philippe II tient à ne point aller trop de l'avant. Secco est autorisé à signer une trêve de dix, douze, voire quinze ans avec le Turc. Tant qu'elle durera, huit à dix mille écus seront versés, chaque année, à Roustem Pacha. Et s'il est possible, ajoutait Philippe II, d'obtenir, de la complaisance de Roustem, que l'armada turque ne sorte pas l'été qui vient, « il sera à propos de lui offrir douze à quinze mille écus, payables sans faute aucune, en une fois, à Venise ou à Constantinople, à son choix ».

Nous ne sommes entrés dans ces détails que pour bien établir la réalité des pourparlers et des intentions de Philippe II, avant la paix du Cateau-Cambrésis. Car, la paix faite, tout change. Le 8 avril 1559[2], Philippe II s'en explique dans une longue lettre au duc de Sessa : « Vous avez vu, écrit-il, ce que je vous ai dit à propos... de la trêve avec le Turc...'et les dépêches que je vous ai envoyées afin que Nicoló Secco allât s'en occuper. Depuis lors, j'ai été avisé par l'empereur qu'une trêve avait été conclue par ses ambassadeurs, pour trois ans, entre sa personne et le Turc, lequel n'a accepté en aucune façon que je fusse compris dans la dite trêve. Le but principal que je poursuivais... était de voir si, de cette procédure, quelque bénéfice pouvait résulter pour l'empereur et ses affaires : ce but me semble atteint. D'autre part, la paix vient de se conclure avec le roi de France, d'où l'on peut penser que le Turc, privé d'aide, n'ayant aucun port (à l'Occident) qui puisse accueillir son armada, ne l'enverra pas contre la Chrétienté. D'autant qu'à tout cela, il convient d'ajouter son grand âge, son désir, à ce que l'on dit, de se reposer et le trouble où le mettent la discorde, la mauvaise volonté réciproque et les prétentions de ses fils »[3]. Conclusion : « suspendre le voyage de Francisco de Franchis et de Nicolo Secco, puisque l'on ne pourrait rien tenter ou faire, en cette conjoncture, sans grande perte d'autorité de notre part ». L'original dit, plus fortement : *sin gran desautoritad nuestra*. Et c'est le mot de la fin : pour ne pas perdre la face, Philippe II, libre du côté de l'Occident, ne poursuit pas ses tentatives de paix. Cette attitude ne va pas sans conséquences.

Dès le mois de juin, en effet, Philippe II donnait son acquiescement aux projets des chevaliers de Malte et du vice-roi de Sicile contre Tripoli. Écrivant au duc de Florence pour lui demander ses galères, il lui disait : « Puisqu'il a plu à Dieu, N. S., que se conclue enfin la paix avec le Très Chrétien Roi de France,

---

1. Instruction del Rey a Nicolo Secco para tratar con el Turco, Bruxelles, 6 mars 1559, Simancas E° 485.
2. Bruxelles, 8 avril 1559, Simancas E° 1210.
3. Sélim et Bajazet.

il m'a paru qu'il serait du service de Dieu et profitable à toute la Chrétienté, que les galères qui sont à ma solde en Italie ne soient pas oisives durant le reste de cet été, mais qu'elles s'emploient à détruire les corsaires et à assurer la liberté de la navigation... J'ai donc autorisé l'expédition contre Tripoli »[1]. Contre Tripoli, c'est-à-dire contre Dragut, beglierbey de la ville depuis 1556. Mais ne sait-on pas, depuis 1550, qu'agir contre Dragut, c'est provoquer, à coup sûr, une riposte turque ?

C'est dire les responsabilités initiales de Philippe II et de sa politique de prestige. Responsabilités d'autant plus larges que la situation se prêtait à un accord : « Les affaires du Turc vont mal, notait le duc de Sessa, le 4 décembre 1559, par suite des dissensions de ses fils »[2] ; et un homme aussi pondéré que le duc d'Alcala, vice-roi de Naples, écrivait à Philippe, le 10 janvier 1560, au moment où l'expédition contre Tripoli venait de vider son royaume d'une grosse partie de ses troupes : « Je rappelle à V. M. que le moment serait bien choisi de traiter quelque trêve avec le Turc, aussi bien à cause des querelles de ses fils que pour le grand besoin qu'en éprouvent les États de V. M. Ici, chacun pense que ce serait bien nécessaire »[3].

Or, non seulement Philippe II s'est refusé à rechercher cette trêve pour son compte, mais il est intervenu auprès de l'Empereur pour le dissuader de conclure ce qui l'était presque. Si l'on en croit l'ambassadeur de Venise, Giacomo Soranzo[4], les articles de paix ne sont pas encore de retour à Vienne à la fin d'octobre et Philippe II, consulté pendant cet intervalle, déconseille de les accepter ; il s'offre même à inquiéter le sultan en Méditerranée, promet à l'empereur des hommes et de l'argent, suggère qu'il pourrait, par l'intermédiaire du roi de Portugal, solliciter Bajazet et le Sophi ; bref, ne néglige aucun argument. Ne vaudrait-il pas mieux, pour Ferdinand, s'emparer de la Transylvanie, que de s'accorder avec le sultan ? Ce conseil semble ne pas être tombé dans l'oreille d'un sourd[5].

La suprématie navale des Turcs

Pour agir ainsi, Philippe II a des raisons et des excuses.

Des raisons, car dès la signature de la paix du Cateau, Henri II a démobilisé sa flotte de Méditerranée. Il n'y aura pratiquement plus de flotte dans les ports français du Midi jusqu'à la fin du siècle et même au-delà, ce qui ajoute à la paix, proclamée en Méditerranée comme ailleurs[6], une garantie supplémentaire. Les Espagnols y gagnent leur liberté de manœuvre.

Des excuses ? Philippe II a celle de n'avoir point pris encore la mesure de la force turque. C'est à peine s'il l'a jaugée sur mer, car la Prevesa n'a pas été une grande rencontre, aux yeux des contemporains, et, pour lui, c'est de l'histoire ancienne ; sur terre, les Espagnols ne participent que de façon individuelle à la guerre des frontières hongroises, quand ils y participent. Deux fois seulement des Espagnols (que Charles Quint avait installés, en 1534, à Coron, puis à

1. 15 juin 1559, Simancas E⁰ 1124, f⁰ 295.
2. Résumé des lettres du duc de Sessa, des 1ᵉʳ, 4, 7 déc. 1559 (4 déc.), Simancas E⁰ 1210, f⁰ 142.
3. 10 janv. 1560, Simancas E⁰ 1050, f⁰ 9.
4. Au doge, Vienne, 25 oct. 1559, G. TURBA, op. cit., I, 3, p. 108 et sq.
5. Le même au même, 22 nov. 1559, ibid., p. 120 et sq.
6. Le roi au vice-roi de Sicile, Bruxelles, 4 avril 1559, Simancas E⁰ 1124, f⁰ 304.

Castelnuovo, en 1538, où ils menaient la vie ordinaire des présides, avec ses alertes et ses sorties) avaient dû se battre contre Barberousse et s'étaient fait déloger, en 1534 puis en 1539. Mais quel enseignement tirer de rencontres lointaines et inégales ? C'est en 1560 seulement, à Djerba, et dans l'île de Malte, en 1565, que l'infanterie espagnole pourra prendre la mesure de son ennemi.

Ajoutons qu'en Turquie, à la faveur de la querelle des fils du Sultan, se déchaînent toutes les forces indisciplinées, particularismes provinciaux, voire conflits sociaux. L'ambassadeur français de La Vigne écrit à l'évêque de Dax, en juillet 1559[1], que les esclaves sont tous en faveur du fils révolté de Soliman, Bajazet. Que celui-ci ait été battu par le préféré, Sélim, ce n'est point ce qui arrange les choses, puisque Bajazet gagne la Perse et que la guerre intérieure, mal éteinte, se relie à une éventuelle guerre extérieure. Les Turcs, comme l'écrit de La Vigne en septembre[2], « se trouvent les plus empeschés qu'ils ne furent jamais pour raison de leurs affaires domestiques ». Philippe II peut donc penser que ce n'est pas le moment de traiter avec eux, mais de les écraser[3].

L'été 1559 semble lui donner raison : la flotte turque ne dépasse pas, cette année-là, la côte d'Albanie et, mal en ordre, s'en retourne dès l'automne, sans avoir rien tenté contre la Chrétienté. Philippe II a sans doute trop compté sur le fait qu'elle ne pourrait menacer l'Occident qu'avec la complicité française. Cette complicité lui manquant, elle devrait se contenter de rapides incursions, à la belle saison. Malgré son infériorité numérique, la flotte hispanique pouvait donc se permettre une action, soit à la fin de la bonne saison, durant l'hiver, soit au début, avant d'être rejointe par son adversaire. Il s'agit de ne pas se laisser surprendre, surtout si l'on se propose d'agir au centre de la mer.

En fait, l'Espagne doit faire face à un double danger : les Barbaresques d'une part, de Tripoli jusqu'à Salé ; de l'autre, les Turcs. Chaque groupe a son autonomie et ils se séparent pendant l'hiver ; mais ils s'ajoutent l'un à l'autre et se renforcent pendant la bonne saison. Les Barbaresques ont boutique ouverte sur la Méditerranée de l'Ouest, et la boutique prospère ; au centre du Maghreb, Alger grandit, s'adjoint un Empire qui est une menace directe contre l'Espagne. Bien sûr, cet « Empire » n'est pas un modèle de discipline politique. Il est coupé de larges taches de dissidence, ainsi les montagnes de Kabylie ; mais les grandes routes sont tenues. Nous avons dit comment, en 1552, Salah Reis, septième roi d'Alger, avait poussé jusqu'à Ouargla ; en 1553 jusqu'à Fez. Fez avait été repris et le Chérif s'était même, un instant, emparé de Tlemcen, en 1557. Poursuivi par les Turcs, il avait battu en retraite sur sa capitale, mais à peu de distance de la ville, grâce à sa nombreuse cavalerie et aux « Elches », ces Morisques réfugiés au Maroc, habiles à manier l'arquebuse — il avait arrêté les troupes d'Hassan Pacha, le fils de Barberousse. Vers l'Ouest, la frontière algéro-marocaine se montrait finalement plus facile à franchir qu'à déplacer. Mais à l'Est, l'État algérois avait réussi à se débarrasser, sur son front de mer, du préside espagnol de Bougie, en 1555. Enfin, il lui avait été donné, en 1558, de remporter contre Oran un immense succès.

Depuis le début du siècle, depuis 1509, les Espagnols avaient joué un jeu serré autour d'Oran, réussissant. à plusieurs reprises, à s'annexer Tlemcen.

---

1. E. CHARRIÈRE, op. cit., II, p. 596, note.
2. Ibid., p. 603.
3. Marin de Cavalli au Doge, Péra, 18 mars 1559, A. d. S., Venise, Senato Secreta. Costant. Filza 2/B.

Cette politique de prestige pratiquée consciemment par le comte Martin de Alcaudete, avait pourtant trouvé son terme en 1551, du jour où une garnison turque put s'installer dans Tlemcen à demeure. Ce fut, dès lors, pour le préside une gêne constante et c'est pour l'atténuer et remonter le moral de la garnison qu'avec des troupes levées en partie sur ses terres d'Andalousie, le Vieux Don Martin, *El Viejo*, comme on l'appelait pour le distinguer de son fils, monta une expédition contre Mostaganem, à 12 lieues à l'Est d'Oran. Priver les Turcs de Mostaganem, c'était rompre leur liaison avec Tlemcen, les Turcs acheminant par ce port le ravitaillement et l'artillerie nécessaires à leurs opérations de l'Ouest. Bien menée, l'opération ne pouvait que réussir contre une place mal fortifiée. Mais on perdit du temps à exercer les nouvelles recrues dans des sorties autour d'Oran qui alertèrent l'Afrique du Nord entière. Puis le *Vieux* conduisit avec lenteur et précaution son coup de main. Le 26 août, surpris par les Algérois et les indigènes, il succombait sous le nombre, et plus de 12 000 Espagnols tombaient aux mains du vainqueur. A Alger, toutes les maisons furent pleines de ces nouveaux captifs et l'année suivante, beaucoup renièrent pour aller combattre en Petite Kabylie, dans les troupes d'Hassan Pacha[1].

Ces détails montrent la puissance avec laquelle le nouvel État turc taillait sa place dans la terre maugrébine. On connait mieux encore sa force grandissante sur mer, à l'Est jusqu'à la porte de Sicile, au Nord jusqu'en Sardaigne, à l'Ouest jusqu'au-delà de Gibraltar : « Les Turcs ont couru puis naguères avec quatorze ou quinze galères sur les Algarves, écrivait Nicot, ambassadeur du roi de France à Lisbonne, le 4 septembre 1559[2], et faist quelque ravage de gens. A mon arrivée, ils s'estoient retirez... » Ils ont fait plus de dommage en Castille et ils ont élevé « en Caliz[3] ung drapeau blanc, mectans à rançon toute leur proye et furent là rachetez tous les captifs ». On voit de quels « Turcs » il s'agit là...

Mais l'État algérois, le plus puissant des États barbaresques, n'était pas le seul. A l'Est du Moghreb, le « royaume » de Tripoli se développait à l'image d'Alger, surtout depuis que Dragut, en 1556, en avait pris la direction. Avec cette différence toutefois que l'État tripolitain ne pouvait guère se nourrir qu'aux dépens d'un arrière-pays désespérément pauvre, difficile à soumettre, particulièrement dans la région du Darrien dont les gens coupaient à volonté les routes qui apportaient du Soudan l'or et les esclaves. Limitée du côté de la terre, Tripoli se tournait d'autant plus vers la mer ; toute sa richesse était de ce côté-là, du côté de la Sicile si proche, à portée de main. Or, par delà la Sicile, ce que Dragut met en cause, c'est la vie matérielle de la Méditerranée occidentale, *hasta Cataluña y Valencia que morian de hambre*, jusques et y compris la Catalogne et Valence qui mouraient de faim, écrivait en juin 1559, le duc de Medina Celi[4], vice-roi de Sicile et grand promoteur de l'expédition contre Tripoli.

---

1. D. de HAEDO, *op. cit.*, p. 73, 74. Sur la politique espagnole en Afrique du Nord voir notre article *in : Revue Africaine*, 1928 ; Jean CAZENAVE. *Les sources de l'histoire d'Oran*, 1933.
2. Jean NICOT, *Correspondance...*, p.p. E. FALGAIROLLE, p. 7.
3. Cadix.
4. Au roi, 20 juin 1559, Simancas E° 485.

L'expédition de Djerba[1]

Cette expédition allait prendre une autre direction que celle qui avait été primitivement décidée et se tourner contre Djerba ; après des vicissitudes que nous rapporterons très brièvement.

Si la décision de l'expédition peut se dater du 15 juin 1559, comme en font foi les ordres et instructions expédiés de Bruxelles[2], les projets en sont bien antérieurs et la responsabilité n'en revient pas à Philippe II seul. Tous les témoins indiquent le rôle du duc de Medina Celi, vice-roi de Sicile, et du grand maître de Malte, Jean de La Valette. Liés d'une étroite amitié[3], ils ont tous deux affaire au terrible corsaire de Tripoli et chez Jean de La Valette qui avait été autrefois, pour le compte des chevaliers, un remarquable gouverneur de Tripoli[4], il faut faire la part des regrets d'un « Africain » et de l'ambition d'un chef d'État. Tripoli repris ne pouvait que revenir à son Ordre. Pour Juan de la Cerda, duc de Medina Celi, il y a, outre les nécessités siciliennes, le désir de renouveler, mais avec plus d'éclat, ce que son prédécesseur, Juan de Vega, avait réussi contre Africa, en 1550. Or les circonstances paraissent favorables. Tripoli est mal fortifiée, avec une garnison d'à peine 500 Turcs. Dragut, sans cesse obligé d'intervenir dans l'arrière-pays, est en pleine hostilité avec le « roi » de Kairouan, cet émir Chabbîa dont les troupes, à ce que raconte un avis de La Goulette, ont battu celles de Dragut, et dont l'autorité morale est grande, *quasi come il Papa tra Christiani*, prétend Campana[5], ce qui est beaucoup dire. Enfin on est toujours sûr de trouver des aides parmi les « Mores », nomades un peu trop rossés par les Turcs pour les aimer fort. Le duc de Medina Celi a des intelligences avec eux (et même, par un certain Jafer Catania, des complicités dans l'entourage de Dragut). Cependant, il le reconnaît lui-même, malgré les lettres et les sentiments de ces cheikhs, il serait peu prudent de tabler sur eux[6].

C'est un chevalier de Malte, le commandeur Guimeran qui, à Bruxelles, alla présenter au roi le projet contre Tripoli. L'affaire dépassa vite le stade des premiers examens. Le 8 mai 1559, Philippe II demanda un rapport au vice-roi. Mais ce rapport n'était pas encore parti de Sicile que le roi prenait sa décision[7] et la notifiait au duc de Medina Celi, en l'investissant du commandement de l'expédition dans une lettre du 15 juin où il expose ses motifs : paix avec la France ; intérêt qu'il y a à débarrasser l'Italie d'un si fâcheux voisinage ; mauvais état des affaires de Dragut au retour de son expédition dans les montagnes du Darien, au milieu de Mores hostiles qui le tiennent dans un quasi-

---

1. Pour tout le détail de ce paragraphe, Charles MONCHICOURT, *L'expédition espagnole contre l'île de Djerba*, Paris, 1913, modèle d'érudition minutieuse. En principe, nos références concerneront des sources non utilisées pour ce livre.
2. Au vice-roi de Sicile, même date, Simancas E° 1124, f° 300 ; instruction au commandeur Guimeran, même date, *ibid.*, f°s 278 et 279 ; au grand maître de Malte, même date, *ibid.*, f° 302, etc.
3. Don Lorenzo van der HAMMENY LEON, *Don Felipe El Prudente...*, Madrid, 1625, f° 146 v°.
4. Jean de La Valette, de la langue de Provence, grand maître de l'Ordre, 1557 à 1568. Il avait gouverné Tripoli de 1546 à 1549. Cf. les extraits de G. BOSIO, *I Cavalieri gerosolimitani a Tripoli*, p.p. S. AURIGEMMA, 1937, p. 271-272.
5. *Op. cit.*, p. 82-83.
6. Le duc de Medina Celi à Philippe II, 20 juil. 1559, Simancas E° 1, f° 204.
7. Décision du 15 juin, rapport du 20.

blocus ; enfin facilité de l'expédition qui pourra se faire dès l'été, avant que le corsaire ne se soit fortifié dans son repaire. Le même jour, dans son instruction au commandeur Guimeran, le souverain ajoute que cette année, autre argument favorable, il n'y aura pas d'armada turque importante, on l'en informe de tous côtés. Le roi mettait à la disposition de Medina Celi les galères d'Italie, celles d'Espagne recevant au contraire l'ordre de retourner dans leur pays d'origine pour en protéger les côtes contre les corsaires. Quand Juan de Mendoza, leur chef, refusera plus tard de se joindre à l'expédition[1], il ne fera qu'obéir à ses ordres.

Donc, l'expédition sera conduite uniquement avec les éléments italiens de la flotte de Philippe II, galères de Sicile et de Naples, galères louées des Génois, des Toscans, des Siciliens, du duc de Monaco, et flottes alliées du pape et de la Religion. Il n'était pas difficile de grouper ces navires, libérés par la paix avec la France, dans l'habituel et commode port de Messine. Ce l'était davantage de réunir les approvisionnements et, plus encore, les hommes indispensables. Au départ, Philippe II avait prévu l'embarquement de 8 000 Espagnols, dont 5 000 à prélever sur les garnisons de Milan et de Naples et 2 000 à trouver dans le royaume de Sicile. Avec les mille hommes qu'offrait Guimeran, au nom de Malte, cela ne suffirait-il pas[2] ? Or, avant qu'il eût appris la décision du roi, dans son mémoire du 20 juin, Medina Celi réclamait une vingtaine de mille hommes, si deux batteries d'artillerie lui paraissaient suffisantes, vu la faiblesse de la place. Ces chiffres soulignent l'opposition, dès le départ, entre le projet royal, expédition rapide à exécuter sur le champ, pendant l'été, et l'opération plus lourde que le vice-roi rêve de mettre sur pied. Ainsi le roi, lorsqu'il s'avéra difficile de retirer des Espagnols de Lombardie (les places du Piémont n'étant pas encore restituées) donna aussitôt l'ordre, le 14 juillet[3], de les remplacer par les 2 000 Italiens que le duc d'Alcala venait d'envoyer de Naples à Messine, à bord des galères destinées à l'expédition. L'essentiel était que celles-ci ne perdent pas de temps à remonter jusqu'à Gênes y embarquer des troupes et, comme écrivait Philippe II[4], « qu'on exécutât l'entreprise dans ce qui restait à courir de la belle saison ». Faire vite, telles étaient les instructions du roi.

Mais Medina Celi demande une augmentation des effectifs qui oblige Philippe II, le 7 août[5], à réitérer l'ordre d'envoyer les Espagnols de Lombardie, *con la mayor brevedad*, en Sicile. Oui, mais le duc de Sessa, à point nommé, trouve, dans la mort de Henri II, un nouvel argument pour ne pas lâcher ses hommes[6]. On imagine, pour ces ordres successifs, les délais imposés, chaque fois, par la correspondance entre Gand, Naples, Milan et Messine... Le 10 août,

1. C. MONCHICOURT, *op. cit.*, p. 93, laisse à penser que D. J. de Mendoza a agi de sa propre initiative. R. B. MERRIMAN (*op. cit.*, IV, p. 102) indique à titre d'hypothèse que D. Juan a pu recevoir un ordre. Le fait est établi par la lettre de Philippe II (voir notes précédentes, note 2, p. 285 et note 1, p. 282). Voir également sur ce point et sur le désarmement des côtes d'Espagne, l'Aubespine au roi, 20 juil. 1559, E. CHARRIÈRE, *op. cit.*, II, p. 600, note ; L. PARIS, *Nég. sous François II*, p. 24 ; C. DURO, *op. cit.*, II, p. 46.
2. Curieuses remarques de A. de HERRERA, *op. cit.*, I, p. 14 ; partout se pose, après 1559, le problème de la démobilisation, l'expédition projetée, n'est-ce pas un moyen de débarrasser l'Italie espagnole des soldats qui « restaient de la guerre de Piémont et ne pouvaient mieux s'occuper que contre les Infidèles » ?
3. Philippe II au com. Guimeran, Gand, 14 juil. 1559, Simancas E° 1124, f° 331.
4. Au vice-roi de Sicile, Gand, 14 juil. 1559, Simancas E° 1124, f° 321.
5. Au com. Guimeran, Gand, 7 août 1559, Simancas E° 1124, f° 330.
6. Figueroa à la princesse Jeanne, Gênes, 7 août 1559, Simancas E° 1388, f°s 162-163.

Jean André Doria écrit au roi[1] qu'il confie une galère à Alvaro de Sande : celui-ci se rendra à Gênes, de là à Milan et plaidera auprès du duc de Sessa pour obtenir, outre ses Espagnols, deux mille Allemands et deux mille Italiens à lever en Lombardie. Voilà, pour les galères, de nouveaux problèmes de transport, sans compter le convoiement obligé des navires chargés du ravitaillement en biscuit. Le 11 août[2], à Milan, le duc de Sessa se décide enfin, vu que les restitutions aux ducs de Savoie et de Mantoue se sont accomplies comme convenu. Il faudra cependant plus d'un mois pour que les infanteries espagnole, allemande et italienne, promises l'une après l'autre, arrivent à Gênes[3]. Le 14 septembre, Figueroa, l'ambassadeur espagnol dans cette ville, annonce leur embarquement, à bord de quelques naves et de onze galères : « Ce sont toutes de splendides et bonnes troupes. Si le temps ne les empêche, elles partiront au complet, sans perdre un instant ». Mais on est déjà au 14 septembre !

A Naples, les retards et les difficultés sont les mêmes. Jean André Doria, le 14 septembre[4], annonce que les galères de la Religion sont parties à Naples pour en ramener l'infanterie italienne que l'Ordre des Chevaliers vient d'y lever. Quant à lui, il a envoyé des galères à Tarente pour y chercher cinq compagnies italiennes que le vice-roi de Naples a cédées au corps expéditionnaire et, poussant jusqu'à Otrante, y charger de la poudre et des boulets. Encore a-t-il reçu, la veille, des lettres du vice-roi qui déclare ne plus vouloir donner la dite infanterie parce qu'il a reçu «la nouvelle certaine de l'arrivée de la flotte turque, forte de 80 voiles, à Valona où elle a embarqué 1 500 spahis »[5]. Du coup, il s'inquiète pour ses galères : « plaise à Dieu de les reconduire saines et sauves... ». Cependant les délais courent et Philippe II s'en effraie : « Je suis en grand souci du succès de l'expédition, écrit-il le 8 octobre[6], la saison étant si tardive ». De Syracuse, où la flotte vient de se transporter, Don Sancho de Leyva, qui commande les galères de Sicile, écrit le 30 novembre : «Je n'ai pas manqué de dire au duc de Medina Celi, et à plusieurs reprises, que dans la rapidité résidait le premier élément du succès de cette expédition et que le retard en était le plus grand empêchement... Or, c'est dans toute l'Italie qu'on a été chercher soldats et ravitaillement »[7].

Il importait de signaler cette lente mise en place[8]. Quand la flotte part enfin de Syracuse, le 1er décembre, par une éclaircie de beau temps[9], elle compte quarante-sept galères, quatre galiotes, trois galions (en tout, cinquante-quatre navires de guerre et trente-six nefs de charge[10]) ; à bord dix à douze mille hommes[11], une force plus importante que celle qui avait opéré contre Africa, en 1550, et qui ne le cédait qu'aux expéditions que Charles Quint avait menées en

1. J. André Doria à Philippe II, Messine, 10 août 1559, Simancas E° 1124, f° 335, en italien. Plus tard, J. A. Doria ne correspondra plus guère avec le roi qu'en espagnol.
2. Le duc de Sessa au roi, Milan, 11 août 1559, Simancas E° 1210, f°. 203.
3. Figueroa à Philippe II, Gênes, 14 sept. 1559, Simancas E° 1388.
4. J. A. Doria à Philippe II, Messine, 14 sept. 1559, Simancas E° 1124, f° 336.
5. *Ibid.*
6. Philippe II au duc de Medina Celi, Valladolid, 8 oct. 1559, Simancas E° 1124, f° 325-326.
7. A Philippe II, Simancas E° 1124, f° 270.
8. Sur cette lenteur, innombrables documents et notamment, Simancas E° 1049, f°s 185, 188, 189, 225, 227, 251, 272.
9. Gio : Lomellino à la Seigneurie de Gênes, Messine, 10 déc. 1559, A. d. S., Gênes, Lettere Consoli, Napoli-Messina, 1-2634.
10. C. MONCHICOURT, *op. cit.*, p. 88.
11. *Ibid.*, p. 92.

personne contre Tunis et Alger. Son volume même explique la lenteur de sa concentration, mais la flotte turque, arrivée en août à Valona, l'a retardée encore[1]. Herrera prétend que si cette armada d'une centaine de voiles n'a pas été plus loin vers l'Ouest, c'est qu'elle a été tenue en respect par les galères réunies à Messine[2]. Il faudrait dire, pour le moins, que les deux flottes se sont immobilisées à distance. C'est seulement lorsque les Turcs auront remis le cap sur l'Orient, en octobre, que le vice-roi de Naples acceptera de donner les derniers soldats nécessaires à l'expédition et qu'il gardait dans la région de Tarente[3]. La flotte chrétienne passe alors de Messine à Syracuse.

Mais désormais, il n'est plus question de surprise. Toute l'Europe est au courant ; également les Turcs et les corsaires. Dragut se fortifie. Une nave française partie de Marseille, le 25 novembre, porte, au moins jusqu'à Milo, des nouvelles de l'armada réunie à Messine[4] et dont Dragut, à l'automne, a saisi un navire envoyé en éclaireur[5]. Mille bruits courent, plus ou moins exacts, dans les correspondances vénitiennes[6], si bien que le Turc se met à équiper en hâte, à Constantinople, une flotte qui sera, dit-on, de 250 voiles. L'avis de Maximilien, à Vienne, est « qu'on a publié l'expédition tellement à l'avance que l'on a donné au Turc un motif et du temps pour préparer une aussi grande armada »[7].

Est-ce pour mettre de son côté au moins un élément de surprise que la flotte entreprit son voyage au mois de décembre ? C'était folie, tous les marins le savaient, que de choisir pareille époque. Mais le duc est un soldat, non pas un marin ; il a tenu bon contre tous les avis et la flotte a quitté Messine. Presque aussitôt, la voilà prise par le gros temps. Seul recours : se rendre à Malte. Les marins durent alors triompher car le mauvais temps l'y retint dix semaines, jusqu'au 10 février 1560. Pendant cette longue attente, les épidémies décimèrent le corps expéditionnaire qui perdit, avant de combattre, deux milliers d'hommes.

Le rendez-vous des galères et des naves, qui repartirent séparément, fut fixé au voisinage de Zuara. Les naves y arrivèrent avec du retard ; les galères y étaient le 16 février, après un crochet par les Kerkenna et Djerba, occasion de prendre deux navires chargés d'huile, de baracans et d'épices[8] et de laisser échapper deux galiotes qui, avec Euldj Ali, filèrent jusqu'à Constantinople jeter l'alarme. Occasion surtout de laisser à Dragut, qui se trouvait à Djerba, le temps d'être averti et de rejoindre Tripoli. Chacun, on le devine sans peine, y était fort inquiet. Écoutons, à l'autre bout de la Méditerranée, le baile vénitien de Constantinople : quatre galères de Dragut sont arrivées. « On dit qu'elles ont apporté outre des esclaves, de grande richesses du dit Dragut, signe qu'il tient la partie pour désespérée. Il demande un secours rapide, disant qu'il ne dispose que de 1 500 Turcs : tous les corsaires qui avaient hiverné à Tripoli, avec environ 15 navires, à l'annonce de l'arrivée des Espagnols, se sont enfuis sans attendre d'autorisation... »[9].

1. Gio. Lomellino à la Seigneurie de Gênes, Messine, 24 août 1559, même référence qu'à la note 9, page précédente.
2. *Op. cit.*, I, p. 15.
3. Figueroa à Philippe II, Gênes, 27 oct. 1559, Simancas E⁰ 1388, f⁰ 16.
4. Marin de Cavalli au doge, Péra, 29 janv. (1560), A. d. S., Venise, Senato Secreta, Cost. 2/B, f⁰ 222 v⁰.
5. C. Monchicourt, *op. cit.*, p. 100.
6. Ainsi 31 janv. 1560, *C.S.P.* VII, p. 150.
7. Giacomo Soranzo au doge, Vienne, 3 févr. 1560, G. Turba, *op. cit.*, I, p. 134.
8. Messine, 3 avr. 1560, A. d. S., Gênes, Lettere Consoli, Napoli-Messina, 1-2634.
9. Le baile au doge, Péra, 30 mars 1560, A. d. S., Venise, Senato Secreta, Cost. 2/B.

Si l'armada avait alors attaqué Tripoli, elle aurait eu quelque chance de l'emporter. C'était déjà une faute que d'avoir manqué Dragut à Djerba, car le corsaire bloqué dans l'île, les quatre cents Turcs qui se trouvaient en garnison à Tripoli n'auraient pu empêcher une victoire facile, le duc de Medina Celi le reconnaîtra plus tard[1]. Mais sur la sèche de Palo, près de Zuara, l'armada s'immobilisa encore, par suite du mauvais temps, durant la seconde moitié de février ; nouveau retard, nouvelles épidémies, nouvelles pertes d'hommes. Le 2 mars, elle mit à la voile, mais pour Djerba, sans doute parce qu'on savait Dragut rentré à Tripoli : à défaut de la ville, on prendrait l'île riche en palmiers, en oliviers, en troupeaux, l'île de la laine et de l'huile. Le débarquement se fit le 7 mars, sans incident. Au début d'avril, le consul génois Lomellino pouvait annoncer de Messine (où la nouvelle venait d'arriver) : *l'armada nostra* — l'expression a sa valeur — « a pris Djerba »[2]...

A cette date, en effet, le duc de Medina Celi a déjà établi, avec solennité et paternalisme, le gouvernement du roi d'Espagne sur sa nouvelle possession. Il a donné l'investiture à un cheikh de son choix ; il veille à ce que les Djerbis ne soient pas molestés, oblige les soldats à payer ce qu'ils prennent sur le pays. D'ailleurs, de Tunis le Hafside, de Kairouan le Chabbïa envoient du ravitaillement. Cependant, sur la face Nord de l'île, la construction d'un fort a commencé, travail extrêmement difficile, le bois, la pierre, la chaux faisant également défaut. Les indigènes n'apportent aucune aide effective en dehors des convois chameliers. C'est donc l'armée qui, bien que minée par les fièvres, continue à user ses effectifs dans ces durs travaux. Cependant, les plus habiles des patrons de bateaux achètent qui de l'huile, qui des chevaux, qui des chameaux, ou des cuirs, ou des laines, ou des barracans...

En même temps que de Berbérie, Naples et la Sicile reçoivent des nouvelles du Levant ; et ce sont de mauvaises nouvelles. Le vice-roi de Naples est avisé, au début d'avril, que l'armada turque va sortir beaucoup plus tôt que d'habitude. Il demande au roi que l'on rassemble des galères à Messine, notamment les galères d'Espagne. Elles ne suffiront pas à s'opposer au Turc, mais l'empêcheront de débarquer trop facilement des gens et de l'artillerie. Il écrit aussi à Medina Celi pour qu'il lui renvoie, par les galères, et dirige sur Tarente l'infanterie de Naples qu'il lui a prêtée[3]. Le 21, il confie au roi ses angoisses : si on ne lui rend pas cette infanterie, il va falloir lever des Italiens, à nouveaux frais. Il plaide donc pour le retour partiel ou total du corps expéditionnaire, ajoutant : « j'ai averti (le duc de Medina Celi) qu'à mon avis, il est mauvais d'attendre que l'armada du Turc vienne et que celle de V. M. se trouve embarrassée dans la construction du fort que l'on élève à Djerba ». Quelques jours plus tard, il apprend, par un voyageur retour de Constantinople, que l'armada turque est partie au secours de Tripoli[4]. Le 13 mai[5], on l'avise qu'elle a déjà quitté Modon. Aussitôt, il prévient la Sicile par terre et, par frégate, les occupants de Djerba. Au roi il annonce : « je juge que l'armada de V. M. n'est pas en médiocre péril... » L'avis qui arrive le 14 signale que l'armada a été vue au

---

1. Dans ses notes au *Memorial de D. Alvaro*, C. MONCHICOURT, *op. cit.*, p. 100, note 2.
2. 3 avr. 1560, A. d. S. Gênes, Lettere Consoli..., 1-2634.
3. Le vice-roi de Naples à Philippe II, 4 avr. 1560, Simancas E° 1050, f° 28, au duc de Medina Celi, 20 avr., *ibid.*, f° 32, au roi, 21 avr., f° 32.
4. Au roi, 5 mai 1560, Simancas E° 1050, f° 36.
5. *Ibid.*, f° 39.

large de Zante, faisant voile vers la Berbérie[1]. Mais à cette date, tout était terminé à Djerba.

La flotte de Piali Pacha avait, en effet, marché aussi vite que les nouvelles. Le 8 mai, elle se trouvait entre Malte et le Gozzo. Elle avait navigué en droiture, avec une extrême rapidité. C'est un record qu'elle ait pu franchir en vingt jours la distance de Constantinople à Djerba. Le duc, qui l'attendait en juin, la vit arriver le 11 mai. La veille, une frégate de Malte était venue le prévenir. Personne à Djerba n'envisagea de combattre. Il parut à tous, comme le dira plus tard Cirini, « qu'une belle fuite valait mieux qu'un brave combat »[2]. Faut-il attribuer cette attitude à un « complexe d'infériorité », ou bien au manque de sang-froid des chefs, ou encore au désir de la plupart d'entre eux de mettre à l'abri les cargaisons entassées à bord, pendant le séjour sur les côtes de l'île ? Ces cargaisons que le *visitador* Quiroga accusera plus tard d'avoir été à l'origine du désastre : sans elles, dit-il, sans le souci de charger ces richesses avant le départ, on eût suivi les avis du vice-roi de Naples et la flotte turque, arrivant à Djerba, aurait trouvé les lieux vides depuis plusieurs jours[3].

Cependant, la fuite elle-même ne fut pas facile. En ne voulant pas abandonner l'infanterie italienne et allemande, encore à terre, le duc perdit un temps précieux dans la nuit du 10 au 11. Le lendemain quand la flotte turque attaqua, ce fut la panique immédiate et totale[4]. Tout fut sacrifié pour hâter la fuite, y compris les fameuses cargaisons, balles de laine, jarres d'huile, chevaux, chameaux qu'on jeta par dessus bord avec ce qui pouvait alourdir les navires. Cigala, habitué à la vie des pirates dans le Levant, fut un des rares qui osèrent faire front. Il tint l'ennemi en respect et finalement lui échappa. Mais sur 48 galères ou galiotes que comptait l'armada chrétienne au moment de la rencontre, 28 furent perdues, sans compter les navires qui tombèrent aux mains de l'ennemi. Rarement on avait vu pareille débâcle.

En Sicile, à Naples, à Gênes, en Espagne, par toute l'Europe, la nouvelle se propagea avec rapidité. Le 18 mai, à deux heures du matin, arrivaient à Naples cinq galères échappées du désastre, trois d'Antonio Doria, une de Bendinelli Sauli, une de Stefano de' Mari. Elles apportaient la mauvaise nouvelle avec toutes sortes de détails. Remarquons que ces premières arrivées sont, non par hasard, des galères louées, ou comme l'on dit des galères d'*asentistas*, de particuliers ayant des contrats, des *asientos* avec le roi d'Espagne, donc préoccupés, en toute occasion, de sauver leur capital... Presque en même temps arrivèrent d'autres fugitifs, sur des frégates ou des embarcations plus modestes encore. Parmi ces heureux ayant trompé la vigilance des Turcs, se trouvaient Jean André Doria, commandant de la flotte, le vice-roi lui-même et quelques-uns de leurs familiers, « miraculeusement arrivés à Malte et de Malte à Messine »[5].

Cependant plusieurs milliers d'hommes étaient restés dans le fort avec des vivres abondants, pour une année disait-on. Qu'en ferait-on ? De La Goulette — où l'on n'a été mis au courant que fort tard, le 26 mai[6] et peut-être par la Sicile — Alonso de la Cueva écrit au roi, le 30 : malgré les demandes que

---

1. Au roi, 16 mai 1560, *ibid.*, f⁰ 40.
2. P. 32 et 32 v⁰, cité par C. MONCHICOURT, *op. cit.*, p. 109.
3. Le visitador Quiroga au roi, Naples, 3 juin 1560, Simancas E⁰ 1050, f⁰ 63.
4. Bien vu par le fils de Machiavel, C. MONCHICOURT, *op. cit.*, p. 111.
5. La Sie de Gênes à Sauli, Gênes, 19 mai 1560, A. d. S., Gênes, L. M. Spagna 3.2412.
6. Au roi, 30 mai 1560, Sim. E⁰ 485.

lui adresse le vice-roi de Naples, il ne pense pas que l'on ait la possibilité (en cela il a raison, le personnage est à la botte des Turcs) d'utiliser le roi de Tunis, vassal de S. M., pour le secours du fort de Djerba. Si l'on avait construit le fort non pas sur l'emplacement du vieux Château, mais à Rochetta, où la flotte avait débarqué, les assiégés auraient disposé d'un port en eau profonde et d'eau potable ; on aurait pu se porter au devant d'eux. Mais ainsi...

Pendant un certain temps, le duc d'Alcala continue à s'agiter, envisage mesures sur mesures. Puis, il se calme à l'annonce du salut de son collègue, le duc de Medina Celi[1]. Ce dernier lui apporte d'ailleurs, pour la garde de Naples, une partie de l'infanterie italienne échappée au désastre, en attendant que, en remplacement de l'infanterie espagnole perdue à Djerba, on ait fait de nouvelles levées en Espagne[2].

Quant à Philippe II, la nouvelle lui était arrivée aux environs du 2 juin, par la voie de Gênes[3]. On lui annonçait la perte de 30 galères et de 32 bateaux[4], l'arrivée à bon port de 17 galères seulement, chiffres à peu près exacts. Aussitôt le roi, après en avoir délibéré avec le duc d'Albe, Antonio de Toledo, Juan de Manrique, Gutierre Lopez de Padilla, décidait d'envoyer à Messine une personne d'autorité, pour remplacer le vice-roi qu'on ne savait pas encore sauf et de faire parvenir en Sicile 5 000 fantassins à lever en Calabre, plus l'artillerie et des munitions qu'on prélèverait sur les réserves de Naples[5]. Le bruit courait que Philippe II demanderait au roi de France l'appui de sa flotte[6]... Le 3 juin, il nommait, au gouvernement de Sicile, Don Garcia de Toledo, alors vice-roi de Catalogne.

Il organisait ainsi le secours du fort où l'on croyait toujours enfermé le duc de Medina Celi. Le 8 juin, recevant des nouvelles rassurantes au sujet de la Sicile : raison de plus, s'écriait-il avec exaltation[7], pour se préoccuper des gens du fort ; sauver ceux qui ont servi la Couronne est un devoir. Il pensait réunir jusqu'à soixante-quatre galères à Messine et avait ordonné l'embargo sur trente grosses naves, bien munies d'artillerie. Des Italiens levés dans la Péninsule, les Espagnols de Lombardie qu'on remplacerait par 3 000 *alemanes altos*, 3 000 hommes de Haute-Allemagne, soit en tout 14 000 fantassins, étaient prévus pour l'armada de secours, placée sous les ordres de Don Garcia de Toledo. Enfin, on acheminerait sur Gênes une bonne quantité de blé pour la fabrication du biscuit...

Tout était prêt. Mais le 13 juin[8], Philippe II recevait une lettre de Don Garcia de Toledo lui apprenant que le vice-roi de Sicile était sauf[9]. Le 15, brusquement, le roi suspendait ses ordres, alléguant que, selon tous les avis, les assiégés avaient pour huit mois de vivres, tandis que l'armada turque n'en avait que pour deux et ne pourrait donc prolonger le siège[10]. Tous les préparatifs

---

1. Le duc d'Alcala à Philippe II, Naples, 31 mai 1560, Simancas Eº 1050, fº 56.
2. Le même au même, 1er juin 1560, *ibid.*, fº 60.
3. Par une lettre de Figueroa et des avis du cardinal Cigala et des ambassadeurs de Gênes, Philippe II au vice-roi de Naples., 2 juin 1560, Simancas Eº 1050, fº 63. Sur le chiffre des pertes, Gresham, 16 juin 1560, parle de 65 bâtiments, Ms. Record Office, nº 194.
4. Tiepolo au Doge, Tolède, 2 juin 1560, *C. S. P. Venetian*, VII, p. 212-213.
5. *Ibid.*
6. *Ibid.*
7. Philippe II au duc d'Alcala, Tolède, 8 juin 1560, Eº 1050, fº 69.
8. Barcelone, 9 juin 1560, Sim. Eº 327.
9. D. Garcia de Toledo à Philippe II, Barcelone, 12 juin 1560, Simancas Eº 327.
10. Philippe II à D. Garcia de Toledo, Tolède, 15 juin 1560, Simancas Eº 327. Réponse de D. Garcia, de Barcelone, 23 juin, *ibid.*

furent décommandés. Du temps passa pourtant avant que les nouveaux ordres parvinssent à leurs destinataires, un temps pendant lequel se poursuit l'agitation provoquée par l'affaire de Djerba. Le vieux prince Doria envoie ses conseils ; il lui paraît imprudent d'attaquer directement, avec un nombre insuffisant de galères. Il vaudrait mieux tenter un raid de diversion vers le Levant. La Seigneurie de Gênes offre quatre galères pour le secours du fort. Le seigneur de Piombino en met une au service du roi d'Espagne ; si elle n'est pas acceptée, il l'enverra *buscar su ventura*[1]. Le duc de Savoie annonce qu'il en a trois, l'une est en ordre, la seconde n'a que sa chiourme, la troisième n'a rien du tout, mais il attend les quatre galères que doit lui donner le roi de France[2]. Estefano de Mari vient d'acheter deux galères au cardinal Vitelli, il est disposé à les louer au roi d'Espagne. Un Génois établi à Venise, jadis au service de l'Empereur, Domenico Cigala, s'offre pour aller en Turquie et en Perse[3]. En Sicile, le duc de Medina Celi fait passionnément son métier. En juillet, par ses soins, sept galères sont en chantier pour le compte de Palerme, de Messine et de la *Regia Corte*[4]. Dès avril, six avaient été mises à flot, remplaçant à l'avance celles qui s'étaient perdues à Djerba[5].

Enfin, l'incident donne, une fois de plus, le ton des relations francoespagnoles : la demande des galères françaises n'a pas été nettement formulée au nom de Philippe II. Comme le disait Michiel au doge de Venise, le 22 juin 1560, le roi d'Espagne craint plus le refus qu'il ne désire l'acceptation[6]. Soupçons et griefs séparent les deux États. Philippe II vient de faire renvoyer les serviteurs français de la jeune Reine. Il n'a rien changé à son attitude dans les affaires d'Angleterre. Les hésitations de la France ne sont pas moins singulières, bien que les remuements qui s'amorcent dans le royaume et dont on s'exagère l'importance, poussent le gouvernement des Guises à la collaboration avec l'Espagne. L'ambassadeur français en Espagne déclare à Tiepolo et celui-ci répète au Doge, le 25 juin[7], qu'il a offert aux Espagnols les galères de Marseille et des troupes, mais c'est le 25 juin, dix jours après la décision négative de Philippe II. Le duc d'Albe ne manque pas de souligner, au mois de septembre : « ...dernièrement, au moment de la défaite de Djerba, jamais nous n'osâmes demander [aux Français] leurs galères pour le secours que V. M. prévoyait alors, car ayant fait à plusieurs reprises des appels du pied, je n'avais jamais trouvé de dispositions telles que je pusse oser conseiller à V. M. d'en faire la proposition. Le moment passé..., quand il leur apparut que leur aide était inutile, l'ambassadeur vint me dire que si les galères étaient nécessaires, elles seraient mises en ordre »[8]. Politique hésitante de la France, ou plutôt fidélité aux lignes politiques du passé, difficulté, pour les uns et pour les autres, de se dégager de trop anciennes attitudes. Le roi de France ne reste-t-il pas en relations avec le Sultan, dont il entend ne pas perdre l'amitié[9] et avec les Algérois

---

1. Résumé des lettres de Figueroa, 3, 5, 10, 12 juill. 1560, Simancas E° 1389.
2. *Ibid.*
3. *Ibid.*
4. Le duc de Medina Celi au roi, 9 juill. 1560, C. MONCHICOURT, *op. cit.*, p. 237.
5. Le duc d'Alcala à Philippe II, Naples, 9 oct. 1560, Simancas E° 1050, f° 137.
6. Michiel au doge, Chartres, 22 juin 1560, *C. S. P. Venetian*, VII, p. 228.
7. *C. S. P. Venetian*, VII, p. 229. Le duc d'Albe à Philippe II, Alva, 19 sept. 1560, orig. Sim. E° 139, il en existe une copie.
8. B. N., Paris, Esp. 161, f°s 15 à 21. Voir E. CHARRIÈRE, *op. cit.*, II, pp. 621-623, sur les bruits d'une collaboration franco-espagnole.
9. Le roi à l'évêque de Limoges, 16 sept. 1560, L. PARIS, *op. cit.*, pp. 523-530.

qui députent vers lui et auxquels Marseille livre des armes[1] ? En même temps, bien qu'alors il ne soit pas au gouvernement de la France, et même en butte aux persécutions des Guises, le roi de Navarre, Henri, ou comme disent les Espagnols, Monsieur de Vendôme, intrigue au Maroc auprès du Chérif[2].

Pour en revenir à Djerba, on voit jusqu'où se sont étendus les remous qui entourent le petit événement ; ses ondes ont recouvert en quelques jours toute l'Europe. Même à Vienne où l'on était, peu de temps avant, désireux d'en découdre avec le Turc, l'événement ne laissait pas de faire réfléchir Ferdinand et les siens[3]. Que le prestige de Philippe II ait souffert dans l'aventure, on croirait difficilement le contraire, bien que les lettres de l'ambassadeur du Catholique à Vienne, prétendent que les contre-mesures prises par son maître lui ont donné plus de réputation que ne lui en aurait valu la victoire même à Tripoli !

De ce point de vue, l'abandon brutal, décidé par le roi d'Espagne, était-il une bonne solution ? A Djerba, si les marins s'étaient conduits avec une lâcheté insigne, les troupes à terre faisaient honorablement leur devoir, sous le commandement d'Alvaro de Sande, soldat chevronné. Encerclé, il n'avait pas perdu tout contact avec le dehors ; il écrivait encore, le 11 juillet, au vice-roi de Sicile[4]. Peut-être y avait-il quelques raisons de croire que l'armada turque lâcherait prise, faute de vivres, à l'approche du mauvais temps ? On avait fait savoir au vice-roi de Naples qu'elle le ferait si aucune expédition de secours n'était en préparation. Il en avisait le gouverneur de La Goulette, le 26 juin (donc avant de savoir que Philippe II avait renoncé à l'expédition), imaginant qu'il serait bon de se livrer à quelques indiscrétions savantes, propres à faire croire aux Turcs que les préparatifs de secours traînaient en longueur[5]. C'est un fait que les chefs turcs, à l'époque, montraient peu d'enthousiasme. Le temps passait ; leurs pertes étaient lourdes. En juillet, le confident de Piali Pacha, Nassuf Agha, arrivait à Constantinople et ne cachait pas qu'il ne croyait guère à la prise du fort[6]. Or, en même temps des nouvelles assez troublantes arrivaient de Perse : le Sophy était mort, disait-on, et son successeur aimait Bajazet comme un frère[7]. A Gênes, le 15 juillet, arrivait même (Dieu seul sait d'où, quand, comme il était parti) un soi-disant ambassadeur de Bajazet, que Figueroa reçut chez lui, à Gênes, et cajola avant de lui laisser prendre le chemin de Nice, sur un brigantin[8]. En Espagne seulement on s'aperçut de l'imposture.

Tous ces espoirs allaient être frustrés. Les Turcs, s'ils n'ont pas attaqué le fort de vive force, se sont emparés des puits proches, réduisant les assiégés à l'eau des citernes, qui s'épuisa assez vite, avec les chaleurs de juillet. Alvaro de Sande tenta alors une sortie, au cours de laquelle il fut pris, le 29 juillet.

---

1. Chantonnay à Philippe II, 2 févr. 1560, A. N., K 1493, f⁰ 39 ; L. ROMIER, *La conjuration d'Amboise*, 1923, p. 123. La reine d'Espagne à Catherine de Médicis, sept. 1560, L. PARIS, *Négoc. sous le règne de François II*, p. 510.
2. Chantonnay à Philippe II, Melun, 31 août 1560, A. N., K 1493, f⁰ 83 ; 3 sept. 1560, L. PARIS, *op. cit.*, p. 506-509.
3. 3 juill. 1560, *CODOIN*, XCVIII, p. 155-158.
4. Simancas E⁰ 1389.
5. Simancas E⁰ 1050, f⁰ 84.
6. 13 juill. 1560, E. CHARRIÈRE, *op. cit.*, II, p. 616-618.
7. Constantinople, 17 et 27 juill. 1560, *ibid.*, 618-621.
8. Figueroa à S. M., Gênes, 26 juill., 1560, Simancas E⁰ 1389. Son imposture, Sauli à la République de Gênes, Tolède, 14 déc. 1560, A. d. S., Gênes, Lettere Ministri, Spagna 2.2411.

Deux jours après, le fort capitulait. C'est au moins l'explication que donna le prisonnier, quand il écrivit, le 6 août, au duc de Medina Celi[1], en rejetant d'ailleurs la faute sur ses soldats : « si j'avais trouvé dans les hommes ce qu'autrefois j'ai rencontré dans d'autres troupes sous mes ordres, nous aurions remporté la plus grande victoire que quiconque ait remportée depuis de nombreuses années ». C'est beaucoup dire pour une sortie manquée et on serait tenté de croire au portrait que Busbec tracera de l'homme, quelque temps plus tard, en Turquie : lourd, essoufflé, plutôt peureux... D'autant qu'on pourrait, et ne serait-ce que dans Duro[2], trouver telle explication de ce second échec de Djerba qui accuse le commandement. Mais l'accusation la plus commode est assurément celle que Don Sancho de Leyva dresse contre les responsables de l'expédition, dans une lettre au roi, écrite du fond de sa prison, en 1561[3] : ce double désastre est un jugement de Dieu. Si l'on fait une nouvelle expédition, que l'on surveille de grâce les blasphémateurs, qu'on en confie la direction à un chef qui soit un vrai et bon catholique... Prose de prisonnier qui rumine sur les causes de son emprisonnement ; mais aussi, car il s'agit d'un homme lucide et avisé, que nous retrouverons, libéré, sur les galères de Naples, prose d'un catholique du XVIe siècle...

Après la reddition du fort, l'armada turque se trouvait libre. J. A. Doria qui croisait entre Malte et l'Afrique, avec un renfort pour La Goulette, s'en retourna dès qu'il l'apprit, abandonnant ses projets contre Tripoli[4]. C'est l'armada victorieuse qui fit escale dans la ville, avant de se diriger sur le Gozzo[5] où elle arriva, le 13 août[6] ; de là, elle partit pour un raid de pillage, côtoyant le rivage sicilien où elle prit Augusta[7], pillant et incendiant les villages et hameaux de la côte des Abruzzes[8]. Mais, dès le 4 septembre, un avis signale qu'elle a caréné à la Prevesa[9] où Piali Pacha, ayant reçu l'ordre de rentrer à Constantinople, a laissé les spahis (ils retourneront chez eux par voie de terre) et mis à la voile, le 1er septembre, vers Navarin. Une série d'avis confirmant ces nouvelles, le vice-roi de Naples s'apprête à licencier les troupes encore en place à Cotron et Otrante[10]. Le 1er octobre, Piali Pacha fait, à Constantinople, une entrée triomphale sur la galère amirale peinte en vert, suivie de 15 galères d'un rouge rutilant et de tout le reste du cortège, au milieu des salves d'artillerie, des vivats de la foule, du bruit assourdissant des tambours et des trompettes. Busbec a donné une description de cette arrivée, du long défilé des vaincus[11], de la ville en fête, où les Chrétiens, un certain temps, seront assez mal traités...

L'événement justifiait cet enthousiasme : l'Islam achevait, à son profit, la partie engagée pour la domination de la Méditerranée centrale[12]. Tripoli,

1. 6 août 1560, Simancas E° 445, copie.
2. *Op. cit.*, II, p. 36.
3. B. N., Madrid, Ms 11085, 9 avr. 1561.
4. C. MONCHICOURT, *op. cit.*, p. 133 ; J. A. Doria arrivait à Malte, le 8 août 1560. J. A. Doria à Philippe II, 8 août 1560, Simancas E° 1125. Il était sur le point de tomber sur Tripoli quand la nouvelle de la chute du fort lui parvint. Le même au même, 9 sept. 1560, *ibid.*
5. 18 août 1560, Simancas E° 1050, f° 120.
6. C. MONCHICOURT, *op. cit.*, p. 134.
7. *Ibid.*
8. G. Hernandez à Philippe II, Venise, 21 août 1560, Simancas E° 1325.
9. Corfou, 4 sept. 1560, Simancas E° 1050, f° 129.
10. Le vice-roi de Naples à Philippe II, Simancas E° 1050, f° 128.
11. *Op. cit.*, II, pp. 245 et *sq.*
12. R. B. MERRIMAN, *op. cit.*, IV, p. 107.

où la souveraineté turque avait été si menacée, se trouvait mieux tenue que jamais. La Chrétienté était dans l'angoisse : à peine l'armada turque avait-elle quitté les rivages d'Italie que déjà l'on songeait aux calamités qui accompagneraient son retour... dans un an. Le duc de Monteleone, le vice-roi de Naples parlent tous deux de l'expédition que le Grand Seigneur conduira, contre La Goulette, en 1561[1] ! Lorsqu'on apprend à Vienne, le 28 décembre[2], que le Turc est en train d'armer 120 galères, c'est encore à la Goulette qu'on les destine en imagination. Cette obsession est nourrie par les audaces que la victoire de l'Islam donne aux corsaires. En dépit de l'hiver, ils remontent jusqu'en Toscane[3]. Toutes les côtes italiennes et espagnoles sont en alerte[4]. On dit à Constantinople que les Espagnols sont si effrayés par la leçon qu'ils ont reçue à Djerba qu'ils sont sur le point d'abandonner Oran[5].

On n'en est pas encore là. Mais il est vrai que le double désastre de Djerba a prêté à d'utiles réflexions. Des gens en place aux plus modestes exécutants, chacun envoie son avis à Madrid et cet avis, le plus souvent, est que le roi ne peut tenir les rives de ses États méditerranéens sans une puissante armée navale. Il faudrait aussi, dit le duc d'Albe[6], renforcer les garnisons d'Italie (certainement faibles ; nous avons vu combien il était difficile d'en distraire quelques hommes), leur petit nombre et leur diminution à l'occasion de Djerba ont certainement contribué à faire « bullir » les intrigues italiennes, très vives dès l'automne[7]. Mais se faire fort et puissant sur mer, tel était l'essentiel.

Tous ne le voient pas ; il en est qui s'inquiètent encore et seulement de mesures défensives et terrestres, ainsi le duc d'Alcala, soucieux de fortifier les îles d'Ibiza et de Minorque qu'il sait dépourvues[8]. D'autres sont plus lucides. Dans sa lettre un peu exaltée du 9 juillet 1560, le duc de Medina Celi écrivait : « Il faut tirer des forces de notre faiblesse et que V. M. nous vende tous, et moi le premier, mais qu'il se fasse seigneur de la mer. De cette manière elle aura quiétude et repos et ses sujets seront défendus, sinon, tout ira à l'envers »[9]. *Senor del mar* : la formule revient, à plusieurs reprises, sous la plume du vice-roi de Sardaigne, Alvaro de Madrigal, tantôt pour supplier le roi qu'il veuille bien le devenir, tantôt pour se féliciter qu'il en ait l'intention, « car c'est ce qui convient à la quiétude de la Chrétienté et à la conservation de ses États »[10]. C'est encore dans le même sens qu'interviennent auprès du roi, en cette même année 1560, le docteur Juan de Sepulveda[11] et l'extravagant docteur Buschia, agent mal connu de l'Espagne à Raguse, un de ces informateurs qui, pour gagner leur vie à tant la ligne, racontent souvent des propos de tavernes[12]...

---

1. Monteleone au roi, 30 août 1560, Simancas E⁰ 1050, f⁰ 121. Le duc d'Alcala au roi, Naples 3 sept. 1560, *ibid.*, f⁰ 124.
2. Comte de Luna au roi, le 28 déc. 1560, *CODOIN*, XCVIII, p. 189-192.
3. Florence, 10 juill. 1560, Sim. E⁰ 1446.
4. G. Hernandez à Philippe II, Venise, 20 juill. 1560, Simancas E⁰ 1324, f⁰ 47.
5. H⁰ Herro au doge, Péra, 12 nov. 1560 ; A. d. S., Venise, Senato Secreta, Cost. 2/B, f⁰ˢ 290-291.
6. 19 sept. 1560, B. N., Esp. 161, f⁰ˢ 15 à 21.
7. 9 oct. 1560, Simancas E⁰ 1850, f⁰ 139. J. de Mendoza au roi, Palamos, le 1ᵉʳ sept. 1560, Sim. E⁰ 327.
8. 26 août 1560, Simancas E⁰ 1058, f⁰ 118.
9. C. MONCHICOURT, p. 237.
10. Cagliari, 25 août 1560, Simancas E⁰ 327.
11. *CODOIN*, VIII, p. 560.
12. Sur le docteur Buschia, quelques-unes de ses lettres aux A. N., Paris, série K, 1493, B 11, f⁰ 111 (20, 28, 30 sept., 4, 8, 13 oct. 1560). Sur les informateurs fantaisistes du Levant, Granvelle à Philippe II, Naples, 31 janv. 1572, Simancas E⁰ 1061.

Les rêves des diplomates prennent des routes qui leur sont plus naturelles, mais le but est le même. Tous se tournent vers Venise : en cette misère de la Chrétienté, seule Venise — on le verra bien, plus tard — pourrait rendre à l'Occident la suprématie de la mer. Qui connaît l'égoïste ville ne peut que sourire. Ce qu'on lui demande reviendrait à fermer boutique. Mais les plumes que n'embarrassent pas ces difficultés vont leur train. A Vienne, le 8 octobre, le comte de Luna pense « qu'il conviendrait beaucoup au service de V. M. de revenir à la ligue que les Vénitiens eurent (jadis) avec l'Empereur, mon seigneur, qu'il soit dans la gloire de Dieu... »[1]. A Rome, il semble effectivement que l'idée d'une ligue contre les Turcs, comprenant Venise, ait été évoquée dans des conversations entre le nouveau pape, Pie IV, et don Juan de Zuñiga qui représente alors, à Rome, en même temps que son frère, le commandeur de Castille, les intérêts de Philippe II. « Je réponds dans une autre lettre, écrit Philippe aux deux frères, à ce que vous, Don Juan de Zuñiga, m'avez écrit et l'on vous y dit notre opinion au sujet de votre conversation avec S. S. sur la ligue avec les Vénitiens contre les Turcs. Ici, à part, j'ai voulu vous aviser tous les deux des propositions sur cette même matière (au nom du duc d'Urbin et par le canal de Ruy Gomez) du comte de Landriano, lequel se fait fort, si je veux, de faire aboutir cette ligue. A quoi il a été répondu, vu que c'est une affaire tellement en faveur du service de Dieu et du bien de la Chrétienté, que je m'en réjouirais beaucoup. Sur ce survint la mort du doge de cette République, prédécesseur de l'actuel (donc cette affaire a été engagée avant le 17 août 1559). J'ai alors suspendu ces conversations pour quelques jours. Mais le comte de Landriano m'a dit que le duc reprendrait l'affaire »[2].

Le désastre de Djerba, d'une certaine façon, a été salutaire. Il a mis l'Empire de Philippe II en face de ses tâches méditerranéennes. Il l'a obligé à réagir. Djerba et l'année 1560 ont marqué le moment culminant de la puissance ottomane. C'est dire qu'au delà de 1560, celle-ci va décliner. Non par sa faute, mais par suite du large travail d'équipement maritime qui commence cette année-là et s'étend, depuis Palerme et Messine, sur toutes les côtes de l'Italie occidentale, et sur toutes les côtes méditerranéennes de l'Espagne.

2. Le redressement hispanique

Un redressement n'eût guère été possible sans l'inexplicable répit que les Turcs allaient laisser à leur adversaire. Ni en 1561, ni en 1562, ni en 1563, ni en 1564, l'armada turque n'est sortie en force. Quatre années de suite, la Chrétienté occidentale en a été quitte pour la peur. Quatre années de suite, la même comédie s'est répétée : le Turc arme, il sortira très tôt, avec une puissante armée, il attaquera La Goulette et la Sardaigne ; ainsi parlent les avis d'hiver. Puis à la bonne saison, les plus folles inquiétudes se font jour et tout se dissipe. On peut alors se dispenser d'exécuter jusqu'au bout les programmes défensifs de l'hiver, reprendre les crédits, licencier les troupes, ne pas transporter celles-ci, ne pas lever celles-là. Il y a, en Méditerranée, comme une respiration à deux temps de la politique espagnole. Rien de plus aisé, étant donné les innombrables papiers qu'elle a laissés, que d'en suivre le rythme.

---

1. *CODOIN*, XCVIII, p. 182.
2. Philippe II au grand commandeur et à D. J. de Zuñiga, Madrid, 23 oct. 1560, Simancas E° 1324, f° 48.

Les années 1561 à 1564

L'armada turque va-t-elle venir en 1561 ? Sous l'impression déprimante et vivace encore de Djerba, chacun en est persuadé, durant cet hiver maussade de 1560-1561, où le blé manque ici[1], où là sévit la peste[2]. Voici un Français qui s'en retourne de Constantinople, avec un soldat ragusain. Conversations en chemin, et le Ragusain d'affirmer, arrivé chez lui, au début de janvier 1561, que, d'après son compagnon, l'armée turque était de retour de Perse et que l'armada serait cette année *importantissima*[3]. Résumant les avis qui lui passent sous les yeux, le vice-roi de Naples, le 5 janvier, assure que l'armada va sortir tôt. Dans vingt ou trente jours, il prendra des mesures pour mettre les marines en alerte. Lui enverra-t-on les Espagnols promis ; s'occupera-t-on à temps de La Goulette[4] ? Un mois plus tard, pour le vice-roi de Sicile, Oran et La Goulette sont menacés par l'armada (11 février[5]). Sans compter les sorties des Algérois, fort réelles celles-là, et si menaçantes que Philippe II, le 28 février refuse au vice-roi de Majorque l'autorisation qu'il sollicitait de sortir de l'île[6]. Les avis de Corfou, en date du 30 mars (on les recevra, à Naples, le 2 mai), annoncent encore une armada turque de cent galères[7], et Antonio Doria, faisant en avril le voyage de La Goulette, craint de rencontrer en mer les corsaires qui auraient décidé de faire le blocus du préside, en attendant la flotte turque[8]. Le premier avis de Constantinople signalant qu'il n'y aura qu'une petite armada turque, destinée seulement à la défense des côtes du Levant, est daté du 9 avril 1561[9]. Au mieux, la nouvelle, amplement confirmée par la suite[10], n'aura pas gagné Naples avant juin, et jusque-là, point de détente dans la défense chrétienne. Toute une série d'exigences de La Goulette, au sujet des citernes et de l'artillerie[11], ont été satisfaites d'avril à juin. Et en mai, le vice-roi de Naples réclamait encore au pape d'autoriser Marcantonio Colonna à participer à la défense éventuelle de Naples[12]. Mais faut-il entrer dans tous les détails d'une lourde machine politique et militaire, plus régulière d'ailleurs dans son fonctionnement que ne le disent les historiens ?

Si l'on suit les événements à partir de Naples, le début d'août seulement marque le retour au calme, avec la démobilisation des Italiens préposés à la garde des marines[13]. En Espagne, l'alerte est close au début de septembre : « maintenant que la saison et la crainte de l'armée turque est passée », écrit de Madrid l'évêque de Limoges, le 5 septembre[14]. Sortie de Constantinople en juin, la flotte turque, forte d'une cinquantaine de galères, s'est contentée d'un

1. Dolu au cardinal de Lorraine, Constantinople, 5 mars 1561, E. Charrière, *op. cit.*, II pp. 652-653, cherté, misère, peste.
2. *Ibid.*
3. Raguse, 2 janv. 1561, Simancas E⁰ 1051, f⁰ 11.
4. Vice-roi de Naples à Philippe II, 6 janv. 1561, Simancas E⁰ 1051, f⁰ 12.
5. Au roi, Trapani, Simancas E⁰ 1126.
6. Philippe II au vice-roi de Majorque, Aranjuez, 28 févr. 1561, Simancas E⁰ 328.
7. Corfou, 30 mars 1561, Simancas E⁰ 1051, f⁰ 51.
8. *Relacion que haze Antonio Doria...*, 18 avr. 1561, Simancas E⁰ 1051, f⁰ 62.
9. Constantinople, 9 avr. 1561, Simancas E⁰ 1051, f⁰ 54.
10. 12, 14 avr. 1561, Simancas E⁰ 1051, f⁰ 55 ; Liesma, 16 avr. 1561, *ibid.*, f⁰ 56.
11. Alonso de la Cueva au vice-roi de Naples, La Goulette, 17 avr. 1561, E⁰ 1051, f⁰ 57.
12. Vice-roi de Naples à Marcantonio Colonna, Naples, 9 mai 1561, Simancas E⁰ 1051, f⁰ 78.
13. Vice-roi de Naples à Philippe II, 9 août 1561, Simancas E⁰ 1051, f⁰ 119.
14. Madrid, 5 sept. 1561, B. N., Paris, Fr. 16103, f⁰ 44 et *sq.*

rapide aller et retour entre Constantinople et Modon. Elle avait quitté Modon au début de juillet et, le 19 août, laissait Zante pour rentrer à Constantinople[1]. Pourquoi cet effort limité ? Pourquoi cette faute ?

Les documents nous laissent le choix entre des impressions et des hypothèses. Est-ce à cause des affaires de Perse, elles encore, comme l'indique une lettre de Boistaillé, écrite de Venise, le 7 juin 1561, à Catherine de Médicis[2] ? Sa lettre du 11 mai[3] le disait déjà : « le roy Phelippes... n'a aultre ne plus seur moyen de faire contenir le dict G. S. en ces pais que par cette bride. Et se peult asseurer que le G. S. ne l'eust pas laissé passer ceste année si doulcement comme il a fait n'aïant présentement mis hors du port de Constantinople que quarante gallaires ». Notez au passage qu'à Venise, le 9 mai, on est en avance quant à l'information : le 8 juin, le vice-roi de Sicile ne sait pas encore s'il y aura, ou non, danger turc[4]. Pourtant, Boistaillé ne croit pas que les affaires de Perse suffisent à expliquer la hâte si anormale de l'armada, retournant vers ses bases dès juillet[5]. Piali Pacha serait-il vraiment mort, comme on l'a annoncé, se demande-t-il le 11 juillet ? Piali Pacha n'était pas mort, mais Roustem, et Ali Pacha parvenait au poste de grand vizir[6] ; les rivalités entre les ministres du Grand Seigneur ont peut-être joué un rôle dans cette affaire[7]. Tous les bruits ont couru, même celui que les galères avaient eu besoin d'intervenir en mer Noire[8].

Le rapport de l'ambassadeur espagnol à Vienne, le 14 septembre[9], est plus circonstancié : le Turc n'a pas réussi à s'accommoder avec le Sophi ; il en a conçu un vif ressentiment et a ordonné de publier la guerre contre les Perses. On dit qu'il irait hiverner à Alep pour y préparer la campagne prochaine. Mais on dit aussi, et c'est là que le témoignage du comte de Luna paraît digne de remarque, on dit « qu'il n'osera pas quitter Constantinople, aussi bien parce qu'il n'est pas sûr de son fils Sélim que parce qu'il craint, étant donné la popularité de Bajazet auprès de beaucoup de ses sujets, qu'une rébellion quelconque n'éclate en ces régions-ci et fasse si bien qu'il n'y puisse revenir ». On devine les arrière-plans que signale ce document sur la guerre contre Bajazet, dont on ne saurait négliger l'aspect social. C'est jusque dans son centre que la Turquie est gênée, voire paralysée par elle... Ajouterons-nous à ces explications avancées par les observateurs de Chrétienté une hypothèse ? L'année 1561 semble avoir été, dans l'Empire turc, une année de maigres récoltes, de querelles pour le blé avec les Vénitiens, de poussées épidémiques. Tout ceci a également compté.

En 1562, les nouvelles de Constantinople ont été moins inquiétantes. Seuls avis un peu sensationnels, celui qui représente un ambassadeur du Roi de Tunis

---

1. « Lo que se entiende de Levante... de Corfu », 10 août 1561, Simancas E° 1051, f° 120.
2. E. CHARRIÈRE, op. cit., II, p. 657-658.
3. Ibid., pp. 653-654.
4. Vice-roi de Sicile à Philippe II, Messine, 8 juin 1561, Simancas E° 1126. Vice-roi de Naples au roi, Naples, 7 juill. 1561.
5. E. CHARRIÈRE, op. cit., II, p. 661.
6. H° Ferro au doge, Péra, 10 juill. 1561, A. d. S. Venise, Secreta Senato Cost. 3/C. Roustem Pacha est mort le 9 juillet.
7. L'évêque de Limoges au roi, Madrid, 5 sept. 1561, B. N., Paris, Fr. 16 103, f° 44 et sq.
8. E. CHARRIÈRE, op. cit., II, p. 657-658.
9. CODOIN, XCII, pp. 240-244.

déchirant ses vêtements devant le Grand Seigneur[1] ou ceux qui signalent (mais ils n'intéressent que Gênes), le voyage de Sampiero Corso à Constantinople par le détour d'Alger[2]. Les préparatifs de défense, commencés plus tard que l'année précédente, se sont interrompus plus tôt. La flotte turque n'a tenté aucun raid et, dès le mois de mai[3], la fin de l'alerte était sonnée à Naples, dès la première quinzaine de juin[4] à Madrid. Chose étrange et qui s'explique par l'excès même et l'inutilité des terreurs de l'année précédente, le fait a semblé presque naturel cette fois, et l'on ne s'est pas creusé la tête pour en chercher les raisons. Le vice-roi de Naples écrit simplement que le sultan n'enverra point sa flotte contre La Goulette,, « soit à cause de la querelle de ses fils, soit pour ne pas la laisser s'écarter de ses rivages, soit parce qu'il sait que la dite place est bien pourvue »[5].

En tout cas, pour des raisons bonnes et impérieuses, puisque le Turc signe, cette même année, les trêves avec l'Empereur en suspens depuis 1558[6]. A cette occasion étaient libérés contre rachat Alvaro de Sande, Don Sancho de Leyva et Don Berenguer de Requesens[7]. Sans doute le Sultan désirait-il se tourner délibérément vers l'Est puisque la paix *de facto* qu'il pouvait, à son gré, imposer sur mer à la Chrétienté, ne lui suffisait pas, puisqu'il a voulu également la liberté de ses armées de terre, sur les frontières occidentales.

Pendant l'hiver qui suit, la Chrétienté s'habitue à cette quiétude, tout en prenant officiellement ses précautions. On reparle bien sûr, de menaces sur La Goulette, sur la Sardaigne. Mais dès janvier 1563, des querelles au sujet du blé que Venise, comme à l'ordinaire, tente de prélever dans l'Archipel, indiquent que les greniers turcs ne sont pas bien remplis[8]. On apprend, tôt également, que le voyage de Sampiero Corso a tourné court. Chose significative, c'est Philippe II qui, de l'Escorial, sonne prudemment l'alarme[9] et fait ravitailler La Goulette, ce gouffre minuscule que l'on ne peut jamais combler. Dès le début de juin, à Naples, on est certain qu'il n'y aura pas d'armada. Un informateur, parti de Constantinople, le 29 avril, est arrivé, le 5 juin, porteur de bonnes nouvelles que personne ne met en doute[10]. Tous les avis postérieurs confirment que le Turc s'est contenté de mettre à l'eau un certain nombre de galères, sans les armer, et n'en a fait sortir que quelques-unes, indispensables à la garde de l'Archipel.

1564 : peu de changements encore. En janvier, on parle bien d'armements turcs dont les Vénitiens eux-mêmes s'inquiéteraient[11]. Mais dès le 12 février,

---

1. 28 mai 1562, Simancas E° 1052, f° 27.
2. Sampiero n'arrivera d'ailleurs à Constantinople qu'en janvier 1563. Nombreux documents génois, A. d. S., Gênes, Spagna, 3 2412 et Costantinopoli, 1 2169.
3. Vice-roi de Naples à Marcantonio Colonna, 24 mai 1562, Simancas E° 1051, f° 87.
4. Philippe II au vice-roi de Naples, le 14 juin 1562, Simancas E°, 1051 f° 96.
5. Voir avant-dernière note.
6. Daniel Barbarigo au Doge, Péra, 5 août 1562, A. d. S. Venise, Senato Secreta 3/C ; Venise, 20 août 1562, trêve conclue pour 8 ans, *CODOIN*, XCVII, p. 369-372, C. MONCHICOURT, *op. cit.*, p. 142.
7. Constantinople, 30 août 1562, E. CHARRIÈRE, *op. cit.*, II, pp. 702-707.
8. 6-17 janv. 1563, *ibid.*, pp. 716-719.
9. Philippe II aux ducs de Savoie et de Florence, Escorial, 8 mars 1563, Simancas E° 1393.
10. Simancas E° 1052, f° 169.
11. Narbonne, 2 janv. 1564, Edmond CABIÉ, *Ambassade en Espagne de Jean Ebrard, Seigneur de Saint-Sulpice*, Albi, 1903, p. 212.

on affirme de Constantinople qu'il n'y aura pas d'armada[1]. Vers cette même époque, le duc d'Alcala est en train de prendre ses dispositions pour envoyer 1 000 hommes à la Goulette, mais, dit-il, en dépit des informations qu'il a reçues, non à cause d'elles[2]. Tout est calme. Sampiero Corso en vient à converser, par personnes interposées, avec l'ambassadeur espagnol à Paris, Francés de Alava[3]. Il se plaint du gouvernement de Gênes, rappelle que la Corse relève de la Couronne d'Aragon, que les Corses sont sujets du Roi Catholique. Francés de Alava conclut qu'en tout cas, les deux capitaines corses, qui sont venus le trouver à cette occasion, connaissent bien les affaires du Levant et qu'ils pourraient être utilisés au service du roi...

Sans doute y aura-t-il encore une alerte, au début de mai, Ruy Gomez en parlera à l'ambassadeur de France[4]. Mais le mois ne s'est pas achevé que ces craintes sont dissipées[5]. Les 27 mai et 6 juin, des avis détaillés de Constantinople[6] expliquent pourquoi, malgré les protestations des reis qui, eux, désirent partir, l'armada se trouve dans l'impossibilité de prendre la mer : soixante galères, en cours de calfatage, vont être mises à l'eau, mais rien n'a été fait pour s'assurer les rameurs et les biscuits ; elles ne pourraient donc appareiller avant le 10 ou 15 juillet. Ensuite, despalmer, mettre à bord les spahis ordinaires des garnisons, conduirait jusqu'en août. Donc pas de sortie à envisager raisonnablement. Dès la mi-juin, Philippe II se décide alors, et non moins raisonnablement, à tourner sa flotte contre les Barbaresques[7]. De Naples, les mouvements de troupes se font non plus vers Messine et La Goulette, mais vers Gênes et l'Espagne, et plus précisément vers Málaga[8]. Il y a encore l'ombre d'une inquiétude, en août : le 2, Sauli rapporte à la Seigneurie de Gênes[9] qu'à Madrid, on a annoncé l'arrivée de l'armada turque, mais que le bruit est tenu *per vanità* et « qu'on en éprouve, de ce fait, une anxiété moindre au sujet du soulèvement de la Corse » (car la Corse vient de se soulever à la voix de Sampiero Corso). C'est la dernière mention au sujet de l'armada turque, en cette année 1564 où la Chrétienté méditerranéenne, peu inquiète de l'Orient, est surtout préoccupée des événements qui se déroulent à l'Occident de la mer, c'est-à-dire les affaires corses d'une part, et de l'autre, l'expédition que va conduire victorieusement Don Garcia de Toledo sur la côte marocaine, contre le minuscule Peñon de Velez.

Quelques semaines, quelques mois et, à nouveau, le jeu des hypothèses se ranime pendant l'hiver. A Vienne, le 29 décembre 1564, Maximilien bavarde avec l'ambassadeur vénitien, Leonardo Contarini[10]. Une grosse armada turque va, dit-on, sortir au prochain bon temps : « Vous autres, Vénitiens, que ferez-vous ? l'île de Chypre est bien proche et tape fortement dans l'œil des Turcs » — « Venise fortifiera », répond l'ambassadeur. Mais cette affaire de Corse qui donne tant de travail aux Génois ? Voilà qui s'aggravera avec la sortie de l'armada turque... « Sans doute, Sampiero Corso n'a-t-il pas d'aides ouvertes,

1. Constantinople, 12 févr. 1564, Simancas E° 1053, f° 19.
2. Vice-roi de Naples à Philippe II, Naples, 17 févr. 1564, Simancas E° 1053, f° 22.
3. A Philippe II, Paris, 17 mars 1564, A. N., K 1501, n° 48 G.
4. Saint-Sulpice au roi, 11 mars 1564, E. CABIÉ, *op. cit.*, pp. 262-263.
5. *Ibid.*, p. 269, 29 mai 1564.
6. Simancas E° 1053, f° 54.
7. Début de juillet 1564, E. CABIÉ, *op. cit.*, p. 270.
8. *Ibid.*, p. 279.
9. A. d. S. Gênes, L. M. Spagna, 3.2412.
10. Au doge, G. TURBA, *op. cit.*, I, 3, p. 289-290.

mais il y a des intelligences secrètes avec un certain prince et si secrètes, ajoute le souverain, qu'il n'y a personne qui ne les connaisse. » Propos d'hiver, devant une carte de l'Europe ! Mais l'avenir va les confirmer, car l'année 1565, année de combat, ne ressemblera pas aux précédentes.

Contre les corsaires et contre l'hiver : 1561-1564

C'est donc quatre années de paix que le Turc a accordées à l'Empire espagnol. Mais ces années ont été mises à profit. Et d'abord contre les corsaires. Ceux-ci n'avaient pas disparu en même temps que l'armada turque et tout naturellement, chaque année, la marine hispanique a été entraînée à utiliser contre eux les forces que la menace du péril turc lui avait fait réunir, que sa disparition rendait disponibles.

La flotte nouvelle de Philippe II s'est forgée dans cette lutte pénible contre des ennemis experts, difficiles à saisir sur l'immensité de la mer, à inquiéter dans leurs repaires africains.

Des coups très durs ont, en effet, été portés aux Espagnols. Ainsi, en juillet 1561, l'escadre de Sicile, soit sept galères, tombait tout entière dans une embuscade dressée par Dragut, près des îles Lipari[1]. Elle était placée sous les ordres du commandeur Guimeran, catalan et chevalier de Malte, ce Guimeran, « qui fut fort estimé à Saint-Quentin, écrivait à son roi l'évêque de Limoges. Si est-ce qu'on le louait plus habile en terre que sur mer où Dragut a mal secondé son apprentissaige, s'estant perdus avec luy assez de gens de bien, comme ce ne fait difficulté que vous aurez, Sire, pieça sceu d'Italie »[2]. Parmi les pertes, ajoute-t-il, on nous « veult cacher un autre navire, lequel a esté perdu passant de Naples à Sicile où l'on asseure qu'y avoit trois des vieilles enseignes de Flandres nouvellement transportées en Italie ». Profitant de ce que les galères du roi ont été rappelées vers les côtes d'Espagne, Dragut « a tenu, avec trente et cinq vaisseaux, le royaume de Naples en telle situation que, depuis quinze jours, est arrivé courrier de pié du marquis de Tariffa, gouverneur au dict Naples », priant Philippe II « de renvoier les dictes galères, estans autrement iceulx de la Religion, de Sicile et autres ports circonvoisins tant troublés et serrez par le dict Dragut qu'un seul d'entre eux n'a commodité de passer d'un lieu à l'autre ». Heureusement, ajoute l'évêque, que l'armada turque n'est pas venue, « qui a esté, à la vérité, une grande grâce de Dieu, comme il se veoit à l'œil puisque si peu de pirates et larrons tiennent ce prince, depuis le destroit de Gibraltar jusques la Sicile, en telle servitude que les infidèles decendent où bon leur semble parmi ses terres, si ce n'est pas des fortz ».

Cette histoire éparpillée de Gibraltar à la Sicile demanderait une série d'enquêtes dans les petits dépôts d'archives, ceux d'Andalousie, des Baléares, de Valence où il semble qu'il y eut un lien entre les remuements des Morisques et les poussées de la course algéroise. Haedo le suggère à plusieurs reprises, quand il parle de l'activité du centre de course de Cherchell, presque entièrement habité par des fugitifs morisques, encore en relations avec leurs parents et amis de la côte espagnole[3].

Il est sûr que les corsaires font bien des prises pendant cet été 1561. Avec

1. Diego Suárez, d'après le Général DIDIER, *Hist. d'Oran*, 1927, VI, p. 99, note 5.
2. 24 août 1561, B. N., Paris, Fr. 16 103.
3. C. DURO, *op. cit.*, II, p. 44. Voir *supra*, 2e partie, chap. IV.

sa fin, arrive l'heure des revanches chrétiennes et les commentaires changent de sens : en septembre, on prête aux Espagnols le projet de prendre Monastir[1]. A cette époque, un à un, les corsaires rentrent chez eux, abandonnant la mer agitée. Le gouvernement espagnol n'a garde, quant à lui, de mettre ses navires à l'abri ; c'est qu'il est le plus faible. Le prince de Melfi, a qui l'on a confié le commandement des galères hispaniques à la mort d'André Doria, proteste contre ces ordres de terriens qui ne savent pas ce qu'est une galère, jetée, l'hiver, sur les chemins de la Méditerranée — qui ne comprennent point quelles avaries et quelle usure les tempêtes infligent aux étroits navires à rames.

Sans doute. Mais lorsqu'il veut agir et maintenir les indispensables liaisons, le plus faible est automatiquement rejeté vers les mauvais temps qui vident la mer et suppriment l'adversaire. Le vice-roi de Sicile — c'est toujours le duc de Medina Celi — rappelle sèchement au prince de Melfi que le Roi a ordonné le rassemblement des galères à Messine ; les ordres sont les ordres[3]. Les mouvements prévus s'accompliront donc. La Goulette est ravitaillée en munitions, dès octobre[4] et, au début de novembre, la flotte hispanique est encore à Trapani. Qu'elle ne soit plus à Messine montre qu'elle s'est retournée vers ses lignes intérieures, si le prince de Melfi ne manifeste toutefois aucun désir d'en sortir. Le temps est affreux[5] d'ailleurs, et c'est sans doute à cette époque (le document ne porte pas de date précise) qu'un convoi de galères doit renoncer à atteindre La Goulette. Que peuvent les ordres contre une mer démontée? Le vice-roi de Sicile se décide finalement à envoyer une grosse nave, avec deux mille salmes de blé, pour faire face aux besoins de la garnison anormalement gonflée[6]. On pense, en janvier, à rembarquer les Espagnols en surnombre qu'y commande Juan de Romero[7], mais leur rembarquement pose les mêmes problèmes que leur ravitaillement. Le prince de Melfi, s'il l'eût osé, aurait eu beau jeu de montrer que la politique de présence des galères espagnoles, si coûteuse, n'avait pas donné grands résultats, cet hiver-là.

Dès le printemps, la course barbaresque reprenait de plus belle. Le 1er mars 1562[8], une lettre de la Goulette signalait que Dragut était parti se ravitailler en blé. Au mois d'avril, des voiles algéroises essayaient de surprendre Tabarca[9]. De son côté, Juan de Mendoza parvenait, de mai à juin, à conduire un gros convoi de navires ronds jusqu'à La Goulette, sous l'escorte d'une vingtaine de galères[10], sans rencontrer aucun bâtiment ennemi et presque sans incident de mer. En ce même mois de mai, des vaisseaux algérois étaient à Marseille[11]. Ils disaient avoir pris en route une nave ragusaine venant d'Alexandrie, chargée de marchandises appartenant à des Florentins, et une nave vénitienne celle-là,

1. L'évêque de Limoges au roi, 5 sept. 1561, B. N., Paris, Fr. 16 103, f⁰ 44 et *sq.*
2. Simancas E⁰ 1051, f⁰ 131.
3. *Ibid.*, f⁰ 139.
4. *Ibid.*, f⁰ 49.
5. Vice-roi de Sicile à Philippe II, Palerme, 8 nov. 1561, Simancas E⁰ 1126.
6. Le même au même (s. d. dans mes fiches), *ibid.*
7. L'évêque de Limoges à la reine, Madrid, 3 janv. 1562, B. N., Paris Fr. 16 103, f⁰ 129 v⁰. En juin 1562, les Espagnols sont encore à La Goulette. Relation de voyage de J. de Mendoza... Simancas E⁰ 1052, f⁰ 33.
8. Alonso de la Cueva au vice-roi de Sicile, 1er mars 1562, Simancas E⁰ 1127.
9. Figueroa à Philippe II, Gênes, 9 mai 1562, Simancas E⁰ 1391.
10. Relation de voyage de J. de Mendoza..., Simancas E⁰ 1052, f⁰ 33 ; D. J. de Mendoza de retour à Palerme le 9 mai 1562, Simancas E⁰ 1127.
11. *Per lettere di Marsiglia*, 21 mai, A. d. S. Gênes, L. M. Spagna 3.2412.

transportant des vins de Malvoisie. On parlait aussi d'une « ville » qu'ils auraient prise, près de Porto Maurizio, y capturant cinquante-six personnes. « Ils sont venus à Marseille pour renouveler leurs provisions de biscuits et autres vivres et reprendre leurs courses. De nuit, ils ont secrètement embarqué trente-six barils de poudre et de salpêtre ». Ensuite, nous perdons la trace des corsaires. Sans doute ont-ils été très insistants sur cette rive nord de la mer, puisque Juan de Mendoza, avec trente-deux galères, fait, en juin, la police de Naples jusqu'à l'embouchure du Tibre, sur la demande que lui en a faite le Saint-Père[1]. D'autre part, arrive à Alger, en juillet, avec Sampiero Corso, un ambassadeur de France chargé de réclamer des réparations pour les dommages causés par les corsaires algérois[2].

A partir de septembre, les Espagnols ripostent. On annonce, de Barcelone, que trois galiotes de corsaires auraient été prises à Ponza ; quelques fustes également, mais cela n'est pas confirmé, à Tortosa[3]. A l'actif des Espagnols, inscrivons un nouveau ravitaillement de l'insatiable La Goulette, mené, en septembre par Jean André Doria[4]. Juan de Mendoza s'en était retourné vers les côtes hispaniques, avec les flottes de Sicile et d'Espagne augmentées de quelques galères de particuliers, pour faire la police de la côte et apporter du ravitaillement et des hommes à Oran[5]. Mais surprises par un fort vent d'Est dans le port de Málaga, les vingt-huit galères furent obligées d'aller chercher refuge dans le large abri de la baie de Herradura. Les *Instructions Nautiques*[6] signalent que ce mouillage envasé, sur fonds de vingt à trente mètres, est dangereux par vent du large. Or, à peine les galères y étaient-elles réfugiées qu'elles furent surprises par un violent vent du Sud[7]. Le désastre fut à peu près complet : vingt-cinq galères sur vingt-huit et 2 500 à 5 000 morts. On put seulement récupérer, sur les épaves, une partie de l'armement.

Le 8 novembre 1562, la nouvelle parvenait à Gaète[8], d'où elle était retransmise à Naples. La catastrophe, si peu de temps après celle de Djerba, déchaîna une émotion considérable[9]. Mais le gouvernement de Philippe II sut tirer force de sa faiblesse : le 12 décembre 1562[10], aux Cortès spécialement convoquées, un subside extraordinaire était demandé pour la défense des frontières africaines et l'armement de nouvelles galères[11]. Le redressement maritime de l'Espagne, rendu plus difficile, n'en fut poursuivi qu'avec plus d'énergie. Ce qui venait de disparaître, en effet, c'était la protection navale des côtes de la Péninsule et de la place d'Oran, la seule place digne de ce nom, au dire de l'évêque de Limoges, que l'Espagne possédât en Afrique. La grande offensive algéroise, déclenchée l'année suivante contre Oran, est liée certainement au désastre de la Herradura.

---

1. Vice-roi de Naples à Philippe II, 4 juill. 1562, Simancas E⁰ 1052, f⁰ 45.
2. Alger, 12 juill. 1562, A. d. S. Gênes, L. M. Spagna 3.2412.
3. Sauli à la Sie de Gênes, Barcelone, 13 sept. 1562, *ibid.*
4. Au roi, La Goulette, 30 sept. 1562, Simancas E⁰ 486.
5. Saint-Sulpice au roi, 26 oct. 1562, E. CABIÉ, *op. cit.*, p. 90.
6. N⁰ 345, p. 83.
7. *Relacion de como se perdieron las galeras en la Herradura*, 1562, Simancas E⁰ 444, f⁰ 217 ; C. DURO (*op. cit.*, II, pp. 47 et *sq.*) ne semble pas être remonté aux sources.
8. J. de Figueroa au vice-roi de Naples, Gaète, 8 nov. 1562, Simancas E⁰ 1052, f⁰ 67.
9. C. DURO, *op. cit.*, II, p. 48.
10. Agostinho GAVY de MENDONÇA, *Historia do famoso cerco que o xarife pos a fortaleza de Mazagão no ano de 1562*, Lisbonne, 1607.
11. C. DURO, *op. cit.*, II, p. 49.

Ce fut une attaque de grand style, sans commune mesure avec celle d'Hassan Corso, en 1556. Le siège dura deux mois, des premiers jours d'avril[1] au 8 juin 1563. La garnison espagnole avait été alertée à l'avance, le 20 mars, elle avait ainsi connu l'arrivée à Mazagran de 4 000 *tiradores que son los que van delante del campo del Rey de Argel*. Les espions ajoutaient que, sans les pluies, le roi d'Alger lui-même serait arrivé en même temps qu'eux. On comptait qu'il entrerait à Mostaganem le vendredi 26 mars, en même temps que quarante navires, dont deux caravelles et une *naveta* de marchands qui se trouvaient au môle d'Alger et qu'on avait chargées de poudre, de boulets de canon, de *bestiones de madera* ainsi que de biscuit. Sur quatre galères arrivait l'artillerie. Enfin dix grosses galères (sont-ce les dix prises à Djerba aux Chrétiens, et avec lesquelles Hassan Pacha était revenu de Constantinople à Alger ?[2]) étaient envoyées en deux escadres vers les côtes d'Espagne, pour s'informer de la possibilité d'un secours envoyé de la Péninsule[3].

Nantis de ces renseignements, les deux fils du comte d'Alcaudete qui commandaient les deux présides d'Oranie, Martin, l'aîné, et Alonso, purent tirer la sonnette d'alarme, avant que ne fût sur eux la double armée de mer et de terre des Algérois. Ils avaient à défendre Oran proprement dit, puis, au delà de la rade de Mers-el-Kébir, sur une presqu'île, le petit ouvrage qui commandait le mouillage des navires. Les Algérois, après avoir hésité, portèrent leur effort sur Mers-el-Kébir, plus exactement contre le fortin de San-Salvador que l'on venait de construire sur les reliefs dominant Mers-el-Kébir, du côté de la terre, et ensuite, San-Salvador ayant été enlevé le 8 mai après 23 jours de siège, contre Mers-el-Kébir même et sa petite garnison de quelques centaines d'hommes qui arriva pourtant, malgré la préparation d'une longue batterie du 8 au 22 mai, à repousser le premier assaut, le 22, en infligeant de grosses pertes à l'assaillant. Les Algérois se décidèrent alors à battre le fort dans un autre secteur, du 22 mai au 2 juin, puis ils tentèrent l'assaut à la fois du côté de la vieille et du côté de la nouvelle batterie, en même temps que les pièces de proue tiraient sur le front de mer. Assaut inefficace et qui valut aux Turcs d'évacuer sur Alger huit galiotes, remplies de blessés[4].

Mers-el-Kébir avait donc tenu. Il est vrai que la proximité des côtes d'Espagne valait des secours substantiels aux deux places. A travers le blocus de l'armada algéroise, des galères renforcées se glissaient et surtout de petites barques dont les pilotes, un Gaspar Fernández, un Alonso Fernández, furent les vrais sauveurs des assiégés, leur apportant vivres, munitions, hommes de renfort. Du 1er mai au 4 juin, plus de deux cents gentilshommes passèrent ainsi d'Espagne à Oran. A Carthagène, le marquis de los Velez, dont le nom était redouté en pays musulman, les recevait à table ouverte, si libéralement que les habitants de Carthagène ne trouvaient plus au marché ni viande, ni poisson[5]. Cependant, la situation était mauvaise à Mers-el-Kébir ; la garnison exténuée

---

1. Le 3 ou le 4, d'après les récits traditionnels, peut-être pas avant le 8 avril. A cette date les Algérois sont encore à deux lieues de la ville, du côté de la terre. Philippe II à Figueroa, Ségovie, 18 avr. 1563, Simancas E° 1392. *Lo que ha passado en el campo de Oran y Almarçaquibir...*, Tolède, 1563 ; Pièce, B. N., Paris, Oi 69.

2. D. de HAEDO, *op. cit.*, p. 75 v°.

3. Résumé des lettres du comte d'Alcaudete, mars 1563, Simancas E° 486.

4. *Relacion de lo que se entiende de Oran por cartas del Conde de Alcaudete de dos de junio 1563 rescibidas a cinco del mismo*, Simancas E° 486.

5. *Lo que ha passado...*, B. N., Paris, Oi 69.

ne mangeait quasi rien, *sino algunas çeçinas de jumentos y animales nunca usados*, sinon un peu de viande boucanée d'ânes et d'autres animaux dont on n'a pas l'habitude de se nourrir. C'est à point nommé que la flotte de secours apparut, le 8 juin, mettant en fuite ces « chiens » de Turcs.

Qu'elle soit là deux mois après le début du siège, c'est miraculeux quand on sait que les galères qui accomplissent cet exploit viennent presque toutes d'Italie. L'intéressant, pour l'histoire s'entend, de ce siège qui eut tant d'échos en Espagne (Cervantès et Lope de Vega lui consacrèrent, l'un et l'autre, une pièce de théâtre) n'est pas tant la conduite héroïque de Don Martín et des siens à Mers-el-Kébir que l'acheminement rapide de ce secours. Excellente occasion de voir à l'œuvre, pour une fois, la rapidité espagnole.

Dès le 3 avril, avant que le siège ne fût commencé, sur le reçu des rapports d'espions dont nous avons parlé, Philippe II avait expédié un courrier exprès à son ambassadeur à Gênes, Figueroa, lui enjoignant de faire partir les galères de Jean André Doria, de Marco Centurione, du cardinal Borromée, des ducs de Savoie et de Toscane, avec, comme premier point de ralliement, le port de Rosas. Qu'on s'emploie « à gagner des heures, recommande le roi, car jusqu'au moment où je les verrai ici, je ne pourrai manquer d'être dans un souci bien justifié »[1]. Ces ordres, enregistrés, à Messine dès le 23[2] avril, signifiaient le rappel en Espagne de toutes les flottes d'Italie, sauf les galères de Sicile et de la Religion. *Lo que mas importa*, écrivait Philippe II à Don Garcia de Toledo le 25 avril, *es la venida de las galeras de Italia* »[3].

On est du même avis en Italie. Le vice-roi de Naples, dans une lettre à Figueroa, le 25 avril[4], lui dit avoir été au courant du siège d'Oran par des lettres expédiées dès le 28 mars (donc avant les ordres du roi du 3 avril) et aussitôt, sachant que l'armada turque ne sortirait pas cette année, il lui a semblé « qu'il convenait au service de S. M. que sur les vingt-deux galères que pouvait emmener Jean André Doria et quatre autres galères du royaume, soit vingt-six au total, il embarque deux mille soldats espagnols et voyage par la route de Sardaigne, Minorque, Iviza et Carthagène (donc en droiture, sans le détour par Rosas) et que là, à Carthagène, il attende les ordres de S. M. ». Le même jour[5], Doria annonçait au roi son arrivée prochaine à Carthagène. Philippe II, recevant sa lettre à Madrid, le 17 mai[6], répondait le jour même, l'avisant qu'on fabriquerait du biscuit à Carthagène, en prévision de l'arrivée des galères, et qu'on en ferait venir de Barcelone et de Málaga. Il ajoutait que pour toutes sortes de raisons — l'arrivée peut-être tardive de la flotte d'Italie, le fait qu'il s'agissait d'affaires espagnoles, le fait aussi qu'à son retour d'Oran, l'armada de secours devrait se diviser en deux escadres dont l'une, avec Doria, retournerait en Italie pour la chasse aux corsaires — pour toutes ces raisons donc, il avait choisi, comme chef de l'expédition, Don Francisco de Mendoza, capitaine général des galères d'Espagne.

Au début de juin, étaient ainsi réunies à Carthagène quarante-deux galères, dont quatre d'Espagne. Huit restèrent au port (quatre du duc de Savoie, quatre de Gênes). Les trente-quatre autres arrivèrent le 8 à Oran, mais le coup

---

1. Le roi rappelle ce détail dans sa lettre du 18 avril, Simancas E⁰ 1392.
2. Le vice-roi de Sicile à Philippe II, Messine, 23 avr. 1563, Simancas E⁰ 1127.
3. Madrid, 25 avr. 1563, Simancas E⁰ 330.
4. Simancas E⁰ 1052, f⁰ 156.
5. Cette lettre citée d'après la réponse du roi, voir note suivante.
6. Madrid, Simancas E⁰ 1392.

d'épervier ne laissa d'autre butin que trois navires *redondos*, une douzaine de barques et une saète française (qu'on trouva chargée de plomb, de munitions et de cottes de maille). Tous les gros navires à rames avaient eu le temps de déguerpir[1]. Peut-être parce que, selon un avis de Bône du 3 juin retransmis par Marseille, la flotte algéroise s'apprêtait à quitter les lieux[2]. Le succès n'en était pas moins immense. Le roi l'annonçait, le 17 juin[3], au vice-roi de Naples dont Diego Suárez, dans ses précieuses chroniques d'Oran, a fait l'éloge comme d'un bon artisan de la victoire. Nul n'y contredira. Mais, au chapitre des éloges, ne conviendrait-il pas d'inscrire le nom de Philippe II et d'étendre les félicitations à l'ensemble du système hispanique, cette fois bien coordonné, peut-être parce que rodé par les expériences précédentes et parce qu'il s'agissait d'un petit secteur, proche de l'Espagne[4] ?

A Madrid, on eût désiré davantage. A peine rentrée à Carthagène, la flotte recevait du roi l'ordre de prendre par surprise le Peñon de Velez. Francisco de Mendoza, malade, abandonna à Sancho de Leyva le commandement de l'opération dont le plan avait été dressé par le gouverneur de Melilla. Mais la garnison turque de l'îlot fut alertée par le bruit des rames et les troupes débarquées devant Velez manquèrent de cran. Au lieu d'insister, de canonner, de pousser de l'avant, la majorité des chefs se décida pour un rembarquement et la remise de l'opération à une date ultérieure. La flotte était de retour à Málaga dans les premiers jours d'août[5]. Les corsaires, avertis de cet insuccès, redoublèrent leurs attaques sur les côtes d'Espagne. Ils allèrent même, ce qu'ils n'avaient point fait encore, jusqu'aux Canaries. Cependant, les galères espagnoles terminaient l'approvisionnement d'Oran, lui portaient, à la fin d'août, les 20 000 ducats nécessaires aux payes de la garnison. Quelques jours après, elles se trouvaient, ayant franchi le détroit, dans le Puerto de Santa Maria, l'avant-port de Séville[6].

Le bilan de l'année n'était, somme toute, pas trop mauvais. Mais l'année suivante, en 1564, l'Espagne fit davantage : elle crut pouvoir passer à l'offensive. Probablement à cause de la sécurité plus grande du côté de l'Orient et de la tranquillité politique générale. Peut-être aussi à cause de la nomination, le 10 février 1564, de Garcia de Toledo au poste de capitaine général de la Mer. Mais surtout, l'Espagne commençait à se sentir plus forte. Signe (dès avant la nomination de D. Garcia) d'un changement d'esprit, cette autorisation qu'en janvier, Sancho de Leyva, commandant les galères de Naples, sollicitait de Philippe II d'aller, avec cinq de ses galères, une de Stefano de Mari et les galères libres de Sicile, donner la chasse, sur les côtes de Barbarie, aux fustes et galiotes des corsaires et se procurer les captifs nécessaires pour les chiourmes des navires à armer[7]. Très tôt, ce printemps-là, à côté des tâches ordinaires et rituelles, le ravitaillement de La Goulette, le réapprovisionnement

---

1. *Ibid.*
2. Simancas E° 1392.
3. Indication donnée d'après la lettre du vice-roi à Philippe II, lettre de réponse, 23 juill. 1563, Simancas E° 1052, f° 207.
4. A ce propos, R. B. MERRIMAN, *op. cit.*, IV, p. 110, parle d'efforts surhumains. N'est-ce pas trop dire ?
5. Le 2 selon Salazar, le 6 selon Cabrera, d'après DURO, *op. cit.*, II, p. 55-59.
6. Gomez Verdugo à Francisco de Eraso, 29 août 1563, Simancas E° 143, f° 117.
7. Sancho de Leyva au roi, Naples, 13 janv. 1564, Simancas E° 1053, f° 8. On sait cependant que S. de Leyva mettait à la voile pour La Goulette, vice-roi à S. M., Naples, le 17 févr. 1564, Simancas E° 1053, f° 22.

d'Oran, il fut question, en haut lieu, de reprendre l'opération manquée contre le Peñon de Velez. La décison officielle en était prise dès avril[1].

Ce fut un chef-d'œuvre d'organisation méthodique et sûre, qui a laissé, dans les archives, des masses de papiers inédits[2]. Tout était si bien en ordre que le 12 juin, Philippe II pouvait annoncer à l'ambassadeur de France[3] que l'armée de mer serait employée contre l'Afrique. La phase des préparatifs était close et Don Garcia occupé à rassembler les troupes et les galères d'Italie pour les faire passer en Espagne et en Afrique[4]. Le 14, il avait fait à Naples une entrée triomphale[5], avec trente-trois galères[6]. Cette fois encore, Philippe II s'intéressa avec minutie à tous les mouvements de la flotte ; il donnait l'ordre à ses services d'être attentifs à toutes les demandes de Don Garcia et de « hâter toute cette affaire, car, avec les vents qu'il fait présentement, je crois qu'il ne tardera pas à arriver. Qu'on examine si un plus grand nombre de soldats ne serait pas nécessaire : le duc d'Alcala écrit qu'il ne peut en donner que 1 200, qui viendront sous les ordres du capitaine Carillo de Quesada »[7].

C'est par Gênes que D. Garcia gagna l'Espagne, par le grand tour des côtes Nord et non par le raccourci des îles qu'avait pris J. A. Doria, l'année précédente. La première concentration de la flotte eut lieu à Palamos, sur les côtes de Catalogne, où, le 6 juin, elle était rejointe par les galères d'Espagne, sous Alvaro de Bazan dont commençait alors la prestigieuse carrière. J. A. Doria avec 22 galères prenait le même mouillage, le 26[8]. Puis, ce furent les galères et les navires de Pagan Doria, restés à la Spezia pour y embarquer des soldats allemands. Le 15 août, la flotte était à Málaga[9]. Don Garcia s'en détacha, un instant, pour aller jusqu'à Cadix, au devant des galères portugaises promises pour l'expédition. Son apparition jeta l'épouvante, d'Estepone et de Marbella jusqu'à Gibraltar, tout au long d'un rivage si habitué aux ravages des corsaires qu'il se crut en présence de voiles ennemies. Puis, avec une certaine lenteur, la concentration s'acheva dans les ports voisins de Marbella et Málaga. Fin août, la flotte comptait entre 90 et 100 galères[10], plus un certain nombre de caravelles, galions et brigantins, au total 150 voiles et 16 000 soldats. Déploiement de forces inutile et ostentatoire, dira-t-on à Venise, non sans malveillance[11]. Il avait au moins servi à éloigner les corsaires, d'un magnifique coup de balai : trois galères et un galion armé furent saisis, six ou huit autres pris en chasse ne s'échappèrent qu'à grand-peine.

Le 31 août, après un voyage de trois jours, la flotte arrivait devant le Peñon. Comme en 1563, la ville avait été abandonnée par ses habitants. Dans le port brûlaient trois navires catalans, pris par les très agissants corsaires de

---

1. Philippe II à D. Garcia de Toledo, Valence, avr. 1564, *CODOIN*, XXVII, p. 398.
2. Jusqu'à la mise en construction de chaloupes ordonnée aux proveedores de Málaga, *CODOIN*, XXVII, p. 410, 17 mai 1564.
3. 12 juin 1564, E. CABIÉ, *op. cit.*, p. 270.
4. D. Garcia de Toledo à Philippe II, Naples, 15 juin 1564, Simancas E⁰ 1053, f⁰ 64.
5. D. Juan de Çapata à Eraso, 15 juin 1564, *ibid.*, f⁰ 63.
6. Vice-roi de Naples à Philippe II, 15 juin 1564, *ibid.*, f⁰ 60.
7. Note autographe du roi en marge d'une lettre que lui adresse D. Garcia de Toledo, Naples, 16 juin 1564, Simancas E⁰ 1053, f⁰ 65.
8. J. B. E. JURIEN de LA GRAVIÈRE, *Les Chevaliers de Malte*, Paris, 1887, I, p. 98.
9. *Ibid.*, p. 99.
10. Ce sont les chiffres de C. Duro. Le 29 août, Saint-Sulpice, pour Cadix seulement, parle de 62 galères (E. CABIÉ, *op. cit.*, pp. 291-292). 70 et quelques galères, dit-on en France, 13 août 1564, A. N., K 1502, no. 296.
11. J. B. E. JURIEN de LA GRAVIÈRE, *op. cit.*, I, p. 111, note 1.

Velez, lesquels étaient d'ailleurs partis en course avec Kara Mustafa, tant ils croyaient peu à une attaque de l'armada chrétienne contre leur ville. Don Garcia n'en agit pas moins avec prudence et un grand luxe de moyens. Une large tête de pont, solidement organisée, protégea, du côté de la terre, les opérations contre le petit îlot fortifié. Contrairement à toute attente, la garnison, après quelques jours de canonnade, le 6 septembre, abandonnait le rocher. On le fortifia, on y laissa des canons, des vivres, des hommes, puis on évacua la tête de pont, après avoir rasé les murs de la ville de Velez. C'est à cette occasion qu'il y eut, le 11 septembre, quelques sérieux accrochages avec les indigènes[1].

Au total, on pouvait dire : beaucoup de bruit et de dépenses, pour pas grand-chose. Sans doute convenait-il de faire une démonstration éclatante pour prouver à la Papauté que les subsides consentis par l'Église pour la lutte contre les Maures, n'étaient pas accordés en vain. *El Papa esta a la mira*, comme disait Philippe II[2]. Tous les contemporains ont signalé ce côté spectaculaire de l'entreprise. Il y eut aussi des raisons stratégiques, celles d'une reprise en main, par un nouveau chef, de la flotte hispanique, et le souci d'aveugler ce petit centre de course agressif de Velez, trop proche des côtes d'Espagne et des liaisons de Séville pour ne pas être gênant à la longue. Dès lors, sur l'îlot (comme de 1508 à 1525) une garnison espagnole montera la garde. Garcia de Toledo ne s'éloigna qu'après y avoir tout organisé. Mais il s'éloigna vite car on avait déjà besoin de lui ailleurs : en Corse, la Seigneurie de Gênes, aux prises avec les débuts de la révolte de Sampiero Corso, demandait aide à cor et à cri.

Le soulèvement de la Corse

La révolte de Corse se préparait depuis longtemps. La paix du Cateau-Cambrésis avait désespéré les insulaires. Sampiero Corso, de 1559 à 1564, s'était dépensé partout en négociations passionnées, toutes inutiles au demeurant. Mais il lui suffit de débarquer le 12 juin 1564, dans le golfe de Valinco, avec une petite troupe, et l'île prit feu. C'est qu'elle était prête à brûler à la première étincelle. Sampiero se précipita immédiatement sur Corte et l'emporta. Une des guerres les plus désolantes qu'ait connues l'île commençait. Prisonniers massacrés, villages brûlés, récoltes dévastées : la Corse connaîtra tout.

Pour Gênes, ce n'était pas une vraie surprise. Quoi qu'elle en dît, elle savait depuis longtemps combien l'île était inquiète, combien elle lui était hostile. Ses agents avaient suivi, de près et très exactement, les voyages de Sampiero et ses intrigues, en France comme à Alger, en Toscane comme en Turquie. Le service génois de renseignements avait su qu'il se trouvait à Marseille et comment il y avait disposé d'une galère armée. Son débarquement avait donc été prévu ; mais peut-être pas les rapides conséquences de ce coup de main, les effets presque immédiats de la propagande du chef de la révolte, le nombre des gens qui accourraient autour de lui.

Qui donc est derrière Sampiero, va-t-on se demander à l'occasion de ses succès ? le roi de France qui lui a prêté la galère du débarquement ? les cor-

---

1. Don Garcia de Toledo à S. M., Málaga, 16 sept. 1564, *CODOIN*, XXVII, p. 527.
2. Philippe II à Figueroa, 3 août 1564, Simancas E° 1393 et non E° 931 imprimé par erreur, Fernand BRAUDEL, *in : Rev. Afr.*, 1928, p. 395, note 1.

saires turcs[1] ? le duc de Florence, murmurera-t-on bientôt[2]... Et sans doute Sampiero a-t-il derrière lui tous ces grands appuis à la fois : mais de façon indirecte et mesurée. Le meilleur appui du révolté, c'est la Corse misérable des zones montagneuses, la plèbe insulaire en proie aux usuriers et aux collecteurs d'impôts de la *Dominante*. Gênes ne le dit pas, bien sûr : elle a tout intérêt à souligner le jeu de ses grands voisins pour obtenir l'intervention de Philippe II. Elle ne s'en fait pas faute, surtout quand il s'agit du jeu français qui n'est que trop évident. « L'affaire de Corse, écrit Figueroa le 7 juillet, a plus de fondement que certains ne le pensaient au début. Sampiero soulève les populations et il a à sa dévotion une bonne partie de l'île. On a reçu l'avis que Monsieur de Carces levait, en Provence, sept bandes d'infanterie, pour les lui envoyer bien que les Français disent que c'est pour la garde de leurs marines ». Les marchands génois de Lyon[3] renseignent, de leur côté, la Seigneurie sur les agissements et réactions des Français.

Philippe II, mis au courant, approuve Don Garcia de Toledo qui est d'avis de pousser jusqu'en Corse avec trente galères, pendant que Jean André Doria et Ibarra continueraient à charger des vivres et des soldats allemands. Où qu'il se trouve, lorsqu'il recevra l'ordre du roi, Don Garcia est donc invité, par lettre du 18 juillet, à se diriger sur l'île. On ne peut pas, écrit le roi, laisser Sampiero, déjà maître d'Istria et qui menace Ajaccio, s'emparer de l'île entière, lui, un *aficionado* de la France qui ferait de la Corse une « *scala para los Turcos moros enemigos de nuestra santa fe catholica* »[4]. La France joue là un rôle inadmissible, écrit-il à son ambassadeur en France[5] : « Je ne peux pas croire que c'est avec la faveur du roi et de la reine que le dit Corso aurait entrepris ce qu'il a fait, ni même avec leur simple connaissance, puisqu'il s'agit d'une affaire si peu en accord avec notre amitié et fraternité, et si contraire à l'observation de la paix. Pourtant, il y a tant d'indices, et si grands et si manifestes, qu'ils ne peuvent se contenter d'affirmer que cela ne s'est pas fait avec leur intelligence. »

Le malheur, pour Philippe II et plus encore pour les Génois, c'est que l'ordre du 18 juillet ordonnant le détour des galères vers la Corse, est parvenu à Don Garcia quand celui-ci était déjà sur les côtes d'Espagne, prêt pour l'expédition de Velez. Fallait-il le renvoyer d'où il venait ? C'eût été perdre du temps, compromettre l'expédition contre le Peñon et, s'en expliquant auprès de Figueroa, le roi ajoutait qu'il avait été « averti que le Pape était aux aguets pour voir si l'argent qu'il avait accordé pour armer des galères servirait vraiment à des entreprises contre les Infidèles »[6]. Pour toutes ces raisons, Philippe II laissa se continuer le voyage vers Gibraltar et le Maroc. A la fin de l'automne, on songerait à la Corse, pas avant.

L'expédition du Peñon a ainsi ménagé un répit prolongé à Sampiero et à ses partisans. Les nouvelles répandues par Gênes furent dès lors de plus en plus alarmantes. Figueroa, dans une lettre du 5 août 1564[7], parlait d'inter-

---

1. Figueroa au roi, Gênes, 27 juin 1564, Simancas E° 1393.
2. A Venise, notamment, centre de nouvelles vraies ou fausses et de spéculations, G. Hernandez à Philippe II, Venise, 12 sept. 1564, Simancas E° 1325.
3. Le même au même, *ibid.*
4. Philippe II à D. Garcia de Toledo, 18 juill. 1564, Simancas E° 1393.
5. 2 août 1564, A. N., K 1502.
6. Philippe II à Figueroa, 3 août 1564, Simancas E° 1393.
7. Simancas E° 1393.

ventions françaises grandissantes, de frégates qui vont et viennent entre l'île et la Provence, de conciliabules que les Fieschi, bannis génois, et des Corses tiennent dans la maison de Thomas Corso (entendez Thomas Lenche, le fondateur du Bastion de France), « lequel est l'ordinaire pourvoyeur des Algérois en rames, poudre, voiles et autres marchandises de contrebande ». Catherine de Médicis déclare pourtant n'avoir aucune responsabilité dans l'affaire et va jusqu'à proposer sa médiation. Si l'on met les galères en ordre à Marseille, dit-elle, c'est en prévision de la prochaine entrée du roi. Elle fait même confier à Francés de Alava, par le cardinal de Rambouillet, que le passage de la flotte de Don Garcia de Toledo, avec d'aussi nombreuses galères, au large des ports français, sans qu'il ait même demandé des « rafraîchissements » lui a donné des soupçons[1] ! Cela n'empêche point Gênes d'accuser la France[2] et de s'inquiéter à propos des dix galères que le marquis d'Elbeuf tient prêtes à Marseille...

Cependant la machine hispanique, nullement détériorée au Peñon, peut reproduire vers la Corse le mouvement qu'elle vient de réussir en Afrique. Le 31 août 1564, le duc d'Albe a écrit à Figueroa que Don Garcia de Toledo, sa besogne finie à Velez, laisserait seulement en Espagne une vingtaine de galères et rejoindrait aussitôt la Corse. Philippe II assure Figueroa, au même moment, que rien ne viendrait de France s'opposer à l'expédition qui se prépare presque officiellement, au su de tous. L'ambassadeur du duc de Florence l'annonce à son maître, le 22 septembre 1564[3], et Philippe II en fait autant, le lendemain[4].

Les Génois pourtant ne se tiennent pas pour satisfaits, les préparatifs leur semblent trop lents. Le 24, l'ambassadeur Sauli prétend ne rien savoir de l'armada qui doit se trouver à Carthagène[5]. Le 9 octobre, sa mauvaise humeur se précise : « Si l'armada tarde à venir, que Vos Seigneuries Illustrissimes en accusent le grand flegme et la lente nature de ces seigneurs-ci, et non ma négligence, car, à vrai dire, je n'ai cessé d'insister auprès de S. M. et de ses ministres »[6]. Le reproche peut sembler injuste. Dès le mois d'août Lorenzo Suárez de Figueroa, le fils de l'ambassadeur espagnol à Gênes, a été envoyé à Milan pour y lever 1 500 Italiens, destinés aux opérations de Corse. Le 26, on les embarque dans trois bateaux ronds que seule l'attente du beau temps empêche de gagner l'île. Lorenzo est leur colonel.

Les Génois ont pourtant quelque excuse d'être impatients. Sampiero a mis en déroute les bandes d'Estefano Doria[7] et, le temps passant, ils craignent quelque arrangement d'automne qui se traiterait à leur désavantage. Philippe II dit lui-même qu'un accord est souhaitable avec Sampiero, pour éviter les frais d'une guerre qui peut se prolonger, par suite de l'âpreté de la terre corse[8]. Sondés à ce sujet, les Génois prennent fort mal la chose. Finalement, Garcia de Toledo arrive, le 25 octobre, à Savone[9]. Mais la belle saison est terminée et il n'est pas disposé à risquer sa flotte. Il propose vingt galères, ainsi que l'infanterie levée en Espagne et au Piémont, alors que les Génois voudraient une

---

1. D. Francés de Alava à Philippe II, 13 août 1564, A. N., K 1502, nᵒ 96.
2. Nuevas de Francia... reçues le 3 sept. 1564, Simancas Eᵒ 351.
3. Garces au duc de Florence, Madrid, 22 sept. 1564, A. d. S. Florence, Mediceo 4897, fᵒ 36 vᵒ.
4. Philippe II au duc de Florence, Madrid, 23 sept. 1564, Simancas Eᵒ 1446, fᵒ 112.
5. Sauli à la Seigneurie, Madrid, 24 sept. 1564, A. d. S. Gênes, L. M. Spagna 3.2412.
6. 9 oct., *ibid.*
7. Philippe II à Figueroa, Madrid, 25 oct. 1564, Simancas Eᵒ 1393.
8. *Ibid.*
9. Figueroa à Philippe II, Gênes, 27 oct. 1564, Simancas Eᵒ 1393.

démonstration massive de toute l'armada sur Porto Vecchio[1]. Ils ne l'obtiendront pas. Francés de Alava écrit d'Arles, le 20 novembre, que si les Génois n'en ont pas terminé avant l'hiver, le mieux serait de s'accommoder avec les révoltés, comme la suggestion lui en a déjà été faite, du côté français[2]. Mais Gênes ne l'entend pas ainsi et Philippe se refuse, de son côté, à une médiation française[3].

Ainsi l'hiver est là, et la guerre continue. Les secours extérieurs ne cessent d'arriver dans l'île, de France toujours (pas forcément d'ailleurs avec l'aveu du roi et de la reine[4]), mais aussi de Livourne d'où partent des frégates chargées de munitions et aussi d'argent[5]. Sampiero a même des intelligences avec le Saint-Père[6]. Ainsi la guerre prend mauvaise tournure pour les Génois[7]. Les vingt galères et les Espagnols, que Jean André Doria a conduits jusqu'à Bastia[8], suffiront-ils à en changer le cours ? Le mauvais temps n'entrave pas seulement les opérations de mer (Don Garcia, le 14 décembre, ne peut s'éloigner de Gênes à plus de 25 milles[9]), il entrave aussi les opérations terrestres. On apprend, le 25 novembre, que le corps expéditionnaire, parti de Bastia pour secourir Corte assiégée, a dû rebrousser chemin à cause du mauvais temps et des épidémies qui déciment ses rangs... Cette reculade est mal compensée par la prise, vers la mi-décembre, de Porto Vecchio que Jean André Doria enlève sans coup férir, ou par celle de tel village de Balagne... Gênes en est réduite à tenir quelques points de la côte et de l'intérieur, tandis que le reste de l'île passe peu à peu à la dissidence. Entassés dans les présides, les soldats de la *Dominante* ont plus à souffrir des épidémies et du mauvais ravitaillement que de l'ennemi...

Le calme de l'Europe

La rebellion de Sampiero durera longtemps, mais, circonscrite, elle aura peu d'incidence sur la vie générale de l'Europe. Il faut le souligner car, si le monde hispanique a pu reprendre souffle, s'il a réussi à redresser une situation compromise, c'est qu'il a profité en même temps que de la paix turque, d'une trêve avec l'Europe, qui n'est peut-être, après tout, que la conséquence des guerres épuisantes de Charles Quint. De 1552 à 1559, ces guerres ont absorbé toutes les ressources des États, et davantage encore. Il s'en est suivi de grands effondrements financiers en Espagne, en France et par voie de répercussion, à travers toute l'Europe. D'où une paralysie de la grande guerre en ce monde qui, des années durant, avait été sa terre d'élection.

Puis la rupture de l'Empire de Charles Quint a apporté un calme relatif. L'Allemagne, avec les Ferdinandiens, a recouvré son autonomie, et l'Europe, du coup, oublié ses craintes d'une monarchie universelle des Habsbourgs. Il n'y a pas encore d'impérialisme espagnol menaçant ; il n'y en aura point jusque vers 1580. Aux grandes guerres succèdent donc des querelles locales

---

1. Le même au même, 8 nov., Simancas E° 1054, f° 21.
2. A. N., K 1502, B 18, n° 51 *a*.
3. Philippe II à Francés de Alava, 31 déc. 1564, A. N., K 1502, B 18, n° 77.
4. Figueroa à Francés de Alava, Gênes, 1ᵉʳ déc. 1564, A. N., K 1502, B 18, n° 60.
5. *Ibid.* A bord d'une de ces frégates, un Corse ami de Sampiero, Piovanelo que les corsaires barbaresques capturent au passage.
6. *Ibid.*
7. *Ibid.*
8. Figueroa à Philippe II, 3 déc. 1564, Simancas E° 1393.
9. Le même au même, 21 déc. 1564, *ibid.*

qui se nourrissent des énergies en chômage. En France, les conflits intérieurs qui travaillent le royaume sont en liaison étroite avec la démobilisation de l'armée, avec l'oisiveté d'une petite noblesse plus besogneuse encore qu'au début du siècle, et que la royauté n'emploie plus en Italie.

Un seul conflit d'importance a survécu à la paix du Cateau-Cambrésis : celui qui oppose la France des Valois à l'Angleterre. Vieux débat qui remonte au moins à 1558, au mariage du dauphin. L'attention extérieure du gouvernement français s'en trouve puissamment détournée vers le Nord, loin de la Méditerranée. Mais les deux adversaires, gênés l'un et l'autre par des troubles politiques et religieux, sont peu capables de se battre vraiment, d'autant plus portés à s'injurier et à plaider l'un contre l'autre, devant la Papauté, ou devant Philippe II. Ce dernier fait traîner les choses en longueur, ne prend pas parti, voyant dans cette querelle providentielle du Nord un instrument de sa tranquillité. Ce serait trop nous éloigner de notre sujet que de suivre cette politique de mauvaise foi[1] et de pure raison d'État ; bien que, finalement, de sens politique assez court. La France n'en a certes pas profité, mais l'Espagne a sauvé, ce faisant, ou contribué à sauver la très fragile Angleterre d'Élisabeth. Philippe II pouvait-il prévoir qu'elle grandirait si vite ?

Tenir la France lui paraissait la tâche essentielle pour la paix de l'Espagne. Tâche facile, alors : l'année 1560 avait inauguré le règne de Catherine de Médicis et les troubles étaient vite survenus. Ce fut l'occasion pour Philippe II qui tenait à sauvegarder ses États de la contagion protestante, d'offrir des troupes. Et l'offre lui donna longtemps prise sur le royaume voisin. Il jugea même utile d'acheter des concours en France, suivant la bonne tradition de la politique des Habsbourgs et de toute la diplomatie du siècle. La politique espagnole fut ainsi amenée à entrer en longs pourparlers avec Antoine de Bourbon. Qui trompa l'autre ? On ne chercherait pas à rouvrir le dossier s'il ne nous ramenait en Méditerranée, en Sardaigne d'abord, puis à Tunis.

C'est en 1561 qu'ont commencé les pourparlers[2], dès qu'Antoine de Bourbon prit une place prépondérante, plus en apparence qu'en réalité peut-être, avec son titre de Lieutenant Général du Royaume. Celui que l'Espagne appelle « Monsieur de Vendôme », est en fait roi de cette Navarre dont Philippe II occupe, contre tout droit, la partie espagnole. Récupérer ce domaine d'Outre-Monts, pour le moins y intriguer[3], se mêler à la vie de l'Espagne par delà le mur pyrénéen, aucun roi de Navarre depuis 1511 — depuis la conquête, espagnole — n'a résisté à cette tentation, pas même plus tard le futur Henri IV. Une autre politique pourtant était possible : à défaut de la Navarre espagnole, obtenir ailleurs une compensation. Monsieur de Vendôme s'y est hardiment engagé. Il a réclamé le royaume de Sardaigne et, sans doute en a-t-il parlé jusqu'à Rome[4]. Un de ses agents, qui figure dans les documents espagnols sous

---

1. Goûtons au passage cet argument, S. M. à Chantonnay, Madrid, 10 nov. 1562, A. N., K 1496, B. 14, n⁰ 126 : Philippe II a déclaré à Saint-Sulpice qu'il ne pouvait se déclarer contre la reine d'Angleterre *por causa de las antiguas alianças*.
2. La conversation est déjà commencée en sept. ; l'évêque de Limoges à Catherine de Médicis, Madrid, 24 sept. 1561, B. N., Paris Fr. 15875, f⁰ 194; Chantonnay à Philippe II, Saint-Cloud, 21 nov. 1561, A. N., K 1494, B 12, n⁰ 111; le même au même, Poissy, 28 nov. 1561, *ibid.*, n⁰ 115.
3. G. Soranzo au doge, Vienne, 25 déc. 1561, une conjuration découverte à Pampelune, en faveur du roi de Navarre, G. TURBA, *op. cit.*, 1, pp. 195 et *sq.*
4. Morone au duc d'Albe, Rome, 2 oct. 1561, Joseph SUSTA, *Die Römische Curie und das Konzil von Trient unter Pius IV.*, Vienne, 1904, I, p. 259.

le nom de Bermejo ou Vermejo (mais ce n'est là qu'un surnom pour le secret des correspondances) est reçu à Madrid en janvier 1562[1], par Ruy Gomez et le duc d'Albe, ni l'un ni l'autre très satisfaits des services rendus par Antoine de Bourbon et de son penchant visible pour les hérétiques. Spéculant sur l'ambition du dit « Vendôme », les deux ministres proposent à Vermejo le royaume de Tunis pour son maître, avec la promesse qu'on l'aidera à le conquérir. Mais, dit l'agent, qu'est-ce au juste que ce royaume ? « Je lui dis, déclare le duc d'Albe, que personne ne pouvait mieux le renseigner que moi, car l'Empereur... avait eu des intentions sur ce royaume... et en avait parlé avec moi très particulièrement ». Suit une description idyllique du royaume de Tunis, d'une notoriété telle que « peu de gens l'ignorent », lieu de passage de « toutes marchandises qui viennent du Levant au Ponant et du Ponant au Levant », terres fertiles qui produisent en abondance blé, huile, laines, bétail, succession de ports admirables et faciles à défendre... Rien de comparable au pauvre royaume de Sardaigne, qui d'ailleurs a ses lois propres, et que le roi ne peut aliéner de sa seule autorité.

On ne sait l'accueil que le roi de Navarre réserva à cette alléchante proposition. On sait par contre que Catherine s'inquiéta des négociations du Bourbon avec l'Espagne et, aussi, que le bruit d'une cession du royaume de Sardaigne circula à Gênes, en septembre 1562[2] : « Dans cette ville, écrivait Figueroa le 9, est arrivée la nouvelle que D. J. de Mendoza a pris possession du royaume de Sardaigne pour le remettre, sur votre ordre, à Monsieur de Vendôme, ce qui, ici, ne semble pas digne de créance ». Les pourparlers s'interrompirent brutalement : Monsieur de Vendôme, blessé sous les murs de Rouen, devait mourir des suites de sa blessure. Philippe II fut informé rapidement « que les médecins et cyrrurgiens estoyent hors de toute espérance de sa santé[3] » et fit écrire par avance, en laissant les dates en blanc, les lettres de condoléances.

Petite histoire, mais qui montre la France surveillée étroitement par une diplomatie vigilante, lénifiante, un peu lente, machiavélique à peu de frais, assurément orgueilleuse et protocolaire, toujours à l'œuvre, sinon toujours aussi efficace qu'elle le croit. Car si l'Europe ne pèse point sur l'Empire hispanique, le mérite en revient-il tout entier à Ruy Gomez ou à la subtilité du duc d'Albe ? Est-ce parce que, de temps à autre, on sait laisser le Français « le bec dans l'eau », comme écrivait l'évêque de Limoges ? Parce que Philippe est seul souverain d'âge (Limoges encore *dixit*) dans une Europe où les trônes appartiennent à des enfants, ou tombent en quenouille ? N'est-ce pas parce que cette Europe est recrue de fatigue ? Un fait reste certain : en face d'une Turquie coincée, fixée loin des rives de la Méditerranée, se trouve une Espagne libre de ses mouvements, que l'Europe ne gêne et n'inquiète pas, pour l'instant au moins. Cet instant, l'Espagne aura su le mettre à profit.

Quelques chiffres sur le relèvement maritime de l'Espagne

Il est difficile de préciser, chiffres en main, la réalité des armements navals du XVIᵉ siècle. Tout d'abord, quels navires faire entrer en ligne de compte ?

---

1. Le duc d'Albe à Chantonnay, Madrid, 18 janv. 1562, A. N., K 1496, B. 14, nᵒ. 38.
2. Figueroa à Philippe II, 9 oct. 1562, Simancas Eᵒ 1391.
3. Saint-Sulpice à Catherine de Médicis, Madrid, 25 nov. 1562, B. N., Paris, Fr. 15877, fᵒ 386.

313

A côté des galères, des galiotes et des fustes, il faudrait tenir compte de toute une flotte auxiliaire de navires ronds, navires ravitailleurs, mais aussi de guerre à l'occasion, car ils sont munis d'artillerie. A la fin de l'année 1563, au début de 1564, le gouvernement espagnol met ainsi l'embargo sur une centaine de chaloupes et de zabres de pêcheurs des régions biscayenne et cantabrique, petits vaisseaux de soixante-dix tonnes, munis de rameurs volontaires et d'artillerie. Cette flotte auxiliaire a été organisée alors, en Catalogne, par Alvaro de Bazan. Resterait à savoir dans quelles conditions et pour quels buts. Il semble que ces navires spécifiquement océaniques et de petit tonnage aient été mêlés aux luttes méditerranéennes, seulement comme transporteurs. On n'a pas compris, dans les milieux espagnols, la valeur que pouvaient avoir, — et qu'auront plus tard — ces légers voiliers de l'Océan.

Si l'on s'en tient aux seuls navires de guerre, il faut tenir compte, à côté de ces puissants navires que sont les galères, de ces galères amoindries, les fustes et les galiotes. Il est vrai, ce sont surtout les corsaires barbaresques qui utilisent ces petites unités. La principale difficulté finalement découle du fait que la flotte de Philippe est en réalité une réunion de flottes diverses, la coalition de quatre escadres : celles d'Espagne, de Naples, de Sicile, et le groupe des galères génoises qui sont à la solde de l'Espagne (principalement les navires de J. A. Doria). S'y ajoutent à l'occasion, les galères de Monaco, de Savoie, de Toscane et de la Religion. Voilà qui ne simplifie pas les comptabilités.

Pour mesurer les armements hispaniques, nous avons essayé de compter, pour chacune des années 1560 à 1564, le nombre des galères réunies soit à Messine, soit ailleurs, mais de préférence à Messine, ce qui revient à dénombrer les flottes effectivement mobilisées.

En 1560, l'année de Djerba, l'armada chrétienne comporte 154 navires de guerre, dont 47 galères et quatre galiotes[1], ce qui donne, entre galères et autres navires de guerre, un rapport de un à trois. A ces 47 galères, il faut ajouter l'escadre d'Espagne qui, réclamée sur les côtes de la Péninsule, n'a pas participé à l'expédition, une dizaine de galères de la Religion, de Toscane, de Gênes et de Savoie. Les mesures prises au moment où il fut question de secourir le fort de Djerba, permettent de calculer ces forces de réserve. Le 8 juin 1560, Philippe II[2], faisant le compte des galères qu'il devait réunir, pensait qu'elles pourraient s'élever jusqu'au nombre de 64[3] ; chiffre que l'on peut accepter comme exact ; mais il comprend évidemment les vingt galères qui se sont échappées de Djerba. C'est donc 44 galères seulement qu'il faut ajouter aux 47 de l'expédition — soit 91 — pour avoir le total des forces navales dont, directement ou indirectement, l'Espagne pouvait disposer au lendemain du Cateau-Cambrésis. Chiffre considérable, mais le désastre de Djerba le fait tomber à 64. Cette importante diminution est d'autant plus grave que la plupart des navires

---

1. C. MONCHICOURT, *op. cit.*, p. 88.
2. Philippe II au vice-roi de Naples, Tolède, 8 juin 1560, Sim. E⁰ 1059, f⁰ 69.
3. Une estimation génoise (*Conto che si fa delle galere che S. Mta Cattca potrà metere insieme*. A. d. S. Gênes, L. M. Spagna 2.2411 (1560) fournit un intéressant décompte : galères d'Espagne (20) ; de Gênes (6), du Prince Doria, non compris celles qui sont à Djerba (6), du duc de Florence (3), du duc de Savoie (2), du comte de Nicolera (1), du roi de Portugal (4), de Paolo Santa Fiore (2), « delle salve » (23). Total 67, un document sicilien de 1560 (Simancas E⁰ 1125) donne le chiffre total de 74 avec le décompte suivant : galères du Pape (2), d'Espagne (20), du prince Doria (10), de Gênes (8) ; de la Religion (5), du duc de Florence (7) ; du duc de Savoie (6) ; d'Antonio Doria (4), de Cigala (2), du Cᵃˡ Vitelli (3), de Paolo Sforza (2), de Naples (3), de Bendineli Sauli (1), de Stefano de Mari (1).

perdus sont allés grossir les effectifs ennemis : en 1562, les dix grosses galères qui amènent Hassan Pacha d'Alger feraient partie du butin de Djerba.

La réaction des arsenaux d'Italie fut rapide. En Sicile, de nouveaux impôts furent décidés pour les constructions navales[1]. A Naples, dès le 9 octobre[2], les six galères perdues à Djerba étaient remplacées. Il n'y avait de difficultés, sérieuses celles-là, que pour la chiourme. Au même moment, Cosme de Médicis intensifiait son effort maritime, de même le duc de Savoie. Les lettres de Figueroa, en juillet 1560, indiquent que Philippe II pourrait trouver dans le port génois, des galères à louer[3]. De son côté, Jean André Doria reconstituait sa flotte et achetait, en janvier 1561, deux galères au cardinal de Santa Flor[4].

Armement veut dire, avant tout, argent. Occasion pour Philippe II de demander à Rome, outre la *cruzada* qui lui fut accordée[5], le « subside ». Il l'obtint en janvier 1561, pour cinq ans et pour un montant de 300 000 ducats d'or annuels[6]. Ce qu'il trouva insuffisant. En avril 1562, après bien des négociations, la complaisance de Pie IV aidant, le subside fut porté à 420 000 ducats, pour dix ans au lieu de cinq et (ce qui provoqua les protestations véhémentes du clergé espagnol) avec effet rétroactif depuis 1560[7]. D'après une estimation de Paolo Tiepolo, *subsidio* et *cruzada* devaient rapporter à Philippe II, en 1563, 750 000 ducats, sans compter les autres revenus perçus en Espagne et hors d'Espagne, avec l'autorisation du Saint-Siège : 1 970 000 ducats annuels, d'après un mémoire romain de 1565[8].

La question d'argent résolue, restait le problème technique. Or Philippe II dispose — ceux de Provence mis à part — de tous les chantiers et de toute la main-d'œuvre de l'Occident. Mais, au moins pendant l'année 1561, il n'a pas apporté à cette tâche les soins désirables. L'argent de l'Église d'Espagne n'a pas été immédiatement disponible, ou il a servi à combler les énormes trous du budget espagnol ; surtout le roi et ses conseillers n'ont pas voulu prendre à leur charge les frais de réarmements entrepris par les « potentats » d'Italie. On armait, c'était, naturellement, pour le bien et la sauvegarde de la Chrétienté. Il était juste, dès lors, que les « potentats » fissent le même effort que l'Espagne et donnassent du leur. C'est ainsi qu'en mars 1561[9], le gouvernement espagnol sollicitait, contre les Barbaresques, l'aide des galères du Portugal. Et quand, le 1er avril, il dépêchait en Italie le marquis de la Favara, avec mission de négocier en Italie la réunion de toutes les galères de ses confédérés, il avait soin de préciser qu'il ne voulait pas prendre de galères *a sueldo*. Au seigneur de Piombino, comme à la République de Gênes, comme au duc de Savoie, au duc et à la duchesse de Mantoue, au duc de Florence, il demandera des gracieusetés, vu qu'il lui restait fort peu de galères et que celles qui se font dans ses royaumes ne sont pas encore utilisables[10]. Une lettre de l'ambassadeur génois en Espagne indique que de tous ceux qui offraient des galères *a sueldo*, seul Marco Centurione

---

1. L. Bianchini, *op. cit.*, I, p. 54.
2. Le vice-roi de Naples au roi, Simancas E° 1050, f° 137.
3. Résumé des lettres de Figueroa au roi, 3, 5, 10, 12 juin 1560, Simancas E° 1389.
4. Le vice-roi de Naples à Philippe II, Naples, 12 janv. 1561, Simancas E° 1051, f° 17.
5. L. von Pastor, *op. cit.*, XVI, p. 256 et note 1.
6. *Ibid.*
7. *Ibid.*, p. 257.
8. *Ibid.*
9. Tiepolo au doge, Tolède, 26 mars 1561, *C. S. P. Venetian*, VII, p. 305.
10. L'instruction de Fernando de Sylva, marquis de la Favara..., 1er avr. 1561, Simancas E° 1126.

avait été retenu, pour quatre ou cinq galères pendant l'année 1562[1]. Pourtant, Jean André Doria, le plus gros loueur de galères, avait obtenu 100 000 couronnes payables à la foire d'octobre, sur les 130 000 qu'on lui devait pour le complément d'équipement de ses navires[2]. Si l'on tient compte de la lenteur des mises à flot et de l'équipement des galères neuves, puis de la perte en juin des sept galères de Sicile, enlevées par Dragut[3], on peut conclure que la flotte hispanique n'a pas, en 1561, comblé ses pertes de l'année précédente. Le prince de Melfi n'a réuni pour sa campagne d'automne que cinquante-cinq galères[4].

Ce n'est qu'à la fin de l'année 1561 qu'un gros effort s'amorce en Espagne. Il ira jusqu'à la remise en activité de l'arsenal de Barcelone. Les voisins se sont d'ailleurs suffisamment inquiétés de ces activités pour que Catherine de Médicis ait envoyé Mr Dozances en mission spéciale auprès de son gendre, à seule fin de dissiper des malentendus possibles[5]. Ceci en décembre. En ce même hiver, le duc de Joyeuse, sur commandement exprès du roi, faisait avancer des compagnies vers la frontière espagnole. Encore que, écrivait-il, je ne crois point qu'il y ait danger sur ces frontières. Ce qui est vrai, c'est que « depuis deux mois, le dit Sr Roy d'Espagne faict travailler en dilligence à Barcelone pour parachever quelques gallères et aultres vaisseaux de mer et a faict faire, comme faict encores, grande quantité de biscuits. Le comun bruict est que est pour entreprendre cest été le voiage d'Arger et je scay, Sire, à la vérité, que le Roy d'Espagne est fort sollicité de tous Espaignols de faire la guerre en Arger, pour la grande subjection en quoy le roy dud. Argier tient pour ce jourdhuy les Espaignols, ne pouvant négocier par mer que avec grand danger »[6]. Un mois plus tard, le 17 janvier 1562, l'évêque de Limoges donnait des détails analogues sur les galères « qui de toutes pars se font et dressent en diligence et de nouveau a-t-on couppé vers Catalongne et es royaumes voisins, plus de quatre mil pieds de sappins pour y satisfaire, oultre celles qui se fabriquent à Naples et Sicile, estans venus maistres et ouvriers de Gennes et aucuns de nostre Prouvence »[7].

Mais les constructions sont lentes ; les bois que l'on coupe ne peuvent être utilisés avant d'être secs. Les résultats ne sauraient donc être immédiats. Et, cette année-là encore, Philippe II n'a pas voulu mobiliser à son profit tout l'armement disponible de la Méditerranée occidentale. Un document officiel du 14 juin 1562 ne prévoit pas plus de 56 galères à mettre à la disposition du commandement, 32 devant opérer aux ordres de D. Juan de Mendoza, et 24 aux ordres de Doria[8]. Toutefois le détail du relevé montre que ne font point partie

1. Sauli à la Seigneurie de Gênes, Tolède, 27 avr. 1561, A. d. S. Gênes, L. M. Spagna, 2241 1.
2. Tiepolo au doge, 26 avr. 1561, *C. S. P. Venetian*, VII, p. 310.
3. Le duc de Medina Celi au vice-roi de Naples, 30 juin 1561, Simancas E⁰ 1051, f⁰ 100, copie.
4. L'évêque de Limoges au roi, Madrid, 5 sept. 1561, B. N., Paris, Fr. 16103, f⁰ 44 et *sq.* copie, et, du même au même, la lettre déjà citée du 12 août 1561.
5. *Los puntos en que han hablado a S. M Mos. Dosance y el embax⁰ʳ Limoges*, Madrid, 10 déc. 1561, A. N., K 1495, B. 13, n⁰ 96.
6. Joyeuse au roi, Narbonne, 28 déc. 1561, B. N., Paris, Fr. 15875, f⁰ 460.
7. Mémoires de l'évêque de Limoges, 27 janv. 1562, B. N., Paris, Fr. 16103, f⁰ 144 v⁰, copie.
8. Philippe II au vice-roi de Naples, 14 juin 1562, Simancas E⁰ 1052, f⁰ 96. La composition des escadres est la suivante : *a)* escadre de D. J. de Mendoza, 12 galères d'Espagne (dont 4 détachées à la disposition des Prieur et Consuls de Séville) ; 6 de Naples ; 6 d'Antonio Doria ; 4 du comte Federico Borromeo ; 2 d'Estefano Doria ; 2 de Bendineli Sauli ; *b)* escadre de J. André Doria, 12 galères du dit J. André, conformément à son nouvel *asiento* ; 4 de la Religion ; 4 de Marco Centurione ; 2 du duc de Terranova ; 2 de Cigala.

du convoi les galères de Sicile, ni celles du Pape, de Toscane, de Gênes, ni celles enfin de particuliers comme le duc de Monaco ou le sire de Piombino. Il serait difficile de dénombrer exactement ces galères inemployées ; compte tenu des relevés antérieurs, on peut penser à un chiffre compris entre vingt et trente. Donc pour l'armement général de la Méditerranée hispanique, de 80 à 90 galères ; le désastre de Djerba est à peine comblé, s'il l'est. Sur quoi survient celui de la Herradura : 25 galères perdues, l'armement hispanique est ramené brutalement à un niveau qu'il n'avait pas connu depuis longtemps, tous les efforts d'une année sont ruinés d'un coup.

Aux grands maux, les grands remèdes. Le 12 décembre 1562, Philippe II convoquait les Cortès de Castille à Madrid. La « proposicion » lue à l'ouverture des Cortès — on dirait aujourd'hui, note Cesáreo F. Duro, le discours du Trône — exposait les raisons, tant méditerranéennes qu'océanes, de constituer une grande flotte[1] ; la conclusion, on le devine, fut une demande d'impôts.

Ces mesures concernaient l'avenir. En 1563, les armements maritimes ne purent combler qu'en partie les vides de la flotte hispanique. Quand arriva la bonne saison, Philippe fit appel, une fois de plus, à ses alliés d'Italie, le duc de Savoie, la République de Gênes, le duc de Florence. Le 8 mars, il pensait pouvoir réunir 70 galères[2] qu'il destinait, comme en 1562, moitié à l'Espagne, moitié à l'Italie. Tous ses plans furent bouleversés par le siège d'Oran. Et ce n'est pas sans peine qu'il put envoyer les 34 galères qui sauvèrent les assiégés. Il y a toujours, en effet, une marge assez forte entre le nombre des galères mobilisables pour une expédition extérieure et l'effectif complet de la flotte, un certain nombre de navires restant à la garde des côtes.

La récompense de ses efforts, le roi ne l'obtint qu'en 1564. En septembre, entre les côtes d'Espagne et d'Afrique, Don Garcia de Toledo pouvait réunir de 90 à 102 galères (pour prendre les chiffres extrêmes offerts par les contemporains). S'en tiendrait-on au premier, le bond était considérable. Il est vrai que le nouveau chef de la flotte espagnole, se fiant aux informations reçues au sujet des Turcs, s'était hardiment décidé à réunir toutes les galères disponibles sur un seul point, à l'Occident de la mer, sans guère laisser derrière lui de réserves ou de garde-côtes. Le débarquement de Sampiero Corso, est-ce une coïncidence, s'est effectué sur les arrières vides de cette énorme armada lancée vers l'Ouest. Il est vrai, également, que le roi n'a pas hésité à faire appel à tous les concours, gratuits ou non : la flotte de Velez, ce n'est pas la flotte du roi d'Espagne, c'est celle de toute la Chrétienté occidentale, sauf la France. On y voit figurer entre autres, 10 galères du duc de Savoie, 7 du duc de Florence, 8 du roi du Portugal[3]. Qu'on y ajoute les navires mercenaires, c'est une trentaine de voiles « alliées » qui accompagnent celles de Philippe II.

Pourtant des navires neufs ont quitté leurs chantiers. L'escadre de Naples qui, en janvier, se composait de 4 galères en service, 2 à flot encore à équiper, 2 terminées dans l'arsenal et 4 en construction[4], comprenait en juin 11 navires en service[5], à un douzième ne manquait que la chiourme[6], 4 autres étaient à

---

1. C. Duro, *op. cit.*, II, p. 49.
2. Philippe II aux ducs de Savoie et de Florence, S. Lorenzo, 8 mars 1563, Simancas Eº 1392.
3. C. Duro, *op. cit.*, III, p. 67.
4. Sancho de Leyva à Philippe II, Naples, 13 janv. 1564, Simancas Eº 1053, fº 8.
5. Vice-roi de Naples au roi, 15 juin 1564, Simancas Eº 1053, fº 60.
6. 29 juin 1564, *ibid.*, fº 73.

flot, et 4 en construction, au total 20, dont 11 en service. Après la lente mise en place, il semble que les progrès aient été rapides. A la fin de 1564, les arsenaux hispaniques étaient en plein travail. Celui de Barcelone bénéficiait des soins tout particuliers de D. Garcia, l'ancien vice-roi de Catalogne, et les premiers résultats étaient encourageants : malgré les pertes, les effectifs de 1559 étaient non seulement atteints, mais dépassés.

Don Garcia de Toledo

Cette réaction salutaire, est-elle le fait d'une politique consciente et suivie, supposant chez Philippe II une claire vision de ses intérêts et de ses tâches en Méditerranée ? Peut-être est-ce seulement le péril imminent, Djerba et une série de hasards malencontreux qui obligèrent Philippe II à un effort qu'il ne méditait pas. Il se serait, semble-t-il, volontiers accommodé, et pour longtemps, de la petite guerre des années 1561-1564, sans aller au devant de dangers et de grosses dépenses. Il n'y a, chez lui, ni les idées, ni les passions capables de nourrir une vraie politique de croisade. Son horizon ne dépasse pas, vers l'Est, les rivages de la Sicile et de Naples. Il est même probable qu'en 1564, quand Maximilien, une fois élu Empereur, engagea à Constantinople des négociations pour la prolongation de la trêve de 1562, remise en question par la mort de Ferdinand — il est possible qu'alors, comme en 1558, Philippe II ait essayé de se glisser dans la négociation. Hammer signale à ce propos, parmi les papiers conservés à Vienne, un rapport de « l'internonce », de l'agent impérial à Constantinople, Albert Wyss, en date du 22 décembre 1564[1].

Il n'y a donc pas, derrière D. Garcia de Toledo, une politique décidée, aucune des conditions qui, dans quelques années, allaient, sinon créer, du moins rendre possible la gloire de Don Juan d'Autriche. Peut-être aussi lui manque-t-il ce que sa jeunesse et son tempérament prodiguèrent à Don Juan : le goût du risque. En 1564, D. Garcia est un vieil homme, travaillé par la goutte et les rhumatismes. Pourtant c'est lui qui a su mettre au point la flotte hispanique, en faire un outil efficace et puissant.

Fils de D. Pedro de Toledo — ce magnifique vice-roi de Naples qui gouverna le royaume d'une main ferme et contribua largement à embellir sa capitale, Don Garcia semble avoir retenu de son père le sens de la grandeur, de l'ampleur des moyens à mettre en œuvre. Marquis de Villafranca à la mort de son frère aîné, il avait commencé à servir, en 1539, avec deux galères à lui, sous les ordres du prince Doria. A 21 ans, il avait été nommé au commandement de l'escadre de Naples, faveur qui s'adressait à son père, mais qui lui valut des charges précocement lourdes. On le vit s'employer contre Tunis, Alger, Sfax, Kelibia et Mehedia, en Grèce, à Nice, durant la guerre de Sienne, en Corse. Pour raisons de santé — du moins il les mit en avant — il avait renoncé à sa charge, le 25 avril 1558, avait été nommé vice-roi et capitaine général de Catalogne et Roussillon. C'est là qu'après l'alerte de 1560, durant laquelle on songea un instant à lui confier la flotte et le royaume de Sicile, il fut joint par sa nomination de *Capitan General de la Mar*, en date du 10 février 1564[2]. Le 7 octobre de la même année[3], sur la demande qu'il en avait faite et en récompense de la

1. J. von HAMMER, *op. cit.*, VI, p. 118.
2. C. DURO, *op. cit.*, III, p. 61, note 2 et p. 62, note 1.
3. *Ibid.*, p. 64, note 3.

victoire du Peñon, il était nommé vice-roi de Sicile. Il faisait ainsi rattacher à son commandement maritime l'île qu'il voulait transformer en arsenal et magasin.

On juge à ce trait qu'il s'agissait d'un homme capable de voir grand. Il connaissait le prix des services qu'il rendait (*peleo por su servicio*, je combats pour le service du roi, écrivait-il[1]) et ce sentiment de bien servir lui donnait le courage de préciser ses exigences et de parler haut. « On ne peut dire ni imaginer dans quel état j'ai trouvé la flotte », écrivait-il de Málaga à Eraso, le 17 août 1564, au début de son commandement actif. Au même moment, dans une lettre au roi : « il faut, écrivait-il, que S. M. sache qu'il est indispensable que je sois rigoureux à l'égard de sa flotte, étant donné son état actuel, si l'on veut que je m'acquitte bien de ma charge et que je défende ses finances. Je sais bien que je gagne peu à être mal aimé, mais je confesse que je ne peux fermer les yeux sur les roberies et la mauvaise administration, pour ce qui relève de mon autorité »[2].

Honnête et exigeant[3], prévoyant, ordonné, tel il apparaît dans sa correspondance. Mais aussi lucide, capable d'observer finement, de manœuvrer aussi. La lettre qu'il écrit à Philippe II, de Gaëte, le 14 décembre 1564[4], pose avec intelligence le problème des relations de l'Espagne avec la Papauté. En face de lui, Pie IV, brouillant les questions, s'est plaint, une fois de plus, des Espagnols, des personnes que Philippe II a dépêchées vers lui, des termes que ces personnes ont pu employer à son endroit, du comte de Luna et de Vargas, de l'attitude du roi en ce qui touche le concile... Pendant quatre heures d'horloge, D. Garcia se contente d'écouter, sans répondre aux griefs et sans parler du but de sa mission. Deux jours plus tard, l'orage passé, il commence à exposer les résultats maritimes de l'année qui s'achève. Le pape répond, non sans intention, qu'il est heureux de voir enfin le résultat des subsides qu'il accorde depuis si longtemps. Son interlocuteur alors de se placer sur le plan technique : une flotte ne se fait pas en un jour ; le travail ininterrompu des années précédentes, seuls les grands rassemblements de cette année peuvent le faire éclater au grand jour. Mais le pape ne se laisse pas convaincre, il ne parle de rien de moins que d'une expédition contre Alger : qu'est-ce, en comparaison, que le Peñon de Velez ? Voilà qui donne son sens à la phrase que nous citions de Philippe II : *El Papa esta a la mira*, le pape nous a à l'œil, traduirions-nous volontiers. Le pape observe l'Espagne et son regard n'a rien de bienveillant...

3. Malte, épreuve de force (18 mai-8 septembre 1564)

Sans vouloir sacrifier à une littérature facile, Malte, nous voulons dire la brusque arrivée de l'armada turque sur Malte en mai 1565, fit en Europe l'effet d'un ouragan. Mais cet ouragan — par ses conséquences, l'un des très grands événements du siècle — ne surprit qu'à moitié les gouvernements responsables. Comment le sultan eût-il armé, mis au point cette énorme machine

---

1. D. G. de Toledo à Eraso, Málaga, 17 août 1564, *CODOIN*, XXVII, p. 452, cité par C. DURO, *op. cit.*, III, pp. 65-66.
2. 22 août 1564, cité par C. DURO, *op. cit.*, III, p. 66.
3. Ainsi, pour les galères de Naples, G. de Toledo au vice-roi de Naples, 23 janv. 1565, Simancas E° 1054, f° 52.
4. D. G. de Toledo à Philippe II, Gaëte, 14 déc. 1564, *CODOIN*, CI, p. 93-105.

de guerre, sans que le bruit n'en parvînt à l'Europe ? Dès la fin de 1564, à Vienne où l'on était toujours si bien informé des affaires turques, Maximilien disait à l'ambassadeur vénitien qu'une grosse flotte allait sortir de Constantinople *a tempo nuovo*. Philippe armait, mais n'y aurait-il pas danger aussi du côté de Chypre[1] ? Déjà commençait le jeu des pronostics...

Y a-t-il eu surprise ?

Au début de janvier, de Naples, D. Garcia écrivait au roi[2] qu'il serait essentiel de terminer l'affaire corse avant avril, c'est-à-dire avant l'arrivée des Turcs. Il fallait être libre à l'Ouest pour mieux résister, à l'Est, à une attaque dont, très vite, on sut qu'elle serait sérieuse. Le 20 janvier, Petremol écrivait à Catherine de Médicis, de Constantinople, que l'armada turque irait sans doute sur Malte, mais il répétait ce qui lui avait été dit, sans en savoir davantage[3]. Le nom de Malte venait naturellement à l'esprit, chaque fois qu'on envisageait un assaut turc. A la fin du mois de janvier, D. Garcia de Toledo méditait de s'y rendre ainsi qu'à La Goulette, les deux places étant avec la Sicile, trop vaste celle-ci pour être sérieusement menacée, les bastions de la Chrétienté face à l'Est, ceux que forcément le Turc devait viser.

Tout l'hiver, puis au printemps, les bruits alarmants se succédèrent. D'après des avis du 10 février[4], on travaillait *a furia* dans l'arsenal turc ; à la mi-avril, seraient sans doute sur pied de guerre 140 galères, 10 mahonnes (ou grosses galéasses), 20 navires ronds et 15 caramusalis... Au regard de ces alarmes, peu importait qu'Alvaro de Bazan, avec les galères d'Espagne, ait réussi à obstruer le Rio de Tétouan, coulant des navires à son embouchure[5] ; ou que les corsaires se soient emparés de trois navires partis de Málaga qu'ils proposaient à rachat au cap Falcon, suivant l'habitude[6]. Même la sensationnelle entrevue de Bayonne n'arrive pas à détourner l'attention[7] et les armements (huit corps de galères mis à flot à Barcelone et trois galiotes à Málaga[8]) ne suffisent pas à rassurer. Car l'actualité angoissante, c'est la certitude, chaque jour confirmée, de la puissance de l'armada qui va venir et que renforceront les bateaux des corsaires du Levant comme du Ponant. Il est possible qu'à Alger, comme le dit Haedo, Hassan Pacha ait été mis au courant de l'action contre Malte, dès l'hiver 1564. Tous les postes d'écoute, ceux de Constantinople comme ceux, plus rapprochés, de Corfou et de Raguse, concordent. De Raguse, un avis en date du 8 avril, annonçait que les vingt premières galères de Piali Pacha étaient sorties des détroits, le 20 mars[9], il ajoutait que la rumeur publique parlait de Malte comme but de l'expédition, sans qu'on pût rien affirmer de sûr[10].

1. Leonardo Contarini au doge, Venise, 29 déc. 1564, G. TURBA, *op. cit.*, I, 3, p. 289.
2. D. G. de Toledo au roi, Naples, 7 janv. 1565, *CODOIN*, XXVII, p. 558.
3. E. CHARRIÈRE, *op. cit.*, II, pp. 774-776.
4. Constantinople, 10 févr. 1565, Simancas E° 1054, f° 64.
5. Alvaro de Bazan à Philippe II, Oran, 10 mars 1565, Simancas E° 486, voir E. CAT, *Mission bibliographique en Espagne*, 1891, pp. 122-126.
6. Rodrigo Portillo au roi, Mers-el-Kébir, 13 mars 1565, Simancas E° 485.
7. Vice-roi de Naples à Philippe II, 14 mars 1565, Simancas E° 1054, f° 70.
8. Francavila à S. M., Barcelone, 19 mars 1565, Simancas E° 332, Philippe II aux proveedores de Málaga, Madrid, 30 mars 1565, Simancas E° 145.
9. Constantinople, 20 mars, Corfou, 29 mars, Raguse, 8 avr. 1565, Simancas E° 1054, f° 71 ; le 22, dit JURIEN de LA GRAVIÈRE, *op. cit.*, I, p. 169.
10. A Madrid, le 6 avril, l'ambassadeur toscan Garces remettait à Philippe II les avis du Levant reçus par la voie de Florence : ils annoncent la puissance, non le but de l'armada.

Pour sa part, le gouvernement espagnol redoutait une attaque sur La Goulette[1] et, le 22 mars, des mesures avaient été prises pour lever quatre mille fantassins en Espagne, destinés partie à la Corse, partie à l'infanterie des galères. Philippe II se répandait en avertissements : « La flotte turque viendra avec plus de galères que les années passées », écrivait-il le 7 avril aux Prieur et Consuls de Séville[2] qu'il mettait au courant des ordres donnés à Alvaro de Bazan : gagner Carthagène pour y embarquer des troupes espagnoles à destination de la Corse, puis s'en revenir à Majorque et y continuer sa garde contre les corsaires. A Naples, le vice-roi pense, le 8 avril, que devant la grandeur du danger qui menace, il lèvera 10 000 à 12 000 hommes et se transportera en personne dans les Pouilles[3]. Mais, quant à ce qui se raconte d'une entreprise turque contre Piombino, avec l'aide du duc de Florence, il n'y croit pas[4].

Avec le décalage habituel, on commence à apprendre, en Occident, les étapes du voyage turc. Le 17 avril, 40 galères sont dans le canal de Négrepont ; trente les y rejoignent le 19 ; le reste de la flotte, soit 150 voiles, se trouve à Chio[5]. Il a donc fallu aux navires deux semaines (et davantage à certains éléments) pour gagner l'Archipel. Chemin faisant, ils ont complété leurs approvisionnements (notamment en biscuits) et pris des troupes à bord. Dragut a insisté pour que l'armada prenne tôt la mer et aurait demandé cinquante galères pour empêcher la concentration de la flotte de Philippe II. A Corfou, le bruit court que l'armada va sur Malte, mais l'informateur prend ses précautions : « vu les préparatifs, écrit-il, on tient pour la chose la plus certaine qu'elle ira sur La Goulette »[6]. En mai, elle arrivait à Navarin[7] ; le 18, elle était sur Malte[8].

Une fois de plus, la flotte turque a voyagé à toute vitesse, mettant de son côté l'avantage de la surprise et de la rapidité. Le 17, de Syracuse, Carlos de Aragona envoyait à la hâte, par courrier spécial, une courte dépêche à Don Garcia de Toledo : « à une heure du matin, la garde de Casibile a fait trente feux. Pour qu'elle en ait fait autant, il faut bien, nous le craignons, que ce soit la flotte turque »[9]. La nouvelle se confirmait bientôt : le 17, la flotte turque avait été « découverte » au large du cap Passero et le vice-roi de Naples informait le roi le 22, dans une lettre qui accompagnait les nouvelles détaillées données par D. Garcia[10]. C'est le 6 juin que le roi reçut ces premières informations précises[11].

Bien qu'avertis du péril, les responsables de la défense, les Espagnols et le grand-maître, furent surpris par la rapidité de l'événement, le grand-maître

---

Garces au duc de Florence, Madrid, 6 avr. 1565, A. d. S. Florence, Mediceo, 1897, f⁰ 88. De même Pétrémol, dans sa lettre à Du Ferrier, 7 avr. 1565, E. CHARRIÈRE (*op. cit.*, II, pp. 783 à 785) indique le départ du gros de la flotte le 30 de Constantinople, mais ne sait si elle se dirige sur Malte ou La Goulette. Cette date du 30 mars donnée également par un avis de Constantinople, 8 avr. 1565, Simancas E⁰ 1054, f⁰ 85.
1. Philippe II au Dean de Carthagène (Alberto Clavijo, proveedor de Málaga), Madrid, 22 mars 1565, Simancas E⁰ 145.
2. Aranjuez, 7 avr. 1565, Simancas E⁰ 145.
3. Vice-roi de Naples à Philippe II, Naples, 8 avr. 1565, Simancas E⁰ 1054, f⁰ 80.
4. Le même au même, Naples, 8 avr. 1565, *ibid.*, f⁰ 81.
5. *Ibid.*, f⁰ 94, avis de Corfou, 30 avril 1565.
6. *Ibid.*
7. J. B. E. JURIEN de LA GRAVIÈRE, *op. cit.*, I, p. 172.
8. *Ibid.*
9. Simancas E⁰ 1125.
10. Simancas E⁰ 1054, f⁰ 106.
11. Recidiba a VI de junio, note sur le précédent document.

surtout, qui avait hésité à engager des dépenses et, dans l'île de Malte, à procéder aux démolitions nécessaires. Il y eut des retards dans l'acheminement des vivres et des renforts et cinq galères de la Religion, en excellent état, bloquées dans le port, demeurèrent incapables de rendre à la flotte chrétienne le moindre service[1].

La résistance des chevaliers

Mais le grand-maître, Jean de La Valette Parisot, et ses chevaliers se défendirent admirablement. Leur courage sauva tout.

Arrivée le 18 mai devant l'île, la flotte turque utilisait aussitôt, sur le littoral Sud-Est, la large baie de Marsa Sciraco, l un des meilleurs mouillages de Malte après la baie de Marsa Muset, qui servira de port à Lavalette. Elle débarquait 3 000 hommes dans la nuit du 18 au 19 et, le lendemain, 20 000. Submergée, l'île fut occupée sans grosse difficulté. Il ne restait aux chevaliers que le petit fort Saint-Elme, commandant l'accès de Marsa Muset et la Vieille-Ville — le Bourg (vaste camp retranché), et les puissants forts de Saint-Michel et de Saint-Ange. Des considérations maritimes firent que les Turcs commencèrent le siège, le 24 mai, par le moins puissant de ces forts, celui de Saint-Elme, dans l'espoir de disposer ensuite du port dont il commandait l'entrée. Le 31 mai, la batterie commençait. Or l'ouvrage ne fut enlevé que le 23 juin, après un bombardement d'une extrême violence. Pas un des défenseurs n'échappa. Mais cette résistance opiniâtre avait sauvé Malte. Elle lui avait donné le répit indispensable pour se préparer à repousser l'assaut et achever les constructions prévues, au Bourg et à Saint-Michel, par l'architecte des chevaliers M° Evangelista. Elle avait permis aussi aux Espagnols de combler leur retard. Seules des circonstances fortuites empêchèrent Juan de Cardona, commandant les galères de Sicile, de jeter un secours à Malte avant la chute de Saint-Elme. Ce petit détachement de 600 hommes débarqua de façon encore opportune, le 30 juin, et put gagner la Vieille-Ville, preuve que ni la terre, ni la mer n'étaient parfaitement gardées par les assiégeants.

Saint-Elme pris, les Turcs portèrent leur effort, par terre et par mer, sur l'ouvrage considérable, mais en partie improvisé, de Saint-Michel. La batterie, les assauts, les mines, les attaques par barques, rien ne fut épargné, rien n'eut finalement raison de la défense. Le salut, presque miraculeux, fut enfin assuré, le 7 août, par l'intervention du grand-maître en personne et par une sortie de cavalerie de la Vieille-Ville qui, se jetant sur les arrières turcs, y déchaîna la panique. Un mois plus tard, le 7 septembre, l'armée turque n'avait pas fait le moindre progrès. Ses rangs s'étaient éclaircis à ces assauts répétés, les épidémies s'en mêlaient et même la disette. De Constantinople, les renforts en hommes et en vivres n'arrivaient pas. Assiégés et assiégeants étaient en réalité parvenus à l'épuisement de leurs forces. Alors intervint Don Garcia de Toledo.

Le secours de Malte

Les historiens ont reproché à Don Garcia ses lenteurs. Ont-ils raisonnablement pesé les conditions dans lesquelles il dut agir ? Perdre Malte eût été un désastre pour la Chrétienté[2]. Mais perdre la flotte hispanique à peine reconsti-

1. C. Duro, op. cit., III, p. 76 et sq.
2. P. Herre, op. cit., p. 53 ; H. Kretschmayr, op. cit., III, p. 48.

tuée, était s'exposer à un péril irrémédiable[1]. D'autre part, s'agissant de cette lutte de la Méditerranée occidentale contre la Méditerranée orientale, n'oublions pas que celle-ci est plus navigable que celle-là ; et que dans la concentration des flottes hispaniques, le golfe du Lion joue le rôle d'un obstacle autrement difficile qu'une mer Égée semée d'îles. Contre la rapidité d'une concentration, il n'y a pas seulement l'espace, il y a les multiples tâches de police, de transport et de ravitaillement dans la Méditerranée occidentale dont tous les points sont menacés à la fois par les corsaires. Il faut à Gênes, à Livourne, à Civitavecchia, à Naples, embarquer des vivres, de l'argent, des troupes. Enfin, il y a la Corse où la révolte brûle toujours et gagne du terrain.

Qu'on juge de ces difficultés par les voyages de l'escadre d'Espagne[2], sous les ordres d'Alvaro de Bazan. Au début de mai, elle est à Málaga ; elle y embarque des canons et des munitions destinés à Oran. D'Oran, elle revient à Carthagène, y embarque avec ses dix-neuf galères et deux naves, 1 500 hommes qu'elle conduit à Mers-el-Kébir. Le 27 juin seulement, elle est à Barcelone[3] ; le 6 juillet à Gênes ; le 21 à Naples, et dans chacun de ces ports, de petites tâches la retiennent... Imaginons mille mouvements semblables, des levées de troupes, des convois de forçats, des nolis de naves pour les transports, des envois de fonds. Tout cela demande du temps. Il avait fallu attendre août-septembre 1564 pour réunir la flotte du Peñon. Cette fois encore, la concentration n'a pu se faire plus tôt. Le 25 juin, deux jours après la chute du fort Saint-Elme, Don Garcia ne disposait encore que de 25 galères. A la fin du mois d'août, il en avait une centaine, entre bonnes et mauvaises. Dans ces conditions, a-t-il bien fait, ou non d'attendre ? De ne pas risquer ses forces par petits paquets ?

Quand la presque totalité des navires fut là, un conseil de guerre se tint au début d'août, à Messine[4] sur la façon dont il fallait les employer. Les audacieux recommandaient d'envoyer un secours en hommes, avec soixante galères renforcées ; les prudents et les experts, comme l'on disait « les marins pratiques », conseillaient de se porter à Syracuse pour y attendre les événements... Dix jours plus tard, avec l'arrivée de J. A. Doria, D. Garcia disposa enfin de toutes ses galères. Alors brusquement, sans prendre l'avis de personne, il se décida à jeter un corps de débarquement dans l'île, avec ses galères renforcées. Le 26 août, la flotte de secours quittait la Sicile. Le mauvais temps la fit dériver à la pointe Ouest de l'île, jusqu'à la Favignana. De là, elle gagna Trapani où un millier de soldats profitèrent de l'étape pour déserter. Un bon vent l'amena ensuite à Lampédouse et enfin au Gozzo, au Nord de Malte. Le grain qui avait surpris la flotte à son départ avait, fort à propos, vidé le « canal » de Malte de ses navires, mais il fut impossible aux galères chrétiennes de se joindre en temps voulu autour du Gozzo. Si bien que, de guerre lasse, Don Garcia regagna la Sicile, le 5 septembre. Ce départ manqué lui valut blâmes, dédains et moqueries, en attendant les injustices des historiens. Mais dès le lendemain, sur l'intervention catégorique de Jean André Doria, la flotte reprenait la mer ; dans la nuit du 7, elle dépassait le canal qui sépare le Gozzo de Malte et se trouvait, par assez gros temps, à la hauteur de la baie du Frioul. Voulant éviter les dangers

---

1. J. B. E. JURIEN de LA GRAVIÈRE, *op. cit.*, II, p. 140.
2. En mai, Alvaro de Bazan a dix-neuf galères sous ses ordres, Tello à Philippe II, Séville, 29 mai 1565, Simancas E⁰ 145, f⁰ 284. Par suite son escadre va grossir, il arrivera à Naples avec 42 galères.
3. J. B. E. JURIEN de LA GRAVIÈRE, *op. cit.*, II, p. 167.
4. *Ibid.*, p. 172 et *sq.*

d'un débarquement de nuit, Don Garcia de Toledo donna l'ordre d'attendre le lever du jour ; sans confusion, ce débarquement put se faire en une heure et demie, sur la plage de Melicha. Après quoi, la flotte s'en retourna en Sicile.

Le corps débarqué, sous le commandement d'Alvaro de Sande et d'Ascanio de la Corna, progressa d'abord avec lenteur, alourdi par ses bagages qu'il fallait, faute de bêtes, transporter à dos d'hommes. Il parvint péniblement autour de la Vieille-Ville où on le logea dans de grands magasins, en dehors de l'enceinte. Fallait-il pousser plus avant ? Le grand-maître ne le pensait pas. Les Turcs avaient, en effet, abandonné leurs positions, évacué le fort Saint-Elme et se rembarquaient. Dans ces conditions, mieux valait ne pas faire avancer le corps expéditionnaire, déjà embarrassé de malades, jusqu'aux positions turques encombrées de détritus et de cadavres et ne pas courir le risque d'une épidémie de peste. Cependant, prévenus par un transfuge espagnol, un Morisque, du petit nombre des Chrétiens débarqués (5 000), les chefs turcs tentèrent un retour offensif. Jetant à terre quelques milliers d'hommes, ils les poussèrent à l'intérieur de l'île jusqu'à la Vieille Cité où ils se firent massacrer dans les ruelles tortueuses de la Ville ; les rescapés refluèrent vers les galères de Piali Pacha qui reprirent la route du Levant, le gros de la flotte se dirigeant vers Zante. Le 12 septembre, la dernière voile turque disparaissait de l'horizon de Malte. A cette nouvelle, Garcia de Toledo qui, avec ses soixante galères renforcées, avait, à Messine, embarqué un nouveau corps expéditionnaire, jugea bon de le débarquer à Syracuse. Qu'auraient fait ces hommes dans une île dévastée, sans vivres ? Le 14, il entrait avec sa flotte dans le port de Malte pour y rembarquer l'infanterie espagnole de Naples et de Sicile et prenait rapidement la direction du Levant, dans l'espoir de saisir au moins quelques naves sur les arrières de l'ennemi. Il atteignit ainsi Cérigo le 23 [1], y resta embusqué presque huit jours, mais manqua, à cause du gros temps, son objectif. Le 7 octobre, il était de retour à Messine [2].

La nouvelle de la victoire se répandit avec rapidité. Elle était connue à Naples le 12 [3], à Rome le 19 [4]. Le 6 octobre, plus tôt peut-être [5], elle jetait la consternation à Constantinople. Les Chrétiens « ne pouvaient aller par les rues de la ville à cause des pierres que leur lançaient les Turcs lesquels étaient tous à pleurer, qui la mort d'un frère, qui celle d'un fils, d'un mari, d'un ami » [6]. Cependant l'Occident se réjouissait d'autant mieux qu'il avait craint davantage. Le 22 septembre 1565, on était encore fort peu optimiste [7] à Madrid. Voyez l'enthousiasme du sieur de Bourdeilles, alias Brantôme, qui avec tant d'autres était arrivé trop tard à Messine pour s'embarquer à destination de Malte. « D'ici à cent mille ans, le grand roi d'Espagne Philippe sera digne de renommée

1. Por cartas del Duque de Seminara de Otranto a 29 de 7bre, 1565, Simancas E° 1054, f° 207. Le 22, Don Garcia était entre Zante et Modon, devant l'île déshabitée de Strafaria, étant parti de Cerigo, île vénitienne, avec l'intention d'y attendre l'armada turque « la qual forçosamante havia de pasar por alli ».
2. J. B. E. JURIEN DE LA GRAVIÈRE, *op. cit.*, II, p. 224.
3. Le duc d'Alcala à Philippe II, Naples 12 sept. 1565, Simancas E° 1054, f° 194.
4. Pedro d'Avila à G Perez, Rome, 22 sept. 1565, J. J. DÖLLINGER, p. 629. A minuit le cardinal Pacheco a envoyé un courrier à S. M. avec la nouvelle de la victoire. Le card. Pacheco à Philippe II, 23 sept. 1565, *CODOIN*, CI, p. 106-107.
5. Constantinople, 6 oct. 1565, Simancas E° 1054, f° 210 ; Pétrémol à Charles IX, Constantinople, 7 oct. 1565, E. CHARRIÈRE, *op. cit.*, II, p. 804-805.
6. Voir note précédente.
7. Garces au duc de Florence, Madrid, 22 sept. 1565, orig. en esp. A. d. S. Florence, Mediceo 4897, f° 148.

et de louanges, digne aussi que toute la Chrétienté prie autant d'années pour le salut de son âme, si déjà Dieu ne lui a donné sa place en son Paradis pour avoir si parfaitement secouru tant de gens de bien, dans Malte qui prenait le chemin de Rhodes »[1]. A Rome où l'on avait eu de si grandes craintes en été, à l'annonce de galères turques, on célébra l'héroïsme des chevaliers, on remercia Dieu de son intervention, mais on ne paya aucun tribut de reconnaissance aux Espagnols, bien au contraire. Le pape donnait le ton qui ne leur pardonnait ni leurs lenteurs, ni les difficultés qu'ils lui avaient suscitées depuis son avènement. Le cardinal Pacheco, à la nouvelle de la victoire, avait demandé au pape une audience qui fut on ne peut plus désagréable. Le cardinal ayant suggéré que l'occasion était bonne pour accorder au roi le *quinquenio*, ce fut, écrit-il, « comme si je lui avais tiré un coup d'arquebuse ». Lui envoyer le *quinquenio*? dit-il enfin, ce sera bien beau si je le lui accorde quand il me le demandera... En audience publique, un instant après, le pape réussissait à parler de la victoire sans nommer le roi d'Espagne, ni le capitaine général, ni ses troupes, attribuant tout à Dieu et aux chevaliers[2].

Le rôle de l'Espagne et de Philippe II

Et pourtant les mérites de Philippe II et de Don Garcia semblent hors de discussion. Jurien de La Gravière à qui Malte évoque constamment le souvenir de Sébastopol est plus juste dans ses appréciations que les autres historiens. Vertot, le bon abbé Vertot du « Mon siège est fait », reproche à Don Garcia sa prudence et ses lenteurs, sans poser le problème de cette lenteur en termes d'arithmétique. Manfroni, dans son *Histoire de la marine italienne*, attribue tout le mérite aux Italiens ; les Espagnols auraient été au-dessous de tout. Vaines querelles de nationalités, racontars de chroniqueurs que les historiens ressassent.

Il est certain, en tout cas, que la victoire de Malte a été une nouvelle étape du relèvement espagnol, relèvement qui n'a pas été l'œuvre du hasard et qui a été poursuivi activement en cette année 1565. Fourquevaux, arrivé à Madrid à la fin de l'année pour y représenter le roi de France, écrivait le 21 novembre[3] qu'on fabriquait quarante galères à Barcelone, vingt à Naples, douze en Sicile. Il est probable (ajoutait-il, et c'est ici le gouverneur de Narbonne qui parle) que l'on demandera au roi de France le droit d'enlever des forêts de Quillan, près de Carcassonne, un bon nombre de « rames à galoche », pour équiper les galères de Barcelone. L'énorme effort que poursuivait Philippe II en entraînait d'autres : c'est ainsi que le duc de Florence poursuivait la construction d'une flotte nouvelle.

C'est qu'on n'avait pas le sentiment de la disparition du péril turc avec la retraite de Malte. Il apparaissait même plus menaçant que jamais en cette fin d'année. Le sultan activait ses constructions navales et, le 25 septembre, à Constantinople (où l'on ne connaissait pas encore, il est vrai, l'insuccès de l'armada), on parlait déjà de nouvelles grandes entreprises, notamment sur les Pouilles[4]. La nouvelle de la « rotte » de l'armée de mer, comme écrit l'ambas-

---

1. Cité par J. B. E. Jurien de La Gravière, *op. cit.*, II, p. 201.
2. Le cardinal Pacheco à Philippe II, Rome, 23 sept. 1565, *CODOIN*, CI, p. 106-107.
3. Fourquevaux, *op. cit.*, I, p. 10-14.
4. Constantinople, 25 sept. 1565, Simancas E° 1054, f° 205.

sadeur français, ne fit que gonfler ces projets d'un désir de revanche. Malgré les difficultés d'approvisionnement en bois, il était question de construire cent bateaux à l'arsenal, et le sultan avait même parlé de cinq cents voiles. « Il a ordonné, dit un avis du 19 octobre, que l'on mette en ordre de route cinquante mille rameurs et cinquante mille *assupirs* pour le milieu du mois de mars prochain, en Natolie, Égypte et Grèce ». Malte, la Sicile, ou les Pouilles seraient le but de ces armements. Le 3 novembre, à Madrid, on craint d'après Fourquevaux que le Turc ne fasse « l'an prochain, un merveilleux effort par mer et par terre, s'il ne meurt de courroux que son armée soit esté repoulcée de Malte »[1]. Le 21 novembre[2], on y apprend, d'après des nouvelles reçues de Vienne, que l'année suivante, le sultan emploierait contre Philippe II toutes ses forces, y compris les janissaires et sa garde. Des avis du 12 décembre annonçaient aussi que Soliman avait fait publier la guerre contre l'empereur et qu'il marcherait contre lui, à la tête de deux cent mille hommes[3]. Mais on n'y voyait qu'un geste fait par Soliman contre l'avis de son entourage. On restait persuadé que la flotte turque serait envoyée contre Malte avec les mêmes chefs qu'en 1565, car si le sultan laissait l'île se fortifier, jamais plus il ne pourrait s'en emparer. On pensait en conséquence que les choses s'arrangeraient entre le sultan et l'empereur...

Ces bruits furent pris très au sérieux par le gouvernement espagnol. Le 5 novembre 1565, Philippe II donne l'ordre de fortifier La Goulette ; il a décidé, écrit-il à Figueroa, d'y consacrer les 56 000 ducats nécessaires[4]. Décision qui semble ferme puisqu'il a demandé à Adam Centurione de prendre cette somme à *cambio*. En exécution de ces ordres a commencé à s'élever, autour de la vieille forteresse, une nouvelle Goulette (*Goleta la Nueva*, en face de *Goleta la Vieja*). D'autre part, sauf les douze galères d'Alvaro de Bazan rappelées en Espagne, le roi maintient toute sa flotte en Sicile[5]. Le grand-maître n'a-t-il pas menacé d'abandonner l'île s'il n'était secouru ? Fin décembre, le roi d'Espagne l'aide de 50 000 ducats (30 000 au comptant, 20 000 en vivres et munitions), plus 6 000 fantassins, c'est au moins ce qu'affirme l'agent toscan[6]. Chacun pense que le Turc ne peut venir que sur Malte ou La Goulette, rapporte Fourquevaux, le 6 janvier 1566. S'il vient sur Malte, le roi catholique y expédiera 3 000 Allemands, 5 000 Espagnols et Italiens qui se fortifieront sur la montagne de Saint-Elme, car le Bourg ne peut se réparer. S'il vient sur La Goulette, le roi y enverra 12 000 hommes qui camperont autour de la forteresse.

Pourtant, toutes ces mesures, ces efforts, si méritoires soient-ils, ne forment pas une vraie politique qui ait la prétention de forcer le cours des événements. Il y a bien, à Madrid, le vague projet d'une ligue contre le Turc ; Philippe II cherche à s'allier avec Venise, dit-on, mais est-ce sérieux ? Les Vénitiens ne s'étaient-ils pas réjouis quand ils avaient appris la prise du fort de Saint-Elme[7] ? En bons et honnêtes commerçants, ils considéraient les chevaliers de Malte comme les trouble-fête du négoce oriental et ne manquaient jamais d'informer

---

1. FOURQUEVAUX, *op. cit.*, I, p. 6.
2. *Ibid.*, p. 13.
3. Constantinople, 16 déc. 1525, Simancas E⁰ 1055, f⁰ 14.
4. Philippe II à Figueroa, 5 nov. 1565, Simancas E⁰ 1394.
5. Fourquevaux au roi, 21 nov. 1565, FOURQUEVAUX, *op. cit.*, I, p. 10-14.
6. A. d. S. Florence, Mediceo 4897 *bis*, 29 déc. 1565, FOURQUEVAUX, *op. cit.*, I, 36, 25 000 écus plus 3 000 Espagnols.
7. Garci Hernandez à Philippe II, Venise, 26 juill. 1565, Simancas E⁰ 1325.

les Turcs de ce qui se passait en Occident. Aussi quand Fourquevaux s'en vint aux renseignements auprès de son collègue, l'ambassadeur vénitien, celui-ci le rassura-t-il tout de suite : la *Signoria* ne songeait nullement à une alliance avec le roi d'Espagne...

De même en ce qui concerne une politique commune de la France et de l'Espagne : paroles en l'air et rien de plus. La grande entrevue de Bayonne n'a pas marqué un tournant de l'histoire, comme l'auront cru les contemporains, puis les historiens. De ce côté des Pyrénées, il y avait un royaume troublé, travaillé en profondeur, avec déjà d'évidentes trahisons. A sa tête, une femme inquiète, un roi enfant. Catherine entreprit de montrer son fils au royaume, comme on entreprend une tournée de propagande — tournée fructueuse d'ailleurs, mais lente. Lorsque les voyageurs arrivèrent dans le Sud, l'occasion parut bonne de négocier une rencontre éventuelle avec les souverains espagnols. Peu importe qui y pensa le premier (peut-être Montluc, à demi agent de l'Espagne). Philippe II, en tout cas, se déroba à une visite personnelle et c'est sur les instances de sa femme qu'il consentit, en janvier 1565, à la laisser rejoindre, un instant, sa famille. Mais qu'il ait jugé bon et peut-être politique de se faire supplier, ne veut point dire que cet entretien l'ait laissé indifférent[1].

De l'autre côté des Pyrénées, en effet, le vaste monde hispanique était tranquille encore, mais sur lui pesaient, de plus en plus lourdement, des responsabilités impériales et des finances obérées. A lui seul, Philippe était la somme de cet Empire, de ses forces et de ses faiblesses. Près de lui, sa troisième femme, Élisabeth, pour les Espagnols Isabel, la *Reina de la Paz*, pouvait jouer un rôle. C'était une enfant encore, à peine une jeune femme ; non pas la malheureuse épouse qu'on s'est quelquefois plu à décrire. Elle s'était, semble-t-il, assez vite hispanisée, et à Bayonne en tout cas, elle a joué parfaitement le rôle qu'on lui avait appris. Francés de Alava, l'ambassadeur d'Espagne auprès du roi de France, écrivait le 1er juillet, parlant de la jeune reine à Philippe II : « J'assure à V. M. avec toute la franchise qui doit être mienne que S. M. s'est emparée de tous les cœurs bien placés, surtout lorsqu'on l'a entendu parler des choses de la religion et des sentiments de fraternité et de grande amitié que V. M. porte et portera au roi de France »[2]. Et ceci doit être vrai.

Partie le 8 avril[3], la jeune reine était arrivée, le 10 juin[4], à Saint-Jean-de-Luz où sa mère l'avait rejointe. Ensemble, elles entrèrent à Bayonne, le 14. Élisabeth y séjourna presque deux mois, jusqu'au 2 juillet, un peu plus qu'il n'était prévu[5]. Cette réunion de famille fut l'occasion, pour les deux gouvernements, de prendre des garanties, de projeter des mariages (la grande affaire des réunions princières du siècle), puis de se séparer les mains vides, chacun doutant plus que jamais de la sincérité de l'autre. C'est de la fausse grande histoire. A nos yeux bien sûr, pas à ceux des acteurs et des contemporains.

Ni même à ceux de Philippe II qui a fait accompagner la reine par le duc d'Albe et D. Juan Manrique, à titre d'observateurs et de conseillers. La figure du premier domine l'entrevue telle que l'ont décrite contemporains et historiens

---

1. Saint-Sulpice, 22 janv. 1565, E. Cabié, *op. cit.*, p. 338 ; Philippe II à Figueroa, 3 févr. 1565 ; Garces au duc de Florence, A. d. S. Florence, Mediceo 4899, f° 64.
2. Bayonne, 1er juill. 1565, A. N., K 1504, B 19, n° 46.
3. Luis Cabrera de Córdoba, *op. cit.*, I, p. 423, donne les dates des 8 et 14 juin.
4. Le duc d'Albe et D. J. Manrique au roi, Saint-Jean-de-Luz, 11 juin 1565, A. N., K 1504, B 19.
5. Les mêmes au même, Bayonne, 28 et 29 juin 1565, *ibid.*, n° 37 (résumé).

Ce que l'on veut du côté de l'Espagne, c'est immobiliser la France, l'enfoncer dans ses querelles intérieures et extérieures. Ce n'est point là jeu d'ami, ni jeu diabolique. C'est presque une nécessité pour l'Empire espagnol, disposé autour de la France, ressentant automatiquement les répercussions de tous les mouvements de celle-ci, surtout aux Pays-Bas, si évidemment en danger depuis les troubles de 1564. Mais c'est beaucoup demander à la France, au nom de la défense de la religion qui, une fois de plus, est un masque commode. Rien n'est offert en contrepartie. La reine mère peut-elle renoncer à sa politique de tolérance pour un jeu qui, trop apparemment celui de l'Espagne, ne peut que diviser et diminuer le royaume de France ?

Malgré les sourires et les fêtes, ces divergences profondes se firent jour. Il y eut même, avant et pendant l'entrevue, quelques alertes. Ainsi, le 7 février, de Toulouse, alors que déjà Catherine de Médicis avait envoyé à Bayonne l'ordre de faire de grandes provisions et de préparer des appartements *a la española* pour la reine d'Espagne et ses dames, Francés de Alava rapportait des bruits selon lesquels les souverains français amèneraient avec eux, ô scandale, l'hérétique « Madame de Vendôme », Jeanne d'Albret. Ces lignes du rapport ont été soulignées par Philippe II qui a ajouté en marge ; *si tal es, yo no dexare ir a la Reyna*, s'il en est ainsi, je ne laisserai pas la Reine y aller[1]. Et de prévenir aussitôt[2] l'ambassadeur de France[3] qu'il ne voulait, à l'entrevue, ni la reine de Navarre, ni le prince de Condé. Autre incident, en juin, peu avant l'arrivée de la reine d'Espagne, quand Francés de Alava apprend qu'un ambassadeur turc a débarqué à Marseille, honte entre toutes les hontes. Catherine de Médicis, tancée par l'ambassadeur, se défend comme elle peut. Elle dépêche en hâte, auprès de son gendre, M. de Lansac, lequel arrivera à Aranjuez le jour même où la reine d'Espagne rejoignait sa mère à Saint-Jean-de-Luz, le 10 juin 1565. L'excuse que porte Lansac est la suivante : le roi et la reine de France ne savent à quelle fin est venu cet ambassadeur et ils ont envoyé à sa rencontre, pour s'en informer, le baron de La Garde. Si sa mission comporte quoi que ce soit contre le roi d'Espagne il est bien évident qu'on ne l'admettra pas à une audience... « J'ai répondu, écrit Philippe II à Francés de Alava, que j'en étais persuadé, mais que cependant bien des gens ne pourraient manquer de s'étonner que cet envoyé vienne au moment où le Turc a dépêché son armada contre moi. Que néanmoins j'avais confiance qu'il serait répondu à l'ambassadeur... de manière à faire comprendre à tous l'amitié qu'il y avait entre ma personne et celle du roi de France »[4].

Petite affaire sans doute, mais qui n'était pas pour dissiper les soupçons espagnols. L'ambassadeur turc prit rapidement congé de la reine mère, dès le 27 juin. On était alors en pleine conférence et la reine s'empressa d'expliquer au duc d'Albe qu'elle avait parlé seulement avec le Turc des déprédations faites en Provence[5], lequel Turc avait promis que des restitutions seraient faites, à condition toutefois qu'un envoyé français fût dépêché auprès du sultan. Une ambassade en Turquie, voilà donc l'intention des Français, pense le duc. Mais

---

1. F. de Alava à Philippe II, Toulouse, 7 févr. 1565, A. N., K 1503, B 19, nº 33 *a*. Note autographe de Philippe II en marge.

2. Il faut tenir compte, en effet, des délais de route.

3. Saint-Sulpice à Catherine de Médicis, 16 mars 1565, E. CABIÉ, p. 357-358.

4. Aranjuez, 12 juin 1565, A. N., K 1504, B 19, nº 11.

5. Il est bien possible, à la rigueur, que ces roberies soient fictives, H. FORNERON, *Hist. de Philippe II*, I, p. 322.

puisque l'armada turque est ici, rétorque-t-il à la reine, « il ne peut être question d'envoyer quelqu'un à Constantinople. Et l'année prochaine, la flotte du roi d'Espagne sera en tel état que celle du sultan ne pourra plus faire que très peu de mal »[1].

Il semble donc qu'à Bayonne, les Espagnols considéraient comme évident l'abandon par la France de sa traditionnelle amitié turque et qu'ils cherchaient à l'entraîner dans une ligue contre les hérétiques, en même temps que contre le sultan. L'ouverture en est faite avec netteté quelques mois plus tard. Ces pourparlers, déclare Fourquevaux à la reine, semblent « vous voulloir fourrer en une ligue de très grande conséquence ». Les Espagnols utilisent les désirs que Catherine a exprimés à Bayonne. La reine parle mariages, ces mariages aboutiraient à une ligue. Les Espagnols parlent surtout de la ligue, commençant ainsi « par la queue », comme dit Fourquevaux[2]. Or, que de dangers à une telle ligue, s'écrie l'ambassadeur, alors que le « Turc est en bonne paix avec Sa Majesté et que les François sont mieulx venuz en ses portz et pais qu'ils ne sont en telz endroits des pais et royaumes de ced. Sr Roy, estant d'ailleurs la France tournée tellement que les forces turques n'y sont beaucoup à craindre. Pour rompre doncq la paix contre led. Turc et perdre le commerce des marchandizes et du trafficq de vos subjetcz, ceste Majesté doibt accorder tout ce que Votre Majesté luy scauroit demander ». Or, ce que demande Catherine, ce sont des mariages avantageux pour ses enfants et il semble à Fourquevaux peu probable qu'ils se réalisent, notamment celui du duc d'Orléans avec la sœur de Philippe II, la princesse Jeanne, qui ne semble pas y consentir. De même le mariage de Marguerite avec Don Carlos. La diplomatie espagnole ne fait que jouer ces cartes ; c'est une façon sinon de tenir, du moins de retenir le gouvernement français.

Petit jeu, au demeurant. Madrid se sert, comme d'un paravent, de l'argument d'une grande politique catholique. Mais il ne s'agit que d'une politique espagnole (une grande politique catholique ne peut d'ailleurs venir que de Rome où Pie IV vient de mourir). Il n'y a même pas encore, en Espagne, le désir d'une grande politique méditerranéenne : elle supposerait un élan, une passion, des intérêts, une puissance d'argent, une liberté d'allures qui ne sont pas, ou pas encore, le partage du Roi Prudent. Partout il se sent cerné de dangers. Danger en Méditerranée, oui sans doute, mais aussi danger des pirates protestants sur l'Atlantique ; danger de la France sur les frontières des Pays-Bas ; danger des Pays-Bas eux-mêmes où des troubles s'annoncent, menaçant toutes les forces de l'Espagne qui aboutissent à la grande gare régulatrice d'Anvers. Déjà se répand, en décembre 1565, le bruit qui va courir encore, rebondir pendant des années, d'un voyage de Philippe II en Flandre[3].

En fait, tout interdit à Philippe II de poursuivre tel ou tel grand dessein politique, ou de le poursuivre plus d'un instant. Durant les dix premières années de son règne, il n'a pu qu'aller au plus pressé, au plus exigeant des dangers. Et y aller aux moindres frais, sans trop compromettre l'avenir. Nous sommes loin des débauches impérialistes de la fin du règne où Philippe II sera si peu le Roi Prudent.

1. Voir supra, note 5, p. 327.
2. *Op. cit.*, I, p. 20, 25 déc. 1565.
3. D. Francés de Alava à Philippe II, 13 déc. 1565, aut. A. N., K 1504, B 19, n° 95.

AUX ORIGINES
DE LA SAINTE-LIGUE : 1566-1570

De 1566 à 1570, les événements se précipitent. Sans doute est-ce la suite logique de la période relativement calme que clôt brusquement et mal le coup de théâtre de Malte, à l'automne 1565.

Toutefois l'incertitude subsiste... La Méditerranée va-t-elle attirer, fixer chez elle, sous forme de projets et d'entreprises vigoureuses, les forces accrues de l'Empire hispanique, ou bien celles-ci se porteront-elles vers les Pays-Bas, autre pôle de la puissance de Philippe II ? Ces hésitations ont leur part de responsabilité dans une météorologie politique longtemps incertaine. Finalement, qui en décidera ? Les hommes ou les circonstances, celles-ci parfois absurdement ajoutées les unes aux autres ? L'Occident, ou l'Orient turc, toujours « pendu en l'air » et prêt à fondre sur la Chrétienté ?

1. Les Pays-Bas ou la Méditerranée ?

L'élection de Pie V

Le 7 janvier 1566, un vote inattendu portait sur le trône pontifical le cardinal Ghislieri, connu de ses contemporains sous le nom de cardinal d'Alexandrie. Par reconnaissance à l'égard de Charles Borromée et de son parti qui avaient assuré son élection, il prenait le nom de Pie V, honorant un prédécesseur qui, cependant, ne l'avait pas particulièrement aimé. Pie IV, Pie V : le contraste est vif entre les deux hommes. D'une riche et puissante famille milanaise, le premier est un politique, un juriste, encore un homme de la Renaissance. Pie V, enfant, a gardé les troupeaux. C'est un de ces innombrables fils de pauvres en qui l'Église a souvent trouvé, au siècle de la Contre-Réforme, ses serviteurs les plus passionnés. D'ailleurs, à mesure que le siècle passe, c'est eux — les pauvres — qui, de plus en plus, donnent le ton à l'Église. Les pauvres, ou (comme le disait sans sourire Alphonse de Ferrare, celui qui essaiera vaine-

ment en 1566 de faire élire son oncle, le cardinal Hippolyte d'Este) les parvenus.
Pie V est justement un de ces parvenus, non pas un « princier », non pas un
ami et connaisseur du monde, prêt aux compromis sans quoi « le monde » ne
serait pas. Il a la ferveur, l'âpreté, l'intransigeance du pauvre, à l'occasion son
extrême dureté, son refus de pardonner. Certes pas un pape de la Renaissance :
l'époque en est révolue. Là-dessus, un historien a jugé bon de lui trouver quelque
chose de médiéval ; disons plutôt, avec un autre, quelque chose de biblique[1].

Né le 17 janvier 1504[2] à Bosco, près d'Alexandrie, il n'a dû qu'à un hasard
de fréquenter l'école. A quatorze ans, il entrait au couvent des Dominicains, à
Voghera. Il faisait profession, en 1521, au couvent de Vigevano, était ordonné
prêtre sept ans plus tard, après avoir étudié à Bologne et à Gênes. Dès lors,
rien de plus uni que la vie de Fra Michele d'Alexandrie, le plus modeste des
Dominicains, obstinément pauvre, ne voyageant, quand il voyage, qu'à pied,
la besace au dos. Les honneurs lui viennent, mais le contraignent toujours ; et
de dures tâches les accompagnent. Prieur, puis provédieur, le voilà, vers 1550,
inquisiteur du diocèse de Côme, à un point névralgique de la frontière et de la
défense catholiques. Il y lutte avec acharnement. Et bien entendu, qu'il fasse
saisir des ballots de livres hérétiques, en cette année 1550, voilà qui lui vaut des
difficultés inouïes. Mais aussi un voyage à Rome et une prise de contact avec
les cardinaux de l'Inquisition, notamment avec le cardinal Caraffa qui dès lors
s'intéressera à lui. Cet appui lui vaut d'être nommé commissaire général de
l'Inquisition de Jules III. Avec l'avènement de Paul IV, le 4 septembre 1556,
il était fait évêque de Sutri et Nepi, mais pour le conserver près de lui, le pape le
nommait préfet du Palais de l'Inquisition. Le 15 mars 1557, il l'élevait au
cardinalat. Le futur Pie V, en effet, est un homme selon le cœur de Paul IV ; il
en a l'intransigeance, la violence passionnée, la volonté de fer... Naturellement
il a vécu en assez mauvais termes avec son successeur : Pie IV est trop « mon-
dain », trop ami du compromis, trop désireux de plaire pour s'entendre avec le
« cardinal d'Alexandrie ». C'est le nom de Paul V qu'aurait dû prendre le
nouveau pape de 1566.

A cette époque, ce vieil homme chauve, à longue barbe blanche, cet ascète
qui n'a plus que la peau et les os[3], est cependant d'une vitalité exceptionnelle,
d'une activité sans bornes. Ne s'accordant aucun repos, même par les terribles
journées de sirocco à Rome. Vivant de peu : « à midi, une soupe au pain avec
deux œufs et un demi-verre de vin ; le soir, une soupe de légumes, une salade,
quelques coquillages et un fruit cuit. La viande ne paraissait sur sa table que
deux fois par semaine »[4]. En novembre 1566, allant visiter sur la côte des
travaux de défense, on le vit marcher à pied, comme autrefois, à côté de sa
litière[5]. Sa vertu l'avait désigné aux suffrages du Sacré Collège, non ses intrigues
ou celles des princes qui, cette fois, restèrent étrangers à l'élection[6]. En 1565,

1. Jean HÉRITIER, Catherine de Médicis, 1940, p. 439.
2. Pour tous ces détails biographiques, L. von PASTOR, op. cit., XVII, p. 37-59.
3. Rapport de Cusano, 26 janv. 1566, Arch. de Vienne, cité par L. von PASTOR, op. cit.,
XVII, p. 42 et note 2.
4. Ibid., p. 44.
5. Ibid., p. 45.
6. Il n'y a eu, en sa faveur, que l'ombre d'une intervention de Philippe II,
L. WAHRMUND, Das Ausschliessungsrecht (jus exclusiva) der kath. Staaten Österreich,
Frankreich und Spanien bei den Papstwahlen, Vienne, 1888, p. 26. Requesens à Philippe II,
Rome, 7 janv. 1566 : Ha sido ayudado y favorecido por parte de V. M. ; Luciano SERRANO,
Correspondencia diplomatica entre España y la Santa Sede, Madrid, 1914, I, p. 77 et note 2.

Requensens avait écrit à Philippe II : « c'est un théologien et un homme de bien, d'une vie exemplaire et d'un grand zèle religieux. A mon avis, c'est le cardinal qu'il faudrait comme pape, dans les temps actuels »[1].

Sur le trône de Saint-Pierre, Pie V ne démentit pas son passé, et, vivant, entra dans la légende. Dès la première année de son pontificat, Requesens répétait à l'envi que depuis trois siècles, l'Église n'avait pas eu meilleur chef et que c'était un saint. Ce même jugement se retrouve sous la plume de Granvelle[2]. Impossible d'aborder Pie V sans tenir compte de son caractère hors série. Le moindre texte de lui donne d'ailleurs une impression étrange de violence et de présence. Il vit dans le surnaturel, abimé dans ses ferveurs ; et qu'il ne soit pas dans ce bas monde, encastré dans les petits calculs raisonnables des politiques, c'est ce qui fait de Pie V une grande force d'histoire, imprévisible et dangereuse. Un conseiller impérial écrivait, dès 1567 : « Nous aimerions mieux encore que l'actuel Saint-Père fût mort, si grande, si inexprimable, si hors mesure, si inhabituelle que soit sa sainteté »[3]. Il faut croire que pour certains, cette sainteté était une gêne...

Intransigeant, visionnaire, Pie V a, mieux qu'un autre, le sens des conflits de la Chrétienté contre les Infidèles et les Hérétiques. Son rêve fut de livrer ces grands combats et d'apaiser, au plus vite, les conflits qui divisaient la Chrétienté contre elle-même. Très vite, il a repris le vieux projet de Pie II de liguer les Princes chrétiens contre le Turc. Un de ses premiers gestes est de demander à Philippe II de renoncer, à Rome, à la querelle de préséance avec la France qui, sous le pontificat de Pie IV, avait provoqué le retrait de Requesens[4]. Avec de telles querelles, on s'ingénie à rejeter le Très Chrétien vers l'alliance turque.

Un autre de ses premiers gestes est de contribuer à l'armement maritime de l'Espagne. On sait à quels marchandages donnaient lieu les concessions de grâces ecclésiastiques à l'Espagne, les gratifications qu'il fallait offrir aux parents et favoris du pape, les dépenses accessoires, le temps que cela demandait. Or, le subside des galères concédé par Pie IV pour cinq ans venant justement à expiration, au moment même de son élection, le nouveau pape le renouvela aussitôt, sans discussion. Le 11 janvier 1566, quatre jours après l'avènement pontifical, Requesens, écrivant à Gonzalo Pérez, se réjouissait sans réserves de ce *quinquenio* qui n'avait pas coûté un maravédis au Roi. « La fois précédente, il en avait coûté 15 000 ducats de rente sur les vassaux du royaume de Naples, et 12 000 ducats de pension, en Espagne, pour les neveux du pape, sans compter les grosses sommes dépensées à dépêcher les ministres chargés de la négociation »[5]. Autre pontificat, autres mœurs. L'Église a certainement, en Pie V, un maître énergique, décidé à une nouvelle croisade. Or, les événements de l'année 1566, ne pouvaient que créer un climat favorable à la croisade.

Les Turcs en Hongrie et en Adriatique

Les nouvelles du Levant étaient alarmantes en novembre et décembre 1565. Admis en audience publique, à la porte du conclave, le 30 décembre 1565,

---

1. Requesens à Philippe II, 5 janv. 1565, in : J. J. DÖLLINGER, *op. cit.*, I, p. 571-578, cité par L. von PASTOR, *op. cit.*, XVII, p. 11 et 59.
2. *Ibid.*, p. 48-49.
3. Zasius à l'archiduc Albert V de Bavière, F. HARTLAUB, *Don Juan d'Austria*, Berlin, 1940, p. 35 ; V. BIBL, *Maximilian II. der rätselhafte Kaiser*, 1929, p. 303.
4. Pie V à Philippe II, Rome, 24 janv. 1566, L. SERRANO, *op. cit.*, I, p. 111.
5. Rome, 11 janv. 1566, *ibid.*, I, p. 90.

l'ambassadeur vénitien, en raison de ces mauvaises nouvelles, avait conjuré les cardinaux de choisir en hâte un souverain pontife[1]. La « voix commune » parlait d'une armada plus puissante que l'année de Malte.

Ces avis de novembre et décembre expliquent les grandioses dispositions des états-majors. Philippe II rappelle à Chantonnay, le 16 janvier, que, vu l'annonce d'une armada turque plus nombreuse et puissante que celle de 1565, il a décidé de pourvoir à la défense des deux places les plus menacées : à Malte, il enverra, pour s'ajouter aux effectifs propres des chevaliers, 1 000 Espagnols des vieilles bandes, 2 000 Allemands et 3 000 Italiens ; à La Goulette, où la forteresse nouvelle n'est pas achevée, 5 000 Espagnols entraînés, 4 000 Italiens et 3 000 Allemands, soit 12 000 hommes au total que l'on disposera, faute de place, dans des « montagnes » voisines de la forteresse, qui sont riches en eau[2]. Ces plans entraînent les multiples mesures où excelle la minutieuse machine bureaucratique de Philippe II. Son travail, nullement silencieux cette fois, volontiers publicitaire au contraire, est signalé par tous les ambassadeurs étrangers à Madrid[3]. Les ordres sont donnés à haute et intelligible voix ; les nominations se succèdent : celle d'Ascanio della Corna au commandement des Allemands à envoyer à Malte ; de Don Hernando de Tolède, le fils du duc d'Albe, à La Goulette ; et de D. Alvaro de Sande à Oran[4]. Le 26 janvier, Fourquevaux parle d'un convoi, à Oran, de 2 000 Espagnols prélevés sur les garnisons de Naples. Il va jusqu'à écrire que les Espagnols souhaiteraient une attaque turque contre les Pouilles et la Sicile, assurés en pareil cas « que toute la chrestienté courra subit au secours ». Un mois plus tard le même Fourquevaux rapporte que le roi d'Espagne offrirait quatre villes d'Italie aux Vénitiens pour les attirer dans une alliance contre le Turc[5].

La publicité faite autour des armements espagnols lui donne d'ailleurs des soupçons. Il se demande si les chiffres que le duc d'Albe lui a communiqués ne sont pas forcés. Soupçons injustifiés, on retrouve ces mêmes chiffres dans les ordres et communications du roi[6]. Resterait à expliquer pourquoi les Espagnols, contrairement à leurs habitudes, ont fait tant de bruit autour de ces préparatifs. Est-ce pour en dissimuler d'autres ? Ils sont autrement silencieux au sujet des armements maritimes, poursuivis à Barcelone comme à Naples, et qui, dans cette dernière ville au moins, sont gênés par le manque de forçats[7].

Cependant parvenaient de Constantinople des nouvelles qui, si elles étaient vraies, rendaient inutile une bonne part de ces précautions. Un rapport du 10 janvier déclarait, en effet, que l'armada sortirait, mais moins forte que celle

---

1. Requesens au Roi, Rome, 30 déc. 1565, L, SERRANO, *op. cit.*, I, p. 67.

2. Philippe II à Chantonnay, Madrid, 16 janv. 1566, *CODOIN*, CI, p. 119-123 ; à F. de Alava, Madrid, 16 janv. 1566, A. N., K 1505, B 20, n° 65 ; Nobili au prince, Madrid, 18 janv. 1566, A. d. S. Florence, Mediceo, 4897 *bis* ; du même au même, 21 janv. 1566, *ibid.*

3. Ainsi par l'agent toscan, 15 janv. 1566, référence à la note précédente.

4. Lettres de Nobili des 18 janv. et 16 févr. 1566 ; 17 janv. 1566, FOURQUEVAUX, *op. cit.*, I, p. 47 ; 22 janv., p. 47-48 ; 11 févr., p. 52.

5. I, p. 61.

6. Vice-roi de Naples à Philippe II, 23 janv. 1566, Simancas E° 1055, f° 11. Instruction au prieur D. Antonio de Tolède, 18 févr. 1566, Simancas E° 1131.

7. Lettre au vice-roi de Naples, 23 janv. 1566 (voir note précédente). Garcia de Toledo au vice-roi de Naples, Naples, 2 févr. 1566, Simancas E° 1055, f° 24 ; vice-roi de Naples à Philippe II, Naples, 16 avr. 1566, Simancas E° 1055, f° 103, au sujet des quinze galères à fabriquer pour le compte du royaume de Sicile, à Naples. Ne pourrait-on en faire construire huit à Gênes ?

qui avait été contre Malte, car rameurs et munitions lui faisaient défaut. On prévoyait une centaine de galères, avec Piali Pacha, sans aucune entreprise de grand style, mais peut-être, pour gêner les concentrations de la flotte hispanique, un raid jusqu'à la rivière de Gênes. D'autre part, et c'était la grande nouvelle : tout confirmait que le vieux Soliman s'apprêtait à aller en personne en Hongrie et, au-delà de la Hongrie, à pousser sur Vienne[1]. En fait, la guerre avait déjà recommencé sur la longue frontière balkanique, en 1565. En vain Maximilien avait-il dépêché agents et lettres pour y mettre fin et rentrer dans le cadre de la trêve de 1562 : le retour à la trêve était aussi éloigné que possible de l'esprit du sultan qui faisait de grands préparatifs militaires : on parlait de 200 000 Turcs et de 40 000 Tartares. Les chefs turcs se préparaient à la campagne, se ruinant en achats de chameaux et de chevaux, lesquels étaient déjà *carissimos*. Autre fait symptomatique, le vieux sandjac de Rhodes, Ali Portuc, gardien de l'archipel, était en partance, lui et ses galères, pour le Danube, avec mission d'y faire fabriquer des bateaux et des agrès pour le passage des fleuves[2].

Les projets maritimes contre l'Occident n'étaient pourtant pas abandonnés. Le 27 février, les rameurs étaient arrivés à Constantinople[3], signe que les galères étaient prêtes. On annonçait leur départ pour les environs du 1er avril. Mais tous les avis concordaient à dire que leur nombre n'atteignait pas la centaine[4]. Et, dès lors qu'il y aurait une guerre en Hongrie, on pouvait escompter un danger moindre en Méditerranée[5]. Gênes qui a toujours disposé au Levant, peut-être à cause du grand nombre des renégats génois, du meilleur service de renseignements — avait été prévenue, par lettre datée du 9 février 1566, que l'armada turque projetait d'entrer dans le golfe de Venise, contre Fiume, et, y ayant ramassé un butin qui ne pouvait qu'être considérable, de s'ouvrir un chemin pour aller secourir l'armée du Grand Seigneur en Hongrie[6]. Elle ne pousserait plus avant que si elle apprenait que la flotte espagnole n'était pas concentrée.

Chacun dès lors commence à se rassurer. Les Maltais, Requesens l'écrit au Roi le 18 avril, estiment que la lourde hypothèque qui pesait sur eux est désormais entièrement levée[7]. Philippe II semble sur le point, en mai, de décommander les grandes mesures de l'hiver[8] et le vice-roi de Naples, désireux d'économies, demande, le 20 avril, de licencier les Allemands dès qu'il aura récupéré

1. Simancas E° 1055, f° 7.
2. *Ibid.* « ... *por el Danubio a hazer fabricar barcones y a hazer xarcias para pasar los exercitos* ».
3. Avis de Constantinople 27 févr. 1566, Simancas E° 1055, f° 53.
4. *Ibid.*, avis de Corfou, 28 févr., par lettres de Cesare de Palma et Annibale Prototico, Simancas E° 1055, f° 49 ; cet avis parle de 80 à 90 galères seulement, lesquelles ne quitteraient pas les eaux turques. Avis de Chio, 1er mars 1566, Simancas E° 1055, f° 59 ; avis de Corfou, 16 mars 1566, Simancas E° 1055, f° 67 et 68 ; seul un avis de Constantinople 15 mars 1566, et Lépante, 25 mars, Simancas E° 1055, f° 54, parle de 130 galères.
5. Or la guerre de Hongrie se prédisait plus que jamais, avec une marche sur Vienne, avis de Raguse, 26 févr. 1566, Simancas E° 1055, f° 61. Le 15 mars, on annonçait de Constantinople des mouvements de troupes vers Sofia (Simancas E° 1055, f° 64). Le 16, de Corfou, on signalait le rassemblement de spahis à Andrinople et la fonte de nombreux canons à Constantinople (Por carta de Corfu de 16 de março 1566, Simancas E° 1055, f°s 67 et 68).
6. B. Ferrero à la République de Gênes, Constantinople, 9 févr. 1566, A. d. S. Gênes, Costantinopoli 22170. Confirmé par lettre de Corfou du 16 mars, Simancas E° 1055, f°s 67-68.
7. L. SERRANO, *op. cit.*, I, p. 184.
8. 29 mai 1566, FOURQUEVAUX, *op. cit.*, I, p. 64.

1 500 des Espagnols de Naples, prêtés à Don Garcia de Toledo, et qui doivent être en Sicile et à La Goulette[1].

Pourtant, la flotte turque a quitté Constantinople, le 30 mars, certains avis disent avec 106 galères, d'autres 90 seulement, y compris les 10 d'Alexandrie[2]. Mais elle ne se presse guère de traverser l'Archipel. Elle s'y occupe à liquider, sans combattre, d'ailleurs, la domination génoise dans l'île de Chio, se contentant, au début, d'exiler les *signori mahonesi*, avec femmes et enfants, à Caffa, dans la mer Noire[3]. A Corfou, le 10 mai, on pense toujours qu'elle entrera dans le Golfe[4], mais ce n'est que le 10 juillet qu'on l'aperçoit dans le canal de l'île[5]. Le 11, elle est à Valona[6], d'où elle passe bientôt à Durazzo, puis aux Bouches de Cattaro, et à Castelnuovo où elle arrive probablement le 23[7].

A ces nouvelles, le grand-maître de Malte et Don Garcia de Toledo décident de relever leurs soldats inutiles, la saison étant trop avancée pour que l'armada turque puisse rien entreprendre contre l'île[8]. Dix-huit galères venaient donc en retirer les soldats allemands et le marquis de Pescaire, nommé quelques mois plus tôt au commandement général des troupes envoyées par Philippe dans l'île, abandonnait son poste, n'ayant plus rien à y faire. Loin de provoquer un sursaut, l'entrée de la flotte turque en Adriatique semble avoir trouvé les Espagnols heureux de l'occasion... Le Golfe, c'était l'affaire des Vénitiens. A eux d'armer, de négocier, de prendre leurs précautions. Que risquaient les Espagnols dans l'aventure ? La côte napolitaine était alertée, défendue, vidée de ses habitants sur des lieues de profondeur.

D'après les renseignements vénitiens, la flotte turque arrivée vers le 21 juillet a Cattaro, comptait 140 voiles, dont 120 galères, galiotes ou fustes. Le 22, Piali Pacha, avec trois galères, avait été jusqu'à Raguse et y avait reçu le tribut de la République de Saint-Blaise[9]. Quelques jours plus tard, l'armada commençait ses coups de main sur la côte peu fertile des Abruzzes[10]. Le 29 juillet, elle débarquait, au voisinage de Francavilla, 6 000 à 7 000 hommes, s'emparait de la ville abandonnée par ses habitants et y mettait le feu. De Francavilla, une galère partit reconnaître, avec deux esquifs, les eaux de Pescara, mais de la ville en état de défense, il suffit de tirer quelques coups de canons, et les vaisseaux éclaireurs virèrent de bord, l'armada se dirigeant sur Ortona a Mare. Là encore, elle trouva la ville évacuée et la brûla, ainsi que quelques villages de la côte. Le 5 août, les Turcs poussèrent une pointe à huit milles à l'intérieur, jusqu'au lieu dit la Serra Capriola, dans la province de Capitanata. Mal leur en prit : ils tombèrent en fin de course sur une défense vigoureuse et inattendue qui les fit

1. 20 avr. 1566, Simancas E⁰ 1055, f⁰ 104.
2. Avis de Raguse, 27 avr. 1566, Simancas E⁰ 1055, f⁰ 13. Avis de Corfou, 3 mai 1566, Simancas E⁰ 1055, f⁰ 124.
3. Par lettres de Constantinople, 16 juill. 1566, A. d. S. Gênes, Constantinople, 22170.
4. Avvisi venuti con la reggia fregata da Levante dall'ysola de Corfu de dove partete alli 10 di maggio 1566, Simancas E⁰ 1055.
5. Corfou, 11 juill., avis arrivé à Otrante le 12, Simancas E⁰ 1055, f⁰ 155.
6. Rapport d'un patron de galion, Simancas E⁰ 1055, f⁰ 163.
7. G. Hernandez à S. M., Venise, 1ᵉʳ août 1566, Simancas E⁰ 1365. Le marquis de Caparso au duc d'Alcala, Bari, 24 juill. 1566, Simancas 1055, f⁰ 180.
8. Le grand maître à Philippe II, Malte, 25 juill. 1566, Simancas E⁰ 1131. Philippe II à J. A. Doria, Bosque de Segovia, 11 août 1566, Simancas E⁰ 1395.
9. Garci Hernandez au roi, Venise, 1ᵉʳ août 1566, Simancas E⁰ 1325.
10. Lettre du gouverneur des Abruzzes, 1ᵉʳ août 1566, Simancas E⁰ 1055, f⁰ 165 ; Relacion de lo que la armada del Turco ha hecho en el Reyno de Napoles desde que fue descubierta hasta los seys de agosto 1566, Simancas E⁰ 1325.

refluer en désordre. Le 6 au soir, la flotte apparaissait devant Vasto, avec 80 galères, mais s'évanouissait dans la nuit. Le 10, on apprenait à Naples, par des lettres du gouverneur de la Capitanata, que le mauvais temps avait jeté à terre quatre galères turques, à la hauteur de Fortor[1]. Les équipages s'étaient naturellement sauvés, mais ordre avait été donné de récupérer l'artillerie et les agrès, puis d'incendier les navires que les Turcs auraient peut-être réussi à remettre à flot. Tout était en ordre, ajoutait le rapport, au cas où la flotte ennemie viendrait à nouveau sur les côtes du royaume. En attendant, on se réjouissait du peu d'effet des précédentes attaques. Le vice-roi ayant ordonné, en apprenant le départ de l'armada de l'île de Chio, l'évacuation profonde de tous les points non défendus du littoral, le Turc était tombé partout dans le vide. Il avait fait, au total, trois captifs, une dérision... Chaque fois que l'armada turque était venue dans le royaume, elle avait pour le moins emporté de 5 à 6 000 âmes, même lorsqu'elle avait sur ses arrières une bonne quantité des galères de Sa Majesté Catholique. Quant aux dégâts matériels, ils étaient moindres qu'on n'avait pu d'abord le craindre[2].

Or déjà l'armada turque semblait sur le chemin du retour. Le 13 août, elle despalmait à Castelnuovo, puis gagnait Lépante, sa chiourme assez mal en point et décimée par la maladie. Peu après, elle ralliait la Prevesa d'où, disait-on, elle avait mis à la voile pour Constantinople[3]. On fut donc assez surpris, en septembre, de la voir revenir sur l'Albanie, la « Cimara », comme l'on disait[4]. Elle remonta jusqu'à Valona. Était-ce seulement pour punir des Albanais révoltés[5] ? Le vice-roi se posa la question sans s'inquiéter outre mesure, car les marines de Naples, où il y avait eu relève des Allemands par les Espagnols, avaient été maintenues en alerte. Le nouveau danger s'effaça de lui-même, sans bruit, avant le retour de l'hiver.

Telle fut la campagne maritime en 1566 : d'un côté comme de l'autre — du côté turc où l'on fit si peu dans la mer Adriatique, du côté espagnol où l'on se contenta d'attendre — une campagne sans ampleur. Les Espagnols se sont bien gardés de foncer sur Alger ou Tunis, comme un moment ils firent croire qu'ils en avaient l'intention[6]. Ils se sont laissés aller à la quiétude de cette année qui réservait à d'autres les coups et le péril. Venise avait trop peu l'habitude de s'inquiéter des autres pour inspirer la pitié, et elle paraissait seule visée. Le Turc venait chez elle, dans son Golfe, contrairement à toutes les conventions : elle en conçut des craintes vives et fit face rapidement. En juillet, elle mit à l'eau une centaine de galères[7], et c'est peut-être cette ferme attitude qui arrêta les Turcs dans leur marche vers le Nord. Quoi qu'il en soit, Venise fut

1. Por cartas de D. de Mendoza, 7 août 1566, de San Juan Redondo, Simancas Eo 1055, fo 171.
2. Vice-roi de Naples à Philippe II, Naples, 16 août 1566, Simancas Eo 1055, fo 177 ; FOURQUEVAUX, *op. cit.*, I, p. 110-111, 123.
3. *Por cartas de J. Daça castellano de Veste* (Vasto ?), 6 août 1566, Simancas Eo 1055, fo 169. *Lo que se entiende de la armada por carta de Bari de los 19 de agosto 1566*, Simancas Eo 1055, fo 178 ; vice-roi de Naples à Philippe II, Naples, 5 sept. 1566, Eo 1055, fo 190.
4. Vice-roi de Naples à Philippe II, Naples, 14 sept. 1566, Eo 1055, fo 197.
5. Le même au même, Naples, 27 sept. 1566, *ibid.*, fo 200.
6. FOURQUEVAUX, *op. cit.*, I, p. 84-85, 6 mai 1566 ; Nobili au prince, Madrid, 6 mai 1566, A. d. S. Florence, Mediceo 4897 *bis* « ... *et molti dicono che Sua Maesta vuol andar sopra... Argeri e dicono che in consiglio ha parlato (Philippe II) di voler andar in persona benché questo io no lo credo...* », le même au même, 7 mai 1566, *ibid.*
7. G. CAPPELLETTI, *op. cit.*, VIII, p. 373.

très inquiète et ses inquiétudes partagées par l'Italie, par le pape qui accepta même de favoriser les demandes vénitiennes. Fin juillet, début août, il fit écrire par le cardinal Alessandrino et écrivit lui-même à Don Garcia de Toledo pour l'exhorter à se rendre à Brindisi, avec toute sa flotte, car les Vénitiens avaient dit qu'ils armaient cent galères et qu'en les ajoutant à celles de Don Garcia, ils pourraient foncer sur l'armada turque[1]. Don Garcia répondait, le 7 août[2], en jurant au pape de défendre les États de l'Église comme ceux du roi d'Espagne, mais sans accepter l'audacieux projet. Sans doute, prise entre les deux forces espagnole et vénitienne, la flotte turque n'aurait-elle pu s'échapper. Mais Venise n'a dû désirer se battre qu'un instant, quand elle s'est cru menacée ; et vers le Sud le sage, le prudent, l'égrotant Don Garcia de Toledo n'avait pas l'ordre d'être agressif. Le pape a sans doute été le seul à penser que l'occasion était magnifique de détruire la flotte de Soliman.

Cette guerre d'Adriatique, si limités qu'en aient été finalement les effets, a dû, sur l'heure, paraître dramatique, à cause du bouleversement général qui secouait l'Europe au même moment. En France, voyez Brantôme, c'est l'heure des remuements, des voyages, des inquiétudes de la jeunesse... Tel avec le jeune duc de Guise, va combattre en Hongrie ; tel autre va à Naples ; tel autre, comme le fils de Montluc, court les aventures en Atlantique et va mourir lors de la prise de Madère[3]. Personne ne tient plus en place. Philippe II lui-même parle de voyages. Partout la guerre montre son visage, à travers les Pays-Bas qui se soulèvent quasiment au mois d'août, et de l'Adriatique jusqu'à la mer Noire où elle étend l'épais trait rouge d'une lutte continentale furieuse, prolongeant sur des distances énormes la guerre des flottes de l'Adriatique.

La reprise de la guerre en Hongrie

La mort de l'empereur Ferdinand (25 juillet 1564) avait servi de prétexte aux Turcs pour exiger le paiement des arriérés du tribut et remettre en question la trêve de 1562. Le paiement fut effectué, le 4 février 1565[4], et en retour la trêve confirmée pour huit années. Mais Maximilien, qui ne renonçait pas à ses projets contre le Transylvain, avait rassemblé des troupes importantes et pris Tokay et Serencs. Or, toucher à la Transylvanie ou contrarier, de ce côté, l'action des Turcs, c'était rallumer les discordes latentes, engager une guerre « couverte », qui, comme d'habitude, se résolut en une suite de coups de main et de sièges. La longue frontière de Hongrie fut, en 1565, plus inquiète que jamais. Maximilien, pris dans les contestations de Transylvanie comme dans un guêpier, fit de vains efforts pacifiques, plus ou moins sincères au demeurant, car il voulait la paix, mais n'entendait point céder. De plus, il trouvait en face de lui l'hostilité puissante du grand vizir Méhémet Sokolli, et le sultan lui-même était désireux d'effacer, par quelque éclatant succès, la honte de Malte.

---

1. Vice-roi de Naples à Philippe II, Naples, 6 août 1566, Simancas E⁰ 1055, f⁰ 168.
2. 7 août 1566, Simancas E⁰ 1055, f⁰ 170.
3. Edmond FALGAIROLLE, *Une expédition française à l'île de Madère en 1556*, 1895 ; Nobili au prince, Madrid, 6 oct. 1566, A. d. S. Florence, Mediceo, 4897 *bis* ; *Calendar of State Papers, Venet.* VII, 12 nov. 1566, p. 386 ; Montluc désavoué par Charles IX : le roi à Fourquevaux, Saint-Maur-des-Fossés, 14 nov. 1566, p. 59-60 ; les Portugais sont les agresseurs, 29 nov. 1566, FOURQUEVAUX, *op. cit.*, I, p. 144.
4. Josef von HAMMER-PURGSTALL, *Hist. de l'Empire ottoman*, Paris, 1835-1843, VI, p. 206.

Or, de son poste d'avant-garde, le pacha de Bude, Arslan, ne cessait de pousser à la guerre en présentant à quel point la Hongrie chrétienne était dégarnie de troupes. Prêchant d'exemple, il se jeta lui-même, le 9 juin 1566, sur la petite place de Palota ; mais un peu vite, car les Impériaux la délivrèrent au moment où il allait l'emporter et, profitant de leur élan, prirent eux-mêmes Wessprim et Tata, massacrant dans la ville tout ce qu'ils trouvèrent, amis et ennemis, Turcs et Hongrois, sans discernement[1].

Ainsi recommençait la guerre de Hongrie. On ne saurait dire que c'était une surprise. A Vienne, nul n'ignorait qu'une réaction turque était à prévoir. La Diète germanique avait accordé, pour l'année, un secours exceptionnel de 24 *Römermonate*, plus huit pour chacune des trois années suivantes[2]. L'ambassadeur espagnol à Londres, le 29 avril 1566, parle, à propos de cette aide, de 20 000 fantassins et de 4 000 chevaux pour trois ans[3]. D'autre part, Maximilien obtenait de la papauté et de Philippe II, des secours en argent et en hommes, sur le montant desquels nos documents divergent un peu, mais qui furent considérables. L'agent toscan à Madrid, le 23 mars 1566, parle de 6 000 soldats espagnols et de 10 000 écus mensuels (lesquels avaient d'ailleurs été assurés par Philippe II, dès 1565[4]). Ces sommes devaient être payées par l'entremise des Fugger et des banquiers génois[5]. Un mois plus tard (6 juin), il parlera de 12 000 écus mensuels, sans compter un versement de 300 000 écus[6].

L'empereur a donc eu le temps et les moyens de se préparer. En été, près de Vienne, il a réuni 40 000 hommes de troupes, assez bigarrées d'ailleurs[7], lesquelles ne lui permettaient guère que de se tenir sur la défensive : mais il n'avait pas d'autre intention. La distance étant longue entre Constantinople et Bude, il escomptait, en effet, que l'énorme armée turque ne se déplacerait pas très vite : on comptait 90 *giornate* pour le parcours... Il lui resterait donc peu de temps pour combattre, car, dès le mois d'octobre, elle serait arrêtée par le froid et les difficultés de son ravitaillement, considérables pour une armée nombreuse dans un pays presque vide. C'est du moins ce que l'empereur expliquait à Leonardo Contarini, l'ambassadeur vénitien[8], non sans une pointe de rodomontade. Le même ambassadeur ne se faisait-il pas l'écho, le 20 juin, de chiffres manifestement exagérés qui portent l'armée impériale à 50 000 fantassins, 20 000 cavaliers, plus une importante flotte danubienne[9] ?

En réalité, l'armée de Maximilien ne semble pas avoir été d'autre qualité que celle que Busbec avait connue et jugée si sévèrement, en 1562. Fourquevaux n'a pas tort de penser que cette guerre ne peut tourner à son avantage et de souhaiter « que le Grand Seigneur des Turcs s'obstine et persévère en son entreprise de Hongrie ; car autrement la vermine d'Allemaigne est trop à redoubter, si les affaires s'appaisent dudit cousté[10] ». Par malheur pour la France

1. *Ibid.*, p. 215.
2. Georg MENTZ, *Deutsche Geschichte*, Tübingen, 1913, p. 278.
3. G. de Silva au Roi, Londres, 29 avr. 1566, *CODOIN*, LXXXIX, p. 308.
4. Nobili au prince, Madrid, 23 mars 1566, A. d. S. Florence, Mediceo 4897 *bis*.
5. Leonardo Contarini au doge, Augsbourg, 30 mars 1566, *in :* G. TURBA, *op. cit.*, I, 3, p. 313.
6. Nobili au prince, Madrid, 6 juin 1566, A. d. S. Florence, Mediceo, 4897 *bis*.
7. Georg MENTZ, *op. cit.*, p. 278.
8. Leonardo Contarini au doge, Augsbourg, 1er juin 1566, *in :* G. TURBA, *op. cit.*, I, 3, p. 320.
9. Le même au même, 20 juin 1566, *ibid.*, p. 324.
10. 18 août 1566, *op. cit.*, I, p. 109.

des guerres de religion, si souvent saccagée par les reîtres, la paix devait se rétablir en Hongrie en 1568 et durer jusqu'en 1593.

Contre les troupes de Maximilien, une énorme armée turque, divisée en différents corps, s'acheminait vers la Hongrie, 300 000 hommes, d'après les renseignements reçus par Charles IX, armés à leur mode « avec une si extrême quantité d'artillerie et toutes autres munitions que c'est une chose espouvantable »[1]. Le sultan avait quitté Constantinople, le 1er mai[2], avec un appareil plus imposant que dans aucune de ses douzes campagnes antérieures. Il se déplaçait en voiture, sa santé ne lui permettant plus de voyager à cheval, par la grande route militaire et marchande de Constantinople à Belgrade, via Andrinople, Sofia et Nich. On avait nivelé par avance, tant bien que mal, les chemins difficiles où s'engageait la voiture impériale, cependant qu'une chasse efficace était faite, le long de la route, aux innombrables bandits qui s'attaquaient à l'armée et plus encore à son ravitaillement. Pour eux, il fallait toujours dresser quelques gibets près des cantonnements. Au-delà de Belgrade, le gros problème fut, non pas de négocier avec le Transylvain, mais de franchir les fleuves, la Save à Chabatz[3], le Danube près de Vukovar[4], la Drave à Esseg, les 18 et 19 juillet[5]. Chaque fois, le pont dut être construit par l'armée sur des fleuves aux hautes eaux (le Danube spécialement), et non sans difficultés. Au delà d'Essek, un incident, le raid heureux d'un capitaine impérial, dirigea la marche de l'armée turque sur la place de Szigeth (ou Szigethvar) où, à quelques lignes de Pecs, commandait justement ce capitaine, le comte Nicolas Zriny. Le sultan et ses troupes arrivèrent devant les marécages de la ville, le 5 août ; le 8 septembre, la place était emportée.

Mais les opérations turques, qui commençaient à peine, étaient déjà condamnées : trois jours avant cette victoire, dans la nuit du 5 au 6 septembre, Soliman le Magnifique était mort, « soit de décrépitude, soit des atteintes de la dysenterie, soit d'une attaque d'apoplexie », dit Hammer[6]. Peu importe ! Mais c'est de ce moment précis que maint historien fait dater la « décadence de l'Empire Ottoman »[7]. Précision qui, pour une fois, a un certain sens puisque cet Empire qui dépendait tellement de son chef, passait à cette heure-là des mains du Magnifique, du Législateur (ainsi l'appellent les Turcs) dans celles du faible Sélim II, le « fils de la Juive », amateur de vin de Chypre plus que de campagnes belliqueuses. Le grand vizir, Méhémet Sokolli, cacha la mort du souverain, donna le temps à Sélim d'accourir de Koutaya à Constantinople, de prendre possession sans à-coups du trône vacant. Et la guerre se poursuivit jusqu'à l'hiver, de façon décousue, avec des succès de part et d'autre. Ou plutôt, de part et d'autre, on annonça des succès. C'est ainsi que le 1er septembre 1566, de Gorizia, en marge du théâtre principal d'opérations[8], l'archiduc Charles

---

1. Charles IX à Fourquevaux, Orcamp, 20 août 1566, C. Douais, *Lettres... à M. de Fourquevaux*, p. 49.

2. J. von Hammer, *op. cit.*, VI, p. 216.

3. *Ibid.*, p. 219, dit le Danube à Chabatz.

4. *Ibid.*, p. 223.

5. *Ibid.*, p. 224.

6. *Ibid.*, p. 231 ; F. Hartlaub, *op. cit.*, p. 23 ; à ce sujet nombreux avis inédits de Constantinople, 23 sept. 1566, Simancas Eº 1055, fº 198 ; vice-roi de Naples à Philippe II, 5 nov. 1566, *ibid.*, fº 215.

7. Ainsi N. Iorga ; ainsi Paul Herre, *Europäische Politik im Cyprischen Krieg*, Leipzig, 1902, p. 8.

8. De Guricia, primero de setbre 1566, Simancas Eº 1395.

annonçait un raid victorieux du capitaine de Croatie qui s'en revenait avec des prisonniers et du bétail enlevé en Bosnie... La nouvelle en était aussitôt transmise en Espagne, par la voie de Gênes. Est-ce la même affaire qui, à Paris, faisait parler d'une grande rencontre de l'archiduc Charles avec les Turcs, dans laquelle serait mort le duc de Ferrare[1] ?

En fait, la guerre était à peu près terminée. L'hiver venu, les Turcs se retirèrent, et l'armée impériale se défit d'elle-même, sans avoir besoin d'être « cassée ». A Paris, en décembre, le bruit courait que des trêves avec les Turcs seraient conclues, dès avant la fin de la Diète[2]. Quant à Philippe II, dans sa prudence, c'est dès le mois de septembre qu'il avait fait retenir, pour son service, « tout ce que l'Empereur desbendera si le Tùrc se retire »[3]. Précaution qui s'explique : Philippe II venait de voir s'ouvrir, en cette même année 1566, un nouveau gouffre : celui des Pays-Bas.

Les Pays-Bas en 1566 ([4])

Il n'est pas dans notre sujet d'étudier les longues et complexes origines de la guerre des Pays-Bas — origines politiques, sociales, économiques (que l'on songe à la grande disette de l'année 1565[5]), religieuses et culturelles — ni de dire, après quelques autres, que le conflit était inévitable. Seule nous intéresse son incidence sur la politique de Philippe qu'il rejette avec violence vers le Nord, qu'il extrait de Méditerranée, au lendemain du siège dramatique de Malte. Tant que les Pays-Bas n'ont été « espagnols » que de nom (mettons jusqu'en 1544, date à laquelle ils sont devenus, pour ne plus cesser de l'être pendant plus d'un siècle, une place forte contre la France ; ou mieux jusqu'en 1555, à l'abdication de Charles Quint), jusqu'à cette date de 1555, donc, les Pays-Bas ont été comme abandonnés à eux-mêmes, laissés à leur liberté, à leur rôle de carrefour, toutes portes ouvertes sur l'Allemagne, sur la France et vers l'Angleterre. Un pays libre, avec ses franchises, ses sécurités politiques et ses privilèges d'argent ; une seconde Italie, très urbanisée, « industrialisée », dépendante du dehors, difficile à gouverner pour cette raison et quelques autres. Restée terrienne d'ailleurs, plus qu'on ne le pense, et, de ce fait, dotée d'une puissante aristocratie, que ce soit la Maison d'Orange, celle des Montmorency (dont la branche française est la cadette) ou celle du comte d'Egmont. Cette aristocratie soucieuse de ses privilèges et de ses intérêts, désireuse de gouverner, est liée à distance, étroitement, avec les querelles des partis à la Cour d'Espagne, avec le parti de la paix, qui est celui de Ruy Gomez, dès 1559. Voilà qui ouvre des horizons dont il faudrait montrer l'importance, si l'on voulait écrire une histoire complète des troubles des Pays-Bas.

Forcément, et ne serait-ce qu'en raison de leur situation géographique au cœur des contrées du Nord, les pays de par deçà n'auraient pu échapper aux multiples courants de la Réforme. Les idées s'en véhiculèrent par les routes

1. F. de Alava au roi, Paris, 10 nov. 1566, A. N., K 1506, B 20, no 76.
2. Le même au même, Paris, 8 déc. 1566, *ibid.* no 88 « estar aqui algo sospechosos del Emperador paresçiendoles que hara treguas con el Turco antes que se acabe la dieta... ».
3. Mémoire de Saint-Sulpice, 27 sept. 1566, FOURQUEVAUX, *op. cit.*, I, p. 134.
4. Voir l'article, un peu confus car trop riche, de Pierre CHAUNU, « Séville et la " Belgique " », *in : Revue du Nord*, avril-juin 1960, qui essaie de replacer l'affaire des Pays-Bas dans l'histoire impériale de l'Espagne et la conjoncture internationale, à l'heure de Séville.
5. Léon VAN DER ESSEN, *Alexandre Farnèse*, Bruxelles, 1933, I, p. 125-126.

de terre et de mer. Sous sa forme luthérienne, la Réforme atteignit vite les pays « flamingants » ; vers le milieu du siècle, elle y proposait sa solution de tolérance : une paix religieuse, édit de Nantes avant la lettre[1]. Mais bientôt, ce fut par le Sud, fournisseur de blé et de vins, par la France, que la Réforme opéra ses conquêtes les plus larges, cette fois au bénéfice du calvinisme — de cette Réforme « romane », militante et agressive[2], planteuse de synodes, d'actives cellules que n'avait pas prévues et que n'eût pas tolérées la paix d'Augsbourg. S'infiltrant d'abord par les pays de langue française, elle avait débordé largement cette zone et triomphait dans le carrefour entier des Pays-Bas. Elle contribuait ainsi à l'ouvrir davantage encore vers le Sud. Libérés de l'Allemagne au point de vue politique, les Pays-Bas s'en libèrent spirituellement, pour s'orienter vers la France troublée. La chasse aux Luthériens y devient difficile, avec la diminution du gibier. D'autre part, l'Angleterre est trop proche pour que, malgré certaines rivalités, les Pays-Bas puissent échapper à son influence et à sa politique décidée. L'Angleterre offre d'ailleurs un refuge aux persécutés flamands, même les plus modestes — ainsi les ouvriers qui peuplèrent Norwich — et cette assistance tisse des liens d'un bord à l'autre de la mer du Nord.

Évidemment, il faudrait distinguer entre les courants qui agitent les Pays-Bas. Ils ne sont pas tous de même origine : il y a une agitation populaire, religieuse surtout, souvent sociale, et une agitation aristocratique ; celle-ci, essentiellement politique à l'origine, se manifesta par le rappel de Granvelle, en 1564, et par la confédération de l'Hôtel de Culembourg, en avril 1566 ; elle précéda de quatre mois l'émeute de la seconde moitié d'août qui, populaire et iconoclaste, aboutit au sac des églises et au bris des images, propagée avec une rapidité effrayante de Tournai jusqu'à Anvers, sur toute l'étendue des Pays-Bas. Deux mouvements différents en somme. L'habileté de Marguerite de Parme consista à les opposer. Elle tourna les nobles — sauf Guillaume d'Orange et Brederode qui gagnèrent l'Allemagne — contre le populaire et contre les villes. Et ainsi rétablit, sinon son autorité, du moins l'ordre : sans dépenses, sans déploiements de forces, avec une habileté certaine.

Mais cette politique avait ses limites et, en Espagne et hors d'Espagne, ses adversaires : Granvelle à Rome, qui ne reste pas inactif, le duc d'Albe en Espagne, et derrière lui, tout son parti. Il est d'ailleurs vrai que le succès de Marguerite d'Autriche compromettait le pouvoir même de Philippe II et la défense du Catholicisme : n'avait-elle pas accepté, en fait, bien qu'à demi-mot, que le culte réformé fût pratiqué là où il l'était déjà, avant les troubles du mois d'août ? Grave concession. Car, en Espagne, Philippe II — les célèbres lettres du Bois de Ségovie, en 1565, le prouvent — est hostile à toute concession réelle. Sans doute accepte-t-il, pour gagner du temps, des clémences de détail, un « pardon général » (pour les seuls motifs politiques, est-il spécifié, non pour les délits religieux), menue monnaie, en somme, dont le seul but est de ne pas ruiner le crédit de la gouvernante. Mille preuves affirment par ailleurs sa volonté de sévir, de tenir tête aux événements. La force renaissante de l'Empire hispanique dans le champ méditerranéen, l'afflux d'argent porté par les flottes d'Amérique, Philippe II est bien décidé à en faire usage dans le Nord. Intransigeance, incompréhension : l'avenir le dira. Car c'est une politique contre

---

1. Georges PAGÈS, « Les paix de religion et l'Édit de Nantes », *in : Rev. d'hist. mod.*, 1936, pp. 393-413.
2. W. PLATZHOFF, *op. cit.*, p. 20.

nature que de vouloir réglementer la circulation en ce carrefour de l'Europe ; une sottise que d'enfermer en soi-même le « pays d'en bas », alors qu'il vit sur le monde entier, qu'il est indispensable à la vie de l'Europe qui en presse les portes et, le cas échéant, les forcera. Le transformer en camp retranché, comme de 1556 à 1561 ; en faire une administration religieuse à part, autonome, comme on le fit avec l'érection des nouveaux évêchés ; essayer de s'opposer au voyage des étudiants vers Paris, pour ne citer que quelques-unes des panacées auxquelles on avait déjà recouru — autant de mesures vaines. Mais en faire une Espagne, erreur plus grave encore. C'est tout de même, en 1566, ce à quoi pense Philippe II, prisonnier de l'Espagne...

Avant de connaître les troubles populaires de la seconde quinzaine d'août, il écrivait à Requesens, son ambassadeur à Rome : « Vous pouvez assurer Sa Sainteté qu'avant de souffrir la moindre chose qui puisse porter préjudice à la religion et au service de Dieu, je perdrais tous mes États, je perdrais même cent vies si je les avais, car je ne pense, ni ne veux être seigneur d'hérétiques »[1]. A Rome également, on comprenait mal la situation. Pie V avait conseillé à Philippe d'intervenir énergiquement et en personne : « la peste hérétique, lui écrivait-il le 24 février 1566[2], croît tellement en France et en Bourgogne que je pense qu'il n'y a plus présentement de remède à cela que dans le voyage de V. M. Catholique ». Ce voyage, Fourquevaux en parlait dès le 9 avril[3] ; il y revient à tout propos, — qu'il s'agisse de la convocation, en Espagne, de Francisco de Ibarra, commissaire général des guerres, vivres et munitions, spécialiste des transports, convocation grosse de conséquences possibles « car il n'y a homme en Espagne que lui pour telles affaires »[4] ; ou bien de l'expédition qu'on préparerait soi-disant contre Alger et qui pourrait bien être destinée aux Pays-Bas. Effectivement, l'expédition contre Alger se dissipe bientôt en fumée et, au mois d'août, rebondit tout naturellement la rumeur, qui ne va pas cesser de se préciser, du voyage de Philippe II dans les Flandres[5].

Dès le 18 août, Fourquevaux savait qu'on s'apprêtait à déplacer vers le Nord la grande mobilisation des forces méditerranéennes de l'Espagne[6], soit cinq à six mille Espagnols à retirer de Naples et de Sicile et 7 000 à 8 000 Italiens, les meilleures forces des fronts et places de Méditerranée. La grande entreprise du duc d'Albe devait aboutir à faire cantonner le *tercio* de Naples à Gand, le *tercio* de Lombardie à Liège, le *tercio* de Sicile à Bruxelles[7]... C'était désarmer la Méditerranée directement et indirectement. Directement, par des prélèvements de vieilles et excellentes troupes ; indirectement, par les dépenses que ces mouvements exigeaient. N'avait-on pas parlé à Philippe II, au Conseil d'État, de trois millions d'or ?

Par surcroît, cette politique impliquait une série de prudences et de démarches du côté du Nord : du côté de la France où les Protestants[8] s'apprêtaient à soutenir leurs frères en religion ; du côté de l'Allemagne où le prince

---

1. L. SERRANO, *op. cit.*, I, n° 122, p. 316, 12 août, cité par B. de MEESTER, *Le Saint-Siège et les troubles des Pays-Bas, 1566-1572*, Louvain, 1934, p. 20-21.
2. *Ibid.*, I, p. 131.
3. *Ibid.*, I, p. 67.
4. 30 avr., *ibid.*, I, p. 84.
5. *Ibid.*, I, p. 104; Nobili au prince, Madrid, 11 août 1566, A. d. S. Florence, Mediceo, 4897 *bis.*
6. 18 août 1566, *op. cit.*, I, p. 109.
7. H. FORNERON, *op. cit.*, II, p. 230.
8. Philippe II à Francés de Alava, Bosque de Segovia, 3 oct. 1566, A. N., K 1506.

d'Orange et son frère, Louis de Nassau[1], réussissaient à lever des troupes, malgré un édit d'interdiction de l'empereur ; du côté de l'Angleterre enfin. Tous terrains dangereux, où l'Espagne se méfiait à la fois des individus, des partis et des souverains[2]. L'attention de Philippe II, de ses meilleurs conseillers et serviteurs, devait nécessairement se détourner du Sud vers le Nord.

Naturellement, ces mesures parurent plus indispensables encore, après les troubles du mois d'août. Amis ou ennemis, et même le duc d'Albe (sur ce point, plus ou moins sincère) s'étonnaient de la lenteur des Espagnols à riposter[3]. Ce n'est que le 25 septembre, en effet, que Saint-Sulpice sut que le duc d'Albe allait partir vers les Flandres, y devançant son souverain[4]. Et au même moment que les plus compromis des fauteurs de troubles — ou du moins les plus désireux de se soustraire aux rigueurs espagnoles — jugèrent prudent de délaisser le dangereux pays d'en bas, certains pour se réfugier dans le non moins dangereux pays de France. C'est ainsi qu'un flot d'anabaptistes flamands, en provenance de Gand et d'Anvers, vint s'installer à Dieppe[5].

C'était l'époque d'ailleurs où (ne serait-ce qu'à cause de la politique de Marguerite) la situation se rétablissait dans les Pays-Bas en faveur du Roi Catholique. Ou paraissait se rétablir. Le roi constatait, le 30 novembre 1566[6], « l'amélioration apparente des affaires de Flandres » ; cependant, ajoutait-il, elle n'était point telle que l'on pût relâcher d'un seul point les mesures en cours d'exécution.

C'était le 30 novembre, il est vrai, plusieurs mois après les émeutes. Mais le gouvernement espagnol qui lutte toujours avec l'espace et la multiplicité de ses tâches, pouvait-il agir plus vite ? Pouvait-il, surpris au début du printemps par les agissements des « Gueux » ou, comme l'on disait alors, des « remonstrants », surpris à nouveau, en août cette fois, par les troubles populaires des iconoclastes, mettre aussitôt en place sa riposte ? Le duc d'Albe aura dit sans doute le vrai mot un jour qu'il s'entretenait avec Fourquevaux, au début de décembre 1566 : ce sont, les « assaulx que les Turcs avoient donné à la Chrestienté et autres certains respects » qui ont empêché l'Espagne de « remédier aux débordements d'aucuns de ses subjets des Pays Bas »[7]. L'alerte turque en Méditerranée ne s'est, en effet, terminée qu'à la fin d'août ; jusque-là, comment rendre disponibles les vieilles bandes espagnoles à qui était réservé le premier rôle dans l'expédition du duc d'Albe ?

A l'inverse, les événements des Pays-Bas ne permettent plus à Philippe II d'agir sans précaution en Méditerranée. Cette double charge, ce double tableau de considérations expliquent la politique apparemment hésitante du roi d'Espagne. Elle explique ses refus réitérés de suivre les suggestions du pape qui lui conseille avec insistance une politique affirmée, efficace, sur un tableau et sur l'autre alternativement. Sans comprendre que sur l'un ou sur l'autre, Philippe II ne peut s'offrir le luxe de s'engager à fond.

---

1. F. de Alava à Philippe II, Paris, 21 sept. 1566, A. N., K 1506, n° 57.
2. Méfiances de Philippe II à l'égard de l'Empereur, Fourquevaux à la reine, Madrid, 2 nov. 1566, Fourquevaux, *op. cit.*, III, pp. 25-26. Inutile de dire les méfiances de Philippe II à l'égard de Catherine de Médicis.
3. Avis de Saint-Sulpice, 21 sept. 1566, Fourquevaux, *op. cit.*, I, p. 133.
4. *Ibid.*, p. 134.
5. F. de Alava au roi, Paris, 4 oct. 1566, reçue le 20, A. N., K 1506, n° 62.
6. Philippe II à F. de Alava, Aranjuez, 30 nov. 1566, A. N., K 1506, n° 87.
7. Fourquevaux au roi, Madrid, 9 déc. 1566, Fourquevaux, *op. cit.*, I, p. 147.

Pie V a d'abord tenté d'entraîner Philippe II dans une ligue contre le Turc, rêve ancien que la campagne de Piali Pacha dans les eaux italiennes de l'Adriatique avait affermi pendant l'été 1566. Le 23 décembre, le nonce en Espagne rapportait au cardinal Alessandrino certains propos du duc d'Albe : « S. M. louait fort le saint zèle et l'excellent désir de S. S... ; il louait assez l'idée d'une ligue et union », mais pour l'heure, celle-ci serait « inutile parce que pareilles entreprises ne sont à tenter que lorsque les princes ont des forces intactes, sûres, et qu'ils sont en confiance les uns vis-à-vis des autres ; or, présentement, ces forces étaient divisées, diminuées, et contrariées par des soupçons réciproques ». D'autre part, le roi d'Espagne devait, pour le moment, « mener une entreprise urgente et nécessaire contre ses propres sujets » des Flandres[1]. On reconnaîtra, à cette façon de dessiner l'horizon international pour en marquer les nuages et les menaces et refuser finalement ce qu'on lui demande, l'habituelle méthode du duc d'Albe... Mais ce point de vue semble bien avoir été celui de Philippe II qui est resté longtemps sans choisir entre les Pays-Bas et la Méditerranée[2].

Choix difficile, car lutter contre les Turcs, l'Espagne ne pouvait s'y refuser, il lui fallait se défendre contre eux. Mais de là à les attaquer, il y avait loin. En cette fin d'année 1566, le gouvernement espagnol est peu désireux de laisser s'aggraver ce qui, en Méditerranée, n'est certes pas la paix, mais une demi-guerre, aux éclipses fréquentes. Il ne tient pas davantage à troubler la pseudo-paix de l'Europe qui lui est indispensable, ou du moins propice.

Donc il craint de se lier à Rome par une alliance spectaculaire que le monde protestant n'accepterait peut-être pas sans riposter : l'occasion serait belle de créer des difficultés aux Pays-Bas, par toutes les frontières ouvertes du grand carrefour. En Allemagne, en Angleterre, en France (dans le groupe qui entoure l'amiral et Condé), on est tout prêt à l'attaque : il suffirait d'une provocation ou d'un prétexte. De là le souci de Philippe II de ne point se placer, aux Pays-Bas, sur le terrain religieux. En vain, Pie V lui conseille-t-il d'attaquer l'hérésie à visage découvert. Quoi qu'il en pense, Philippe II ne veut paraître, en la circonstance, que le souverain qui ramène ses sujets à l'obéissance qu'ils lui doivent et use contre eux de ses droits imprescriptibles de souverain. Comme le duc d'Albe l'explique à Fourquevaux, le 9 décembre[3], il ne s'agit que de « ramener de mauvais sujets à l'obéissance... N'estant plus question de religion en cela, sinon nuement du mespris en quoy ilz tiennent Sa Majesté, avec oultrageuz contemnement de son authorité et de ses ordonnances : choze qui n'est tollérable à nul prince qui veult régner et tenir ses estatz en repoz ».

Discours clair, mais peu convaincant. Les énormes préparatifs de l'Espagne, tout « raisonnables » que les qualifiât le duc d'Albe, répandaient une vive inquiétude dans toute l'Europe. N'était-ce pas, sous le couvert d'une expédition contre les Flandres, une opération qui visait la France ? Ainsi pensait Fourquevaux[4] — et l'on était tout prêt à le suivre en France où la passion était grande (exaltée d'ailleurs à dessein par les Protestants) contre l'Espagnol qui venait de massacrer en Floride des colons français. Non moins vive, l'in-

---

1. L. SERRANO, *op. cit.*, I, p. 425-426.
2. Paul HERRE, *op. cit.*, p. 41, Castagna à Alessandrino, Madrid, 13 janv. 1567 ; FOURQUEVAUX, *op. cit.*, I, p. 172 et *sq.*, 18 janv. 1567.
3. *Ibid.*, I, p. 147.
4. 4 janv. 1567, *ibid.*, I, p. 160.

quiétude d'Élisabeth se dissimulait derrière une politesse excessive. En octobre, la reine s'était réjouie officiellement des succès impériaux annoncés contre les Turcs[1]. « Pourvu que ce soit de bon cœur ! » s'exclamait le sceptique G. de Silva, ambassadeur du Roi Catholique à Londres. Le 10 décembre, apprenant que Philippe II gagnerait les Flandres par l'Italie, elle se désolait non moins bruyamment : s'il eût suivi la route océane, quel plaisir de l'avoir pour hôte[2] ! Une puissante armée accompagnera le Roi ? elle la souhaiterait bien plus forte, et telle que la méritent d'aussi mauvais sujets[3]... Protestations qui ne trompent personne et n'empêcheront pas la reine d'exprimer par la suite ses craintes au sujet d'une alliance éventuelle de l'empereur, du pape et du Roi Catholique contre les Protestants. Même Venise trouve un sujet d'inquiétude dans le passage des troupes espagnoles et juge nécessaire de mettre Bergame en état de défense[4] ! Quant à l'Allemagne, elle a mille raisons, politiques et religieuses, d'être en souci. Et au mois de mai 1567, dès avant l'arrivée du duc d'Albe[5], elle prend ses précautions : des ambassadeurs de l'électeur de Saxe, du duc de Wurtemberg, du margrave de Brandebourg et du landgrave de Hesse arrivent aux Pays-Bas, avec mission de demander protection pour les Luthériens (*di lege Martinista*), lesquels n'ont pas participé à la rébellion calviniste.

Mais ce n'est point le lieu d'étudier la brusque extension de la politique espagnole, en cette année 1566, — de l'étudier comme il le faudrait, dans son encadrement européen, au milieu de la montée de fièvre et de passion religieuse qui aggrave les conflits confessionnels du siècle, montée qui a tout commandé et qui, plus que l'intransigeance ou la maladresse de Philippe II, ses soi-disant imprudences et ses véritables incompréhensions, est à l'origine des troubles des Pays-Bas.

1567-1568 : sous le signe des Pays-Bas

En 1567, en 1568, la Méditerranée est devenue un théâtre secondaire de l'activité hispanique, parce que celle-ci est fixée ailleurs et aussi parce qu'elle rencontre, en Méditerranée, la complicité d'un désarmement à peu près général. En ce qui concerne l'Espagne, l'explication est facile : ses forces vives, son argent, ses préoccupations sont en dehors de la mer Intérieure. Pour l'Empire Ottoman, l'explication certaine se dérobe. Sans doute l'Empire est-il sollicité par des difficultés du côté de la Perse[6], mais elles sont moindres que ne le disent les avis de Constantinople. Sans doute est-il gêné par la continuation de la guerre en Hongrie, mais celle-ci, poursuivie en 1567, pendant la bonne saison, et

---

1. G. de Silva au Roi, Londres, 5 oct. 1566, *CODOIN*, LXXXIX, p. 381.
2. Le même au même, Londres, 10 déc. 1566, *ibid.*, p. 416.
3. Le même au même, Londres, 18 janv. 1566, *ibid.*, p. 427.
4. Anvers, 24 mai 1567, Van HOUTTE, « Un journal manuscrit intéressant 1557-1648 : les Avvisi », *in : Bull. de la Comm. Royale d'hist.*, I, 1926, LXXXIX (4e bull.), p. 375.
5. FOURQUEVAUX, *op. cit.*, I, p. 166, 4 janv. 1567.
6. Avis de Constantinople, 10 mars 1567, Simancas E° 1056, f° 23 ; Chefalonia, 24, 26 mars, 5, 10 avr. 1567, *ibid.*, f° 34 ; Copia de capitulo de carta que scrive Baltasar Prototico de la Chefalonia a 10 de avril a D. Garcia de Toledo, *ibid.*, f° 38 ; le même au même, 12 avr. 1567, f° 36 ; Memoria de lo que yo Juan Dorta he entendido de los que goviernan en Gorfo (*sic*) es lo siguiente (24 avr. 1567), f° 45, Chefalonia, 21 avr., f° 47 ; Corfou, 28 avr., *ibid.*, avis de Constantinople, 17 mai 1567, f° 60 ; Fourquevaux au Roi, Madrid, 2 août 1567, FOURQUEVAUX, *op. cit.*, I, p. 248, « Le Sophy ne remue rien ains envoye un sien ambassadeur au d. Turc » ; avis de Constantinople, 8 janv. 1568, Simancas E° 1056, f° 126, on croira à l'arrivée des ambassadeurs persans quand on les verra.

sans ardeur (le seul épisode mouvementé en est le raid que les Tartares, et non les Turcs, lancèrent contre la frontière autrichienne, faisant — mais est-ce sûr — 90 000 prisonniers chrétiens) se termine par une nouvelle trêve de huit ans, signée le 17 février 1568, négociée dès l'année précédente[1]. Sans doute les Turcs ont-ils quelques difficultés en Albanie[2], mais ce sont là difficultés permanentes et d'importance secondaire. Quant à celles qu'ils rencontrent en Égypte et dans la mer Rouge[3], elles ne touchent pas malgré tout, au moins jusqu'en 1569, à la vie essentielle de l'Empire. Alors faut-il expliquer l'inaction turque par les très grosses pertes de la campagne de 1566 en Hongrie, ou par l'avènement de Sélim II, peu féru d'expéditions guerrières ? C'est ce qu'ont dit les contemporains[4] et, à leur suite, les historiens. Et c'est peut-être vrai, bien qu'il ne faille pas oublier, derrière le « sucesseur indigne » de Soliman, comme dit G. Hartlaub[5], ou le premier des « sultans fainéants », comme dit L. Ranke[6] — un actif premier vizir, l'étonnant Méhémet Sokolli, digne de la grande époque de Soliman. Peut-être faut-il penser que ces deux années sans accent — 1567, 1568 — cachent le désir secret de frapper Venise et de l'isoler à l'avance. A l'automne 1567, des avis annonçaient, en effet, la construction d'une place forte en Caramanie, face à Chypre, ainsi que l'établissement de routes dans l'intérieur du pays. On en concluait déjà à une prochaine attaque de l'île. Est-ce pour être libres d'agir contre Venise que Sélim et ses conseillers ont conclu la trêve de 1568 avec l'empereur ?

Sûrement aussi, de façon insidieuse et puissante, la Turquie a été frappée par de mauvaises récoltes successives. En février 1566, Venise s'adressait à Philippe II pour obtenir du blé : à lui seul, ce détail date les premières difficultés de l'Orient[7]. Un avis « digne de foi » indique qu'au mois d'avril, en

---

1. J. von Hammer, *op. cit.*, VI, pp. 313-317 ; Chantonnay à Philippe II, Vienne, 4 juin 1567, *Codoin*, CI, p. 151-152 ; G. Hernandez à Philippe II, Venise, 26 janv. 1567, Simancas E° 1326. Trêve préparée de longue date conclue pour huit ans et non pour trois, comme Fourquevaux l'annonçait, il est vrai en avance, le 30 juin 1567, Fourquevaux, *op. cit.*, I, p. 219. La guerre au ralenti n'a pas empêché l'empereur de solliciter des subsides espagnols, 24 août 1567, *ibid.*, I, p. 255. Grosse escarmouche du côté de la Transylvanie, Chantonnay à Philippe II, Vienne, 30 août 1567, *CODOIN*, CI, p. 263. Inquiétudes impériales au sujet de l'issue des tractations engagées, 20 déc. 1567, Fourquevaux, *op. cit.*, I, 311 ; Nobili au prince, 25 déc. 1567, A. d. S. Florence, Mediceo, 4898, f° 153. Lo que se escrive de C. por cartas de VII de março 1568, Simancas E° 1056, f° 135, la trêve serait conclue pour dix ans, dit-on, avec inclusion du Très Chrétien, du roi de Pologne et de Venise.

2. Constantinople, 10 mars 1567, Simancas E° 1056, f° 23, révoltes albanaises dans la région de Valona et de Sopotico ; Corfou, 28 avr. 1567, *ibid.*, f° 47 ; vice-roi de Naples à Philippe II, 11 mai 1567, Simancas E° 1056, f° 57, les Albanais révoltés sont ceux de Zulati, Procunati, Lopoze, Tribizoti... ; de la Cimarra a XII de Junio 1567, *ibid.*, f° 6 ; Corfou, 26 déc. 1567, *ibid.*, f° 131.

3. Révolte du Yémen, Constantinople, 10 mars 1567, voir note précédente ; Copia de un capitulo de carta que scrive de Venecia J. Lopez en XXI de hen° 1568, Simancas E° 1066, f° 130 ; Constantinople, 17 nov. 1568, Simancas E° 1057, f° 2.

4. *... Que el Turco attiende solo a dar se plazer y buen tiempo y a comer y a bever dexando todo el govierno en manos del primer Baxa*, Constantinople, 10 mars 1567, Simancas E° 1056, « *... que el Turco continua sus plazeres y el presume mucho que por ventura sera la destrucion deste imperio que Dios lo permita* », Constantinople, 17 mai 1567, Simancas E° 1056, f° 60.

5. *Op. cit.*, p. 24.

6. *Op. cit.*, p. 54. Voir aussi Vic[te] A. de La Jonquière, *Histoire de l'Empire ottoman*, t. I, 1914, p. 204.

7. Garces au prince, Madrid, 13 févr. 1566, A. d. S. Florence, Mediceo, 4897, f° 116.

Égypte et en Syrie, les gens meurent de faim[1]. N'est-ce pas cette situation économique qui explique les troubles concomitants du monde arabe ? Or, la récolte suivante de l'été 1566 a été particulièrement mauvaise dans le bassin oriental de la Méditerranée, dans toute la Grèce, de Constantinople jusqu'en Albanie[2]. On ne s'étonnera pas que 1567 ait encore été une année difficile. Haedo signale à Alger une grande disette qui s'est prolongée l'année suivante, en 1568[3], car la récolte de 1567 ne semble pas avoir arrangé les choses. En novembre encore, un agent du vice-roi de Naples signalait, à Constantinople, une épouvantable cherté du pain[4]. Et la peste, cette compagne quasi obligée de la misère, y faisait en même temps son apparition[5]. Un avis de mars 1568, qui annonce la conclusion de la trêve avec l'empereur, dit nommément qu'elle a été signée « en raison des tumultes des Mores, de la cherté des vivres, principalement de l'orge[6]... ». On peut donc croire que la récolte de 1567 avait été pour le moins médiocre. Ce n'est qu'après celle de 1568 qu'une lettre apportera enfin ce communiqué optimiste : « A Constantinople, bon état sanitaire et abondance, malgré le manque d'orge »[7]. Pendant ces années 1567-1568, la situation alimentaire a été également peu brillante en Méditerranée occidentale[8].

Quoi qu'il en soit, le Turc et l'Espagnol ont vécu ces années-là en s'épiant réciproquement, décidés à ne pas agir et donc colportant le plus possible de faux bruits, réussissant à se faire peur l'un à l'autre, l'un croyant que l'armada de son adversaire donnerait contre La Goulette, Malte, voire Raguse et les Pouilles, Chypre, Corfou[9] ; l'autre craignant un raid contre Tripoli[10], Tunis ou Alger[11]. Craintes fugitives au demeurant. Les services d'espionnage des belligérants sont assez bien faits pour que cette guerre des ombres — cette guerre des nerfs — ne puisse tromper longtemps les partenaires. Mais elle suffit à les obliger à des précautions qui pèsent sur la vie entière de la Méditerranée.

Ainsi, en 1567, se déroule l'habituel scénario. Le vice-roi de Naples fait alerter en mai toutes ses marines et occuper les points stratégiques[12], cependant

---

1. Constantinople, 30 avr. 1566, Simancas E⁰ 1395.
2. Simancas E⁰ 1055, f⁰ 77.
3. *Ibid.*, 76 v⁰.
4. *Relacion de lo que refiere uno de los hombres que el Marques de Capurso embio a Constantinopla por orden del Duque de Alcala por octubre passado* (1567), Simancas E⁰ 1056 (f⁰ non relevé par omission).
5. Corfou, 26 déc. 1567, avis arrivés à Lecce, le 12 janv. 1568, Simancas E⁰ 1056, f⁰ 131.
6. Constantinople, 5 mars 1567, Simancas E⁰ 1058, f⁰ 133.
7. Constantinople, 17 nov. 1568, Simancas E⁰ 1057, f⁰ 2.
8. Disette en Catalogne, 3 mai 1566, Simancas E⁰ 336 ; disette à Gênes, Figueroa à Philippe II, Gênes, 26 mars 1566, Simancas E⁰ 1395 ; en Aragon, 13 févr. 1567, FOURQUEVAUX, *op. cit.*, III, p. 36 ; en Sicile, grosse exportation de grains en 1567-1568, 209 518 salmes, mais de 93 337 seulement en 1568-1569, *Relationi delli fromenti estratti del regno di Sicilia*, 1570, Simancas E⁰ 1124. La forte exportation de 1567-1568 n'est-elle pas en liaison avec les gros besoins du monde méditerranéen ?
9. Constantinople, 10 août 1567, avis arrivés à Lecce le 20 oct., Simancas E⁰ 1056, f⁰ 80 ; Constantinople, 20 oct. 1567 (ital.), *ibid.*, f⁰ 91 ; Constantinople, 16 mai (1568), *ibid.*, f⁰ 151. Contre Raguse, avis de Corfou, 12 juin 1568, *ibid.*, f⁰ 16.
10. Le duc de Terranova, président du royaume de Sicile, à Antonio Pérez, Palerme, 30 sept. 1568, Simancas E⁰ 1132 ; Pescaire au roi, Palerme, 18 oct. 1568, *ibid.*
11. Pour Tunis, 21 mai 1567, contre Alger et Djerba, 15 févr. 1567, FOURQUEVAUX, *op. cit.*, I, p. 180, 15 mars, *ibid.*, p. 190. A noter qu'à partir de janvier 1567, l'Espagnol a eu la certitude, à peu près, qu'il n'y aurait pas d'armada turque, Lecce, 29 janv. 1567, Simancas E⁰ 1056, f⁰ 17.
12. Vice-roi de Naples, au roi, 11 mai 1567, Simancas E⁰ 1056, f⁰ 57.

que Messine et la Sicile sont soumises à l'ordinaire branle-bas de l'été[1]. Les Turcs de leur côté font sortir leur flotte, en 1568. Mesure purement défensive, puisque cette flotte fait demi-tour après avoir atteint Valona[2] ; mais l'approche de ces quelque cent galères suffit à déclencher les dispositifs de sécurité des côtes orientales d'Italie.

Philippe II a-t-il pensé qu'au moment où il avait besoin, ailleurs, d'être efficacement fort et armé, ces précautions coûteuses étaient un luxe inutile ? En tout cas, on voit alors en Espagne renaître les idées de trêve avec le Turc et, après la fièvre des armements et le règne des soldats, recommencent les jeux de la diplomatie. Il n'est pas mauvais de souligner l'opportunisme, le manque de préjugés de la politique espagnole, telle qu'elle s'est révélée à quatre reprises au moins (1558-1559 ; 1563-1564 ; 1567 ; 1575-1581), et sans doute dans d'autres circonstances qui ont échappé à notre enquête : une politique bien différente de celle que s'obstine à lui prêter l'histoire.

Une fois de plus, il ne s'agit point de tractations dangereusement officielles (Philippe II, au même moment, continue à recevoir les précieux subsides de Rome, pour alimenter sa guerre contre le Turc : l'essentiel, si l'on échoue, est donc de ne pas s'être compromis). En janvier 1567, le Titien mettait en rapport, à Venise, l'agent espagnol Garci Hernández avec un ambassadeur du Turc, de passage dans la ville[3]. Ce Turc prétendait que l'empereur obtiendrait sans aucun doute la trêve qu'il demandait au sultan et que le Roi Catholique pourrait parfaitement s'y faire inclure. Il entrait dans d'assez étranges détails au sujet de sommes non payées, pour le rachat d'Alvaro de Sande, s'offrait à agir à Constantinople, disait avoir écrit à l'empereur sur la question, sans avoir reçu de réponse. Il affirmait même qu'en 1566, sans les maladresses de Michel Cernovich, il eût enlevé l'affaire et qu'à cette époque le roi d'Espagne était compris dans le projet de trêve, « comme V. M. doit en avoir connaissance », écrit Garci Hernández. Enfin cet ambassadeur, un dénommé Albain Bey, drogman du Grand Seigneur, s'offrait pour des actions ultérieures et indiquait à cet effet, comme relais postal, un marchand de Péra, Domenego de Cayano... Petits détails, et petits acteurs, mais qui en rejoignent d'autres. En mai 1567, à Paris cette fois[4], Francés de Alava entre lui aussi en relations avec un envoyé turc, lequel est venu en France discuter notamment des revendications du Juif Micas, le favori de Selim II, fort grand personnage décoré du titre de duc de Naxos, jouant à Constantinople le rôle d'un Fugger au petit pied. Curieux homme dont nous avons déjà parlé. C'est en son nom et tout en traitant de ses intérêts, que l'agent turc fait des offres de service à l'Espagne, proposant notamment d'employer son crédit à ménager une trêve entre le Roi Catholique et le sultan. Ruy Gomez, ajoutait l'envoyé, devait à ce sujet connaître bien des secrets. Voilà qui n'est pas dépourvu d'intérêt. Comme toute nouvelle finit par transpirer (en subissant au passage maintes déformations), Fourquevaux enregistre à la même date, à Madrid, un bruit singulier : le Turc aurait dépêché au roi de France son grand drogman pour le prier de « moyenner une tresve avec le roy catholique »[5].

---

1. Peu animé cependant avec les nombreuses galèresa lors détachées vers l'Ouest.
2. Chantonnay au roi, Vienne, 12 août 1568, *CODOIN*, p. 469-479.
3. Garci Hernández au roi, Venise, 25 janv. 1567, Simancas E° 1326. Le Titien ?
4. Au roi, 6 mai 1567, A. N., K 1508 B 21, n° 6, passages déchiffrés entre les lignes.
5. Fourquevaux à la reine, Madrid, 3 mai 1563, FOURQUEVAUX, *op. cit.*, III, p. 42, 8 mai, I, p. 351. Philippe II n'aurait pas voulu être compris dans la trêve turco-impériale.

Si plusieurs Turcs offrent ainsi leurs services — non gratuits — au roi d'Espagne, c'est qu'ils connaissent, mieux que Fourquevaux sans doute, ses intentions. Car Philippe II a déjà engagé des négociations. Chantonnay, son ambassadeur, est parti à Vienne avec des instructions très précises : une fois de plus, demander la trêve sans la demander. Le 23 mai 1567, il écrit à son maître que l'empereur a envoyé à Constantinople l'évêque d'Agria, qui autrefois, au temps de Soliman, a servi d'ambassadeur à l'empereur Ferdinand — pour négocier en Turquie. Chantonnay lui a remis copie du papier à lui confié par Philippe II et contenant les conditions auxquelles son souverain « consentirait à négocier quelque entente avec le Turc » ; bien entendu l'affaire sera présentée comme un projet conçu par l'empereur et non par Philippe[1]. Un peu plus tard, Philippe II congratulait son ambassadeur pour s'être si bien acquitté de sa mission[2].

Le résultat fut qu'en décembre de cette même année, les ambassadeurs impériaux, en exécution de leurs instructions et pour avancer leurs propres affaires, c'est-à-dire la conclusion de la trêve, offrirent d'y faire comprendre le Roi Catholique, entamant le sujet avec Méhémet Sokolli en langue croate, pour plus de discrétion[3]. Mais le grand vizir resta impassible : si Philippe II voulait une trêve, que n'envoyait-il un ambassadeur ? La négociation ne s'arrêta pourtant point là et alla s'égarer entre les mains avides de Joseph Micas[4]. En juin 1568 encore, Chantonnay pouvait écrire à Philippe II qu'il avait refusé de recevoir un ambassadeur turc venu à Vienne au lendemain de la trêve et qui avait voulu lui rendre visite *a su posada*[5]. Philippe II répondait, le 18 juillet[6], approuvant son ambassadeur et le priant de maintenir la négociation dans la ligne fixée. La négociation continue donc, bien qu'il nous soit impossible d'en saisir tous les mouvements. Ni de savoir exactement comment elle finit par échouer.

Sans doute Philippe II n'y tenait-il pas assez fermement pour la payer au prix qu'il eût fallu. Une suspension totale des hostilités en Méditerranée aurait tari une source continuelle de dépenses et de tracas. Mais les « hostilités » étaient telles qu'elles ne semblaient rien mettre en danger réel. Et l'eussent-elles fait, la marine hispanique était désormais en état de répondre à toutes les surprises. Philippe II disposait en Espagne de soixante-dix galères, sans compter celles que l'on continuait à construire à Barcelone, cent au total, dit Fourquevaux[7]. A cela s'ajoutaient les forces considérables des escadres d'Italie. Non pas de quoi aller livrer bataille directement à une grande flotte turque, mais de quoi l'empêcher d'agir à sa guise. De quoi aussi tenir en échec les fustes et galiotes des corsaires : en toute tranquillité, en 1567 et 1568, la flotte hispanique a pu nettoyer le détroit de tous ses détrousseurs[8], les Algérois surtout qui, en 1566, n'avaient pas craint d'inquiéter les côtes d'Andalousie jusqu'à la hauteur de Séville[9].

1. Chantonnay au roi, Vienne, 23 mai 1567, *CODOIN*, CI, p. 213-219.
2. Philippe II à Chantonnay, Madrid, 26 sept. 1567, *ibid.*, p. 280-281.
3. On sait que Méhémet Sokolli est né à Trébigni près de Raguse.
4. Chantonnay à Philippe II, Vienne, 28 févr. 1568, *CODOIN*, CI, p. 378-379.
5. Le même au même, Vienne, 12 juin 1568, *ibid.*, p. 432-436.
6. Philippe II à Chantonnay, Madrid, 18 juill. 1568, *ibid.*, p. 450.
7. Madrid, 24 août 1568, Fourquevaux, *op. cit.*, I, p. 326.
8. Nobili au prince, Madrid, juin 1567, A. d. S. Florence, Mediceo 4898, f° 246 ; J. A. Doria au roi, Cadix, 26 juin 1567, Simancas E° 149. Arrivée de J. A. Doria à Málaga, le 11 juill., les provéditeurs à Philippe II, 12 juill. 1567, Simancas E° 149, f° 197.
9. Fourquevaux au roi, 2 mars 1567, Fourquevaux, *op. cit.*, I, pp. 187-192.

349

Propriétaires tranquilles de leurs mers, les Espagnols ont pu utiliser les routes méditerranéennes pour la concentration de leurs forces à destination des Flandres[1]. Ces mouvements commencés bien avant 1567, ont donné lieu, dès le début de l'année, à une série de voyages maritimes. L'infanterie de Naples s'embarque en janvier[2]. Le rassemblement des vieilles bandes espagnoles se fait à Milan peu après[3], non sans molestations et gros ennuis pour les logeurs. Faire circuler ces forces à travers l'Europe ne posera pas un mince problème à la diplomatie espagnole, soucieuse de ne point éveiller de craintes et d'obtenir, partout et à l'avance, des sauf-conduits en bonne et due forme. Les refus ne manquent point, naturellement — en premier lieu celui du roi de France[4] — et la mauvaise volonté est presque unanime[5].

Ajoutons les difficultés de ravitaillement[6] et celles que posent les transports maritimes[7] : il faut trouver des navires et les voyages, entrepris malgré la mauvaise saison, ne vont pas sans incidents. Le 9 février, à Málaga, vingt-neuf navires chargés de munitions, de vivres et de pièces d'artillerie, donnent par le travers et s'engloutissent[8]... Le duc d'Albe quant à lui, resté longtemps à attendre — peut-être temporisant, comme le suggère Fourquevaux[9], pour voir ce que ferait le Turc — s'embarque à Carthagène, le 27 avril[10], avec des compagnies de « bizognes »... A Gênes, où il se trouve au début d'août[11], il est reçu avec chaleur, accablé de prévenances, de doléances aussi, spécialement au sujet de la Corse où l'assassinat de Sampiero Corso, le 17 janvier 1567[12], n'a pas ramené la paix[13] et où la France continue à intervenir[14].

---

1. Le même au même, 4 janv. 1567, *ibid.*, I, p. 160 ; vice-roi de Naples, au roi, 8 janv. 1567, Simancas E° 1056, f° 11.

2. Voir note précédente, 8 janv. 1567.

3. 13 févr. 1567, Fourquevaux, *op. cit.*, I, p. 177.

4. 18 janv. 1567, *ibid.*, I, p. 169 ; Charles IX à Fourquevaux, 25 févr. 1567, *ibid.*, p. 83.

5. Difficultés avec les cantons suisses, 18 avr. 1567, A. N., K 150, n° 98. Craintes vénitiennes, Garci Hernández au roi, Venise, 13 avr. 1567, Simancas E° 1326. Agira-t-on contre Genève au passage? Madrid, 15 avr. 1567, Fourquevaux, *op. cit.*, I, pp. 202-203. Craintes du duc de Lorraine, F. de Alava à Philippe II, Paris, 17 avr. 1567, A. N., K 1507, n° 104.

6. Petit exemple : expédition de trois navires de Málaga, dont un chargé de riz et de fèves, Diego Lopez de Aguilera à Philippe II, Simancas E° 149, f° 205.

7. 30 juin 1567, Fourquevaux, *op. cit.*, I, p. 220.

8. 15 févr. 1567, *ibid.*, p. 180 ; Nobili au prince, Madrid, 15 févr. 1567, A. d. S. Florence, Mediceo 4897 *bis.* « *Hieri venne avviso che nella spiaggia di Malaga combattute da grave tempesta sono affondate 27 tra navi e barche cariche di biscotti, d'armi, di munitioni e d'alchuni pochi soldati...* ».

9. Fourquevaux au roi, Madrid, 15 avr. 1567, Fourquevaux, *op. cit.*, I, p. 202. Le Turc ne viendra pas, « que no aura armada este año » annonçait le vice-roi de Naples à Philippe II, Puçol, 4 avr. 1567, Simancas E° 1056, f° 31.

10. Il s'est embarqué le 26 au soir, le duc d'Albe à Philippe II, Carthagène, 26 avr. 1567, *CODOIN*, IV, p. 351. Le même au même, Carthagène, 27 avr., *ibid.*, p. 354. Il ne part donc pas le 17, comme le dit l'édition des lettres de Fourquevaux, *op. cit.*, I, p. 209 ; Nobili au prince, Madrid, 3 mai 1567, A. d. S. Florence, Mediceo 4898, f°s 50 et 50 v° ; le même au même, 4 mai 1567, *ibid.*, 4897 *bis* ; le même au même, 12 mai 1567, *ibid.*, 4898, f°s 58 et 59 v°, « Parti il Ducca d'Alva di Cartagena alli 27 del passato e sperase che a questa hora sia arrivato in Italia ».

11. Figueroa à Philippe II, Gênes, 8 août 1567, Simancas E° 1390.

12. A. de Ruble, *Le traité du Cateau-Cambresis, op. cit.*, p. 82.

13. Adam Centurione va jusqu'à proposer de céder la Corse au Roi Catholique, Figueroa à Philippe II, Gênes, 8 août 1567, Sim. 1390. Figueroa à qui la proposition est faite la rejette aussitôt et rend compte.

14. Figueroa à Philippe II, Gênes, 15 mai 1568, Simancas E° 1390.

Certains historiens ont trouvé fort lents ces préparatifs militaires. C'est mal mesurer l'importance du mouvement d'hommes (ajoutez aux troupes régulières les valets, les femmes des soldats, plus les filles de joie, organisées en véritables bataillons) et du transport de marchandises qui s'est alors accompli, mobilisant nombre de ces gros navires ronds, aptes à porter les recrues comme les sacs de fèves ou de riz et les indispensables biscuits. C'était la plus puissante opération de transports de troupes que le siècle eût vue jusque-là. A une extrémité de la chaîne, en Andalousie, le tambourin des recruteurs roulait encore, que les premières troupes espagnoles, après une longue navigation, continentale celle-là, foulaient le sol des Pays-Bas, à des lieues de voyage de la Péninsule. Mais justement, n'était-ce pas folie de placer si loin le centre des intérêts de la monarchie espagnole, de combattre si loin de ses bases ?

Peut-être y a-t-il eu un dernier moment d'hésitation en Espagne, au mois de mai 1567. Le duc d'Albe voguait alors vers les côtes italiennes. « Après son départ, écrit l'agent toscan Nobili, le 12 mai, ces Messieurs du Conseil, vu que les affaires de Flandres s'arrangeaient aussi heureusement pour Sa Majesté, tinrent de nombreuses conversations sur la question de savoir si le duc devait passer en Flandres ou s'il n'était pas plus à propos de faire l'entreprise d'Alger ou de Tripoli »[1]. Conclusion du débat : pour le rappel du duc d'Albe, quatre voix sur huit, les quatre autres estimant son voyage nécessaire. Nobili ajoute : « cette dernière opinion semble avoir prévalu ». Il ne pouvait guère en être autrement. Ruy Gomez et ses amis (qui d'ailleurs n'étaient peut-être pas fâchés de voir s'éloigner le duc d'Albe) pouvaient-ils arrêter, une fois lancée, la lourde machine militaire ? Mais l'occasion est bonne d'apercevoir, au centre du gouvernement espagnol, les remous que les événements purent provoquer.

Il semble bien que, dans la mesure où les Pays-Bas ont espéré une solution pacifique, voire une demi-liberté de conscience contre argent[2] — c'est sur Ruy Gomez qu'ils ont tablé. En janvier 1567, le bruit courait à Madrid d'un départ, non du duc d'Albe, mais de Ruy Gomez, qui irait tout apaiser sans armes, « car tous les estats du dit païs le demandent »[3]. Ce qui laisse à penser que la vieille liaison signalée en 1559, entre Ruy Gomez, son parti et les grands seigneurs des Pays-Bas, est encore en place, six ans plus tard. Le duc d'Albe est partisan de l'intervention. Ruy Gomez, si l'on en croit le nonce[4], favorable à la ligue contre le Turc. Les deux rivaux ont bien pu se réconcilier officiellement en mars, publiquement même. Ruy Gomez a bien pu refuser de se laisser manœuvrer par Fourquevaux qui, se plaignant du duc d'Albe, a trouvé devant lui un homme poli, à visage faussement marri[5]. La lutte ne reste pas moins vive entre les deux bandes — dans les grandes comme dans les petites affaires.

1. Nobili au prince, Madrid, 12 mai 1567, A. d. S. Florence, Mediceo, 4898 ; sur le rétablissement de la situation aux Pays-Bas, F. de Alava à Philippe II, Paris, 9 avr. 1567, A. N., K 1507, n° 99 ; du même au même, Paris, 5 mai 1567, *ibid.*, K 1508, B 21, n° 16 *b* ; il écrit de Marguerite de Parme : *significale quan enteramente quedan ya en obediencia de V. M⁴ todos aquellos estados sea dios loado...*
2. 4 janv. 1567, Fourquevaux, *op. cit.*, I, p. 156.
3. *Ibid.*, I, p. 165 ; Nobili au duc, 7 déc. 1566, A. d. S. Florence, Mediceo 4898, f° 8, donne la même nouvelle en avance. Mais Ruy Gomez a manœuvré.
4. Castagna à Alessandrino, Madrid, 7 janv. 1567, cité par Paul Herre, *op. cit.*, p. 41. Ruy Gomez sondera même un jour l'ambassadeur du Très Chrétien au sujet d'une action éventuelle de la France contre le Turc puis laissera tomber l'entretien, Fourquevaux au Roi, Madrid, 15 avril 1567, Fourquevaux, *op. cit.*, I, p. 204.
5. Fourquevaux, 18 janvier 1567, *ibid.*, I, p. 170.

Toutefois, si le roi tolère leurs conflits, leurs oppositions, il les domine. En mars 1567, sans consulter qui que ce soit, il nomme lui-même aux commanderies et bénéfices vacants, « de quoy [les chefs de file des partis] demeurèrent fort honteux ». Dans ses décisions, la politique espagnole reste l'œuvre du Roi Prudent[1].

Quoi qu'il en soit, en cette année 1567, l'Empire espagnol s'engagea dans les Flandres, et avec des forces telles que ses voisins en restèrent tourmentés pendant des mois[2]. En France, après la surprise de Meaux, en septembre, la guerre civile recommençait. Elle culminait avec la bataille de Saint-Denis, le 10 novembre[3], s'apaisait peu après. A la paix de Longjumeau (23 mars 1568), le prince de Condé sacrifiait peut-être les intérêts de la masse de son parti aux avantages de la seule noblesse protestante[4] ; mais ainsi, comme le pensait Philippe II, il se rendait libre d'agir aux Pays-Bas[5]. Déjà les troubles français avaient considérablement gêné les communications des Espagnols, au point que les courriers durent suivre les routes océane et méditerranéenne, l'une à partir de Saint-Sébastien, l'autre à partir de Barcelone, toutes deux désespérément lentes[6]. En Allemagne, le monde protestant s'inquiétait et s'agitait aussi : on le vit à propos du soulèvement de Groningue[7]. En Angleterre, Élisabeth temporisait, continuait ses grâces, mais savait aussi se plaindre. En juin 1567, Cecil représentait ainsi à Guzmán de Silva que le bruit courait d'une ligue contre les Protestants, ainsi que de projets pour soutenir la reine d'Écosse. Et la meilleure preuve de ces machinations était que l'empereur, pour être libre d'y participer, venait de conclure avec les Turcs une trêve fort désavantageuse pour lui et dont les membres du *Privy Council* se déclaraient scandalisés[8]. Enfin, l'Angleterre se servait de l'arme qui, peu à peu, s'affermissait dans ses mains : sur l'Atlantique, la guerre commençait vraiment entre les corsaires de l'île et les navires de l'Espagne.

De loin, à pas feutrés, la réaction anti-espagnole s'organisait à travers l'Europe du Nord, tournant avec prudence autour de la force que Philippe II y avait placée et qui n'était peut-être pas un aussi magnifique instrument que le croyait la diplomatie espagnole. Amenée de loin, de fort loin, elle était très coûteuse. Quand les désertions commencèrent à en creuser les rangs, qu'il fallut, pour combler les vides, faire à nouveau sonner le tambourin en Andalousie et ailleurs, ce furent encore de lourdes dépenses, de déplorables lenteurs. Puis, cette orgueilleuse et magnifique armée des Flandres, étant sans couverture maritime, se trouvait à la merci de toute attaque qui la priverait de la grande route océane, celle des zabres biscayennes.

---

1. Sigismondo de Cavalli à la S^ie de Venise, Madrid, 7 mai 1568, *C. S. P. Venetian*, VII, p. 423-424.
2. 23 janv. 1567, FOURQUEVAUX, *op. cit.*, I, p. 183. Ce mot de F. de Alava à Philippe II (Paris, 23 avr. 1567, A. N., K 1507, n° 106), parlant du Roi de France et de ses conseillers : *Va les cada dia cresciendo el temor de la passada de V. M^d*.
3. Charles IX à Fourquevaux, Paris, 14 nov. 1567, C. DOUAIS, *Lettres de Charles IX à M. de Fourquevaux*, p. 129 et *sq.*, nouvelle de la victoire de Saint-Denis. Départ des gentilshommes flamands qui se trouvent au camp des protestants, Francés de Alava au roi, Paris, 23 oct. 1567, A. N., K 1508, B 21, n° 81.
4. E. LAVISSE, *Histoire de France*, VI, I, p. 100.
5. R. B. MERRIMAN, *op. cit.*, IV, p. 289.
6. Nobili au duc, Madrid, 30 oct. 1567, A. d. S. Florence, Mediceo 4898, f° 122.
7. Madrid, 15 avr. 1567, FOURQUEVAUX, *op. cit.*, I, p. 201 ; Requesens au Roi, Rome, 19 avr. 1567, L. SERRANO, *op. cit.*, II, p. 90.
8. G. de Silva au roi, 21 juin 1567, A. E. Esp. 270, au f° 175, articles en italien de la ligue contre les Protestants.

Un instant pourtant, on put croire qu'une flotte importante allait être constituée. Philippe II, qui avait publié la nouvelle de son départ et renoncé à prendre la route de Gênes, fit des préparatifs sérieux, tangibles au moins, sur la côte cantabre, à Santander. Menéndez d'Avilés était revenu de Floride, à temps, semblait-il, pour prendre le commandement de la flotte royale. Puis, tout fut brusquement décommandé. Les historiens se demanderont toujours s'il y eut là une finesse « castillane », une longue feinte pour abuser l'Europe, pour extorquer aussi de l'argent aux Cortès de Castille, ou peut-être encore pour cacher le plus longtemps possible les raisons de l'envoi du duc d'Albe[1]. Explication qui est de loin la plus séduisante. En tout cas, des calculs du roi, une fois de plus, rien n'a transpiré, absolument rien. Philippe II n'est certes pas l'homme des confidences. A sa cour même, chacun fut perplexe en cette année 1567. Et Fourquevaux, pour s'excuser d'en savoir si peu, écrivait un jour : les membres du Conseil le plus étroit ne « savent où ilz en sont, que ceste Majesté ne déclare ses intentions que au plus tard qu'il peut »[2]. Nous ne

---

1. L. van DER ESSEN, *op. cit.*, I, p. 151, références à Campana et à Strada.
2. Fourquevaux à la reine, 23 févr. 1567, FOURQUEVAUX, *op. cit.*, III, p. 58 ; Granvelle au roi, Rome, 14 mars 1567, *Correspondance*, I, p. 294. Au reçu de mauvaises nouvelles des Pays-Bas « tout aussitost et du soir à lendemain » le roi s'est résolu au voyage d'Italie. 24 mai 1567, FOURQUEVAUX, I, p. 192 ; en Italie on publie que le roi n'ira pas en Flandre, Granvelle au roi, Rome, 15 avril 1567, *Corresp.*, II, p. 382. Le voyage est-il un paravent pour une expédition contre Alger, Nobili au prince, Madrid, 4 mai 1567, A. d. S. Florence, Mediceo, 4897 *bis*; certitude du départ, cependant les princes de Bohême ne font aucun préparatif, Nobili au prince, 18 juin 1567, *ibid.* 4898, f°s 62 et 62 v°, mais le même jour Nobili, *ibid*, f° 67 v°, annonce leur départ. Préparatifs pour le voyage, Nobili, *ibid.*, 4897 *bis*, 26 juin; Fourquevaux à la reine, Madrid, 30 juin 1567, FOURQUEVAUX, *op. cit.*, I, p. 228, ordre de départ donné par Philippe II : « Je ne scaurois dire si ce sont finesses castillanes, mais cela est ainsi ». Philippe II à Granvelle, Madrid, 12 juill. 1567, *CODOIN*, IV, p. 373, sa ferme résolution de partir ; Nobili au prince, Madrid, 17 juill. 1567 A. d. S. Florence, Mediceo 4898, f° 77 « ...che l'andata di sua Mta in Flandra riscalda assai e tutti questi grandi lo dicono absolutamente... ». Fourquevaux au roi, fin juill. 1567, FOURQUEVAUX, I, p. 241, on ne sait quelle mer choisira Philippe II, Nobili au prince, Madrid, 24 juill. 1567, Mediceo, 4898, f°s 75 et 75 v°, Pedro Melendez arrive à point de Floride pour prendre le commandement de la flotte royale ; Francès de Alava à Catherine de Médicis, Paris, 8 août 1567, A. N., K 1508, B 21, n° 42, la gouvernante des Pays-Bas envoie des navires au-devant de la flotte royale ; Granvelle au roi, Rome, 17 août 1567, se réjouit du départ : « Bien qu'en Espagne et en Flandres et ici encore plus il y ait quantité de gens qui se refusent à croire au voyage de V. M. et qui discourent chacun à sa fantaisie... ». Le temps passe : Fourquevaux à la reine, 21 août 1567 « et de s'embarquer le dit roy en septembre serait naviguer en homme désespéré qui se veut perdre et faire perdre les siens » ; G. Correr au doge, Compiègne, 4 sept. 1567, *C. S. P. Venetian*, VII, p. 403, d'après des lettres de marchands le Roi Catholique « is not likely to arrive ». G. de Silva au roi, Londres, 6 sept. 1567, *CODOIN*, LXXXIX, p. 541, d'après l'ambassadeur français, Philippe II passerait par Santander non par la Corogne. Si le voyage n'avait pas lieu, expédition contre Alger. Lettre circulaire de Philippe II aux ducs de Florence, Ferrare, Urbin, Mantoue, Madrid, 22 sept. 1567, ne va plus en Flandre par la mer de Ponent « por sus enfermedades y por ser el camino tan trabajoso que no ha sido possible, para estar ya a la boca del invierno... ». Fourquevaux au roi, Madrid, 23 sept. 1567, *op. cit.*, I, p. 367, voyage remis au printemps. Vice-roi de Naples au roi, Naples, 31 sept. 1567, Simancas E^o 1056, f° 96, a reçu lettre lui indiquant que le voyage était remis au printemps prochain. Nobili au prince, 17 nov. 1567, Mediceo 4898, f° 128, tous les hommes de bon sens en faveur du voyage ; le même au même, *ibid.*, f° 137, 27 nov. 1567, Don Diedo de Còrdova lui dit dans l'antichambre du roi que Philippe II ira en Flandres avec des forces suffisantes pour combler les vides des compagnies espagnoles. Le cardinal de Lorraine à Philippe II, Reims, 16 janv. 1568, A. N., K 1509, B 22, n° 3 a, pour l'engager à passer dans les Pays-Bas et à continuer la répression des hérétiques ; F. de Alava au roi, Paris, 27 mars 1568, A. N., K 1509, B 22, n° 35 a, *Todo lo de aquellos estados esta quietissimo desseando la venida de V. M^d para el remedio dellos.*

saurons donc jamais probablement, si le voyage de Philippe II a été une feinte. En tout cas, il fut un des grands sujets de la spéculation politique en 1567 et 1568. On y crut si bien en France, que Catherine songea à une entrevue devant Boulogne[1]. Mais rien ne dit formellement que Philippe II n'ait pas été sincère. Il est évident que sa présence dans le Nord — et celle d'une flotte l'accompagnant — aurait pu être décisive sur le cours des événements. Mais après l'arrivée d'Albe à Bruxelles, en août[2], après le retour à l'ordre des Pays-Bas, était-il nécessaire, si grande paraissait alors la victoire royale, que Philippe II s'embarquât pour le Nord, « à la bouche de l'hiver » qui commençait ? On ne cesse pas de lui répéter, en 1568 encore, au moins jusqu'au printemps, que *lo de Flandes esta quietissimo*[3]. Raison supplémentaire, en 1568 se déroule la tragédie de Don Carlos, plus émouvante et plus dure encore dans sa réalité que dans ses légendes déformantes[4]. Son fils enfermé en janvier (il mourra le 24 juillet suivant), le père pouvait-il partir[5] ?

Peu importe d'ailleurs ; car le tragique de la politique espagnole des Pays-Bas, ce n'est pas le voyage manqué, ou les voyages manqués de Philippe II — cette méconnaissance, prétend L. Pfandl, du magnétisme royal[6] — mais bien le voyage conçu, prémédité et réalisé celui-là par le duc d'Albe.

2. Le tournant de la guerre de Grenade

Dès la fin de l'année 1568 — chose curieuse, au cœur même de l'hiver — et plus encore en 1569, des guerres s'allument, l'une après l'autre, autour de la Méditerranée, très loin, mais aussi très près de ses rivages, en feux vifs et plus ou moins durables, mais qui disent tous le tragique grandissant de l'heure.

La montée des guerres

Loin de la Méditerranée, la guerre des Pays-Bas a commencé, la guerre, non plus les troubles. L'Espagne s'y trouve intéressée, et par elle, le monde méditerranéen tout entier. L'arrivée du duc d'Albe a instauré, en août 1567, un régime de terreur qui, pour un temps, a tout réduit au silence. Mais en avril 1568, les luttes ont commencé : les premières et inutiles attaques de Villiers et de Louis de Nassau[7] ont été suivies, en juillet, du grand raid de Guillaume d'Orange, tout aussi vain, et qui s'est terminé en novembre presque dans le ridicule, sur les confins de Picardie[8].

---

1. E. HAURY, « Projet d'entrevue de Catherine de Médicis et de Philippe II devant Boulogne », *in* : *Bull. de la Soc. acad. de Boulogne-sur-Mer*, t. VI (extrait B. N., Paris, in-8°, Lb 33/543); Fourquevaux à la reine, Madrid, 24 août 1567, FOURQUEVAUX, *op. cit.*, I, p. 254.
2. Le 24 août, Van HOUTTE, *art. cit.*, p. 376.
3. Voir page précédente, note 2 *in fine*, F. de Alava au roi, 1er mars 1568, A. N., K 1509, B 22, f° 26 indique déjà, d'après le duc d'Albe, la quiétude des Pays-Bas.
4. Le livre de Viktor BIBL, *Der Tod des Don Carlos*, nous l'avons déjà dit, n'est pas à suivre.
5. Fourquevaux au roi, Madrid, 26 juill. 1568, FOURQUEVAUX, *op. cit.*, I, p. 371. La mort de Don Carlos a tiré le roi de plusieurs soucis « et pourra sortir de son royaume à sa volonté sans danger d'y survenir sédition en son absence ».
6. *Philippe II*, p. 128.
7. L. PIRENNE, *H. de Belgique*, Bruxelles, 1911, IV, p. 13. A cette époque les agissements du prince d'Orange laissent Philippe II sans inquiétude, Philippe II à F. de Alava, Aranjuez, 13 mai 1568, A. N., K 1511, B 22, n° 31.
8. L. PIRENNE, *ibid.*, p. 14 et 15. Lettre de victoire du duc d'Albe à Philippe II,

Mais si la guerre terrestre a été gagnée par le duc d'Albe, et pour longtemps (au moins jusqu'en avril 1572, jusqu'au soulèvement de Brielle), il n'en va pas de même sur mer. Dès 1568, une guerre sur l'Atlantique s'engage, entre Espagnols et Protestants[1]. Elle dégénère en une guerre économique, couverte et sans franchise, entre l'île anglaise et les Espagnols. Les coups partent des deux côtés. L'île sera ainsi privée de son ravitaillement normal en huile espagnole, nécessaire au traitement de ses laines[2]. A l'inverse, avec toutes les conséquences que cela entraîne, la grande route impériale de l'argent espagnol est coupée, les zabres biscayennes saisies avec leurs charges de métal. Sur le coup, le duc d'Albe n'a pas senti les conséquences de cette bataille pour la Manche et l'Atlantique. A l'instar de plus d'un politique incapable de sentir les signes avant-coureurs de l'avenir, il n'a pas compris que le danger, pour les Pays-Bas espagnols, ne venait pas tant de l'Allemagne ou de la France que de l'Angleterre.

D'autres l'ont, mieux que lui, senti et dit. Pie V qui était prêt à frapper l'hérésie au premier signe (il excommunia Élisabeth, en février 1569), proclamait avec véhémence, dans sa lettre du 8 juillet 1568[3], que c'était le moment ou jamais de faire l'entreprise d'Angleterre. L'ambassadeur Guerau de Spes, mêlé dans l'île aux intrigues de Marie Stuart et au complot des barons du Nord, les organisant de son mieux, risque de pêcher par optimisme et, pris dans un petit secteur du jeu espagnol, de ne pas s'élever à l'ensemble. Mais il n'avait peut-être pas tort de penser qu'en cette année 1569, une partie décisive et nouvelle permettait de jouer contre l'Angleterre de la carte écossaise, voire de la carte irlandaise[4] et de la révolte, prête à éclater, des grands seigneurs catholiques du Nord. Philippe II a été tenté par cette politique risquée, le duc d'Albe s'y est opposé et l'a emporté contre son souverain, en raison du manque de crédits et de la situation européenne. Esprit étroit, ce faux grand homme a mené une politique de myope, frappant à portée de main. Il a retardé outre mesure le pardon général ; laissé s'enfuir en Angleterre la reine d'Écosse et l'Écosse devenir protestante ; laissé se soulever en vain les barons du Nord[5]

Cateau-Cambrésis, 23 nov. 1568 et dont on trouve partout des copies, B. N., Paris, Esp. 361 ; GACHARD, *Correspondance de Philippe II*, II, p. 49 ; *CODOIN*, IV, p. 506. Sur la campagne du prince d'Orange en France en 1569, doc. inédits p.p. KERVYN DE LETTENHOVE, *Com. Royale d'Histoire*, 4e série, 1886, XIII, p. 66-74.

1. Van HOUTTE, *art. cit.*, p. 385, 386, 16 avr. 1569 ; bruits de guerre avec l'Angleterre, M. de Gomiécourt à Çayas, Paris, 2 août 1569, bruits de guerre prochaine avec l'Angleterre, « dize por ciertos avisos q la Reyna d'Ingleterra arma para Normandia es de temer que no sera para lo de Flandes » ; Van HOUTTE, *art. cit.*, p. 388. Sur cette grave crise de 1569, voir ci-dessus, 2e partie, chap. II.

2. G. de Spes au roi, Londres, 1er juin 1569, *CODOIN*, XC, p. 254 ; le même au même, *ibid.*, p. 276, Londres, 5 août 1589 : « Es la falta de açeite aqui tan importante que de simiente de rabanos sacan aceite para aderezar la lana... ».

3. B. N. Madrid, Ms 1750, fos 281-283. Sur toute la question d'Angleterre, voir le beau livre d'O. DE TÖRNE, *Don Juan d'Autriche*, I, Helsingfors, 1915.

4. Des troubles en Irlande, dans les régions proches de l'Écosse, 8 janv. 1570, *CODOIN*, XC, p. 171.

5. Rome, 3 nov. 1569, L. SERRANO, *op. cit.*, III, p. 186. Proyecto del Papa sobre la sublevacion de Inglaterra contra Isabel : piensa Çuñiga que interviniendo el Rey en la empresa se lograria la concesion de la cruzada, Simancas Eo 106, 5 nov. 1569 ; *C. S. P. Venetian*, VII, p. 479 ; Londres, 24 déc. 1569, *CODOIN*, XC, p. 316 ; 26 déc., p. 317. Conquista de Inglaterra y comission alli del consejero d'Assonleville, Simancas Eo 541. Estado de los negocios de Inglaterra, *ibid.* Le point de vue du duc d'Albe exposé dans sa lettre à D. J. de Zuñiga, Sim. Eo 913, copie aux A. E. Esp. 295, fos 186 à 188 : impossibilité de faire la conquête de l'Angleterre avec l'hostilité de l'Allemagne et de la France.

dont la révolte fut réprimée par Élisabeth rapidement et à peu de frais ; enfin, au lieu de frapper l'Angleterre inquiète, il a négocié, finassé, alors que le temps ne travaillait pas pour lui. Le Prudent, en 1569, ce n'est pas le roi, c'est lui, dont l'éloignement et la conjoncture font, plus que son souverain, le maître de l'heure. Lui qui n'a pas su voir que, loin de l'étroite zone terrorisée où il croyait régner, la guerre des années à venir se dessinait déjà avec son vrai visage.

En France où la paix de Longjumeau n'avait duré qu'un instant, la troisième guerre religieuse commençait en août 1568, avec la fuite de Coligny et du prince de Condé vers la Loire[1], en liaison indubitable avec l'action espagnole dans les Flandres. Mais la retraite des chefs huguenots vers le Sud rapprochait à peine la guerre de la Méditerranée — cette Méditerranée où l'on avait craint, durant le mois de juillet, une descente des « reistres » allemands que la paix de Longjumeau avait laissés sans emploi et qui, aidés des Protestants, eussent pu, croyait-on, aller vers l'Italie[2]. Hypothèse accueillie en Espagne avec scepticisme, et que la reprise des hostilités en France rendit vite à son néant. La troisième guerre civile, si violente, si cruelle, n'intéressera le domaine méditerranéen qu'un instant, à partir du printemps 1570, quand dans sa « déroute en avant », après l'année de Jarnac et de Montcontour, l'amiral gagna, de la vallée de la Garonne, le midi méditerranéen, puis la vallée du Rhône[3]. Il y eut aussi alerte en Espagne, durant l'été 1569, quand l'amiral gagna la Guyenne[4], occasion pour les Catholiques de demander à être soutenus du côté des Pyrénées, comme ils l'avaient été du côté des Flandres[5]. Cette aide n'était pas nécessaire pour que la disproportion des forces fût flagrante en faveur des Catholiques. Mais faut-il penser, avec Francés de Alava, qu'il eût suffi que la cour le veuille pour qu'on en finisse, sans peine, avec les Protestants, et spécialement l'amiral ? L'ambassadeur espagnol rend responsables les conseillers du roi, Montmorency, Morvilliers, Limoges, Lansac, Vieilleville[6]. Comme si le courage ne comptait pas, comme si l'espace n'existait pas, comme si les traqués de France ne s'appuyaient pas sur l'aide puissante des Protestants étrangers !...

Guerres d'Europe. Mais en Orient aussi, et assez loin également des rivages de la Méditerranée, la guerre sévissait sur les vastes confins de la Turquie, depuis les approches de la mer Noire jusqu'aux rivages de la mer Rouge. Large guerre périphérique qui, en 1569, plus que tout autre motif, paralysera, en Méditerranée, l'action possible de Sélim et de ses flottes. Guerre étrange au demeurant, indirectement affrontée aux forces de la Perse hostile, devenue, entre l'Asie, spécialement l'Asie centrale, l'Inde et l'océan Indien — une grande plaque tournante.

Première zone d'hostilité, la région Sud de la Russie actuelle. Les Turcs, d'accord avec les Tartares de Crimée, appuyés sur eux et sur des levées massives

1. E. LAVISSE, op. cit., VI, 1, p. 106 et sq.
2. Le duc d'Alcala au pape, 24 juill. 1568, Simancas Eᵒ 1856, fᵒ 17.
3. E. LAVISSE, op. cit., VI, 1, p. 111.
4. Francés de Alava au roi, Paris, 9 juin 1569, A. N., K 1514, B 26, nᵒ 122.
5. Francés de Alava au duc d'Albe, Orléans, 19 juin 1569, A. N., K 1513, B 25, nᵒ 54. J. Manrique inspecte la frontière de Navarre, J. de Samaniega au duc de Parme, Madrid, 12 juill. 1569, A. d. S Naples, Farnesiane, Spagna 5/1 fᵒ 272 ; même indication, Castagna à Alessandrino, 13 juill. 1569, L. SERRANO, op. cit., I, p. 112. On craint pour la Navarre, mais surtout au cas où cesseraient les guerres civiles en France, 19 août 1569, FOURQUEVAUX, II, p. 110 ; 17 sept. 1569, ibid., p. 117.
6. Francés de Alava au roi, Tours, 29 oct. 1569, A. N., K 1512, B 24, nᵒ 139.

de paysans roumains qu'ils destinent aux travaux de terrassement, s'efforcent de reprendre aux Russes Kazan et Astrakhan[1], où ceux-ci se sont établis en 1551 et 1556. Sans croire à la lettre les chiffres des informateurs européens, on peut admettre, vu l'immensité du terrain d'action, que cette guerre réclame de gros effectifs, de puissants transports, des accumulations de vivres et de munitions à Azof, base des opérations.

Le but de cette expédition est-il seulement de frapper le Moscovite, de le punir (comme l'explique la très formaliste diplomatie turque, soucieuse une fois de plus de se justifier) afin de soutenir un vassal, le Khan de Crimée, injustement frappé par les Russes ? En fait, Turcs et Russes, au XVIe siècle, ont pareillement à souffrir des pilleries de ces nomades et ne seraient pas trop éloignés de s'entendre contre cet État tampon[2]. D'autre part, on n'a guère l'impression d'un vaste dessein des Turcs pour s'ouvrir les chemins de l'Asie Centrale. Reste le motif, plus simple, d'une manœuvre militaire à grande distance contre les Perses. Les Turcs ont fait le projet de creuser un canal du Don à la Volga, joignant ainsi la Caspienne à la mer Noire, et d'ouvrir un chemin à leurs galères jusqu'aux rivages intérieurs de la Perse. Danger évident que le Sophi a senti[3] ; en conséquence, dans des conditions qui nous échappent, il a travaillé à soulever contre les Turcs les peuples et princes du Caucase. Que la vaste entreprise tourne court, en 1570, que les Russes s'emparent du matériel et de l'artillerie de l'agresseur, n'enlève rien au poids de l'entreprise[4].

En même temps s'affirme une autre guerre, commencée depuis deux années déjà, à travers les pays arabes, depuis l'Égypte jusqu'à la Syrie, trouvant son point névralgique au Sud, dans la révolte du Yémen[5]. « Les pays arabes », cela veut dire la grande zone de passage de commerce du Levant. Leur révolte coûte aux Turcs presque deux millions d'or par an, d'après les évaluations des contemporains[6], à quoi s'ajoutent les gros frais et les difficultés d'une guerre lointaine.

---

1. Constantinople, 14 mars 1569, E. CHARRIÈRE, *op. cit.*, III, p. 57-61. Const., 26 mars 1569, Simancas E° 1057, f° 45, B^a Ferraro à la S^ie de Gênes, Const. 11 juin 1569, A. d. S. Gênes, Cost. 2/2170. C. 16 nov. 1569, Simancas E° 105, f° 3. Thomas de Cornoça au roi, Venise, 9 déc. 1569, Simancas E° 1326 : l'armada turque s'arme lentement, le sultan ayant besoin de ses forces du côté de la Moscovie, de l'Arabie et de la Perse. Const., 10 déc. 1569, Simancas E° 1058, f° 6.
2. Moins cependant que ne l'indique W. PLATZHOFF, *op. cit.*, p. 32.
3. Const., 28 janv. 1569, Simancas E° 1057, f° 27 : « ... que no queria (le nouveau roi de Perse) que el fiume (*sic*) Volga se cortasse porque dello le vernia mucho daño por poder yr despues con varcas hasta sus estados a saqueallos... ».
4. Avis de Const., reçus de Prague, par Venise, Prague, 28 janv. 1570, A. N., K 1515, B 27, n° 21. Le problème du canal Don-Volga et récit de la campagne d'hiver, J. von HAMMER, *op. cit.*, VI, p. 338 et *sq.*
5. F. de Alava au roi, Paris, 4 févr. 1569, A. N., K 1514, B 26, n° 41 « el Turco esta muy embaraçado y empachado porque los Arabios prosperan y el Sofi los fomenta... ». Alexandrie, 14 avr. 1569, Simancas E° 1325, beaucoup de détails sur cette guerre du Yémen, comme si elle était le seul résultat des exactions des gouverneurs turcs, détails si nombreux qu'ils sont à peu près inintelligibles comme le récit de J. von HAMMER, *op. cit.*, VI, p. 342 et *sq.* qui reproduit curieusement toutes les indications de notre document. Const., 11 juin 1569, voir ci-dessus, note 1 : les Turcs rétabliront probablement l'ordre dans le Yémen. Const., 16 oct. 1569, E. CHARRIÈRE, *op. cit.*, II, p. 82-99. Thomas. Cornoça au roi, Venise, 29 sept. 1569, Simancas 1326, reprise d'Aden par les Turcs ? Projet de percer l'isthme de Suez après soumission de l'Arabie, J. von HAMMER, *op. cit.*, VI, p. 341.
6. Const., 16 oct. 1569, E. CHARRIÈRE, *op. cit.*, III, p. 82-90, 800 000 ducats pour le Yémen, un million pour la Syrie.

Ce qui laisse croire à l'intensité de ces deux guerres à l'arrière du pays turc, c'est l'inaction du sultan sur la façade méditerranéenne, l'abandon quasi complet[1] de la mer où le Chrétien, au moins à l'Ouest et au Centre, fait ce qu'il veut. En août et en septembre, autour de la Sicile, les galères de Doria et de Juan de Cardona poursuivent, sans être inquiétées, une fructueuse chasse aux corsaires[2]. Mais il faudrait mieux connaître les dessous de l'histoire ottomane pour juger exactement de la politique du Grand Seigneur. Car brusquement, à la fin de l'année 1569, l'arsenal de Constantinople est réveillé de sa torpeur des quatre années précédentes par les grands préparatifs destinés à l'expédition de Chypre[3]. Or, le projet de cette expédition remonte probablement à des années en arrière, au moins à la fortification de la Caramanie, en 1567. Peut-être est-ce à cause d'elle, en partie au moins, que le sultan a facilement accepté une trêve avec l'empereur ? et à cause d'elle, aussi, qu'il a voulu régler, avant de s'engager dans cette importante entreprise, ses affaires intérieures ? D'où la vigueur de son action dans les guerres dont nous venons de parler, en 1569. On dit que cette année-là, Joseph Micas, à qui le sultan avait déjà promis Chypre, faisait figurer les armes du royaume dans ses armoiries. On dit aussi que l'incendie qui dévasta à point nommé, le 13 septembre 1569, l'arsenal de Venise, serait également l'œuvre de Micas, c'est-à-dire d'agents payés par lui[4].

Ce qui est sûr, c'est que l'attaque turque contre Venise était dans l'air, depuis longtemps. Et sans doute est-ce la raison des bruits d'une entente de l'Espagne avec la Seigneurie[5] que la prudente Venise faisait répandre et dont le centre de dispersion était Rome. Venise, c'est évidemment une flotte redoutable. Mais c'est aussi un corps fin et fragile, sans commune mesure avec la masse turque. Attaquée par ce monstre — Dieu sait qu'elle a fait, toujours, toutes les concessions pour éviter ce désastre — elle ne saurait résister qu'appuyée sur la Chrétienté, sur l'Italie et sur l'Espagne, c'est-à-dire sur Philippe II qui tient l'une et presque l'autre.

---

1. Vice-roi de Naples au roi, 14 janv. 1569, Simancas E⁰ 1057, f⁰ 18, pas d'armada turque cette année. F. de Alava à Çayas, Paris, 15 janv. 1569, A. N., K 1514, B 26, n⁰ 23, bruits contradictoires, le Turc irait contre La Goulette ou contre Alexandrie ; vice-roi de Naples au roi, Naples, 19 janv. 1569, Simancas E⁰ 1057, f⁰ 2, pas d'armada. Th. de Cornoça au roi, Venise, 24 janv. 1569, Simancas E⁰ 1326, pas d'armada à cause de l'Arabie ; Const., 28 janv. 1569, voir page précédente, note 3, pas d'armada ; 14 mars 1569, E. CHARRIÈRE, *op. cit.*, III, p. 57-61. J. Lopez au roi, Venise, 2 juill. 1569, Simancas E⁰ 1326 : *Venecianos se han resuelto de embiar las galeaças en Alexandria y Suria ques señal que no saldra armada por este año...*
2. Pescaire au roi, Messine, 31 août 1569 et 2 sept. 1569, Simancas E⁰ 1132.
3. Bª Ferrero à la Sⁱᵉ de Gênes, Const., 23 juill. 1569, A. d. S. Gênes, Cost. 2/2170. Const. 24 et 29 mai (avis reçus à Naples, le 18 juill., Simancas E⁰ 1057, f⁰ 59). Const., 7 août 1569, Simancas E⁰ 1057, f⁰ 72 : « que los aparatos maritimos continuan a gran furia y casi a la descubierta »; Const., 18 sept. 1569, Simancas E⁰ 1057, f⁰ 76 ; Const., 29 sept. et 2 oct. 1569, Simancas E⁰ 1057, f⁰ 9 ; Const., 16 nov. 1569, Simancas E⁰ 1058, f⁰ 3 ; Const. 26 déc. 1569, Simancas E⁰ 1058, f⁰ 8 : *quest' appar(a)to di quest' armata sia per Spagna...* Sur ces armements, rapport du baile Barbaro aux Archives de Vienne, J. von HAMMER, *op. cit.*, VI, p. 336, notes 1 et 2.
4. P. HERRE, *op. cit.*, p. 15. Julian Lopez au roi, Venise, 15 sept. 1569, Simancas E⁰ 1326. Voyez, dans l'autre sens, ce projet d'incendie de l'arsenal de Constantinople d'un certain Julio Cesar Carrachialo, vice-roi de Naples au roi, 23 mars 1569, Simancas E⁰ 1057, f⁰ 43.
5. Résumé des lettres du vice-roi de Naples, 22, 26, 29, 31 août 1569, Simancas E⁰ 1056, f⁰ 192.

Les débuts de la guerre de Grenade

Dans ce monde de relations tendues, où le rythme des armements se précipite la guerre de Grenade explose avec une violence qui n'a rien à voir avec l'importance réelle, à ses débuts, d'une opération militaire de second, voire de troisième ordre. Mais on ne saurait dire à quel point cette nouvelle « sonnante » a pu susciter au dehors calculs et espoirs, combien elle a exalté les passions et transformé le climat de l'Espagne.

Les faits sont connus. A l'origine, un incident insignifiant : quelques Morisques, dans la nuit qui suit la Noël de 1568, gagnent Grenade, pénètrent dans la ville, demandant à grands cris que ceux qui veulent défendre la religion de Mahomet les suivent[1]. Entrés une soixantaine, ils ressortent un millier[2]. « Il se confirme, écrit le nonce à Madrid, que ce n'est pas un fait d'aussi grande importance qu'on le dira peut-être »[3]. Effectivement, l'Albaïcin, la grande ville indigène, n'a pas bougé. Rien ne dit pourtant que, sans la neige qui avait bloqué les passes de la montagne, Grenade n'eût pas été envahie par des forces considérables[4]. Le coup de main aurait pu avoir alors un tout autre effet et incendier la ville entière. Son échec obligea les révoltés à se réfugier dans la montagne ; d'autres Morisques les y rejoignirent bientôt, plus souvent originaires des autres localités du royaume que de sa capitale[5]. On les évaluait à 4 000 environ. « Les uns disent davantage, les autres moins, écrivait Sauli à la République de Gênes. Jusqu'à présent, je n'ai pu en savoir le vrai. On juge que ce sera un feu de paille, car le soulèvement a lieu hors de saison, et les préparatifs qui se font contre eux sont infinis. De Cordoue, d'Ubeda, de Baeza et autres lieux sont sortis un grand nombre de cavaliers et de fantassins »[6]. Selon certains bruits, les Morisques auraient fortifié Orgiba, une ville du duc de Sessa, mais sans artillerie, que faire ? « On a dit, continue Sauli, que parmi eux il y aurait 300 Turcs, mais par ailleurs, on apprend qu'il s'agit seulement de huit ou dix rescapés d'une galiote qui avait donné par le travers sur ces côtes. » Rapport plutôt optimiste ; on n'en est encore qu'aux premiers jours de l'affaire, et cette prose est malgré tout d'un partisan : Sauli, comme tous les agents génois (ou toscans d'ailleurs) dit en parlant des Espagnols : « les nôtres » ; Fourquevaux, comme bien on pense, est à la fois plus objectif et moins optimiste.

Car cette guerre de religion, cette guerre de civilisations ennemies, s'étend d'elle-même avec rapidité, dans un terrain préparé à l'avance par la haine et la misère[7]. Dès janvier, Almeria est bloquée par les révoltés[8]. En février, le duc de Sesa qui a ses domaines, villages, villes et vassaux à Grenade, estime à 150 000 le nombre des révoltés, dont 45 000 en état de porter les armes[9].

---

1. Madrid, 5 janv. 1569, L. SERRANO, *op. cit.*, III, p. 23-24.
2. Sauli à la Seigneurie de Gênes, 5 janv. 1569, A. d. S. Gênes, Lettere Ministri Spagna 4, 2413.
3. Voir ci-dessus, note 1.
4. Pedro de MEDINA, *op. cit.*, p. 147 v°.
5. Voir ci-dessus, note 2.
6. *Ibid.*
7. HURTADO DE MENDOZA, *op. cit.*, p. 71.
8. 13 janv. 1569, FOURQUEVAUX, *op. cit.*, II, p. 45.
9. 28 févr. 1569, *ibid.*, II, p. 56.

En mars, la révolte déborde de la montagne sur la plaine[1]. Et la liaison des révoltés avec Alger ne fait plus de doute pour personne[2].

Pour les responsables, d'ailleurs, le soulèvement avait tout de suite paru grave. Peut-être parce que le Midi de l'Espagne avait été inconsidérément dégarni d'hommes, afin d'alimenter l'expédition du duc d'Albe. Plus qu'ailleurs on y avait multiplié les recrutements. Et puis, l'Espagne était déshabituée de la guerre chez elle. Elle n'était pas en posture de combat. La première précaution fut d'envoyer de l'argent, pour des levées immédiates, à Mondéjar, capitaine général de Grenade, et au marquis de Los Velez, gouverneur de Murcie. En même temps, les galères espagnoles étaient alertées pour empêcher d'éventuels secours en provenance d'Afrique[3].

Le gouvernement espagnol s'efforça de tenir secrète la révolte : *sera bien de tener secreto lo de Granada*, écrivait Philippe II en marge d'une lettre destinée au vice-roi de Naples[4]. Mais comment faire, lui répondait-on de Naples, le 19 février[5], alors que la nouvelle circule déjà, transmise par Gênes et par Rome ? Et bien entendu, elle a pris rapidement le chemin de Constantinople, où les révoltés ont envoyé eux-mêmes une demande de secours[6]. Du cœur de l'Espagne à la Turquie fonctionne une chaîne ininterrompue de relais pour les nouvelles, sans compter ces Morisques itinérants et fugitifs, infatigables marcheurs, voyageurs et agents de liaison : ils ont leurs correspondants et leurs avocats en Afrique du Nord, comme à Constantinople. Aussi bien, à l'origine de l'affaire morisque, tout comme dans l'incendie de l'arsenal vénitien, il n'est pas sûr que le gouvernement turc ne se soit pas immiscé... En juin 1568, Don Juan est en grande conversation, à Barcelone, avec un capitaine grec qui lui offre de soulever la Morée. Pourquoi ne pas imaginer, en 1565, 1566, 1567 ou 1568, une rencontre analogue, celle d'un Tagarin ou d'un Mudejar avec un quelconque des maîtres de la flotte turque ?

En tout cas, dès que la nouvelle eut franchi les espaces de la mer Intérieure et les épaisseurs de l'Europe, il y eut pour le moins deux guerres morisques différentes : la réelle qui se déroulait dans les hauts pays de la Sierra Nevada, assez décousue et décevante, guerre de montagnes, pleine de surprises, de difficultés, d'affreuses cruautés aussi ; l'autre, cette « guerre de Grenade » telle qu'au loin la dessinent les avis les plus contradictoires, destinés à remuer toutes les passions. Passions d'Europe. Et passions d'Orient, qu'alimente un réseau serré de complicités et d'espionnage, en sens inverse de celui que nous suivons, avec tant de facilité d'Est en Ouest, parce qu'il concerne l'Europe Occidentale et que l'Europe Occidentale a rangé ses papiers.

---

1. Avis d'Espagne, 20 mars 1569, *ibid.*, II, p. 62.
2. Sauli à la S^ie de Gênes, Madrid, 14 avr. 1569, A. d. S. Gênes, Lettere Ministri, Spagna 1/2413.
3. Philippe II à Requesens, 15 janv. 1569, Simancas E° 910, ordre de venir sur les côtes d'Espagne avec 24 ou 28 galères.
4. Simancas E° 1057, f° 105, Madrid, 20 janvier 1569.
5. Vice-roi de Naples au roi, Naples, 19 février 1569, Simancas E° 1057, f° 36.
6. B^a Ferrero à la S^ie de Gênes, Constantinople, 23 juill. 1569, A. d. S. Gênes, Costantinopoli, 2/2170 : *li mori di Granata etiam scriven qui al grand Sre e a tutti li principalli suplichando che se li manda socorso de arme solo che de gente sono assai...*, demandant l'envoi de l'armada en 1570 ; les régions du détroit de Gibraltar sont mal gardées et faciles à prendre. A. de HERRERA, *Libro de agricultura..., op. cit.*, 1598, rapporte dans son premier dialogue que la révolte de Grenade fut connue même à Constantinople où elle fut tout d'abord prise pour une fable, c'est là un on-dit (*segun se dize*) pour le moins curieux, 341 v°.

Quelles que soient les proportions de l'affaire, l'Espagne est secouée dans toute sa masse par cette guerre domestique. En janvier 1569, le soulèvement est le thème de toutes les conversations de la cour[1], la « plus sonnante nouvelle que l'on ait icy à présent », comme dit Fourquevaux[2]. « L'alarme est très chaude, en tout le royaume », continue l'ambassadeur[3] qui trouve l'occasion bonne de philosopher : c'est bien un signe des temps que les révoltes de sujets contre leurs princes légitimes, hier contre Charles IX en France, contre Marie Stuart en Écosse, contre le Roi Catholique dans les Flandres. « Le monde est aujourd'hui enclin à sédition et les subjects à rebellion en divers endroictz. » Charles IX répondra d'une plume plus ou moins sincère, qu'il espère bien que ces séditieux seront châtiés, et « tous ceulx qui comme eux ont pris les armes pour troubler l'estat de leur Roy et souverain »[4]. Mais était-il fâché de la situation qui, pour l'Espagne, devenait préoccupante ?

Les mesures de riposte demandèrent, en effet, du temps pour se mettre en place. Comment agir vite dans ces montagnes difficiles, sauvages où les colonnes risquaient de mourir de faim — et en mouraient, le cas échéant ? Comment bloquer la longue côte des pays insoumis, aux anses innombrables, accessibles aux navires d'Alger ou de Barbarie, porteurs d'hommes, de munitions, d'armes (les captifs chrétiens servent de paiement : un prisonnier pour une escopette[5]), d'artillerie[6] et de vivres, riz, blé ou farine ? Au long de ces côtes où des seigneurs — non point le roi — sont les maîtres ordinaires, où la contrebande et la course ont leurs chemins et leurs habitudes[7]. Sur mer et sur terre, rien ne va bien au début. Mondéjar est un admirable chef, mais derrière lui, le futur cardinal Deza le dessert et le paralyse. Il contribue à mettre en avant le marquis de Los Velez, un incapable. L'inefficacité de la répression étend l'affreuse guerre qui déjà progresse d'elle-même.

Tout cela n'empêche point Philippe II de faire beau visage : du tumulte de Grenade, il ne « faict point de cas par semblant », note Fourquevaux[8]. Il prétend que les Turcs ont bien d'autres soucis ; que le secours algérois est impossible, avec la garde des galères ; il suffira, pour tout faire rentrer dans l'ordre, des seules « communautés chrétiennes », entendez les milices d'Andalousie... Optimisme officiel qu'on ne partage pas à l'étranger où les agents de l'Espagne se fatiguent à lutter contre les exagérations malveillantes. A Londres, Guerau de Spes se lamente particulièrement à ce sujet. En mai, on a été jusqu'à publier « à bouche pleine » que d'autres royaumes d'Espagne s'étaient soulevés contre Sa Majesté. « Les gens d'ici ne connaissent pas la fidélité des Espagnols... »[9].

Il est vrai qu'à toutes ces rumeurs grossissantes, les Espagnols n'ont pas à opposer une de ces bonnes victoires où l'on précise, avec le champ de bataille, le nombre des morts et des prisonniers... Les opérations sont décousues, les

1. 13 janv. 1569, Fourquevaux, *op. cit.*, II, p. 47-48.
2. *Ibid.*, p. 45.
3. *Ibid.*, p. 46.
4. Charles IX à Fourquevaux, Metz, 14 mars 1569, C. Douais, *Lettres de Charles IX à M. de Fourquevaux*, p. 206.
5. H. Forneron, *op. cit.*, II, p. 161.
6. 23 janv. 1569, Fourquevaux, *op. cit.*, II, p. 51.
7. *Avisos sobre cosas tocantes al Reyno de Granada*, 1569, Simancas E° 151, f° 83.
8. Fourquevaux, *op. cit.*, II, p. 56.
9. Guerau de Spes au roi, Londres, 2 avr. 1569, *CODOIN*, XC, p. 219 ; du même au même, 9 mai 1569, *ibid.*, p. 228. Notre citation se rapporte à cette seconde lettre.

effectifs minces dans cette petite guerre cruelle où, en dehors de tout contrôle, de vraies chasses à l'homme s'organisent, d'un côté comme de l'autre[1]. Guerre de patrouilles, mal faite pour les communiqués. La tempête qui disperse et malmène les galères du grand commandeur de Castille au large de Marseille, le 8 avril, alors qu'elles rejoignaient les côtes d'Espagne, y fait figure de grand événement, bien qu'elle n'ait point eu l'allure de catastrophe qu'on se plut alors à annoncer[2].

Mal engagée et mal conduite, avec des fautes à tous les échelons, la guerre de Grenade faisait long feu et coûtait cher. La nomination de Don Juan d'Autriche au commandement général, au mois d'avril ne changea rien, au début. L'expérience avait montré l'impossibilité de se servir des seules milices, la nécessité de faire venir des troupes d'Italie (prélevées sur les *tercios* de Naples[3] et de Lombardie[4]), de lever des troupes en Catalogne[5]. Il fallut donner à ces renforts le temps d'arriver et la situation ne se retourna avec netteté qu'à partir de janvier 1570, quand Don Juan, enfin libre d'agir, se décida à porter les premiers grands coups. Janvier 1570 c'est-à-dire un an après le début de l'insurrection.

Jusque-là, qu'avait-on fait ? Rien à peu près, sinon nourrir des espoirs — notamment que la famine, à elle seule, saurait réduire les insurgés[6]. Et conserver Grenade que, jusqu'à la fin de l'année, Don Juan d'Autriche aura l'ordre exprès de ne pas quitter[7]. On a voulu y voir une « brimade » de Philippe II à l'égard de Don Juan : c'est une fois de plus « personnaliser » une politique qui ne manque point de raisons d'être, en dehors des personnes. C'est aussi minimiser les craintes des responsables que résume l'exclamation de Francés de Alava : « Dieu veuille qu'avant que ce chien [le sultan dont on apprend les préparatifs maritimes] puisse armer, les révoltés de l'Alpujarra aient été châtiés ! »[8]. On pouvait craindre aussi que la sédition s'étendît hors du royaume et que les Morisques d'Aragon « fissent les enragez comme les dits de Grenade font »[9]. Ce n'est plus à 30 000 hommes (nombre présumé des révoltés au début d'août), mais à 100 000 au bas mot qu'il faudrait faire face dans ce cas[10].

1. De vraies guerres américaines, G. FRIEDERICI, *Der Charakter...*, op. cit., I, p. 463. Dans la si curieuse lettre du roi des révoltés Mohammed Aben Humeya à D. J. d'Autriche, Ferreyra, 23 juill. 1569, Arch. Gouv. Gal de l'Algérie, Registre no 1686, fo 175-179, le roi des insurgés indique que tous les jours arrivent entre ses mains (comme sa propre part) de six à dix prisonniers chrétiens.

2. Michel Orvieto à Marguerite de Parme, Madrid, 1er avr. 1569, A. d. S. Naples, Farnesiane, Spagna, fasc. 5/1, fo 242, indique le mouvement des galères vers l'Espagne. Pescaire au duc d'Alcala, 17 avr. 1569, Simancas Eo 1057, fo 53 : à la nouvelle du désastre, il a l'intention d'envoyer en Espagne l'escadre de Juan de Cardona. *Récit du succez et journée que le Grand Commandeur de Castille a eu allant avec vingt-cinq galères contre les Mores*, Lyon, Benoist-Rigaud 8o Pièce, 14 p., B. N., Paris, Oi 69 (1569), rapport pro-espagnol; FOURQUEVAUX, op. cit., II, p. 75, 4 mai 1569 : s'il n'y avait cette garde des galères, les Morisques se réfugieraient en Afrique du Nord.

3. H. FORNERON, op. cit., II, p. 178, sans doute troupes amenées par Alvaro de Bazan, cf. la note suivante. Sauli à la Sie de Gênes, Madrid, 20 mai 1569, A. d. S. Gênes, Lettere Ministri, Spagna 4/2413; Philippe II à Don Juan d'Autriche, Aranjuez, 20 mai 1569, *CODOIN*, XXVIII, p. 10.

4. J. de Samaniega au duc de Parme, Madrid, 18 mai 1569, A. d. S. Naples, Farnesiane, Spagna, fasc. 5/1, fos 256-257.

5. *Ibid.*, fo 274, le même au même, Madrid, 25 juin 1569.

6. Sauli à la Sie de Gênes, voir note 3.

7. Philippe II à Don Juan d'Autriche, Aranjuez, 20 mai 1569, *CODOIN*, XXVIII, p. 10. Grenade est le seul point sauvegardé, Castagna à Alessandrino, Madrid, 13 juill. 1569, L. SERRANO, op. cit., III, p. 111.

8. A Çayas, Paris, 2 août 1569, A. N., K 1511, B 24, no 35.

9. Madrid, 6 août 1569, FOURQUEVAUX, op. cit., II, pp. 101-102.

10. *Ibid.*., p. 109, 19 août 1569.

Non, il ne s'agissait point de « brimer » Don Juan. Mais de comprendre ce qu'il convenait de faire. Il avait fallu du temps, beaucoup de temps à Philippe II, pour s'apercevoir que le succès qu'annonçait un courrier[1] et qui paraissait décisif, n'était rien en réalité, les Morisques pouvant fuir « comme daims » devant les arquebuses espagnoles[2] et ne pas s'en porter plus mal. Pour comprendre que l'on devait prendre la chose au sérieux, que la situation, telle qu'elle était à l'automne : le bas pays et les villes aux Chrétiens, les montagnes aux rebelles[3], menaçait de s'éterniser, et dangereusement, étant donné l'étendue des préparatifs que le Turc faisait visiblement à Constantinople.

On jugera cette compréhension tardive. Mais, une fois de plus, les craintes même de Philippe II sont paralysantes. La menace de la flotte turque exigerait qu'on en finisse avec Grenade, soit. Mais cette menace expose l'Italie autant que l'Espagne et, en octobre, Juan de Zuñiga a demandé au roi de renforcer l'armée espagnole d'Italie[4], cette Italie que l'on a dégarnie pour les Flandres, qu'il importerait encore de dégarnir (c'est ce qu'on fera en décembre) pour Grenade. Il faudrait de l'argent aussi, encore de l'argent, et les immenses dépenses des Flandres en absorbent tellement déjà... Il a fallu d'une part que le péril d'une intervention extérieure se précisât d'une façon nette, d'autre part que la guerre prît vraiment mauvaise tournure pour que Philippe II se résignât au nécessaire.

Le 26 octobre, on dit officiellement au nonce, que si la guerre se poursuivait pendant l'hiver, si elle gagnait les autres régions morisques, si, enfin, le Turc intervenait, c'était l'Espagne qui risquait de retomber aux mains des Musulmans. Le nonce pensa bien que cet aveu était destiné à arracher des concessions au Souverain Pontife, notamment celle de la *Cruzada*, mais il correspondait à une inquiétude réelle[5]. On connaissait parfaitement, à Madrid, les liens des Morisques avec le monde musulman. Durant l'automne, on apprit successivement que les ambassadeurs morisques, de retour de Constantinople, avaient été reçus à Alger où on leur avait promis des milliers d'arquebuses[6] ; puis que trois Juifs, riches marchands venus à la Cour de France à cause de leurs intérêts dans les créances de Joseph Micas, racontaient que l'armada viendrait en 1570, *a dar color y ayuda a los moros de Granada*. La demande en avait été faite aux Turcs par des envoyés morisques, et de la part des rois du Maroc, de Fez et de « trois ou quatre autres de Barbarie...[7] ». Ce qui concordait avec les renseignements, arrivés presque au même moment à Madrid, au sujet des préparatifs militaires du chérif contre les présides marocains ; ils faisaient craindre une invasion concertée de l'Espagne par les Musulmans[8].

Or, chacun reconnaissait maintenant que les choses allaient fort mal à Grenade, le nonce[9], l'agent toscan Nobili[10] et Philippe II lui-même, dans sa

---

1. *Ibid.*, p. 107.
2. *Ibid.*, 19 août 1569, p. 111.
3. *Ibid*, 17 sept. 1569, p. 117-118.
4. Au roi, Rome, 14 oct. 1569, L. SERRANO, *op. cit.*, III, p. 163.
5. Madrid, 26 oct. 1569, *ibid.*, p. 180.
6. 31 oct. 1569, FOURQUEVAUX, *op. cit.*, II, pp. 128-129. C. PEREYRA indique (*Imperio español*, p. 168) que les Anglais auraient aidé les Morisques...
7. F. de Alava au roi, Tours, 9 déc. 1569, A. N., K 1513, B 25, n° 138. Grandchamp de Grantrye à Catherine de Médicis, Const., 16 oct. 1569, E. CHARRIÈRE, *op. cit.*, III, p. 94, éventuelle mise de Toulon à la disposition des Turcs.
8. Avis d'Espagne, 19 déc. 1569, FOURQUEVAUX, *op. cit.*, II, p. 165.
9. Madrid, 2 oct. 1569, L. SERRANO, *op. cit.*, III, p. 161.
10. Nobili au prince, Barcelone, 4 déc. 1569, A. d. S. Florence, Mediceo 4898, f° 550.

correspondance avec Don Juan[1]. Les signes en étaient d'ailleurs visibles. En décembre, on expulsait tous les Morisques de la ville de Grenade, mesure excessive, désespérée[2], qui fait penser que les renseignements reçus aux Pays-Bas dans les derniers jours de l'année étaient justes : à savoir que les Maures, parfois armés d'arquebuses, faisaient de très nombreuses incursions dans le royaume, si bien qu'à Grenade ou à Séville, les gens n'osaient plus « mettre le nez dehors »[3]. Il était temps d'agir. Le 26 décembre, Philippe décidait, pour se rapprocher du théâtre d'opérations, de tenir les Cortès de Castille à Cordoue[4].

Une conséquence de Grenade : la prise de Tunis par Euldj Ali

Les embarras de Philippe II à Grenade allaient coûter son trône à l'un des « rois » de Berbérie... A Tunis, le protégé de Charles Quint, Muley Hassan, remis sur le trône par l'empereur et contre les Turcs, en 1535, avait été évincé par son propre fils, Muley Hamida. Celui-ci, pris entre les Espagnols, les Turcs et ses « sujets », c'est-à-dire les gens de Tunis et les Arabes, nomades et sédentaires du Sud, avait gouverné comme il avait pu, plutôt mal que bien. Peut-être en s'appuyant, comme le suggère une remarque de Haedo[5], sur les petites gens contre les grands seigneurs, mais de toute façon, en trahissant et mécontentant tout le monde. Après vingt ans d'exercice de ses fonctions, il avait donc plus d'un ennemi domestique et son pouvoir était plus fragile que ne l'avait jamais été celui des souverains de Tunis. La proie était à prendre et la guerre de Grenade allait la faire choir entre les mains des Algérois.

Car si les Algérois, en 1569, ont aidé les Morisques dans leur révolte — par intérêt, par lucre et aussi par passion religieuse : c'est dans une mosquée d'Alger qu'on rassemble les nombreuses armes offertes pour les révoltés — il ne semble pas qu'Euldj Ali, roi d'Alger depuis mars 1568, ait voulu assumer pour eux de gros risques. Il s'est occupé, comme le remarque Haedo, de la défense de sa ville beaucoup plus que de Grenade. Peut-être sur un ordre de Constantinople, mais beaucoup plus probablement à cause des sollicitations d'agents espagnols : nous connaissons au moins les instructions données à un certain J. B. Gonguzza delle Castelle, qui fut dépêché à Alger, en 1569[6]. D'ailleurs, aider largement les Morisques eût signifié forcer le barrage maritime de l'Espagne, opération qui pouvait être coûteuse. Et peut-être Euldj Ali ne tenait-il pas à voir se prolonger le blocus économique pratiqué par l'Espagne à son endroit[7].

Mais surtout, pourquoi se dépenser pour autrui, alors que la guerre de Grenade offrait une occasion particulièrement propice de mettre à exécution le projet, cher à tous les maîtres d'Alger : la conquête entière de la péninsule nord-africaine ? C'est la reprise du coup de main de Barberousse en 1534, et, si l'on veut, bien que dans une autre direction, celle de l'expédition de Salah Reis contre Fez, en 1554. Preuve de l'efficacité du service de renseignements espagnol

---

1. Madrid, 26 nov. 1569, *CODOIN*, XXVIII, p. 38.
2. Fourquevaux, *op. cit.*, II, p. 165.
3. Ferrals à Charles IX, Bruxelles, 29 déc. 1569, B. N., Paris, Fr. 16123, f° 297 v°, *... de sorte que ceulx de Grenade et moins ceulx de Séville n'ausent mectre le nez dehors...*
4. Philippe à Guerau de Spes, Madrid, 26 déc. 1569, *CODOIN*, XC, p. 318.
5. *Op, cit.*, p. 78.
6. Simancas E° 487.
7. Le commerce est en effet interdit en direction d'Alger. Un marchand français arrêté à Valence, 1569, Simancas E° 487 ; pas de navires à Málaga à cause de la guerre. Inquisition de Grenade au C° S° de l'Inquisition, A.H.N., 2604, 17 mars 1570.

et de ses liaisons avec Alger, on a connu à Madrid tous les projets d'Euldj Ali, le retour des ambassadeurs morisques venant de Constantinople[1], les difficultés du « roi » avec Dely Hassan, maître de Biskra[2], et enfin la conquête de Tunis. Le 8 octobre, en effet, un Espagnol prisonnier à Alger, le capitaine Hieronimo de Mendoza, disait avoir eu connaissance, de source très sûre, des préparatifs d'Euldj Ali contre Muley Hamida. Le 29 octobre, une nouvelle lettre confirmait la première et Philippe II donnait l'ordre d'avertir immédiatement D. Alonso Pimentel, le gouverneur de La Goulette[3].

Cependant, Euldj Ali avait déjà quitté Alger, au cours du mois d'octobre[4], sans se faire accompagner d'aucune flotte (la mer avait déjà cessé d'être praticable), avec 4 ou 5 000 janissaires qui prirent la route de terre, par Constantine et Bône[5]. A son passage, de Grande et de Petite Kabylie, de nombreux volontaires se joignirent à son armée, plusieurs milliers de cavaliers notamment avec lesquels il déboucha sur la plaine de Béjà, à deux petites journées seulement de Tunis. Les soldats de Muley Hamida s'étant débandés sans avoir combattu, le roi vaincu se réfugia dans sa ville, puis ne s'y sentant pas en sûreté, gagna la forteresse espagnole de La Goulette, avec quelques fidèles et ce qu'en route, on n'avait pu lui dérober de ses trésors. Fin décembre, dit Haedo (mais un avis d'Alger donne comme date le 19 janvier, ce qui semble plus exact[6]), Euldj Ali entrait à Tunis, sans combat. Le Calabrais, bien reçu par les Tunisois[7], occupa le palais et organisa sa conquête, parlant haut, menaçant, corrigeant ; en mars[8], il reprit le chemin d'Alger, laissant à Tunis une grosse garnison qui vécut aux dépens des Tunisiens, sous le gouvernement d'un de ses lieutenants, un renégat sarde, Cayto Ramadan[9].

Mais sans la grosse alerte de Grenade, avec une armada chrétienne concentrée à Messine, l'opération eût été très risquée. Et d'ailleurs l'Espagne allait-elle accepter l'événement[10] ?

Grenade et la guerre de Chypre

La prise de Tunis, en janvier 1570, a été la conséquence du déséquilibre créé par la guerre de Grenade. Ce déséquilibre intervient aussi dans la guerre de

---

1. Madrid, 31 oct. 1569, FOURQUEVAUX, *op. cit.*, II, pp. 128-129.
2. Avis d'Espagne, 19 déc. 1569, *ibid.*, p. 165.
3. Jeronimo de Mendoza au comte de Benavente, Alger, 8 oct. 1569, Simancas E⁰ 333 ; Sauli à la Sᵉ de Gênes, Cordoue, 26 février 1570, A. d. S. Gênes, L. M., Spagna 4/2513 : le même au même, 29 oct., Simancas E⁰ 487. Philippe II écrit, en marge de ce rapport : *sera bien embiar con este coreo a don Aº Pimentel...*
4. *Memorias del Cautivo*, p. 2, septembre et non octobre.
5. D. de HAEDO, *op. cit.*, 78 v⁰.
6. Avis d'Alger, 22 févr. 1570, Simancas E⁰ 487 ; Palmerini, B. Com. Palerme, Qq D. 84, place l'événement en 1569, mais est souvent fautif. A Rome, la nouvelle de la prise de Tunis n'arrive que dans la nuit du 8 au 9 févr. 1570. L'évêque du Mans au roi, Rome, 13 févr. 1570, B. N., Paris, Fr. 17 989, fᵒˢ 147 et 147 v⁰. La nouvelle arrivera à Constantinople le 2 avr. 1570, Const. 7 avr. 1570, Simancas E⁰ 1058, fᵒ 41. *Memorias del Cautivo*, p. 5, prise de Tunis en janvier 1570.
7. Avis d'Alger, voir note précédente, le Calabrais fut bien reçu par les Tunisois (*fue muy bien recebido de todos ellos*).
8. Haedo dit février ; avis d'Alger, 1-6 avr. 1570, Simancas E⁰ 487, il aurait quitté Tunis le 10 mars.
9. *Memorias del Cautivo*, p. 5.
10. Fourquevaux au roi, Cordoue, 22 avr. 1570, FOURQUEVAUX, *op. cit.*, II, p. 216.

Chypre, le grand événement de l'année 1570, et dans la conclusion de la Ligue entre Rome, Venise et l'Espagne, conséquence directe de l'attaque turque.

La guerre morisque, en effet, s'est prolongée durant toute l'année 1570, au moins jusqu'au 30 novembre, date à laquelle Don Juan a laissé Grenade sinon entièrement, du moins pratiquement pacifiée. Elle s'est prolongée sans cesser d'être une guerre difficile et coûteuse. Pourtant, avec la nouvelle année, elle avait pris un autre visage. Nul doute que le tout jeune Don Juan d'Autriche — il avait 23 ans — ne fût déjà un vrai chef, par son allant et son courage. Le roi avait mis de gros moyens à sa disposition et sa présence à Cordoue, à partir de janvier, en abrégeant les va-et-vient des ordres et des rapports, en obligeant les exécutants à plus de zèle, eut ses avantages, que n'apprécièrent peut-être ni les gens de la Cour, ni les agents diplomatiques qu'on obligeait à vivre sur les arrières de l'armée, aux prises avec de multiples petites difficultés de logement et de nourriture[1].

La situation ne se renversa pas d'un coup. Le premier gros engagement, à l'occasion du siège de la petite ville morisque de Galera, haut perchée et difficile d'accès, où l'artillerie ne pouvait facilement « nuyre »[2] ne fut pas un succès. La garnison lutta avec une énergie surhumaine et l'attaquant dut, lui-même, déployer des vertus peu communes pour emporter la place, après une affreuse tuerie. La ville tombée ouvrait le chemin de la montagne : les troupes victorieuses s'y engagèrent. Mais les Morisques fondirent alors sur elles des hauteurs de la Sierra de Seron et une panique incoercible fit refluer les vainqueurs de la veille[3]. C'est au cours de ce presque désastre que le précepteur de Don Juan, Luis Quijada, trouva la mort[4].

Cette guerre d'embuscades était faite pour démoraliser le soldat, le porter, au gré des événements, à la cruauté, à la lâcheté ou au désespoir. Don Juan, en mars, parle lui-même de la démoralisation de ses hommes[5], de leur indiscipline[6]. A peine réunies, les troupes se débandent... L'appel du pillage déclenche une guerre individuelle et spontanée qui gagne comme une lèpre, touche même les pays pacifiques. Toutes les villes d'Espagne sont encombrées d'esclaves morisques à vendre ; on en expédie par bateaux en direction de l'Italie. Dans la montagne cependant, les insurgés sont encore 25 000 environ, dont 4 000 Turcs ou Barbaresques. Il leur reste des vivres en abondance (chez eux les céréales ne valent que quatre réaux le *staro* et le blé 10 réaux, note un informateur[7]) ; ils ont des figues et des raisins secs et peuvent compter sur le ravitaillement des brigantins et des fustes d'Alger[8]. Surtout l'espoir de l'intervention turque les

---

1. Nobili au prince, Madrid, 18 janv. 1570, A. d. S. Florence, Mediceo, 4849, f⁰ˢ 10 et 11 v⁰ : *quivi dicono ch'è gran penuria di tutte le cose onde non è molto approbata questa gita como non necessaria*, f⁰ 9 v⁰ ; ... *che noi andiamo in una provincia penuriosa di tutt'i viveri per cagione del mal recolto e della guerra de Mori : staremo a ridosso d'un esercito che già patisce infinitamente...*
2. Madrid, 3 févr. 1570, FOURQUEVAUX, *op. cit.*, II, p. 190.
3. Sauli à la Sᵉ de Gênes, Cordoue, 26 février 1570, A. d. S. Gênes, L. M. Spagna 4/2413.
4. Don Juan à Philippe II, Caniles, 19 févr. 1570, *CODOIN*, XXVIII, p. 49 ; le même au même, Caniles, 25 févr. 1570, A. E. Esp. 236, f⁰ 13.
5. A Philippe II, Tijola, 12 mars 1570, *CODOIN*, XXVIII, p. 79.
6. Le même au même, 30 mars 1570, 6 mai 1570, *ibid.*, pp. 83 et 89.
7. L'information de Nobili (voir note 1) est-elle juste ? Du blé en tout cas est envoyé d'Alger aux révoltés, avis d'Alger, 1ᵉʳ et 6 avril 1570, Simancas E⁰ 487.
8. Dietrichstein à Maximilien II, Séville, 17 mai 1570, P. HERRE, *op. cit.*, p. 113, note 1. Le roi d'Alger aurait promis d'envoyer cinq navires de vivres et de munitions.

soutient[1]. Sans doute est-ce la montagne qui seule les garantit contre la supériorité de leur adversaire. Mais c'est un gros problème de réduire l'énorme massif. Les deux colonnes qui se partagent les forces espagnoles, l'une avec Don Juan lui-même, l'autre avec le duc de Sessa, progressent très lentement. Le 27 mars, Sauli, donnant quelques détails sur les dernières avances, conclut une lettre pleine de « très bonnes nouvelles », par ces mots : *e con questo, li Mori restano del tutto esclusi della pianura*, les Maures se trouvent entièrement rejetés de la plaine[2]...

Suivre le détail des opérations, comme les correspondants diplomatiques de Madrid, tâche décevante : bonnes et mauvaises nouvelles se succèdent avec une apparente incohérence qui finit par dérouter les meilleurs observateurs et fait dire à Nobili (nous traduisons largement, en langage moderne) que « la guerre des Maures est le régime de la douche alternée, chaude et froide... »[3]. Ainsi, en mai 1570, tout près de Séville, une dizaine de milliers de Morisques, vassaux du duc de Medina Sidonia et du duc d'Arcos, se soulèvent : voilà la mauvaise nouvelle. Mais on apprend bientôt, et c'est la bonne surprise, que les révoltés n'ont pas rejoint la montagne dissidente : le roi a eu l'excellente idée de leur dépêcher leurs seigneurs qui les ont calmés et ramenés pour la plupart à leurs demeures. Ils ne s'étaient soulevés que parce que les Espagnols, profitant de la proximité du théâtre de la guerre, les enlevaient pour les vendre comme soi-disant butin et volaient leurs biens et leurs femmes[4]. Même aventure en mars, dans un village valencien où la révolte s'était allumée, puis éteinte aussitôt. Ces deux exemples indiquent toutefois que la guerre était loin d'être sûrement circonscrite. Mais le gros danger restait l'Alpujarras, ce monde sauvage, quasiment indomptable, où se réfugiait la dissidence. Jamais, même au XXe siècle, la guerre de montagne n'a été facile. Celle-ci, en 1570, « consume et brusle l'Espagne à petit feu »[5].

Ce que ne pouvaient les armes, la diplomatie — pourquoi ne pas dire le service des affaires indigènes ? — finit par l'obtenir. Le premier roi des révoltés avait été assassiné. Le second subit le même sort. Le capitaine général de la révolte, l'Albaqui, arrivait le 20 mai au camp de Don Juan, baisait les mains du prince et se soumettait. Une paix fut signée. Les Morisques obtenaient leur pardon, l'autorisation de porter leur costume national, mais devaient se soumettre dans les dix jours et déposer leurs armes en des points désignés à l'avance. Les Barbaresques pourraient gagner l'Afrique sans être inquiétés[6]. Conditions assez douces qui permirent de parler de la « naturelle clémence de Sa Majesté »[7], mais elles témoignent surtout de son désir de se dégager, à tout prix, d'une dangereuse aventure. Était-ce du moins la vraie paix ?

Au 15 juin, 30 000 Mores avaient déposé les armes : des navires ronds et à rames avaient été mis à la disposition des Turcs pour regagner l'Afrique[8] et le

---

1. Nobili au prince, Cordoue, 27 mars 1570, A. d. S. Florence, Mediceo 4899, fˢ 59 et suivants.
2. Sauli à la Sⁱᵉ de Gênes, Cordoue, 27 mars 1570, A. d. S. Gênes, L. M. Spagna 4/2413.
3. Nobili au prince, Séville, 16 mai 1570, Florence, Mediceo 4899, fᵒ 94 vᵒ.
4. Le même au même, *ibid.*, fᵒ 95 vᵒ ; Juan de Samaniega au duc de Parme, Cordoue, 18 mars 1570, A. d. S. Naples, Carte Farnesiane, Spagna, fasc. 3/2, fᵒ 356.
5. Fourquevaux au roi, Séville, 22 mai 1570, FOURQUEVAUX, *op. cit.*, II, p. 222.
6. Nobili au prince, Cordoue, 25 mai 1570, A. d. S. Florence, 4899, fᵒ 166 vᵒ et rachat des captifs, P. HERRE, *op. cit.*, p. 118.
7. Çayas à F. de Alava, Ubeda, 4 juin 1570, A. N., K 1517, B 28, nᵒ 70.
8. Avis de Grenade, 16 juin 1570, FOURQUEVAUX, *op. cit.*, II, p. 227.

dernier délai pour la soumission fixé à la Saint Jean[1]. Or, dès le 17 juin, les Inquisiteurs commencent à se plaindre : dans Grenade les Morisques soi-disant repentis se promènent, avec leurs armes, et content en public avec beaucoup de liberté leurs exploits, s'enorgueillissant du nombre de Chrétiens qu'ils ont tués et de ce qu'ils ont fait pour « offenser notre sainte foi catholique »[2]. Ils sont nombreux à se rendre à merci, dit une autre lettre, mais nul d'entre eux n'est encore venu confesser ses fautes au Saint-Office[3]. La capitulation n'était-elle pas un simple stratagème ? De petites fustes de Larache continuaient à apporter des armes, à telle enseigne que les galères de Sancho de Leyva avaient saisi cinq ou six petits bâtiments[4]. Or tandis que l'embarquement des Africains tardait[5], les soldats chrétiens, faute d'être payés, se débandaient avec les habituelles conséquences[6]. Tout cela n'était point fait pour donner aux révoltés le respect, ou une crainte salutaire de la force espagnole.

En fait, une guerre sporadique subsistait dans les montagnes, avec de dangereux coups de main contre les Chrétiens isolés[7]. « On réduit peu à peu les Maures de Grenade, écrivait Sauli[8], bien qu'il n'en manque point qui persévèrent dans leur rébellion. 400 Turcs sont passés en Barbarie, mais les Maures barbaresques sont restés. » Deux à trois mille Morisques étaient encore dans la montagne, avec leur « roi », et déclaraient ne vouloir se soumettre qu'à la condition d'être autorisés à rester dans l'Alpujarras, concession à laquelle le gouvernement royal ne voulait consentir. « Pour les réduire, expliquait Sauli, je me suis laissé dire qu'il faudrait pour le moins une campagne d'une année, car ces dits Mores ont récolté beaucoup de grain et semé millet et céréales. Les nôtres ne peuvent les empêcher de moissonner, n'ayant pas d'armée suffisante pour une pareille faction »[9].

Dans ces conditions, quelles illusions pouvait-on avoir au sujet de la « pacification » du royaume ? Don Juan le répétait dans sa lettre du 14 août : on n'aurait la paix qu'en expulsant les Morisques[10]. Oui, mais évacuer un royaume c'était bien autre chose qu'évacuer une ville, comme on l'avait fait l'année précédente, à Grenade. On prit donc à Madrid le parti de dire et répéter que tout était fini. Et chaque ambassadeur de l'écrire à son prince[11] ; au moment même, Don Juan d'Autriche, à pied d'œuvre, discourait sur la façon, ou les façons de réduire les Morisques de Ronda et d'entrer dans l'Alpujarras[12]. En septembre, il était encore question de gâter les vignes et les vergers des révoltés[13], de poursuivre les déserteurs — autre catégorie d'importuns — et en même

---

1. *Ibid.*, p. 226.
2. Les Inquisiteurs de Grenade au Conseil Suprême de l'Inquisition, 17 juin 1570, A. H. N., 2604.
3. Les mêmes au même, 9 juil. 1570, *ibid.*
4. Madrid, 29 juin 1570, Fourquevaux, *op. cit.*, II, p. 241, « chargé de riz, de bled et de farine », *ibid.*, 11 juil.
5. Don J. d'Autriche à Philippe II, 2 juil. 1570, *CODOIN*, XXVIII, p. 110.
6. *Ibid.*, p. 111.
7. Fourquevaux, *op. cit.*, II, p. 241-242.
8. Madrid, 13 juil. 1570, A. d. S. Gênes, L. M. Spagna 4.2413.
9. *Ibid.*, 5 août 1570.
10. Don Juan d'Autriche à Philippe II, 14 août 1570, *CODOIN*, XXVIII, p. 126. Le même à Ruy Gomez, même date, *ibid.*, p. 128.
11. Juan de Samaniega au duc de Parme, Madrid, 20 août 1570, A. d. S. Naples, Carte Farnesiane, fasc. 5/1, f⁰ 394.
12. A Ruy Gomez de Silva, Guadix, 29 août 1570, *CODOIN*, XXVIII, p. 133.
13. Madrid, 20 sept. 1570, Fourquevaux, *op. cit.*, II, p. 268.

36. SIXTE QUINT. École vénitienne, Pinacothèque Vaticane.

37. DON JUAN D'AUTRICHE. Peinture anonyme. Musée de Versailles.

temps de recruter de nouveaux soldats. Car la guerre continuait[1] comme un feu qui n'arrive pas à s'éteindre. Le petit roi des révoltés ne faisait plus face ; il se contentait de fuir de roche en roche. Et tous les forts que l'on construisait dans la montagne, toutes les garnisons dont on les emplissait, n'empêchaient pas les insurgés de glisser à travers les surveillances et d'aller, à bon escient, surprendre les Chrétiens[2].

C'est alors que le gouvernement espagnol se décida à des déportations massives. Nul doute que celles-ci n'aient été décisives. Çayas écrivait à F. de Alava, le 13 octobre : « l'affaire de Grenade est déjà en termes tels que V. S. peut la considérer comme achevée, ainsi qu'il convient au service et à la réputation de S. M. »[3]. Et cette fois, c'était vrai. Au début de novembre, Don Juan annonçait la pacification de la région de Málaga et des sierras de Bentomiz et de Ronda[4]. Les déportations s'étaient accomplies entre temps. Elles ont porté sur 50 000 individus, peut-être davantage, et ont surtout dépeuplé le bas pays. Que l'opération ait été pitoyable à voir, on a, à ce sujet, le témoignage souvent cité de Don Juan, cependant partisan de la déportation. « C'était la plus grande tristesse du monde, écrivait-il, le 5 novembre, à Ruy Gomez, car, au moment du départ, il y eut tant de pluie, de vent et de neige, que ces pauvres gens se suspendaient les uns aux autres en se lamentant. On ne saurait nier qu'assister au dépeuplement d'un royaume est la plus grande pitié qui se puisse imaginer. Enfin, c'est fait »[5]. L'agent des Médicis à Madrid, dont nous avons souvent cité la correspondance, le cavalier Nobili, dégageant assez bien la portée de cette mesure inhumaine, mais efficace, écrivait au grand duc : « Les affaires de Grenade sont maintenant terminées et je les résume d'un mot : les Mores soumis et ceux des basses terres maintenaient vivace la guerre, car secrètement ils fournissaient les révoltés de vivres »[6]. C'est eux qui furent expulsés.

Il ne restait plus désormais dans le royaume de Grenade d'autres insoumis que quelques milliers de Mores vivant comme des brigands[7] et, comme eux, divisés en bandes. Mais n'y en avait-il pas autant, si ce n'est davantage, dans les Pyrénées catalanes ? Sans qu'elle fût parfaite, avec sa marge normale d'insécurité policière, c'était la paix. Les Morisques avaient été réinstallés en Castille, tandis que, dans le royaume pacifié, les Vieux Chrétiens venaient coloniser les belles terres de Grenade : la Chrétienté, finalement, n'avait pas perdu à cette guerre[8].

Le 30 novembre, Don Juan quittait, pour ne plus la revoir, Grenade, théâtre de ses premiers apprentissages. Le 13 décembre, il était à Madrid[9]. Une autre tâche l'y attendait, qui était peut-être la suite même de la guerre

1. Avis d'Espagne, sept. 1570, *ibid.*, II, p. 262-263 ; Madrid, 11 oct. 1570, *ibid.*, II, p. 280.
2. *Ibid.*, p. 277.
3. A. N., K 1516, B 28, nᵒ 7.
4. A Philippe II, 9 novembre 1570, *CODOIN*, XXVIII, p. 140.
5. Don Juan d'Autriche à Ruy Gomez, 5 novembre 1570, « *Al fin, Señor, esto es hecho* », cité par H. Forneron, *op. cit.*, II, pp. 189-190 ; par O. de Törne, *op. cit.*, I., p. 201.
6. Au gᵈ duc, Madrid, 22 janvier 1571, A. d. S., Florence, Mediceo, 4903.
7. Sauli à la Sⁱᵉ de Gênes, Madrid, 11 janvier 1571, A. d. S. Gênes, L. M. Spagna 4/2413 parle de 2 500 Mores vivant comme *bandoleri*.
8. A. de Herrera, *op. cit.*, p. 341 et sq.
9. A. de Fouché-Delbosc, « Conseils d'un Milanais à Don Juan d'Autriche », *in* : *Revue Hispanique*, 1901, p. 60, n. *a*.

qui venait de s'éteindre. Car si les Turcs, à cette heure, attaquaient Chypre (cher et déjà vieux projet de leurs états-majors), n'était-ce pas, entre autres raisons, parce qu'à l'autre extrémité de la mer, l'Espagne semblait entravée par sa guerre domestique ?

Les débuts de la guerre de Chypre [1]

On voit assez bien comment s'est organisée la politique turque, en cet hiver 1569-1570, avec une netteté sinon parfaite, du moins inhabituelle. Car la Turquie du XVIe siècle, historiquement parlant, est à peu près une inconnue. Historiens occidentaux, nous la saisissons du dehors, au travers des rapports d'agents officiels ou officieux de l'Occident. Mais en 1569-1570, le premier vizir, Méhémet Sokolli, est intimement lié au baile de Venise et sa politique n'est pas celle du gouvernement. L'écart de ces deux lignes permet, mieux que d'habitude, de pénétrer jusqu'au cœur de l'empire turc. C'est ce que disent les historiens. Est-ce vrai ?

Le nouvel empereur Sélim, chacun le sait dès son avènement, n'est pas belliqueux. Mais la tradition exige de lui qu'il marque le début de son règne par une conquête brillante, dont les profits permettent de construire et de doter les indispensables mosquées des nouveaux souverains. Nous avons constaté, sans l'expliquer à coup sûr, la semi-inaction des années 1567, 1568 et 1569. En 1569, au moment où éclate la révolte de Grenade, les soucis d'une entreprise en Russie et les vastes opérations de mer Rouge paralysent toute éventuelle action à l'Ouest. Mais les Morisques n'ayant pas encore mis bas les armes à l'automne, le problème de leur soutien se pose de façon aiguë. Le Turc pousserait-il son armada jusqu'aux côtes d'Espagne ? Dans la Péninsule, on a cru à cette possibilité. Mais il fallait à la flotte turque un appui sur la côte barbaresque ou française. La demande du port de Toulon comme abri fut faite ouvertement, si ouvertement même que l'on peut se demander si, plutôt que d'obtenir le port, le dessein n'était pas d'inquiéter l'Espagne, laquelle effectivement connut la chose et la commenta comme l'on pense. En fait les Turcs ont-ils jamais pensé à secourir les Morisques ?

Et d'abord, le secours direct des Grenadins par l'armada était-il techniquement possible, à pareille distance, avec l'évidente nécessité d'un hivernage des galères ? Paul Herre[2], dans son travail érudit sur la guerre de Chypre, estime que oui, mais dans la mesure même où il croit que ce fut réellement la politique désirée et soutenue énergiquement par Méhémet Sokolli, le premier vizir. Politique d'aigle, digne en tous points de Soliman le Magnifique, et dont témoignent mille documents. Mais quels documents ? Les lettres du baile, qui rapporte ses conversations avec le grand vizir. Or, il n'est pas exclu que le grand vizir ait pu jouer son interlocuteur. La confiance qu'il parut lui faire, ses confidences, ses faveurs, ses conversations qu'il n'arrêta même pas la rupture consommée avec Venise, tout cela n'est-il pas très balkanique, très oriental ? et surtout, très conforme à l'intérêt de la politique générale du sultan ? Distraire Venise du péril qui se prépare, puis rester en relations avec elle (car la diplomatie

---

1. Surabondance des sources, cf. à leur sujet, J. von HAMMER, *op. cit.*, VI ; Paolo PARUTA, *Hist. venetiana*, 2e partie, *Guerra di Cipro* ; Uberto FOGLIETTA, *De sacro foedere in Selimum*, Libri IV, Gênes, 1587 ; Giampietro CONTARINI, *Historia delle cose successe dal principio della guerra mossa da Selim Ottomano a'Venetiani*, Venise, 1576.
2. Paul HERRE, *Europäische Politik im cyprischen Krieg, 1570-1573*, Leipzig, 1902.

n'est jamais inutile) : je ne dis pas que tel ait été forcément le sens de la comédie, si comédie il y a eu ; mais je ne crois pas le jeu aussi sincère que le présente Paul Herre, par trop préoccupé comme tant d'autres historiens, de montrer la décadence de la Turquie, de l'illustrer en mesurant la distance qui sépare la « politique d'aigle » de Sokolli : ne pas toucher Venise, mais secourir les Morisques — de la politique médiocre et à courte vue de Sélim : frapper Venise et à l'extrémité de son empire, à Chypre, que l'on sait mal gardé.

C'est reconstruire de façon trop simple, avec le peu que nous savons, la politique turque, si diverse en son centre. Par exemple, dès 1563, la diplomatie ragusaine signalait les plans de... Soliman le Magnifique lui-même pour la prise de Chypre. Bosniaque de naissance, enlevé jeune encore à ses parents chrétiens, gravissant lentement les échelons de l'administration ottomane, en 1555 vizir du Divan, dix ans plus tard premier vizir, gendre de Sélim, Sokolli a grandi dans une cour difficile entre toutes, près d'un maître implacable et redouté. Quel apprentissage de maîtrise de soi, de dissimulation... On le dit ami de Venise ; il lui rendait des services contre très honnêtes récompenses. Ceci n'a jamais engagé un ministre à la cour du Grand Turc. On le prétend pacifique et pacifiste : c'est beaucoup dire, car ce qu'il veut, c'est une *pax turcica*, lourde aux faibles, glorieuse pour la Sublime Porte. Et puis, si la politique de Méhémet Sokolli avait été celle qu'on lui prête, aurait-il pu conserver la direction des affaires, continuer à tenir le gouvernail, alors que le bateau s'engage dans une autre direction ? On dit bien que sa politique fut mesurée, indiquée à demi-mots, adoucie quand il le fallait, laissée de côté au moment opportun. Mais les preuves de cette souplesse, où sont-elles ? Et que cette souplesse lui ait permis — tout en trahissant les desseins de son maître, en travaillant contre eux tout au moins — de résister à ses rivaux, au vizir Lala Mustapha, ancien précepteur du sultan, au général de la mer Piali Pacha, cet intrigant, enfin au grand Juif Micas, voilà qui paraît difficile, quand on connaît l'âpreté des querelles et des rivalités du Sérail. Par parenthèse, on se demandera ce qu'il faut penser du dernier de ces adversaires, personnage si douteux, créancier abusif (c'est certain au moins en ce qui concerne ses réclamations à l'égard de la France), type parfait de ce qu'on appellerait, avec nos idées d'aujourd'hui, l'espion né, sinon le traître de comédie. Sur lui aussi l'Occident — l'Occident seul, hélas — fournit des lettres et des documents : Micas a des relations avec le grand-duc de Toscane, avec Gênes, avec l'Espagne, peut-être avec le Portugal... Trahit-il ? Ou bien, l'hypothèse restant permise, agit-il par ordre, lui aussi, jouant, sans oublier d'en tirer son profit personnel, un rôle calculé dans une politique plus concertée qu'on ne le croit ? Pour Paul Herre, c'est seulement un personnage « rien moins que propre »[1], qui agit par rancune ou par intérêt. Par rancune contre Venise qui a séquestré une partie des biens de sa femme ; par intérêt car dès 1569[2], on le dit désireux de devenir roi de Chypre, d'y installer une colonie de ses coreligionnaires. C'est vrai peut-être... Mais entre autres choses. Sans vouloir certes, comme le biographe et admirateur de cet inquiétant personnage[3], le faire blanc comme neige, reconnaissons qu'il nous échappe, que nous l'apercevons mal et, plus généralement, qu'il est dangereux d'aborder

---

1. *Op. cit.*, p. 13.
2. E. CHARRIÈRE, *op. cit.*, III, p. 87-88 ; IORGA, *op. cit.*, III, p. 141.
3. J. REZNIK, *Le duc Joseph de Naxos, contribution à l'histoire juive du XVIe siècle*, Paris, 1936.

une grande page d'histoire turque par les mauvais chemins de la biographie et de l'anecdote.

Si l'on veut à tout prix bâtir des hypothèses, rien ne s'oppose à l'existence d'une politique turque fixée attentivement et précocement sur son objectif : Chypre ; agissant en conséquence et laissant à chacun jouer son rôle : à celui-ci la gentillesse à l'égard de Venise, à l'autre les tractations avec l'Espagne ou la France... La politique turque de-ci, de-là, tend ses écrans de fumée. Elle ne décourage pas les Morisques, mais ne pousse pas les Barbaresques à sortir de leur demi-soutien ; elle les blâme au besoin de courir l'aventure de Tunis[1], mais pratique, pour son compte, une politique toute semblable. Car, s'inquiétant peu d'aider, directement, ou par le moyen indirect d'une attaque contre la flotte espagnole, les Morisques dans l'attente, le Turc va essayer de profiter de l'aide qu'inconsciemment ils lui donnent pour régler, sans péril, ses propres affaires.

Décidé à ne rien négliger de ses chances, il cherche aussi, cette année-là, à ressaisir l'alliance française, qui s'était bien refroidie avec le rapprochement franco-espagnol de 1567-1568. Voilà qui donne son sens à la demande pour Toulon, en 1569, occasion de tâter le terrain, et à l'extravagant voyage à Constantinople du non moins extravagant Claude Du Bourg. Arrivant à une heure compliquée et anormale de la politique orientale et compliquant tout par ses « folles imaginations »[2], il se fâche rapidement avec l'ambassadeur en place, essaie d'abattre le banquier Micas et de s'attirer les faveurs du grand vizir Méhémet Sokolli ; au passage il travaille en faveur des Génois, et, quand il s'en revient par Venise, pendant l'hiver 1568-1569, en compagnie d'un ambassadeur turc extraordinaire, il porte cependant en poche le « renouvellement » des Capitulations. C'est que la Turquie est alors extrêmement préoccupée de recréer, à l'Occident, une France selon la tradition et selon ses intérêts. On voit d'habitude — orgueil occidental inconscient — la France tirant le Turc à elle, l'exploitant à ses fins. Mais il y eut aussi le Turc sollicitant, tirant la France à lui. Ainsi en 1569, en 1570, et il est alors question de la couronne de Pologne pour le duc d'Anjou et du prince de Transylvanie comme époux de Marguerite de Valois[3]...

Mais avec cette France déchirée de la troisième guerre civile, comment recréer l'entente franco-turque ? Le roi de France, engagé du côté des Catholiques, ne pourrait revenir de si loin. La meilleure preuve, c'est qu'il est d'accord pour qu'à Venise, on arrête Du Bourg et le Turc qui l'accompagne[4]. Du Bourg écrit lettres sur lettres, promet monts et merveilles. Il a tant de choses à dire ! On lui permet enfin de partir de Venise, mais c'est pour le faire arrêter à la Mirandole... Ce qui n'empêche d'ailleurs point le roi de France de se targuer de la médiation du pauvre Du Bourg entre la Seigneurie et le Turc[5] !

1. Constantinople, 7 avril 1570, Simancas E° 1058, f° 41.
2. Charles IX à du Ferrier, 6 oct. 1571, B. N., Paris, Fr. 16170, f° 32 v° et *sq.*
3. Paul HERRE, *op. cit.*, p. 25 et 146.
4. Madrid, 10 mars 1570, FOURQUEVAUX, *op. cit.*, II, p. 202, le « chaouch » demanderait au roi de France de faire préparer des vivres sur les côtes de Provence et de Languedoc pour l'armada turque. « Il n'y a faulte de discours sur cela. » Salazar à S. M., Venise, 5 déc. 1570, A. N., K 1672, G 1, n° 159, Claude Du Bourg, toujours détenu à la Mirandole, il serait question de le libérer ; sur cet étonnant personnage de Claude Du Bourg, voir ci-dessus, I, pp. 343-344.
5. Instruction de Charles IX à Paul de Foix, 12 avril 1570, B. N., Paris, Fr., 16080, f° 166, cité par P. HERRE, *op. cit.*, p. 161.

Pourtant, après la chute des Guises et du parti catholique intransigeant, la guerre civile allait faire halte un instant. L'armistice du 14 juillet était bientôt suivi par l'Édit de pacification de Saint-Germain, du 8 août[1]. Catherine alors de se tourner vers les Protestants, tant et si bien que l'on commence à parler des « mariages infernaux » (le qualificatif est de Francés de Alava[2]), celui du duc d'Anjou et d'Élisabeth, d'Henri de Navarre et de Marguerite de Valois. Sur le plan diplomatique, la France accède alors à une grande politique anti-espagnole, l'Italienne ne se contentant plus de louvoyer entre les deux partis français, mais aussi entre les deux grandes puissances sur qui ceux-ci s'appuyaient si fort. Brusque éclaircissement de la situation française qu'on a le tort presque toujours d'expliquer uniquement par de petites raisons de personnes.

Que faisait le Turc cependant ?

Peut-être n'y a-t-il jamais eu d'hiver plus rude en mer, plus tempétueux, plus hostile à une circulation rapide des nouvelles que celui de 1569-1570[3]. Ce mauvais temps, allongeant plus que de coutume les distances, renforçait les barrières de silence au-delà desquelles opérait le Turc. On savait cependant, et depuis des mois, qu'il armait à furie[4], de toute évidence pour frapper un grand coup. Sur Malte, sur La Goulette, sur Chypre? Le jeu des pronostics continuait encore que le Turc avait déjà frappé Venise, partout où il avait pu l'atteindre. Toujours à cause de l'hiver, on mit un certain temps à l'apprendre à Venise même, où l'on était pourtant sur le qui-vive.

Jusqu'au bout, et contre l'évidence, Venise avait refusé de croire à son malheur. Un malheur : car Venise, dont on raille volontiers la prudence, Venise la courtisane, qui couche avec le Turc, pouvait-elle être autre chose que pru-

---

1. E. Lavisse, VI, 1, p. 113; Philippe II à F. de Alava, Madrid, 3 sept. 1570, A. N., K 1517, B 28, n⁰ 89 : *pernicioso concierto y pazes que esse pobre Rey ha hecho con sus rebeldes que me ha causado la pena y sentimiento que podeis considerar viendo la poca cuenta que se ha tenido con lo que tocava al servicio y honrra de Dios...*

2. Au roi, Paris, 2 sept. 1570, A. N., K 1517, B 28, n⁰ 87.

3. En février, puis en mars, les galères ne réussissaient pas à sortir du port de Naples, le temps étant « un des plus durs qu'il y ait eus en cette saison depuis beaucoup d'années ». vice-roi de Naples au roi, Naples, 11 mars 1570, Simancas E⁰ 1058, f⁰ 34.

4. Avis de Corfou arrivés le 10 janv. 1570, Simancas E⁰ 1058, f⁰ 13, préparatifs grandioses contre Malte, construction de 20 mahonnes à Nicomédie, on fond 22 grosses couleuvrines à Constantinople, 10 000 rameurs raccolés en Anatolie, 250 voiles, dont 175 galères, « *et si murmura anchora per la Goleta* ». Const., 21 janv. 1570, Sim. E⁰ 1058, f⁰ 19 : voix commune désigne Chypre, danger de pilleries en Dalmatie des corsaires algérois. Alger, 26 janv. 1570 (par Valence), Simancas E⁰ 334, armada ira sur Chypre ou sur La Goulette. L'évêque du Mans à Charles IX, Rome (2?) févr. 1570, B. N., Paris, Fr. 17989, f⁰ˢ 145 v⁰ et 146 : l'armada turque irait sur Malte ou plutôt sur La Goulette. Chantonnay au roi Prague, 15 févr. 1570, *CODOIN*, CIII, p. 450-453 : l'empereur a su par un espion que le Turc irait contre Chypre et non pas au secours des Morisques. A l'arrivée des nouvelles relatives à Chypre, Maximilien parle d'une alliance possible entre lui, le roi d'Espagne, la Pologne et le Reich. Thomas de Cornoça au roi, Venise, 25 févr. 1570, Simancas E⁰ 1327 : les Turcs ont l'intention d'attaquer Chypre. Castagna à Alessandrino, Cordoue, 11 et 22 mars 1570, cité par P. Herre, *op. cit.*, p. 61-2, note 1 : la flotte turque viendrait dans les eaux espagnoles. Avis de Corfou reçus à Naples, le 31 mars 1570, Simancas E⁰ 1058, f⁰ 30, armada turque contre Chypre. Pescaire au roi, Palerme, 12 juin 1570, mission de Barelli, chevalier de Malte, expédié en Orient, pour qu'il s'informe « *mayormente presuponiendo que algun intento avia para dar calor a las cosas de Granada...* », Simancas E⁰ 1133. Ledit Barelli recommandé à Miques, vice-roi de Naples au duc d'Albuquerque, Naples, 24 juin 1570. Const., 18 mai, Simancas E⁰ 1058, f⁰ 66 : contre Chypre. Vice-roi de Naples au roi, Naples, même date, *ibid.* f⁰ 64.

dente ? Plus que de son esprit, elle était victime de son corps, de sa réalité terrestre, de son empire qui n'était qu'une longue chaîne de points d'appui maritimes, de son économie qui l'obligeait, comme l'Angleterre libre-échangiste du XIXe siècle, à vivre de l'extérieur, de ce qu'elle y puisait et de ce qu'elle y écoulait. Sa politique ne pouvait, en aucune façon, être celle des vastes Empires espagnol ou turc (dont elle est à un certain point de vue la frontière), de ces Empires riches en hommes, en revenus et en espaces. C'est pourquoi la politique de Venise, calculée à chaque instant, ne s'éclaire qu'à la lumière de la raison d'État. En cette seconde moitié du XVIe siècle, cette sage prudence devenait cependant inutile, car le monde, dans son évolution, était contre Venise, contre sa formule politique ou, si l'on veut, sa formule de vie.

En 1570, elle vient de traverser une paix de trente ans, paix fructueuse qui a cependant, plus qu'on ne le pense et qu'elle ne le pense elle-même, affecté sa structure politique et affaibli ses défenses. Son système de fortifications, notamment, autrefois formidable, maintenant désuet, la désorganisation de son administration militaire, chaque jour signalée avec désespoir par les responsables de son armée, de sa flotte surtout, la mettent fortement au-dessous de ce qu'elle était quelques dizaines d'années auparavant[1]. Habituée à cette paix qui, toujours menacée depuis des années, a toujours été sauvée contre toute espérance, de plain-pied avec les mille intrigues du monde balkanique, elle s'est accoutumée à croire à l'efficacité des petits moyens. Elle n'arrive plus à prendre au tragique la politique ou la pantomime turque.

Or, au début, le Turc a cherché à l'intimider. Il a caressé l'espoir que Venise céderait sans combat, qu'il suffirait de frapper, puis tout de suite de négocier. Les marchands vénitiens sont donc arrêtés en janvier, leurs biens séquestrés[2]. En Morée, la mesure semble avoir été appliquée vers le milieu de février. Les navires subissent le même sort ; deux naves vénitiennes à Constantinople, déjà chargées, sont vidées de leurs marchandises et réquisitionnées pour le service de la flotte. Mais nous sommes loin de la « saisie des navires vénitiens », dont les historiens parlent comme d'un énorme coup de filet. En hiver, les bateaux susceptibles d'être pris avant de connaître la mesure ne pouvaient être nombreux. Puis la mesure, en soi, n'avait rien d'anormalement inquiétant. Les naves avaient reçu la promesse d'une indemnité et leur saisie n'était qu'un fait divers, assez banal au XVIe siècle. Si Venise s'inquiète — et elle s'inquiète naturellement et arme en conséquence — c'est à l'annonce que le sultan va traverser, avec son armée, l'Anatolie et la Caramanie et qu'il a placé sept cents janissaires nouveaux à Castelnuovo[3]. Ce qui n'empêchera pas, au contraire, le gouvernement vénitien de Cattaro d'envoyer des présents au fils de Mustapha Pacha, de passage à Castelnuovo[4]. Sans doute est-il public à Constantinople, dès le 1er février, que le Turc va réclamer la cession pure et simple de Chypre, au nom (déjà !) des droits historiques de la Turquie. Mais la nouvelle, notée dans la correspondance de Grandchamp le 9 février[5], ne va parvenir à Venise qu'en mars. Et déjà la guerre était là.

---

1. Alberto TENENTI, *Cristoforo da Canal, la marine vénitienne avant Lépante*, 1962, notamment p. 175 et *sq*.
2. Paul HERRE, *op. cit.*, p. 16, dit le 13 janvier.
3. Thomas de Cornoça au roi, Venise, 26 févr. 1570, Simancas Eo 1327.
4. J. Lopez au roi, Venise, 11 mars 1570, Simancas Eo 1327. Pas de lettres nouvelles du baile. Son arrestation. Invasion turque en Dalmatie. Certitude de la guerre. Le même au même, le 16 mars 1570, *ibid.*, on viendrait de Constantinople demander Chypre à Venise.
5. Au roi, E. CHARRIÈRE, *op. cit.*, III, p. 101-104.

Voulant sans doute appuyer d'une menace précise sa démarche diplomatique le Turc avait, en effet, attaqué les possessions vénitiennes. Le lundi 27 février, le mauvais temps jetait sur la côte adriatique, près de Pescaire, la barque vénitienne d'un certain Bomino de Chioggia, partie de Zara, le dimanche 26, et qu'un terrible *temporal* avait déroutée au Sud du Mont d'Ancône, à une vitesse inaccoutumée. Le patron, honorablement connu d'un certain nombre de marchands, rapportait que 25 à 30 000 Turcs s'étaient jetés à l'improviste sur Zara et qu'un hasard seul avait permis à deux galères, grâce à leur artillerie, de repousser les assaillants et de donner l'alarme[1]. On ne peut certifier ces chiffres, mais le fait brutal, hors de doute, c'est l'attaque de la longue et flexible ligne des postes dalmates, au total 60 000 âmes (nous dit une relation de 1576). Le Turc s'y acharne et fait de gros ravages[2].

Enfin, la nouvelle des exigences turques parvenait officiellement à Venise[3]. Le chaouch Oubat, dépêché de Constantinople le 1ᵉʳ février[4], passait à Raguse vers la mi-mars[5] et se trouvait, le 27, devant le Sénat vénitien admis en audience. Mais (la mise en scène avait été préparée à l'avance) on ne le laissa pas développer ses arguments et on lui adressa des paroles dures. Par 199 voix sur 220[6], la requête turque fut rejetée. Venise était, en effet, décidée à lutter. A la mi-mars, elle avait dépêché un ambassadeur extraordinaire à Philippe II[7], et, alerté par elle, Pie V avait envoyé, au souverain espagnol, Luis de Torres, dont la mission allait être décisive[8].

Venise affichait sa volonté de guerre. Elle armait, mettait à l'eau sa flotte de complément, équipait ses galéasses, munissait d'une magnifique artillerie le galion de Fausto, levait des soldats, acceptait ceux que lui offraient les villes de Terre Ferme, expédiait sur Chypre un corps expéditionnaire que les Turcs ne purent intercepter, jetait plusieurs milliers d'hommes vers la Dalmatie, expédiait un ingénieur à Zara[9]. Armements à grand bruit, et réalisés avant le printemps, mais pas forcément avec la ferme intention de s'en servir. Les Turcs ne feront qu'en juillet leurs premiers débarquements à la pointe Sud de l'île de Chypre. Jusque-là, Venise s'est contentée de jouer le jeu : avant tout, ne pas avoir l'air intimidé, riposter à la menace par la menace, à la violence par la violence. A l'annonce de la saisie des biens et des personnes de ses nationaux, elle a répondu par des mesures de rétorsion[10]. Mais dès que les Turcs ont cédé sur cette question, elle s'est empressée de les imiter[11]. Il est bien vrai que le doge

---

1. Docteur Morcat (del Consejo de Capuana) que al presente esta por governor en las provincias de Abruço, al duque de Alcala, Civita de Chieti, 28 févr. 1570, Simancas E⁰ 1058, f⁰ 37.
2. J. Lopez au roi, Venise, 1ᵉʳ avril 1570, Simancas E⁰ 1327, correrias turques autour de Zara. Cavalli au Sénat, Cordoue, 1ᵉʳ avril 1570, bruits selon lesquels Zara aurait été prise (P. HERRE, *op. cit.*, p. 85, note 2); 9 (?) châteaux pris par les Turcs, Méhémet Sokolli à Charles IX, Constantinople 16 nov. 1570, E. CHARRIÈRE, *op. cit.*, III, p. 137.
3. Cf. page précédente, note 4.
4. P. HERRE, *op. cit.*, p. 16.
5. L. VOINOVITCH, *Depeschen des Francesco Gondola, 1570-1573*, Vienne 1907, p. 21.
6. *Ibid.*
7. D. F. de Alava au roi, Angers, 4 avril 1570, A. N., K 1517, B 28, n⁰ 59.
8. R. B. MERRIMAN, *op. cit.*, IV, p. 126-127 et la publication d'A. DRAGONETTI de TORRES, *La lega di Lepanto nel carteggio diplomatico inedito di Don Luys de Torres*, Turin, 1931.
9. Juan Lopez au roi, 11 mars, 16 mars, 31 mars 1570 (sur le galion de Fausto), 9 juin 1570, Simancas E⁰ 1327.
10. Paul HERRE, *op. cit.*, p. 27-28.
11. *Ibid.*

375

nommé à Venise, le 5 mai, Pierre Loredano, représente le parti de la guerre[1]. Mais le parti pacifiste est loin d'être réduit à l'impuissance. Au-delà de l'unanimité du 27 mars, affaire de prestige qui parut sans doute habile aux pacifistes eux-mêmes — que de failles et de divisions, que de volte-face possibles ! Si la Turquie avait reculé, Venise aurait oublié sur-le-champ ses armements, les intérêts de la Chrétienté, et sa chère sœur, l'Espagne...

Celle-ci, au début de l'année 1570, est inquiète et gênée. Inquiète des armements massifs du Turc. Gênée par la guerre de Grenade qui retient une masse importante de ses forces maritimes et terrestres. Gênée aussi par les grands événements du Nord auxquels elle assiste impuissante, et neutre si l'on veut, puisque le duc d'Albe se refuse aux grandes interventions militaires : mais d'une neutralité effroyablement coûteuse.

N'ayant pas la libre disposition de toutes leurs galères à cause de la surveillance des côtes de Grenade et ayant dangereusement dégarni l'Italie, la réaction des Espagnols aux nouvelles du Levant est donc, avant tout, sur le modèle des alertes d'avant Malte, une mise en défense des places de Naples, de Sicile et de l'Afrique du Nord. Mise en défense onéreuse elle aussi, mais à laquelle il était impossible de se dérober : rien ne certifiait que les Turcs épargneraient les possessions espagnoles. Les avis le répétaient avec insistance, mais les avis... Et tous d'ailleurs ne rendaient pas le même son de cloche. Dans le fleuve des nouvelles, on pouvait introduire à dessein bien des eaux douteuses. On prétend que souvent Venise a usé de son fameux service d'information comme d'une arme, susceptible d'alarmer la Chrétienté, d'y entretenir la psychose du péril turc. Il est certain, en tout cas, qu'au XVIe siècle, on n'avait qu'une confiance très relative dans les nouvelles qu'elle colportait. Or, il lui était aussi facile de manœuvrer au départ, à Constantinople, qu'à Venise même et de susciter au besoin certains avis destinés à Sa Majesté Catholique. Quoi qu'il en soit, le 12 mars, le vice-roi de Naples écrivait : « J'ai reçu une lettre de Constantinople, en date du 22 janvier, d'un de nos agents en qui j'ai le plus confiance... Elle me confirme dans mon opinion, à savoir que, malgré ce que l'on vient d'apprendre de l'ouverture des hostilités en Dalmatie, les préparatifs d'une importante armada ne sont pas pour porter dommage aux Vénitiens »[2].

Les Espagnols ont donc massé ce qu'ils ont pu de galères dans le Sud de l'Italie et à défaut des habituels Espagnols, levé des Allemands pour Milan et Naples, des Italiens pour les galères et la Sicile. Ils ont approvisionné La Goulette en hommes, vivres et munitions. « J'ai décidé, écrivait Philippe II à Chantonnay le 31 mars[3], de lever deux régiments d'Allemands, l'un pour Milan, l'autre pour Naples », car « mes États d'Italie se trouvent à l'heure présente si dépourvus de soldats », que le Turc y venant pourrait faire de gros dommages. Le régiment destiné à Naples, embarqué à Gênes par les galères de Jean André Doria, arrivera le 3 mai[4] et sera immédiatement acheminé sur les côtes. Dès la fin du mois de juin d'ailleurs, le danger turc s'étant précisé et localisé, il sera licencié[5], après le refus de Venise de le prendre à sa solde[6].

---

1. H. KRETSCHMAYR, *Geschichte von Venedig, op. cit.*, III, p. 54.
2. Simancas E⁰ 1058, f⁰ 35.
3. *CODOIN*, CIII, p. 480-481.
4. J. A. Doria au roi, Naples, 3 mai 1570, Simancas E⁰ 1058, f⁰ 31.
5. Vice-roi de Naples, 19 juil. 1570, Simancas E⁰ 1058, f⁰ 80, les Allemands ont été licenciés à la date du 26 juin.
6. Le même au même, Naples, 2 août 1570, Simancas E⁰ 1058, f⁰ 91.

Quant aux galères, après l'arrivée de Jean André Doria à Naples, en avril, il s'en trouvait une soixantaine dans le Sud de l'Italie. Soixante sur la centaine dont disposait alors l'Espagne, et qui représentaient le total des escadres de Gênes, de Sicile et de Naples, cette dernière commandée par le marquis de Santa Cruz. Si l'on en croit les plaintes des chefs, ces galères sont assez mal armées, avec un nombre insuffisant de forçats[1] et peu ou pas du tout de soldats. En juillet, Jean André Doria obtint l'autorisation de lever deux milliers d'Italiens à Naples, pour garnir ses navires. Entre temps la flotte avait dû faire deux voyages jusqu'à La Goulette[2].

Le second voyage avait été dirigé contre Euldj Ali qu'on savait avoir relâché à Bizerte, avec 24 ou 25 galères. Jean André Doria pensa les saisir avec 31 galères renforcées, mais la rivière de Bizerte ayant été dans l'intervalle fortifiée par le Calabrais, le gibier était à l'abri. Les galères chrétiennes virèrent de bord, touchèrent à La Goulette, puis gagnèrent la Sardaigne où elles devaient relever des troupes, avant de gagner Naples[3]. Bientôt l'ordre leur arrivait de passer en Sicile, puis de se diriger vers l'Orient. Philippe II, malgré les sollicitations de Pescaire, le nouveau vice-roi de Sicile qui eût désiré qu'on tentât l'attaque de Tunis[4], avait cédé aux sollicitations pontificales et vénitiennes. On essaierait de sauver Chypre.

Le secours de Chypre

C'est en juillet que les Turcs avaient débarqué dans l'île. Le 9 septembre, la capitale, Nicosie, tombait entre leurs mains. Seule Famagouste, mieux fortifiée, restait au pouvoir des Vénitiens, avec des forces considérables d'ailleurs capables de résister longtemps encore. Compte tenu du délai des nouvelles, c'est assez tard, vers le milieu de l'été, que se posa dans toute sa clarté le problème de Chypre : Venise irait-elle au secours de l'île ? Pouvait-elle affronter le Turc seule, sauver la précieuse île du sucre, du sel et du coton ? Son intérêt, de toute façon, était de dresser l'Occident contre le Turc et de faire dépendre cette guerre locale d'une guerre générale. Cette menace découragerait peut-être son adversaire, l'obligerait à lâcher prise, à accepter un compromis. Elle souhaitait aussi ne pas se lier à l'autre colosse de la Méditerranée ; ne pas signer une ligue analogue à celle de 1538[5], qui lui avait laissé un mauvais souvenir, encore vivant. Venise avait eu alors le sentiment d'une entente entre Doria et Barberousse ; Paruta soutiendra, en 1590, qu'il y avait eu trahison. Mais comment rester libre entre les deux parties, maintenant qu'on s'attaquait directement à elle ?

Entraîner l'Espagne dans le jeu n'était pas une petite affaire. Granvelle, aux premières nouvelles, s'était déclaré contre tout secours à Venise. La négociation passant par Rome s'engagea comme une conversation à trois, mais il y avait l'étonnante, la prodigieuse personnalité de Pie V : il fut bientôt seul à

---

1. Santa Cruz au roi, 26 avril 1570, Simancas Eᵒ 1058, fᵒ 46.
2. Simancas Eᵒ 1060, fᵒˢ 1, 39, 49, 51, 206, Eᵒ 1133, 19 mars 1570, 6 mai 1570.
3. Pescaire au roi, Palerme, 17 juin, 18 juin, 26 juin 1570, 16 juil. 1570, Simancas Eᵒ 1133. J. A. Doria au roi, La Goulette, 2 juil. 1570, Simancas Eᵒ 484.
4. Pescaire, 17 avril 1570, Simancas Eᵒ 1133 et autres lettres du 6 mai ; de même, lettres du vice-roi de Naples, 14 août 1570 (Simancas Eᵒ 1058, fᵒ 97), Philippe II au vice-roi de Sicile, 23 sept. 1570 (Eᵒ 1058, fᵒ 217), 18 oct. (ibid., fᵒ 220).
5. Ceci bien vu par H. KRETSCHMAYR, op. cit., III, p. 53.

agir, avec une violence d'autant plus grande que sa politique catholique avait toujours été une politique de combat. Déçu en 1566, comme nous l'avons dit, le zèle du Pape trouvait sa revanche dans les événements méditerranéens. Il explosa littéralement, et par sa rapidité à agir, à trancher les difficultés, il força la décision des deux parties dont il n'était, en principe, que l'intermédiaire.

Il se souciait peu, on s'en doute, des étroits calculs où s'emprisonnait Venise, uniquement préoccupée de sauver ses plantations et ses salines. Il avait déjà fait pression sur elle par son nonce, en mars 1570, lors de la séance du Sénat, et tout de suite lui avait concédé les décimes sur le clergé vénitien pour aider la République dans son effort d'armement. Tout de suite, il avait accepté de créer une flotte pontificale dont les galères de Toscane, en 1571, furent l'essentiel. Tout de suite, il avait accordé l'acheminement de bois sur Ancône pour la construction de galères [1]. Tout de suite, il avait dépêché vers Philippe II Luis de Torres, son confident et son intime, un des nombreux ecclésiastiques passionnés de l'entourage du Saint-Père [2]. Choisi à dessein, parce qu'Espagnol, disposant d'amitiés personnelles dans le Conseil même de Philippe II, il a été expédié à toute vitesse : ses instructions sont du 15 mars ; en avril, il était reçu à Cordoue par Philippe II. En avril, alors que la guerre de Grenade battait encore son plein [3]. A Cordoue — à quelques journées de voyage du théâtre de la guerre. Donc dans une atmosphère de passion religieuse, à une heure d'exaltation des destins de la Chrétienté [4], attaquée à la fois sur les bordures Nord (par la réforme) et sur les rives même de la mer méridionale, coincée dramatiquement entre ces deux guerres que l'Atlantique, avec ses larges hostilités, joindra bientôt l'une à l'autre. Cette exaltation de l'heure, elle éclate dans les lettres de Pie V — le contraire surprendrait — mais aussi dans celles de son envoyé. Il suffit de les parcourir pour retrouver ce qui a pu vivre de passion, d'esprit de croisade, à l'arrière-plan de la guerre de Grenade.

La négociation fut pourtant lente. Ce que Pie V demande, c'est une ligue. Pas du tout une aide transitoire : une ligue en bonne et due forme. « Il est clair, dit l'instruction de Torres, dans les termes qu'il a l'ordre de répéter au roi, il est clair que l'une des principales raisons qui a poussé le Turc à rompre avec les Vénitiens, c'est qu'il croyait les trouver seuls, sans espoir de s'unir avec Votre Majesté, occupée comme elle se trouve avec les Mores de Grenade... » Mais les meilleurs calculs sont parfois les plus faux. Si Philippe II accepte finalement la ligue contre l'Islam, c'est peut-être justement parce que 1570 — l'année de Grenade — ramène l'Espagne à ses passions anciennes.

Évidemment, l'intérêt n'est pas oublié, ni l'intérêt politique ni l'intérêt financier. Venise, c'est la frontière de la Chrétienté. En sera-t-on plus fort quand elle aura succombé ? ou qu'elle aura conclu avec le Turc un de ces accommodements que le gouvernement français s'offre à négocier pour elle ?

---

1. Cardinal de Rambouillet à Charles IX, Rome, 8 et 12 mai 1570, E. CHARRIÈRE, *op. cit.*, III, p. 112-114.
2. L. SERRANO, *op. cit.*, I, p. 51.
3. Nobili au prince, Cordoue, 22 avril 1570, Florence, Mediceo 4899, fo 74o. Le nouveau venu a cependant assez peu plu aux milieux espagnols *tenendolo de razza non molto antica ;* FOURQUEVAUX, *op, cit.*, II, p. 219-220, audience de Torres, le 21 avril, promesse de 70 galères espagnoles, la réponse définitive du roi doit être donnée à Séville ; cinquante galères, dit le cardinal de Rambouillet au roi, Rome, 22 mai 1570, B. N., Paris, Fr. 1789, fo 176.
4. Les Italiens (le Savoyard, le duc d'Urbino) poussent Philippe II à conclure l'alliance avec Venise, Paul HERRE, *op. cit.*, p. 88.

Le pape ne néglige aucun de ces arguments : « Les forteresses vénitiennes, écrit-il au roi, sont *l'antemural* des places fortes du Roi Catholique » ; conclure la ligue reviendrait pour Philippe II à « avoir à son service les États de Venise, ses hommes, ses armes, sa flotte ». Quant à l'intérêt financier, il est clair. Depuis 1566, le roi d'Espagne disposait des gros revenus du *subsidio* (soit 500 000 ducats annuels payés par le Clergé espagnol), mais la bulle de la *Cruzada* n'avait pas été renouvelée, ce qui représentait une perte de plus de 400 000 ducats tous les ans[1] ; et l'*excusado*, concédé en 1567, n'avait pas été levé, parce qu'on craignait des protestations trop vives. Luis de Torres apportait avec lui, au nom du Souverain Pontife, la concession de la *Cruzada*, retardée jusque-là par des scrupules de conscience. Cet appui substantiel au budget espagnol pesa sûrement dans la décision du souverain.

Philippe II, que l'on dit si lent, donna son accord de principe huit jours après la grande explication de Luis de Torres[2], ce qui était certes, pour l'Espagne comme pour Venise, pour la Turquie, pour toute la Méditerranée, la plus grande aventure courue depuis longtemps.

Le secours de Chypre[3] fut tenté avant même la conclusion de la ligue. Dans de mauvaises conditions, car tout fut improvisé. Improvisée, la flotte pontificale, équipée hâtivement, malgré les remontrances de Çuñiga, à Rome. Sans doute le pape voulait-il, par sa présence dans les escadres, empêcher les Espagnols de tout diriger à leur guise, comme en 1538-1540. Improvisée aussi, et c'est plus grave, la nomination du chef de la flotte alliée, Marcantonio Colonna[4], seigneur romain, grand connétable de Naples et, par là, vassal de Philippe II[5], attentif aux grâces à venir de l'Espagne (qu'il a déjà tenté d'obtenir en effectuant par deux fois, sans trop de succès, le voyage de Madrid). C'est un homme de guerre, pas un marin ; un instant seulement, pendant sa jeunesse, il s'est occupé de galères à lui. Mais Pie V, l'ayant choisi, s'obstine à le maintenir à la tête de la flotte chrétienne. Tout cela déjà grave, car on ne s'improvise pas chef d'escadre.

On n'improvise pas non plus une flotte de guerre, et c'est pourtant ce que Venise a dû faire. Elle a mobilisé rapidement une flotte importante, mais ce n'est pas du travail bien fait, l'appareil de guerre vénitien s'était déterioré avec la paix trop longue. Ses forces navales sont, en outre, dispersées entre des escadres particulières, et la flotte de réserve, au sec dans l'Arsenal, est à rééquiper. Si Venise est riche, trop riche même en matériel, en navires, galères et galéasses, en artillerie, elle est pauvre en matériel humain, démunie en provisions de bouche. Or une armée, ce sont aussi des rameurs, des équipages, des soldats à bord des galères, des tonneaux, des caisses de vivres. Les uns et les autres manquent et la Seigneurie ne sait ni agir vite, ni suppléer à son manque d'hommes par une tactique nouvelle. Elle ne fait qu'entrevoir la fortune du bateau rond, du galion ou de la super-galère, munis les uns ou les autres d'artillerie. Le secours d'urgence envoyé à Chypre par bateaux ronds, en février, est

---

1. L. SERRANO, *op. cit.*, I, p. 53, note 3.
2. *Ibid.*, p. 54.
3. Sur l'ensemble du paragraphe, B. N., Paris, Ital. 427, f⁰s 197 v⁰ et 198.
4. Le cardinal de Rambouillet à Charles IX, Rome, 5-30 juin 1570, E. CHARRIÈRE, *op. cit.*, III, p. 115-116. Instruction baillée à M. de l'Aubespine (juin 1570), B. N., Paris, Fr. 1789, f⁰ 181 : « Le sieur Marc Antonio Colonne que le Pape a faict général de toutes ses galères avec la grand merveille de beaucoup... ».
5. L. SERRANO, *op. cit.*, I, p. 70.

arrivé malgré l'hiver et, au passage, l'artillerie des naves a foudroyé les galères turques[1]. Mais la leçon n'est pas encore claire. Et il est trop tard, vu l'urgence du danger, pour se libérer de traditions centenaires, pour renoncer à l'homme moteur et machine de combat...

Les 60 galères placées sous le commandement de Hieronimo Zane et parties de Venise le 30 mars, n'arrivèrent qu'à grand'peine à Zara, le 13 avril[2]. Elles y demeurèrent pendant deux mois, jusqu'au 13 juin, à peu près inactives, si l'on excepte quelques patrouilles contre les Uscoques et des pirateries contre le territoire ragusain[3], consommant en pure perte leurs vivres qu'elles renouvelaient mal dans ce port sans arrière-pays qu'est Zara, n'arrivant même pas à empêcher les galères turques de razzier les côtes albanaises. Il y avait peut-être de bonnes raisons à cette inaction : le désir de protéger Venise ; la crainte des temps d'hiver en Adriatique qui permettent les coups de mains, les rapides va-et-vient, non le déplacement des grandes flottes ; la crainte, aussi, de se heurter à la flotte turque qui s'appuyait sur la Grèce, on le disait au moins, pour protéger son mouvement vers Chypre.

L'été venu, Zane reçut l'ordre de rejoindre Candie d'une traite pour y réunir toutes les galères vénitiennes qui, de leur côté, devaient rallier l'île. Interdiction était faite à l'amiral de s'arrêter en chemin, pour quelque entreprise que ce fût : c'eût été donner à la flotte turque l'idée et le temps de gagner l'Adriatique. En parvenant à Corfou, la flotte vénitienne eut vent de l'arrivée prochaine des Pontificaux et des Espagnols. Elle poursuivit vers Candie où, comme il avait été prescrit, elle espérait trouver hommes et vivres en abondance. Mais rien n'était fait quand elle arriva en août. Incurie, imprévoyance ? Ou bien difficultés réelles qu'expliquent abondamment un certain nombre de rapports vénitiens ? Le recrutement des équipages et des chiourmes de l'Archipel pour le compte de Venise se faisait de plus en plus difficile. Espagnols et Pontificaux entraient dans le port de Suda, le 31 août. Les Pontificaux n'étaient guère mieux équipés que les Vénitiens. Quant aux galères espagnoles, rassemblées à Messine, elles y avaient complété leur armement en rameurs et en soldats[4].

Qu'allait-on faire ? Dans ses conversations avec Luis de Torres, Philippe II n'avait, au début, promis que ce qu'on lui demandait : le maintien en Sicile de ses galères. Quand, après d'autres conversations, on passa de cette première promesse à celle du départ dans le Levant[5], de nouveaux ordres furent expédiés à Jean André Doria. Il les reçut le 9 août, avec l'avis de sa subordination à Marcantonio Colonna[6]. Or, servir en second lui souriait peu, surtout lorsqu'il s'agissait de hasarder dans les mers du Levant sa flotte et spécialement ses propres galères, lesquelles suivant les conditions de son *asiento* n'étaient pas

---

1. J. Lopez au roi, Venise, 1er août 1570, Simancas Eº 1327.
2. L. SERRANO, *op. cit.*, I, p. 75.
3. Innombrables lettres ragusaines au général de l'armada vénitienne, Hieronimo Zane, 7, 13, 17, 18 avril ; 3, 16 mai 1570, A. de Raguse, L. P, I, fᵒˢ 168, 168 vᵒ, 169, 171, 174, 175 vᵒ, 177, 198, 200 vᵒ, 201, 202.
4. Levée de 2 000 hommes à Naples pour les galères de J. A. Doria et de Santa Cruz, le vice-roi de Naples au roi, Naples, 19 juil. 1570, Simancas Eº 1058, fᵒ 82 ; Nobili, 16 mai 1570, A. d. S. Florence, Mediceo 4899, fᵒ 99 vᵒ et 100.
5. Sauli à Gênes, Madrid, 13 juil. 1570, A. d. S. Gênes, L. M. Spagna 4/2413.
6. Ordre donné à la suite de l'intervention du nonce, L. SERRANO, *op. cit.*, t. III, p. 448, cf. aussi *ibid.*, III, p. 461-463 ; sur le mécontentement de J. A. Doria, cardinal de Rambouillet au roi, 28 août 1570, E. CHARRIÈRE, *op. cit.*, III, p. 118.

remplacées en cas de perte. D'autant que partir en août, avec l'intention de pousser jusqu'à Chypre, c'était forcément s'exposer, lors du retour, aux rudes temps de l'hiver.

C'est donc d'assez mauvaise grâce que les ordres furent exécutés. Les 51 galères de Doria rejoignirent vers le 20 août, à Otrante[1], la petite escadre pontificale. Le rassemblement complet sur la côte Nord de la Crète, ne fut acquis que le 14 septembre[2].

Le port de Suda, choisi pour ce rassemblement, était commode, mais mal approvisionné. A la première revue générale, la mauvaise préparation vénitienne fut patente. Et les conflits surgirent. Les Vénitiens, au lieu de présenter leur montre en pleine mer où les tricheries sur les effectifs ne sont guère possibles, l'avaient présentée dans le port même, les poupes tournées vers la terre, laissant la possibilité aux équipages de passer, pendant la montre, d'une galère dans l'autre[3]. En même temps, s'affirmaient les mésententes entre les chefs. Mais l'amiral vénitien ayant reçu l'ordre de tenter coûte que coûte, seul s'il le fallait, le secours de Chypre, la flotte alliée se décida à partir vers l'Est. Non pas directement à Chypre toutefois, que l'on ne pouvait atteindre sans se heurter aux Turcs. Les amiraux avaient pensé à une action contre l'Asie Mineure ou contre les Dardanelles, de façon à détourner la flotte ennemie de Chypre, puis à lui interdire d'en prendre le chemin en se plaçant rapidement entre elle et l'île.

La flotte mit donc à la voile vers Rhodes[4]. Elles représentait une énorme force : 180 galères et 11 galéasses (sans compter les navires de moindre importance et les naves de transport), 1 300 canons, 16 000 soldats. Malgré les faiblesses des escadres pontificale et vénitienne, une action efficace eût été possible si les chefs n'avaient été aussi divisés, si Marcantonio Colonna, amiral improvisé, avait été un chef, si l'avance prudente de la flotte n'avait été encore alourdie par Doria qui redoublait sciemment les précautions tactiques.

Aussi bien, quand à la hauteur des côtes d'Asie Mineure, la nouvelle leur arriva que Nicosie avait été enlevée, le 9 septembre[5], que la presque totalité de l'île était aux mains des Turcs, sauf Famagouste qui résistait encore, les chefs décidèrent de s'en retourner. Le mauvais temps de l'arrière-saison les gêna terriblement sur le chemin de Candie, comme il gênait, au même moment, la flotte turque victorieuse qui rentrait à Constantinople. Les alliés ne pouvaient songer à hiverner dans l'île, trop mal pourvue de vivres ; force leur fut de se rabattre vers l'Italie. Là encore, les difficultés de navigation furent immenses. Doria réussit l'exploit de ramener toutes ses galères à Messine[6], mais les Vénitiens subirent d'énormes pertes (13 galères en retournant à Candie, peut-être même 27[7]), et Marcantonio ne ramena, en novembre, que trois des 12 galères qui lui avaient été confiées[8].

---

1. Simancas E° 1058, f°s 98 et 99.
2. J. A. Doria au roi, 17 sept. 1570, Simancas E° 1327. Les recteurs de Raguse aux ambassadeurs à Const., 11 sept. 1570, A. de Raguse, L. P., I, f° 242 v°, passage des galères hispano-pontificales le 18 août à la hauteur de Corfou.
3. J. A. Doria, 17 sept. 1570, cf. note précédente.
4. *Memorias del Cautivo*, p. 7.
5. L. VOINOVITCH, *op. cit.*, p. 33 ; nouvelle connue à Madrid en novembre ; Eligio VITALE *op. cit.*, p. 127 : sans doute le 16 de ce mois.
6. Pescaire au roi, Palerme, 22 oct. 1570, Simancas E° 1133.
7. Francisco Vaca au duc d'Alcala, Otrante, 1er nov. 1570, Simancas E° 1059, f° 6.
8. L. SERRANO, *Liga de Lepanto*, Madrid, 1918-1919, I, p. 81.

On devine quelle désagréable impression produisit ce voyage manqué, les suspicions, les discussions[1] qu'il inspira. A Rome, à Venise, toute la faute fut reportée sur Doria. L'occasion était bonne d'attaquer le roi au travers de son amiral. A Venise, le parti pacifique reprenait de l'importance. Les Espagnols, naturellement, ne manquaient pas de risposter. Et Granvelle d'écrire à son frère Chantonnay : « Colonna n'entend non plus que moi en mer... »[2]. La Seigneurie cependant, avec sa rigueur habituelle, punissait chez elle les mauvais exécutants, le commandant des troupes Pallavicino, le commandant de la flotte, Hieronimo Zane, qui mourut peu après son emprisonnement, et même les subalternes : punitions et disgrâces qui contribuèrent puissamment à la belle tenue de la flotte vénitienne, en 1571.

Pendant cet hiver 1570, l'avenir de la ligue semblait bien compromis. Conclue en principe sans que personne l'ait encore signée, elle semblait s'être brisée d'elle-même, avant d'avoir existé.

---

1. E. CHARRIÈRE, *op. cit.*, III, pp. 122-124; F. de Alava au roi, Paris, 12 nov. 1570, A. N., K 1518, B 28, nº 42.
2. *Correspondance de Granvelle*, IV, p. 51, 14 déc. 1570.

4

LÉPANTE

Lépante est le plus retentissant des événements militaires du XVIe siècle, en Méditerranée. Mais, cette immense victoire de la technique et du courage se met difficilement en place dans les perspectives ordinaires de l'histoire.

On ne peut dire que la sensationnelle journée soit dans la ligne des événements qui l'ont précédée. Faut-il, alors, avec un de ses derniers historiens, F. Hartlaub, grossir le rôle héroïque, shakespearien de Don Juan d'Autriche ? A lui seul, il a forcé le destin. Mais tout expliquer par là n'est pas raisonnable.

On a trouvé surprenant — et Voltaire s'en est amusé — que cette victoire inattendue ait eu si peu de conséquences. Lépante est du 7 octobre 1571 ; l'année suivante, les alliés échouent devant Modon. En 1573, Venise épuisée abandonne la lutte. En 1574, le Turc triomphe à La Goulette et à Tunis. Et tous les rêves de croisade sont dispersés par les vents contraires.

Cependant, si l'on ne s'attache pas aux seuls événements, à cette couche superficielle et brillante de l'histoire, mille réalités nouvelles surgissent, et sans bruit, sans fanfare, cheminent au-delà de Lépante.

L'enchantement de la puissance turque est brisé.

Dans les galères chrétiennes, une immense relève de forçats vient de s'accomplir. Les voilà, pour des années, pourvues d'un moteur neuf.

Partout, une course chrétienne active réapparaît, s'affirme.

Enfin, après sa victoire de 1574, et surtout après les années 1580, l'énorme armada turque se disloque d'elle-même. La paix en mer, qui va durer jusqu'en 1591, a été pour elle, le pire des désastres. Elle l'aura fait pourrir dans les ports.

Dire que Lépante a entraîné, à elle seule, ces multiples conséquences, c'est trop dire encore. Mais elle y a contribué. Et son intérêt, en tant qu'expérience historique, est peut-être de marquer, sur un exemple éclatant, les limites même de l'histoire événémentielle.

1. La bataille du 7 octobre 1571

La Ligue, c'est-à-dire l'alliance, la lutte en commun contre le Turc, devait être conclue le 20 mai 1571. Après les querelles de l'été, vu les méfiances réciproques des futurs alliés, leurs intérêts dissociés, leurs discordances, pour ne pas dire leur hostilité, l'extraordinaire est que l'union ait pu se faire.

Une conclusion tardive

Les Espagnols reprochaient à Venise son intention de s'accorder avec le Turc dès que son intérêt le lui commanderait ; et les Pontificaux, comme les Espagnols, se méfiaient de la souple Seigneurie. Les Vénitiens, de leur côté, aux prises avec des difficultés écrasantes, se souvenaient sans plaisir du précédent de 1538-1540. Tous les obstacles franchis, durant l'été de 1571, au milieu du tourbillon de nouvelles qui passaient par Venise, circuleront encore les bruits les plus invraisemblables : les Espagnols, disait-on, se préparaient à agir contre Gênes, puis contre la Toscane, contre Venise elle-même. Resterait à savoir, évidemment, d'où venaient ces bruits ; qui les fabriquait ; dans quels desseins on les propageait. Il est possible qu'ils se soient propagés d'eux-mêmes, nés simplement de la méfiance populaire.

La tâche était lourde pour les commissaires chargés de mener à bonne fin la conclusion de la Ligue. Représentaient l'Espagne les cardinaux Pacheco et Granvelle et Juan de Çuñiga, tous trois à Rome quand ils reçurent, le 7 juin[1], l'ordre du roi les investissant de leurs nouvelles fonctions (ordre daté du 16 mai). Venise, elle, s'en remit à son ambassadeur ordinaire à Rome, Michel Suriano, auquel, en octobre, fut substitué un nouvel ambassadeur, Giovanni Soranzo. Le pape désigna pour son compte les cardinaux Morone, Cesi, Grasis, Aldobrandino, Alessandrino et Rusticucci, ces deux derniers assistant aux réunions sans titre officiel. Les négociations furent difficiles. De la première séance, le 2 juillet 1570, à la dernière, elles furent trois fois interrompues : d'août à octobre 1570 ; en janvier et février 1571 ; enfin, alors que tout semblait réglé, de mars à mai 1571. Pendant ces deux dernières suspensions, Venise, en dépit de ses dénégations, essaya de s'accorder avec le Turc. En janvier, au lendemain des déceptions de la campagne d'automne, elle avait dépêché le secrétaire du Sénat, Jacopo Ragazzoni[2], à Constantinople, où d'ailleurs les conversations n'avaient jamais cessé entre Méhémet Sokolli et le baile vénitien. Cette tentative retarda la signature de la Ligue : Venise ne se détermina à donner son accord que lorsqu'elle fut absolument sûre de son échec à Constantinople.

Aussi bien les diplomates, qui se rassemblaient à jours plus ou moins fixes dans les salons du cardinal Alessandrino, n'étaient-ils pas les maîtres du jeu, si fins et habiles qu'ils fussent. Leur rôle consistait à surveiller leurs voisins, à faire de longs rapports, puis, suivant les ordres reçus, à aplanir ou à susciter les difficultés. Liés par leurs instructions, ils l'étaient plus encore par la nécessité d'en référer à leurs gouvernements respectifs, pour toutes les grandes décisions. Ceci incorporait à leurs négociations la lenteur inhérente aux distances.

---

1. L. SERRANO, *op. cit.*, I, p. 86 et note 2.
2. Silva au roi, Venise, 21 avril 1571, Simancas E° 1329 ; le même au même, 21 juin 1571, *ibid.* ; Relazione sull'Impero Ottomano di Jacopo Ragazzoni, 16 août 1571, ALBÈRI, *Relazioni...* III, 2, p. 372 et *sq.*

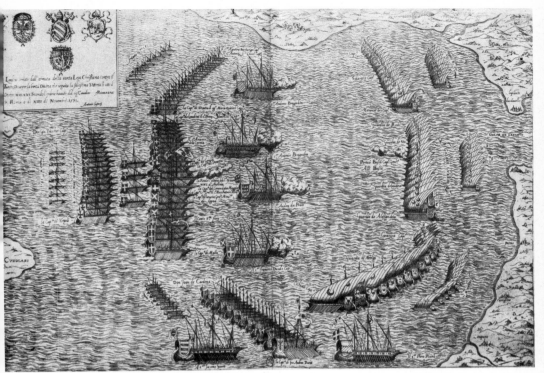

38 et 39. LA BATAILLE DE LÉPANTE. En haut, plan exact, B.N. Paris, C 6669.
En bas, vision fantaisiste. Palais des marquis de Santa Cruz (Ciudad Real), peintre murale.

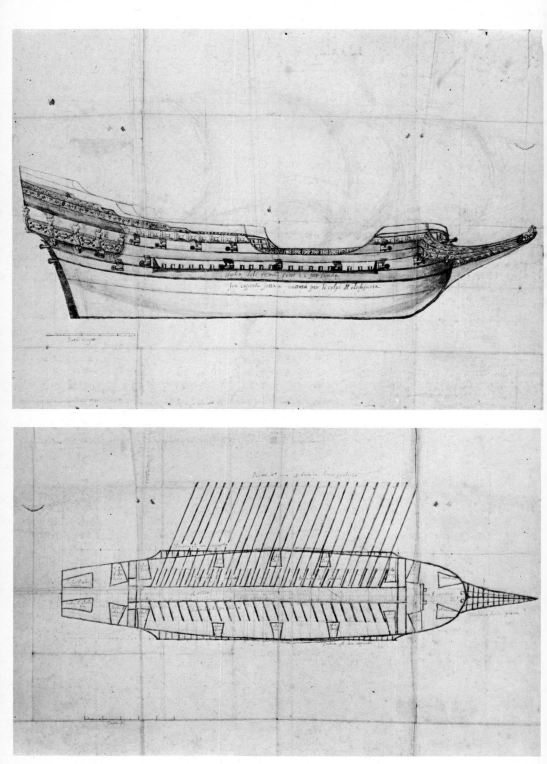

40. UNE GALÉASSE VÉNITIENNE (XVIe SIÈCLE). Collection personnelle. Noter la disposition des pièces d'artillerie. La puissance de feu des galéasses vénitiennes décida de la victoire de Lépante.

Seuls maîtres de décider, ils auraient assez vite abouti à un accord, surtout en présence du pape, quant à lui acharné à conclure. On le vit durant la première phase des négociations : d'entrée de jeu, les Pontificaux avaient déblayé le terrain en proposant, comme texte de discussion, l'accord de 1537, remanié selon les exigences du jour. Au début de septembre, le bruit courut que la Ligue était faite[1]. Toutes les grandes questions avaient été abordées effectivement. On était d'accord pour que la Ligue fût conclue pour douze ans au moins. Elle serait offensive et défensive ; conclue contre le Turc, elle serait également dirigée contre les États vassaux d'Afrique du Nord, Tripoli, Tunis, Alger. Ceci à la demande expresse des Espagnols qui voulaient ainsi sauvegarder, dans ce qui était leur sphère d'action, leur liberté future[2]. Autres points acceptés : le commandement en chef de la flotte alliée serait dévolu à Don Juan d'Autriche ; les frais communs divisés en six parts (comme en 1537), trois à la charge du roi d'Espagne, deux à la charge de Venise, la dernière revenant au Saint-Père. En ce qui concernait les vivres, l'Espagne ouvrirait ses marchés d'Italie aux Vénitiens ; elle promettait des prix de vente raisonnables et s'engageait à ne pas hausser les taxes et autres droits à l'exportation. Venise, qui ne pouvait se passer du blé turc sans recourir au blé des Pouilles ou de Sicile, avait beaucoup insisté sur ce point[3]. Enfin, il serait interdit aux confédérés de traiter séparément avec le Turc sans l'assentiment préalable des autres signataires.

Le projet fut expédié aux gouvernements pour examen et correctifs, ce qui explique la première suspension de la négociation, d'août à octobre.

Le 21 octobre, les conversations reprirent. Mais, entre temps, s'était déroulée l'inutile campagne du Levant. Après de longs examens, Philippe II s'était décidé pourtant à envoyer les pouvoirs nécessaires à la conclusion définitive de l'accord, toutefois avec quelques amendements. Venise, au contraire, était brutalement revenue sur ce qui avait été quasiment conclu. Elle avait changé de commissaire et remettait tout en discussion, plus aigrement que jamais, dans une confusion voulue de combats oratoires et de digressions inutiles. Elle revenait sur chaque détail qui pouvait lui éviter de conclure : sur le prix des vivres, les limites des pouvoirs du général en chef, le libellé des opérations, la quote-part financière des alliés... Les Espagnols, et Granvelle plus qu'un autre, s'abandonnèrent alors à une mauvaise humeur chaque jour plus cassante. Rien de plus naturel, au demeurant : on avait tout l'hiver devant soi. Finalement, en décembre, sur la petite question du lieutenant de Don Juan (serait-ce le commandant des galères du pape ou le grand commandeur de Castille ?) la conférence s'interrompit, pour le plus vif mécontentement du pape.

Cette seconde interruption dura plusieurs semaines : le Roi Catholique ayant finalement accordé que le pape choisirait le lieutenant de Don Juan entre trois noms que l'Espagne lui proposerait, les commissaires reprirent leurs travaux, en février. Un nouveau texte était établi au début de mars. Mais Venise qui attendait les résultats de la mission de Ragazzoni en Turquie,

1. Les Commissaires au roi, Rome, 8 sept. 1570, L. SERRANO, *op. cit.*, IV, p. 6.
2. Un projet contre Bizerte et Tunis, Pescaire au roi, Palerme, 20 mars 1571, Simancas Eº 487.
3. Démarches vénitiennes à ce sujet dès 1570, vice-roi de Naples au roi, 4 févr. 1571, Simancas Eº 1059, fº 178. Ordre a été donné de fournir du blé à l'armada vénitienne qui hiverne à Candie. Sur la question complexe des subsistances, D. J. de Çuñiga au duc d'Albe, 17 juil. 1571, Simancas Eº 1058, fº 81.

retarda son acquiescement, sous divers prétextes, jusqu'en mai. Le 20, les signatures étaient échangées et cinq jours plus tard, le 25 mai 1571, la Ligue officiellement proclamée à la Basilique de Saint-Pierre[1].

En principe, il s'agissait d'un *fœdus perpetuum*, d'une *confederación perpetua*. Cette déclaration faite, on se contentait de prévoir un accord militaire de trois ans (1571-1573), les alliés s'engageant, chaque année, à envoyer une flotte de 200 galères et de 100 navires ronds, montée par 50 000 soldats et 4 500 chevau-légers. Dirigée contre le Levant, la Ligue n'excluait pas, elle prévoyait, au contraire, d'éventuelles expéditions contre Alger, Tunis ou Tripoli. Pour le règlement des dépenses, on stipulait qu'en cas de non paiement de la quote-part du Saint-Siège, Venise et l'Espagne paieraient respectivement, celle-ci les 3/5, celle-là les 2/5 de la dépense totale[2]. Pour les vivres, il était question, sans plus, de prix raisonnables et de non-augmentation des taxes et autres droits à la sortie. Les alliés ne devaient conclure aucune paix séparée.

Telle est, très en bref, la longue et difficile histoire de la conclusion de la Ligue de 1571, suivie de loin avec l'attention et la passion que l'on devine. Que les Français l'aient observée avec plus d'aigreur que les autres, cela prouve, à soi seul, qu'une politique française se dessinait à nouveau contre la grandeur de la Maison d'Autriche. En date du 5 août 1570 (donc entre l'armistice du 14 juillet et la paix du 8 août), Francés de Alava écrivait : « Les Français espèrent qu'on n'aboutira pas. Les Vénitiens, disent-ils, sont de grands nigauds s'ils signent cet accord, s'ils ne sauvegardent pas leur liberté pour s'entendre avec leur grand ennemi : le Turc. Chacun, en France, s'emploie autant qu'il le peut à empêcher la ligue et à amener l'entente de Venise et du sultan. S'ils continuent du même pas, je ne m'étonnerais pas que l'année prochaine, ils offrent de donner Toulon au Turc »[3]. Le 28 août, à Rome, au moment où couraient les bruits les plus optimistes sur la conclusion prochaine de l'alliance chrétienne, le cardinal de Rambouillet prétendait être toujours du même avis, c'est-à-dire, écrivait-il, que « ce sera une belle chose à voir par escrit et qui... pourra être establie en papier, mais... nous n'en verrons jamais les effetz »[4]. Il est vrai qu'on en pensait autant à Venise à la même date[5], que l'empereur se montrait lui aussi très sceptique sur les suites que la Seigneurie donnerait à sa signature, si elle signait[6].

Ensuite, après le retour de la flotte du Levant, quand des difficultés sérieuses commencèrent à surgir, tout le monde, ou à peu près, pensa que rien ne sortirait des interminables palabres de Rome. Fin décembre, le pape luimême, d'ordinaire si optimiste, ne cachait pas au cardinal de Rambouillet, l'ambassadeur français, son découragement[7]. Le nonce à Madrid n'était pas

1. Texte original en latin, L. Serrano, *op. cit.*, IV, p. 299 et *sq.* Traduction espagnole, B. N., Madrid, Ms. 10454, f° 84 ; texte encore dans D. Dumont, *Corps universel diplomatique*, V, p. 203 et *sq.* ; Simancas Patronato Real n° 1660, 25 mai 1571 ; H. Kretschmayr, *Geschichte von Venedig, op. cit.*, III, p. 59 ; L. Voïnovitch, *op. cit.*, p. 3 ; cardinal de Rambouillet à Charles IX, Rome, 21 mai 1571, E. Charrière, *op. cit.*, III, p. 149-150.
2. *Relatione fatta alla maestà Cattolica, in Madrid, alli XV di Luglio 1571, di tutta la spesa ordinaria che correrà per la lega in 200 galere, 100 navi e 50 mila fanti ogn'anno,* Rome, s. d., in-4°, B. N., Paris, Oc. 1533.
3. D. F. de Alava à Philippe II, Poissy, 5 août 1570, A. N., K 1516, B 27, n° 55.
4. 28 août 1570, B. N., Paris, Fr. 23 377, copie.
5. Julian Lopez au roi, Venise, 10 août 1570, Simancas E° 1327.
6. Le comte de Monteagudo au roi, Spire, 30 oct. 1574. *CODOIN*, CX, p. 98-110.
7. Optimisme du pape, le cardinal de Rambouillet au roi, Rome, 4 déc. 1570, B. N., Paris, Fr. 17989 ; son découragement, le même au même, 19 déc., *ibid.*, copie.

moins las. L'agent toscan, dans la même ville, déclarait « franchement » avoir fort peu d'espoir dans la conclusion de la Ligue. Les Espagnols lui semblaient ne se prêter au jeu que dans le but de se faire octroyer la *cruzada* et *l'escusado* : dès que la négociation devenait précise, ils l'abandonnaient ; ils la reprenaient dès que le nonce paraissait par trop « refroidi », mais en termes si généraux que celui-ci n'y pouvait « rien comprendre »[1]. On était alors fin janvier ; le mois de mars apporta de meilleures nouvelles. Mais on sait les délais que les Vénitiens crurent bon d'ajouter. En avril, en mai, l'impatience était grande à Madrid où l'on se demandait ce que pouvait signifier pareil retard. C'est le 6 juin seulement, qu'un courrier apporta la grande nouvelle[2].

Le facteur diplomatique France

La longue gestation de l'alliance laissa le temps à la nouvelle politique française de se préciser. Politique nouvelle, car depuis 1559 au moins, pendant dix années d'éclipse et de discrédit, la France avait été militairement et politiquement absente de Méditerranée. On l'avait vu à mille détails, à l'attitude des Vénitiens dès 1560 ; à celle de Joseph Micas parvenant à obtenir du sultan la saisie des navires français à Alexandrie, en 1568 ; à celle de la France elle-même qui avait paru se désintéresser du jeu. Pourtant, si elle était ravagée par la guerre civile, la France était encore loin de ce marasme où elle parut sombrer à la fin du règne de Henri III. Des éléments vivaient toujours d'une politique royale agissante et prête à renaître.

Dès avril 1570, la France, malgré sa prudence dans l'affaire Claude Du Bourg, avait offert sa médiation à Venise. Surprenante rapidité : ce sont à peine les débuts de la guerre de Chypre et la guerre civile française n'est même pas terminée. Il est vrai que, déjà, une politique de réconciliation nationale se dessine. Les Protestants et les « Politiques » en sont partisans sans exception, ainsi que tous les hommes qui représentent le roi à l'étranger. En 1570 et même au début de 1571, sans doute les nouvelles tendances se dégagent-elles mal encore et se dissimulent-elles derrière des considérations générales relatives à la paix, à l'intérêt supérieur de la Chrétienté. Mais le changement est décelable très tôt dans la correspondance royale d'une fermeté de ton oubliée depuis des années[3]. Charles IX a été gagné aux idées de Téligny et de l'amiral. Il songe passionnément à rompre avec l'Espagne et à agir dans les Pays-Bas. Sans doute tient-il encore secrètes ses intentions ; pas assez pourtant, puisque les Toscans notent le changement. Changement qui affecte tout le pays où, comme le commandeur Petrucci l'écrit le 19 mai à François de Médicis, « *l'umore è contro al re di Spagna* »[4].

Il est vrai que dans cette affaire, les Toscans ne sont pas, simplement, des observateurs ou des confidents, mais des complices et des instigateurs. Le grand-duc de Toscane, avec le titre grand-ducal tout neuf que lui a concédé Pie V, en 1569, se sent isolé, tenu à l'écart par l'empereur et le Roi Catholique.

---

1. Nobili au grand-duc, Madrid, 22 janv. 1571, A. d. S. Florence, Mediceo 4903.
2. Nobili et del Caccia au prince, Madrid, 12 avril-14 juin 1571, *ibid.*, F. HARTLAUB, *op. cit.*, p. 71.
3. Ainsi mémoire du 15 févr. 1571, adressé à Fourquevaux, Célestin DOUAIS, *Lettres à M. de Fourquevaux... 1565-1572*, 1897, p. 314-343.
4. Abel DESJARDINS, *Nég. diplomatiques avec la Toscane*, 1859-1886, III, p. 655 et *sq.* ; 10 mai, *ibid.*, p. 669.

Particulièrement inquiet des intentions de ce dernier, il a pris de longue date des assurances dans toute l'Europe, y compris les pays protestants[1]. On saisit le premier fil de ses négociations à La Rochelle, auprès de l'amiral et de Téligny. Peut-être a-t-il même cherché à agir auprès du Turc : de très méchantes gens iront jusqu'à prétendre qu'il fut derrière le juif Micas, et donc à l'origine de la guerre de Chypre. Les Espagnols d'ailleurs le surveillent de près, assez peu rassurés au sujet de leurs présides de Toscane[2].

Cependant, en ce début de l'année 1571, chacun continue à jouer le jeu de la paix. Philippe II et Charles IX échangent des ambassades. Fin janvier, Enrique de Guzmán, comte d'Olivares, est dépêché de Madrid[3]. Cinq mois plus tard, en juin, Gondi vient, auprès de Philippe II, s'assurer qu'il ne veut pas rompre avec la France[4]. Le duc d'Albe lui-même, en paroles au moins, est conciliant[5]. Trop bonnes paroles, peut-être, destinées à démentir le langage des faits, comme ces discours qu'à Rome le cardinal de Lorraine se croit constamment obligé de répéter aux Vénitiens pour démentir les bruits d'une guerre proche entre la France et l'Espagne[6] ; bruits qui se répandent tellement en Italie que le roi de France éprouve, à son tour, le besoin de les déclarer faux. Seulement, est-ce coïncidence, en mars 1571, la frontière de Navarre était inspectée par Vespasiano Gonzaga et Il Fratino, l'ingénieur de La Goulette et de Melilla[7], tandis qu'en riposte aux criailleries des Birague à Saluces et au renforcement des garnisons françaises du dit Saluces et du Piémont[8], le gouverneur de Milan, le duc d'Albuquerque, occupait, le 11 avril, le marquisat de Final. La nouvelle en arrivait à Paris vers le 9 mai. Ici, « catholiques et non catholiques l'ont terriblement ressentie, écrivait Francés de Alava au gouverneur de Milan[9]. Mais à ce que j'entends, ils ont l'intention de se plaindre non auprès de S. M., mais du duc de Savoie et de Votre Excellence »[10]. Il serait excessif de prétendre que les Espagnols avaient, par ce geste, poussé un verrou très solide contre une descente éventuelle des Français. Mais c'était un avertissement. Il indigna en France l'opinion publique.

On commençait à vraiment parler de guerre. Le duc de Savoie se plaignait à Philippe II de ce qu'on machinât, au delà des Alpes, quelque entreprise contre le Piémont[11]. On apprenait en Espagne, que les galères de France avaient reçu l'ordre de revenir de Bordeaux à Marseille[12], qu'il y avait des mouvements

---

1. F. de Alava à D. J. de Çuñiga, 24 juin 1571, au sujet de Coligny et de Téligny, A. N., K 1520, B 29, nº 24.
2. Vice-roi de Naples à Philippe II, Naples, 3 mars 1571, Simancas Eº 1059, fº 60.
3. Son instruction, Madrid, 29 janv. 1571, A. N., K 1523, B 23, nº 51.
4. Philippe II à Alava, Madrid, 30 juin 1571, ibid. ; Nobili et del Caccia au prince, Madrid, 30 juin 1571, A. d. S. Florence, Mediceo 4903.
5. Response du duc d'Albe au Sr de Mondoucet, B. N., Paris, Fr. 16127, fos 3 et 4 (non publiée par L. DIDIER, dont le recueil commence en 1571).
6. Paul HERRE, op. cit., p. 163, note 1.
7. Nobili au prince, Madrid, 31 mars 1571, A. d. S. Florence, Mediceo 4903.
8. Note d'Antonio Perez, Madrid, 8 mai 1571, A. N., K 1521, 830, nº 56.
9. A. N., K 1521, B 20, nº 58.
10. Le coupable, c'est Alonso de la Cueva, duc d'Albuquerque, il a agi sans ordre du roi, diront les ambassadeurs aux Français si ceux-ci se plaignent : Çayas à F. de Alava, Madrid, 16 mai 1571, A. N., K 1523, B 31, nº 75. De même, 31 mai 1571, FOURQUEVAUX, op. cit., II, p. 355, « On ne souffle mot de Final dans cette Cour... », F. de Alava au roi, 1er juin 1571, A. N., K 1520, B. 29, nº 2.
11. Nobili et del Caccia au prince, Madrid, 10 mai 1571, Mediceo 4903.
12. F. de Alava au duc d'Albuquerque, Paris, 27 avril 1571, A. N., K 1519, B 29, nº 69.

de troupes sur les Alpes[1] et enfin quelques-uns des « protestants les plus éminents s'employaient à persuader le roi de tenter quelque entreprise dans les Pays-Bas »[2], où, par surcroît, les passages de Huguenots français prenaient une importance alarmante.

Était-ce la guerre ? Non, car il eût fallu pour cela une ligue protestante, de gros appuis en Europe. Les bruits, qui font rire l'Europe, du mariage de la reine d'Angleterre et du duc d'Anjou ne pouvaient y suppléer[3]. Il eût fallu une Allemagne en mouvement[4], une Toscane décidée à la lutte, et ce n'était point le cas. Les agents toscans, tout en sourires, négociaient à Madrid comme ailleurs, creusant leurs galeries jusqu'au cœur du gouvernement espagnol par l'entremise de leurs « confidents »[5]. Mais si ce n'était pas la guerre, c'en était déjà toutes les alarmes. Chiapin Vitelli qui, regagnant les Flandres, traversa la France en mai 1571, fut mal impressionné par ce qu'il y vit et, dès son arrivée à Paris, jugea nécessaire d'en avertir Francés de Alava[6]. Or celui-ci apprenait, de son côté, que le roi de France envoyait en Turquie un ambassadeur de l'envergure et de la qualité de l'évêque de Dax. Qu'allait faire là-bas ce demi-hérétique, ami des Protestants, sinon travailler contre l'Espagne et contre la Chrétienté, apaiser les querelles transylvaines (occasions de toutes les interventions impériales), régler les conflits entre l'empereur et le Turc, entre les Vénitiens et le Grand Seigneur ? A nouveau la diplomatie française utilisait le lointain chemin de Turquie.

Le nouvel ambassadeur ne se pressait cependant pas d'arriver. Le 26 juillet, il était à Lyon[7] ; le 9 septembre[8], il présentait au doge de Venise la lettre dont Charles IX l'avait chargé. Le roi y offrait de « moienner », par l'intermédiaire de celui que les documents s'obstinent à appeler l'évêque d'Acqs, « une bonne paix, ou bien une sy longue tresve que par après, la dicte paix s'en puisse ensuivre ». Cela ne vaudrait-il pas mieux « que d'avoir affaire à ung si puissant ennemy, si prosche voisin des pais de vostre obéissance », poursuivait le roi, et la Seigneurie, si peu de temps après l'officielle conclusion de la ligue et trente jours environ avant Lépante, ne refusait point d'écouter[9]... Ainsi, deux années à l'avance, commençait à se tramer la défection, d'autres diront : la trahison de Venise.

Pourtant la Ligue avait été conclue. On en mesure l'importance à l'exaltation de l'animosité française. Quel mal ne dit-on pas alors, en France, du pape, qui en fut l'artisan ! Quelle envie y répandent les concessions faites à l'Espagne par le Saint-Siège[10] ! Les bruits de guerre sont si insistants que les marchands espagnols de Nantes et de Rouen ont prié l'ambassadeur de Philippe II de les

---

1. *Ibid.*
2. Philippe II à D. F. de Alava, 17 avril 1571, A. N., K 1523, B. 31, n° 67.
3. F. de Alava au duc d'Albuquerque, Paris, 17 mai 1671, A. N., K 1521, B 30, n° 68.
4. Le même au même, 27 avril 1571, *ibid.*, n° 69.
5. Nobili et del Caccia, Madrid, 16 avril-6 juin 1571, A. d. S. Florence, Mediceo 4903 ; Philippe II à Granvelle, S. Laurent, 13 juin 1571, Simancas E° 1059, f° 13 ; F. de Alava à Philippe II, Paris 26 juin 1571, A. N., K 1520, B 29, n° 31. Un crédit de 150 000 écus du grand duc de Toscane à Ludovic de Nassau sur Francfort ? F. de Alava au roi 4-9 août 1571, A. N., K 1519, B 29, n° 69.
6. F. de Alava au roi, Paris 1er juin 1571, A. N., K 1520, B 29, n° 2.
7. L'évêque de Dax à Charles IX, Lyon, 26 juill. 1571, E. CHARRIÈRE, *op. cit.*, III, p. 161-164. B. N., Paris, Fr. 16170, f°s 9-11, copie.
8. E. CHARRIÈRE, *op. cit.*, III, p. 178.
9. Le roi à la S¹ᵉ de Venise, 23 mai 1571, B. N., Paris, Fr. 16170, f°s 4-5, copie.
10. Francés de Alava à Çayas, « Lubier », 19 juin 1571, A. N., K 1520, B 29, n° 12.

avertir à temps, pour qu'ils mettent à l'abri leurs marchandises et leurs personnes. « Ils reviennent à la charge et m'assassinent toujours à ce propos », écrit Francés de Alava[1]. Les marchands français de Séville sont dans les mêmes transes[2]. Et, sur la frontière des Flandres, il y a une telle agitation « que les gens du plat pays, tant du costé de France que du nostre, écrit le duc d'Albe[3], se retirent avec [leurs biens] aux bonnes villes ».

Quelle patience ne faut-il pas pour supporter ces Français : « ils seraient heureux de perdre un œil pour nous en faire perdre deux », s'écrie le même duc d'Albe[4], exaspéré par leur entente avec Ludovic de Nassau et le prince d'Orange cependant que Granvelle conseille au roi de laisser Don Juan, au passage, frapper quelque bon coup en Provence. Il semble que les vieux temps de Charles Quint soient revenus, tant renaissent avec naturel, dans la bouche des anciens serviteurs de l'Empereur, les imprécations d'autrefois. La guerre, d'ailleurs, existe déjà sur l'Atlantique où manœuvrent de connivence les corsaires de La Rochelle et les Gueux de la mer. En août 1571, les Espagnols ont mille sujets de craindre pour la sécurité de la flotte des Indes[5].

Don Juan et sa flotte arriveront-ils à temps ?

Cependant la signature de la Ligue donnait ses fruits en Méditerranée.

Espagnols et Pontificaux avaient promis aux Vénitiens, dans un accord à part, de joindre toutes leurs forces à Otrante, avant la fin de mai[6]. Simple marque de bonne volonté car, en dix jours (la Ligue est du 20 mai), comment transmettre les ordres nécessaires ? La nouvelle de la signature n'est arrivée en Espagne que le 6 juin ! Or les inexplicables délais qui l'avaient précédée avaient ralenti plus encore qu'à l'ordinaire les préparatifs maritimes au long des côtes d'Espagne. Et la mauvaise récolte de 1570 gênait les approvisionnements à Barcelone et dans les ports d'Andalousie[7].

Cette mauvaise récolte n'eut qu'une conséquence heureuse, celle d'éteindre la guerre de partisans à Grenade. « La faim est si grande parmi eulx, écrivait Fourquevaux le 18 février, qu'ilz abandonnent la montaigne et descendent se rendre esclaves des Chrétiens pour du pain. » En mars, on annonçait la mort du petit roi et des redditions nombreuses de Morisques, de leur nouveau métier coureurs de montagnes et voleurs de bestiaux. Signe des temps, à Carthagène, apprenant qu'on les embarquait pour Oran, des troupes espagnoles se débandaient aussitôt. On savait ce qu'était la vie des présides par temps de famine ! Heureusement, la situation était meilleure en Italie : à Naples, où les Vénitiens arrivaient à se ravitailler ; en Sicile, où Pescaire, toujours partisan d'une action contre Tunis et Bizerte, assurait, en mai, qu'on pourrait disposer de 20 000 quintaux de biscuit, fabriqué à la cadence de 7 000 quintaux par mois[8]. Sans ce blé, sans l'orge et les fromages italiens, sans le vin de Naples, qui sait si Lépante

---

1. Le même au duc d'Albe, Louviers, 25 juin 1571, *ibid.*, n° 20.
2. 17 août 1571, FOURQUEVAUX, *op. cit.*, II, p. 371.
3. Le duc d'Albe à Alava, Anvers, 11 juill. 1571, orig. en français, A. N., K 1522, B 30, n° 16 *a*.
4. Le même au même, Bruxelles, 7 juin 1571, A. N., K 1520, B 29, n° 6.
5. Nobili au prince, Madrid, 2 août 1571, A. d. S. Florence, Mediceo 4903.
6. L. SERRANO, *Correspondencia*, I, p. 102.
7. Fourquevaux à la reine, Madrid, 18 févr. 1571, *op. cit.*, II, p. 331.
8. Au roi, Palerme, 20 mars 1571, Simancas E° 487 ; la récolte a été bonne en Sicile, Raguse, 28 mai 1570, A. de Raguse, L. P., 2, f°s 97 et 98.

eût été seulement pensable ? Car il fallut rassembler et nourrir, à la pointe Sud de l'Italie, une ville entière de soldats et de marins, dents et estomacs de premier ordre.

Si Don Juan d'Autriche avait été le maître, les galères eussent très vite quitté les côtes d'Espagne. Il avait hâte de tenir son rôle. Dès avril, le bruit courut qu'après avoir rendu visite à Valladolid à sa mère adoptive, la femme de Don Luis Quixada, il allait passer en Italie[1]. Le marquis de Santa Cruz, arrivant à Barcelone, le 30 avril, avec des galères de Naples, y recueillit la nouvelle que Don Juan était sur le point de s'embarquer à Carthagène et décida aussitôt de le rejoindre, avec l'espoir de se saisir en chemin de quelques vaisseaux corsaires[2]. Mais à Carthagène, nulle trace de Don Juan[3]. C'est qu'on attendait des précisions au sujet de la Ligue : le 17 mai encore, Don Juan d'Autriche se demandait à Aranjuez quand il partirait[4]. Et plusieurs autres difficultés retardaient le départ de la flotte. D'abord, la nécessité de renforcer le nombre des soldats à embarquer sur les galères. Puis, la décision de faire voyager, avec Don Juan, jusqu'à Gênes, les archiducs autrichiens qui séjournaient en Espagne depuis 1564 et allaient rejoindre Vienne : Philippe II s'en expliquait, le 7 mai, dans une lettre à Granvelle que la mort du duc d'Alcala avait fait, à titre provisoire, vice-roi de Naples[6]. Bref, les retards prévus étaient tels qu'on jugea préférable de ne pas attendre les galères d'Espagne et celles de Santa Cruz pour embarquer, sur la rivière de Gênes, les mille Italiens et huit mille Allemands qui attendaient leur transport vers le Sud et ordre fut donné aux galères de Sicile de remonter jusqu'à Gênes pour s'occuper d'eux.

Cependant, la nouvelle si attendue de la conclusion de la Ligue précipita les derniers préparatifs. Le jour même, Don Juan d'Autriche quittait Madrid pour aller prendre le commandement de la flotte. J. A. Doria, avec une seule galère, de Barcelone gagnait Gênes pour préparer sa ville à recevoir Don Juan[7], lequel se trouvait le 16 à Barcelone où le rejoignirent, les unes après les autres, les galères du marquis de Santa Cruz, Alvaro de Bazan, et celles que commandait Gil de Andrade, plus un bon nombre d'autres navires et, à bord de cette flotte, les deux *tercios* espagnols de Miguel Moncada et de Lôpez de Figueroa[8], retirés d'Andalousie.

Le 26 juin, enfin, étaient expédiées de Madrid les instructions à Don Juan qui, par les restrictions qu'elles apportaient à son autorité, le mirent dans une colère voisine du désespoir. Dans une lettre écrite de sa propre main, sous le coup de la première émotion, le 8 juillet[9], il demandait à Ruy Gomez, « comme à un père », les motifs de sa disgrâce apparente. Le style en est passionné,

1. Nobili et del Caccia, 16 avr. 1571, A. d. S. Florence, Mediceo 4903.
2. Santa Cruz au roi, 1er mai-2 mai 1571, Simancas E⁰ 106, f⁰s 81 et 82.
3. Le même au même, deux lettres du 17 mai 1571, *ibid.*, f⁰s 83 et 84.
4. Don Juan à Ruy Gomez, *CODOIN*, XXVIII, p. 157.
5. Erwin MAYER-LÖWENSCHWERDT, *Der Aufenthalt der Erzherzöge Rudolf und Ernst in Spanien, 1564-1571*, Vienne, 1927.
6. Simancas E⁰ 1059, f⁰ 129. Le duc d'Alcala, mort le 2 avr. 1571, Simancas E⁰ 1059, f⁰ 84. Sur la mission provisoire du cardinal Granvelle, nombre de papiers et notamment 10 mai 1571, Mediceo 4903 ; avis d'Espagne, 31 mai 1571, FOURQUEVAUX, *op. cit.*, II, p. 355 ; *CODOIN*, XXIII, p. 288. N. NICCOLINI, « La città di Napoli nell'anno della battaglia di Lepanto », *in* : *Archivio storico per il provincie napoletane*, nouvelle série, t. XIV, 1928, p. 394.
7. Nobili et del Caccia au prince, Madrid, 6 juin 1571, Mediceo 4903.
8. L. van DER ESSEN, *Alexandre Farnèse, op. cit.*, I, p. 161.
9. Simancas E⁰ 1134.

émouvant et inquiétant à la fois. G. Hartlaub[1] a raison de penser que ces journées ont dû marquer une grande cassure dans la vie de Don Juan. Elles lui signifiaient que sa situation amoindrie de fils naturel était irrémédiable, que le roi avait peu confiance en lui. Sinon, au moment où il gagnait l'Italie cérémonieuse, lui aurait-on refusé le titre d'Altesse pour ne lui concéder que celui d'Excellence ? Aurait-on entouré son commandement royal de tant de prudentes restrictions qu'il devenait un titre vain ? Le 12 juillet[2], il écrivit directement au roi pour lui exposer ses griefs...

Autre souci, le retard de la flotte[3]. Il avait fallu attendre les galères qui, à Málaga et à Majorque, chargeaient soldats, vivres et biscuit. Et les archiducs Rodolphe et Ernest n'arrivèrent que le 29 juin[4]. Le gros de la flotte mit pourtant à la voile dès le 18[5] et le 26, malgré le mauvais temps, elle atteignit Gênes. Don Juan n'y séjournera que jusqu'au 5 août[6], juste le temps d'embarquer les hommes, les vivres et le matériel prévus et d'assister aux fêtes magnifiques données en son honneur. Le 9, il arrivait à Naples[7]. Les réceptions, les préparatifs de départ l'y retinrent jusqu'au 20[8]. Le 24, il était enfin à Messine[9].

Beaucoup trop tard, pensaient Requesens et J. A. Doria qui conseillaient de se limiter à une attitude strictement défensive. Le vieux Don Garcia de Toledo, lui aussi, envoyait de Pise des avis pessimistes sur les avantages que l'armada turque lui paraissait avoir[10]. Mais Don Juan ne prêta attention qu'aux chefs vénitiens et à ceux des capitaines espagnols de son entourage qui prêchaient pour l'action et, sa décision prise, il se donna à sa tâche avec la passion exclusive de son tempérament.

Les Turcs avant Lépante

Les galères turques, plus rapides à se mettre en place, étaient à l'œuvre depuis le début de la bonne saison.

Elles avaient été signalées de loin, comme d'habitude. On avait appris en Italie, dès février, que 250 galères et 100 bateaux s'équipaient à Constantinople[11] ; en mars, que Famagouste, toujours assiégée, avait reçu un secours vénitien[12] ; en avril, que la ville résistait encore ; que le Turc faisait des préparatifs sur terre en direction de l'Albanie ou de la Dalmatie et que le gros de l'armada était sorti sous le commandement du capitaine de la mer[13]. On disait cependant que 50 galères seulement s'étaient dirigées sur Chypre, la flotte n'ayant pu

---

1. *Op. cit.*, p. 79.
2. *Ibid.*, p. 78, note 2.
3. *CODOIN*, III, p. 187.
4. Erwin Mayer-Löwenschwerdt, *op. cit.*, p. 39.
5. *Ibid.*, p. 40 ; *Res Gestae...*, I, p. 97.
6. Pour L. van Der Essen, *op. cit.*, I, p. 162, départ le 1er août.
7. Padilla à Antonio Pérez, Naples, 15 août 1571, reçue le 12 sept., Simancas E° 1059, f° 91.
8. L. van Der Essen, *op. cit.*, I, p. 163, dit nuit du 22 ; Juan de Soto à D. Garcia de Toledo, 21 août 1571, Don Juan est encore à Naples, *CODOIN*, XXVII, p. 162.
9. Don Juan à Don Garcia de Toledo, Messine, 25 août 1571, *CODOIN*, III, p. 15 ; L. van Der Essen, *op. cit.*, I, p. 163, dit le 23.
10. A D. Luis de Requesens, Pise, 1er août 1571, *CODOIN*, III, p. 8.
11. Corfou, 3 févr. 1571, Simancas E° 1059, f° 62.
12. Corfou, 29 mars 1571, avis reçu à Venise le 11 avr. 1571, Simancas E° 1060, f° 13.
13. Const., 10 avr. 1571, *ibid.*, f° 125.

dépasser, faute d'équipages, un total de 100 galères[1]. Mais des esclaves fugitifs de Constantinople parlaient de 200 galères qui pousseraient jusqu'à Corfou, si la Ligue n'était pas conclue. Dans le cas contraire, le Turc se contenterait de garder ses mers, tout en achevant la conquête de Chypre[2]. Il était toujours question d'une entreprise terrestre sur l'Albanie ou la Dalmatie, avec un rassemblement des forces à Sofia, au départ[3]...

En fait, 196 galères turques avaient pris la mer et s'étaient partagées entre Négrepont, grande base de ravitaillement, et l'île de Chypre. Signe certain d'opérations à l'Ouest, on fabriquait du biscuit jusqu'à Modon et à la Prevesa[4]. Dès juin, en effet, laissant Chypre où il n'y avait plus grand-chose à faire[5], le gros de la flotte turque renforcé des navires d'Euldj Ali (300 voiles au total : 200 galères et 100 fustes) donnait sur l'île de Candie. Le 15, elle atteignait la baie de la Suda, ravageait villages et petites villes du littoral. Mais en vain, par deux fois, elle attaquait La Canée[6] où, à l'abri de l'artillerie des châteaux, se trouvaient les 68 galères vénitiennes destinées à escorter un secours en direction de Famagouste. Le bruit courut de leur perte[7], mais Euldj Ali n'avait réussi à s'emparer que du petit port de Rethymo. Après des pillages et des escarmouches répétées, l'armada turque poursuivit vers l'Ouest.

A son approche, Veniero, ne voulant pas se laisser enfermer dans le Golfe avec le reste des forces navales de Venise, abandonna les côtes de Morée et d'Albanie où il avait réussi quelques coups de main, sur Durazzo et Valona. Avec 6 galéasses, 3 navires et 50 galères subtiles, il alla se baser à Messine, le 23 juillet. Cette retraite sauvegardait sa liberté de manœuvre, mais elle laissait le champ libre aux Turcs en Adriatique[8]. Ils en prirent à leur aise, saccagèrent la côte et les îles dalmates, s'emparèrent de Sopoto, Dulcigno, Antivari, Lesina, attaquèrent Curzola que ses habitants défendirent énergiquement. Cependant, venus par terre, les soldats d'Achmat Pacha se saisirent de tout ce qui était à prendre. Euldj Ali, de son côté, poussa un raid sur Zara ; un autre corsaire, Kara Hodja, ravagea le golfe même de Venise[9]...

La Seigneurie se mit à recruter en hâte, avec l'autorisation de Granvelle, dans les Pouilles et en Calabre[10]. Mais la flotte turque, pensant sans doute, comme Veniero, que l'Adriatique pouvait être un piège, ne s'y engagea pas complètement et fit porter l'essentiel de son effort sur Corfou. Évacuée par ses habitants, l'île fut dévastée ; seul l'énorme château de la forteresse, île à l'intérieur de l'île, resta à l'abri des assaillants. La flotte turque s'étira alors, depuis Corfou jusqu'à Modon, dans l'attente de ce qu'allaient faire les alliés. Dès le mois de juin, par Raguse, la nouvelle de la Ligue avait, en effet gagné les pays turcs...

Pour une fois, la précoce mise en œuvre de leur flotte n'était point pour les

---

1. Messine, 23 avril 1571, *ibid.*, f⁰ 11.
2. Corfou, 27 avril 1571, Simancas E⁰ 1059, f⁰ 56.
3. Const., 5 mai 1571, retransmis par Corfou (encore des captifs évadés), Simancas E⁰ 1060, f⁰ 133.
4. Négrepont, 3 juin 1571, *ibid.*, f⁰ 137.
5. L. VOINOVITCH, *op. cit.*, p. 39.
6. G. de Silva à Philippe II, Venise, 6 juill. 1571, Simancas E⁰ 1329.
7. F. de Alava au roi, Melun, 1ᵉʳ août 1571, A. N., K 1520, B 29, n⁰ 37 ; 60 galères perdues : Nobili au prince, Madrid, 2 août 1571, Mediceo 4903.
8. L. VOINOVITCH, *op. cit.*, p. 40.
9. *Ibid.*, p. 41.
10. Granvelle à Philippe II, 20 sept. 1571, Simancas E⁰ 1060, f⁰ˢ 57 et 58. En Calabre et à Bari.

Turcs un avantage. Ils avaient fatigué leurs forces, épuisé leur ravitaillement pendant ces mois de petite guerre. Et, tandis qu'ils allaient au plus facile, brûlant et pillant les villages de l'Adriatique, ils avaient négligé l'essentiel, la flotte vénitienne de Candie : à la fin du mois d'août, avec les deux provéditeurs Agostino Barbarigo et Marco Quirini, ses 60 galères ralliaient sans encombre la grande flotte alliée[1].

La bataille du 7 octobre[2]

A l'arrivée de Don Juan à Messine, le moral des alliés était assez bas, les galères rassemblées n'étaient pas en parfait état de marche. Mais l'arrivée des navires de Don Juan, d'une tenue admirable, fit grande impression. Plus encore, le contact du prince et de ses subordonnés immédiats, Veniero et Colonna, fut excellent. Don Juan savait être d'un abord charmant. L'ensorceleur déploya ses grâces : de ce premier contact dépendrait peut-être le sort de l'expédition qui lui tenait passionnément à cœur. Il sut agir et faire d'une armée navale disparate un tout homogène. Voyant les galères de Venise démunies de soldats, il y fit monter quatre mille soldats, tant espagnols qu'italiens, tous au service du Roi Catholique. C'était là, en soi, un gros succès. On devine les appréhensions qu'il fallut vaincre pour que la mesure fût acceptée par les Vénitiens, si défiants. Du coup, les galères de la flotte devenaient identiques, interchangeables ; sans être vraiment mêlées, les escadres pouvaient échanger des navires et elles le firent, comme le prouve l'ordre de marche de la flotte.

L'armada s'aperçut aussi qu'elle avait un chef quand le Conseil de la Ligue se réunit. Tous les nuages ne se dissipèrent pas d'un coup, mais les discordes s'estompèrent. Don Juan ne voulait pas frustrer les Vénitiens, ceux-ci le comprirent, d'une campagne directe contre le Turc, ni leur imposer, à la place de cette offensive, une expédition contre Tunis, ainsi que le désiraient Philippe II, tant d'Espagnols et toute la Sicile. En son for intérieur, Don Juan eut même été désireux de pousser jusqu'à Chypre et, à travers l'Archipel, jusqu'aux Dardanelles. La décision finale, plus sage, fut qu'on irait à la recherche de l'armada ennemie et qu'on lui livrerait bataille.

L'armada quitta Messine, le 16 septembre, avec, pour premier objectif, Corfou où l'on espérait avoir des nouvelles précises sur la position de la flotte ennemie. On y apprit en effet — et des navires éclaireurs confirmèrent — qu'elle se trouvait dans le long golfe de Lépante. Les informations sous-estimaient d'ailleurs les forces ottomanes. Mais du côté turc, la même erreur fut

---

1. Don Juan d'Autriche à D. G. de Toledo, Messine, 30 août 1571, *CODOIN*, III, p. 17.
2. Sur le sujet, une immense littérature, d'innombrables témoignages, de non moins innombrables ouvrages d'histoire. Mais ces derniers sont peu précis, et pour ainsi dire jamais impartiaux. Lépante est-elle une victoire espagnole? vénitienne, voire italienne? Quelques témoignages : Ferrante CARACCIOLO, *I commentarii delle guerre fatte co'Turchi da D. G. d'Austria dopo che venne in Italia*, Florence, 1581. *Discurso sobre la vit^a naval sacada de la armada turquesca traduzido del toscano en sp^ol*, A. E. Esp. 236, f°s 51-53. *Relatione della vittoria navale christiana contro li Turchi al 1571, scritta dal Sign^r Marco Antonio Colonna alla Santità di N^ro Sign^r Pio V, con alcune mie* (de Francesco Gondola ambassadeur ragusain à Rome) *aggionte ad perpetuam memoriam*, p.p. L. VOINOVITCH, p. 107-112. *Relacion de lo succedido al armada desde los 30 del mes de setiembre hasta los 10 de octubre de 1571*, f°s 168-169 ; *Relacion de lo succedido a la armada de la Santa Liga desde los 10 de octubre hasta los veynte cinco del mismo* f°s 169-171, B. N., Madrid M^ss 1750. La liste des ouvrages historiques dans L. SERRANO, Alonso SANCHEZ ou dans G. HARTLAUB. Ne pas oublier : Guido Antonio QUARTI, *Lepanto*, Milan, 1930.

commise. Si bien que l'amiral turc et son conseil décidèrent de fondre sur les navires chrétiens, au long des côtes de Corfou ; tandis que le conseil de guerre allié, dans une séance assez dramatique, se décidait pour le combat, malgré les avis des pusillanimes et des prudents. La ténacité des Vénitiens qui menacèrent de se battre seuls, la volonté des Pontificaux, l'élan de Don Juan qui n'hésita pas à s'évader des instructions étroites que lui avait données Philippe II, décidèrent de la rencontre.

Nul doute qu'en l'occurrence, Don Juan n'ait été l'ouvrier du destin. Il jugeait, en toute honnêteté, ne pouvoir décevoir Venise et le Saint-Siège sans perdre la face et l'honneur. Se dérober, c'était livrer la Chrétienté ; combattre et périr, ce n'était point, si l'on conservait l'amitié de Venise, compromettre entièrement l'avenir, car, avec cette aide, une flotte chrétienne pouvait être reconstruite. Ainsi Don Juan fera-t-il plaider plus tard[1], pour expliquer son initiative ; ainsi a-t-il, sans doute, pensé sur le moment. Don Garcia de Toledo, l'année suivante, tremblait encore à la pensée que Don Juan avait risqué d'un coup l'unique défense de l'Italie et de la Chrétienté. Folie et témérité, pensèrent les sages dès le lendemain de la victoire, imaginant la défaite et les navires turcs poursuivant les alliés jusqu'à Naples ou Civitavecchia...

Les deux flottes, qui se cherchaient l'une l'autre, se rencontrèrent à l'improviste, le 7 octobre, au soleil levant, à l'entrée du golfe de Lépante où la flotte chrétienne réussit aussitôt (ce fut un grand succès tactique) à enfermer son adversaire. Face à face, Chrétiens et Musulmans purent alors, à leur surprise réciproque, dénombrer leurs forces : 230 bateaux de guerre du côté turc, 208 du côté chrétien. 6 galéasses bien munies d'artillerie renforçaient les galères de Don Juan, lesquelles dans l'ensemble, étaient mieux pourvues de canons et d'arquebuses que les galères turques, où les soldats combattaient souvent encore avec des arcs.

Les nombreux récits de la rencontre — y compris l'étude du vice-amiral Jurien de la Gravière — ne sont pas d'une objectivité historique parfaite. Il est difficile d'y démêler à qui revient le mérite de l'éclatante victoire : au chef, à Don Juan ? Sans aucun doute. A Jean André Doria qui, à la veille de la rencontre, eut l'idée de faire abattre les éperons des galères, si bien que leur avant s'enfonçant davantage sous l'eau, le tir moins courbe des pièces de coursive vint frapper en plein bois les flancs des navires turcs ? Aux puissantes galéasses vénitiennes qui, placées en avant des lignes chrétiennes, divisèrent le flot de l'armada ennemie, en disloquèrent les rangs par l'étonnante puissance de leurs feux ? Bien qu'immobiles ou pour le moins peu manœuvrières, elles ont été des sortes de vaisseaux de ligne, des forteresses flottantes. Ne sous-estimons pas non plus l'excellente infanterie espagnole qui joua un grand rôle dans ce combat quasi terrestre ; ni l'admirable ordonnance des galères espagnoles, les plus redoutées par les Turcs de toutes les *ponentinas*[2], ni le feu particulièrement nourri des galères vénitiennes. Tenons compte aussi, comme les Turcs le souligneront plus tard, comme les vainqueurs le reconnaîtront eux-mêmes, de la fatigue de l'armée navale turque : elle ne s'est pas présentée au mieux de sa forme[3].

---

1. Las causas que movieron el Sor Don Juan para dar la batalla de Lepanto (1571). B. N., Madrid M[ss] 11268/35.
2. *Ponentinas* ne veut pas dire, comme le pense F. HARTLAUB, *op. cit.*, p. 182, espagnoles, sans plus.
3. A ce sujet, les considérations de Granvelle au roi, Naples 26 mai 1571, Simancas E[o] 1060, f° 30, ont l'avantage d'être antérieures à la rencontre.

Quoi qu'il en soit, le triomphe chrétien fut immense. Seules 30 galères turques s'échappèrent : sous la conduite d'Euldj Ali, elles surent évoluer, avec une légèreté et une science manœuvrière hors de pair, autour des redoutables galères de Jean André Doria. Peut-être (faisons place un instant aux médisances[1]), parce que le Génois, une fois de plus, refusa de s'engager à fond, trop ménager de « son capital ». Toutes les autres galères turques furent prises et partagées entre les vainqueurs, ou coulées. Dans la rencontre, les Turcs avaient perdu plus de 30 000 tués et blessés, 3 000 prisonniers ; 15 000 forçats furent libérés. Les Chrétiens, de leur côté, avaient perdu 10 galères, 8 000 morts, 21 000 blessés. Ils payèrent cher, humainement, leur succès, plus de la moitié de leurs effectifs étant hors de combat. La mer du champ de bataille parut soudain, aux combattants, rouge de sang humain.

Une victoire sans conséquences ?

Cette victoire ouvrait la porte aux plus grandes espérances. Mais sur le moment, elle n'eut pas de conséquences stratégiques. La flotte alliée ne poursuivit pas l'ennemi en déroute, à cause de ses pertes, à cause du mauvais temps qui fut peut-être le sauveur de l'Empire turc désemparé. Au mois de septembre, les Vénitiens avaient jugé qu'il était trop tard pour s'enfoncer vers le Levant et tenter de ressaisir Chypre. Comment y penser à l'automne, alors que la nouvelle de la chute de Famagouste était arrivée aux chefs de la flotte à la veille de Lépante ? Venise ne l'apprit que le 19 du mois[2], au lendemain du jour où la nouvelle de sa victoire lui avait été apportée par la galère, L'Angelo Gabrielle, détachée à cet effet par Veniero[3].

Don Juan, pour sa part, était tenté par une expédition immédiate sur les Dardanelles, qui aurait permis de verrouiller le détroit. Mais les vivres et les hommes lui manquaient et Philippe II avait donné l'ordre — sauf si l'on pouvait s'octroyer un grand port en Morée — de faire hiverner les galères en Italie. Il était impossible de s'aventurer ainsi quand manquait le matériel nécessaire pour des opérations de siège. Les Pontificaux et les Vénitiens qui voulurent s'attarder sous les murs de quelques villes secondaires, dans l'Adriatique, n'en retirèrent ni gloire, ni profit. Don Juan rentra à Messine dès le 1er novembre. Quelques semaines plus tard, Marcantonio Colonna était à Ancône, Veniero à Venise...

Là-dessus, avec un ensemble impressionnant, les historiens concluent : beaucoup de bruit, de gloire si l'on veut, mais pour rien[4]. Que l'évêque de Dax ait développé ce thème à l'usage de son maître et, non sans habileté, auprès des Vénitiens, abondamment plaints pour leurs pertes que ne compensait pas le gain « d'un seul pouce de terre », soit[5], l'évêque de Dax avait ses raisons d'être aveugle, ou de vouloir l'être.

---

1. Nobili et del Caccia au prince, Madrid, 24 déc. 1571, A. d. S. Florence, Mediceo 4903 ; L. VOINOVITCH, op. cit., p. 42.
2. G. de Silva au roi, Venise, 19 oct. 1571, Simancas E⁰ 1329. Cf. B. N., Paris, Ital. 427, fᵒˢ 325-333. F. de Alava au roi, 2 août 1571, A. N., K 1520, B 29, nᵒ 38 ; L. VOINOVITCH, op. cit., p. 102.
3. H. KRETSCHMAYR, op. cit., III, p. 69.
4. Ainsi H. WÄTJEN, Die Niederländer im Mittelmeergebiet, op. cit., p. 9 ; H. KRETSCHMAYR, op. cit., III, pp. 75 et sq. ; L. SERRANO, op. cit., I, p. 140-141.
5. Au duc d'Anjou, Venise, 4 nov. 1571, B. N., Paris, Fr. 16170, fᵒˢ 57 à 59, copie.

Mais si, au lieu d'être attentif seulement à ce qui a suivi Lépante, on l'est à ce qui l'a précédé, cette victoire apparaît comme la fin d'une misère, la fin d'un réel complexe d'infériorité de la Chrétienté et d'une non moins réelle primauté turque. La victoire chrétienne a barré la route à un avenir qui s'annonçait très sombre. La flotte de Don Juan détruite, qui sait ? Naples, la Sicile étaient peut-être attaquées, les Algérois essayaient de rallumer l'incendie de Grenade ou le portaient à Valence[1]. Avant d'ironiser sur Lépante, à la suite de Voltaire, peut-être est-il raisonnable de peser le poids immédiat de la journée. Il fut énorme.

Une étonnante série de fêtes suivit — la Chrétienté ne pouvait croire à son bonheur — et une non moins étonnante débauche de projets. Ils barrent la mer entière de leurs grandioses perspectives, ces projets qui en veulent à l'Afrique du Nord, sphère habituelle d'influence espagnole ; à l'Égypte et à la Syrie, ces possessions éloignées d'où le Turc tire tant d'argent (et c'est Granvelle tête froide s'il en fût, qui propose l'entreprise) ; à l'île de Rhodes, à Chypre, à la Morée enfin dont les émigrants, un peu partout, promettent de faire merveilles pour peu qu'on les écoute et qu'on les arme. Ils font facilement illusion en Italie et en Espagne où l'on pense que les Chrétiens des Balkans, alertés par une descente chrétienne, ne tarderaient pas à se soulever. Les plus romanesques, le pape, Don Juan d'Autriche, rêvent de la délivrance de la Terre Sainte et de la prise de Constantinople. Ne va-t-on pas jusqu'à proposer l'entreprise de Tunis pour le printemps 1572, celle du Levant pour l'été, celle d'Alger pour l'hiver suivant ?

Philippe II, c'est une justice à lui rendre, ne participe pas à ces frénésies. A la différence de son père, de son frère ou de son neveu, Dom Sébastien de Portugal, il n'est pas travaillé par des rêves de croisade[2]. Comme toujours, il calcule, pèse, demande aux gens en place leurs avis, les fait discuter, remet ainsi les projets de Granvelle et de Requesens à Don Juan, avec charge de répondre point par point, en face de chaque proposition. Les conversations reprenaient, en effet, à Rome pour arrêter les opérations de la prochaine campagne. La victoire ne les avait rendues ni moins serrées, ni plus confiantes.

On a tendance à sourire de ces graves conversations autant que des projets tumultueux. Quand on connaît le dénouement, il est trop facile d'expliquer, comme le P. Serrano, le dernier et le meilleur historien de Lépante, que cette victoire ne pouvait porter aucun fruit, ni servir à quoi que ce soit. La seule chose à dire, c'est que Lépante n'était qu'une victoire maritime et que, dans ce monde liquide enveloppé et barré de terres, elle ne pouvait suffire à détruire les racines turques qui sont de longues racines continentales. Le sort de la Ligue, autant qu'à Rome, s'est joué à Vienne, à Varsovie, la nouvelle capitale polonaise, et à Moscou. Si l'empire turc avait été attaqué sur cette frontière terrestre... Mais pouvait-il l'être[3] ?

---

1. Henri DELMAS de GRAMMONT, *Relations entre la France et la Régence d'Alger au XVIIe s.*, I, p. 2 et note 2.
2. L. PFANDL, *Philippe II*, p. 366-367.
3. Je laisse de côté l'inutile campagne diplomatique dans ce sens, à Vienne, en Pologne, à Moscou, à Lisbonne, en place dès 1570, voir le livre de Paul HERRE, *op. cit.*, pp. 139 et *sq.*, même les curieuses tractations de Rome en Moscovie (PIERLING S. J., *Rome et Moscou, 1547-1579*, Paris, 1883 ; *Un nonce du Pape en Moscovie. Préliminaires de la trêve de 1582*, Paris, 1884). Sur le refus ferme du Portugal en 1573 : *Le cause per le quali il Sermo Re di Portugallo nro Sig*re... A. Vaticanes, Spagna, 7, fos 161-162. En avril 1571, le tribut impérial a été payé au Turc, F. HARTLAUB, *op. cit.*, p. 69 ; cardinal de Rambouillet, Rome, 7 mai 1571, E. CHARRIÈRE, *op. cit.*, III, pp. 148-149. L'empereur ne peut agir sans l'aide

Enfin, l'Espagne ne pouvait s'engager en Méditerranée aussi longtemps et complètement qu'il l'eût fallu. Là est l'essentiel, comme toujours. Lépante aurait probablement eu des conséquences si l'Espagne s'était acharnée à les poursuivre.

On ne se rend pas toujours compte que la victoire de Lépante elle-même n'a été possible que parce que l'Espagne, pour une fois, s'était engagée à fond. Par un heureux concours de circonstances, toutes ses difficultés s'étaient allégées, provisoirement mais toutes en même temps, en ces années 1570-1571. Les Pays-Bas semblaient fermement tenus par le duc d'Albe ; l'Angleterre avait des difficultés intérieures : tout d'abord le soulèvement des barons du Nord, en 1569 ; puis la conspiration de Ridolfi, dont bien des fils, sinon tous, ont été tirés d'Espagne. Philippe II a même envisagé alors d'agir contre Élisabeth, tant celle-ci paraissait hors d'état de résister[1]. La politique française était plus inquiétante, mais elle n'était pas au point. L'évêque de Dax n'avait pas encore dépassé Venise, en octobre 1571. Et la Toscane était hésitante. La politique anti-espagnole que Cosme avait savamment orchestrée subissait un temps d'arrêt : le grand-duc avait même avancé au duc d'Albe l'argent indispensable à son action aux Pays-Bas[2]. Revirement politique ? Double jeu ? Quoi qu'il en soit, l'Espagne se trouvait brusquement délestée de ses charges extérieures.

Elle en profita pour agir en Méditerranée. On vit alors, dans tout le secteur européen, par troupes entières, les soldats et aventuriers de toutes nations refluer vers le Sud où les embauches se multipliaient. Ce sont des soldats français à la solde des Vénitiens, des Huguenots sans doute, dit un rapport, qui défendirent Dulcigno, en juillet 1571, sans beaucoup d'ardeur d'ailleurs[3]. Des Français aussi, mêlés aux Espagnols, s'embarquèrent sur les galères de Philippe II, à Alicante[4]. Et, au printemps 1572, ils étaient deux mille à Venise, mercenaires à la solde de la Seigneurie. Signes évidents de l'importance brusque du champ de bataille méditerranéen.

Donc l'Espagne a profité de la trêve que lui laissaient ses adversaires d'Occident pour frapper en Orient. Mais ce n'est que le temps d'une halte. Jamais elle n'a pu faire mieux que frapper un coup à gauche, un coup à droite, au gré des circonstances plus que de ses désirs. Jamais elle n'a pu engager toutes ses forces sur un seul point. C'est l'explication de ses « victoires sans conséquences ».

du roi de Pologne (Michiel et Soranzo au doge, Vienne, 18 déc. 1571, P. Herre, op. cit., p. 154). Du moins, il le dit à l'ambassadeur de Pologne : *Ohne Euch kann man nichts tun*, et l'autre de répondre : *Und wir wollen ohne Eur. Majestät nichts tun*. Nobili au prince, Madrid, 18 nov. 1571, Mediceo 4903, a su de bonne source que l'empereur, pas prêt, ne peut intervenir cette année. En gros il y aura eu deux tentatives poussées, insistantes pour le moins, sur le plan diplomatique, l'une en 1570 alors que les jeux ne sont pas faits, l'autre avec le début du pontificat de Grégoire XIII (mission d'Ormaneto en Espagne, de l'archevêque de Lanciano au Portugal...).
1. Énorme documentation à ce sujet à Simancas, dont O. de Törne donne une bonne esquisse, op. cit., I, pp. 111 et sq. Arrivée d'un ambassadeur en Espagne, Coban, CODOIN, XC, p. 464 et sq ; Nobili et del Caccia, Madrid, 10 mai 1571, Mediceo 4903.
2. Argent emprunté puis non utilisé, voir *supra*, I, p. 441.
3. G. de Silva à Philippe II, Venise, 25 ou 26 nov. 1571, Simancas E° 1329.
4. Requesens à Philippe II (8 déc. 1571), A. E., Esp. 236, f° 132 ; Fourquevaux, op. cit., II, p. 243, passage de soldats à travers les Alpes ; F. de Alava au duc d'Albuquerque, Paris, 27 avr. 1571, A. N., K 1519, B 29, n° 69.

2. 1572, année dramatique

La crise française jusqu'à la Saint-Barthélémy, 24 août 1572

L'animosité française n'avait cessé de grandir contre l'Espagne depuis les débuts de la guerre de Chypre. Elle s'accentuait en 1571, s'affirmait après la conclusion de la Ligue, éclatait avec une agressivité sans voile, après Lépante.

L'année 1572 débuta, pour les deux pays, sous le signe de la guerre. Par avance, elle projetait ses ombres dans une Méditerranée en armes, dans une Europe du Nord troublée. La mission de l'évêque de Dax qui avait enfin quitté Venise (il atteignait Raguse en janvier[1]) était peu de chose à côté des menaces que les Espagnols sentaient grandir au Nord. Ils avaient su de quelle façon Ludovic de Nassau avait été reçu à la cour de France, au printemps 1571. Ils n'ignoraient pas que le roi avait lié partie avec les rebelles. Tout un réseau espagnol de renseignements et d'espionnage entoure et pénètre la France[2]. Il contribue assez peu à l'entente des deux couronnes dont les conversations diplomatiques ne sont qu'un long mensonge où l'historien s'embourbe. Tout ramener, comme le fait L. Serrano[3] — d'une façon inconsciemment nationaliste — à la prestigieuse duplicité florentine de Catherine de Médicis, habile à multiplier les attitudes, à démentir ses armements, puis à les attribuer à des sujets désobéissants, à les présenter enfin comme des ripostes justifiées, ce n'est que présenter un mince fil de l'écheveau.

D'autre part, le danger anglais renaissait. Au duc de Medina Celi, qui s'apprêtait à gagner les Pays-Bas par la route océane, le duc d'Albe recommandait, au début de 1571, de préférer encore, pour y relâcher, les ports français aux ports anglais[4] ! Mais au début de 1572, les deux adversaires de l'Espagne se rapprochaient, oubliant le long différend que l'Espagne avait toujours eu soin d'entretenir. Une alliance était en vue — on le savait dès janvier[5] — et toutes les explications apaisantes du roi de France[6] ne trompaient personne.

Les articles de la « ligue » franco-anglaise furent signés à Blois, le 19 avril[7]. Dès le mois de mars, on en connaissait les stipulations, en particulier que les Anglais s'obligeaient à transférer l'étape de leurs marchandises sur le continent, des Pays-Bas à Rouen et à Dieppe, les Français s'engageant, de leur côté, à approvisionner l'île en sel, épiceries et soie[8]. Ce qui, évidemment, ne pouvait que profiter à l'isthme français et travailler à la ruine d'Anvers[9]. On disait même, à Venise, que les Français n'avaient conclu l'accord que pour ranimer le trafic déclinant de Rouen[10]. Le secrétaire Aguilón qui, en attendant l'arrivée

---

1. E. Charrière, *op. cit.*, III, p. 245 en note ; B. N., Paris, Fr. 16170, f⁰ 70 et *sq.*
2. H. Forneron, *Histoire de Philippe II*, II, p. 304 et *sq.*
3. *Op. cit.*, I, p. 228 et *sq.* et surtout p. 228, note 2.
4. 31 janv. 1571, *CODOIN*, XXXV, p. 521 (101 *bis*), A. N., K 1535, B 35, n⁰ 10 *bis* ; Catherine de Médicis à la reine d'Angleterre, 22 avr. 1572, comte Hector de La Ferrière, *Lettres de Catherine de Médicis*, 1885, IV, pp. 97 et 98.
5. G. de Spes, Cantorbery, 7 janv. 1572, *CODOIN*, XC, p. 551.
6. Cavalli à la Sⁱᵉ de Venise, Blois, 24 févr. 1572, *C. S. P. Venetian*, VII, p. 484.
7. Articles de la ligue défensive conclue entre le roi de France et la reine d'Angleterre, 19 avril 1572, A. N., K 1531, B. 35, n⁰ 10 *bis*.
8. Aguilon au duc d'Albe, Blois, 8 mars 1572, A. N., K 1526, B 32, n⁰ 6.
9. Saint-Gouard au roi de France, Madrid, 14 avr. 1572, B. N., Paris, Fr. 1640, f⁰ˢ 16 à 18.
10. G. de Silva au roi, Venise, 22 mai 1572, Simancas E⁰ 1331.

du successeur de Don Francés de Alava, Diego de Çuñiga[1], expédiait en France les affaires courantes d'Espagne, ne cachait pas son amertume et, dans une lettre au secrétaire Çayas où il s'exprimait librement, regrettait ouvertement que Philippe II ne se soit pas, pour des questions de *reputación*, accordé avec l'Angleterre. Il faudrait reprendre les négociations (l'accord avec la France n'était pas encore signé à cette date), ou tenir les Pays-Bas pour perdus[2].

L'ambassadeur anglais voyait les choses avec plus de nuances. Il écrivait à Lord Burghley, au lendemain de la signature : « Les gens de robe longue craignent qu'elle ne produise de la brouille entre cette couronne et l'Espagne et seroient bien faschés que le roi s'engageast à l'heure qu'il est dans une guerre, parce qu'ils appréhendent que l'administration des affaires ne tombast alors en d'autres mains »[3]. C'était juger sainement des incertitudes de la politique française, objectivement, sans passion. Très informée, trop informée, la cour de Madrid avait tendance à voir tout en noir.

Il est vrai que les grands préparatifs de la France sur l'Atlantique étaient intentionnellement faits avec beaucoup de tapage[4]. Fourquevaux en entendait parler à Madrid, en février[5]. A Paris, Aguilón s'en entretenait avec l'ambassadeur du Portugal aussi inquiet que lui-même. Le duc d'Albe s'en préoccupait à Bruxelles[6]. Et partout, les commentaires allaient leur train[7]. Les galères ponentines du baron de La Garde allaient-elles être ramenées en Méditerranée ? Et ces navires marchands de haut bord que l'on équipait en vaisseaux de guerre et qu'on savait devoir être mis sous le commandement de Philippe Strozzi, où iraient-ils[8] ? Saint-Gouard disait : contre les pirates de l'Océan. Mais les gendarmes pourraient bien se changer en voleurs, pensait Philippe II[9]. Il était difficile de se fier à l'officielle promesse française que cette flotte respecterait les territoires espagnols[10], quand Diego de Çuñiga rapportait qu'en éclatant de rire, Catherine de Médicis s'etait écriée : « la flotte de Bordeaux, elle ne touchera pas à vos affaires ! Vous pouvez être aussi tranquilles que si votre roi était à son bord ! »[11].

Et il n'y avait pas que la flotte de Bordeaux. Les incidents de la frontière Sud des Pays-Bas étaient l'occasion de soupçons et de plaintes réciproques, aggravées par l'affolement des populations de ces régions tourmentées[12]. Le duc d'Albe avait-il, oui ou non, renforcé les forteresses le long de la frontière ? Avait-il, oui ou non, monté des pièces d'artillerie sur les remparts ? Oui ou

---

1. Son instruction, 31 mars 1572, A. N., K 1529, B 34, fos 33 et 34.
2. Blois, 16 mars 1572, A. N., K 1526, B 32, n° 19.
3. Walsingham à lord Burgley, 22 avr. 1572, H. de LA FERRIÈRE, *op. cit.*, IV, p. 98, note 1 ; Sir Francis de WALSINGHAM, *Mémoires et Instructions pour les ambassadeurs*, Amsterdam, 1700, p. 217.
4. Où allait la flotte? Ch. de LA RONCIÈRE, *H. de la Marine française*, 1934, p. 68, affirme : vers « les Antilles, la Guinée, la Floride, Nombre de Dios, l'Algérie (*sic*) ». Cette flotte sera utilisée à bloquer La Rochelle pendant la quatrième guerre de religion.
5. II, p. 241.
6. Le duc d'Albe au Secrétaire Pedro d'Aguilón, Bruxelles, 19 mars 1572, A. N., K 1526, B 32, n° 15. Indique aussi les entretiens d'Aguilón avec l'ambassadeur de Portugal.
7. Saint-Gouard au roi, 14 avr. 1572, B. N., Paris, Fr. 1610, fos 22 et 23 ; Aguilón au duc d'Albe, Blois, 26 avr. 1572, A. N., K 1526, B 37, n° 57.
8. Francisco de Yvarra au roi, Marseille, 26 avr. 1572, Simancas E° 334.
9. Aranjuez, 10 mai 1572, A. N., K 1528, B 35, n° 48.
10. Çayas à Diego de Çuñiga, Madrid, 20 mai 1572, A. N., K 1529, B 34, n° 54.
11. FOURQUEVAUX, *op. cit.*, II, p. 309.
12. Aguilón au duc d'Albe, Blois, 3 mai 1572, A. N., K 1526, B 32, n° 69.

non, avait-il barré les routes[1] ? Avait-il astreint au service de garde les gens du plat pays, comme si l'on était en temps de guerre ? les Français des Pays-Bas qui, d'après les traités, devaient jouir librement de leurs biens, étaient constamment sur le qui-vive ; d'autant que les questions de religion n'étaient nullement prévues par les traités[2]. Cependant, il était impossible aux Espagnols de ne pas croire que les Français encourageaient, chaque fois qu'ils le pouvaient, la rébellion des provinces espagnoles.

Or, le 1er avril, les Gueux de la mer, sous la direction de Guillaume de La Marche, avaient pris Brielle, dans l'île de Voorn, à l'embouchure de la Meuse[3]. L'insurrection avait gagné Flessingue, s'était étalée au Nord et à l'Est, à travers tout le Waterland, le district des eaux. La vraie révolution des Pays-Bas commençait, dans un pays fanatisé, où abondaient les misérables. Les Français étaient forcément de connivence et les Anglais bien entendu[4]. Le duc d'Albe se plaignit au représentant du roi de France à Bruxelles de ce que les bateaux des révoltés marchaient de compagnie avec les bateaux français nouvellement armés et qu'ils trouvaient, en France, artillerie, vivres et munitions[5]. La flotte de Strozzi était quasi une flotte huguenote, dit Aguilón, et des navires anglais et écossais se trouvaient à ses côtés. Elle était capable de piller au passage le littoral espagnol[6].

Il y avait d'autant plus lieu de s'inquiéter que l'attaque de Brielle, au Nord, se doublait bientôt d'une attaque au Sud. Les Huguenots entraient avec La Noue à Valenciennes, le 23 mai, et le 24, Ludovic de Nassau surprenait Mons, au petit matin[7]. C'était l'exécution du plan concerté entre Orange et ses alliés de France[8]. Elle ne surprit point le duc d'Albe qui n'eut toujours que trop tendance à sous-estimer le front de mer et le péril des Gueux, pour s'hypnotiser sur le danger français et la frontière continentale du Sud-Ouest[9].

En fait, une guerre franco-espagnole semblait imminente. En mai, Vespasiano Gonzaga, vice-roi de Navarre, faisait d'inquiétants rapports sur les menées françaises dans la région[10]. Toute la frontière pyrénéenne, de l'Atlantique à la Méditerranée, était en alerte. Les rapports de Saint-Gouard étaient aussi soupçonneux que ceux des ambassadeurs espagnols. « Je les vois faire toutes sortes de provisions », écrivait-il le 21 mai 1572[11]. « Ils ont levé à la foire dernière de Medina del Campo plus de cinq millions » et fait venir d'Italie de

1. Le duc d'Albe au roi, 27 avr. 1572, copie A. N., K 1528, B 33, nº 43.
2. Mémoire et propositions de l'ambassadeur Saint-Gouard à Philippe II, avr. 1572, A. N., K 1529, B 34, nº 44 (tr. esp.). Autres menus incidents, Saint-Gouard à Catherine de Médicis, autogr., Madrid, 14 avr. 1572, B. N., Paris, Fr. 16104, fᵒˢ 22-23; H. Forneron, *op. cit.*, II, p. 302.
3. C. Pereyra, *Imperio...*, p. 170 ; G. de Spes au roi, Bruxelles, 15 avr. 1572, *Codoin*, XC, pp. 563-564. Mondoucet au roi, Bruxelles, 27 avr. 1572, orig. B. N., Paris, Fr. 16127. désarroi du duc d'Albe. Le joli témoignage d'Antonio de Guaras au duc d'Albe, Londres, 18 mai 1572, *CODOIN*, XC, pp. 18-19, H. Pirenne, *Histoire de la Belgique*, IV, pp. 29 et *sq.* ; Mondoucet au roi, Bruxelles, 29 avril 1572, B. N., Paris, Fr. 16127, fᵒ 43 ; Aguilón au duc d'Albe, Blois, 2 mai 1572, A. N., K 1526, B 32.
4. Voir note précédente, *CODOIN*, XC.
5. Mondoucet à Charles IX, Bruxelles, 29 avr. 1572, B. N., Paris, Fr. 16127, fᵒ 43 et *sq.*
6. Aguilón au duc d'Albe, Blois, 2 mai 1572, A. N., K 1526, B 32.
7. H. Pirenne, *op. cit.*, IV, p. 31-32 ; *CODOIN*, LXXV, p. 41 ; H. Forneron, *op. cit.*, II, p. 312.
8. H. Pirenne, *op. cit.*, p. 31.
9. R. B. Merriman, *op. cit.*, IV, p. 294.
10. Nobili et del Caccia, Madrid, 19 mai 1572, A. d. S. Florence, Mediceo 4903.
11. Au roi, Madrid, 21 mai 1572, B. N., Paris, Fr. 1604, fᵒˢ 58 et *sq.*

nombreuses armes qui ont été distribuées sur les frontières. Enfin, on entretient « une infinité de capitaines », qu'on a empêché de partir dans le Levant. Rien ne dit, conclut-il, que les préparatifs, soi-disant faits pour la Ligue, ne soient pas destinés au Languedoc ou à la Provence... Mais le roi de France, de son côté, a réuni plus de 80 vaisseaux et « bon nombre d'infanterie gasconne »[1]. Ce qu'attend cette flotte ? de savoir où se produira le premier craquement espagnol, explique Don Diego de Çuñiga. Et si les affaires s'arrangent aux Pays-Bas, elle ne s'y rendra pas[2].

Les Portugais s'inquiètent, eux aussi, des entreprises que pourrait tenter une flotte française disponible. Ils avaient armé une grosse flotte, avec plus de 20 000 hommes de troupes. C'est qu'ils craignent, dit Sauli qui transmet cette nouvelle, que les Français ne veuillent s'emparer, au Maroc, du Cap de Gué, ce qui gênerait considérablement les navigations portugaises, tant vers les Indes Orientales que vers les « Indes de Ponent ». A moins qu'ils ne veuillent faire, pour leur compte, une autre entreprise marocaine[3].

Les Espagnols ne sont pas en reste et ont pris les mesures maritimes qui s'imposent contre ces fameux navires français de Bretagne, de La Rochelle et de Bordeaux. En mai, le duc de Medina Celi a quitté Laredo avec 50 navires[4] ; ordre a été donné d'en armer 30 dans les Flandres. Et en « Biscaye et Galisie », on a donné, à quiconque le voudrait, le droit d'armer, ce qui ne s'était jamais fait encore, et de se joindre à la flotte de Medina « pour veoir les mouvemens » des Français[5].

Quant à l'Italie, la zone névralgique y est, naturellement, le Piémont et, autour du Piémont, les États du Savoyard et la grande place d'armes de Milan où le grand commandeur de Castille vient d'être nommé gouverneur. Dans cette dernière ville, les soldats venus d'Allemagne ne cessent de s'accumuler. Si Saint-Gouard ose s'en inquiéter, on lui répond bien entendu « qu'ils sont pour aller trouver Don Juan d'Austria »...[6] Mais au même moment[7], Diego de Çuñiga écrit à son maître, sur un ton non moins alarmé, que les Français auraient trouvé le moyen de se faire remettre quelques-unes des places que les Espagnols occupent en Piémont. Inquiétudes communicatives : elles gagnent les Génois. La Seigneurie de Gênes écrit que les quatre galères qui, à Marseille, sont armées et prêtes à partir avec huit compagnies d'infanterie, sont, d'après la rumeur publique, destinées à la Corse[8].

Personne ne joue franc jeu. Chacun, inquiet et menaçant à la fois, cherche à faire flèche de tout bois. Quand le 11 mai, les Algérois demandent — requête étrange — la protection du roi de France, Charles IX s'empresse d'accepter[9]. Il pense que le duc d'Anjou, payant tribut au Turc, ferait un excellent roi

1. Nobili et del Caccia au prince, Madrid, 19 mai 1572, A. d. S. Florence, Mediceo 4903.
2. D. Diego de Cuñiga au duc d'Albe, 24 mai 1572, A. N., K 1529, B 34, n° 96 a, copie.
3. 18 mai 1572, A. d. S. Gênes, L. M. Spagna, 5-2.414.
4. Il arrivera à l'Écluse le 11 juin 1572, Medina Celi au roi, l'Écluse, 11 juin 1572, CODOIN, XXXVI, p. 25.
5. Saint-Gouard au roi, Madrid, 31 mai 1572, B. N., Paris, Fr. 1604, fos 75 et sq. Autres bruits : la flotte française irait sur les Indes «... et encore hier ce propos fust tenu chez le duc de Sesa... », ibid. En France, les chemins encombrés de soldats. A Bordeaux, une grosse flotte dont 14 navires de 600 tonnes, 20 juin 1572, A. N., K 1529, B 34, n° 9.
6. Saint-Gouard au roi, Madrid, 21 mai 1572, B. N., Paris, Fr. 1604, fos 58 et sq.
7. 24 mai 1572, voir note 2, ci-dessus.
8. A Sauli, 6 juin 1572, A. d. S. Gênes, L. M. Spagna, 6.2415.
9. Le roi à l'évêque de Dax, 11 mai 1572, B. N., Paris, Fr. 16170, f° 122 et sq. E. CHARRIÈRE, op. cit., III, p. 291 en note.

d'Alger : combien de couronnes ce pauvre duc n'aura-t-il pas portées en espérance ! C'était peut-être agir à la légère, risquer de compromettre l'alliance avec le sultan, prendre, comme dira l'évêque de Dax répondant à ces étranges propositions, « la paille pour du grain »[1]. Mais si le roi est si facilement attiré par les promesses sans franchise d'Euldj Ali (lequel au même instant offrait sa ville à Philippe II[2] !), c'est qu'il croit ainsi pousser avec adresse un des pions du jeu qui l'oppose au roi d'Espagne. Ne grossissons pas l'incident comme L. Serrano et après lui F. Hartlaub, qui pensent que le secret de la flotte de Strozzi est à trouver du côté d'Alger[3], et qu'en inquiétant les côtes cantabriques, Charles IX avait voulu détourner d'Alger la flotte de Philippe II et se réserver l'éventuelle possession de la ville.

La politique française était loin d'être aussi claire. Elle n'était pas sûre de ses appuis extérieurs. En août, l'Allemagne protestante n'était pas décidée à bouger. L'Angleterre ne voyait pas avec faveur la France s'installer dans les Pays-Bas et l'occasion était bonne, pour elle, d'entrer en conversation avec les Espagnols. Le Turc, enfin, avait bien assez de ses propres affaires. Et la France n'était même pas sûre d'elle-même. Sa politique anti-espagnole était celle de Charles IX, un impulsif, celle de Coligny, en plein rêve. Elle avait contre elle les « robes longues » dont parlait Walsingham, les conseillers d'épée et, en bloc, tout le clergé. Pour bien des raisons, notamment parce que la guerre signifiant des dépenses, on songeait naturellement à se saisir des biens de l'Église. Un projet de sécularisation fut même établi : autant que les attitudes « cocardières » de l'amiral à propos de la croix de Gastines, ce projet allait soulever Paris et le clergé[4]. D'autre part, attaquer Philippe II n'était pas une mince affaire et Catherine de Médicis commençait à s'affoler à l'idée d'une guerre qui pouvait provoquer des revirements inattendus. Au conseil, le 26 juin, Tavannes disait clairement que la puissance des Protestants risquait de devenir si grande, en cas de conflit, que « venant à mourir ou changer ceux qui les conduisent avec bonne intention... le roy et son royaume seront toujours menez en laisse, et vauldroit bien mieux n'avoir point de Flandres et autres conquestes que d'estre incessamment à maistre »[5].

La politique française est ainsi velléitaire, prête à des reculades, en tout cas pas encore disposée à rompre. Quand, dans la première moitié de juin, arrive à Madrid la nouvelle de la prise de Valenciennes et de Mons, l'ambassadeur français présente à Philippe II les regrets et quasiment les excuses de son roi. Tout s'est passé sans qu'il en ait été informé. Il déplore sincèrement les actes inamicaux du duc d'Albe et désire que Philippe II soit à nouveau assuré de son désir de paix. A quoi Philippe II répond qu'il y a, parmi les révoltés de Flandre, beaucoup de sujets du roi de France et de gens ayant séjourné en France. A l'amitié franco-espagnole, il ne voit qu'une condition : que les œuvres répondent aux discours. En tout cas, le duc d'Albe, selon les ordres qu'il a reçus, ne rompra que si les Français rompent les premiers[6]... Jusqu'à l'annonce

1. Eugène PLANTET, *Les consuls de France à Alger*, 1930, p. 9.
2. L. SERRANO, *op. cit.*, IV, p. 516-517.
3. *Ibid.*, I, p. 226 ; F. HARTLAUB, *op. cit.*, p. 56.
4. Pierre CHAMPION, *Paris au temps des guerres de religion*, 1938, p. 198.
5. E. LAVISSE, *Hist. de France*, VI, 1, p. 122.
6. *Lo que el embassador de Francia dixo a Su Mag^d en S. Lorenzo*, A. N., K 1529, B 29, n° 83. De même à ce sujet la lettre de Giulio del Caccia au prince, Madrid, 19 juin 1572, A. d. S. Florence, Mediceo 4903, ou celle de Sauli à sa République, Madrid, 4 juil. 1572, A. d. S. Gênes, L. M. Spagna, 5.2414.

de la Saint-Barthélémy, Saint-Gouard ne cessera de multiplier, de la part de son gouvernement, les protestations pacifiques. Peut-être en ajoute-t-il du sien. Le 28 juin, tandis qu'il s'entretient avec Philippe II de la satisfaction de son maître pour le châtiment infligé dans les Flandres à ses propres vassaux, le nom de Coligny survient dans la conversation. L'ambassadeur n'hésite pas à déclarer que c'est un mauvais homme, que le roi n'a pas confiance en lui bien qu'il fasse d'ailleurs moins de mal à la cour qu'hors de celle-ci. Il conclut, avec optimisme, que les officiers du roi, sur la frontière de Picardie, étant catholiques, s'emploieront à éviter tout conflit. Ainsi fera le duc d'Albe, affirme de son côté Philippe II. Et Saint-Gouard le quitte fort content à ce que déclare le rapport de la chancellerie espagnole[1]. Seulement, si on le presse un peu trop sur la question de la flotte française, Saint-Gouard finit par répondre que « la mer est comme une immense forêt, commune à tout le monde, où les Français iraient chercher fortune »[2].

Il n'en est pas moins vrai que la diplomatie française s'applique à parler de paix. Et pas seulement à Madrid. Mais à Vienne, à Rome. Après l'échec de la tentative sur Valenciennes et la déroute de Genlis, tout se passe comme si la politique française faisait machine arrière. Le 16 juin, Charles IX, annonçant à son ambassadeur à Vienne la défaite des révoltés de Mons, « juste jugement de Dieu envers ceux qui s'eslèvent contre l'autorité de leur prynce », prétend tout faire pour qu'aucun secours ne soit apporté aux Gueux, « tant je blasme leurs malheureux desceings... »[3]. En juillet, il envoie à Rome, à de Ferrals, une longue lettre où il explique comment le duc de Nassau l'a trompé et témoigne, une fois de plus, de sa volonté pacifique[4].

Singulière et fluctuante politique ! Ne disons pas : immorale, comme tant d'historiens, car chacun, au XVIᵉ siècle, joue le même jeu et le juge de bonne guerre. Mais que d'hésitations elle traduit ! Elle ne se décide ni à la rupture, ni à la cessation des actes d'hostilité au long des frontières qui regardent l'Espagne. De Paris, le 27 juin, on prévient le duc d'Albe que les Français lèvent trois compagnies de chevau-légers en Provence, qu'ils fortifient Marseille *a gran furia*, que des troupes s'acheminent vers les garnisons du Piémont. Le 26 juin, il y a eu grand conseil pour savoir si l'on romprait avec l'Espagne. Aucune décision n'a été prise, « mais n'y a-t-il pas là un signe manifeste que s'ils apercevaient une bonne occasion, ils la saisiraient ? Donc impossible d'avoir confiance, sinon l'épée au poing »[5]. Le jeu paraît si grossièrement double, pour qui le voit du dehors et donc pour l'Espagnol, que tout devient croyable. C'est ainsi que, fin juin, un courrier savoyard apporte à Madrid une nouvelle matière à faux bruits : le nonce a prétendu que le roi de France avait demandé le libre passage à travers les terres du duc de Savoie[6]. Si bien que les courriers espagnols, d'Italie en Espagne, renoncent presque tous à la voie de terre et empruntent la route de mer[7].

Au vrai, que pourrait croire Philippe II des simagrées françaises, quand il a en mains les rapports sur le raid de Genlis, parti le 12 juin au secours de Mons

---

1. 28 juin 1572, A. N., K 1529, B 34, nº 100.
2. *Relacion de lo que el Sᵒ Çayas passo con el embassador de Francia, viernes primero de agosto* 1572, A. N., K 1530, B 34, nº 2.
3. Cᵗᵉ H. de LA FERRIÈRE, *op. cit.*, IV, p. 104, note 1.
4. *Ibid.*, p. 106, note 2; B. N., Paris, Fr. 16039, fº 457 vº.
5. Diego de Çuñiga au duc d'Albe, Paris, 27 juin 1572, A. N., K 1529, B 34, nº 78.
6. G. del Caccia au prince, Madrid, 30 juin 1572, A. d. S. Florence, Mediceo 4903.
7. *Ibid.*, « *cosi tutti* (les courriers) *sono venuti per acqua* ».

et mis en déroute le 17, de Genlis tombé entre les mains du duc d'Albe, avec des papiers signés du roi de France lui-même[1] ? Ou quand on lui signale, à la même date, les mouvements supposés de la flotte, et les mouvements réels des troupes en Picardie ? L'amiral, lui dit-on, est à Metz, à la recherche de 800 000 livres pour faire Dieu sait quoi en Allemagne. Montmorency et lui sont d'accord pour secourir Mons. « Ici est venu Altucaria, agent de ce roi à Constantinople, écrit encore Çuñiga[2] ; on raconte dans les rues qu'il apporte avec lui deux millions d'or. Mais ceci n'est pas sûr et l'on n'en voit pas le motif. J'apprends qu'il est question de le renvoyer [en Turquie] et ils publient que les Vénitiens ont déjà signé une trêve avec le Turc ». Ce que l'ambassadeur de Venise dément avec énergie. Ainsi circulent les nouvelles pas toujours criblées avec soin, fausses, vraies, parfois d'une précision qui prouve la trahison. Don Diego de Çuñiga est ainsi mis au courant par Hieronimo Gondi de ce qui s'est débattu au Conseil du Roi : conseillers de robe courte et longue n'ont pas voulu de la guerre. La politique pacifique de Catherine de Médicis semble l'emporter[3]. L'amiral, rejeté des conseils, nous est donné, le 13, en train de conspirer avec la reine d'Angleterre[4].

La Saint-Barthélemy n'a donc pas mis fin à une politique d'intervention ardente, vigoureuse et unanime. Ni Rome, ni Madrid, qui s'en réjouiront, n'ont préparé les massacres de Paris[5]. D'ailleurs si ceux-ci, si la *novedad* de Paris, ont eu un effet immédiat sur la politique française et internationale, s'ils ont contribué à répandre en Europe la terreur du nom espagnol, s'ils ont laissé le champ libre, une fois de plus, à la politique plus prudente que puissante de l'Espagne, je ne crois pas qu'ils aient marqué, pour autant, un détournement *durable* de la politique française. Contre Michelet et quelques autres, je ne crois pas que le 24 août 1572 soit le grand tournant du siècle. La *novedad* n'a eu que des conséquences limitées dans le temps. Au-delà du 24 août, la politique française, un instant détachée de ses revendications, désemparée, restera assez fidèle à elle-même, comme on le verra.

Ordre et contre-ordre à Don Juan d'Autriche, juin-juillet 1572

Au mois d'août 1572, la Saint-Barthélemy n'en a pas moins constitué un abandon. Tout s'est passé comme si l'un des joueurs, le roi de France, avait brusquement jeté ses cartes. Nous sommes tenté de dire que, de toute façon, il devait perdre. Mais son adversaire était-il persuadé de sa faiblesse et comptait-il sur cet abandon ? La singulière politique méditerranéenne de Philippe II, en juin et juillet 1572, ferait penser, au contraire, qu'il surestimait la force française.

Rien de plus simple jusqu'en juin 1572, que la politique de Philippe II en Méditerranée, à l'égard de la Ligue. Pour mettre de l'ordre dans les multiples

1. *CODOIN*, CXXV, p. 56.
2. D. de Çuñiga au duc d'Albe, Paris, 17 juil. 1572, A. N., K 1529, B 34, n° 128.
3. Le même à Philippe II, Paris, 10 août 1572, A. N., K 1530, B 34, n° 13.
4. Le même au duc d'Albe, 13 août, *ibid.*, n° 15, copie.
5. Vérité pour l'Espagne, vérité pour l'Italie, celle-ci établie depuis longtemps. Edgar BOUTARIC, *La Saint-Barthélemy d'après les archives du Vatican*, Bibl. de l'Ec. des Chartes, 23e année, t. III, 5e série, 1862, p. 1-27 ; Lucien ROMIER « La Saint-Barthélemy, les événements de Rome et la préméditation du massacre », in : *Revue du XVIe siècle*, 1893 ; E. VACANDARD, « Les papes et la Saint-Barthélemy », in: *Études de critique et d'hist. religieuse*, 1905.

projets nés de la victoire de 1571, le Souverain Pontife avait convoqué une nouvelle conférence à Rome. La première réunion eut lieu le 11 décembre[1]. Deux mois suffirent, cette fois, pour aboutir à un accord, signé le 10 février 1572 par les commissaires espagnols, le grand commandeur de Castille et son frère Don Juan de Çuñiga, auxquels se joignit, pour l'occasion, le cardinal Pacheco, et par les commissaires vénitiens, Paolo Tiepolo et Giovanni Soranzo[2]. La discussion, cette fois, se terminait à l'avantage de la Seigneurie. L'accord stipulait, en effet, que les alliés agiraient dans le Levant[3], ce qui, d'emblée, écartait les projets contre l'Afrique du Nord, chers à l'Espagne. Les vivres étaient prévus pour sept mois et un gros matériel devait être embarqué pour aider les Grecs qu'on croyait sur le point de se révolter, en Morée. A Otrante, serait constituée un camp de 11 000 hommes, sorte d'armée de réserve où l'on puiserait selon les circonstances. La force numérique de la flotte était plutôt supérieure à celle de 1571 : 200 galères, 9 galéasses, 40 navires, 40 000 hommes. Le calendrier, toujours optimiste, prévoyait la réunion de la flotte pontificale et de la flotte espagnole à Messine, fin mars, d'où, sans perdre de temps, elles iraient à Corfou se joindre à la flotte vénitienne.

Ainsi l'Espagne allait défendre dans le Levant les intérêts vitaux de Venise, se sacrifier pour elle, comme en 1570 et 1571. En apparence, au moins. Granvelle écrivait à Philippe II qu'il ne trouvait pas, quant à lui, la chose si désavantageuse. Étant donné que la Ligue ne durerait certainement pas (à cause des Français et de l'impatience des Vénitiens, fort peu satisfaits d'être privés du commerce du Levant) autant valait en profiter, rapidement, pour briser la puissance turque. Seule, une expédition dans le Levant permettrait une collaboration efficace de Venise. Et puis, c'était satisfaire grandement le pape, et vis-à-vis de lui comme de l'Italie et de la Chrétienté, assumer une attitude désintéressée qui avait ses avantages[4]. Oui, sans doute. Mais le ton de Granvelle est un peu celui qu'on prend pour consoler ou se consoler.

Philippe II n'avait pas dû se résigner volontiers à cette « avantageuse » décision puisqu'il avait donné l'ordre à Don Juan de tenter une expédition contre Bizerte, voire contre Tunis, au début du printemps, sous la forme d'un voyage ultra-rapide qui précéderait celui du Levant. Pour la préparer, Don Juan quitta Messine pour Palerme où il arrivait le 8 février[5]. Il s'agissait d'obtenir de l'argent du duc de Terranova, ce qui, dès le début, s'annonça difficile[6] et de se rapprocher de la côte Sud, la côte des vivres et des départs vers l'Afrique. Comment faire une expédition sans argent et sans vivres ? Quant aux galères et aux soldats, il écrivit à Naples pour les demander à Granvelle[7]. Mais celui-ci ne partageait point les désirs de Philippe II et, le 21 février, déclarait nettement à Don Juan : « je ne sais comment peut se faire une expédition aussi importante sans argent et sans soldats en nombre suffisant. Je ne voudrais pas, comme il me souvient de l'avoir écrit à Votre Excellence, qu'elle mette le pied

1. Les commissaires au roi, Rome, 12 déc. 1572, L. Serrano, op. cit., IV, p. 351.
2. Ibid., IV, p. 656-659.
3. Ibid., p. 657.
4. Granvelle à D. J. de Çuñiga, Naples, 20 mars 1572, Simancas E° 1061, f° 16.
5. D. Juan au grand commandeur de Castille, Messine, 27 janv. 1572, Simancas E° 1138 ; le même au même, 1572, ibid. Sur le séjour de D. Juan à Palerme, 8 févr., 17 avril, je suis les indications de Palmerini, B. Com. de Palerme, Qq D. 84.
6. Don Juan au grand com. de Castille, 14 févr. 1572, voir note précédente.
7. Le même à Granvelle, Palerme, 14 févr. 1572, Simancas E° 1061, f° 11.

en Afrique, sinon avec une armée qui convienne »[1]. Don Juan ne se rendit pas à ces raisons. Le 2 mars, il avait encore l'espoir de voir arriver les galères de Naples et de gagner Corfou par le long détour des côtes de Berbérie[2]. Mais à la mi-mars, sa décision fut prise. Après consultation de son état-major, du vice-roi Terranova, de Don Juan de Cardona, de Gabrio Serbelloni, du *veedor* général Pedro Velásquez[3], il écrivait à Philippe II : « Je ne m'étendrai pas longuement... sur les raisons qui m'obligent à retourner à Messine, puisque vous les verrez très en détail dans les lettres qui accompagnent celle-ci et qu'ont écrites d'autres mains que la mienne. Ces raisons ont paru ici si suffisantes que je n'ai absolument pas pu agir autrement, bien que je ne désire rien davantage que de faire cette entreprise de Tunis pour le plaisir qu'éprouverait V. M. si l'on en délogeait l'ennemi... »[4].

Mais le 1er mai, le saint pape Pie V mourait[5]. Cette mort, à elle seule, reposait tout le problème de la Ligue. Survenant au milieu d'une forte tension politique, elle a été à l'origine d'une volte-face radicale de la politique espagnole, volte-face que les événements allaient bientôt annuler, mais qui n'en avait pas moins été complète. Le 20 mai, Philippe II envoyait, en effet, à son frère l'ordre péremptoire (rédigé le 17) de surseoir au départ de ses galères dans le Levant. Au cas où il aurait déjà quitté Messine au reçu de cet ordre, il devrait y revenir au plus vite. Les courriers suivants du 2, puis du 24 juin renouvelèrent l'ordre qui ne fut rapporté que le 4 juillet. D'où une crise de six semaines qui passa sur l'Italie avec les allures d'un cyclone. L'effet n'en était pas encore calmé que Don Juan avait rejoint les alliés à Corfou.

20 mai-4 juillet : ces dates posent le problème dans le temps avec une précision à laquelle le P. Serrano n'a pas été assez attentif. Ayant été le premier à lire tous les documents du dossier espagnol, il a naturellement repris la plaidoirie qu'ils dessinaient. Car Philippe II a dû plaider auprès du Saint-Siège et des Vénitiens, auprès des cours européennes surprises par son geste, auprès de ses propres représentants en Italie. Mais on peut d'autant moins prendre à la lettre cette prose de combat, qu'il arrive à Philippe II de distinguer sans détours entre ses vrais motifs et ses raisons officielles.

Raisons officielles : Philippe II a prétendu qu'il retenait Don Juan à Messine dans la crainte d'une rupture avec les Français[6]. On ne peut nier que Philippe II ait cru à ce péril. Mais pas particulièrement au mois de mai 1572.

L'explication ne concorde pas avec les dates. Dans l'histoire de la tension hispano-française, vue de Madrid, ni les 17-20 mai, ni le 4 juillet ne sont des

---

1. Granvelle à D. Juan, Naples, 21 févr. 1572, *ibid.*, fos 12, 13, 14, copie.
2. Don Juan au grand commandeur de Castille, Palerme, 2 mars 1572, Simancas Eo 1138.
3. L. SERRANO, *op. cit.*, I, p. 180, note 2.
4. Don Juan d'Autriche à Philippe II, Palerme, 17 mars 1572, Simancas Eo 1138, aut. L. SERRANO, *op. cit.*, I, p. 180, dit le 18 mars.
5. Henry BIAUDET, *Le Saint-Siège et la Suède durant la seconde moitié du XVIe siècle*, 1906, I, p. 181. Le duc de Florence à Philippe II, Pise, 3 mai 1572 : condoléances au sujet de la mort du pape, offre 11 galères, 2 galéasses *como estava obligado à S. S.*, résumé espagnol, Simancas Eo 1458. Sauli à Gènes, Madrid, 18 mai 1572, A. d. S. Gênes, L. M. Spagna 5.2414 : *La morte di S. Sta dispiace a tutti universalmte et a S. Mta forse più che a niun' altro*. Nobili et del Caccia au prince, Madrid, 19 mai 1572, Mediceo 4903 : « La Ligue aura bien perdu de sa vigueur avec la mort de ce saint homme ».
6. R. KONETZKE, *Geschichte Spaniens...*, p. 181, souligne la réalité du prétexte français. Pour L. PFANDL, *Philippe II*, p. 377-378, qui n'examine pas les faits de près, l'essentiel a été de rabaisser Don Juan.

dates culminantes. Rien de décisif, durant ce court épisode, en ce qui concerne la flotte de Strozzi ou les théâtres secondaires d'opération. Les grandes nouvelles ne peuvent alors parvenir que des Pays-Bas. Or, vers le 20 mai, on ne connaissait encore à Madrid que les événements du débarquement à Brielle. L'attaque sur Valenciennes et sur Mons n'est que du 23-24 mai[1]. En sens inverse, pourquoi, le 4 juillet, le péril français aurait-il paru plus léger à Philippe II ? Il s'est au contraire aggravé. Et Philippe II le reconnaît dans les considérants qui accompagnent le contre-ordre qu'il expédie, à cette date, à Don Juan. La Saint-Barthélemy est encore loin, et nul ne la prévoit[2].

L'explication est ailleurs, et plus claire si, au lieu d'étudier la correspondance de Philippe II avec Don Juan, on examine les lettres qu'il expédiait à Rome, particulièrement celles des 2 et 24 juin, à Don Juan de Çuñiga.

Philippe II s'était servi d'une autre raison pour expliquer son attitude : la mort du pape. Excellent prétexte, car chacun savait qu'une nouvelle élection pontificale remettait toujours en question la politique européenne, à plus forte raison celle de l'État pontifical lui-même. D'autant plus, en cette occasion, que de Rome dépendait le budget de guerre de l'Espagne, et donc sa flotte. Le nouveau pape pouvait être un homme plus soucieux « de remédier ses affaires et celles de sa maison que non pas celles de la Ligue », comme disait Saint-Gouard[3]. Sans doute. Mais ce n'était là encore qu'un prétexte, Philippe II l'avouera lui-même. La mort du pape a bien été la raison occasionnelle de la décision du roi en ce sens qu'elle l'a libéré, ou lui a permis de faire comme s'il était libéré de ses engagements. Mais la raison déterminante est que l'entreprise du Levant souriait peu à Philippe II. Et qu'il tenait par contre, à en faire une autre : celle d'Alger.

Dès sa première lettre à Don Juan, il était question d'Alger. Et dans sa lettre du 2 juin à Juan de Çuñiga, il écrivait : « vous savez l'ordre que j'ai donné à mon frère et les couleurs sous lesquelles j'ai recommandé de présenter le maintien de la flotte à Messine, en prenant prétexte de la mort du Saint-Père, sans parler des ordres que j'avais envoyés ». Mais, « la nouvelle élection s'étant faite si rapidement, nous ne pouvons plus nous prévaloir de ces raisons », d'autant que le choix qui a été fait est « saint et bon ». Pourtant je suis décidé à ne pas changer d'avis et, en ce qui concerne Alger, je crois toujours que « faire cette expédition est ce qui convient à toute la Chrétienté en général et au bien de mes... États en particulier, si je veux qu'ils retirent quelque fruit de cette ligue et de toutes ces dépenses, au lieu de les employer à une chose aussi incertaine que l'expédition du Levant ». Au pape, il faudra donner comme raisons la révolte des Flandres, les soupçons qu'on a de l'intervention de la France et de l'Angleterre et des nouvelles qu'on reçoit des armements français. Et surtout, ne point parler d'Alger[4] !...

L'explication est limpide. Philippe II veut profiter de ce qu'il a massé de forces pour frapper le Turc, mais au point où le coup peut être utile à l'Espagne.

1. Don Fadrique, le fils du duc d'Albe, le 15 avril, affectait encore de rire des événements de l'île Walcheren, H. PIRENNE, *op. cit.*, IV, p. 31.
2. Il faut rejeter la thèse de Gonzalo de ILLESCAS, *Historia pontifical y catolica*, Salamanque, 1573, 2e partie, p. 358 et *sq.* Les alliés pour partir dans le Levant auraient attendu la nouvelle de la Saint-Barthélemy.
3. 21 avril 1572, B. N., Paris, Fr. 3604, fos 58 et *sq.*
4. Philippe II à Don Juan de Çuñiga, Saint-Laurent, 2 juin 1572, Simancas Eo 920, fos 95-98.

Dans cette Afrique du Nord qui a toujours fait partie du cercle des convoitises espagnoles ; à Alger qui est un poste essentiel de l'Islam, son relais occidental, son centre de ravitaillement en hommes, en navires et en matériel de course, le point de départ de corsaires redoutables pour les États espagnols. C'est cette politique traditionnelle qui a orienté la décision de Philippe II[1].

Reste à expliquer, alors, le contre-ordre du 4 juillet, le retour aux positions initiales des partenaires de la Ligue. Il semble que Philippe II ait cédé devant les violentes et unanimes réactions de l'Italie, des Vénitiens, du nouveau pape, Grégoire XIII, et des « ministres » espagnols eux-mêmes : Don Louis de Requesens à Milan, son frère à Rome, Granvelle à Naples, pour ne pas parler de Don Juan qui protestait avec passion, ayant pris à cœur le succès de la Ligue. Cette offensive générale a eu raison du Roi Prudent. On lui a représenté qu'à ce jeu il se déconsidérait, qu'il poussait Venise à traiter tout de suite avec le Turc, qu'il s'ensuivrait, pour lui, une perte de prestige et de force. Le projet d'une expédition contre Alger courait sur toutes les bouches que les représentants espagnols n'avaient pas osé encore en parler en Italie. Et puis le nouveau pape détenait dans sa main les grâces de l'*escusado* et du *subsidio*. Il écrivait, en faveur de la Ligue, des brefs de feu. Si souple, si accommodant qu'il fût, toutes les excuses du monde ne le convaincraient pas. Le péril français, à Rome et ailleurs, n'était pas pris au tragique. Granvelle lui-même pensait qu'il suffirait de parler haut et ferme au Très Chrétien pour le ramener à la juste mesure. Et Don Juan que le meilleur procédé, à son endroit, était encore de faire l'expédition du Levant. Lui répondre par un nouveau Lépante.

Le 12 juin, Don Juan qui se déplaçait de Messine vers Palerme envoyait, par les îles, une galère qui ne mit que six jours à atteindre Barcelone[2]. On crut, à la nouvelle de cette arrivée et de l'insolite rapidité du voyage, qu'une catastrophe était survenue à Messine. Quelques jours plus tard, la galère repartait ; le 12 juillet, elle remettait à Don Juan le précieux contre-ordre du 4[3]. Il n'allait pas d'ailleurs sans réticences puisque le roi demandait de distraire, des galères espagnoles, l'escadre de Jean André Doria, qui aurait la tâche de pousser jusqu'à Bizerte ou jusqu'à Toulon, si le roi de France se conduisait mal[4].

Les expéditions de Morée

La grande guerre occupa en Méditerranée la fin de l'été et le début de l'automne, sur le long parcours qui va du golfe de Corinthe au cap Matapan, par la côte occidentale de la Morée, cette côte inhospitalière, montueuse, semée d'écueils, avec de rares aiguades, devant laquelle, par surcroît, s'étend le grand vide de la mer Ionienne. Dès la fin de l'été, dans ces régions, de grands

1. Et non pas les menées françaises — tractations avec Alger dont jadis BERBRUGGER a tiré un article, « Les Algériens demandent un Roi français », in : *Rev. Afric.*, 1861, p. 1-13 — ou nos armements : le 12 févr., seule une ligne de FOURQUEVAUX (*op. cit.*, II, p. 421) mentionne 24 galères françaises à Marseille (mais que peut valoir ce chiffre ?). Quant à la flotte que Paulin de la Guarde doit conduire de l'Océan en Méditerranée, elle se compose de deux grandes galées, quatre petites, deux brigantins et se trouve encore à Bordeaux le 28 juin, le baron de la Guarde à Saint-Gouard, Bordeaux, 28 juin 1572, cop. tr. espagn. A. N., K 1529, B 34, n° 103.

2. Voir *supra*, I, p. 329 et note 4.

3. L. SERRANO, *op. cit.*, I, p. 363.

4. Granvelle à Philippe II, 29 août 1572, Simancas E° 1061 ; L. SERRANO, *op. cit.*, II, p. 70, note 2.

coups de vent, accompagnés de tornades, inondent les plaines riveraines et rendent la mer peu praticable aux fines et basses galères. Il n'y a d'abris que vers le Nord, à Corfou, ou mieux encore le long de la côte dalmate, ou de l'autre côté du cap Matapan, sur la rive qui fait face à la mer Égée. C'est un privilège des mers étroites, l'Égée ou l'Adriatique : les mauvais temps d'automne ne les envahissent qu'avec un certain retard, par rapport aux grands espaces de la Méditerranée qu'ils tourmentent d'abord.

En vérité, un étrange théâtre de guerre, avec, pour les alliés, peu de bases commodes. Aucune des îles vénitiennes qui avoisinent ce littoral ingrat, ni Cérigo, trop étroite, à peine abordable, trop pauvre, sans autre ressource que ses vignobles, ni Céphalonie, montueuse et vide, aucune de ces îles n'offre un abri sûr et le ravitaillement en vivres, non moins nécessaire. Et toutes sont trop éloignées du littoral pour qu'une flotte puisse s'y tenir, ayant à agir contre la côte d'en face. Les seuls points d'appui et refuges commodes sont aux mains des Turcs : Sainte-Maure au Nord du golfe de Corinthe ; Lépante sur le golfe lui-même et au Sud, Navarin et Modon.

Les alliés, il est vrai, comptaient sur le soulèvement des populations de Morée, selon l'affirmation et les promesses de quelques proscrits. Mais, à ce sujet, rien n'avait été organisé. On avait seulement prévu, dans les délibérations de la ligue, l'embarquement d'armes pour les révoltés. Et Don Juan n'avait écrit spécialement qu'aux Grecs de l'île de Rhodes. Or, les alliés arrivés sur place, il n'y eut pas de révolte, pas même un simulacre de soulèvement. A la fin du XVIIe siècle, quand Venise réussira à s'emparer de la Morée, elle le devra en partie à la collaboration du pays grec[1]. Au XVIe, celui-ci ne bougea pas. Rien ne dit si ce fut à cause des Turcs et de leur vigilance, ou parce que les Grecs connaissaient trop bien les Latins (spécialement les Vénitiens, ces anciens maîtres) pour se faire tuer à leur service. D'ailleurs, dans l'hypothèse d'un soulèvement grec, la Morée eût été à bon droit choisie pour théâtre d'une guerre terrestre. Montueuse à souhait, elle excluait l'évolution massive des cavaliers turcs si redoutés ; elle se trouvait hors de l'atteinte des routes où dominait le Turc, prête en somme à l'indépendance. Mais il semble que les alliés, en l'occurrence, aient à peine choisi et que le hasard, autant que les calculs au sujet d'une révolte indigène, les ait menés vers le littoral de Morée.

Don Juan avait reçu, le 12 juillet, l'ordre de se joindre aux alliés à Corfou. Il l'écrivit aussitôt à Marcantonio Colonna qui venait d'y arriver lui-même, avec la flotte du pape et les galères espagnoles que Don Juan lui avait confiées, sous le commandement de Gil de Andrade. Les Vénitiens s'y trouvaient déjà. Après réception de la lettre de Don Juan, les alliés auraient dû attendre l'arrivée du chef de la Ligue. Mais, craignant de nouveaux retards, espérant vaincre seuls et disposant d'un bon prétexte pour se justifier ensuite, s'il le fallait, Colonna et Foscarini mirent à la voile, le 29 juillet, vers le Sud d'où venaient d'inquiétantes nouvelles. La flotte turque, sortie une fois de plus en avance, ravageait disait-on, les côtes de Candie, de Zante et de Céphalonie. Laisser les Turcs saccager les îles, et gâter leurs précieuses récoltes, était-ce une attitude digne des vainqueurs de Lépante ? La flotte avait quitté Corfou en ordre de bataille : elle fut renforcée en route par les galères de Candie, sous le commandement du *provveditore* Quirino. Elle était le 31 au soir à Zante[2] et y

1. H. KRETSCHMAYR, *op. cit.*, III, pp. 342 et *sq.*
2. L. SERRANO, *op. cit.*, II, p. 32.

resta trois jours. Elle apprit alors que la flotte turque était à Malvoisie et partit à sa rencontre. C'est ainsi qu'elle fut conduite à l'extrême Sud de la Grèce où les deux flottes se rencontrèrent, le 7 août, au large de Cérigo.

Ce n'était pas une flotte négligeable que celle d'Euldj Ali. L'Empire turc l'avait recréée, non dans la facilité inépuisable qu'on lui prête d'ordinaire, mais dans la douleur et la fatigue, toutes ses forces bandées par le danger. L'aboutissement de ce monstrueux effort, dont la Chrétienté avait eu d'ailleurs, durant tout l'hiver, des échos précis, c'était au moins 220 unités, entre galères, galiotes et fustes. Sans doute étaient-elles, pour une bonne moitié, de très récente construction : on les avait mises à l'eau durant l'hiver 1571-1572. Elles avaient peu d'infanterie. Mais Euldj Ali avait modernisé leur armement : fournies d'artillerie et d'arquebuses, leur puissance de feu était supérieure à celle de la flotte d'Ali Pacha que montaient encore tant d'archers et de frondeurs. Puis, Euldj Ali avait réussi à construire, sur le modèle de la marine algéroise, une flotte extrêmement mobile. Les galères plus légères, mais solidement charpentées, moins chargées d'artillerie et de bagages que celles des Chrétiens, les gagnaient à la course avec une déconcertante régularité.

Enfin, la flotte turque possédait deux ou trois gros avantages. Elle avait appris à ses dépens la redoutable importance des galéasses et ne l'oubliait plus. Elle possédait, dans Euldj Ali, un chef remarquable que ne tracassaient pas, un seul instant, les rivalités de ses adjoints, un chef plus maître de son outil que, du leur, Marcantonio Colonna au début de la campagne, ou Don Juan à la fin. En outre, cette flotte était adossée à un pays ami, à proximité de ses magasins de vivres, de ses réserves de troupes et de ses batteries à terre, alors que les Chrétiens dépendaient de ce qui avait été embarqué à Messine, en Pouilles ou à Corfou, du biscuit plus ou moins bien conservé qui se trouvait à bord des vaisseaux ronds, ces lourds et vastes magasins flottants que les galères devaient remorquer en même temps que les galéasses. Les minces navires s'épuisaient à ce travail surhumain. Puis, Euldj Ali, et c'est encore l'un de ses mérites, n'avait en vue qu'une politique d'efficacité : empêcher la flotte chrétienne de gagner l'Archipel, carrefour de la puissance turque ; sauvegarder en même temps la flotte miraculeusement reconstituée pendant l'hiver. Si le 7 août, il accepte la bataille que lui offre Marcantonio Colonna, ce n'est pas sans arrière-pensée. Il sait pertinemment que les alliés ne sont pas au complet, qu'il n'aura pas à combattre spécialement contre les coriaces galères d'Espagne, ni contre l'infanterie des *tercios*. En face de lui, seuls ou quasiment seuls, les Vénitiens, aussi mal que lui pourvus d'infanterie et handicapés par leurs lourdes carènes. Il a même sur eux la supériorité du nombre.

C'est dans la journée du 7, assez tard, au voisinage des îles des Cerfs et des Dragoneras, à peu de distance de Cérigo, que le combat s'engage. La flotte alliée s'est déployée avec une lenteur de mauvais augure. Il est quatre heures du soir quand elle aborde les galères turques. Le vent la favorisant peu, elle bouge à peine. Toutes les attaques, ou plutôt toutes les feintes, sont à l'actif des légères galères turques. Avec beaucoup de prudence, les alliés ont mis en avant de leur ligne, comme à Lépante, les galéasses et les navires ronds, tous munis d'une puissante artillerie et surchargés de troupes. Ils se tiennent derrière cette puissante protection. Euldj Ali aurait voulu, contournant les gros forts flottants, se battre galère contre galère. N'y réussissant pas, il rompt le combat. Une partie de sa flotte retourne à Malvoisie, cependant qu'il reste en ligne avec ses 90 meilleures galères. Pour mieux se dérober, il fait tirer à blanc son artillerie et disparaît derrière un énorme rideau de fumée. Il rejoint le reste de sa flotte sans difficultés, cependant que quelques-unes de ses galères, fanal allumé, se dirigent vers Cérigo pour faire soupçonner aux Chrétiens qu'il a pris le chemin de l'Occident et qu'il essaie de les isoler des galères que Don Juan conduit vers eux. Un second combat, le 10, répète le premier : les Chrétiens se mettent à l'abri de leurs « vaisseaux de ligne » et les Turcs, ne pouvant rompre le dispositif, s'échappent du champ de bataille, comme figurants de ballet...

Le drame technique de cette première partie de la campagne, c'est donc la lourdeur, l'inertie de la flotte alliée. Les gros vaisseaux de ligne sont liés aux galères-remorqueurs et ils les associent à leur lenteur. Les alliés sont ici victimes des routines de la guerre en Méditerranée. L'acte révolutionnaire, novateur, eût été d'abandonner aux vents les gros et puissants navires...

La conclusion du second combat avait été la retraite d'Euldj Ali à l'abri du cap Matapan. De leur côté, les alliés se dirigeaient vers Zante, à la rencontre de la flotte de Don Juan. Celui-ci, arrivé à Corfou le 10 août, trouvait tout son monde parti, sans qu'on lui ait laissé la moindre indication sur la flotte et l'endroit où elle se trouvait. Il s'empourpra de colère, parla de retour en Sicile. Mais inquiet des mauvaises nouvelles qui couraient, lançant ordres et contre-ordres, il finit par obtenir le rassemblement de la flotte à Corfou, le 1er septembre. Beaucoup de temps avait été perdu. Faut-il dire cependant, avec le P. Serrano, que l'expédition de Marcantonio Colonna n'avait servi à rien ? Il semble presque hors de discussion que les alliés ont ainsi sauvé Candie ou Zante des pilleries de la flotte, si ce n'est davantage...

A la revue générale qui suivit le rassemblement, on compta 211 galères, 4 galiotes, 6 galéasses, 60 navires de transport, entre 35 et 40 000 hommes de troupe. Chiffres qui d'ailleurs comportent des erreurs certaines : comment tenir un registre exact des fustes, voire des galères *aventureras* ou des volontaires aventuriers, la meilleure noblesse d'Italie ?... Par contre, sur cette flotte considérable, il n'y avait pas deux cents chevaux, les vivres y étaient rares et l'argent presque autant. Il est vrai que ses besoins étaient énormes : pour les greniers d'Italie, pour les finances de Philippe II, cette flotte était un gouffre.

Don Juan ne repartit pas tout de suite de Corfou. Il y eut des discussions. Les galères vénitiennes ayant besoin d'un supplément de troupes, et Foscarini se refusant à ce que ce fussent des Espagnols, il fallut lui fournir des troupes pontificales qui furent elles-mêmes remplacées par des hommes à la solde de Philippe II. Enfin, la flotte mit à la voile, avec le même propos qu'en juillet : rencontrer l'armada turque. Don Juan se trouva ainsi amené, le 12 septembre, à Céphalonie, puis à Zante, enfin sur le littoral de la Morée. Les nouvelles situaient alors Euldj Ali à Navarin. Don Juan tenta de pousser ses navires au Sud du port, de façon à couper l'ennemi de Modon et à l'enfermer dans le port insuffisamment fortifié de Navarin. Des erreurs de manœuvre firent échouer la tentative, bien que la flotte chrétienne eût voyagé de nuit, pour surprendre l'adversaire. Découverte à temps par les vigies, elle ne put empêcher Euldj Ali de quitter Navarin, où il se trouvait avec 70 galères, et de faire retraite sur Modon. Les Chrétiens le suivirent : une nouvelle guerre de Morée commençait, plus dramatique, non moins décevante que la précédente.

Dans la journée du 15 septembre, Don Juan n'avait pas laissé sa flotte s'engager contre l'ennemi en retraite. Le 16, Euldj Ali lui offrit la bataille, puis, à la tombée de la nuit, se réfugia à l'abri des canons de Modon. Si, ce soir-là, au lieu de reculer vers le mouillage de Puertolongo, laissant son adversaire attaquer son arrière-garde, sans succès d'ailleurs, Don Juan se fût retourné vers lui, il aurait eu bien des chances de forcer Modon et d'y détruire la flotte turque. Car le désordre, dans le port bloqué, était extrême. Cervantès dira plus tard que les Turcs étaient tous prêts à quitter leurs galères : *tenian à punto su ropa y passamaques, que son sus zapatos, para huirse luego sin esperar ser combatidos* ; « ils avaient préparé leurs affaires et des passamaques — c'est le nom de leurs chaussures — pour fuir à terre immédiatement, sans attendre qu'on vînt les prendre à parti »[1].

L'occasion perdue ne se retrouva pas. Euldj Ali avait agi avec rapidité. Les Chrétiens le croyaient inactif, alors que, tout de suite, il avait désarmé une partie de sa flotte pour disposer sur les montagnes, autour de la ville, l'artillerie ainsi récupérée. Fortifiée déjà, la place devenait inexpugnable, toute petite place, au demeurant, d'après la description de Philippe de Canaye qui y passera peu après, et dont le môle ne pouvait guère abriter que 20 galères[2]. Mais les navires s'y trouvaient en sécurité, même en dehors du port. Au contraire, les Chrétiens ne pouvaient indéfiniment se maintenir en haute mer. Il leur fallait se replier jusqu'aux mouillages voisins. Le véritable assiégé, était-ce bien Euldj Ali ? Il y eut cent projets pour forcer la ville : plus aventureux les uns que les autres, ils eurent contre eux les prudents et, souvent, l'évidence rebelle des faits. Cependant, Euldj Ali pouvait compter, à brève échéance, sur l'aide des mauvais temps d'automne. Et cet allié éventuel donne son sens à la guerre qu'il avait improvisée et qu'avec une chance inégalée il allait conduire à bonne fin. C'est peu à peu, et finalement trop tard, que cette politique de temporisation à tout prix devint évidente à ses adversaires. Ils pensèrent pouvoir obliger le Turc à sortir de son repaire en enlevant Navarin par où passait, venant du Nord, le ravitaillement de Modon. La place était mal fortifiée, difficile à secourir. Mais la malchance s'acharna sur l'entreprise. Une connaissance insuffisante du terrain, un débarquement difficile sous le commandement du jeune Alexandre Farnèse, de grandes pluies qui inondèrent la plaine où s'était engagée l'infanterie espagnole, l'alerte donnée à la ville et le tir efficace de son artillerie, l'arrivée de cavaliers, cependant qu'on voyait au loin de longs convois de chameaux et de mulets se dirigeant vers la ville, enfin un mauvais ravitaillement en vivres et en munitions, le manque d'abris dans une plaine sans arbres, balayée par la tornade, tout rendit difficile la progression de la troupe, — 8 000 hommes dont le rembarquement s'avéra urgent.

La petite armée reprit la mer dans la nuit du 5 au 6. Pendant les deux journées qui suivirent, devant Modon, la flotte alliée offrit à nouveau le combat, mais en vain, en cet anniversaire de Lépante. Elle ne fut même pas capable de profiter de la sortie d'une vingtaine de galères parties à la poursuite d'un voilier de charge chrétien, les galères de Don Juan, trop lourdes, ne parvenant pas à interdire le retour précipité dans leur abri de ces navires qu'Euldj Ali avait aussitôt rappelés. Fallait-il lever le siège ? Ou essayer une dernière fois de forcer le port ? Comme signe de sa bonne volonté, Don Juan avait donné l'ordre aux galères demeurées en arrière avec Doria et le duc de Sessa de le rejoindre (elles n'arrivèrent à Corfou que le 16 octobre alors qu'il était lui-même sur le chemin du retour). En effet, les Vénitiens désiraient continuer le blocus quelques

---

1. *Don Quichotte*, I, XXXIX.
2. *Op. cit.*, p. 170.

semaines encore, pensant qu'on aboutirait à l'effondrement de la défense turque, et qu'en tout cas la flotte d'Euldj Ali serait, à son retour vers Constantinople, soumise à la très rude épreuve du mauvais temps. Peut-être n'avaient-ils pas tort ? On a soutenu que la garnison turque, à bout de forces, aurait peut-être cédé[1]. Mais d'autre part, Foscarini confessera qu'il craignait surtout pour lui-même, à son retour, la terrible justice de Venise qui, en 1570, n'avait pas épargné Zane, après l'expédition manquée en direction de Chypre.

Quoi qu'il en soit, le 8 octobre, la flotte alliée abandonnait l'entreprise de Modon et se repliait sur Zante, où elle arrivait le 9. Le 13, elle était à Céphalonie. Le 18, en face de Corfou. Deux jours après, les flottes se séparaient. On avait renoncé, tout à la fois, à hiverner dans le Levant, à Corfou, ou Cattaro, et à faire une expédition quelconque, dans le Golfe, contre les points d'appui turcs. Marcantonio Colonna, en se ralliant à l'avis de Don Juan, avait contribué à trancher le débat contre les Vénitiens. « Ils restèrent satisfaits à ce qu'ils montrèrent », écrit le duc de Sessa[2]. Mais, le 24 octobre, Foscarini écrivait à la République : « L'unique cause du peu que l'on a fait dans cette expédition, ce sont les Espagnols qui, au lieu d'aider la Ligue, n'ont cherché qu'à ruiner et à affaiblir Venise. Les retards de Don Juan, ses irrésolutions au cours de la campagne n'ont répondu qu'à ce plan d'exterminer peu à peu les forces de la République, d'assurer le profit du roi en Flandres, en négligeant les intérêts de la Ligue et en leur portant même préjudice : la mauvaise volonté des Espagnols a été patente en tout ce qui touchait au bénéfice des États vénitiens »[3]. Pouvait-on être plus injuste ? Mais, en fait, chacun avait le sentiment, dès la fin de cet automne-là, que la Ligue n'existait plus. La flotte espagnole revenait rapidement sur Messine, divisée en trois escadres. Don Juan arrivait, le 24, avec la première ; le 26, il faisait son entrée solennelle dans la ville[4].

Un contemporain, consulté sur les « grands » événements de l'année 1572 n'aurait probablement pas présenté le récit qui précède. L'année 1572 a vu disparaître quelques grands de ce monde et c'est à eux qu'il eût songé. Nous avons signalé la mort de Pie V, le 1er mai. En juin, mourait la reine de Navarre et, avec elle, le parti protestant perdait son âme. Le 24 août, parmi les morts du massacre, se trouvait l'amiral ; et Granvelle, à Naples, de penser que l'évêque de Dax, « ce huguenot » qui dépendait de Coligny, ne jouerait plus le même rôle que du temps de son protecteur[5]. Autre puissant de ce monde, le cardinal Espinosa, président du Conseil d'État, grand inquisiteur, gonflé de vanité, accablé de dignités et de besogne, sa table encore couverte de lettres d'État non ouvertes, mourait d'apoplexie, le 16 septembre[6]. D'ailleurs en demi-disgrâce et comme foudroyé par elle. A l'autre bout de l'Europe, le Transylvain était mort au début de l'année ; et, le 7 juillet, s'éteignait le roi de Pologne[7].

---

1. F. HARTLAUB, op. cit., p. 156.
2. Sessa au roi, 24 oct. 1572, Simancas E° 458, cité par L. SERRANO, op. cit., II, p. 147.
3. L. SERRANO, ibid.
4. Pour tous les détails de ce paragraphe, je me suis appuyé sur le récit minutieux de L. Serrano.
5. Granvelle à Philippe II, Naples, 8 oct. 1572, Simancas E° 1061, f° 65.
6. Mondoucet au roi, 29 sept. 1572 et Saint-Gouard, 7 nov. 1572, L. DIDIER, op. cit., I, p. 52 et note 2 ; G. del Caccia au prince, Madrid, 20 sept. 1572, A. d. S. Florence, Mediceo 4903. Le cardinal a eu des fièvres lentes. Très robuste, gros mangeur et grand buveur in due hore l'aggravó il male per un catarro che lo suffocò...
7. Monteagudo à Philippe II, Vienne, 20 juil. 1572, CODOIN, CX, p. 483-489, H. BIAUDET, op. cit., p. 178.

Ainsi s'ouvrait la curieuse crise qui devait, l'année suivante, se terminer par l'élection du duc d'Anjou[1].

Cependant, un certain Miguel de Cervantès, blessé à Lépante, l'impéritie des chirurgiens aidant, perdait l'usage de sa main gauche... Et à Lisbonne, « *em casa de Antonio Goça Luez* »[2], un inconnu, Camoëns, faisait paraître les *Lusiades*, un livre d'aventures maritimes qui ramenait dans ses filets cette énorme et lointaine Méditerranée : l'océan Indien des gestes portugaises.

3. La « trahison » de Venise et les deux prises de Tunis : 1573-1574

Ce que l'automne ne faisait que trop prévoir : la « trahison » de Venise, se produisit le 7 mars 1573. Elle fut connue en Italie au mois d'avril, en Espagne, le mois suivant. Plutôt que « trahison », c'est abandon qu'il faut dire. Qu'on imagine la situation de la République, désorganisée dans son commerce, ses industries, ses finances, épuisée par la guerre maritime coûteuse entre toutes, torturée dans sa vie quotidienne par la rareté et la cherté des vivres. Sans doute ceux qui souffrent le plus — les pauvres — ne sont-ils pas les moins courageux. Ce n'est pas sans raison que Don Juan est devenu le héros presque légendaire des chansons des gondoliers. Mais les pauvres ne dirigent pas les affaires de la République et les firmes des riches Vénitiens ne peuvent se contenter d'un commerce indirect avec la Turquie.

Plaidoyer pour Venise

D'autre part, Venise voit la guerre à ses portes, sur les frontières d'Istrie et de Dalmatie. A continuer la lutte, ne deviendrait-elle pas incapable de conserver cette flexible frontière de Dalmatie ? Sebenico, pour ne prendre qu'un exemple, est condamnée, aux dires des experts. Or, cette guerre qui dure depuis trois ans déjà, ne lui a apporté aucun gain substantiel. Elle a perdu Chypre, en 1571, plus toute une série de points d'appui dans ses territoires de l'Adriatique. Des expéditions de 1571 à 1572, elle n'a rien retiré, que d'énormes factures à payer et les rancœurs que l'on sait. Et rien n'est venu contredire sa quasi-certitude que l'Espagne travaillait à l'affaiblir et à l'user, certitude de toujours, car Venise, bien plus que la Toscane enclavée et surveillée, ou que la Savoie à moitié occupée, est le rempart d'une Italie indépendante, échappant au joug et à l'influence hispaniques. Toujours, Venise a eu des craintes du côté du Milanais. Et son premier geste, au printemps 1573, quand elle aura « trahi », sera de fortifier ses places de Terre Ferme à l'Ouest : comme on connaît ses voisins, on se conduit à leur endroit.

Telles sont les raisons de Venise. Que, contrairement à ce qui avait été signé, la Seigneurie n'ait pas prévenu ses alliés, la question est accessoire. Et le reproche anodin, étant donné les habitudes de l'époque. Philippe II, en mai 1572, avait-il hésité à reprendre sa parole ?

---

1. Charles IX à l'évêque de Dax, Paris, 17 sept. 1572, E. CHARRIÈRE, *op. cit.*, III, p. 303-309.
2. Jean AUZANET, *La vie de Camoëns*, Paris, 1942, p. 208.

C'est par l'intermédiaire de l'évêque de Dax, ouvrier de la première heure et ouvrier patient, que l'accord avec la Turquie fut ménagé. Nous avons signalé son départ pour l'Orient, en mai 1571, son arrivée tardive à Venise, en septembre et son long séjour dans la ville des lagunes. Arrivé à un moment inopportun, au moment de Lépante, des illusions et des rêves que suscita la grande victoire, il n'avait pas renoncé à exposer et à réexposer l'objet de sa mission avant de gagner Raguse, en janvier 1572. L'attrait de la négociation, pour les Vénitiens pondérés, c'était la possibilité, à la faveur même de la victoire, d'obtenir de bonnes conditions de paix, voire de récupérer Chypre. Cet espoir est à l'arrière-plan de toutes les négociations directes de Venise et de celles qu'elle autorise en son nom. Récupérer Chypre, entendons-nous : non plus comme propriétaire, mais en y détruisant les fortifications[1] et en devenant, pour l'île, vassale du Turc. En réalité, récupérer non pas Chypre, mais le commerce de Chypre... Et pour le reste accepter, sur une pente dangereuse, une solution que l'on peut qualifier de ragusaine...

Ces espoirs avaient été vite déçus par les énormes exigences turques[2]. Les négociations furent traînées en longueur sous le prétexte, vrai ou faux, que le sultan était opposé à la paix avec Venise. Dans ces conditions, l'intervention de l'évêque de Dax fut décisive : il obtint une modération des conditions turques et, le 7 mars, l'acquiescement du sultan à un accord pacifique. Le 13 mars, les conditions turques étaient envoyées à Venise où elles arrivèrent le 2 avril[3] : conditions lourdes, sinon déshonorantes comme on allait le dire un peu partout. Venise cédait Chypre, renonçait aux postes que lui avait enlevés le Turc en Dalmatie ; elle restituait ses propres conquêtes en Albanie, libérait les prisonniers turcs sans rançon et payait 300 000 sequins d'indemnité de guerre, cela avant 1576, faute de quoi le traité serait considéré comme nul et non avenu. Elle limiterait sa flotte à 60 galères, porterait à 2 500 sequins le tribut annuel payé pour Céphalonie et Zante. Le conseil de Pregadi, convoqué par le doge Mocenigo, fut mis devant le fait accompli. En échange, il est vrai, la paix, une paix longtemps encore incertaine, précaire[4], mais avec ses immenses bienfaits, ses profits, ses possibilités de vie...

En tout cas, les négociations de 1573 prouvent que la Saint-Barthélemy, si violente qu'elle ait été, avec ses suites brutales, n'a pas déplacé la ligne nécessaire de la politique de Charles IX. Le gouvernement français n'accepte pas de se lier à l'Espagne, de se perdre sous son contrôle dans une coalition soi-disant catholique. Pour Catherine de Médicis et ses fils, la lutte continue contre le trop puissant voisin, on le verra bientôt lors de l'élection du duc d'Anjou au trône de

---

1. L. SERRANO, *op. cit.*, II, p. 296, note 1.
2. Réclamation ainsi de Cattaro, *ibid.*, II, p. 303.
3. *Ibid.*, p. 311.
4. Elle ne sera paix définitive qu'en 1574, d'où ce libellé au Ms Ital 2117 (B. N., Paris). *Relatione del Turco doppo la pace conclusa con la Signoria di Venetia l'anno 1574.* Sur cette paix lente à se conclure, G. de Silva à Philippe II, Venise, 6 févr. 1574 (information ragusaine), Simancas E⁰ 1333 ; le même au même, 13 févr. 1574, *ibid.* ; le même au même, 12 mars 1574, *ibid.* : le même au même, 16 mars 1574, *ibid.* : D. J. de Çuñiga à Philippe II, Rome, 18 mars 1574, *CODOIN*, XXVIII, p. 185. Les jurats de Messine à Philippe II, 30 mars 1574, Simancas E⁰ 1142 ; en avril 1574, Philippe II, sur les instances de la Papauté, offre l'appui de sa flotte au cas où les Turcs attaqueraient Zante ou Corfou, Philippe II à G. de Silva, S. Lorenzo, 5 avril 1574, Simancas E⁰ 1333, mais à condition, précisait le roi, que les Français ne rompent pas. On revenait en imagination à l'été de 1572. Paix provisoire que celle du 7 mars, à ce sujet, 12 mars 1574, E⁰ 1333 : 16 mars 1574, *ibid* : *CODOIN*, XXVIII, p. 185 ; 30 mars 1574, Simancas E⁰ 1142.

Pologne ; ou à propos des agissements français auprès des Électeurs allemands et notamment du Palatin, ce premier calviniste de la *Pfaffenstrasse*. On le verra du côté de l'Angleterre, des Pays-Bas. Du côté de Gênes, à partir de 1573. On ne le verra que trop, parfois en imagination, dans les rapports de l'espionnage espagnol. Les informateurs du Roi Catholique et de ses ministres, non contents de ce qui est, pronostiquent — et c'est leur rôle. Lorsque la paix de La Rochelle, le 1er juillet 1573, met fin aux troubles issus de la Saint-Barthélemy[1], les voilà préoccupés. Puisse le roi de France interdire à ses Huguenots de se porter au secours des rebelles des Pays-Bas ! Collectés par la puissante, mais aveugle machine de l'Empire hispanique, ces bruits, vrais ou faux, s'amplifient, se répandent par mille voies latérales et, pendant ces cheminements, prennent souvent forme et vie... La guerre des ombres recommence.

La prise de Tunis par Don Juan d'Autriche, autre victoire sans conséquence

Sans vouloir ouvrir le dossier des justes plaintes de l'Espagne à l'égard de Venise, dossier bourré sans mesure par les contemporains et les historiens, reconnaissons que jamais l'Espagne n'avait fait d'aussi loyaux et puissants efforts pour la Ligue que durant l'hiver 1571-1572. Elle a alors augmenté le nombre de ses galères par des constructions neuves, à Naples et Messine[2], à Gênes et Barcelone. Un rapport de Juan de Soto, le secrétaire de Don Juan, propose même de gigantesques effectifs : 300, 350 galères[3]... Folie pure ? Oui et non. Car Juan de Soto parle en même temps d'une solution assez raisonnable : armer ces galères avec des miliciens et surtout construire à Messine un arsenal, ou plus exactement agrandir celui qui était en construction, et le couvrir pour, l'hiver venu, y mettre les galères à l'abri. En somme, imiter Venise...

Donc, jamais plus gros efforts n'ont été faits par l'Espagne. Ormaneto, l'évêque de Padoue, que Grégoire XIII a envoyé à Madrid comme nonce, trouve le meilleur et le plus compréhensif des accueils, bien que l'on résiste à son vœu relatif à l'envoi, dès le mois de mars, d'une centaine de galères dans l'Archipel, avec mission d'y razzier les côtes des îles. Cette fois, serait-ce l'exemple turc qui tourmenterait les imaginations[4] ? Philippe II et ses conseillers, plus avertis de l'importance des choses de la mer, n'ont pas voulu retenir les idées qu'on leur suggérait. Une fois de plus, le roi a opté pour le possible, non pour le grandiose.

C'est également avec fermeté et mesure que tous les ministres du roi ont accueilli la défection vénitienne. A son annonce, le pape si doux, si aimable de caractère, s'abandonna à une crise furieuse contre la République parjure. Il traita abominablement l'ambassadeur de la République, et tout aussitôt, sans désemparer, révoqua toutes les grâces, grandes et petites, qu'il avait accordées à Venise. Puis il se calma et oublia... Au contraire, Don Juan, Granvelle, Don

---

1. Le mécontentement du duc d'Albe, à l'annonce de cette paix, Mondoucet au roi, 17 juil. 1573, L. DIDIER, *op. cit.*, I, p. 329.
2. D'après la lettre de Philippe II au duc de Terranova, S. Lorenzo, 20 juin 1573, Simancas E° 1140.
3. Le roi résume ce rapport dans la lettre indiquée à la note précédente.
4. La question indiquée par la lettre de l'archevêque de Lanciano au cardinal de Côme, Madrid, 24 janv. 1573, A. Vatic. Spagna, n° 7, f° 10-11 ; et celle de l'évêque de Padoue au même, 25 janv. 1573, *ibid.*, f° 22.

Juan de Çuñiga conservèrent leur sang-froid. Sans doute avaient-ils, cent fois pour une, prévu l'événement. Le plus vif, Don Juan, fut en l'occurrence admirablement maître de lui.

Cependant, l'armada turque sortait, ainsi qu'il avait été prévu. Tardivement d'ailleurs. Un témoin oculaire la voit partir de Constantinople, le 1er juin[1]. Mais Philippe de Canaye prétend qu'elle n'a dépassé les châteaux que le 15[2] et les Dardanelles, le 5 juillet seulement[3]. Sans doute la vérité est-elle donnée par cet avis de Corfou, du 15 juin, qui prétend que la sortie de la flotte s'est faite en deux fois, si bien que, dès le 3, Caragali était arrivé à Négrepont avec un premier convoi : 200 galères disait-on, que Piali Pacha devait rejoindre plus tard, avec 100 autres galères. Ce retard explique un certain optimisme en Italie : « Le Turc ne tentera aucune entreprise cette année, écrivait Don Juan de Çuñiga le 31 juillet[4], il est seulement sorti pour empêcher que Don Juan n'en fasse autant de son côté ». D'ailleurs, ajoutait-il, « sa flotte est mal en ordre », détail que reproduiront tous les avis qui suivront. Elle n'en continuait pas moins sa route et, le 28 juillet, jetait l'ancre près de la Prevesa. De Corfou, le 3 août, on signalait qu'elle ferait sans doute quelque incursion sur la côte des Pouilles avant d'aller à La Goulette, son double but étant d'empêcher les Espagnols de faire une expédition contre la Berbérie et de ramener à l'ordre les Albanais à nouveau révoltés[5]. Le 4 août, selon P. de Canaye, elle mettait le cap sur les Abruzzes, dans l'intention plus ou moins sincère de rencontrer les navires de Don Juan ou d'aller sur Palerme[6]. En fait, elle paraît hésitante. Elle met un instant le cap sur Messine et passe ainsi sur les rives napolitaines, au cap des Colonnes, le 8 août[7]. Mais le 14 août, elle semble bien être de retour à la Prevesa, espalmant sur les rives de l'île de la Sapienza. Il est vrai qu'elle en repartait le 19[8].

C'est même à la suite de ce départ en formation massive, que l'on commença à s'inquiéter du côté espagnol. Le bruit se répandait que la flotte turque, poursuivant sa route vers l'Occident, hivernerait dans un port français. Don Juan donnait l'ordre de ne pas relever l'infanterie qui, durant l'été, avait été de garde en Sardaigne[9]. Le même bruit d'un hivernage de la flotte en France courait à Rome, vers le 25 août[10], mais Çuñiga refusait de lui donner créance. L'histoire ne saurait dire s'il avait tort ou raison, car la flotte turque avait rencontré sur sa route une grosse tempête. Des galères avaient été perdues, d'autres très endommagées[11], si bien qu'il avait fallu envoyer chercher des rames et des mâts à la Prevesa[12]. Est-ce ce qui l'obligea à rétrograder ? Un avis du

---

1. Rapport de Juan Curenzi, envoyé par Granvelle à Constantinople, dont il est de retour le 30 juin 1573, Simancas E° 1063, f° 35.
2. Philippe de Canaye, op. cit., p. 158.
3. Au témoignage d'un Génois venu de Chio, sur une barque française, Simancas E° 1063, f° 42.
4. A Philippe II, CODOIN, CII, p. 207-208.
5. Simancas E° 1332.
6. Op. cit., p. 180 ; Granvelle à D. Juan, Naples, 6 août 1573, Simancas E° 1063, f° 45.
7. Granvelle à Philippe II, 12 août 1573, Simancas E° 1063, f° 49. Autre renseignement, mais en retard, venant de Venise, la flotte songerait à prendre les îles Tremiti.
8. Philippe de Canaye, op. cit., p. 181.
9. D. Juan à Philippe II, Messine, 20 août 1573, reçue le 3 sept., Simancas E° 1062, f° 117.
10. Çuñiga à Philippe II, 25 août 1573, CODOIN, CII, p. 229.
11. Philippe de Canaye, op. cit., p. 181, 186, 8 galères perdues, 8 autres endommagées.
12. Çuñiga à Philippe II, 28 août 1573, CODOIN, CII, p. 231.

29 août, de Corfou, la signale aux « Gumenizos »[1]. Au début de septembre, très malmenée, peu en ordre, elle est non pas sur les rivages chrétiens, mais à Valona[2]. Le 5 septembre, elle se rend cependant sur les terres du cap d'Otrante où elle prend la petite forteresse de Castro[3]. Puis le 22, elle fait mouvement vers Constantinople[4], avec ses 230 voiles, sans avoir rien réussi, ou à peu près. A la fin du mois, elle était à Lépante, renouvelant ses vivres[5].

Toutefois ce voyage zigzagant de la flotte turque n'en a pas moins commandé à distance les mouvements de Don Juan d'Autriche. Depuis longtemps, en effet, il était question, dans les milieux espagnols, d'agir contre l'Afrique du Nord. Les forces réunies durant l'hiver, incapables de s'opposer à l'ensemble de la flotte turque, n'en constituaient pas moins une masse importante. « On estime ici, écrivait de Madrid l'agent florentin del Caccia[6], qu'il y aura quelque expédition contre le Turc, ou contre Alger ou ailleurs, étant donné les grands préparatifs que l'on voit faire, l'argent[7] que l'on rassemble, les levées nouvelles en Espagne et le lancement des galères achevées à Barcelone. On ne peut pas penser, en effet, qu'un tel effort ait à servir pour la seule défense contre l'armada turque »[8].

Mais tant que la flotte turque était à portée des rivages napolitains, il n'y fallait pas songer. On ne pouvait courir le risque d'un nouveau Djerba. Quant au but de l'expédition, il semble qu'on ait hésité entre Alger, qui avait les préférences de Don Juan, voire de Philippe II[9] et de l'opinion publique espagnole, et Bizerte et Tunis, comme le demandait la Sicile, comme le conseillait la proximité des bases et comme semble l'avoir voulu le Conseil à Madrid. En tout cas, le choix était fait. L'expédition d'Alger était reportée à un avenir plus ou moins lointain[10]. On s'attaquerait à Tunis.

Mais, avant d'avoir touché les rivages d'Afrique, le problème se posait déjà. Prendre Tunis, c'était bien. Ensuite qu'en faire ? Y rétablir un prince indigne comme le fit, sans illusions d'ailleurs, Charles Quint, en 1535 ? Don Juan écrivait à Philippe II, le 26 juin : « Ici, on a été d'avis que l'on devait entreprendre la conquête de Tunis, mais sans donner la ville au Roi Muley Hamida »[11]. D'après une lettre de Jean André Doria, Philippe II avait laissé à Don Juan le soin de décider en dernier ressort[12]. La même lettre indique que le projet d'Alger a été abandonné, à cause de la saison trop avancée. Et si l'on ne se presse pas, ajoute-t-elle, le même danger va surgir pour Tunis, « car, bien que la navigation soit brève, elle est, comme on le sait, si difficile de Trapani à La Goulette, que lorsque, par hasard, il a plu en Berbérie, les galères doivent

---

1. Simancas E° 1063, f° 87.
2. Philippe de CANAYE, *op. cit.*, p. 186.
3. Granvelle à Çuñiga, Naples, 11 sept. 1573, *CODOIN*, CII, p. 258-259.
4. Philippe de CANAYE, *op. cit.*, p. 195.
5. Granvelle à Çuñiga, Naples, 8 oct. 1573, *CODOIN*, CII, p. 307-311.
6. Mediceo 4904, f° 86.
7. L'argent va aussi vers les Flandres, Saint-Gouard au roi, Madrid, 14 juil. 1573, B. N., Paris, Fr. 16105.
8. Mais l'expédition annoncée par les correspondances diplomatiques est en général celle d'Alger ; l'évêque de Padoue au C^al de Côme, Madrid, 15 juil. A. Vaticanes, Spagna 7, f° 372 ; Sauli à Gênes, Madrid, 14 juillet 1573, L. M., Spagna 5. 2414.
9. Sauli, note précédente ; Saint-Gouard, ci-dessus, note 7.
10. Alger passait au rang de projet, D. Juan à Philippe II, Naples, 25 juil. 1573, Simancas E° 1062, f° 112.
11. Simancas E° 1062, f° 96.
12. J. A. Doria à D. J. d'Autriche, Messine, 9 juil. 1573, orig. Alger, G. A. A. Registre n° 1686, f° 191.

demeurer à Trapani plus de deux mois sans pouvoir faire la traversée ». Don Juan a parlé de faire venir de la cavalerie des États de l'archiduc Ferdinand : voilà une bien longue affaire ! Que l'on se serve de ce que l'on a sous la main et que l'on fasse venir les Allemands qui sont en Lombardie. Cela suffira bien...

Se presser, le conseil était bon, le 2 juillet, avant l'arrivée de l'armada turque. Mais bientôt il fallut compter avec les alarmes qui accompagnaient ses mouvements. Nouvelle cause de retards, qui n'écartait pas les autres difficultés : ravitaillement en grain, mise en ordre des galères, acheminement des troupes ou de l'argent — cette dernière question se posant, une fois de plus, avec acuité[1]. C'est pour cette raison que Don Juan s'était transporté à Naples qui, plus que Messine, était la grosse gare régulatrice. Malade, « accablé de trois ou quatre indispositions », il ne s'en hâtait pas moins, pressé de gagner la Sicile au plus vite, non point Messine où il ne devait que passer[2], mais Palerme et Trapani qui sont aux portes de l'Afrique. Tandis qu'il s'affairait dans ses préparatifs, le duc de Sessa, second de Don Juan, s'inquiétait non sans raison des bruits selon lesquels l'armada turque allait hiverner à la Valona. Il demandait à Philippe II s'il ne conviendrait pas, ainsi qu'il l'avait proposé à Don Juan, « d'envoyer 12 000 fantassins, entre Espagnols et Allemands, à La Goulette, dans de très bonnes naves »[3]. Philippe II, de son côté, estimait le danger turc assez grave puisqu'il écrivait à Terranova, le 12 août, que l'expédition de Tunis ne se ferait que si la flotte turque en laissait l'occasion[4].

Don Juan avait besoin de ces avis prudents, car au même moment, le 15 août, il déclarait au roi être décidé à faire l'expédition, même si l'armada turque ne se retirait pas[5]. Cédait-il ainsi à sa propre fougue ou aux injonctions de la papauté qui ne ménageait pas les promesses ? Elle offrait ses galères d'abord[6]. Et le Saint-Père parlait même d'une couronne de Tunis à poser sur la tête de Don Juan. Sur cette petite question merveilleusement embrouillée par les contemporains et les historiens, je ne crois pas, malgré l'avis autorisé d'O. de Törne[7], que tout soit à rejeter des médisances d'Antonio Pérez. Don Juan était certainement travaillé par le désir d'un établissement princier, par une inquiétude qui ne le laissait pas en repos. Törne veut que la papauté ait attendu la prise de Tunis pour parler de couronne. C'est possible. Cependant, par la lettre de juin, citée plus haut, Don Juan écartait l'idée d'un rétablissement éventuel de Muley Hamida. A Tunis, c'est un gouverneur indigène qu'il nommera, non pas un roi. Est-ce sans arrière-pensée ? De son côté, le pape déclarait à Rome, vers le 20 octobre (on ignorait encore la victoire de Don Juan), que « si Tunis était gagnée, le mieux serait de conserver ce royaume sans le donner à quelque roi maure »[8]. Or, Pie V déjà avait promis à Don Juan le

---

1. D. Juan à Philippe II, Naples, 10 juil. 1573, Simancas E⁰ 1062, f⁰ 105 et encore, du même au même, Naples, 4 août 1573, *ibid.*, f⁰ 113.
2. Le même au même, Naples, 5 août 1573, *ibid.*, f⁰ 114, son départ pour Messine ; le même au même, Messine, 10 août 1573, E⁰ 1140, il est arrivé à Messine, le 9 août.
3. 4 août 1573, Simancas E⁰ 1063, f⁰ 167.
4. De S. Lorenzo, Simancas E⁰ 1140, M.
5. Simancas E⁰ 1140.
6. Çuñiga à Philippe II, Rome, 13 août 1573, *CODOIN*, C II, p. 209.
7. *Op. cit.*, I, p. 243 et *sq.*
8. Çuñiga au roi, 23 oct. 1573, *CODOIN*, C II, p. 330. Que le pape ne soit pas informé, la lettre le prouve : «... *Dijome el otro dia el Papa hablandome en la jornada del señor D. Juan, que si ganaba a Tunes...* ». La nouvelle de la prise de Tunis, 11 oct. a été connue à Naples vers le 22 ou le 23 oct, Granvelle à Philippe II, Naples, 23 oct. 1573, Simancas E⁰ 1063, f⁰ 110.

premier État conquis sur les Infidèles. Un État, n'importe lequel. Ce qui tentait Don Juan, en effet, plus qu'un pouvoir réel, c'était le titre. Dans une Europe folle de préséances et de hiérarchies, les jeunes princes rêvent de couronnes. Le duc d'Anjou vient d'obtenir la sienne, en Pologne, après avoir pensé à celle d'Alger. Don Juan, ulcéré par sa condition de bâtard, maintenu au rang inférieur d'Excellence, rêvera, en 1574, de la couronne de France, laissée vacante par la mort de Charles IX ; et ses dernières années, aux Pays-Bas, seront hantées par le songe d'une royauté anglaise...

Il est donc possible que Grégoire XIII, désireux de lutter contre les Infidèles, ait essayé d'assurer le succès de l'entreprise par une promesse de cette sorte. Elle se conçoit même beaucoup mieux avant, plutôt qu'après la victoire de Tunis. Car Don Juan dut faire presque des miracles pour réunir ce qui était nécessaire à l'expédition et l'obtenir presque sans argent[1]. C'est bouchée à bouchée que les crédits nourriciers lui furent envoyés[2]. Et encore ! Ne reçoit-il pas deux lettres de change, l'une de 100 000 écus, l'autre de 80 000, dont la première est payable fin décembre et la seconde dans les quarante jours qui suivront le 1er janvier ! Qu'il s'en serve pour se faire faire des avances, lui écrit Escovedo... Mauvaise volonté ? Non, mais la situation générale du trésor espagnol est catastrophique. Le chiffre des emprunts à Medina del Campo fait peur, lui écrit encore Escovedo. « Les Flandres nous détruisent... »

Au début de septembre, Don Juan quittait Messine pour Palerme où il arriva le 7[3]. Il avait laissé derrière lui le duc de Sessa et le marquis de Santa Cruz, tandis qu'à Trapani il dépêchait J. de Cardona. La nouvelle que, le 2 septembre, la flotte turque avait été vue au large du cap de Sainte-Maure, retraitant vers le Levant, le décida[4]. Mais la flotte espagnole n'était pas prête à partir aussitôt. Le président de Sicile (l'île n'avait plus eu de vice-roi depuis Pescaire) utilisa le délai pour rédiger un long mémoire sur les entreprises projetées en Berbérie[5]. Le 27, Don Juan arrivait de Palerme à Trapani[6]. A ce moment, l'armada turque se rapprochant, sembla redevenir menaçante au point que Granvelle prit les mesures habituelles pour la défense du royaume de Naples[7]. L'entreprise africaine était donc à nouveau risquée.

Don Juan, que les vents par ailleurs contrariaient, n'en fonça pas moins sur l'Afrique, le 7 octobre, jour anniversaire de Lépante[8]. Parti de Marsala, il avait gagné la Favignana dont il quittait l'abri à quatre heures du soir. Le 8, au coucher du soleil, il était devant La Goulette. Il débarqua le 9 jusqu'à la nuit venue, mettant à terre 13 000 Italiens, 9 000 Espagnols, 5 000 Allemands. Sa flotte comptait 107 galères, 31 navires, plus le galion du grand-duc de Toscane et de nombreuses barques chargées de vivres, des frégates et autres petits bâtiments de particuliers[9]. Le 10, il s'approchait de la ville dont les habitants

1. Don Juan à Granvelle, Messine, 19 août 1573, copie, B. N., Madrid, Ms 10.454, fos 114 et 115 ; Çuniga à Philippe II, Rome, 21 août 1573, *CODOIN*, CII, p. 219-220.
2. Escovedo à D. Juan, Madrid, 5 sept. 1573, A. E. Esp. 236, fo 122.
3. Le duc de Terranova au roi, Palerme, 7 sept. 1573, Simancas Eo 1139.
4. Granvelle à D. Juan, 6 sept. 1573, Simancas Eo 1062, fo 118.
5. Parere del Duca di Terranova, Presidente di Sicilia, sopra le cose di Barberia, 17 sept. 1573, Simancas Eo 1139.
6. Le duc de Terranova à Philippe II, Palerme, 30 sept. 1573, Simancas Eo 1139.
7. Granvelle à Philippe II, Naples, 9 oct. 1573, Simancas Eo 1063, fo 94.
8. Le duc de Terranova à Philippe II, Palerme, 9 oct. 1573, Simancas Eo 1139.
9. D'après la relation de la B. N. de Florence, CAPPONI, *Codice*, V, fo 349.

avaient fui sans combattre et l'occupa le lendemain, sans difficulté[1] : on ne trouva dans la casbah que de vieilles gens.

Qu'allait faire Don Juan de sa conquête ? De Madrid avait été envoyé l'ordre de démanteler la ville, cet ordre n'atteignit Don Juan qu'à son retour. Sur place, sans instructions, il avait réuni (peut-être, le 11, peut-être le 12) un conseil de guerre dans la casbah de Tunis. Outre ses habituels conseillers, il avait convoqué les colonels de l'infanterie espagnole, de l'infanterie italienne et de l'infanterie allemande, ainsi que quelques capitaines et autres personnes dont on savait qu'elles pouvaient donner un avis autorisé. Est-ce un hasard ? Ou Don-Juan a-t-il voulu noyer dans une masse ses conseillers officiels ? En tout cas, le conseil improvisé décida, à la majorité des voix, de conserver la ville au Roi d'Espagne[2]. Et Don Juan rédigea ses ordres en conséquence. Mesure essentielle, il laissa dans Tunis conquise une garnison de 8 000 hommes, 4 000 Italiens et 4 000 Espagnols, sous les ordres d'un « artilleur », Gabrio Serbelloni[3]. Cette mesure entraîna les autres, notamment la nomination d'un gouverneur indigène, l'infant hafside Muley Mahamet, frère de l'ancien roi, Muley Hamida (c'était, si l'on veut, l'établissement d'un protectorat) et la construction d'un énorme fort, dominant la ville[4].

Restait à savoir — et Granvelle s'en inquiétait, voyant déferler sans arrêt la mer tempétueuse — si Don Juan réussirait, avec le même bonheur, à enlever Bizerte où des Turcs, disait-on, s'étaient réfugiés, dans un port qu'on savait apte à la course et à moitié fortifié[5]. Mais Bizerte, elle aussi, se rendit sans se défendre[6]. Dans Tunis mise à sac, Don Juan ne s'était attardé qu'une huitaine. Après quatre jours de préparatifs à La Goulette, il s'était rembarqué le 24, avait pris Porto Farina le même jour. Le 25, il était à Bizerte. Il en repartait cinq jours après, gagnait avec beau temps l'île de la Favignana et, le 2 novembre, il entrait à Palerme où, treize jours plus tôt, la ville s'était illuminée en l'honneur de la prise de Tunis[7]. Le 12, il était déjà à Naples, où Granvelle pouvait paraphraser à son intention le « veni, vidi, vici » de César[8]...

Sans doute, militairement, l'expédition de Tunis avait été une promenade facile. Une éclaircie de quelques jours, à la fin de la bonne saison, alors que dans les vergers « les figues étaient mûres », avait facilité les choses. Était-ce une victoire ?

La perte de Tunis : 13 septembre 1574

Vaincre, ce n'était pas seulement prendre, c'était tenir Tunis. Or l'armée victorieuse n'avait occupé qu'une faible partie du royaume des Hafsides. Pas un instant, il ne fut question de pousser à l'intérieur des terres, de chercher à soumettre le vaste pays.

---

1. Indication formelle de cette date du 11, Jorge Manrique à Philippe II, Palerme, 7 nov. 1573, Simancas E⁰ 1140.
2. *Relacion que ha dado el secretario Juan de Soto sobre las cosas tocantes a la fortaleza y reyno de Tunez*, 20 juin 1574, Simancas E⁰ 1142, copie.
3. Instruccion a Gabrio Cerbellon, Simancas E⁰ 1140.
4. D. Juan à Granvelle, La Goulette, 18 oct. 1573, Simancas E⁰ 1063, f⁰ 114.
5. Granvelle à Philippe II, Naples, 23 oct. 1573, *ibid.*, f⁰ 110 (reçue le 11 nov.).
6. Marquis de Tovalosos, B. N., Paris, Esp. 34, f⁰ 44.
7. Palmerini, 20 oct. 1573, B. Com. Palerme, QqD 84, arrivée de D. Juan le 2 nov.
8. Granvelle à D. Juan, Naples, 24 oct. 1573, A. E., Esp. 236, f⁰s 88-90.

Dans ces conditions, conserver l'énorme ville posait des problèmes difficiles. Le plus gros était l'entretien des 8 000 soldats préposés à sa garde qui s'ajoutaient au millier d'hommes du préside de La Goulette. La charge était lourde pour l'intendance de Sicile et de Naples ; ni le vin, ni les viandes salées, ni le blé ne se trouvaient sans argent ; pas davantage les navires frétés, sur lesquels de plus en plus, on se déchargeait du transport des vivres et munitions. L'épuisement financier de la Sicile et de Naples faisait de ces simples opérations des problèmes quasiment insolubles. Les plaintes de Granvelle ne sont pas des jérémiades, mais de justes observations. C'est là que résidait le vrai problème du royaume de Tunisie, bien plus que dans les efforts du nonce Ormanetto pour obtenir de Philippe II le titre de roi de Tunis en faveur de Don Juan, négociation qui tourna vite court et qui n'est que de la petite histoire.

Sans doute pourrait-on expliquer, de diverses manières, l'échec de Don Juan. Le fossé se creuse entre Philippe et son demi-frère : les racontars, l'espionnage des gens qui le renseignent, la probable malveillance d'Antonio Pérez (encore faut-il ne pas l'accepter sans enquête préalable durant ces années-là), enfin la naturelle méfiance du roi font leur œuvre. Mais aussi Don Juan, dans son secteur d'action, ne voit pas l'ensemble de la situation hispanique. Bien plus qu'il ne le suppose, du jour où Venise s'est retirée de la Ligue, Philippe II, malgré ce qu'il a pu écrire ou faire paraître, a renoncé à toute grande politique en Méditerranée. Il est aux prises avec la formidable crise financière qui va aboutir à la seconde banqueroute de 1575. Sans les ressources et les commodités du crédit anversois, il dépend de plus en plus des Génois et de la place de Gênes. Or, des troubles y éclatent dès 1573, entre les *anciens* et les *nouveaux* nobles, entre ceux qui s'occupent de banque et ceux qui s'emploient dans le commerce et l'industrie. Crise sociale. Mais aussi crise politique. Derrière les nouveaux nobles, n'y a-t-il pas le roi de France ? Et aussi crise impériale, car Gênes, c'est la plaque tournante aussi bien pour les envois de troupes que pour les remises d'argent...

Au moment où se pose avec acuité le problème nord-africain, c'est ainsi vers le Nord, vers Gênes et au-delà vers les Pays-Bas, que se reportent les calculs de Philippe II. Vers la France aussi qui se remet à intriguer. Dans ces conditions, rester à Tunis n'est pas sage. C'est ouvrir un nouveau chapitre de dépenses, affaiblir La Goulette puisqu'il faudra diviser dorénavant les efforts entre Tunis et le nouveau préside. C'est hasarder ce que l'on a pour d'hypothétiques avantages. Le roi le répète au nonce Ormanetto, celui-ci ne veut point comprendre qu'à Madrid la disette d'argent a obligé à changer de ton et de projets. Sauf le roi qui déclare « plustôt me veoir mort que consentir... chose qui soit contre mon honneur et réputation », tout le monde souhaite qu'on compose même dans le Nord[1]. C'est dire qu'en Espagne le vent n'est pas aux aventures. Cependant, comme Don Juan, en conservant Tunis, a mis son frère devant le fait accompli, celui-ci juge préférable d'envoyer son accord, mais un accord provisoire : il vaudra pour l'année en cours.

Ce que vient de créer Don Juan, c'est une lourde machine. Si encore elle pouvait fonctionner seule, si la conquête nourrissait l'armée d'occupation... C'est ce que prétendent ses partisans ; ce que Soto ira dire à Madrid, en mai 1574, au nom de son jeune maître; ce qu'expose le cardinal Granvelle, dès

---

1. Saint-Gouard à Charles IX, Madrid, 3 févr. 1574, B. N., Paris, Fr. 16106, f° 304.

le mois de janvier de la même année. Il pense que si l'on fortifiait Bizerte et Porto Farina, comme le demande Don Juan, Philippe II s'assurerait la possession de l'Est africain, ce qui par mer, gênerait les Turcs dans leurs communications avec Alger, et, par terre, couperait complètement ces communications. Or, le fort achevé, on pourra s'emparer, au profit du roi, des revenus dont jouissaient les souverains de Tunis ; ils suffiront à entretenir, non seulement ledit fort de Tunis, mais ceux qu'on pourrait construire. D'autant qu'on pourrait augmenter ces revenus en encourageant le commerce chrétien dans ces régions. Il faudrait pour cela s'assurer de la bienveillance des indigènes et choisir soigneusement la forme de leur gouvernement, de façon à leur faire apprécier la domination du roi d'Espagne[1].

Mais là était justement la difficulté. Les habitants de Tunis étaient revenus dans leur ville, dès la fin d'octobre (pas les principaux d'ailleurs dont les maisons étaient toujours occupées par les soldats), mais rien ne permet de dire que la vie économique y était redevenue normale. Elle avait repris en partie puisque bientôt les autorités d'occupation et le gouverneur indigène étaient en discussion à propos de la douane de La Goulette, ledit gouverneur demandant à rétablir son droit de 13 p. 100, principalement sur les cuirs[2]. Occasion pour les Espagnols, qui informent Don Juan, de dire leur déception au sujet de leur protégé. D'autre part, rien ne permet d'affirmer que l'ensemble du pays, dans ses masses mouvantes ou sédentaires, accepte la conquête des Chrétiens. A Constantinople, les Turcs feignent de sous-estimer la victoire de Tunis et prétendent que les « Arabes », entendez les nomades, suffiront à réduire la conquête à de justes limites, ces nomades que le froid hivernal pousse très loin vers le Sud, mais que l'été ramènera vers les marines, au moment même où l'armada turque reprendra la mer.

A Madrid, on n'était pas disposé à prendre en charge de telles complications. Il y en avait tant d'autres ! Alors que Don Juan pensait, les comptes de la flotte à peu près mis au clair, faire le voyage d'Espagne, il recevait l'ordre, le 16 avril, de se rendre à Gênes et à Milan ; le roi, en même temps, le nommait son lieutenant en Italie, avec autorité sur ses ministres[3]. A Gênes, on escomptait que sa présence contribuerait à régler les différends politiques et il resta dans la ville, du 29 avril au 6 mai. Mais l'essentiel de sa mission visait la Lombardie où, pensait-on à Madrid, son arrivée inquiéterait suffisamment la France pour l'empêcher de chercher querelle à l'Espagne. A Milan, la présence du frère du roi activerait le passage des renforts à destination des Flandres car les Flandres, *lo de Flandes*, restaient le souci majeur.

A Don Juan, les ordres de Philippe II firent l'effet d'une disgrâce. La situation lamentable de la flotte qui, faute d'argent, se défaisait avec une rapidité alarmante, ajoutait à ses tristesses. A Vigevano, dans un fort beau château, il se morfondit à attendre le retour de son secrétaire, Juan de Soto, qu'il avait chargé de présenter au roi de copieux rapports. Fatigué, boudeur, inquiet sur sa santé, il refusait de s'occuper de quoi que ce fût, même au sujet de la Tunisie, de la flotte, des ravitaillements, se remettant du tout sur les ministres du roi. Non sans que ceux-ci protestassent contre cette façon de repasser la balle, comme

---

1. Granvelle à Philippe II, Naples, 27 janv. 1574, Simancas E⁰ 1064, f⁰ 7, p.p. F. BRAUDEL, *in : Revue Africaine*, 1928, p. 427-428.
2. Simancas E⁰ 488.
3. O. de TÖRNE, *op. cit.*, I, p. 216 et mieux L. van DER ESSEN, *op. cit.*, I, 1, 181 et *sq.*

disait Granvelle. Cependant, Soto était arrivé, en mai, à Madrid. Ses mémoires s'examinaient lentement au Conseil de Guerre ou au Conseil d'État. Ce qu'avait rêvé Don Juan s'enterrait sous les papiers calligraphiés de la Chancellerie, se résolvait en questionnaires qu'on soumettait à l'avis des conseillers. « En ce qui concerne *lo de Tunez*, disait la *Consulta* du Conseil de Guerre, il paraît à tous que la saison est si avancée qu'il n'y a pas lieu de délibérer pour savoir s'il faut ou non s'y maintenir. Car, pour cet été, le maintien de cette occupation va de soi. Il convient seulement de charger le Seigneur Don Juan et tous les ministres d'achever de pourvoir la place du nécessaire. » « Avis conforme, note Philippe II en marge, mais que l'on recommande particulièrement à mon frère tout ce qui touche à La Goulette, pour qu'il y soit pourvu de la même manière que s'il n'y avait pas de fort à Tunis. »

Si tout le monde est d'accord, que l'on maintienne à Tunis les soldats espagnols, sans quoi on perdrait tout[1], mais les avis diffèrent quant au rôle de Don Juan. Le duc de Medina Celi estime que le prince ayant été envoyé en Lombardie à cause des Flandres et de la France, sa présence n'y est plus nécessaire puisque le grand commandeur est arrivé aux Pays-Bas et qu'en France, les difficultés intérieures ne cessent de grandir... Que Don Juan s'occupe donc à nouveau des problèmes maritimes, de la défense de Naples, de la Sicile et des places de Berbérie, tout en reprenant la direction de la flotte. Le duc de Francavilla est du même avis. Le marquis d'Aguila pense, au contraire, qu'« il faut considérer beaucoup de choses d'un côté et de l'autre ». Si l'on ne peut lui donner l'argent et les forces indispensables, à quoi bon replacer Don Juan à la tête de l'armada ? L'évêque de Cuenca parle dans le même sens, s'étendant sur le mauvais état de la flotte : il y a bien, à ce qu'on dit, 120 galères, mais est-ce suffisant en face du Turc ? Faut-il que dans une rencontre inégale, le vainqueur de Lépante en soit réduit à attaquer l'arrière-garde de l'ennemi, à fuir peut-être ou, ce qui serait plus grave, à risquer un coup de tête par excès de jeunesse et d'ardeur ? Le président opine un peu dans tous les sens ; et Philippe II conclut par cette note prudente : « qu'on avertisse mon frère que les affaires de Tripoli et de Bougie ne paraissent pas d'une telle importance qu'on doive, pour elles, mettre à l'aventure l'armada pendant l'hiver ». On voit par ces quelques lignes, qui résument un prolixe document, sur quel luxe d'informations et de conseils, sur quel minutieux travail bureaucratique Philippe II appuie sa politique[2]. Il est utile de tout peser et prévoir à l'avance plutôt que d'improviser dans le vif des événements, quand il faut plus d'un mois pour qu'un ordre atteigne ses exécutants.

Mais en ce qui concernait Tunis, rien finalement ne se passa comme prévu, Don Juan fut forcé d'agir de lui-même. La flotte turque dont les avis avaient signalé la puissance, puis le départ et le lent voyage retardé par les galères trop neuves, arrivait dans le golfe de Tunis, le 11 juillet 1574. Elle comptait 230 galères, quelques dizaines de petits navires[3] et portait 40 000 hommes. Euldj Ali commandait la flotte et l'armée était sous les ordres de ce Sinan Pacha (à ne pas confondre avec le vainqueur de Djerba) qui avait, en 1573, réduit à l'obéissance le Yémen révolté depuis des années... A la surprise générale,

1. *Lo que se ha platicado en consejo sobre los puntos de los memoriales que el sec⁰ Juan de Soto ha dado de parte del S⁰ʳ D. Juan*, s. d., Simancas E⁰ 488 (mai ou juin 1574).
2. Voir note précédente.
3. Granvelle à Philippe II, 22 juil. 1574, Simancas E⁰ 1064, f⁰ 46, parle de 320 voiles.

La Goulette était emportée le 25 août, après un mois à peine de siège[1] : Puerto Carrero ne l'avait pas défendue, mais livrée. Le fort de Tunis se défendit à peine plus longtemps : Serbelloni y capitulait, le 13 septembre.

Quelle explication fournir de ce double désastre ? La fortification de Tunis n'était pas achevée, et ce fut un gros handicap pour les défenseurs. Les deux places séparées ne purent s'épauler. Puis les Turcs furent aidés par des auxiliaires indigènes : les nomades participant aux transports, au creusement des tranchées, fournirent à Sinan Pacha une armée de pionniers. Peut-être les garnisons chrétiennes étaient-elles, par contre, de qualité inférieure. Granvelle suggère que les troupes, trop fréquemment levées et renouvelées par l'Espagne, n'ont plus la qualité des vieilles bandes. Mais Granvelle a besoin de trouver des arguments et de se défendre. Il est l'un des responsables du désastre.

La rapidité de la reddition n'avait pas facilité la tâche de Don Juan. Il avait fait ce qu'il avait pu. Il était sorti de son inactivité le 20 juillet, avant les nouvelles précises du débarquement turc dans le golfe de Tunis. Mais il était loin de l'Afrique. Et comment mobiliser une flotte démunie d'argent et de ce fait terriblement à l'abandon ? Le 3 août, lui parvenaient à Gênes une série d'ordres du roi. Ainsi lui fut-il possible de faire, parmi eux, un choix utile à ses desseins. Le 17 août, il arrivait à Naples, avec 27 galères[2]. Le 31 il était à Palerme, mais trop tard déjà[3]. On n'avait rien fait encore pour répondre aux demandes de secours de Puerto Carrero, qu'envoyer deux galères dont les forçats avaient reçu la promesse d'être libérés, en cas de réussite. « Je doute fort qu'ils arrivent, étant donné l'entrée difficile du golfe de Tunis », écrivait Don Juan de Cardona, le 14 août[4]. Don Garcia, le conseiller de Don Juan, lui écrivait le 27, que la solution serait de faire passer par petits paquets des soldats de Tunis à La Goulette : mais, à cette date, il y avait deux jours déjà que cette dernière s'était rendue[5] ! Par une sorte d'ironie, c'est le moment que Madrid choisit pour réexpédier à son maître ce Juan de Soto qu'il avait tant attendu. Il arriva à Naples le 23 septembre avec, autre ironie, l'autorisation pour Don Juan d'aller retrouver sa flotte... « Ils ont fait, ajoutait Giulio del Caccia à qui nous empruntons ces détails (ils, ce sont les Espagnols), ils ont fait une provision de sept cent mille écus et donné d'autres ordres, découvrant maintenant la grandeur du péril. Plaise à Dieu de nous en délivrer ! »[6].

Don Juan, pour comble de malheur, fut gêné en septembre par le mauvais temps. Il lutta cependant, tant qu'il put. Le 20 septembre, il envoya J. André Doria avec 40 galères renforcées[7] jusqu'en Berbérie, tandis qu'il dépêchait Santa Cruz vers Naples pour y embarquer des troupes allemandes[8]. Le 3 octobre

1. Puerto Carrero à Granvelle, La Goulette, 19 juil. 1574, la tranchée vient d'être ouverte du côté de Carthage, Simancas E⁰ 1064, f⁰ 46 ; Relacion del sargento G⁰ Rodriguez de La Goulette, 26 juil. 1574, Simancas E⁰ 1141. Sur le siège et la prise de La Goulette, voir également E⁰ 1064, f⁰ˢ 2, 4, 5, 5, 25, 54, 57, 58...; opuscule anonyme, *Warhaftige eygentliche beschreibung wie der Türck die herrliche Goleta belägert*, Nuremberg, Hans Koler, 1574 ; *Traduzione di una lettera di Sinan Bassà all'imperatore turco su la presa di Goleta e di Tunisi*, s. d., B. N., Paris, Ital. 149, f⁰ˢ 368-380.
2. Ou 22 ou 23, O. de TÖRNE, *op. cit.*, I. p. 279, note 6.
3. Le duc de Terranova à Philippe II, Palerme, 31 août 1574, Simancas E⁰ 1141.
4. Simancas E⁰ 1142.
5. *CODOIN*, III, p. 159.
6. Madrid, 28 août 1574, Mediceo 4904, f⁰ 254.
7. Le duc de Terranova à Philippe II, Palerme, 20 sept. 1574, Simancas E⁰ 1141 ; Saint-Gouard au roi, Madrid, 23 oct. 1574, B. N., Paris, Fr. 16106.
8. Granvelle à Philippe II, Simancas E⁰ 1064, f⁰ 66.

il avait réussi à réunir à Trapani, outre les galères du pape, la moitié de sa flotte, soit une soixantaine de galères. Il était sur le point de pousser jusqu'à La Goulette, malgré les avis de Don Garcia, quand lui arrivèrent à la fois les nouvelles des désastres d'Afrique et celle de l'arrivée de Juan de Soto à Naples. « Quelles dépêches merveilleuses ne va-t-il pas m'apporter, après cette absence de cinq mois, s'écriait Don Juan avec amertume, il va m'avertir de ce qui s'est passé et me prescrire des remèdes pour prévenir le malheur qui est déjà arrivé »[1]. Don Juan était d'autant plus amer qu'il savait sa responsabilité engagée. Il ne s'y trompait pas plus que Granvelle. On le sent à lire sa lettre, véhémente et passionnée, reconnaissant ses torts et plus volontiers encore ceux des autres, y compris ceux du roi[2]. Le 4 octobre, il écrivait à nouveau à son frère, pour lui dire cette fois moins ses regrets que ses hésitations, les projets qu'il avait ébauchés, puis sa décision de ne rien faire[3]. En effet, au seuil de l'hiver, il n'était pas prudent de tenter, comme il y avait pensé, un raid sur Djerba. A une énorme victoire turque, ce serait répondre par un petit succès local, à supposer que tout allât bien sur ce trajet de 300 milles, dont 200 à accomplir sans mouillage, avec les vents défavorables qu'amène le changement de saison. Serait-il raisonnable de retourner à Tunis, pour en déloger les 4 ou 5 000 Turcs qui s'y trouvent ? Et (s'il ne le dit pas, il le pense sans doute) pourquoi ? pour refaire, au mieux, l'expédition de 1573 et s'exposer à des suites toutes pareilles ? Il n'agira qu'avec les ordres du roi, conclut-il... Comme Don Juan est devenu prudent !

Il regagne Palerme, le 16 octobre seulement, à cause du mauvais temps. Dans la capitale sicilienne, il retrouve Juan de Soto, assemble son conseil, demande les avis des uns et des autres sur une action possible ; puis, étant donné l'approche de l'hiver et l'épuisement de la Sicile, juge inutile d'y attendre la réponse du roi. En vérité, il n'a qu'un désir : regagner l'Espagne, revoir son frère, s'expliquer avec lui. Continuant sa marche par le plus long chemin, celui des côtes[4], il est à Naples le 29 octobre. Le 21 novembre, il part pour l'Espagne[5].

En Méditerranée, enfin la paix

Cependant, sans qu'on l'inquiétât, l'armada turque avait repris le chemin de Constantinople où elle parvenait, le 15 novembre, forte de 247 galères, sans compter les autres vaisseaux, dit un agent génois. L'expédition, si heureuse en apparence, avait coûté d'énormes pertes. « 15 000 rameurs et soldats sont morts de maladie, en plus des 50 000 qui ont été perdus à La Goulette et à Tunis », écrit le même agent rapportant des bruits sûrement excessifs, sinon dénués de toute vérité[6]. Mais qu'importait de toute façon à l'énorme Empire turc des

1. O. de TÖRNE, *op. cit.*, I, p. 280, note 1.
2. Don Juan à Philippe II, Trapani, 3 oct. 1574 (*ibid.*, p. 283) ; la lettre de Granvelle du 27 sept. 1574, dramatique si l'on veut (Simancas E° 1064, f° 61, cf. F. BRAUDEL, *in* : *Rev. Afr.*, 1928, p. 401, note 1) ne concerne que le premier désastre, la prise de La Goulette.
3. D. Juan d'Autriche à Philippe II, Trapani, 4 oct. 1574, Simancas E° 450.
4. Le même au même, Naples, 12 nov. 1574, *ibid.*
5. D'après van DER HAMMEN et PORREÑO, cités par O. de TÖRNE, *op. cit.*, I, p. 288, notes 4 et 6. Le paragraphe qui précède s'appuie sur le récit de Törne et sur mon article, « Les Espagnols et l'Afrique du Nord », *in* : *Revue Africaine*, 1928.
6. Bª Ferraro à la République de Gênes, 15 nov. 1574, A. d. S. Gênes, Cost. 2.2170.

milliers de pertes humaines ? L'orgueil lui était revenu, avec cette victoire. « Ils n'ont plus la moindre estime pour n'importe quelle forteresse chrétienne », dit un avis de Constantinople[1]. Quel observateur aurait pu prédire alors que c'était la dernière rentrée triomphale d'une flotte turque, dans le port de Constantinople ?

A ce moment précis, à Madrid, en Italie, les Espagnols se désespèrent devant l'immensité du péril turc, aussi bien ceux qui sont aux postes de combat, Don Juan, le duc de Terranova, Granvelle, que les conseillers par qui passent les innombrables papiers gouvernementaux. Que ne va pas faire le Turc, enorgueilli par sa victoire ? « Par la grâce de Dieu, par le sang de notre Seigneur Jésus, puissent les Turcs ne pas s'installer et se fortifier à Carthage », écrit de Milan « l'intendant militaire » Pedro de Ibarra[2]. Qu'on ne se fonde pas, de grâce, écrivait Granvelle de sa propre main, « sur l'avis de ceux qui prétendent toujours possibles des choses qui ne le sont pas ; qu'on n'accable pas les sujets de l'Empire jusqu'à les mettre dans un désespoir extrême. Je jure à Votre Majesté que lorsque je vois l'état dans lequel nous nous trouvons partout, je voudrais ne pas me voir vivant, si je ne devais employer ma vie à trouver le remède ». Mais que faire sans argent ? La course aux armements maritimes a été sans doute simple folie : « Pour se faire supérieur, le Turc a grossi d'autant ses forces : alors que jadis sa plus grande flotte était de 150 galères avec lesquelles il ne pouvait transporter un nombre d'hommes suffisant (car là est toute sa force, le nombre) pour de grands effets, aujourd'hui, avec 300 galères, il a une telle masse d'hommes à bord qu'il n'y a pas de forteresse capable de lui résister... »[3].

A Rome, sous le coup de l'émotion, Grégoire XIII essaie de ramener Venise à la Ligue. En vain bien entendu[4]. A Madrid, le bruit court que le roi, pour mieux faire face aux Turcs, irait à Barcelone et, de là, en Italie[5]. Ce qui, en effet, aura été souvent proposé par Rome... Le Conseil d'État, le 16 septembre 1574[6], discute si l'on abandonnera ou non Oran, et le roi renvoie la question au *Consejo de Guerra* pour premier examen, réservant au Conseil d'État la seconde lecture. Le 23 décembre 1574, Vespasiano Gonzaga, en mission à Oran, écrit un magnifique rapport concluant à l'évacuation de la place et au repli des Espagnols sur le seul point de Mers-el-Kébir[7]. Pareil examen semble avoir été fait au sujet de Melilla et l'ambassadeur génois parle d'une mission à l'ingénieur Il Fratino à Majorque[8]. Toutes les forteresses face à l'Islam sont soigneusement revues : la peur rend attentif. Elle rend aussi prudent. L'empereur signe, en décembre, une nouvelle paix pour huit ans. Tandis qu'à l'Extrême Occident, après un voyage d'inspection aux présides du détroit, le jeune D. Sébastien de Portugal renonce à attaquer le chérif[9]. L'Espagne

1. Constantinople, 15 et 19 nov. 1574, *ibid.*
2. Veedor general de S. M. en Piémont et Lombardie, Milan, 6 et 23 oct. 1574, Simancas E⁰ 1241.
3. Granvelle à Philippe II, Naples, 6 déc. 1574, Simancas E⁰ 1066, aut.
4. G. de Silva à Philippe II, Venise, 16 oct. 1574, Sim. E⁰ 1333 ; le même au même, 30 oct. *ibid.*
5. Giulio del Caccia au grand duc, Madrid, 25 oct. 1574, Mediceo 4904, f⁰ 273 et v⁰.
6. *Consulta del Consejo de Estado*, 16 sept. 1574, Simancas E⁰ 78.
7. A Philippe II, Oran, 23 déc. 1574, Sim. E⁰ 78. Sur la mission de V. Gonzaga, l'évêque de Padoue au cardinal de Côme, 9 nov. 1574, A. Vaticanes, Spagna n⁰ 8, f⁰ 336.
8. Sauli à la Rép. de Gênes, Madrid, 16 nov. 1574, A. d. S., L.M. Spagna 6.2415.
9. Saint-Gouard au roi, Madrid, 23 oct. 1574, B. N., Paris, Fr. 16106.

est plus seule que jamais, devant son adversaire de l'Est. et continue à parler projets, contre Bizerte, Porto Farina, Alger. Mais Saint-Gouard, relatant un de ces bruits, le 26 novembre 1574, déclare : « je le croiray quand je le verray »[1]...

C'est là qu'en est l'Espagne, trois ans après Lépante ! Si la victoire est « inutile », la faute en revient, plus qu'aux hommes, à l'équilibre hispanique, à ce système de forces qui se centre mal sur la mer Intérieure. En cette fin d'année 1574, les hommes d'État espagnols n'ont pas le loisir de s'occuper de la Méditerranée. Même pour réparer le désastre de Tunis. Après le voyage en Lombardie, on songe à proposer à Don Juan celui des Pays-Bas. Saint-Gouard, toujours à l'écoute des potins de Madrid, note le 23 octobre[2] : « J'ay entendu qu'ilz se proposent, si la Goulette se sauve et le Turcq n'entreprenne chose de plus grande importance, que Don Jehan passera aveqz dix huit mille Italiens en Flandres. Mais si le Turq prend la Goulette, il renverse bien leurs desseins ». La Goulette était déjà prise. Mais Don Juan n'en ira pas moins aux Pays-Bas.

Chose curieuse : si Lépante n'a servi à rien, la victoire turque de Tunis n'a pas été plus décisive. O. de Törne, dans son livre très documenté sur Don Juan d'Autriche, raconte avec sa précision habituelle les désastres de 1574, puis essaie, un court instant, de se dégager de l'histoire événémentielle. « La victoire de 1574, remportée par les Turcs en Tunisie, observe-t-il, fut le dernier succès remarquable qu'obtint le pouvoir ottoman, avant de tomber dans une décadence rapide. Si Don Juan avait entrepris son expédition en Afrique quelques années plus tard, Tunis serait peut-être restée aux Espagnols et il aurait obtenu raison contre ceux qui avaient déconseillé au roi la conservation de cette conquête. » Voire...

C'est un fait que la décadence *maritime* (je dis bien maritime) de la Turquie va se précipiter, sinon après 1574, au moins après 1580. Et qu'elle sera brutale. Lépante n'en est sûrement pas directement la cause, bien que le coup ait été terrible pour un Empire dont les ressources ne sont inépuisables que dans l'imagination des historiens, les craintes de l'Europe ou les jactances turques. Ce qui a tué la marine ottomane, c'est l'inaction, la paix méditerranéenne au seuil de laquelle, sans l'avoir guère prévue en suivant, au jour le jour, le fil des événements, nous voilà arrivés. Brusquement, les deux monstres politiques de Méditerranée, l'Empire des Habsbourgs et celui des Osmanlis (pour parler un instant comme Ranke), renoncent à la lutte. Serait-ce que la Méditerranée n'est déjà plus un enjeu suffisant ? qu'elle est trop endurcie contre la guerre pour que celle-ci y soit profitable comme au temps de Barberousse, cet âge d'or des armadas turques qu'alourdissait leur butin ? C'est un fait, en tout cas, que, restés seul à seul dans le champ clos de Méditerranée, les deux Empires ne vont plus s'y heurter de toute leur violence aveugle. Ce que Lépante n'a pas complètement réussi, la paix en quelques années l'achèvera. Elle tuera la flotte turque. Le fragile instrument, à ne plus travailler, à ne pas être renouvelé et entretenu, disparaîtra de lui-même. Plus de marins à l'embauche ; plus de bons rameurs sur les bancs. Les corps des galères pourrissent sous les *volte* des arsenaux...

Mais que Don Juan ait raté le coup de fortune de sa vie, comme le pense O. de Törne, non, certes. Si l'Espagne n'avait pas délaissé la Méditerranée, le Turc y aurait maintenu son effort. C'est l'abandon mutuel des adversaires qui a

---

1. Le même au même, 26 nov. 1574.
2. B. N., Paris, Fr. 16.106.

fait la paix, la pseudo-paix de la fin du siècle. Si l'Espagne a perdu une occasion en Afrique du Nord, c'est plutôt, à mon avis, et autant qu'on peut avoir un avis quand il s'agit de refaire l'histoire, c'est plutôt au début du siècle que dans les années qui suivirent Lépante. C'est peut-être parce que, alors, elle a gagné l'Amérique qu'elle n'a pas poursuivi, sur le sol africain, une nouvelle guerre de Grenade, trahissant ce qu'on appelait hier sa mission « historique » et qu'on nomme aujourd'hui, d'une formule plus neuve, sa mission « géographique ». Le coupable, si coupable il y a, c'est Ferdinand le Catholique, non pas Philippe II, encore moins Don Juan d'Autriche. Mais tous ces procès assez vains restent à plaider. Demain, les historiens de la conjoncture auront à les reprendre et peut-être à leur donner un sens.

5

LES TRÊVES
HISPANO-TURQUES : 1577-1584

La littérature nous a toujours présenté une Espagne irréductiblement catholique. Ainsi pensait déjà un contemporain, Saint-Gouard[1], en l'année 1574, au moment même où l'Espagne était accusée par le roi de France d'intriguer auprès des Protestants français, et s'apprêtait peut-être à le faire. Ce « religion d'abord » risque de ne pas être toujours exact. Les droits de la raison d'État, où donc ont-ils plus compté que dans les conseils du Roi Prudent ? Tout en témoigne : les démêlés et les guerres avec Rome ; ou l'attitude d'un duc d'Albe aux Pays-Bas, par certains côtés si nettement anticléricale ; ou encore la politique qu'au moins jusqu'en 1572, Philippe II a adoptée vis-à-vis de l'Angleterre d'Élisabeth. « Si paradoxale qu'en sonne l'affirmation, ne l'a-t-on pas appelé l'involontaire allié de la réforme anglaise ? »[2]. Et sa politique reli-

---

1. L'accusation portée par une lettre de Charles IX. Saint-Gouard y répond longuement (au roi, Madrid, 24 févr. 1574, B. N., Paris, Fr. 16106). Si des agents espagnols ont été dans les assemblées des rebelles, qu'on en saisisse un ou qu'on lui donne son nom. Ayant les noms il leur mettrait l'inquisition « si bien a doz qu'il faudroit qu'elle perdist tout crédit ou qu'elle s'atachast au mesme Roy s'il se voulloit servir contre Votre Majesté de telles praticques lesquelles je ne puis penser ni croire... ». Sans doute leur désir est-il de brouiller tout en France « ...je crois qu'ilz seroient trais ayses que Votre Majesté feust toujours troublé en sa maison pour le pensement qu'ilz ont que cela leur sert à remédier et à ordonner la leur... ». Sans doute encore, ajoute Saint-Gouard « ...choses d'estat permettent ou pour le moins souffrent quelquefois de l'honneste ». Philippe II pourrait-il intriguer avec les Huguenots alors qu'il déclare pour ses Pays-Bas « qu'il les ayme mieux perdre de consentir chose quelle qu'elle soit contre la rellligion et foy cath. » et s'il s'entendait « contre le service de Votre Majesté au dedans son royaume je croy que ce seroit plus tost avecques quelques brigans qui ont pris ung tiers estat et lesquels ne sont fondez ne pour le service de Dieu ne celuy de Votre Majesté en ce qu'ilz se sont trouvez aux armées ou par les provinces sous coulleur de se dire catholique les armes à la main avecqz toute insolence se rassasier de leur enragée avarice ». — Et l'affaire Henri de Navarre, Claude Du Bourg ? voir ci-dessus, I, pp. 343-344.
2. A. O. Meyer, *England und die katolische Kirche*, I, p. 28, cité par Platzhoff, *Geschichte des europ. Staatensystems*, p. 42.

gieuse dans l'océan Indien, à travers les domaines portugais dont il s'est saisi au-delà de 1580, a été la tolérance.

Mais rien ne précise mieux l'attitude du gouvernement espagnol que ses conversations, ses compromissions avec les États et puissances de l'Islam. Rechercher l'aide du Sophi (comme s'y prêta Pie V lui-même), s'allier avec le Chérif comme allait le faire Philippe II, quelques années seulement après le désastre portugais d'Alcazar Kébir, c'est tout de même autre chose qu'un esprit de croisade. L'empereur, de son côté, est en conversation constante avec le Turc. La diplomatie de Philippe II a hérité, du côté de Constantinople, des méthodes et même des dossiers de la diplomatie impériale, laquelle est demeurée à son service pour des raisons de famille et aussi d'argent : la guerre en Hongrie, quand guerre il y a, se fait en partie avec les contributions volontaires de l'Espagne. L'Espagne profite donc des tractations de l'empereur pour jeter, derrière ses ambassadeurs, sur les routes qui mènent à Constantinople, toute une théorie d'agents espagnols. Et pour un que nous connaissons, que signale le vieil ouvrage de Hammer d'après les Archives de Vienne, dix ont œuvré, tendant mille fils qui se perdent dans la grosse trame des événements et sont quasiment introuvables après coup...

Pourtant, c'est eux que nous aimerions retrouver tout d'abord pour saisir, par les plus obscurs de ses chemins, le grand renversement de la politique méditerranéenne, pendant les années 1577-1581.

Ensuite, mais ensuite seulement, nous examinerons, dans leur masse, les problèmes de ces années tournantes. Si la Turquie n'avait pas été rejetée vers l'Est, contre la Perse, par ses passions conquérantes à partir de 1579, et l'Espagne de Philippe II, en 1580, lancée vers l'Ouest, à la conquête du Portugal et du monde, qu'eût signifié pour l'histoire (qui d'ailleurs l'ignore à peu près) la longue et romanesque négociation de Margliani que nous allons essayer d'éclairer, d'aussi près que possible ?

1. La mission de Margliani, 1578-1581

Nous avons déjà signalé, en 1558-1559, la tentative de Nicolo Secco et de Franchis, en liaison avec Vienne et avec Gênes. Puis la tentative de 1564 et celle de 1567, toutes deux également dirigées de Vienne. Mais nous n'avons pas cru devoir citer, dans le récit des événements, la mission qui fut dévolue, en 1569-1570, à un certain chevalier de Malte, Juan Bareli.

Retour en arrière :
les premières tentatives de paix de Philippe II

Ce Juan ou Giovanni Bareli était arrivé à Catane, en décembre 1569, avec des instructions de Philippe II, en date du 27 octobre. Ses services auprès du grand-maître l'avaient mis en tiers dans une affaire compliquée, celle du pope grec de Rhodes, Joan Acida (je respecte l'orthographe des textes espagnols) qui, en liaison avec un certain Carnota bey, installé en Morée, se faisait fort de soulever le pays contre les Turcs. Il promettait aussi l'incendie de l'arsenal de Constantinople. Les dates (l'arsenal de Venise explosait le 13 septembre 1569) sont trop rapprochées, si l'on songe aux délais de transmission, pour qu'on puisse penser que l'idée fut provoquée par l'accident vénitien. D'ailleurs, des offres de ce genre ont été faites fréquemment au « deuxième bureau » espagnol, tant pour Alger que pour Constantinople. Pescaire, chargé d'examiner les propositions de Juan Bareli, reconnaissait que le chevalier avait joui de la confiance du grand maître défunt, qu'il était au courant de l'affaire de Morée, mais non pas de ses tenants et aboutissants, ni des moyens envisagés pour l'incendie de la flotte turque. Il en avait parlé au roi de seconde main, mais sans plus, et s'était un peu avancé, pour ne pas dire davantage, comptant sans doute s'en sortir finalement par l'entremise du Grec.

Or, Pescaire avait lui-même pris langue avec le Rhodiote et l'avait expédié dans le Levant où il attendait seulement, pour agir selon ce qu'ils avaient ensemble accordé, qu'on lui envoyât un de ses frères. Mais le frère, sujet de Venise, qui devait venir chercher la nave *El Cuñado*, avec à son bord les artifices nécessaires pour incendier la flotte turque, hésitait à faire le voyage. Ayant eu maille à partir avec Venise, il voulait un sauf-conduit. Le demander à la Seigneurie, si soupçonneuse en ces affaires, il n'y fallait pas songer. On finit donc, après l'avoir camouflé en honnête marchand, par confier à Juan Bareli une cargaison et *El Cuñado*, plus des instructions pour le patriarche et pour Joseph Micas, lui encore... Précaution supplémentaire, le vice-roi avait fait mettre le bateau à son nom, comme s'il allait racheter des captifs.

Avec ses explosifs et 50 000 écus de marchandises, le navire quitta Messine le 24 janvier. Mais tout s'en alla échouer dans le Levant. Au tomber du rideau, le pope accusait le chevalier d'avoir tout compromis. En fait, l'affaire de l'arsenal avait raté ; en Morée, Carnota bey sur lequel on comptait, était mort ; le patriarche, qui devait envoyer chercher à Zante les présents qu'on lui destinait, n'en avait rien fait... En tout cas, le marquis de Pescaire, dans le rapport peu clair qu'il envoyait, en juin 1570, refusait de se prononcer sur les responsables de cette « grave » affaire[1].

Dans tout cela, dira-t-on, rien d'une conversation à l'amiable, au contraire. Mais voici un autre texte. Neuf ans plus tard ; nous sommes, cette fois, à Constantinople auprès du vieux Méhémet Sokolli, agacé, ou feignant de l'être, par les subtilités et subterfuges de la diplomatie espagnole. En face de lui, Giovanni Margliani, l'agent espagnol dont nous aurons à parler longuement. « Le pacha me dit : mais expliquez-moi donc avec quelle arrière-pensée [les Espagnols] ont envoyé ici[2]... Losata, avec quelle arrière-pensée ils ont envoyé un chevalier de Malte, lequel, je l'ai appris depuis, était le chevalier Bareli, avec quelle arrière-pensée [est venu] Don Martin [d'Acuña] »[3].

Il y a donc eu une mission Bareli au sujet de la trêve. Non pas, évidemment, en juin 1570. Il faut supposer que, venu une fois pour faire sauter l'Arsenal et soulever la Morée, Bareli aurait refait une seconde fois le voyage, avec un rameau d'olivier ; ou alors il aurait mené à bien (ou plutôt à mal) les deux tâches, simultanément. Qu'est-ce à dire, sinon que l'Espagne se sert, en Orient pour ses besognes diplomatiques, de ses espions et de ses hommes de main, tous en relation avec le monde interlope des reniés ? De ce point de vue, l'affaire Bareli, que nous posons comme un jalon pour des recherches plus heureuses que les nôtres, est significative.

Le suivant sur la liste de Méhémet Sokolli, Martin d'Acuña, que nous connaissons mieux, est à Constantinople, en 1576. C'est un homme de peu,

1. Pescaire au roi, 12 juin 1570, Simancas E⁰ 1133.
2. Je laisse un prénom illisible sur ma copie.
3. Relation de Margliani, 11 févr. 1578, Simancas E⁰ 489.

fraternellement mêlé aux reniés de la ville. Or, quand il s'en revient en Italie, lui l'initiateur des conversations décisives de 1576, ne se fait-il pas gloire d'avoir incendié la flotte turque ? Méhémet Sokolli, qui ne tarde pas à être mis au courant, se plaint des curieux propos de cet ambassadeur. Les bureaux espagnols, qui connaissent bien Don Martin, admettent tout de même qu'il a pu effectivement incendier un galion. Cette histoire rejoint étrangement certains détails de la mission Bareli de 1569-1570. Elle autorise à penser que nous ne saisissons qu'une tentative sur dix. Renégats qui veulent rentrer en grâce, anciens captifs qui se posent en spécialistes du Levant, Grecs qu'il faut toujours surveiller aux mains (comme dit un rapport espagnol[1]), chevaliers de Malte, Albanais, envoyés impériaux ; ajoutez leurs interlocuteurs : juifs, allemands comme le Docteur Salomon, drogmans comme Horembey, c'est cette foule interlope, et pas toujours soutenue officiellement par ses employeurs, qui traite des affaires diplomatiques. Plus tard, au XVIIe siècle, viendra l'heure des intermédiaires jésuites[2].

Après 1573, ces gens s'affairent comme jamais. Il y a une demande espagnole qui pèse alors sur le marché de l'aventure ; une prime offerte en permanence à qui sait, à qui peut quelque chose en Orient. Est-ce pour cette raison qu'en 1576, le fol Claude Du Bourg offrait ses services au Roi Prudent pour tout arranger à Constantinople où chacun savait comme il avait magnifiquement travaillé, en 1569 ! Il ne demandait que 100 000 ducats : bien plus que ne devait coûter, au vrai, l'achat du grand vizir lui-même ![3]

Au temps de Don Juan

En 1571, Don Juan lui-même correspondait avec les Turcs. Ainsi le voulait la guerre au XVIe siècle. Sélim lui envoyant une lettre avec des présents, sans doute après Lépante[4], Don Juan répondait qu'il avait reçu le tout par l'intermédiaire de l'eunuque Acomato de Natolie, qu'il lui renvoyait un espion grec « venu par deçà par ton commandement pour recognoistre les appareils des chrestiens, lequel ayant peu faire mourir, non seulement je luy ai donné la vie mais je luy ai fait veoir à son aise toutes mes provisions et desseins qui sont de te faire continuelle guerre ». Nous ne sommes sûrs ni de la date, ni de l'authenticité rigoureuse de ces documents, d'origine incertaine. Mais la correspondance elle-même, affirmée par les contemporains, a existé ; ces papiers en sont une preuve. Courtoisie, romantiques défis : ce ne sont point là d'ailleurs des négociations, en cette année 1571. Mais deux ans après, de véritables conversations sont certainement en cours.

Le 30 juin 1573, un agent de Granvelle, Juan Curenzi, revenait de Constantinople, informateur à coup sûr, négociateur ? pas forcément[5]. Mais en juin, juillet, des agents espagnols étaient à leur tour en route vers la Turquie. S'ils étaient les premiers à faire le voyage, nous pourrions penser que c'est à la

---

1. Rapport sur Estefano Papadopoulo, Madrid, 21 juin 1574 « ...*y es menester mirar les mucho a las manos...* », Simancas Eo 488.
2. Cf. entre autres H. WÄTJEN, *op. cit.*, p. 67-69.
3. Mémoire de Du BOURG, trad. esp., 1576, A. N., K 1542.
4. Lettre de Selim second, empereur des Turcs, à Don Juan d'Autriche « luy envoyant des présents lors qu'il était général de l'armée chrestienne », B. N., Paris, Fr. 16141, fo 440 à 446.
5. *Lo que refiere Juan Curenzi...*, 30 juin 1573, Simancas Eo 1063, fo 35.

suite de l'abandon vénitien que leur envoi a été décidé. Philippe II a connu la paix vénitienne, le 23 avril 1573 ; Don Juan, le 7 avril. En réalité, cette mission ne fait, sans doute, que prendre place dans une série. Mais elle est fort singulière. Car au fond les Espagnols, en ce mois de juin, s'apprêtent à faire, ni plus ni moins, ce qu'ont fait les Vénitiens.

Le 16 juillet, l'évêque de Dax était déjà avisé de ce voyage par son agent de Raguse[1]. Dix jours plus tard[2], il savait avec précision de quoi il retournait. Don Juan, ayant fait prisonnier le fils d'Ali Pacha, petit-fils par une « sultane » de Sélim lui-même, l'avait traité avec la plus grande courtoisie. Il avait refusé les présents que lui envoyait la sultane et lui en avait fait transmettre lui-même de magnifiques que celle-ci avait tenu à remettre à Sélim. C'est Du Ferrier, l'ambassadeur français à Venise, qui l'indique[3]. Politesses et courtoisies couvrent de réalistes pourparlers. En effet, quand le fils d'Ali Pacha, libéré sans rançon, arrive à Constantinople, le 18 juillet, il est accompagné de quatre Espagnols, dont un secrétaire de Don Juan, Antonio de Villau (Vegliano) et un Florentin, Vergilio Pulidori, *cortegiano del duca di Sessa*. Méhémet Sokolli indique à l'évêque qui s'informe, que ce sont là des machinations de ses ennemis, en particulier de Joseph Micas. Mais si le roi d'Espagne veut la paix, ajoute-t-il, il faudra qu'il paie tribut et livre quelques « forts » en Sicile. Et l'évêque de s'étonner que le roi d'Espagne ait fait cette démarche sans promesses préalables : « qui me faict penser qu'outre le grand désir et nécessité que le roi d'Espagne a de se veoir en repos du costé de deça, pour mettre fin aux affaires de Flandres, il prévoit quelqu'autre encloueure de plus mauvaise nature que ceste là ; ou il y a quelqu'autre dessein en main plus grand que tout cela »[4].

Informations prises, les Espagnols ne semblent pas rejeter l'idée du tribut : l'ambassadeur impérial le paierait, en même temps que celui de l'empereur. Ils attendent Piali Pacha et Euldj Ali et comptent sur leur puissante influence pour aboutir. Le premier pacha, Méhémet Ali, a la négociation en horreur, il le dit du moins. Mais il ne faudrait jurer de rien. Le sultan, on le sait, est fort avare. Il a le désir de mettre un terme aux dépenses de la guerre maritime, d'autant que, depuis Lépante, il considère cette guerre avec terreur. Enfin, il attend, à l'Est, la mort du vieux Sophi. L'intrigue espagnole n'est donc pas condamnée *a priori*. Les ambassadeurs de France ont, dans le passé, bloqué mainte tentative de ce genre, au temps de Charles Quint et de Philippe II lui-même. Mais, cette fois, les Espagnols mettent en avant de grands projets commerciaux, notamment l'ouverture du commerce du Levant à toute l'Italie, tandis que les Vénitiens et les Français en seraient exclus. L'augmentation du trafic qui en découlerait ne gonflerait-elle pas les taxes prélevées par le Grand Seigneur ? C'est du moins ce qu'on fait miroiter à ses yeux[5].

Dans cette tentative où nous nous retrouvons, une fois de plus, Joseph Micas, sont également engagés les Toscans (négociation dont nous avons tous les éléments), les Juifs de Turin qui poussent en avant le Savoyard, désireux de refaire à Nice, avec l'appui des Juifs, ce que Cosme de Médicis avait fait à

1. L'évêque de Dax au roi, Const., 16 juil. 1573, E. CHARRIÈRE, *op. cit.*, III, p. 405.
2. Le même au même, Const., 26 juil. 1573, *ibid.*, p. 413-416.
3. Au roi, Venise, 26 févr. 1574, *ibid.*, p. 470, note.
4. Voir note 1.
5. L'évêque de Dax à Catherine de Médicis, Constantinople, 17 févr. 1574, E. CHARRIÈRE, *op. cit.*, III, p. 470 et *sq.*

Livourne[1] ; et plus tard, les Lucquois. Ce désir universel de commerce, est-ce un signe des temps ? L'exclusion de Venise (quelle magnifique place à prendre !) excite bien des convoitises, qui ont eu le temps de se préciser et même de prendre un début de réalité quand, de 1570 à 1573, Venise a été écartée des compétitions commerciales. Tous ces appétits accompagnent et renforcent la politique espagnole. Une nuée d'ambassadeurs, d'agents, de cadeaux, de promesses tombe sur Constantinople. Cette attaque en masse, notera plus tard l'évêque, se fait finalement au bénéfice de « l'introduction de l'Espagnol »[2], et quand on est le représentant de la France, mais un représentant désargenté, on ne peut qu'en être désagréablement impressionné. « Le Pacha se rit de ce que nous voulons luy lier les mains et ne mettre rien dedans »[3].

Mais pour y voir clair, il faut être attentif aux différences des deux années, 1573 et 1574, que parcourt la négociation. Encore en septembre 1573[4], l'évêque de Dax pouvait croire aú succès possible de l'Espagne. Les forces de celle-ci sont considérables ; le Turc a des difficultés dans le Yémen, difficultés dont le détail se présente à nous comme un insoluble rébus et que Sinan Pacha tranchera d'ailleurs cette même année[5]. Mais la prise de Tunis par Don Juan, à l'extrême fin de la bonne saison, semble avoir compromis la conversation dont l'évêque de Dax suivait le développement avec inquiétude. Si elle aboutissait, comme va aboutir la négociation parallèle de l'empereur, elle surprendrait les Vénitiens avant la ratification de leur propre paix qui, décidée le 7 mars 1573, n'a été signée qu'en février 1574, quand le Turc eut renoncé à d'éventuels cadeaux, notamment Cattaro et Zara[6]. Tout cela nous explique les angoisses et les armements précautionneux de Venise, la façon dont sa diplomatie vogue au plus près derrière l'évêque de Dax. C'est sa vie qu'elle joue et que ses voisins mettraient volontiers en péril. Candie est une proie de choix, dépourvue d'armements suffisants et « les habitants d'icelle mal satisfaits..., cherchent, longtemps y a, se tirer de leur obéissance »[7].

La signature d'un traité hispano-turc serait un singulier choc pour la France. Aussi bien, l'évêque est-il très content, en février 1574, d'avoir évité une rupture entre Venise et les Turcs au sujet des confins de Zara et du fort de Sebenico. En cette occasion, la France a, pour la seconde fois, sauvé Venise, contre qui chacun jouait. Espagnols et Impériaux sont finalement les perdants de cette course serrée. Depuis la conclusion de la paix vénitienne, écrit l'ambassadeur français « je commence à ne plus craindre tant les Espagnols »[8]. Sa sauvegarde, il le sait bien, a été l'occupation de Tunis, par quoi les Espagnols ont barré aux Turcs l'accès de leurs possessions de Barbarie, lesquelles « leur seroient mal assurées si les choses demeuroient aux termes qu'elles sont »[9], écrivait-il en février 1574.

Tels sont les quelques faits que nous connaissons. Dans une liasse de Simancas, tout le dossier de cette négociation doit sans doute se trouver. Le problème qui se pose, d'après la correspondance française, c'est de savoir si

1. Pietro EGIDI, *Emanuele Filiberto*, op. cit., II, pp. 128 et sq.
2. L'évêque de Dax au roi, 18 sept. 1574, E. CHARRIÈRE, op. cit., III, p. 572.
3. *Ibid.*, p. 572.
4. Au roi, *ibid.*, pp. 424-427, Constantinople, 4 sept. 1573.
5. Le même au même, *ibid.*, pp. 470-475, 24 mars 1574.
6. Le gros incident du « fort » de Sebenico, *ibid.*, 17 févr. 1574, pp. 462-470.
7. Voir note 5, ci-dessus.
8. E. CHARRIÈRE, op. cit., III, p. 467.
9. 17 févr. 1574, *ibid.*, III, p. 462-470.

l'Espagne a voulu la trêve, ou seulement tenté de jouer contre Venise (au moment même d'ailleurs où elle lui prodiguait les assurances de secours en cas d'attaque des Turcs). Ni l'un ni l'autre de ces buts ne fut atteint.

Mais que les tractations continuent, il n'y a pas là-dessus le moindre doute. Et avec le même personnel, un peu gêné par le manque d'instructions précises et par le déroulement des événements qui aboutirent à la reprise de Tunis par les Turcs, en septembre 1574. Le 18 de ce mois, l'évêque de Dax écrivait à Catherine de Médicis : « l'Espagnol et le Florentin qui sont icy depuis quinze mois » sont sur le point de partir ; leurs passeports sont en règle, mais toujours, au dernier moment, ils sont retenus, otages autant qu'ambassadeurs. « Les négociations [dans ce pays] sont toujours périlleuses », écrira plus tard Margliani. Elles sont surtout d'une extrême complication. Un rapport de l'ambassade espagnole à Venise signale, en 1574, donc en même temps que les pourparlers de Constantinople, un colloque, à Venise, entre un chaouch *secretario del Turco* et un certain Livio Celino, au sujet de la paix hispano-turque. Malheureusement, nous ne pouvons en fixer la date, sans doute postérieure à la signature de la paix vénitienne, sans quoi Venise n'eût peut-être point laissé la négociation se tenir sur son territoire[1]. En février 1575 encore[2], Granvelle parlait de paix avec les Turcs, à propos de l'avènement d'Amurat III. Mais la mort de Sélim ne changera pas grand'chose puisque, sous le nouveau sultan, continua le règne de Méhémet Sokolli, jusqu'au jour de son assassinat par un fanatique, en 1579. Il est vrai qu'Amurat, prince fastueux et puéril, ouvrira plus que son prédécesseur son État aux étrangers. Et surtout, plus encore que les hommes, les temps changeaient, imposant à la Turquie de nouvelles conditions de vie.

Un étrange triomphateur : Martin de Acuña

Après le grand assaut de la diplomatie espagnole à Constantinople, en 1573, y a-t-il eu suspension des pourparlers ? Peut-être. En tout cas, un demi-arrêt, jusqu'à l'arrivée dans la capitale turque d'un nouvel ambassadeur, Martín de Acuña.

Je n'ai pas retrouvé, au sujet de Don Martín, de documents qui permettent de faire revivre avec précision son étrange figure. Ils disent tout de même beaucoup plus que ce qu'en a rapporté Charrière et ceux qui l'ont suivi (Zinkeisen ou Iorga), c'est-à-dire un simple nom et le sobriquet qu'on lui prête de Cugnaletta. C'est en 1577 que Don Martín apparaît dans l'histoire. Parti de Naples où le vice-roi lui fournissait 3 000 ducats, il arrivait à Constantinople le 6 mars, si l'on se reporte à un avis vénitien[3]. Son séjour fut

---

1. Relacion que hizo Livio Celino..., 1574, Simancas E° 1333.
2. Granvelle au roi, Naples, 6 févr. 1575, Simancas E° 1066. Lettre assez pessimiste du cardinal. Avec le changement de règne, il va falloir acheter de nouvelles intelligences, d'où de nouvelles dépenses, tout comme l'empereur à propos de sa trêve dont il faut obtenir à nouveau confirmation. Le nouveau souverain, Amurat, a 28 ans, « belliqueux, aimé de ses sujets... ».
3. Constantinople, 8 mars 1577, A. d. S. Venise, Secreta Relazioni Collegio, 78 ; Guzmán de Silva au roi, Venise, 28 avril 1577, Simancas, E° 1336, signale le passage de D. Martín qu'il appelle D. Garcia de Acuña, parti à Const. avec un sauf-conduit pour le rachat de captifs, en fait pour traiter de la trêve y *a salido con la resolution dello por cincos años...* Pour l'arrivée de D. Martín à Constantinople, les avis français donnent la date fausse du 15 mars.

437

exceptionnellement bref puisque, le 23 avril, il était de retour à Venise. Guzmán de Silva explique dans une lettre que Don « Garcia » de Acuña était parti avec un sauf-conduit pour rachat de captifs à Constantinople, mais « n'avait été là-bas que pour traiter de la trêve avec le Turc, d'ailleurs obtenue par lui pour cinq ans ». On trouve, en effet, à Simancas une copie du projet d'accord que Don Martín avait réussi à mettre au point avec les ministres turcs, projet qui porte la date du 18 mars[1] et dont les premières lignes : « Le Dieu suprême et qui ne peut se comprendre ayant inspiré et illuminé les cœurs des deux Empereurs... », évoque évidemment un original turc. Il rapportait en plus une lettre du pacha à Philippe II, avec la promesse que l'armada turque ne sortirait pas en 1577.

Travail rapide. Bien fait ? Tous les Espagnols n'ont pas été d'accord sur ce point. Quand, en avril, Don Martín en route pour l'Espagne s'arrête à Naples, le marquis de Mondejar, successeur de Granvelle comme vice-roi, reçoit le personnage. Avec tant de mauvaise grâce qu'il s'en excuse lui-même au passage. Mais, explique-t-il, c'est « un des Espagnols les plus perdus de réputation qui soient venus en Italie »[2]. Indiscret en diable : après avoir fait jurer à Mondejar de ne rien révéler de ce qu'il lui a confié de sa mission, il fait si bien qu'un jour plus tard, tout est public à Naples. C'est sa faute ou celle de ses compagnons, ajoute Mondejar, dont on imagine la fureur. Il paraît évident qu'il ne faut accuser ni les compagnons, ni la partialité du vice-roi puisqu'à Constantinople, Don Martín avait joué exactement le même jeu. Il s'est caché des bonnes gens, s'étonnait l'ambassadeur impérial, pour se confier aux pires renégats de la place. « Les gamins des rues le connaissaient tous, lui et son secret »[3]. Avec cela, gaspilleur, joueur, ivrogne. Des 3 000 écus que Mondejar lui avait confiés à son départ pour Constantinople, il a bien envoyé la moitié en Espagne sous forme de soie et de pièces d'argent. Puis il a joué le reste en chemin, à Lecce. A son retour, Mondejar est obligé de lui faire une nouvelle avance afin qu'il puisse poursuivre sa route vers l'Espagne. Mais il exige des comptes, pour le passé et pour l'avenir[4].

En juin, Don Martín est en Espagne et rapporte oralement, à Antonio Pérez, tout ce qu'il a mené à bien à Constantinople[5]. Car il a fait, semble-t-il, du bon travail. Peut-être est-il arrivé au moment opportun ? Quoi qu'il en soit, il a obtenu du Pacha que l'armada turque ne sortirait pas, malgré les instances d'Euldj Ali[6]. Il a surtout réussi à acheminer grand train la négociation de la trêve. Après tout, il se peut qu'il ait été servi par son indiscrétion même, ses mauvaises relations, son manque de scrupules. Certes, il n'est pas « de la carrière » ! Et il n'a pas eu le souci de ménager les suceptibilités espagnoles. En sut-on trop à ce sujet à Madrid ? Quoi qu'il en soit, Don Martín ne retourna pas en Orient, « pour des raisons de santé » disent les papiers officiels. Et c'est toute une histoire en une phrase. Une lettre qu'il écrivait au roi, en 1578, où il expliquait d'une part que son successeur ne pourrait remettre ses promesses en mémoire au Pacha, et, d'autre part, n'hésiterait pas à s'attribuer le mérite de tout ce qu'il avait lui-même fait, montre la rancœur de Don Martín et...

1. Simancas E° 159, f° 283.
2. Mondejar à Antonio Pérez, Naples, 30 avril 1577, Simancas E° 1074, f° 31.
3. Cost., 2 mai 1577, transmis sans doute par G. de Silva, Simancas E° 1336.
4. Voir note 2.
5. Martín de Acuña au roi, Madrid, 6 juin 1577, Simancas E° 159, f° 35.
6. Silva à Philippe II, Venise, 19 juin 1577, Simancas 1336.

l'excellence de sa santé[1]. Il exagérait sans doute la valeur de ses services, car au mois d'août, un autre personnage était arrivé de Constantinople à Otrante, puis à Naples, et cet Aurelio de Santa Cruz portait, lui aussi, des propositions accommodantes du Grand Turc. Il expliquait que ce dernier « désirait beaucoup la trêve, car c'était un homme paisible et ami de la paix, adonné aux lettres et ennemi de la guerre... et de tout ce qui pouvait troubler sa quiétude ». Quant à Méhémet Pacha, la plus haute autorité après le sultan, il a plus de soixante-quinze ans et abomine la guerre. Parmi les autres ministres, seul Sinan Pacha montre de l'agressivité, mais il est un des moins influents[2].

Un dernier mot, assez lugubre, au sujet de Martín de Acuña. Selon un document du British Museum, il fut exécuté sur l'ordre du roi, le 6 novembre 1586, donc longtemps après les détails que nous avons relatés, dans une salle du Château de Pinto, près de Madrid. A ce propos nous sommes vaguement renseignés sur un de ses méfaits en Turquie (la dénonciation d'un agent de l'Espagne) et longuement sur les circonstances, chrétiennement émouvantes, de sa mort[3].

Giovanni Margliani

A la fin de l'année 1577, sur la recommandation du duc d'Albe, le roi envoyait à Constantinople un cavalier milanais, parent de Gabrio Serbelloni, Giovanni Margliani. Il avait combattu en Tunisie en 1574 ; blessé — il y avait perdu un œil — il avait été fait prisonnier, puis racheté aux Turcs, en 1576, par l'entremise d'un marchand ragusain, Nicolò Prodanelli[4]. Les instructions qui lui furent données par le roi, et dont nous avons retrouvé des fragments, non datés avec précision, sont de l'année 1577. Elles sont rédigées en termes très généraux. Il devra passer par Naples, où il s'abstiendra de mettre au courant le marquis de Mondejar. Il sera accompagné par un certain Bruti dont nos renseignements font, soit un Albanais, soit un « dignitaire » de la cour impériale, soit même un pensionné de la Seigneurie de Venise[5]. Peut-être était-il tout cela à la fois ? Margliani est informé qu'il devra prendre la suite de Martín de Acuña, retenu par sa santé, et négocier la trêve. Il veillera à y faire comprendre Malte et les princes d'Italie... C'est tout et c'est bien peu pour éclairer les origines de cette importante négociation.

A-t-on choisi Margliani à cause de ses mérites qui sont réels (l'homme est habile, honnête, souple, accrocheur ; il écrit d'une plume inlassable) ; ou bien a-t-on voulu simplement enlever la négociation à des hommes du genre de Don Martín, la hausser jusqu'au sérieux et à la dignité ? Il est difficile de le dire sans avoir l'instruction officielle, ni l'instruction secrète (dont Margliani parle dans ses lettres) du nouvel envoyé de l'Espagne à Constantinople.

Partis de la côte de Naples, Margliani et ses compagnons arrivaient le 8 novembre à Valona[6]. Ils en repartaient le 13. Le 25, ils étaient à Monastir ;

---

1. Don Martín de Acuña à S. M., Madrid, 1578, sans autre précision. Simancas E° 159, f° 283.
2. Mondejar à Philippe II, Naples, 13 août 1577, Simancas E° 1073, f° 136.
3. Fernand BRAUDEL, « La mort de Martín de Acuña », in : *Mélanges en l'honneur de Marcel Bataillon*, 1962. Cf. F. RUANO PRIETO, « D. Martin de Acuña », in : *Revista contemporánea*, 1899.
4. G. Margliani à Antonio Pérez, Constantinople 30 avril 1578, Simancas E° 489.
5. Cf. GERLACH, *Tagebuch*, p. 539 ; E. CHARRIÈRE, *op. cit.*, III, p. 705.
6. Pour tout ce qui suit, le long mémoire de G. MARGLIANI, février 1578, Simancas E° 488.

le 12 décembre à Rodochio, d'où Margliani annonçait sa venue au drogman Horembey, déjà mêlé à la négociation du temps de Don Martín. Le 14, la réponse de l'interprète lui arrivait à Porto Piccolo, par un courrier spécial, à quelque distance de Constantinople où la petite troupe entrait le même soir. Hébergé dans sa propre maison par le chaouch qui l'avait conduit, le chef de la mission s'y rencontrait aussitôt avec Horembey. Mais on se contenta d'échanger quelques politesses, remettant au lendemain les choses sérieuses. Or, dès le lendemain, tout alla mal. Dès que Margliani exposa sa commission, Horembey l'interrompit par ces mots : « Si j'étais Chrétien, je ferais le signe de la croix devant ces menteries qu'a imaginées Don Martín. Le pacha attend un ambassadeur : c'est ce qu'on a écrit à S. M., c'est ce qu'a promis Don Martín ici même, c'est ce que Don Martín a fait enfin annoncer par un homme venu jusqu'ici. Le pacha ressentira grandement qu'on ait ainsi changé d'avis. Dieu veuille qu'il ne s'ensuive pas quelque dommage irrémédiable pour vos personnes ».

Le reproche fut, en effet, repris avec véhémence par le pacha, comme par le drogman, comme par le docteur Salomon, juif allemand à ce que l'on prétend, en tout cas puissant personnage dans les milieux gouvernementaux et qu'il fallait à l'occasion somptueusement payer (ce qui ne veut pas dire qu'il fût acheté, au sens vulgaire du mot). Cette véhémence était-elle sincère ? Don Martín avait-il menti ? Les dires de Margliani et ce que nous savons du personnage feraient penser que oui, mais ce monde de Constantinople, avec ses jeux compliqués, recommande la prudence aux historiens autant qu'aux ambassadeurs ou aux agents diplomatiques de moindre grade. La comédie y a aussi ses droits. Ce qui est évident, c'est que les Espagnols voulaient, une fois de plus, procéder à la dérobée. Si Don Martín s'était vraiment trop engagé en 1577, son maintien en Espagne était peut-être venu de là. Au contraire, le Turc souhaitait une ambassade spectaculaire. On lui envoyait un personnage obscur, captif de la veille, borgne, ce qui prêtait aux quolibets faciles, à ceux d'Euldj Ali (opposé à la trêve) comme à ceux des Français... Ses compagnons, de petites gens, l'un Aurelio Bruti à l'état civil incertain, l'autre Aurelio de Santa Cruz connu comme simple marchand, spécialiste de rachats, informateur des Espagnols, demi-espion...

Par surcroît, la petite troupe faisait aussi peu de bruit que possible. « Ils ne veulent estre veuz ny cognuz », dit une correspondance française[1]. L'abbé de Lisle note, le 22 janvier : « ...le dit Marrian, au lieu de ces ambassadeurs qu'on avoit attenduz tous reluysans et chargez de présens, est comparu comme à cachette, avec pouvoir de traiter de la dite trefve »[2]. Un an durant, Margliani fit même aller ses gens « vestuz d'habits d'esclaves ». Souvent, il dissimulait son visage. Un jour, attendant l'audience du pacha, il aperçut de loin le baile des Vénitiens. Aussitôt il se déroba, entra dans la pièce où, jusque-là, le pacha l'avait reçu, s'attirant une violente colère des Turcs qui se trouvaient là. C'est lui-même qui raconte l'incident et, s'il s'en vante, c'est que sa discrétion n'est point amour du secret maladif, mais discrétion de commande, n'en doutons pas. Gerlach, dont le *Tagebuch* est une excellente source pour toute la négociation de Margliani, le note au début de son récit : les Espagnols veulent bien la paix, mais ils veulent en même temps que « la chose conserve son secret

---

1. E. CHARRIÈRE, *op. cit.*, III, p. 705.
2. A Henri III, Const., 22 janv. 1578, E. CHARRIÈRE, *op. cit.*, III, p. 710.

et ne pas être ceux qui se sont humiliés devant le Turc »[1]. On s'explique l'irritation du pacha, que trahissent ses rodomontades, ses plaisanteries à l'égard du pape, ses allusions aux difficultés des Flandres, sa demande de cession d'Oran.

Mais la paix était une nécessité, aussi vivement ressentie du côté turc que du côté espagnol. Faute d'ambassadeur, on palabra avec Margliani. Et comme il fallait aboutir avant le printemps, les audiences succédèrent aux audiences. Au-delà du 1er février, Margliani enregistrait une détente nette. Le 7, une trêve était signée pour un an[2], une sorte de suspension d'armes, de *gentlemen's agreement*. Le texte porte en titre une attestation de traduction conforme, de l'interprète Horembey et du docteur Salomon Ascanasi qui, tous deux, jouèrent un rôle décisif dans ces négociations. Le pacha promettait que pour cette année 1578, et à charge de réciprocité, l'armada turque ne sortirait pas. La trêve s'étendait à toute une série d'États, les uns nommés par le roi d'Espagne, les autres par le Grand Seigneur. A savoir, du côté turc, le roi de France, l'empereur, Venise et le roi de Pologne, plus le « prince » de Fez, « bien que ce ne soit pas nécessaire, ajoute le texte [qui ici embarque au passage une grosse prétention turque], bien que ce ne soit pas nécessaire puisqu'il porte la bannière du Sérénissime Grand Seigneur et lui rend obéissance ». Du côté de Philippe II, le pape, « l'île de Malte et religion de Saint-Jean résidant dans cette île », les Républiques de Gênes et Lucques, les ducs de Savoie, Florence, Ferrare, Mantoue, Parme et Urbino, et, pour finir, le seigneur de Piombino. Pour le roi du Portugal, il est entendu que l'armada turque n'ira pas contre ses États, au-delà de Gibraltar, « par la mer Blanche ». Les promesses ne sont pas aussi nettes en ce qui concerne la mer Rouge et l'océan Indien : de ce côté-là, Dieu seul sait ce qui se passera.

Au total, un magnifique succès. Obtenu d'entrée en jeu, sans bourse déliée, et sans bruit, comme le souhaitait la diplomatie espagnole. Rapide : les négociations ont duré du 12 janvier au 7 février et ont été aussi vivement expédiées que celles de Martín de Acuña. Peut-être parce que l'essentiel, pour les Turcs, était d'éviter, *en temps utile*, la mobilisation de la flotte et les gros frais qu'elle eût entraînés. L'opération n'était donc payante que si elle se concluait avant la fin de l'hiver. D'où les dates des deux trêves : 18 mars 1577 ; 7 février 1578[3]...

Mais les Turcs continuent à réclamer une ambassade espagnole en bonne et due forme ; il veulent un succès diplomatique éclatant, avec, à travers l'Europe, des retentissements. Ils le demandent avec insistance. Et l'accord du 7 février porte, en conclusion, la promesse formelle d'un échange d'ambassadeurs. Les circonstances aidant, voilà qui va prolonger pendant trois ans encore le séjour de Margliani aux Vignes de Péra et être la cause de ses malheurs.

N'aurait-il pas dû rentrer en Europe dès le printemps 1578, sa mission accomplie ? Sans doute n'y a-t-il pas trop pensé, espérant, ainsi que le montre sa dépêche du 30 avril à Antonio Pérez[4], obtenir seul le résultat escompté,

---

1. *Op. cit.*, p. 160 ; J. W. ZINKEISEN, *op. cit.*, III, p. 499.
2. *Lo que se tratto y concerto entre el Baxa y Juan Margliano*, 7 févr. 1578, Simancas Eº 489. Copie du même document faite en 1579 peut-être, *Capitoli che si sono trattati fra l'illmo Sre Meemet pascià (di) buona memoria...*, Simancas Eº 490.
3. *Lo que ha de ser resuelto sobre lo de la tregua* (1578), Simancas Eº 489 ; sur la non conclusion d'accords économiques, Margliani (à Antonio Pérez?), 11 févr. 1578, Simancas Eº 489.
4. Simancas Eº 489. La victoire de Gembloux est du 31 janv. 1578.

c'est-à-dire une suspension d'armes de deux ou trois ans. Dans la fièvre et les illusions d'une négociation aussi facile, il a pu avoir quelques espoirs. Ayant appris par son ami ragusain, Prodanelli, la victoire de Don Juan à Gembloux, confirmée par d'autres voies, il a tout aussitôt tenté d'en profiter, à la fin d'avril, pour relancer le « Dottore ». « J'ai toujours dit à Horembey et à Votre Seigneurie, lui déclarait-il, que je n'inclinais pas à croire que la Majesté du Roi mon Maître fût en faveur de l'envoi d'un ambassadeur. Il a plu à Horembey de croire en ceci Aurelio (de Santa Croce) plutôt que moi-même. Dieu sait ce qu'il en adviendra. Quant à moi, je reste du même avis, d'autant que le Seigneur Don Juan court à la victoire et que le Grand Seigneur se trouve engagé dans une guerre de Perse, laquelle est connue comme pleine de périls et de travaux ; elle contrebalance et gaillardement la guerre des Flandres. Indiquez donc à Méhémet Pacha qu'il serait de son avantage de s'assurer des forces du roi d'Espagne, mon maître, pour deux ou trois années et de se rallier à la formule d'une suspension d'armes qui se conclurait par mon intermédiaire ».

Voilà qui était osé et prématuré. La réponse du pacha revint vite, aimable, au moins sous la forme que lui donnait le docteur. Il disait ne point contredire aux raisons qu'on lui avait fait valoir. Mais le Grand Seigneur était jeune, désireux de gloire. Margliani le dépeignait, en février, accessible aux suggestions, plus accueillant que Sélim, s'abandonnant à ses premières impressions. Mais justement, lui dit-on, les instances quotidiennes d'Euldj Ali ne sont pas sans poids auprès du souverain. Le « Capitaine de la Mer » se fait fort, même avec une flotte médiocre, d'avoir raison de l'Espagne, alors tellement embarrassée. Or, « je me trouve, confie le pacha au docteur, avoir parlé si ouvertement en faveur de Don Martín, par qui j'ai été trompé, que je ne peux plus recommencer ». Là-dessus, il pousse un grand soupir, et gémit : « Cet Empire, à présent, n'a plus ni pieds ni tête ». Belles et bonnes paroles, et qu'on répète à point à Margliani, sans oublier le « Tu as raison, docteur », dont le pacha a salué l'exposé des thèses espagnoles.

Mais, en conclusion, le pacha est revenu à la question de l'ambassadeur. Que Philippe II en envoie un, et il sera alors tout disposé à faire aboutir ses demandes. Mais si on ne l'envoie pas, ajoute Méhémet, « je suivrai, moi aussi, l'avis du Capitaine de la Mer ». Après quoi, il jure, sur la tête du Grand Seigneur, qu'il a eu toutes les peines du monde à faire observer les termes de la trêve, à savoir d'empêcher l'armada de sortir. Ainsi gentillesses et menaces se mêlent dans la bouche du pacha. Chrétiens et Turcs jouent au plus fin. Leurs entretiens, rapportés fidèlement par les innombrables lettres de Margliani, ne laissent pas de dégager une certaine impression de malaise, ils révèlent une diplomatie compliquée, adroite, sinon très scrupuleuse, ne répugnant, ni d'un côté ni de l'autre, aux plus subtiles roueries.

« L'homme de Margliani », chargé de porter en Espagne le texte de la trêve provisoire, était parti le 12 février 1578 de Constantinople. Sur les nouvelles qu'il apportait, le Conseil d'État, à Madrid, délibéra à plusieurs reprises[1]

1. *Relacion de lo que ha passado en el neg^{o} de la tregua y suspension de armas con el Turco y lo que para la conclusion della llevo en com^{on} don Juan de Rocafull y el estado en que al presente esta* (1578), Sim. E^{o} 459, f° 28 (ou f° 281). Ces textes non datés doivent être resitués entre le début de juin et le 12 sept. 1578, question de délais postaux : à titre d'indication une lettre de Margliani adressée à Antonio Pérez de Const, le 9 déc. 1578 lui arrivait, le 31 mars 1579, après un voyage de 3 mois et 22 jours.

L'unanimité se fit sans peine sur la nécessité de conclure, « vu l'état des affaires de Sa Majesté et de ses finances et la nécessité qu'il y a d'arranger les choses et de s'employer à fortifier ses royaumes... » Il faut s'entendre avec le Turc, tout le monde est d'accord là-dessus, si personne ne désire aborder le fond du débat. Par contre, les conseillers hésitent sur les « questions de protocole et de prestige » : enverrait-on, ou non, un ambassadeur ? Et dans l'affirmative, se contenterait-on d'envoyer des lettres de créance à Margliani ? C'est à quoi se réduisit le débat. En septembre, l'envoi d'un ambassadeur était décidé, en principe, et un certain Don Juan de Rocafull[1], personnage assez effacé qu'une lettre nous signale, en 1576, commandant quelques galères de l'escadre de Naples[2], recevait des instructions à cet effet. Son instruction générale, sans date précise, détaillait les antécédents de la négociation. Elle était doublée d'une « instruction seconde » en date du 12 septembre 1578[3], qui prévoyait le cas où Rocafull ne « pourrait » se rendre à Constantinople. Il dépêchait alors le capitaine Echevarri qui l'accompagnait, avec charge de demander que la trêve fût conclue par l'intermédiaire de Margliani. La décision d'envoyer un ambassadeur au sultan n'était donc pas très ferme : on se réservait la possibilité, au dernier moment, de le retenir.

Pour que Margliani fût mis au courant, en sa lointaine résidence, il fallut trois à quatre mois encore. D'après le *Tagebuch* de Gerlach, « l'homme » de Margliani était de retour, à Constantinople, le 13 janvier 1579 seulement[4]. La longueur du voyage avait tenu peut-être à l'hiver ; peut-être à un calcul de l'Espagne, désireuse de renouveler, en 1579, la manœuvre qui lui avait permis les deux années précédentes d'obtenir la non-sortie de la flotte turque. Les Français le pensèrent aussitôt et, de fait, l'arrivée de ces bonnes nouvelles, l'annonce de l'ambassadeur facilitèrent la tâche de Margliani. En outre, les Turcs, de plus en plus engagés en Perse, devenaient à mesure plus accommodants. Juyé écrivait à Henri III, le 16 janvier 1579 : les Turcs « ont autant de besoin que scauroit avoir le dit roy catholique pour l'occasion de la guerre de Perse, où ils trouveront plus d'affaires qu'il ne se dit »[5]. Juan de Idiáquez, alors représentant de Philippe II à Venise, apprenait de l'ambassadeur français, le 5 février 1579, qu'à Constantinople Margliani n'était plus séquestré, qu'il s'habillait de neuf, lui et ses gens, et parlait de louer une maison à Péra. « On en conclut ici que l'envoyé de V. M., qu'ils attendaient pour la conclusion de la trêve, n'est pas loin »[6].

Toutefois, Don Juan de Rocafull ne se pressait pas. Le 9 février, il était encore à Naples. Le 4 mars, à Venise, on prétendait qu'il s'approchait de Constantinople d'où Margliani avait dépêché deux hommes à sa rencontre[7]. Mais la nouvelle était prématurée. Rocafull était « malade ». Connaissant son instruction seconde et les réticences espagnoles, on peut bien, avec les

1. Date de son instruction seconde, 12 sept. 1578, voir ci-dessous note 3. Don J. Rocafull est le Don Juan de Rogua, de Valenza, dont parle GERLACH, cité par J. W. ZINKEISEN, *op. cit.*, III, p. 500.
2. Don Juan de Cardoña à Philippe II, Barcelone, 1er nov. 1576, Simancas E⁰ 335, f⁰ 58 « ... y con correo por tierra ordenando a Don Juan de Rocafull hizieze despalmar las nueve galeras ».
3. Instruccion segunda a Don Juan de Rocafull, Madrid, 12 sept. 1578, Simancas E⁰ 489.
4. J. W. ZINKEISEN, *op. cit.*, III, p. 500.
5. E. CHARRIÈRE, *op. cit.*, III, p. 777.
6. Juan de Idiáquez à Philippe II, Venise, 5 févr. 1579, A. N., K 1672, G 1, n⁰ 22.
7. J. de Idiáquez à Philippe II, Venise, 4 mars 1579, A. N., K 1672.

Turcs, avoir des doutes sur cette maladie-là, et même sur la « rechute » dont fut accablé le pauvre homme. Margliani signa-t-il tout de même une trêve analogue à celle des années précédentes ? Les documents que nous avons lus ne le mentionnent pas. Une correspondance française le laisse supposer, mais avec une précision insuffisante[1]. En tout cas, dès avril, la flotte turque, ou du moins ce qui en était facilement mobilisable, était acheminée vers la mer Noire, sous le commandement d'Euldj Ali. On a donc eu assez tôt, à Naples, la certitude que la flotte turque ne « sortirait » pas. Cela n'a-t-il pas — simple hypothèse — contribué à l'arrêt du voyage de Juan de Rocafull ?

Malade ou non, Rocafull ne traversa pas l'Adriatique. Le 25 août débarquait à Raguse le capitaine Echevarri. Accompagné d'un certain Juan Estevan, il apportait les présents destinés au Grand Turc et à ses ministres et, pour Margliani, *todos los poderes et recaudos necesarios* pour la conclusion de la trêve[2], ce qui faisait passer Margliani, du rôle de simple agent, à celui de véritable ambassadeur français[3]. Au même moment, arrivait à Constantinople un nouvel ambassadeur français[3]. Le 16 septembre, il apprenait du vieux Méhémet que la trêve avec l'Espagne était en bonne voie[4] et aussitôt, naturellement, s'employait à se mettre en travers. Par une guerre de nouvelles tout d'abord. Alors que Margliani expliquait que les armements du roi d'Espagne, connus à Constantinople, étaient destinés au Portugal, dont la succession s'était ouverte avant même la mort du Roi Cardinal[5], le Français, utilisant un bruit qui courait à Constantinople[6], les prétendait dirigés contre Alger. Il parlait, en outre, d'une guerre en Italie, inévitable à la suite des incidents du marquisat de Saluces. Peine perdue ! On reprochera plus tard à Germigny de n'avoir su barrer la route à la politique espagnole. Mais il ne pouvait mener d'autre combat que cette petite guerre des mots. Il y avait eu une chute réelle du prestige de la France dans le Levant, au delà de la Saint-Barthélemy : l'évidence de son impuissance, de son usure en Occident, amenuisait ses moyens à Constantinople. On ne négocie pas les mains vides. Et la politique française venait d'arrêter le seul homme capable peut-être de rejeter la Turquie vers l'Europe, Claude Du Bourg, l'homme du duc d'Anjou, pris à Venise, en février 1579, et transféré à la Mirandole[7]. Son projet était d'intéresser la Turquie à la conquête des Pays-Bas par le duc d'Anjou, en liaison avec le Taciturne, les Protestants de toute l'Europe et les Anglais dont Margliani signale la présence à Constantinople. Il y avait là de quoi tenter la politique turque. Mais engagée profondément dans l'épuisante lutte contre la Perse, elle ne pouvait guère, en même temps, se retourner vers l'Ouest.

L'année 1580 a été finalement, pour Margliani, une année de travail et de succès. Rattachée à Naples, sous la direction autorisée de Don Juan de Çuñiga

1. E. Charrière, *op. cit.*, III, p. 852 note, mais l'avis du 9 janv. 1580 vise autant l'avenir que le passé. Qu'a pu signifier aussi le texte de 1579 dont nous avons donné mention *supra*, II, p. 441, note 2.
2. Echevarri à Margliani, Gazagua, 2 sept. 1579, A. N., K 1672, G 1, n° 117. Le même au même, Caravançara (sic), 2 sept. 1579, *ibid.*, n° 118, se plaint de Brutti « bellaco ».
3. Margliani à Antonio Perez, Péra, 2 sept. 1579, Simancas E° 490.
4. Germigny au roi, Vignes de Péra, 16 sept. 1579, *Recueil*, p. 8 et *sq.*
5. Laquelle ne sera d'ailleurs connue à Constantinople qu'au début d'avril 1580, G. Margliani au vice-roi de Naples, Vignes de Péra, 9 et 14 avr. 1580, A. N., K 1672, G 1, n° 166.
6. Const., 4 juill. 1579, copie it., A. N., K 1672, G 1, n° 81 *a*.
7. E. Charrière, *op. cit.*, III, pp. 782 et *sq.*, note. Sur les exploits du « général » Du Bourg, voir ci-dessus, I, pp. 343-344.

(devenu commandeur de Castille, depuis la mort de son neveu, et vice-roi de Naples depuis la mort de Mondéjar), la mission du Milanais s'en trouva plus efficace que par le passé, délivrée des lents va-et-vient avec l'Espagne. On sait que du temps de Mondéjar, il lui avait au contraire été interdit de tenir Naples au courant. Ce qui ne veut pas dire que la tâche parût facile sur le moment à Margliani. Il traversa des périodes critiques, si le reste du temps se passa en parlotes, en longs bavardages, suivis de non moins longs rapports d'information, et même, un instant, en querelles de préséance avec Germigny, pour le choix de leur fauteuil dans l'église principale de Péra[1]... Futilité, ou désir de prouver aux Turcs l'impossibilité de maintenir à Constantinople un représentant à demeure de l'Espagne, concession à laquelle Philippe II ne voulait pas consentir,

Autre difficulté pour Margliani : les grands personnages changent sur la scène politique turque. Méhémet Pacha a été assassiné, en octobre 1579, et remplacé par Achmet Pacha, assez pauvre tête, peut-être favorable à l'Espagne[2]. Mais il meurt à son tour, le 27 avril 1580, et Mustapha Pacha lui succède. A ces changements correspondent de multiples transformations dans le petit personnel : si le docteur Salomon se maintient, le drogman Horembey disparaît : on retrouve par contre l'étrange Bruti, espion double, si ce n'est triple, que Margliani dénonce sans pouvoir le débusquer, alors que ses bavardages et trahisons risquent de compromettre, outre Margliani, toute une série d'agents à son service, Sinan, Aydar, Inglès, Juan de Briones[3]... Deux nouveaux venus surgissent : Benavides et Pedro Brea, employés de la chancellerie turque, le premier très au courant des papiers qui s'y rédigent, Juif (sa religion lui interdit d'aller en barque le samedi) ; le second plus difficile à situer ; mais tous deux assurément agents doubles. Incidemment nous apercevons les bailes, le marchand ragusain, Nicolò Prodanelli et son frère Marino dont le navire doit, en octobre 1580, se trouver à Naples[4].

En fait, Margliani était maître de la situation, mais ne le savait pas. D'où ses difficultés à maintenir ses avantages, à ne pas se laisser affoler par les rodomontades et les menaces d'Euldj Ali qui, devant le grand vizir en personne, lui fit une scène affreuse. Peut-être simple mise en scène, concertée entre les ministres. Mais inquiétante, parce qu'elle s'ajoutait à d'autres intimidations. A l'Arsenal, Euldj Ali proclamait que « les pourparlers de paix étaient rompus, qu'il avait l'ordre d'armer 200 galères et 100 mahonnes ». Mais Margliani était homme à tenir. Il parlait avec autorité, ne fuyait pas les risques, « bien décidé, affirmait-il, à ne rien traiter au nom de S. M. ni à donner lettres ou présents avant que la capitulation ne fût conclue »[5]. Et il se faisait fort d'obtenir que l'armada ne sortît pas au printemps. Les violences et la démesure d'Euldj Ali à son endroit[6] ne prouvent que l'irritation et la colère du Capitan Pacha : ce n'était pas là jeu de gagnant. Un avis de Constantinople, en date du 26 février 1580, prétend qu'il est impossible à Margliani, pour son honneur et le service du roi, de s'accorder avec « ces chiens de Turcs »[7], alors que, dès avant cette date, tout est en voie de règlement. Le 18 au matin, le docteur

1. *Ibid.*, p. 885 et *sq.*
2. Grand com. de Castille à Philippe II, 9 juin 1580, Simancas E⁰ 491.
3. Margliani à D. J. de Çuñiga, 3 févr. 1580, Simancas E⁰ 491.
4. Margliani au vice-roi de Naples, 15 oct. 1580, Simancas E⁰ 1338.
5. Le même au même, 2 févr. 1580, résumé de chancellerie, Simancas E⁰ 491.
6. E. CHARRIÈRE, *op. cit.*, III, pp. 872 et 876, note.
7. Const. 26 févr. 1580, Simancas E⁰ 1337.

Salomon est venu le voir avec un texte transactionnel. Comme il ne s'agit pas d'une capitulation entre souverains, mais d'un arrangement « entre le pacha et Margliani », les difficultés du protocole sont résolues en un tourne-main[1]. Non sans qu'au passage Margliani ait été durement secoué et ait senti planer, une fois de plus, « le péril dans lequel, écrit-il le 7 mars, je me trouve depuis déjà 50 jours »[2]. Il n'est d'ailleurs pas encore complètement rassuré à cette date. « Je crains vivement que toute cette pratique ne se rompe avec un tel éclat que nous ayons à souhaiter ne jamais avoir traité de cette trêve », s'écrie-t-il le même jour.

Pourtant, l'accord est proche, imposé par les circonstances, par les nécessités des guerres de Perse et de Portugal, par la terrible disette qui, par surcroît, ravage l'Orient[3]. Si bien que chaque fois que le pauvre Margliani croit tout perdu, la conversation reprend. C'est le docteur, ou tel autre intermédiaire qui revient. C'est le pacha qui consent à rediscuter. C'est Margliani qui reprend son souffle[4]. Et puis c'est un nouveau conflit à propos du royaume de Fez que Margliani ne veut pas reconnaître comme appartenant au Grand Seigneur[5] ; une nouvelle querelle à propos du Portugal[6]. A Venise, en mars, circule le bruit que Margliani est en péril d'être empalé et qu'Euldj Ali a menacé de lui arracher l'œil qui lui reste[7]... Mais le 21 du même mois, il signe avec le pacha une nouvelle trêve, sous la forme habituelle, valable pour 10 mois, jusqu'en janvier 1581. Pour éviter les contestations, le texte italien reste entre les mains du pacha, tandis que le texte turc, en lettres d'or, est remis à Margliani, lequel l'envoie à Çuñiga[8].

Après quoi, le proche avenir étant assuré, les conversations s'endorment pour un temps et les deux parties se donnent quelque loisir. Juan Stefano gagne l'Espagne pour y porter la nouvelle et ramener des ordres. Cette fois, la Chrétienté est au courant. Au début de mai, on est informé à Rome, où l'on remarque que la chose ne cadre guère avec les déclarations antérieures de l'Espagne, à savoir que l'ambassadeur était envoyé, en réalité, pour rompre les négociations[9]. Mais Rome ne tient point à protester : en cette année 1580, elle aussi abandonne la Méditerranée et la guerre contre l'Islam, pour se préoccuper de l'Irlande et de la guerre contre les Protestants.

Germigny, qui avait bien suivi la pratique du Milanais, prétendait que son succès avait été acheté à prix d'or. Au vrai, c'est plutôt à coup de promesses qu'avait agi Margliani[10]. Et surtout, il devait sa réussite aux circonstances. La dernière qui ait agi sur les Turcs, au moment de la signature, avait été la nouvelle alarmante d'un soulèvement d'Alger. Il y avait tout à perdre si Philippe II (dont l'armada se trouvait remise en état pour les affaires portu-

1. Margliani au grand commandeur, Vignes de Péra, 27 févr. 1580, Simancas E⁰ 491, copie.
2. Le même au même, 7 mars 1580, Simancas E⁰ 491.
3. Le même au même, 29 oct. 1580, Simancas E⁰ 1338 ; Germigny au roi, 24 mars 1580, E. CHARRIÈRE, op. cit., III, p. 885.
4. Le même au même, 12 mars 1580, copie, Simancas E⁰ 491.
5. Voir note précédente.
6. Le même au même, 18 mars 1580, Simancas E⁰ 491.
7. Ch. de Salazar à Philippe II, Venise, 18 mars 1580, Simancas E⁰ 1337.
8. Les lettres de Margliani au grand commandeur, 23 et 25 mars 1580 (Simancas E⁰ 491) ne donnent pas la date exacte de cette signature. Mais Germigny est formel, 24 mars 1580. E. CHARRIÈRE, op. cit., III, p. 884-889.
9. 2 mai 1580, A. Vaticanes Spagna n⁰ 27, f⁰ 88,.
10. Au roi, 17 mai 1580, E. CHARRIÈRE, op. cit., III, p. 910-911.

gaises) avait les mains libres en Méditerranée[1]. Venise s'en rendit compte : jusque-là réticente et hostile, elle changea d'attitude et s'efforça d'être comprise dans la paix qui se préparait.

Notons que la trêve de 1580, sans doute parce qu'elle a été nettement mise en lumière par le vieux recueil de Charrière et par le livre toujours si utile de Zinkeisen paru à Gotha en 1855, a droit de cité dans la plupart des livres d'histoire consciencieux[2]. Mais, chose étrange, elle est présentée comme un fait isolé et exceptionnel, alors qu'elle n'est qu'un des anneaux d'une longue chaîne. Et sans cette chaîne, assez peu compréhensible.

L'accord de 1581

Personne ne doutait plus à Constantinople que la paix ne dût se conclure sous peu. Il fallut pourtant presque une année entière pour y parvenir. L'été se passa en conversations intermittentes. Les querelles ne portaient plus sur les inépuisables controverses de titulature ou de préséance, mais sur les événements qu'apportaient les courriers. Le 5 avril, par la voie de Raguse, on apprenait la mort du cardinal Henri. « Cette nouvelle, écrivait Margliani[3], a jeté quelque altération dans les esprits des gens d'ici. Il leur paraît qu'avec l'annexion de ces royaumes, accomplie sans grande effusion de sang ni longue guerre, les forces de S. M. deviennent si grandes qu'on doit raisonnablement les redouter. D'autant qu'ils sont persuadés que... [dorénavant] S. M. consentira plus difficilement à la trêve ou suspension d'armes, selon le mode qu'ils désireraient ». Dans l'autre sens, Margliani redoute les agissements d'Euldj Ali. On dit qu'il irait à Alger avec 60 galères, pour y apaiser les troubles. « Mais d'autres prétendent qu'il y va bien pour cela, mais aussi pour porter dommage au roi de Fez. Je suis prêt à y faire obstacle... quand son voyage sera certain »[4]. Sinon, toutes les dispositions de la trêve seraient menacées[5]. C'est ce que pense de son côté et ce que lui écrit le grand commandeur de Castille, averti sans doute par d'autres voies[6]. L'expédition d'Alger n'aura finalement pas lieu, mais elle aura fait l'objet de mainte discussion. Comme la nouvelle, qui arrive en octobre, de la victoire du duc d'Albe sur Don Antonio. Le pacha ayant appris qu'à cette occasion, le duc avait distribué 200 000 doublons à ses soldats, envoie aussitôt chez Margliani demander pourquoi cette distribution et combien vaut un doublon. Un doublon vaut deux écus, s'empresse d'expliquer Margliani, et, pour que nul n'en ignore, il en confie une dizaine à son interlocuteur... Et que fait Juan de Estefano, interroge ce dernier ? Pourquoi tant de retard[7] ? On voit le genre de conversation, à la fois soupçonneuse et futile qu'échangent les deux partenaires. On est en été, ce n'est qu'en hiver que l'on parlera sérieusement.

En décembre, la situation se retend brusquement[8] : Don Juan de Estefano n'est pas arrivé, et Margliani est fort embarrassé, le pacha le pressant de dire si, oui ou non, le roi d'Espagne a envoyé l'ordre de faire la paix. Malheureuse-

---

1. M. PHILIPPSON, *Ein Ministerium unter Philipp II.*, p. 404 ; L. von PASTOR, *Geschichte der Päpste*, t. IX, 1923, p. 273 ; H. KRETSCHMAYR, *op. cit.*, III, p. 74.
2. J. W. ZINKEISEN, *op. cit.*, III, p. 107.
3. 9 et 14 avr. 1580, A. N., K 1672, G 1, no 166.
4. *Ibid.*
5. *Ibid.*
6. (Avr. 1580), Simancas E° 491.
7. Margliani au vice-roi de Naples, Péra, 29 oct. 1580, Simancas E° 1338.
8. Le même au même, Péra, 10 déc. 1580, Simancas E° 1338.

ment il manque certaines lettres de Margliani pour suivre les derniers mois de son ambassade. Il semble qu'entre le 10 et le 20 décembre, les exigences des Turcs se soient faites plus précises. Et fort embarrassantes, car c'est également le moment où Margliani a reçu les ordres attendus (avec ou sans Juan de Estefano, il ne le précise pas), des ordres dont il a pris connaissance avec une certaine perplexité. Le roi lui faisait dire qu'il renonçait à une trêve en bonne et due forme, vu la difficulté de pouvoir procéder avec « l'égalité désirable ». En réalité, il se refusait à un accord du genre de ceux que négociaient les Impériaux avec une représentation diplomatique à demeure[1].

Margliani, enfin fixé sur ce qu'il devait faire, procéda aussi vite que possible. Une lettre de lui, en date du 28 décembre, le montre parlant trois grandes heures avec l'Aga des Janissaires. Avant le lever du jour, le 27 décembre, celui-ci lui a envoyé son caïque pour le conduire de Péra à Istanbul. Nicolò Prodanelli fait l'interprète au cours de l'entrevue. Margliani s'en félicite : « Il est plus intelligent et plus capable qu'aucun autre », écrit-il. Et sans doute l'a-t-il choisi parce que justement, il est assez embarrassé de sa mission et de ce qu'il doit faire entendre à l'Aga. Ce dernier n'y comprend rien. Quand il demande si Margliani ira ou non baiser les mains du sultan : j'irai s'il y a capitulation, lui est-il répondu, mais pas s'il y a suspension... C'est pour nous l'occasion de comprendre au passage, la hiérarchie des deux mots : suspension et capitulation : c'est de la dernière que Philippe II ne veut pas. Le sultan concède les capitulations, dit l'Aga, mais dans ce cas que deviendra « l'égalité » ? demande Margliani. Et son interlocuteur de ne pas comprendre à nouveau. Puis de poser, à son tour, des questions plus simples et plus précises. Margliani restera-t-il ? « Je lui dis non. Il me demanda pourquoi. Je lui dis que puisqu'il n'y aurait pas de commerce, suivant les décisions prises, cela n'était pas nécessaire. Je prononçai ces mots avec un léger sourire et j'ajoutai que je voulais lui dire la vérité : que deux raisons m'avaient fait prendre cette résolution, l'une le procédé peu courtois que je trouvais ici, l'autre ce bruit qu'avait répandu le secrétaire de l'ambassade de France, par toutes les parties de la Chrétienté où il était passé (à son retour), au sujet de la déclaration de préséance qu'il rapportait » en France...

Et comme il n'est pas très sûr de ses arguments, l'ambassadeur espagnol fait payer 5 000 écus à la sultane mère, qui d'ailleurs en profite pour demander davantage. En même temps, il s'arrange pour ne pas montrer le pouvoir que le roi lui a conféré, sous le prétexte qu'il l'a renvoyé à Naples[2]. Il louvoie avec assez d'habileté, puisque, alerté le 10 décembre, il a à peu près convaincu ses adversaires avant la fin de l'année. Le 4 février, plusieurs lettres et avis, partant de Constantinople, annoncent dans diverses directions que la trêve a été conclue pour trois ans[3]. Le même jour, Margliani écrit à Don Juan de Çuñiga[4] : « Le

1. Le même au même, Péra, 20, 21, 26 (29 ou 30) déc. 1580, résumé de chancellerie, Simancas E° 491.
2. Tous ces détails d'après la lettre de Margliani au grand commandeur (fin déc. 1580), A. N., K 1672, G 1, n° 169.
3. Bartolomè Pusterla à D. Juan de Çuñiga, avis du Levant, 4 févr. 1581 in : Cartas y avisos..., p. 53-54. Germigny au roi, 4 févr. 1581, Recueil..., p. 31 ; E. CHARRIÈRE, op. cit., IV, p. 26-28 note, parle des « escuz neufs marquez au coing d'Aragon » avec quoi Margliani a payé les Pachas. Avis du Levant, 4 févr. 1581, Simancas E° 1339.
4. Margliani à D. J. de Çuñiga, 4 et 5 févr. 1581, Cartas y avisos..., op. cit., p. 55 ; 5 févr. 1581, Sim. E° 1339. Je lis sur mon texte Sciaous Pacha et non comme l'éditeur anonyme des Cartas, Scianus...

jour de la Saint-Jean, 27 décembre, je me suis rendu auprès de Chaouch Pacha, à qui j'ai exposé ma commission avec les mots qui me parurent à propos, ayant devant les yeux la dignité de S. M. Je me suis trouvé par la suite quelques autres fois avec ledit pacha et dernièrement, le 25 janvier, il me fit demander pour me communiquer la résolution de son souverain de me donner licence de partir et d'aller informer S. M. Il espérait que je ferais mon office pour que s'établisse une bonne intelligence et, en attendant, il serait fait une suspension pour trois ans ». A ce que nous en dit Germigny, l'accord était à peu près la reproduction des trêves précédentes, avec cette différence qu'il était prévu pour trois ans cette fois [1]. Le vice-roi de Naples, recevant la nouvelle le 3 mars, s'empressait de la transmettre à Philippe II, ajoutant que Margliani avait fort bien négocié à son avis, mais qu'il se demandait si le pape n'allait pas profiter de cette affaire pour resserrer un peu les cordons de sa bourse [2].

Oui, qu'allait dire la papauté ? Don Juan de Çuñiga y pensait plus qu'un autre, ayant été ambassadeur à Rome. Il jugea prudent de prendre les devants et, le 4 mars [3], il écrivait à l'usage de Rome la singulière version suivante. Il avait en son temps annoncé à Margliani que Philippe II ne voulait pas de la trêve, en invoquant les meilleures raisons possibles pour excuser le roi. Mais aussitôt on parla à Constantinople d'empaler Margliani, accusé d'avoir entretenu le sultan par des discours mensongers, jusqu'à ce que fût terminée la conquête du Portugal. On sait que les Turcs sont fort capables de semblables cruautés. Si bien que le pauvre chevalier, pour sauver sa vie, promit une trêve d'un an. Les Turcs l'exigèrent pour trois, grâce à quoi ils lui permirent de rentrer en Chrétienté. Mais naturellement, si l'on voulait faire quelque entreprise contre le Turc, il serait simple de rompre cet engagement, d'une part parce qu'il a été imposé « par la force », d'autre part, parce que les corsaires fourniraient mille occasions pour une de rupture. Le malheur, est-il dit au passage, c'est que nous n'avons guère la possibilité de faire une entreprise contre le Turc, avec toutes les affaires que nous avons sur les bras. Mais la trêve, quant à elle, ne signifie rien...

Un ambassadeur vénitien répétait, cette même année 1581, les discours du vice-roi [4]. Y croyait-il ? Y crut-on à Rome ? Sans doute ne chercha-t-on pas à éclaircir trop les choses. Il s'agissait, avant tout, d'agir en Irlande, contre l'Angleterre. Et qui pouvait agir contre l'île, selon les vues du pape, qui sinon l'Espagne [5] ?

Personne, donc, parmi les contemporains ne parla de la « trahison » de l'Espagne, comme on avait parlé de la trahison de Venise. Seule exception confirmant la règle, le clergé d'Espagne a protesté avec violence et énergie, et à voix très haute. Non qu'il fût, plus que d'autres, attaché à la croisade contre l'Infidèle, mais, puisque la guerre était morte, il demandait en conséquence à ne plus payer les impôts créés ou maintenus à cette occasion. Il le demandera en vain d'ailleurs.

---

1. Voir note 3, page précédente.
2. Don Juan de Çuñiga à Philippe II, Naples, 3 mars 1581, reçue à Tovar le 23 mars, Simancas E⁰ 1084.
3. Don Juan de Çuñiga au marquis de Alcañiças, 4 mars 1581, Simancas E⁰ 1084.
4. E. ALBÈRI, *op. cit.*, I, V, p. 328.
5. Au nonce d'Espagne, Rome, 11 juill. 1580, A. Vat., Spagna 27, f⁰ 123 ... *il passar con silentio nel fatto de la tregua è stata buona risolutione poiché il farne querella in questo tempo non potria sinon aggiungere travaglio a S. Mtà senza speranza di frutto.*

Ce sont les historiens qui ont introduit le procès en trahison de l'Espagne. Procès, le mot est un peu fort pour qualifier quelques lignes de Wätjen et de R. Konetzke. « La guerre contre les Turcs, écrit ce dernier[1], se trouvait ainsi définitivement abandonnée. Avec elle s'interrompit une tradition séculaire de l'Espagne. La guerre religieuse contre l'Islam, qui avait éperonné et rassemblé les forces spirituelles de la Péninsule, cessait d'exister. Sans doute, la *Reconquista* et les raids de conquête qui l'avaient continuée vers l'Afrique du Nord n'avaient pas été de pures guerres religieuses. Cependant c'est l'esprit religieux qui avait constamment animé et propulsé ces entreprises et les avait fait ressentir à l'Espagne comme une commune et grande œuvre. Le moteur le plus puissant de la progression espagnole était paralysé ».

Jugement exact si l'on considère l'évolution d'ensemble, injuste cependant sur bien des points. La force religieuse jaillissante de l'Espagne, après les années 1580, est infléchie dans une autre direction. La guerre contre l'hérésie, c'est aussi une guerre religieuse, avec les habituels alliages que comporte la guerre. D'ailleurs, il y aura encore quelques tentatives en direction de l'Afrique du Nord et contre la Turquie — la pseudo-guerre de 1593, insignifiante il est vrai.

C'est un fait, malgré tout, que les années 1580 font coupure dans l'histoire extérieure de l'Espagne en face de l'Islam, même si cette histoire, dans le passé, a été beaucoup plus hachée, interrompue et velléitaire qu'on ne le dit. Après l'ambassade de Margliani, une paix de fait s'installe. La trêve de 1581 semble avoir été reconduite en 1584, même en 1587[2]. Et les hostilités, quand il y a à nouveau hostilités, n'ont aucune commune mesure avec les très grandes guerres du passé. La trêve a été bien autre chose qu'un habile expédient de la politique espagnole[3].

Pour autant, dirons-nous que l'Espagne a trahi, en 1581 ? Au pire, elle n'aurait trahi qu'elle-même, sa tradition, son être. Mais ces trahisons-là, quand il s'agit d'un pays, ne sont souvent que des vues de l'esprit. En tout cas, elle n'a ni trahi la Chrétienté méditerranéenne, ni livré Venise à une vengeance éventuelle, ni abandonné l'Italie dont elle avait la garde onéreuse. D'avoir traité avec la Porte, qui pourrait la blâmer ? Ce n'est pas l'Espagne qui a introduit la Turquie dans le concert européen. La grande guerre en Méditerranée excède les moyens des gros États eux-mêmes, des monstres politiques qui ont tant de peine à tenir chacun leur moitié respective. Il y a une différence entre une trahison et un lâcher de prise. Le mouvement de bascule qui, en ces années de discussions difficiles et obscures, reporte brutalement les guerres hors de l'aire méditerranéenne est double : il pousse d'une part l'Espagne vers le Portugal et l'Atlantique, dans une aventure maritime plus gigantesque encore que celle du champ clos méditerranéen ; il jette d'autre part la Turquie vers la Perse, les profondeurs de l'Asie, le Caucase, la Caspienne, l'Arménie et, plus tard, vers l'océan Indien lui-même.

---

1. *Op. cit.*, p. 181.
2. A l'extrême rigueur en 1584 par Margliani lui-même, si l'on interprète librement une indication de J. von HAMMER, *op. cit.*, VI, p. 194-195. Trêve prolongée pour deux ans en 1587, mais il ne fournit pas ses sources.
3. Comme M. de Brèves, en 1624, le pensait, E. CHARRIÈRE, *op. cit.*, IV, p. 28, note.

2. La guerre déserte le centre de la Méditerranée

Sans que nous puissions les expliquer toujours, nous connaissons les larges oscillations de la guerre turque. Le plus bref résumé du règne de Soliman le Magnifique les signale de façon éclatante[1]. Plus que la volonté du souverain, ces oscillations ont rythmé son long règne glorieux. Au fil des années, la puissance turque successivement bascule vers l'Asie, vers l'Afrique, vers la Méditerranée, vers l'Europe nord-balkanique. A chacun de ces mouvements correspondent d'irrésistibles poussées. S'il y a une histoire rythmée, c'est bien celle-là. Mais c'est une histoire obscure, dans la mesure où les historiens s'en tiennent aux individus. Ils s'intéressent peu aux mouvements profonds (ceux par exemple dont l'Empire turc a hérités de l'Empire byzantin qu'il a détruit tout en le prolongeant), à cette physique politique qui établit des compensations nécessaires entre les grands fronts d'attaque par quoi la puissance turque pèse sur le monde extérieur.

La Turquie face à la Perse

De 1578 à 1590, l'histoire turque ne nous est pas accessible du dedans et les chroniques sur lesquelles s'appuie, par exemple, le récit de Hammer, ne posent les grands problèmes qu'en termes événémentiels.

Puis, ce qui nous échappe, historiens, ce n'est pas seulement la Turquie, à la rigueur presque cohérente et compréhensible ; mais, au delà, l'espace perse, cette autre forme de l'Islam, cette autre civilisation que nous ignorons. Nous ignorons aussi les espaces intercalaires, entre Perse, Turquie et Russie orthodoxe... Enfin quel est le rôle du Turkestan, cette autre plaque tournante ? Au-delà de ces terres, vers le Sud, il y a encore l'énorme océan Indien, avec ses trafics mal tenus en main par le Portugal et que l'Espagne va épauler à partir de 1580, en théorie d'ailleurs plus qu'en réalité.

Or, c'est tout cet espace que met en cause l'énorme retournement de la Turquie, au delà des années 1577-1580, retournement aussi puissant que celui qui rejeta alors l'Espagne vers l'Atlantique. L'Océan, c'était la nouvelle richesse de l'Europe. Est-ce également vers la richesse que la Turquie s'est tournée, en basculant vers l'Asie ? Aucun texte ne nous le dit et notre information est si discontinue que nous ne pouvons avancer ici que des impressions.

Ce qu'exprime à coup sûr le langage des chroniques, c'est que la Perse est aux prises avec de terribles difficultés politiques. Que le Shah Talmasq qui règne en Perse depuis 1522 soit assassiné, en mai 1576[2] ; que cet assassinat soit suivi du meurtre immédiat du nouveau souverain, Haïder ; puis de l'avènement d'un prince Ismaïl, tiré à cet effet d'une prison épouvantable, et qui régnera seize mois seulement, jusqu'au 24 septembre 1577 ; enfin de l'arrivée au pouvoir d'un prince quasi aveugle, Mohammed Khobabendé, le père du futur Abbas le Grand ; ces événements et quelques autres (en particulier le rôle, difficile à démêler, des tribus géorgiennes, tcherkesses, turcomanes et

---

1. Je pense notamment à celui de Franz BABINGER, « Suleiman der Mächtige », *in* : *Meister der Politik*, 2 vol., Stuttgart et Berlin, 1923.
2. J. von HAMMER, *op. cit.*, VII, p. 70. Sur tous ces problèmes voir le livre bref, mais décisif de W. E. D. ALLEN, déjà cité. I, p. 105, n, 2.

kurdes) font comprendre la faiblesse de la Perse ; ils expliquent la tentation des chefs de la frontière turque, notamment un Khosrew Pacha, et la politique de tous les « militaires » turcs, terriens, sacrifiés des années durant à la marine : un Sinan Pacha, un Mustapha Pacha... La Perse se décompose en son centre : il s'agit d'en profiter.

En 1578, des lettres partent de Constantinople, adressées aux princes de la zone nord-persane, princes en place ou non, obéis ou non, puissants ou non, du Chirvan, du Daghestan, de la Géorgie, de la Tcherkassie. Une douzaine de ces épitres ont été conservées par l'historien Ali, dans son *Livre de la Victoire*, récit de la première campagne de cette nouvelle guerre de Perse[1]. Elles s'adressent à « Schabrokh Mirza, fils de l'ancien souverain du Chirvan ; à Schemkhal, prince des Koumouks et des Kaïtaks ; au gouverneur de Tabazeran, dans le Daghestan, sur les bords de la mer Caspienne ; à Alexandre, fils de Lewend, souverain des pays entre Erivan et Chirvan ; à George, fils de Lonarssab, seigneur du district de Bacsh Atschouk (Imcrette) ; au souverain de Guriel et au Dadian, prince de Mingrélie (Colchis) ». Cette cascade de noms met en cause un espace discernable, entre mer Noire et Caspienne, ce même espace qui, en 1533-1536 et en 1548-1552, se dessinait déjà à l'arrière-plan des guerres de Soliman contre la Perse.

Aussi peu que nous sachions de ces pays intermédiaires, aussi mal que nous connaissions la frontière turque de la région de Van, ou cette Perse rouge de sang princier des années 1576-1578, il semble probable que l'impérialisme des Turcs s'est alors dirigé vers la Caspienne. Il ne s'agit point de tenir la mer, mais y avoir accès suffirait à menacer, de façon directe, les côtes perses du Mazanderan — les galères, sur cette mer où elles sont peu connues, étant d'autant plus efficaces. Ce but stratégique, les correspondances occidentales le signalaient déjà à l'occasion de la guerre de 1568 et du projet du canal Don-Volga. Mais n'y a-t-il pas encore, chez les Turcs, le désir d'avoir accès au Turkestan, aux routes intérieures de l'Asie que les Russes ont interrompues en occupant Astrakan, en 1556 ? Le Turkestan, c'est tout de même la route de la soie. La Perse devra une partie du renouveau économique que lui apportèrent la fin du siècle et le grand règne de Shah Abbas, à ces routes de l'intérieur asiatique. Elles ont été aussi à l'origine de cette première expansion perse, visible dans la poussée de ses villes, capable d'attirer de très loin le commerce anglais et qui s'exprime par l'étonnante dispersion des marchands arméniens à travers tous les pays de l'océan Indien, à travers les États turcs d'Asie et d'Europe, certains vers 1572 aboutissant jusqu'à Dantzig[2]. Tabriz, relais important de ce commerce à travers le monde, est une proie tentante.

L'occasion, la faiblesse accrue de la Perse attirent d'autant plus les Turcs qu'ils disposent, sur leur adversaire, d'une supériorité technique évidente. Pas d'artillerie du côté des Perses et très peu d'arquebuses ; les Turcs n'en sont pas très riches, mais ils en ont, cela suffit. Et il n'y a, devant eux, aucune place forte digne de ce nom. Les seules protections, sur les larges confins turco-persans, sont les déserts, certains naturels, d'autres stratégiques, aménagés par la prudence des souverains iraniens[3].

---

1. J. von HAMMER, *op. cit.*, p. 77.
2. B. N., Paris, Ital., 1220.
3. *Ibid.*, fº 317 vº (vers 1572).

Certes, la religion joue un rôle dans toute guerre entre Turcs et Perses : les fetwas ont consacré le caractère pieux et quasi saint de la lutte contre les chiens de Chiites[1], ces rénégats et ces hérétiques de « bonnets rouges »[2]. D'autant que les Chiites, adeptes de la « religion persienne », sont présents dans tout l'Empire turc asiatique, jusqu'au cœur de l'Anatolie. Ils s'étaient soulevés en 1569[3]. Mais, en Orient comme en Occident, il n'y a pas de guerres purement religieuses. Les Turcs, en s'engageant sur les chemins de la Perse, cèdent à toutes sortes de passions à la fois ; et à celles que nous avons énumérées, il conviendrait d'ajouter l'attrait des pays géorgiens, riches en hommes, en femmes, en routes, en revenus fiscaux...

Cela suppose une grande, une puissante politique turque ? Mais celle-ci existe. La soi-disant décadence dont on veut signaler les débuts avec la mort de Soliman le Magnifique, est une fausse mesure. La Turquie reste une immense force, non pas sauvage, mais organisée, disciplinée, réfléchie. Si, brusquement, elle abandonne les terres connues de Méditerranée pour se tourner vers l'Est, ce n'est pas une raison pour annoncer qu'elle est « en décadence ». Elle suit son destin.

La guerre contre la Perse

La guerre n'en sera pas moins, pour les Turcs, une épreuve épuisante.

En 1578, la première campagne avec le *sérasker* Mustapha, le vainqueur de Chypre, annonçait, d'entrée en jeu, toutes les grosses difficultés à venir. Les Turcs y remportèrent de grandes victoires, toutes chèrement acquises (ainsi, sur les frontières de la Géorgie, la victoire du Château du Diable, le 9 août 1578[4]). Si l'entrée à Tiflis se fit avec aisance, il n'en fut pas de même de la longue marche de l'armée de Tiflis jusqu'au Kanak et, au-delà de ce fleuve, à travers les forêts et les marécages. La disette s'ajoutant à la fatigue décima l'armée, que ne cessaient de harceler les Khans persans. Pourtant, en septembre, sur les bords du Kanak, les Turcs furent, une fois de plus, victorieux. La majeure partie de la Géorgie resta entre leurs mains. En septembre, le *sérasker* la partagea en quatre provinces, y laissant des beglierbeys, avec des troupes et de l'artillerie, et mission de percevoir les droits qu'en ces riches provinces, notamment dans le Chirvan, les Persans levaient sur les soies. En même temps, le *sérasker* sut se concilier les princes indigènes qui avaient accepté, de plus ou moins bonne grâce, au début, la conquête turque. L'automne venu, il se replia, avec ses troupes décimées « par cinq batailles et les maladies »[5], sur Erzeroum où elles hivernèrent.

Quelles difficultés avait révélées cette première campagne ? la ténacité de l'adversaire, elle tout d'abord ; l'inconstance des indigènes, capables, dans les passes montagnardes, de créer de cruelles et brusques surprises ; surtout

1. J. von HAMMER, *op. cit.*, VII, p. 75.
2. *Ibid.*, p. 80 ; *Voyage dans le Levant de M. d'Aramon, op. cit.*, I, 108.
3. De Grantrie de Grandchamp à M. de Foix, Const., 30 août 1569, E. CHARRIÈRE, *op. cit.*, III, p. 62-66.
4. J. von HAMMER, *op. cit.*, VII, p. 81. Sur la guerre de Perse, le vieil ouvrage de Hammer utilise les sources précieuses de Minadoi et de Vicenzo degli Alessandri et les sources orientales, celles des historiens Ali et Pertchewi. Une fois de plus l'occasion est bonne de dire la supériorité de ce vieux livre sur ceux de ses successeurs, J. W. ZINKEISEN et N. IORGA.
5. Péra, 9 déc. 1578 (Margliani à Pérez, reçue le 31 mars 1579), Simancas E° 489.

les distances, le nombre des étapes, leur dureté, la quasi-impossibilité de vivre dans des pays inégalement fertiles, coupés de montagnes, de forêts, de marécages, soumis chaque hiver à un climat inhumain. C'est l'espace, comme dans la campagne de « Russie » de 1569, qui joue contre le Turc. De Constantinople, car l'armée est partie de Constantinople, il y a soixante-cinq étapes pour aller jusqu'à Erzeroum ; d'Erzeroum à Aresch (que l'expédition ne dépassa pas), soixante-neuf, et autant pour revenir. Pour ces guerres à longues distances, la cavalerie, et sans trop de bagages, est l'arme convenable. Non pas une armée équipée à l'occidentale, avec ses lourds services d'intendance, son infanterie, son artillerie[1]. L'outil idéal, c'est la cavalerie tartare, qui a servi dans la campagne de 1568. Encore faut-il s'en assurer l'appui et l'utiliser non pas à travers les zones montagneuses où elle est impuissante, mais dans les grandes plaines, au Nord et au Sud du Caucase, surtout au Nord (on le vérifiera à l'occasion du raid d'Osman Pacha, en 1580). Mais comment vivre ensuite, dans des pays détruits, et réussir leur occupation ?

Les Perses, en tout cas, surent profiter de l'hiver et, pendant celui de 1578-1579, passèrent à l'offensive. Plus que leurs adversaires qui, éloignés de leurs bases, campés dans des logis de fortune, étaient par surcroît habitués au climat méditerranéen, ils étaient capables de supporter les terribles froids asiatiques. Les points d'appui turcs résistèrent à la première tourmente. A la seconde, certains cédèrent : le Chirvan fut ainsi évacué et sa garnison repliée sur le Derbent. Terrible hiver. Rien d'étonnant si les avis de Syrie sont alarmants[2]. Les agents qui informent les Espagnols à Constantinople s'en réjouissent. « On a appris..., note l'un d'eux[3], qu'allait venir un ambassadeur de S. M. [le Roi Catholique]. Cela me peine beaucoup, car ne c'est pas le moment. S'il avait à venir, il faudrait que ce fût avec une grosse armada.» La guerre va durer, concluent les observateurs[4]. La Perse a de grosses exigences[5]. Le 8 juillet 1579, l'ambassadeur espagnol à Venise écrivait que « non content de demander la Mésopotamie, le Persien veut que les Turcs abandonnent les rites de leur secte »[6].

C'est que les revers turcs avaient pris l'aspect d'une déroute. Les combattants que les hasards de cette terrible guerre d'hiver ramenèrent à Constantinople, bouleversèrent tous ceux qui les virent[7], tant ils étaient l'image de la misère humaine. Le sultan n'entendait pas, pour autant, renoncer à ses projets. Toute l'année 1579 — du moins sa saison utile — fut utilisée par le *serasker* à la construction de la puissante forteresse de Kars. Il fallut donc, à nouveau, concentrer des troupes, accumuler des vivres à Erzeroum[8], acheminer sur Trébizonde 40 galères, des munitions, de l'artillerie et du bois[9], en même temps

1. Que n'eût dit Émile-Félix Gautier à son sujet?
2. Venise, 7 janv. 1579, A. N., K 1672, G 1.
3. Const., 4 févr. 1579, A. N., K 1672, G 1.
4. Const., 24 mars 1579, *ibid.*
5. Juan de Idiaquez à Philippe II, Venise, 21 mars 1579, *ibid.*, n° 35.
6. X. de Salazar à Philippe II, Venise, 8 juill. 1579, *ibid.*, n° 84.
7. Margliani (référence exacte égarée).
8. J. de Idiáquez à Philippe II, Venise, 29 avr. 1579, A. N., K 1672, n° 56, copie.
9. Germigny au roi, Péra, 16 sept. 1579, *Recueil*, p. 10 ; *Relacion de lo que ha succedido al capitan de la mar Aluchali desde los 17 de Mayo que partio de aqui de Constantinopla asta los 6 de agosto sacada de las cartas que se han recibido de Juan de Briones y Aydar Ingles*, A. N., K 1672, G 1, n° 115. (Même relation, Simancas E° 490). *Relacion de lo que ha sucedido de los 9 de agosto hasta los 28*, A. N., K 1672, G. 1, n° 116. Euldj Ali est rentré à Constantinople le 10 sept. (cf. Germigny, cité au début de cette note) avec 13 galères.

négocier au loin avec le Tartare et quelques princes de l'Inde. Le danger des cavaliers perses demeurait, en effet, énorme près de Kasbin et du Chirvan, d'autant que les Géorgiens, à ce que l'on disait, étaient d'accord avec eux et leur avaient donné des otages[1].

Cependant, vers le Sud, la forteresse de Kars s'élevait au prix d'un labeur multiplié[2]. Des témoins rapportaient à Constantinople qu'elle était d'ores et déjà à l'abri d'une attaque ennemie, « laquelle nouvelle, écrit Margliani, est de grande considération et sera prisée du Grand Seigneur et avec beaucoup de raison. Car il aura fait ce que ne put faire son grand-père le sultan Soliman, lequel, on ne peut le nier, fut un grand capitaine. Ces deux nuits dernières, on a fait des feux d'artifices et des réjouissances au Sérail du Grand Seigneur. Je crains grandement que cette nouvelle ne l'enorgueillisse encore plus que de raison ». Mais, écrivait-il quelques jours plus tard : « Je vais me consolant, avec l'espérance qu'il pourra arriver à Kars ce qui est advenu à Servan (Chirvan ?), lequel fut pris, fortifié par les Turcs avec le même bonheur et récupéré par les Perses au grand dam des dits Turcs «[3]. A Venise — on connaît la valeur des nouvelles de Venise — on racontera que la forteresse était grande comme la moitié d'Alep et mesurait trois milles de circuit[4] !

D'ailleurs, il semble que les Perses, en cet été 1579, soient restés à dessein sur la défensive. A cause de la peste, disait-on à Venise, qui sévissait dans les rangs turcs[5]. A cause de l'artillerie et des forces turques, penserons-nous, et dans l'attente de l'hiver, leur allié. Toutefois leur menace était toujours là. On parlait, à Venise, de 250 000 Perses sur la frontière[6]. A Venise, il est vrai. Mais à Constantinople même, on apprenait que si, à Kars, les Turcs avaient établi un barrage solide, Tiflis, au cœur de la conquête de 1578, se trouvait assiégé par l'ennemi[7]. A Venise, en septembre — tenir compte des délais de route — on parlait des difficultés qu'avait éprouvées le *sérasker* à pousser ses troupes d'Erzeroum à Kars, et même de mutineries parmi les janissaires et les spahis. On se demandait si le *sérasker* ne les aurait pas provoquées lui-même, désireux d'un prétexte pour ne pas pousser plus avant[8]. A Constantinople, en octobre, régnait un optimisme officiel : on aurait la paix avec le Persien quand on la voudrait. N'empêche que Mustapha recevait l'ordre d'hiverner et, disait-on, de replier ses troupes non pas sur Erzeroum, mais beaucoup plus à l'Ouest, jusqu'à Amasie[9]. Tiflis, serré de près, fut pourtant débloqué par Hassan Pacha, fils de Méhémet Sokolli et largement ravitaillé par ses soins[10]. Mais l'hiver venait. Et bientôt le gros des contingents tartares abandonnerait le Daghestan qu'ils avaient ravagé à la bonne saison[11]. Notons, au passage, qu'il s'agissait là d'une petite troupe (2 000 cavaliers d'après Hammer) et qu'en un mois, elle avait réussi à couvrir l'énorme distance qui, par les quasi-déserts du

1. Const. 29 avr. 1579, A. N., K 1672, n° 56, copie.
2. Margliani à Antonio Perez, Péra, 2 mars 1579, Simancas E° 490.
3. Le même au même, 5 sept. 1579 ; *ibid.*
4. J. de Cornoça à S. M., Venise, 17 oct. 1579, A. N., K 1672, G 1, n° 142 *a*.
5. Salazar à Philippe II, Venise, 7 sept. 1579, *ibid.*
6. *Ibid.*
7. Germigny au roi, Péra, 16 sept. 1579, *Recueil...*, p. 10.
8. Voir note 5.
9. Germigny au grand-maître de Malte, Péra, 8 oct. 1579, *Recueil...*, p. 17-18. Jusqu'à Erzeroum seulement, J. von HAMMER, *op. cit.*, VII, p. 96.
10. J. von HAMMER, *op. cit.*, VII, p. 97.
11. *Ibid.*, p. 98.

Nord caucasien, sépare la Crimée de Derbent, sur la Caspienne. Il y avait là l'indication d'une voie d'invasion plus facile que celle qui traversait les inhumaines montagnes d'Arménie.

La mort de Méhémet Sokolli, le court vizirat d'Achmet[1], la nomination de Sinan Pacha au commandement de l'armée d'Erzeroum[2], puis son élévation, alors qu'il marchait vers la Géorgie, à la dignité de vizir, ne changèrent pas sensiblement les conditions de la guerre. Pendant l'été, Sinan poussa son armée en longues colonnes, d'Erzeroum jusqu'à Tiflis. Il réorganisa l'occupation ottomane en Géorgie. Puis, pour venger un échec de ses soldats partis en fourrageurs, il se décida à frapper un grand coup contre la puissante ville de Tabriz. Il dut se résigner rapidement à ne pas y donner suite et, à la veille de l'hiver, à se replier sur Erzeroum. Des négociations de paix s'engageaient d'ailleurs. Sinan obtint l'autorisation de venir en débattre à Constantinople. Bientôt, elles aboutirent à une sorte d'armistice, valable pour l'année 1582. Ibrahim, l'ambassadeur persan, entrait à Constantinople le 29 mars 1582, « avec une suite composée d'autant de personnes qu'il y a de jours dans l'année »[3].

Les difficultés géorgiennes obligèrent pourtant l'armée turque à une certaine activité. Il fallait ravitailler Tiflis à partir d'Erzeroum pendant l'été 1582[4], en prévision de l'hiver qui allait suivre. Or, le convoi fut surpris par les Géorgiens et des partisans persans. La situation de Tiflis devenait dramatique. En même temps, l'ambassade perse tournait court. Cette série d'échecs entraîna le renvoi et l'exil de Sinan Pacha qu'on disait hostile à la guerre de Perse, et la nomination, le 5 décembre 1582, d'un nouveau vizir, ce Chaouch Pacha que nous avons vu aux prises avec Margliani, lors de l'épilogue de sa négociation, en janvier 1581.

Cette crise intérieure comportait la continuation de la guerre. La conduite en fut réservée au berglebey de Roumélie, Ferhad, élevé à cette occasion à la dignité de vizir. Il en eut la responsabilité en 1583 et 1584. Sa préoccupation fut, sur les ordres mêmes du sultan, de fortifier les confins contestés. D'où l'érection d'une grande place comme Erivan, en 1583 ; d'où, en 1584, la construction ou la mise en état d'un certain nombre de châteaux et la fortification de Lori et Tomanis. Ainsi, chose curieuse, se constituait à l'Est de l'Empire ottoman une frontière à l'occidentale, avec ses places, ses garnisons, ses convois de ravitaillement. Politique de prudence, mais de patience aussi, sans éclat, et dure au soldat.

Cependant, au Nord du Caucase, dès 1582 (la trêve ici n'avait pas été très franche) et en 1583-1584, une autre guerre, bien plus vive, avait commencé par les grandes routes des steppes tartares, à la sollicitation d'Osman Pacha, gouverneur du Daghestan. Une guerre qui s'avança, sans trop d'effort, de la mer Noire jusqu'à la Caspienne. Sur l'ordre du sultan[5], des forces considérables furent réunies à Caffa ; on y achemina, outre des hommes, du matériel et des vivres, quatre-vingt-six charges d'or : les guerres de Perse, difficiles, onéreuses au point de vue humain, dévorent bien entendu de très grosses sommes. On

---

1. Il meurt le 27 avr. 1580, E. CHARRIÈRE, *op. cit.*, III, p. 901.
2. Trois lettres de Margliani à Don Juan de Cuñiga, 27 et 30 avr. 1580, Simancas Eº 491. Résumé de la chancellerie.
3. J. von HAMMER, *op. cit.*, VII, p. 104.
4. *Ibid.*
5. *Ibid.*, p. 112.

parlera bientôt d'emprunts aux biens des mosquées. Cependant qu'un rapport anglais décrivait, en 1583, les Persans chargeant lingots et pièces d'argent destinées à la solde[1]. Or turc, argent perse, nous retrouvons la divergence.

Le corps expéditionnaire constitué à Caffa, sous le commandement de Djafer Pacha, mit deux semaines à traverser le Don. Il lui fallut, pour frayer sa route, payer des indemnités aux tribus qu'il côtoya au Nord du Caucase et cheminer longuement, à travers les déserts où pullulaient les cerfs sauvages[2]. Après quatre-vingts jours de marche, il arriva à Derbent, le 14 novembre 1582, et, épuisé, s'apprêta à y hiverner. Au printemps, la petite troupe repartait sous les ordres d'Osman Pacha, écrasait les Persans et poussait jusqu'à Bakou. Puis Osman, ayant installé Djafer Pacha dans le Daghestan, replia le reste de ses soldats sur la mer Noire. Il rencontra dans sa retraite les pires difficultés ; après des combats répétés contre les Russes, près du Terek et du Kouban, il fut bloqué par les Tartares quand il eut atteint Caffa, ceux-ci, alliés peu fidèles, pour le moins réticents, se refusant à déposer leur Khan, comme Osman l'exigeait. Pour les ramener à l'ordre, il ne fallut pas moins que l'intervention d'une escadre de galères turques, sous les ordres d'Euldj Ali. Notons que si les chiffres que fournissent nos sources sont exacts, Osman n'a que quatre mille hommes avec lui : ceci donne la mesure de cette extraordinaire campagne. Son arrivée à Constantinople lui valut un accueil inhabituellement chaleureux de la part du sultan qui, quatre heures durant, écouta ses longs récits. Trois semaines après cette audience, il était nommé grand vizir. Et le sultan lui confiait le commandement de l'armée d'Erzeroum, avec mission de prendre Tabriz.

Préoccupé, durant l'hiver, par une nouvelle pacification de la Crimée qui finalement se fit d'elle-même, le nouveau chef de l'armée turque quitta Erzeroum dès la bonne saison, avec une armée à dessein réduite en nombre ; à la fin de l'été (septembre 1585), il se rabattait sur Tabriz et l'emportait. Ville de trafic et d'artisanat, au centre d'une plaine riche en cultures et en arbres fruitiers, Tabriz fut une aubaine pour l'armée turque affamée et fatiguée. Mais, après un effroyable pillage, il fallut en hâte la fortifier, les Persans restés autour de la place continuant la lutte. Après son éclatante victoire, Osman Pacha mourut, au soir d'une de ces rencontres (29 octobre 1585). Ce fut Cigala qui ramena l'armée dans ses quartiers d'hiver. Mais les Persans n'abandonnaient pas la partie. Durant l'hiver 1585-1586, de Tiflis à Tabriz, on peut dire que toutes les places du *limes* turc se trouvèrent assiégées par les sujets du Sophi et leurs complices indigènes. Une fois de plus, le *limes* tint, et Tabriz fut débloquée à temps par le *sérasker* Ferhad Pacha, lequel, pour la seconde fois, revenait exercer le commandement en Asie. Lentement, mais avec une certaine puissance, les Turcs avaient repris l'avantage. Or, pendant les deux années suivantes la guerre allait changer de caractère. Les Perses, en effet, durent brusquement faire face à un nouvel adversaire, les Ouzbegs du Khorassan. Leur défense fut ainsi prise à revers, en même temps que leur recrutement en cavaliers devenait difficile. Les Turcs dépassèrent alors Tabriz et progressèrent vers le sud. La guerre basée sur Erzeroum allait devenir, un instant, une guerre basée sur Bagdad. C'est près de cette ville qu'en 1587, l'armée de Ferhad Pacha, grossie par des soldats kurdes recrutés en hâte, écrase les Perses dans la plaine des

---

1. R. HAKLUYT, *op. cit.*, II, p. 171.
2. J. von HAMMER, *op. cit.*, VII, p. 113, note 1.

Grues. L'année suivante, ils porteront leur effort à nouveau vers le Nord, autour de Tabriz, dans le Karabagh. Ils s'y empareront de Ghendjé qu'aussitôt ils s'emploieront à fortifier, en prévision de prochaines campagnes.

Mais entre temps, le jeune Abbas s'était associé, de gré et de force, au gouvernement de son père, du vivant même de celui-ci (juin 1587). Il eut la sagesse de comprendre qu'entre les deux dangers qui pressaient son royaume, les Ouzbegs d'un côté et les Ottomans de l'autre, il valait mieux faire, à l'Ouest, des concessions. A nouveau, une magnifique ambassade persane gagna Constantinople, en 1598, sous la conduite du prince Haïder Mirza. Dans la capitale turque où Mourad avait instauré le règne de la somptuosité, les réceptions furent magnifiques. Les négociations furent longues, mais elles aboutirent enfin. La paix était signée, le 21 mars 1590, mettant fin à une guerre de douze ans. L'obstination turque y trouvait sa récompense : toutes les conquêtes restaient aux mains du sultan, c'est-à-dire la Géorgie, le Chirvan, le Lauristan, le Scherzol, Tabriz et « la portion d'Azerbeidjan » qui en dépend[1]. En somme toute la Transcaucasie, tout le côté humain du Caucase, avec une fenêtre largement ouverte sur la Caspienne.

Ce n'était pas une petite victoire. Au contraire, un signe singulier de vitalité, au vrai point seul de son espèce. Mais pour l'historien de la Méditerranée, l'important, c'est la fixation de la force turque en direction de la Caspienne, loin de la mer Intérieure. Cette poussée centrifuge explique, au moins jusqu'en 1590, l'absence de la Turquie dans le champ méditerranéen.

Les Turcs dans l'océan Indien

D'autant qu'à côté et au-delà de la guerre perse, les Turcs ont dû soutenir une guerre pour l'océan Indien que nous connaissons, elle aussi, fort mal.

L'océan Indien, au moins dans sa partie occidentale, avait été, des siècles durant, un lac islamique. Les Portugais n'ont pas réussi à en débusquer l'Islam. Ils ont même eu à subir ses assauts répétés, dès 1538, au moins, et dans ces assauts, les Turcs ont eu leur grande part. Mais c'est peut-être, en dernière analyse, parce qu'il n'a pas réussi dans cette descente vers le Sud que l'Empire des Osmanlis n'a pu contrebalancer l'Europe. Il s'en est fallu d'une bonne flotte. La Turquie en avait une, certes, et redoutable. Mais elle prenait contact avec l'océan Indien par l'étroite mer Rouge et sa technique navale était une technique méditerranéenne. C'est donc avec un matériel méditerranéen, des galères démontées, puis transportées par caravanes jusqu'à Suez où elles étaient remontées et mises à l'eau — que la Turquie aborda ses compétiteurs de l'océan Indien. C'est avec des galères que le vieux Soliman Pacha, gouverneur de l'Égypte, prit Aden, en 1538, et s'avança, en septembre de la même année, jusqu'à Diu, qu'il ne put enlever. Avec des galères que Piri Reis[2], en 1554,

---

1. *Ibid.*, p. 223. Donc victoire turque, G. BOTERO, *op. cit.*, p. 188 v°, la voit de la façon suivante : « car bien que le Turc ait été désfoit et mis en route plus d'une fois, il ha ce néanmoins, en se fortifiant peu à peu es lieux propres, occupé très grands pays : et finalement ayant pris la grande ville de Tauris, il s'en est asseuré par une grosse et forte citadelle. Ainsi ceux de Perse pour n'avoir des citadelles et forteresses ont perdu la campagne et les villes aussi ».

2. Karl BROCKELMANN, *Geschichte der islamisch. Völker und Staaten*, 1939, p. 282 ; sur le personnage et ses curiosités, Erich BRÄUNLICH, *Zwei türkische Weltkarten...*, Leipzig, 1937.

courut tenter fortune contre les voiliers portugais, navires faits pour l'Océan et qui eurent raison de ses navires à rames. Basée à Bassora, aux portes d'une autre mer étroite, le golfe Persique, la flotte de galères, commandée par l'amiral poète Ali, fut, en 1556, jetée sur les côtes de la presqu'île du Goudjérat et abandonnée là par son chef et ses équipages. C'est ainsi que l'océan Indien assista à une lutte assez curieuse de la galère et du voilier[1].

Les poussées turques dans cette direction ont été, en règle générale, liées aux complications turco-persanes. Assez régulièrement comme des suites de ces guerres. Guerre contre la Perse, de 1533 à 1536, puis expédition de Soliman Pacha : la prise d'Aden et le premier siège de Diu sont de 1538. Guerre contre la Perse, de 1548 à 1552, (mais qui n'est importante que pendant la première année) et en 1549, le second siège de Diu ; en 1554, les expéditions de Piri Reis et en 1556, d'Ali. De même, vers 1585, la guerre de Perse se ralentissant, la guerre pour l'Océan reprend, au long de la côte orientale de l'Afrique, de ce littoral que les Portugais nomment la Contra Costa[2].

La trêve turco-espagnole n'aura joué, en somme, que pour la Méditerranée. En vain Philippe II a-t-il recommandé aux fonctionnaires portugais — tardivement d'ailleurs — d'être libéraux et tolérants pour éviter que les princes indigènes mécontents ne fissent appel au Turcs[3]. Ceux-ci n'ont même pas attendu qu'on les appelât. Au delà de 1580, ils continuèrent leurs fructueuses pirateries contre le négoce portugais. En 1585, une flotte, sous le commandement de Mirali Beg[4], gagnait même les rivages africains de l'or. Elle enlevait sans peine Mogadiscio, Barawa, Djumbo, Ampaza. Le prince de Mombassa se déclarait vassal de la Porte. L'année suivante, Mirali Beg enlevait tous les points de la côte, sauf Mélinde, Patta et Kélife, demeurés fidèles au Portugal. Était-ce le résultat des mauvais traitements infligés par les Portugais aux indigènes, comme le pensait Philippe II[5] ?

La riposte portugaise fut lente. Une flotte alla se perdre sur les rivages de l'Arabie méridionale, en 1588[6]. En cette année de l'Invincible Armada, la machinerie ibérique avait d'autres soucis que ces luttes très lointaines. Mais l'enjeu était énorme: derrière Mombassa que le Turc veut fortifier, il s'agit des mines d'or de Sofala ; et plus largement encore, de la Perse et de l'Inde que la flotte portugaise, en direction de Bab-el-Mandeb, a essayé en vain de couvrir, en 1588. Heureusement pour les Portugais, le Turc, lui aussi, agit à l'extrême limite de ses forces, épuisé par la distance. En 1589, Mirali Beg attaque avec cinq navires seulement. La flotte portugaise de Thomé de Souza réussit à le bloquer dans la rivière de Mombassa, cependant qu'une frénétique révolte des Noirs déferlait au long de la côte et finalement emportait tout, maîtres indigènes et envahisseurs turcs. Seuls les Turcs qui se réfugièrent à bord des navires portugais, dont Mirali Beg lui-même, échappèrent au massacre. Ainsi

---

1. La formule est malheureusement un peu trop simple. Mais comment, ici, entrer dans tous les détails? Vitorino Magalhães Godinho qui prépare un travail d'ensemble sur l'océan Indien au XVIe siècle me fait remarquer que les flottes portugaises sont composées de voiliers, disons atlantiques, de navires de types indigènes et aussi de galères... une flotte composite, pour des tâches diverses.
2. M. A. Hedwig FITZLER, « Der Anteil der Deutschen an der Kolonialpolitik Phillips II in Asien », in : Vierteljahrschrift für Sozial-und Wirtschaftsgeschichte, 1936, p. 254-256.
3. Lisbonne, 22 févr. 1588, Arch. port. or., III, nº 11, cité par M. A. H. FITZLER, art. cit., p. 254.
4. Cf. W. E. D. ALLEN, op. cit., p. 32-33 et notes, qui rectifie l'erreur de ma 1re édition.
5. 14 mars 1588, ibid., nº 43, cité par M. A. H. FITZLER, art. cit., p. 256.
6. M. A. H. FITZLER, art. cit., p. 256.

s'écroula, en 1589, l'une des plus curieuses et des moins connues des tentatives ottomanes.

La guerre du Portugal, tournant du siècle

Michelet voyait dans l'année de la Saint-Barthélemy le tournant du siècle. Si tournant il y a eu, il coïncide plutôt avec les années 1578-1583, quand s'engagent, avec la guerre du Portugal, les grandes luttes pour l'Atlantique et la domination du monde. La politique espagnole bascule vers l'Océan et l'Europe occidentale. En même temps qu'au lendemain de la banqueroute de 1575, liquidation de la première partie du règne de Philippe II, l'afflux des métaux précieux gonfle brusquement les possibilités du trésor de guerre espagnol. Alors commence, au-delà de ces « années-charnières », ce que l'on a appelé « le cycle royal de l'argent », de 1579 à 1592[1]. Il y a gonflement, surpuissance, aux Pays-Bas comme ailleurs, de la politique de Philippe II, dès lors vive et imprudente.

Ce changement dramatique n'a pas échappé aux historiens, particulièrement les portugais qui le connaissent mieux que les autres mais l'ont vu trop par le petit bout de la lunette : leur destin national, certes, se trouve au centre de l'histoire océane, mais ne la constitue pas en entier. Raccrochés les uns aux autres, les événements de cette vie océane montrent aussitôt l'ampleur des luttes engagées. Nous ne dirons pas, après quelques autres, qu'elles ouvrent la porte aux « temps modernes ». C'est anticiper, et pour d'assez longues années encore, elles ont, en fait, freiné l'essor de l'Océan.

En ce qui concerne l'Espagne, le changement de direction fut net. En 1579, le cardinal Granvelle arrivait à Madrid. Il y resta jusqu'à sa mort (1586), sept années pendant lesquelles il tint, en fait d'abord, puis en titre, les fonctions de premier ministre. La tentation était grande (Martin Philippson n'y a pas échappé) de ramener à ces changements gouvernementaux le passage d'une phase défensive et prudente du règne de Philippe II, à une phase agressive et impérialiste. Jusqu'en 1580, la politique espagnole avait été celle du « parti de la paix » — celui de Ruy Gomez et de ses amis — plus que celle du duc d'Albe et de ses partisans, « le parti de la guerre ». Non sans quelques exceptions : songeons au voyage du duc d'Albe de 1567, ou à Lépante. Les deux partis d'ailleurs n'étaient pas organisés. On dirait mieux deux coteries, en dehors desquelles le roi s'est toujours maintenu, tout en s'en servant, satisfait plutôt de ces querelles subalternes qui lui garantissaient une meilleure information, une surveillance plus aisée, finalement l'intégrité de son autorité. En les opposant les uns aux autres, en ne leur ménageant pas les soupçons, Philippe II a ainsi usé beaucoup d'hommes à son service. Les dures tâches de son règne l'y ont d'ailleurs aidé. En 1579, il n'y a plus que des survivants des partis de la première phase du règne. Ruy Gomez est mort en 1573 et sa coterie, autour d'Antonio Pérez, n'a plus la cohérence d'autrefois. Le duc d'Albe, qui a quitté les Pays-Bas en décembre 1573, n'a pas retrouvé, en Espagne, sa situation éminente de jadis. En 1575, une disgrâce brusque l'a relégué hors de la vie politique.

C'est en mars 1579 que Philippe II appela Granvelle auprès de lui. « J'ai surtout besoin de votre personne, lui écrivait-il, et de votre aide dans les

---

1. Pierre CHAUNU, *art. cit.*, *in* : *Revue du Nord*, 1960, p. 288 et *Conjoncture*, p. 629 et *sq.*

travaux et les soucis du gouvernement... Plus tôt vous arriverez, plus j'en serai satisfait »[1]. Le cardinal vivait alors à Rome. Malgré son âge — 62 ans — il accepta l'aventure, mais ne put se mettre en route qu'après de nombreux délais : il lui fallut attendre à Rome, attendre à Gênes. Le 2 juillet seulement, avec Don Juan de Idiáquez qui l'accompagnait, il aperçut les côtes d'Espagne. Le 8, ils débarquèrent à Barcelone. Aussitôt, le cardinal se mit en route avec ses voitures et ses bêtes de somme, voyageant de nuit pour éviter la chaleur. Sur l'ordre exprès du roi qui se trouvait déjà à l'Escorial, il évita Madrid et arriva à San Lorenzo dans les premiers jours d'août, accueilli par le roi comme un sauveur[2].

C'est le mot qui convenait. Philippe II avait attendu que le cardinal fût en route vers l'Escorial pour jeter le masque et brutalement frapper Antonio Pérez et sa complice, la princesse d'Eboli. Dans la nuit du 28 au 29 juillet, ils avaient été tous deux arrêtés. Ces dates ont leur importance. Car Antonio Pérez était depuis longtemps suspect à son maître, mais ce n'est que lorsque sa nouvelle équipe gouvernementale fut quasiment en place que le roi se décida à affronter une coterie encore puissante. Avec l'arrivée de Granvelle se consommait la ruine du parti de la paix. Pour des raisons de personnes, multiples et dramatiques, et terriblement obscures[3]. Mais aussi sous la poussée des circonstances. Aux Pays-Bas, l'essai de conciliation de Requesens s'était terminé par un échec, plus retentissant que celui du duc d'Albe. Dans l'affaire de Portugal, ouverte dès l'été 1578, la méthode pacifique semblait aléatoire. On a pu soutenir que dans cette dernière affaire, Antonio Pérez avait trahi. Le mot est gros de confusions possibles et les preuves alléguées peu convaincantes. Reste l'hypothèse d'une politique jugée inquiétante par le souverain.

Donc un gros changement. Avec Granvelle s'installe, au cœur même de l'Empire de Philippe II, un homme énergique, intelligent, aux très larges vues ; volontaire, honnête, dévoué au roi et à la grandeur de l'Espagne. Un vieil homme aussi, d'une autre génération, habitué à se reporter en pensée à la grande époque de Charles Quint, à y chercher exemples et points de comparaison, enclin à mal juger les tristes temps qu'il vit. C'est un homme à décisions et à idées; au début, son influence a été grande : il est l'artisan des victoires de 1580. Mais au-delà de ces succès, quand Philippe II est revenu de Lisbonne, son influence a été plus apparente que réelle. Lui aussi s'est usé au service du roi.

Aussi bien, entre la grandeur des événements, je veux dire ce large mouvement de bascule qui reporte la force hispanique de la Méditerranée à l'Océan, et l'arrivée de Granvelle aux affaires, il y a disproportion. Le chemin biographique risque de nous égarer, comme il a égaré le scrupuleux chercheur qu'était Martin Philippson. Il n'a point vu cette translation de forces. Pour rester inattentif au lâchage de la guerre méditerranéenne par l'Espagne, il lui a suffi de rencontrer une déclaration du cardinal, disant son hostilité à l'égard de la trêve turco-espagnole. Or rien ne nous assure, en l'occurrence, de la franchise du cardinal[4]. C'est un fait qu'il y a eu trêve et renouvellements successifs de

---

1. M. Philippson, *op. cit.*, p. 62 ; *Correspondance de Granvelle*, VII, p. 353.
2. Granvelle à Marguerite de Parme, 12 août 1579, Philippson, *op. cit.*, p. 71.
3. Nullement éclaircies par le livre hâtif et partial de Louis Bertrand, *Philippe II. Une ténébreuse affaire*, Paris, 1929. Le gros problème reste celui de l'authenticité ou non du manuscrit de La Haye. Le beau livre du Dʳ G. Marañon, *Antonio Pérez*, 2 vol., Madrid, 2ᵉ édit., 1948, renouvelle ces problèmes sans les éclaircir entièrement.
4. M. Philippson, *op. cit.*, p. 104 et p. 224.

cette trêve, pendant de nombreuses années, durant le « ministère » même de Granvelle et si la Méditerranée a été abandonnée, ce n'est ni à cause, ni en dépit du cardinal.

Alcazar Québir

La dernière croisade de la Chrétienté méditerranéenne, ce n'est pas Lépante, mais, sept ans plus tard, l'expédition portugaise qui devait se terminer par le désastre d'Alcazar Québir (4 août 1578), non loin de Tanger, en bordure du Rio Luco qui va finir à Larache[1]. Le roi Sébastien, un enfant encore bien qu'il ait vingt-cinq ans, un enfant exalté et à moitié irresponsable, était violemment hanté par l'idée de la croisade. Philippe II, qu'il avait rencontré avant la *Jornada de Africa*, l'avait en vain dissuadé de porter la guerre au Maroc. L'expédition, montée avec lenteur, n'eut même pas pour elle le bénéfice de la surprise. Le chérif Abd el Malek, mis au courant des armements et du départ de la flotte, puis de son séjour à Cadix, eut le temps de prendre des contre-mesures et de proclamer la guerre sainte. La petite armée portugaise, débarquée à Tanger, avait ensuite été transportée à Arzila (12 juillet), elle envahit donc un pays décidé à se défendre, qui disposait, par surcroît, d'une excellente cavalerie, de pièces d'artillerie et d'arquebusiers (ceux-ci souvent des Andalous). La longue colonne des chariots portugais s'étant avancée dans l'intérieur des terres, la rencontre eut lieu à Alcazar Québir, le 4 août 1578. Le roi, incapable de commander, ajoutait encore à la faiblesse de l'armée chrétienne, mal nourrie, épuisée par les marches et la chaleur. En face d'elle, le Maroc avait procédé à « une levée en masse »[2]. Les Chrétiens furent écrasés sous le nombre. Les montagnards des régions voisines achevèrent le pillage des bagages. Le roi figurait au nombre des morts, le chérif détrôné qui avait accompagné les Chrétiens s'était noyé, cependant que le chérif en place succombait à la maladie au soir de cette bataille des Trois Rois, comme on l'appelle parfois. Dix à vingt mille Portugais restaient aux mains des Infidèles.

Sans aller jusqu'à dire que ce fut le désastre le plus complet de l'histoire portugaise, on ne peut sous-estimer l'importance de la bataille d'Alcazar Québir, grosse de conséquences. Elle affirmait la puissance du Maroc que les rançons chrétiennes enrichirent si bien que son nouveau souverain, El Mansour — le frère d'Abd el Malek — se vit appeler à la fois le Victorieux (El Mansour) et le Doré (El Dahabi). Plus encore, la journée d'Alcazar Québir ouvrait la succession de Portugal. Sébastien ne laissait pas d'héritier direct. Son oncle, le cardinal Henri, lui succédait, mais le règne de ce vieillard, infirme et phtisique, ne pouvait être et ne fut qu'un épisode.

Or, le Portugal n'était pas à la hauteur d'une épreuve aussi brutale. Son empire était essentiellement appuyé sur une série de relais d'échanges de marchandises, d'envois d'or et d'argent qui, partis de l'Atlantique, lui revenaient sous forme d'épices et de poivre. Mais les échanges africains y jouaient un rôle. Avec Alcazar Québir, la machinerie se trouve faussée. De plus, une grosse partie de la noblesse du pays est restée entre les mains des Infidèles.

---

1. Général DASTAGNE, « La bataille d'Al Kasar-El-Kebir », *in* : *Revue Africaine*, t. 62, p. 130 et *sq.*, et surtout le récit de QUEIROZ VELLOSO, *D. Sebastião*, 2e éd., Lisbonne, 1935, chap. IX, p. 337 et *sq.* repris par ce même auteur au tome V de l'*Historia de Portugal*, de Damião PERES.

2. Ch. A. JULIEN, *H. de l'Afrique du Nord*, p. 146.

Pour payer les rançons, si énormes qu'elles n'ont pu être payées comptant, le pays va se vider de son numéraire, expédier bijoux et pierres précieuses vers le Maroc et Alger. Pour comble, les nombreux prisonniers privaient l'étroit royaume de ses cadres, de son armature militaire. Ainsi, les raisons s'ajoutaient pour qu'il fût, plus qu'à tout autre moment, incapable de dominer sa faiblesse. Pour l'historien, il n'est pas facile au milieu de l'abondance des discours qui développent le thème de la décadence lusitanienne, de mesurer la détresse réelle du petit royaume. Mais, s'il était déjà touché par une décadence, par une lente et souterraine maladie, c'est d'une syncope brusque qu'il a été frappé, en cet été 1578. Les circonstances vont singulièrement aggraver son mal.

Pour son malheur, le malade tombe dans les mains d'un médecin incapable. Le vieux cardinal — il a 63 ans — dernier survivant des fils d'Emmanuel le Fortuné, podagre, miné par la tuberculose, ajoutera, par ses hésitations, au trouble croissant du royaume. Par ses rancunes aussi. Il a eu trop à souffrir, sous le gouvernement velléitaire et capricieux de Dom Sébastien : arrivé au trône, il s'en souvient et se venge. Une de ses premières victimes est le secrétaire tout puissant de la Fazenda, Pedro de Alcoçaba, qu'il dépouille de ses charges et exile, sans avoir la force de le mettre hors du jeu politique, lui et sa nombreuse clientèle.

Cette conduite maladroite facilite le chemin à l'intrigue espagnole. De par sa mère, Philippe II a des droits incontestables à la couronne de Portugal ; entre lui et cet objet de sa convoitise, il y a bien les droits rivaux — et non moins incontestables, de la duchesse de Bragance. Mais cette maison « féodale » n'est pas de taille à lutter contre le Roi Catholique. Il y a aussi le bâtard de Dom Luis, fils lui aussi d'Emmanuel le Fortuné. Mais le prieur de Crato a contre lui son origine. En fait, entre Philippe II et la couronne portugaise, il n'y a que la personne du vieux souverain de Lisbonne. Son âge, sa santé précaire posent, dès l'automne 1578, le problème de sa succession. Tout de suite, Philippe a dépêché au Portugal un souple diplomate, Christoval de Moura. Autant que l'or qu'il distribue et promet, ce sont les fautes du cardinal qui donnent au parti espagnol ses premières recrues. Christoval de Moura, en effet, est entré en rapports avec Pedro de Alcoçaba.

D'autre part, la dévotion sincère du cardinal le livre, comme tout le Portugal, à la domination spirituelle de la Compagnie de Jésus, Dirons-nous à une puissance étrangère ? On oublie, à ce sujet, les documents qu'a publiés Martin Philippson. C'est un fait que les Jésuites, tenus à l'écart jusque-là par Philippe II, acceptent de collaborer avec lui au Portugal. Le cardinal Henri qui était, au début, hostile à son neveu d'Espagne, favorable par contre à sa nièce, Catherine de Bragance, se laisse aller peu à peu à des déclarations semi-officielles en faveur de Philippe. Il y a bien des explications à ce revirement ; mais elles n'excluent pas une action éventuelle des Jésuites. L'acquiescement aux demandes de Philippe II du Général de l'Ordre, E. Mercuriano, est de janvier 1579[1]. Il a fallu à ses hommes (tout d'abord favorables à la duchesse de Bragance, disent les rapports espagnols) un certain délai pour modifier leur position et travailler en faveur de Philippe dont ils espéraient sans doute des faveurs que, plus qu'un autre, en Europe et hors d'Europe, il pouvait leur prodiguer.

---

1. Mercuriano à Philippe II, 11 janv. 1579, Simancas E° 934 ; le même au même, Rome, 28 avr. 1579, *ibid.* ; M. PHILIPPSON, *op. cit.*, p. 92, note 2 et p. 93, note 1.

Dans ces conditions, l'indépendance nationale portugaise ne pouvait guère être sauvegardée. Pour la conserver, il eût fallu armer, se décider en faveur d'une solution nationale : en somme, reconnaître la maison de Bragance, à la rigueur le prieur de Crato. Or, le cardinal laisse de côté toute défense. Elle signifierait de grosses dépenses. Et les seules qu'accepte le vieux roi sont celles qu'exige le rachat des *fidalgos*, prisonniers des Marocains. S'il n'a jamais compté pour les captifs d'Alcazar Québir, il n'a pas consacré le moindre argent à la défense du pays. Ses sujets — du moins les riches et spécialement les marchands — n'étaient peut-être pas décidés non plus aux sacrifices nécessaires pour s'engager dans une pareille voie.

Il eût fallu aussi que le cardinal prît une décision rapide au sujet de sa succession. Or il perdit un temps précieux à négocier avec l'ex-reine de France, veuve de Charles IX, son propre mariage qui n'était possible qu'avec une dispense pontificale. Et Grégoire XIII hésitait à la lui accorder. L'ambassadeur espagnol à Rome eut peu de chose à faire pour contrecarrer la négociation. A contre-cœur, le vieux souverain se résigna. Ne l'imaginons pas d'ailleurs comme un abbé du XVIII* siècle : l'idée de ce mariage lui était dictée par la raison d'État. Elle prouve, comme il arrive fréquemment en pareil cas, que le cardinal était le seul à ne pas croire à sa mort prochaine...

Après cet échec, il ne se préoccupa pas davantage de sa succession. Sans doute convoqua-t-il les Cortès, essaya-t-il d'organiser une commission d'arbitrage à qui tous les prétendants soumettraient leurs titres. Mais le peu de volonté qui lui restait se dépensa surtout contre le prieur de Crato qu'il poursuivit d'une haine acharnée, essayant de le marquer de la macule de son illégitimité, le chassant même hors du royaume, ce qui obligea Dom Antonio à passer un instant en Espagne, puis à se cacher, quand il y revint, dans son propre pays.

De toute façon, Philippe II était décidé à défendre ses droits. Dès 1579, il avait armé, avec un peu trop de bruit au demeurant : il tenait à en informer l'Europe et, plus spécialement, le Portugal. Non qu'il eût rassemblé de grandes forces, mais elles suffisaient à l'entreprise. Il y avait fallu cependant une bonne quantité d'argent, notamment un emprunt de 400 000 écus[1] au grand-duc de Toscane, plus des prélèvements de troupes sur les garnisons d'Italie. Ces concentrations d'hommes, de vivres et de matériel qui devaient aboutir à la réunion d'une vingtaine de mille hommes, jetèrent partout l'alarme. A Constantinople, on croyait l'effort destiné à Alger ; le reine Élisabeth et l'Angleterre prêtaient à Philippe des projets d'invasion de leur île. Nulle part, cette guerre des nerfs ne fut aussi vivement ressentie qu'au Portugal.

Dans sa masse, le pays se refusait à la domination du voisin abhorré. Les petites gens des villes, le bas clergé étaient contre l'Espagnol, avec une véhémence qui faisait trembler riches et puissants. La hargne populaire les empêchait de trahir à visage découvert. De là l'allure de la « trahison », ses mines hypocrites, ses discours fallacieux, sa rhétorique patriotique, ses démarches prudentes. Le peuple fut livré ainsi par ses nantis, ses riches et ses intellectuels. Les riches, comment ne seraient-ils pas contre la résistance, alors qu'ils sont souvent étrangers, flamands, allemands, italiens ; par surcroît, peu désireux de supporter les exactions fiscales qu'entraînerait la guerre et dont ils seraient les victimes ? Le haut clergé est dans un état d'esprit très voisin, de même la

---

1. Le grand-duc de Toscane à Philippe II, Florence, 17 juin 1579, Simancas E° 1451. Voir également R. GALLUZZI, *Istoria del Gran Ducato di Toscana*, III, p. 345 et 356.

noblesse, c'est-à-dire bien souvent l'armée. Le Portugal, face à l'Est, est sans doute défendu par la nature. Du plateau castillan au bas pays portugais, les routes sont difficiles, barrées par de solides forteresses. Mais cette frontière ne vaut que soutenue par un pays décidé à se défendre. L'argent distribué par Christoval de Moura n'a pas suffi à écarter toute velléité de combat, pas plus que les négociations des « féodaux » espagnols de la frontière à désarmer leurs voisins portugais, maîtres des châteaux, villages et places fortes qui sont la sécurité du royaume. Mais, au-delà des hommes — d'un Christoval de Moura, ce Portugais, ou d'un duc d'Osuna, un temps ambassadeur du Roi Catholique à Lisbonne, au delà de la trahison, ce moyen si cher à la politique des Habsbourgs — il y a eu toute la lourdeur des circonstances. Le Portugal a besoin de l'argent d'Amérique et une grosse partie de sa marine est déjà, sur l'Océan, au service de l'Espagne[1]. Le ralliement des riches et puissants de Lisbonne est lié à la nécessité qu'éprouve l'Empire portugais, gêné sur ses océans immenses par la course des Protestants et le manque de numéraire, non point de lutter contre le voisin trop puissant, mais de s'appuyer sur lui. La preuve en est peut-être, plus que les événements de 1578-1580, la suite de ces événements, la longue sujétion du Portugal, sa symbiose avec l'Espagne que seuls les désastres des années 1640 viendront rompre, ou mieux permettront de rompre. N'oublions pas aussi que l'Espagne étant désormais unie et non plus disloquée en pays hostiles (nous ne sommes plus à l'époque d'Aljubarrota dont on évoque si souvent l'image à ce propos), le Portugal n'aurait pu maintenir contre elle son indépendance que par une alliance avec les puissances protestantes, La Rochelle, les Hollandais, les Anglais. Réalité que les Espagnols ont adroitement soulignée, mais que les Portugais ont sentie pour leur part. Si le prieur de Crato échoue dans ses essais pour rentrer plus tard dans son royaume, c'est qu'il y vient à bord de navires anglais, qu'il s'est lié avec les ennemis de Rome, qu'il négocie même vers 1590 avec les Turcs...

Le coup de force de 1580

Le cardinal Henri mourut en février 1580. Des régents qu'instituait son testament, deux ou trois étaient gagnés à Philippe II[2]. Ce dernier allait-il les laisser régler la succession ? Ou bien s'en remettre au jugement du pape qui souhaitait imposer son arbitrage? En fait, Philippe II se considérait comme ayant des droits imprescriptibles, des droits divins qu'il n'était nullement question de soumettre aux Régents ou aux Cortès. Il ne voulait pas davantage d'un arbitrage pontifical, n'ayant cure de reconnaître la suprématie temporelle du Souverain Pontife. D'ailleurs, assuré de la paix en Méditerranée, sûr de lui aux Pays-Bas, en France, en Angleterre, il pouvait compter sur un moment de répit, au milieu des menaces mouvantes de l'Europe. Le Portugal était à sa portée, à une condition : agir vite, ce à quoi poussa le cardinal Granvelle, dès son arrivée à l'Escorial. C'est lui, autant et plus que le souverain, qui a précipité les événements, lui également qui a assuré la nomination, au commandement de l'armée, du vieux duc d'Albe, tombé en disgrâce, mais dont la réputation

---

1. Le Portugal au service de l'Espagne depuis la crise de 1550, depuis la victoire du métal blanc d'Amérique. Large immigration portugaise vers les villes d'Espagne et notamment Séville.
2. R. B. MERRIMAN, *op. cit.*, IV, p. 348, d'après la correspondance des Fugger, remarques éclairantes, *The Fugger News-Letters*, p.p. V. von KLARWILL, 1926, t. II, p. 38.

semblait un gage de succès. C'était une des vertus de Granvelle de savoir laisser de côté, à l'occasion, ses antipathies. Et peut-être était-ce une nécessité pour lui, étranger, de ménager les Espagnols, leurs coteries redoutables, leurs susceptibilités. N'a-t-il pas été l'inspirateur des mesures de demi-clémence à l'égard d'Antonio Pérez et de la princesse d'Eboli ?

Simple promenade militaire, la guerre de Portugal se déroula selon les plans prévus. Les barrières de la frontière tombèrent d'elles-mêmes et, le 12 juin, l'armée espagnole pénétra en territoire portugais, à la hauteur de Badajoz. La puissante forteresse d'Elvas, puis celle d'Olivenza se rendirent sans combattre : le chemin de Lisbonne était ouvert par la vallée du Zatas. Cependant, le 8 juillet, la flotte espagnole, navires et galères, quittait le Puerto de Santa Maria, s'emparait de Lagos sur la côte de l'Algarve portugaise, apparaissait bientôt à l'embouchure du Tage. A Lisbonne, Dom Antonio, prieur de Crato, proclamé roi à Santarem le 19 juin, était entré en maître, grâce à l'appui du menu peuple. Mais pour tenir dans l'énorme ville, mal ravitaillée, décimée par la peste depuis plusieurs mois et que l'arrivée de la flotte espagnole coupait du monde extérieur, il eût fallu des mesures de salut public, plus encore du temps. Les mesures de salut public, surtout d'ordre fiscal, ne manquèrent pas : saisie de l'argent des églises et des couvents, dévaluation de la monnaie, emprunts forcés sur les marchands... Mais le temps fit cruellement défaut. C'est la rapidité espagnole, et non telle défaillance prétendue du prieur (notamment dans ses négociations indirectes avec le duc d'Albe, justement destinées à gagner un peu de temps) qui ont amené l'échec du prétendant. Autour de lui, le mouvement de trahison et d'abandon se poursuivait. Sétubal, attaqué par mer et par terre, se rendait sans combattre, le 18 juillet, ce qui d'ailleurs ne la sauva pas du sac. L'armée d'invasion était ainsi parvenue au Sud de l'estuaire du Tage, large ici comme une mer en miniature ; gros obstacle sans doute, mais pas avec la flotte qui transporta sans encombre, jusqu'à Cascais, sur la rive Nord du fleuve, une série d'unités espagnoles. L'opération aboutissait à une attaque de la capitale par l'Ouest et la rive droite du Tage. Dom Antonio, avec quelques soldats essaya de défendre l'accès de Lisbonne sur le pont d'Alcantara. Mais le soir même, la capitale se rendait à merci. Le vainqueur lui épargna le sac, ou du moins seuls les faubourgs de la ville furent pillés.

Blessé, le prieur s'échappa à travers la ville, s'arrêtant pour s'y faire soigner dans le petit village voisin de Sacavem. Il réunit de nouveaux partisans et passa à Coimbra, puis entra de vive force à Porto où il fit halte pendant plus d'un mois. Là encore, il essaya d'organiser la lutte et se heurta aux mêmes petites et multiples trahisons qu'à Lisbonne. Un raid de cavalerie de Sancho Davila l'obligea à quitter ce dernier abri, le 23 octobre, et à trouver refuge dans le Portugal du Nord, jusqu'au jour où un navire anglais vint l'y chercher.

Il avait donc fallu quatre mois seulement pour que le Portugal fût occupé. Dans ses conseils à Philippe II, Granvelle lui rappelait que César, pour ne pas ralentir ses mouvements, n'occupait pas les villes conquises, mais se contentait de prendre des otages. Il semble que l'envahisseur, en 1580, se soit contenté d'aller de l'avant, partout où la trahison lui ouvrait les portes : il avait, parmi les Portugais eux-mêmes, des gardiens efficaces. Il ne fut pas nécessaire d'envoyer des renforts massifs, d'utiliser l'arrière-ban des seigneurs frontaliers à qui l'on avait fait appel. Répétons-le : le Portugal s'est abandonné, il a été livré.

Habilement, Philippe II, dès avant 1580, avait confirmé aux Portugais leurs anciens privilèges ; il leur en avait reconnu de nouveaux, politiques et économiques. Le Portugal n'a pas été incorporé à la Couronne de Castille. Il a gardé son administration, ses rouages, ses conseils. En somme, autant que l'Aragon, plus même que l'Aragon, il est demeuré lui-même, malgré l'union personnelle réalisée par Philippe II. Il n'a été « qu'un dominion espagnol »[1]. Ce qui ne justifie point la conquête de 1580, — là n'est pas le problème — mais explique qu'elle se soit maintenue, qu'elle ait représenté une solution durable.

Au reçu de la nouvelle, les Indes se rallièrent à leur tour, sans combat. De même le Brésil, pour qui, étant donné ses limites vers l'Ouest, l'union des deux Couronnes fut plutôt une chance. Il n'y eut de difficultés sérieuses qu'à propos des Açores. Car le brusque agrandissement de Philippe II (l'*Ultramar* lusitanien, s'ajoutant à l'espagnol, lui donnait les deux plus grands empires coloniaux du siècle), ce brusque agrandissement posait la question de l'Atlantique. Consciemment ou non, par la force des choses, l'empire composite de Philippe II allait s'appuyer sur l'Océan, lien indispensable à son existence, base des prétentions à ce que l'on appellera, du vivant même de Philippe II, sa Monarchie Universelle[2].

L'Espagne quitte la Méditerranée

Voilà qui nous éloigne de la Méditerranée.

Du jour où Philippe II s'est installé à Lisbonne, il a vraiment mis le centre de son Empire composite au bord du vaste Océan. Lisbonne, où il séjourna de 1580 à 1583, est d'ailleurs une admirable ville d'où gouverner le monde hispanique, sûrement mieux placée et mieux outillée que Madrid encerclée par les terres de Castille, surtout lorsqu'il s'agit d'engager la lutte nouvelle, sur les eaux océaniques. Le mouvement incessant des bateaux, spectacle que le souverain pouvait contempler de son palais même et qu'il a décrit dans ses charmantes lettres aux infantes ses filles, n'était-ce pas une leçon de choses, quotidiennement renouvelée, sur les réalités économiques qui soutenaient l'Empire ? Si Madrid est mieux située comme centre d'écoute, pour savoir ce qui s'agite en Méditerranée, en Italie, ou dans l'épaisseur de l'Europe. Lisbonne est un magnifique observatoire sur l'Océan. Que de lenteurs, de désastres peut-être, auraient été évités si Philippe II l'avait entièrement compris, lors de la préparation de l'Invincible Armada, si alors il n'était pas resté lié à Madrid, loin des réalités de la guerre !

La façon dont bascule la politique espagnole vers l'Ouest, dont elle est prise dans les courants puissants de l'Atlantique ; l'affaire des Açores en 1582-1583, où se trouve sauvé l'Archipel et, en même temps, avec le désastre de Strozzi, anéanti le rêve d'un Brésil français ; la guerre d'Irlande, ranimée avec patience de 1579 à la fin du siècle ; la préparation de la guerre avec l'Angleterre, puis le voyage de l'Invincible Armada, en 1588 ; les expéditions de Philippe II contre l'Anglais, en 1591-1597 ; l'immixtion espagnole dans les affaires françaises, avec le gros chapitre de l'occupation partielle de la Bretagne ; les contre-mesures

---

1. Voyez, à ce sujet, les remarques de Juan Beneyto PÉREZ, *Los medios de cultura y la centralización bajo Felipe II*, Madrid, 1927, p. 121 et *sq*.
2. Grand problème et bien aperçu par Jacques PIRENNE, *Les grands courants de l'hist. universelle*, II, 1944-45, p. 449 et *sq*.

anglaises et hollandaises ; la course protestante déchaînée dans tout l'espace océanique, tous ces faits, extérieurs à la Méditerranée, ne lui sont qu'à demi étrangers. Si la paix se rétablit chez elle, c'est que la guerre se loge dans les grands espaces voisins : Atlantique à l'Ouest, confins perses et océan Indien à l'Est. Au mouvement de bascule de la Turquie vers l'Est, répond le mouvement de l'Espagne vers l'Ouest. Grandes oscillations que l'histoire événémentielle, par sa nature même, ne peut expliquer. Sans doute d'autres explications que celles que propose ce livre sont-elles possibles. Mais le problème, indiscutable, se précise dans toute sa netteté : le bloc des forces hispaniques et le bloc des forces turques, longuement opposés en Méditerranée, se déprennent l'un de l'autre, et du coup, la mer Intérieure se vide de la guerre des grands États qui, de 1550 à 1580, en avait été le trait majeur.

6

LA MÉDITERRANÉE
HORS DE LA GRANDE HISTOIRE

On peut feuilleter le livre, excellent selon les formules traditionnelles, de Roger B. Merriman sur *L'Essor de l'Empire espagnol*[1] qu'il arrête à la fin du règne de Philippe II, en 1598. Pour les années qui dépassent 1580, on n'y trouvera plus mention de l'histoire méditerranéenne. Ce silence, celui de presque toutes les histoires d'Espagne, est significatif. Pour Roger B. Merriman, et pour qui s'en tient à l'histoire-récit, la Méditerranée, abandonnée par la grande guerre et par les diplomates après la mission de Margliani, est tout d'un coup plongée dans la nuit. Tous les projecteurs sont éteints. Ou, plutôt, c'est d'autres scènes qu'ils éclairent de leurs feux croisés.

La Méditerranée n'a pourtant point cessé de vivre. Comment ? C'est ce qu'il ne faut point trop demander aux sources habituelles des archives espagnoles et même italiennes. Comme ce qu'on appelle aujourd'hui la presse, les informations réunies par les diverses chancelleries — y compris les italiennes — ne s'occupent que des événements qui mènent grand bruit. A travers elles, l'histoire méditerranéenne n'est presque plus perceptible. A Venise, à Florence, à Rome ou à Barcelone, ce qui se dit, ce qui s'écrit concerne des drames extra-méditerranéens. On se demande si la paix turco-persane sera conclue ou non, si le roi de France s'accordera avec ses sujets, si le Portugal est soumis, si les armements de Philippe II, dans les années qui précèdent le départ de l'Invincible Armada, sont destinés à l'Atlantique ou à l'Afrique. Il y a bien, de temps en temps, des nouvelles et des conciliabules au sujet de la Méditerranée, qu'enregistrent les correspondances. Mais, comme par hasard, il ne s'agit jamais que de rêves qui se perdent en route : tels ces projets, cent fois répétés, d'une ligue contre les Turcs, entre Venise, Rome, la Toscane et l'Espagne. L'aune n'en vaut guère mieux que le projet anti-turc de La Noue, en 1587. On s'étonne que le grand Paruta leur ait attribué, en 1592, tant d'importance[2].

---

1. *The rise of the spanish Empire in the old and in the new world*, 4 vol.
2. Paruta au Doge, Rome, 7 nov. 1592, *La legazione di Roma...*, p.p. Giuseppe de LEVA, 1887, I, p. 6-9.

469

De même à Rome, les pensées et les actes restent, et resteront longtemps dirigés vers l'Océan. La Papauté fait bloc avec l'Espagne dans sa lutte contre l'hérésie nordique. Grégoire XIII, puis Sixte Quint ont concédé à Philippe II des « grâces » considérables pour lutter contre Élisabeth et ses alliés, tout comme à la veille de Lépante l'avait fait Pie V, pour lutter contre l'Islam. L'Italie entière s'associe à ce combat de la Catholicité. Bref, toute l'attention et la meilleure partie des efforts politiques de la Méditerranée se dépensent en marge du monde méditerranéen, comme si chacun s'en détournait à la manière des Turcs partis vers la Caspienne, des mercenaires marocains s'emparant de Tombouctou en 1591[1], ou de Philippe II lui-même qui s'essaie à devenir ou mieux à rester le maître de l'Atlantique.

Ceci jusqu'aux environs de 1590. Mais la mort de Henri III (1er août 1589[2]) déchaîne une rude crise dont les effets se font sentir en Méditerranée. Spécialement à Venise qui s'inquiète de l'effacement possible de la France, pièce indispensable de l'équilibre européen, et, par suite, garante de la liberté même de la République, cernée par tant d'ennemis. « On ne sait plus que croire, écrit un marchand de Venise[3], ni que faire. Ces rumeurs de France portent un dommage immense au commerce ». La Seigneurie se sent tellement menacée qu'elle n'hésite pas à s'allier aux Grisons protestants, à accepter, en août, de recevoir en janvier 1590 l'ambassadeur que lui envoie Henri IV, M. de Maisse[4]. Pourquoi cette hâte, se demande Sixte Quint ? « La République craint-elle quelque chose de Navarre ? Elle aurait tort. Le cas échéant, nous sommes prêts à la défendre avec toutes nos forces »[5]. Non. La République prend parti à l'avance contre le bloc catholique qui ne pourrait que garantir l'insupportable primauté espagnole...

La crise déchaînée par la succession de Henri III va prendre son plein effet peu à peu, au delà de l'année 1590. Cette même année, le sultan est délivré de sa guerre lointaine contre la Perse. Va-t-il revenir à une politique méditerranéenne, ou à une politique balkanique, entendez hongroise ? Ou bien (c'est ce qu'il fera à partir de 1593) s'essaiera-t-il à les conduire toutes les deux à la fois, dans les deux directions où il peut frapper la Chrétienté ? C'est l'enjeu de cette politique qui, peu à peu, redonne du relief aux événements méditerranéens, sans qu'ils reprennent, pour autant, l'allure dramatique des années 1550 à 1580. Ce sont les simulacres des grandes guerres et des grandes politiques qui revivent à partir de 1593. Avec beaucoup de rodomontades : mais entre les paroles et les actes, l'écart est immense. La guerre a perdu de sa gravité. Elle est coupée d'incessantes tractations. Capitaine de la mer, Cigala rend visite[6], en 1598, au général vénitien du Golfe, suggère, entre autres choses, qu'on pourrait peut-être rendre Chypre à Venise... Une autre année[7], avec l'accord du vice-roi de Sicile (Cigala est un renié sicilien qui avait été pris enfant sur le navire de son

---

1. Emilio GARCIA GÓMEZ, « Españoles en el Sudán », *in : Revista de Occidente*, oct. déc. 1935, p. 111.
2. Muerte del Rey de Francia por un frayle dominico, Simancas E⁰ 596 ; E. LAVISSE, *op. cit.*, VI, 1, p. 298 et *sq.*
3. A. Cucino à A⁰ Paruta, Venise (sept.-oct.) 1589, A. d. S. Venise, Let. Com. XII *ter.*
4. H. KRETSCHMAYR, *op. cit.*, III, p. 42-43, parle d'août et de nov. La réception semble bien avoir eu lieu en janvier 1590, Fᶜᵒ de Vera à Philippe II, Venise, 20 janv. 1590, A. N., K 1674.
5. L. von PASTOR, *op. cit.*, X (édit. al.), p. 248.
6. I. de Mendoza à Philippe III, Venise, 19 déc. 1598, A. N., K 1675.
7. G. MECATTI, *op. cit.*, II, p. 814.

père, corsaire chrétien bien connu), il fait monter à son bord sa mère et le cortège de ses parents. Ces mansuétudes officielles n'auraient pas eu cours quelque vingt ans plus tôt.

1. Difficultés et troubles turcs

De 1580 à 1589, tandis qu'une guerre sauvage ravage l'Océan, les chroniqueurs de la mer Intérieure ont peu à dire. Les expéditions punitives des Turcs en direction du Caire, de Tripoli ou d'Alger ne sont guère plus que des opérations de police, difficiles même à contrôler avec exactitude. Du côté de la Méditerranée chrétienne, ne sont à signaler que les incessants voyages des galères espagnoles (ou au service de l'Espagne). D'Italie en Espagne, elles transportent sans arrêt des soldats : Italiens recrutés sur place, lansquenets levés au delà des Alpes et qui descendent vers Milan et Gênes[1], vieux soldats espagnols que l'on retire, de Sicile ou de Naples, pour les remplacer par des jeunes recrues d'Espagne, qu'on changera à nouveau quelques années plus tard, quand leur « instruction » sera faite... En ces années, Milan est la centrale militaire espagnole par excellence ; elle redistribue en tous sens les soldats de Philippe II, jusque dans les Flandres par les interminables routes de terre. Le seul mouvement des troupes à travers la grande ville lombarde suffirait presque, pour chaque moment du règne de Philippe II, à indiquer le sens des préoccupations de l'Espagne et le rythme de sa vie impériale.

Au retour d'Espagne, les galères portent à Gênes, avec les « bisognes », un flot d'argent. Toute l'Italie se trouve enrichie par le métal blanc. Et au delà de l'Italie, nous l'avons dit, toute la Méditerranée. C'est une des grandes réalités de cette période de la vie méditerranéenne, qu'on pourrait dire heureuse s'il n'y avait la course, cette guerre seconde, mal enregistrée par la « grande » histoire, mais qui n'en est pas moins cruelle. Cette course, d'ailleurs, subit elle aussi des transformations et deux petits faits sont à retenir à ce sujet. L'un symbolique : Euldj Ali meurt en juillet 1587, à 67 ans[2]. Nul ne recommencera une carrière analogue à la sienne. Dernier héritier de Barberousse et de Dragut, avec lui, un âge disparaît. L'autre petit fait annonce l'avenir : cinq navires marchands anglais, en 1586, mettent à mal l'escadre de galères de la Sicile[3] ! Prélude inaperçu de la grande carrière du vaisseau de ligne[4].

---

1. Et qui causent leurs habituels dommages au passage « ... *come è il lor solito* ». La Rép. de Gênes à H. Picamiglio, Gênes, 17 juill. 1590, A. d. S. Gênes, L. M. Spagna 10.249.
2. Simancas E° 487.
3. R. Hakluyt, *op. cit.*, II, p. 285-289, rencontre au large de Pantelleria.
4. Mais d'ordinaire les faits signalés ont beaucoup moins d'importance encore. Voyez dans J. von Hammer, *op. cit.*, VII, p. 192-194 et 194, note 1, dans L. C. Féraud, *op. cit,*. p. 86, pour l'un la femme, pour l'autre la sœur de Ramadan, quitte Tripoli en 1584, après l'assassinat de son mari ou frère, pacha de Tripoli. Elle emporte sur sa galère 800 000 ducats, 400 esclaves chrétiens et 40 jeunes filles. Elle est bien reçue sur le chemin de Constantinople à Zante, mais elle est attaquée peu après à la hauteur de Céphalonie par Emo, commandant de la flotte de Venise. La galère est prise, les Musulmans massacrés. L'incident se règle à l'amiable, grâce à l'intervention de la sultane ; Emo sera d'ailleurs décapité et sa prise restituée ou compensée. Dans l'affaire, 150 captifs libérés d'après R. Hakluyt, *op. cit.* (II, p. 190) qui situe l'événement vers oct. 1585. A bord de la galère se trouvaient deux Anglais que le fils de Ramadan a fait circoncire de force à Djerba.

Après 1589 : les révoltes en Afrique du Nord et dans l'Islam

L'année 1589 rompt la quiétude de la Méditerranée ; elle renouvelle des alarmes : en Europe, avec la crise française ; en Islam aussi.

Derrière les menus événements d'Afrique du Nord, se devine, si imparfaits que soient les renseignements, une crise étalée à l'Est et au centre de l'Afrique du Nord, dans l'espace que les Turcs y contrôlent depuis la reprise de Tunis, en 1574 ; et beaucoup plus loin encore, peut-être dans tout l'Islam méditerranéen. Ces révoltes et ces troubles n'étaient pas tout à fait nouveaux. A plusieurs reprises, pendant les années précédentes, des difficultés avaient surgi avec les lieutenants qu'Euldj Ali, cumulant les fonctions de capitaine pacha et de beglerbey, avait mis à Alger pour le remplacer. Peut-être la mort d'Euldj Ali, en 1587, aggrava-t-elle les choses ? En tout cas, le gouvernement turc jugea bon de substituer alors, au régime des beglerbeys, véritables « rois » locaux, celui des pachas triennaux[1].

C'est qu'il s'agissait essentiellement d'une crise de l'autorité turque. En face d'elle, les corsaires prenaient, ou cherchaient à prendre leur liberté. D'autre part, le Turc et le « More », comme dit Haedo, étaient restés quasi étrangers l'un à l'autre, même à l'intérieur de la ville d'Alger, le More étant maintenu dans une position inférieure par son vainqueur. Certains textes suggèrent des mouvements maraboutiques et indigènes, une réaction religieuse prenant, selon les lieux, des caractères occasionnels, mais toujours exercée contre le Turc envahisseur. « Partout où le Turc pose le pied, disait un révolté tripolitain, l'herbe cesse de croître et c'est la ruine »[2]. Ces mouvements indécis et pour nous peu clairs sont, en tout cas, liés aux débuts du relâchement des liens entre le Moghreb et la Turquie, dans la mesure où cette dernière ne possède plus la maîtrise de la mer. Ce n'est pas la mort d'Euldj Ali, en 1587, qui a été décisive, mais son échec, en 1582, dans sa tentative sur Alger[3] et, au delà d'Alger, vers Fez. Décadence ottomane, concluent les historiens. Plus précisément, ne s'agit-il pas, dans tous les pays d'Islam liés au système turc, à sa monnaie, à ses finances, à son autorité, d'une gêne et de troubles généralisés, bien que provisoires encore ?

Si ce n'est déjà la fin de la puissance turque, c'est au moins la mise en chômage de la grande et coûteuse politique méditerranéenne. Au début de 1589, les informateurs de Venise prêtent encore de grands projets à Hassan Veneziano, ex-beglerbey d'Alger qui, durant l'hiver, avait réussi, avec cinq galiotes, à aller d'Alger à Constantinople, « pour la honte des vaisseaux chrétiens » incapables de le saisir au passage[4]. Hassan était arrivé dans la capitale turque, le 10 janvier. Bientôt, le bruit courait que le nouveau « Kapudan Pacha » avait l'intention d'armer 50 à 60 galères et de pousser jusqu'à Fez, reprenant la tentative d'Euldj Ali. Les avis arrivant à Naples, parlaient de provisions de blé et de biscuits en Morée et de 100 galères destinées à Tripoli[5], chiffre considérable dont on s'était déshabitué depuis des années et que reproduisait, au même moment, l'information vénitienne[6]. La nouvelle préoccupa assez les Espagnols

1. Charles-André JULIEN, *Histoire de l'Afrique du Nord, op. cit.*, p. 538.
2. L. C. FÉRAUD, *op. cit.*, p. 83.
3. Ch.-André JULIEN, *op. cit.*, p. 537.
4. Juan de Cornoça à Philippe II, Venise, 4 févr. 1589, A. N., K 1674.
5. Miranda à Philippe II, Naples, 18 févr. 1589, Simancas E° 1090, f° 21.
6. Juan de Cornoça à Philippe II, Venise, 9 mai 1589, A. N., K 1674.

pour qu'ils aient envisagé d'envoyer, au printemps, des galères renforcées reconnaître, dans le Levant, les mouvements de l'ennemi[1]. Mais, en avril, on sut qu'on travaillait sans ardeur à l'arsenal de Constantinople et qu'il y aurait, au plus, cinquante galères pour le voyage de Berbérie, si voyage il y avait[2]. Un mois plus tard, on affirmait à Venise qu'il n'y aurait pas d'armada turque de conséquence[3]. Mais à la fin de mai et de juin, on annonçait à nouveau la venue de 30 à 60 galères turques, si bien qu'on décida de réunir, comme au temps jadis, les galères royales à Messine[4].

En fait, Hassan était parti le 18 juin ; le 22, il était à Négrepont où, le lendemain, il était rejoint par les « gardes » de Rhodes, d'Alexandrie et de Chypre. Ses navires avaient des chiourmes insuffisantes, disait un avis qui annonçait 80 voiles, entre galères et galiotes[5] (le chiffre semble exagéré d'après les avis postérieurs). Le 28 juillet, à Modon, il attendait encore 10 galères de Coron, pour poursuivre sa route[6]. Le départ se fit sans doute le 1er août, avec de 30 à 44 galères, d'après les chiffres fournis par Venise[7], 46 galères et 4 galiotes, disait-on à Palerme[8], assez « mal en ordre si l'on excepte la capitane »[9]. La flotte mit le cap en droiture sur Tripoli, transportant avec elle 8 000 hommes. Elle fut reconnue le long des côtes siciliennes, mais n'entreprit rien contre elles[10].

On mesurerait mal cet effort turc si l'on ne savait pas que le départ avait eu lieu malgré d'innombrables obstacles et, en première ligne, les troubles qui désolaient Constantinople depuis la fin du printemps[11]. Ces troubles, nés de la misère et de l'indiscipline militaire, avaient été en mai si inquiétants que les pachas ne s'étaient plus sentis en sécurité dans leurs maisons. « Des gardes se faisaient autour d'eux comme s'ils étaient dans un camp ennemi »[12]. Cette crise, au centre même de la puissance turque, n'est pas sans suggérer que les troubles qui traversent alors tout l'Islam sont moins indépendants les uns des autres qu'il n'y paraît. « Sur l'armada du Turc qui est allée à Tripoli, écrivait le comte de Miranda, le 8 septembre, on n'a rien appris jusqu'à présent, sinon qu'elle est arrivée dans cette ville, le 12 du mois dernier, et qu'Hassan Aga faisait diligence pour essayer de réduire les Maures qui s'y sont soulevés. Cependant que le Marabout, chef des révoltés, fait ce qu'il peut en sens contraire. Ayant avec lui de nombreux soldats, il désirerait qu'une armada chrétienne lui vînt en aide. C'est ce qu'on a appris « d'une galère de la Religion qui est allée donner

1. Miranda à Philippe II, Naples, 12 avr. 1589, Simancas Eº 1090, fº 35.
2. Le même au même, *ibid.*, fº 53. L'Adelantado de Castille à Philippe II, Gibraltar, 13 mai 1589, Simancas Eº 166, fº 72.
3. J. de Cornoça à Philippe II, 9 mai 1589, A. N., K 1674. Départ de 30 galères. Const., 22 juin 1589, A. N., K 1674 ; Miranda à Philippe II, 8 juill. 1589, Simancas Eº 1090, fº 83 ; Fco de Vera à Philippe II, Venise, 8 juill. 1589, A. N., K 1674.
4. Miranda, note précédente.
5. Miranda à Philippe II, Naples, 14 juill. 1589, Simancas Eº 1090, fº 89.
6. Avis du Levant, 27 juill. et 1er août 1589, A. N., K 1674.
7. Fco de Vera à Philippe II, 5 août 1589, A. N., K 1674, mêmes renseignements ; Miranda à Philippe II, Naples, 12 août 1589, Simancas Eº 1090, fº 105.
8. V.-roi de Sicile (à Philippe II ?), Palerme, 17 août 1589, Simancas Eº 1156.
9. Voir avant-dernière note.
10. D'où l'inutilité des mesures de défense prises par le comte d'Albe, v.-roi de Sicile : Albe à Philippe II, Palerme, 22 mai 1589, Simancas Eº 1156.
11. J. de Cornoça à Philippe II, Venise, 13 mai 1589, A. N., K 1674.
12. Le même au même, Venise, 10 juin 1589, *ibid.*

quelque secours à ces Maures »[1]. Ce fait est confirmé par un rapport des Chevaliers de Malte[2].

Ainsi, malgré les craintes qu'elle avait pu répandre, ce n'est pas à la Chrétienté qu'était destinée l'expédition d'Hassan. Les Turcs n'avaient nullement l'intention d'aller au devant d'une guerre avec l'Espagne. Ni à l'aller, ni au retour, ils n'ont touché les rivages de Naples ou de Sicile. A cette époque, d'ailleurs, se trouvait encore à Constantinople un agent semi-officiel de Philippe II et le régime des trêves successives n'était pas interrompu. En août-septembre, Philippe II donnait l'ordre à Jean André Doria de diriger une quarantaine de galères sur l'Espagne, pour y venir chercher des troupes. Preuve que si l'on jugeait nécessaire de garnir à nouveau les *tercios* de Naples et de Sicile, en prévision de difficultés à venir, on n'avait pas de grandes appréhensions pour le présent[3]...

Quelques mois plus tard, un avis de Constantinople annonçait le retour des 35 galères d'Hassan Pacha « dans un tel désordre que tous les Chrétiens qui résident ici se désolent qu'on les ait laissé revenir, perdant une si belle occasion. En vérité, on avait tenu ici cette flotte pour perdue, après la mort de la plus grande partie de ses rameurs et d'un bon nombre de ses soldats »[4]. Le ton de cet avis belliqueux est assez significatif. Si l'on travaille à l'Arsenal, c'est pour *espantar el mundo*.

L'auteur de cette lettre refuse pour sa part de s'y laisser prendre ; n'est-ce pas qu'il connaît et voit autour de lui les difficultés qui assaillent l'Empire turc ? Et l'on n'aurait sans doute pas fait un sort, ici, à l'expédition d'Hassan Veneziano si (outre que, par comparaison avec les temps jadis, elle mesure l'immense changement intervenu en Méditerranée) elle n'était pas un des éléments du paysage turc de ces années de crise, tel qu'on le devine sans le connaître avec exactitude.

Révolte à Constantinople, révolte à Tripoli. La distance est grande entre les deux villes. Mais la révolte se loge aussi en Tunisie où la relation d'un certain Mahamet Capsi[5] signalait, dès novembre 1589, l'irritation grandissante des indigènes contre les Turcs. Appel d'un isolé, aventurier ou rêveur, engagé dans des querelles personnelles et quêtant quelques barils de poudre, ou, plus simplement quelques ducats ? Non, car l'irritation du pays tunisien éclate, en 1590, avec une violence révélatrice. Toutes les *Annales* signalent, au mois de Hadja de l'année 999 de l'hégire, c'est-à-dire en 1590, le soulèvement de Tunis et l'assassinat de presque tous les Boulouk Bachis, officiers odieux à l'armée et au peuple et à qui toute l'administration était confiée[6]. Cependant, à Tripoli, la révolte recommençait avec la nouvelle année. Un avis de Constantinople annonçait, en mars, la mort du pacha de Tripoli et la situation désespérée des Turcs réfugiés dans le port. Il ne faudrait pas moins que la cavalerie du Caire pour les libérer, ou l'envoi, comme l'année précédente, de 50 à 60 galères[7].

1. Miranda à Philippe II, Naples, 8 sept. 1589, Simancas E⁰ 1090, f⁰ 124.
2. Relacion del viaje que hizieron las galeras de la religion de Sant Juan que estan al cargo del comendador Segreville en ausencia del General de la Religion, 1589, Simancas E⁰ 1156.
3. Miranda à Philippe II, Naples, 18 sept. 1589, Simancas E⁰ 1090.
4. Const., 8 déc. 1589, A. N., K 1674, Fco de Vera à Philippe II, Venise, 2 déc. 1589, A. N., K 1674 ; le même au même, 22 déc. 1589, *ibid.*
5. Palerme, 25 nov. 1589, E⁰ 1156.
6. Alphonse ROUSSEAU, *Annales Tunisiennes*, op. cit., p. 33.
7. Const., 2 mars 1590, Simancas E⁰ 1092, f⁰ 18.

Mais le temps n'est plus où armer 50 galères était un jeu pour le sultan. Selon un avis de Constantinople, du 16 mars 1590, le Grand Turc, pour limiter les frais, a offert le poste de gouverneur de Tripoli à quiconque accepterait d'armer, à ses frais, 5 galères et de servir avec elles dans l'entreprise. Or personne ne s'est offert... On parle alors d'armer 30 galères et d'y ajouter celles de la garde de l'Archipel, plus quelques fustes qu'on réquisitionnerait en Grèce[1]...

De toute évidence, à Constantinople, on s'inquiète fort des troubles persistants d'Afrique. Mais il n'est pas facile d'agir. L'arsenal ne peut recréer une flotte du jour au lendemain. Les soldats mal payés sont mécontents. Ce qui n'empêche point les Turcs, au contraire, de parler de 300 galères et le premier pacha de multiplier les arrogances, menaçant l'Espagne, l'empereur, la Pologne, Venise, Malte... Et comme la paix avec la Perse semble prochaine, ces menaces arrivent à provoquer quelque alarme : Venise met Candie en état de défense et pousse les travaux de son arsenal[2].

Cependant, la crise nord-africaine se poursuivait bon train. Deux captifs chrétiens, qui avaient réussi à quitter Tripoli, informaient le comte d'Albe, au début d'avril : « le Marabout continue son entreprise, affirmaient-ils. Et bien que l'Italie juge qu'il n'y aura pas d'armada turque cette année, on pense le contraire, vu que c'est pour eux une opération nécessaire. L'ennemi, leur retirant Tripoli, les met en aventure de perdre ce qu'ils tiennent en Berbérie, jusqu'à Alger. Tout s'effondrerait, c'est certain, si cette place de Tripoli se perdait »[3]. A Venise, on suit avec intérêt le développement de la révolte au moment où le Turc s'engage dans des négociations orageuses avec les Polonais. La nouvelle vient d'arriver, écrit l'ambassadeur espagnol à Venise, « que les Maures rebelles de Berbérie ont pris Tripoli et décapité les soldats de Tunis et la garnison de la ville, y compris le pacha. La forteresse est restée aux Turcs qui y sont assiégés ». On pense qu'ils seront secourus du Caire par terre[4]. Mais, remarque le comte de Miranda vers la même époque, tout cela pourrait bien finir par l'envoi d'une autre armada turque en ces parages[5].

En tout cas, il n'y avait pas eu lieu pour l'Espagne de s'en inquiéter. D'autant moins que la nouvelle arrivait alors à Madrid que la trêve hispano-turque avait été prolongée pour trois ans[6], « ce qui estoit fort désiré » à Madrid, note l'agent français. Le comte d'Albe s'obstinait à alerter les marines siciliennes, mais l'affaire nord-africaine suffisait, à elle seule, pour occuper toutes les forces à peine convalescentes de la flotte turque, voire de la cavalerie d'Égypte qu'on pourrait éventuellement envoyer[7]. La révolte tendait, en effet, à se généraliser. A Tabarca, l'île des coralleurs génois, qui est un excellent poste d'écoute, le comte d'Albe avait envoyé un agent, Juan Sarmiento. « Toute la Berbérie », lui confient Spirolo, le gouverneur, et son facteur, de Magis (à mots couverts car si le Turc savait que les honnêtes Génois informent les Chrétiens, que n'auraient-ils pas à craindre !), « toute la Berbérie est soulevée contre le Turc et de méchante manière, spécialement à Tunis où le pacha se trouve en grande nécessité avec ses soldats auxquels il doit six mois de solde et qu'il n'a aucun moyen de payer.

---

1. Const. 16 mars 1590, A. N., K 1674.
2. Fco de Vera à Philippe II, Venise, 31 mars 1590, A. N., K 1674.
3. Le comte d'Albe à Philippe II, Palerme, 7 avr. 1590, Simancas E° 1157.
4. Fco de Vera à Philippe II, Venise, 14 avr. 1590, A. N., K 1674.
5. Miranda à Philippe II, Naples, 14 août 1590, Simancas E° 1090, f° 15.
6. Longlée au roi, Madrid, 15 août 1590, p.p. A. Mousset, *op. cit.*, p. 401.
7. Const., 27 avr. 1590, A. N., K 1674.

Aussi bien son lieutenant et son conseil sont-ils prisonniers. Dans toute la Berbérie, les Turcs s'enfuient et s'embarquent pour Alger... ». « Ils me dirent également, ajoute Sarmiento, de suggérer à Votre Excellence et à l'infant (l'infant hafside que les Espagnols ont en réserve) d'envoyer 70 galères : à leur seule apparition dans le golfe de La Goulette, les Maures tailleront en pièces les Turcs, à condition que l'infant soit d'accord avec Sa Majesté pour que les biens des Maures ne soient pas saccagés »[1]. Ils se sont d'ailleurs étonnés de ce que, « au moment où Hassan Aga était venu à Tripoli et avait fait campagne à terre avec 3 000 Turcs, laissant ses galères désarmées », on n'ait pas envoyé de Sicile « 20 galères qui les auraient prises toutes et brûlées »[2].

Mais n'est-ce pas en connaissance de cause que les Espagnols alors se sont abstenus d'agir ? Il n'est pas dans leur intention, à propos de Tripoli ou de telle autre partie de la Berbérie, de faire reprendre feu et flammes à la guerre turco-espagnole. Une lettre du comte d'Albe, d'avril 1590, le dit sans fard[3]. Des galères de Florence venaient d'arriver à Palerme, « bien renforcées de chiourme et d'infanterie... On disait qu'elles allaient se joindre à Malte avec celles du grand maître pour aller à l'entreprise de Tripoli et donner occasion au Turc d'envoyer son armada en Ponent, pour embarrasser Sa Majesté ». Pour embarrasser Sa Majesté : on ne peut être plus clair. Albe apprendra plus tard avec satisfaction que les galères florentines n'avaient d'autre intention que d'aller en course avec les chevaliers, une fois de plus pour surprendre la « caravane » des galions, entre Rhodes et Alexandrie[4]. S'il est possible, les Espagnols ont encore moins d'empressement que les Turcs à reprendre les luttes anciennes.

Cette attitude a contribué à limiter les révoltes d'Afrique du Nord. Elles n'opposent trop souvent que des indigènes mal armés, pourvus au mieux de quelques arquebuses, à des villes fortes, à des troupes entières d'arquebusiers, munies d'artillerie par surcroît. Si la tâche des présides turcs n'est pas facile, elle n'est pas désespérément au-dessus de leurs forces, tant que les rebelles n'ont à compter que sur eux-mêmes. C'est ainsi que, durant l'été 1590, la trahison livrait aux Turcs le marabout tripolitain qui leur faisait échec. Au début de mai, on avait signalé qu'il s'était retiré à Cahours, laissant toute la marine aux Turcs, précaution normale au moment où l'arrivée d'une nouvelle flotte turque devenait possible[5]. Peu après, un avis du 21 mai annonçait à Naples son assassinat[6]. De Constantinople, le 8 juin, il est précisé « que la peau du Marabout qui souleva Tripoli et d'autres lieux de Berbérie avait été exposée, mise en croix, sur l'une des places les plus fréquentées, en signe de triomphe et pour la honte des Chrétiens. Ensuite, on l'avait accrochée au gibet ordinaire »[7]. Le 2 juin, on annonçait, il est vrai, que le Marabout avait déjà un remplaçant, et plus agressif[8]. Mais il semble que le Turc ait désormais été moins inquiété à Tripoli. En dehors des petites escadres de galères qui firent le va-et-vient entre Constantinople et l'Afrique du Nord — les 10 galères qui accompagnèrent, par

1. 25 avr. 1590, *Relacion q. yo Juan Sarmiento hago para informacion de V. Exª del viaje que hize para la isla de Tabarca en Berveria de orden de V. Exª*, Simancas Eº 1157.
2. *Ibid.*
3. Au roi, Simancas Eº 1157.
4. Const., 25 mai 1590, A. N., K 1674 ; Albe à Philippe II, Palerme, 2 juin 1590, Simancas Eº 1157.
5. Albe à Philippe II, Palerme, 5 mai 1590, Simancas Eº 1157.
6. Simancas Eº 1092, fº 32.
7. A. N., K 1674.
8. Albe à Philippe II, Palerme, 2 juin 1590, Simancas Eº 1157.

exemple, Jaffer Pacha, nommé au gouvernement de Tunis[1] — aucun vaste effort maritime ne fut tenté cette année-là par les Turcs. Et pas davantage en 1591, ni en 1592, si le contrôle de nos sources est exact. Parce que cet effort n'était pas absolument nécessaire ou parce qu'il était au-delà des forces réelles de la Turquie ? C'est un fait cependant que la crise nord-africaine a, finalement, moins profité aux indigènes qu'aux Turcs d'Afrique, aux garnisons et aux petites colonies ottomanes dont elle a consacré la quasi-autonomie. Ne sont-elles pas, de plus en plus, obligées de vivre par elles-mêmes et d'elles-mêmes ? A Alger, où l'on devine cette évolution, c'est la république des reïs, la *taïfa* qui l'emporte, et il en résulte une expansion de la course. De même à Tunis, où la piraterie prend son essor avant la fin du siècle. Déjà se dégagent les physionomies des Régences barbaresques, plus qu'à demi maîtresses de leurs destins[2]... D'autre part, les rapports avec Constantinople se raréfiant, nul doute que l'Afrique du Nord ne devienne, avec le siècle finissant, un monde plus ouvert que par le passé au commerce et aux intrigues de la Chrétienté, un monde qui s'offre aux convoitises et aux entreprises des voisins d'en face. C'est une ville, Bougie, que propose de livrer un marchand français[3] ; des ports que céderait le roi de Kouko, si l'on voulait bien l'aider contre Alger[4]. C'est Bône qu'en 1607 pilleront sans difficultés les galères de Toscane... Un âge est révolu pour l'Afrique du Nord. Elle a cessé de vivre au rythme de l'Orient.

La crise financière turque

Resterait à comprendre comment la crise des années 1590-1593 se lie à l'ensemble de l'histoire turque. A côté de causes locales (ainsi en ce qui concerne l'Afrique du Nord), elle doit en avoir de générales, puisque, réprimée ici ou là, on la voit paraître, disparaître, reparaître dans presque toutes les provinces du monde turc. Et par exemple en Asie Mineure, terre par excellence de soulèvements et de troubles, et aussi à Constantinople où, après les incidents de 1589, les spahis se rebellent une nouvelle fois, en janvier 1593[5].

Tout cela est peut-être à mettre en rapport avec la crise financière turque qui suit l'année 1584. Cette année-là[6], le gouvernement turc commence, en grand, ses manipulations monétaires. Il suit en cela l'exemple de la Perse qui, d'un seul coup, avait dévalué sa monnaie de 50 p. 100. En tout cas, les pièces d'or (encore l'or africain) que les Turcs se faisaient livrer au Caire sur la base d'un *sultanin* = 43 *maidin* étaient comptées aux soldats, pour leurs payes, sur la base de 85 *maidin*, ce qui indique une dévaluation équivalente à la dévaluation perse de 50 p. 100. D'ailleurs le sequin vénitien, qui avait la même valeur que le sultanin, passait en même temps de 60 aspres à 120. Il y avait eu aussi refonte des aspres, ces petites pièces d'argent, monnaie standard des pays turcs et, par excellence, des paiements aux soldats. On y mêlait de plus en plus de cuivre, tout en les amincissant : elles étaient « légères comme feuilles

---

1. Const., 8 juin 1590, A. N., K 1674.
2. F. BRAUDEL, *in : Rev. Afric.*, 1928.
3. J. A. Doria à Philippe II, 6 juin 1594, Simancas E⁰ 492.
4. Sur ce roi de Kouko, se reporter à la note précédente et à son analyse, F. BRAUDEL, « Les Espagnols en Algérie », *in : Histoire et Historiens de l'Algérie*, 1930, p. 246. Sur un incident analogue, des fortifications à Africa qu'il faudrait jeter à bas, le duc de Maqueda à Philippe II, Messine, 12 août 1598, Simancas E⁰ 1158.
5. J. von HAMMER, *op. cit.*, VII, p. 264.
6. J. W. ZINKEISEN, *op. cit.*, III, p. 802.

d'amandiers et aussi dépourvues de valeurs que gouttes de rosée », déclarait un historien turc de ce temps-là[1]. Les troubles des spahis, en 1590, ne répondaient-ils pas à ces émissions de fausse monnaie ? Une information vénitienne de cette même année[2] montre que la manipulation des monnaies se poursuivit en ce qui concernait le thaler turc (entendez la piastre, ou encore le *grush*) qui, au début du siècle, valait 40 aspres. Sous le règne de Mohammed III (1595-1603), l'effondrement de la monnaie devait continuer, le sequin passant de 120 à 130, puis 220, cependant que le fisc continuait, imperturbablement, à le prendre au cours ancien de 110. « L'empire est si pauvre, si épuisé, écrivait l'ambassadeur espagnol à Venise[3], qu'il n'y court plus comme seule monnaie que des aspres de fer pur. » Exagération évidente mais révélatrice à sa manière de cette débâcle intérieure dont la grande histoire tient peu compte.

De 1584 à 1603 se sont succédé au moins deux crises monétaires et, au-delà des variations de la monnaie, des crises financières graves. Avec un décalage dans le temps, l'extrémité Est de la Méditerranée se heurtait au mêmes difficultés que l'Ouest avait déjà rencontrées. Mais elle n'avait point, pour les pallier, les ressources nouvelles de la péninsule Ibérique, ouverte sur l'Océan, face à l'argent d'Amérique. On peut donc penser en gros que la banqueroute et la faiblesse turques ont engendré, aux environs de 1590, une crise rapidement généralisée, du fait du non-paiement des troupes et de l'action diminuée du pouvoir central. La barrière rompue, ou sur le point de se rompre, laisse apparaître, ici ou là, les manifestations les plus diverses : politiques, religieuses, ethniques, voire sociales. Une série d'émeutes et de troubles ont suivi, dans le vaste Empire, la dégringolade de la monnaie[4].

Mais il ne s'agit là que d'une explication provisoire. Elle aurait besoin d'être complétée, nuancée et certainement corrigée. Toutes choses que pourra seule obtenir une enquête approfondie dans les archives turques.

1593-1606 : reprise des grandes opérations sur les fronts de Hongrie

La guerre n'avait jamais cessé, depuis la trêve de 1568, sur les larges frontières continentales de la Turquie, depuis l'Adriatique jusqu'à la mer Noire. La guerre, plutôt une espèce de piraterie terrestre. Elle avait ses spécialistes, qui en vivaient, par populations entières : Uscoques et Martoloses sur les frontières dalmates et vénitiennes ; Akindjis (Bachi Bouzouks avant la lettre) et Haïdouks sur les vastes confins de la Hongrie ; Tartares et Cosaques à travers les larges zones indécises entre Pologne et Moscovie d'une part, Danube et mer Noire de l'autre. Cette guérilla incessante avait prospéré pendant le long entr'acte inauguré par la trêve de 1568, conclue pour huit ans, renouvelée en 1579 et en 1583.

D'autant qu'à partir de 1578, les forces turques avaient été détournées vers l'Asie : du coup, la frontière, du côté turc, avait été abandonnée à elle-

---

1. *Ibid.*, p. 803.
2. Fco de Vera à Philippe II, Venise, 14 avr. 1590, A. N., K 1674 « ... *con que havian baxado los talleres diez asperos cada uno* ».
3. D. Iñigo de Mendoza à Philippe II, Venise, 9 sept. 1590, aut., A. N., K 1677.
4. Le dernier état de la question, Vuk VINAVER « Der venezianische Goldzechin in der Republik Ragusa », *in : Bollettino dell' Istituto di Storia della Società e dello Stato veneziano*, 1962.

même, et des désordres avaient commencé, qui ne sont pas à rapprocher, sans plus, quant à leur nature, de ceux d'Afrique du Nord, mais qui s'autorisent des mêmes déficiences. Sinan Pacha, en juin 1590, l'expliquait à la reine d'Angleterre, à propos des confins de Pologne : « Profitant de la guerre de Perse, écrivait-il, pendant laquelle le Grand Seigneur ne voulait pas aller batailler sur d'autres fronts, des voleurs, Cosaques de Pologne et autres gens, n'ont cessé de molester les sujets du Turc ». La guerre de Perse achevée, le sultan entendit punir ces raids. Dans le cas polonais, il accepta pourtant de régler le conflit à l'amiable (un accord sera en effet signé en 1591[1]), mais uniquement à cause de l'intervention de la reine, qui avait déclaré s'intéresser à la Pologne parce que ses sujets s'y fournissaient de blé et de poudre à canon. Sinan ne parle pas des présents qu'avaient apportés les ambassadeurs polonais, en même temps que la promesse de leur roi de punir lui-même les Cosaques.

Ce qui vaut pour les confins turco-polonais, dévastés par les incessants pillages de troupeaux et de villages, vaut pour l'ensemble de la longue frontière. Et plus encore pour celle de l'Empire habsbourgeois qui, au centre et à l'Ouest, est un voisin plus dangereux que Polonais et Russes, lesquels, dans le Sud, débouchent souvent sur le vide, ou sur les pays roumains que le Turc ne tient pas directement sous sa coupe. Bien entendu, n'imaginons pas les Turcs comme les éternelles victimes ; la guérilla ne se fait pas à sens unique. Et si l'on voulait en croire les Impériaux, les Turcs sont les seuls coupables. Il n'y a pas un *beg* de la frontière turque, maître du moindre château, qui ne participe à cette guerre endémique, dans un domaine où il est son propre maître, avec son armée, ses combinaisons, ses points d'appui personnels. Les Chrétiens, châtelains de la frontière, « bans » de Slavonie et de Croatie, ne se contentent pas, quoi qu'on ait dit, d'écarter les raids ennemis, de les contenir ou de les « prévenir », comme firent le comte Joseph de Thurn et le ban Thomas Eröddy lorsqu'en octobre 1584, et deux ans plus tard, en décembre 1586, ils écrasèrent des bandes turques en Carinthie[2]. En fait, chacun faisait de son mieux, et les combats locaux conduisaient souvent à de véritables batailles rangées, avec des centaines, voire des milliers de prisonniers. Sous le poids de ces épreuves, la Hongrie entière, chrétienne et musulmane, a été affreusement ravagée, de même que la Carinthie, les confins de Styrie, les marches de Slavonie, de Croatie et la Carniole, où la ligne des châteaux et des villes fortes, les reliefs ou les marécages des fleuves ne constituaient pas une barrière infranchissable[3]. Le feu n'était jamais éteint tant que durait la saison favorable aux coups de main. Encore la trêve d'hiver n'était-elle pas infrangible. Le résultat, on le devine : la création d'affreux déserts en ces pays de marche. Y combattre avec de grosses armées posait un impossible problème. De Bude, par exemple, de grandes caravanes de bœufs étaient organisées pour ravitailler la forteresse avancée de Gran. Mais si, d'aventure, les Chrétiens les interceptaient, les paysans de la plaine hongroise à qui on avait emprunté les bêtes n'avaient plus d'animaux pour leurs charrues et y attelaient leurs femmes. Une guerre inexpiable, inhumaine. Quand elle reprend, dans la dernière décennie du XVIe siècle, elle est pour les Turcs une seconde guerre de Perse, aussi dure, aussi coûteuse et, pour finir, aussi longue (1593-1606).

1. 12 juin 1590, R. HAKLUYT, *op. cit.*, II, p. 294-295. L'accord sera conclu en 1591. J. W. ZINKEISEN, *op. cit.*, III, p. 657.
2. J. W. ZINKEISEN, *op. cit.*, III, p. 582.
3. *Ibid.*

Jusqu'à cette date, bien que dans les combats de la guérilla le dernier mot fût souvent resté aux Chrétiens, la politique impériale s'en était tenue aux clauses de la trêve de 1568. Dès 1590, elle en avait négocié le renouvellement pour huit ans, contre paiement de l'habituel tribut de 30 000 ducats, augmenté d'un présent extraordinaire en pièces d'argenterie. Cette politique d'apparente faiblesse est un héritage, un complexe d'infériorité et n'appelle pas d'explications particulières.

Ce que l'on comprend plus difficilement, c'est l'attitude des Turcs. On savait qu'après la paix avec les Perses, ils allaient faire leur rentrée en scène vers l'Occident. Rodomontades et grands mots l'annonçaient. Mais tout le danger ne pouvait-il pas fondre sur Venise, par exemple ? La Seigneurie mettait sa flotte en alerte ; elle se hâtait de fortifier Candie, dès le printemps 1590 et en 1591, y expédiait, d'un seul coup, deux mille fantassins[1]. Les ambassadeurs de France et d'Angleterre sollicitaient le Grand Seigneur d'envoyer sa flotte en Méditerranée. Dès 1589[2], puis au début de 1591, on parla à Constantinople de 300 galères en préparation et qui se porteraient au secours des Morisques d'Espagne, qu'on disait révoltés[3]. Or, c'est vers le Nord que l'orage se détourna.

Peut-être à cause de la défaite, en 1593, du gouverneur de Bosnie, Hassan, sous les murs de Sissek, en Croatie. Les années précédentes, cet Hassan avait déjà procédé à de larges opérations contre les Uscoques[4] ; en 1591, il avait dévasté le pays entre Kreuz et Suanich et avait récidivé au printemps 1592[5]. Provocations peut-être méditées. Or, en juin 1593, on apprit à Constantinople que les habituelles opérations de nettoyage, dans ces mêmes régions, s'étaient terminées par une défaite complète sur les bords de la Kulpa. Hassan y avait lui-même trouvé la mort, ainsi que des milliers de Turcs ; un énorme butin était tombé aux mains des vainqueurs.

Cette nouvelle fit pencher la balance jusque-là indécise entre les partisans de la paix et les bellicistes, au premier rang desquels se trouvait Sinan Pacha, l'adversaire déterminé des Chrétiens et des Impériaux, l'homme de la guerre de Hongrie, l'homme de l'armée, imposé par elle comme grand vizir. On ne peut sous-estimer le rôle de l'implacable Albanais, vieillard têtu, rusé, infatigable amasseur de trésors. Peut-être les Impériaux avaient-ils eu le tort de ne pas l'estimer à sa valeur, dans les négociations commencées en 1591. Cependant, la rentrée au pouvoir de Sinan n'avait pas amené de rupture immédiate. Les pourparlers avaient continué avec l'ambassadeur impérial, von Kreckwitz. Et même, le fils de Sinan Pacha, beglerbey de Roumélie, avait servi d'intermédiaire.

La nouvelle de Sissek a-t-elle fait autre chose que provoquer l'éclatement d'un orage longtemps préparé et qu'il était peut-être nécessaire de faire éclater à Constantinople ? La fin de la guerre de Perse a mis le gouvernement du sultan devant l'habituel problème des démobilisations et du remploi des troupes. Il doit faire face à l'émeute des soldats non payés. En 1590, elle prend des allures de révolution. Autant que les humeurs changeantes d'Amurat III, cette situation pèse sur les destinées de l'Empire et entraîne

1. Fco de Vera à Philippe II, Venise, 3 mars 1590, A. N., K 1674 ; J. W. Zinkeisen, *op. cit.*, III, p. 623.
2. Le même au même, Venise, 3 sept. 1589, A. N., K 1674.
3. Const. 5 janv. 1591, A. N., K 1674.
4. J. W. Zinkeisen, *op. cit.*, III, p. 581.
5. *Ibid.*, p. 585.

une cascade de grands vizirs, nous dirions de ministères. La nécessité de débarrasser la capitale de son peuple de soldats pousse vers cette nouvelle guerre continentale. Dans le vieux livre de Hammer, si près des sources, plein d'anecdotes, on nous présente le grand vizir Fehrat (vizir un instant, en 1594) assailli dans les rues de la capitale par des spahis mécontents à qui l'on avait refusé le paiement de leur solde. Et le grand vizir de leur répondre : « Allez aux frontières, c'est là que vous serez payés »[1]. En 1598, les janissaires se soulevèrent encore à cause de la mauvaise monnaie qu'on leur donnait, et un avis du 18 avril déclare qu'il était impossible de vivre dans cette ville, en telle compagnie[2]. Trois ans plus tard, ce fut le tour des spahis. Mêmes incidents, entre le 20 et 25 mars[3], et plus d'un mois après cette émeute des lettres de Constantinople déclaraient que « les libertés et les insolences des gens de guerre » avaient obligé la plupart des marchands à fermer boutique[4].

En 1593, la guerre de Hongrie eut au moins ce résultat de donner de l'embauche aux troupes oisives de Constantinople.

Cette guerre de quatorze années (1593-1606) nous est connue dans ses faits divers, militaires et diplomatiques[5]. Le récit en est informe dans Hammer, qui l'a calqué sur les sources. Repris par Zinkeisen et par Iorga, il ne laisse pas d'être décevant. Il ne s'agit pas de le reprendre dans ce livre que seules les grandes lignes peuvent intéresser.

Grandes lignes peu faciles à dégager car cette guerre est monotone, commandée par la nature du théâtre des opérations, de part et d'autre de la vaste zone, semée de châteaux et de places fortes, qui va de l'Adriatique aux Carpathes. Les adversaires préparent chaque année une armée plus ou moins nombreuse. Celle des deux armées qui s'ébranle la première enlève sans mal une série de châteaux et de villes fortes : les troupes de position faisant plus ou moins bien leur devoir, il est fréquent qu'elles évacuent, dès qu'elles se sentent en difficultés, ou qu'elles livrent sans combat toute une série de points fortifiés. Ces points occupés, le vainqueur les gardera ou non : c'est une question d'effectifs et de crédits. Mais jamais — le fait est d'importance — jamais la brèche ouverte dans la zone des forteresses ne sera l'occasion d'une entrée profonde

---

1. J. von Hammer, op. cit., VII, p. 297.
2. A. N., K 1677.
3. Const., 18 avr. 1601, A. N., K 1677.
4. Const., 4 mai 1601, ibid. Sur ces incidents de 1601, leurs causes et leurs antécédents, voir également, Const., 27 mars 1601, A. N., K 1630 ; Iñigo de Mendoza à Philippe III, Venise, 13 mai 1600, aut. K 1677 ; Lemos à Philippe III, Naples, 8 mai 1601, K 1630 ; Fco de Vera à Philippe III, Venise, 5 mai 1601, K 1677 et Const., 29 nov. 1598, K 1676.
5. J. von Hammer, op. cit., t. VII, et J. W. Zinkeisen, op. cit., t. III. Quelques dates : 1594, prise de Novigrad par les Impériaux ; 1595, prise de Giavarino par les Turcs, grosse émotion en Chrétienté, G. Mecatti, op. cit., II, p. 799 ; 1598, reprise de Giavarino, Simancas E° 615 ; 16 mai 1598, I° de Mendoza à S. M., Venise, A. N., K 1676, colère du sultan à la nouvelle de la prise de Giavarino ; 11 avr. 1598, I° de Mendoza à S. M., nouvelle de la prise de Giavarino arrivée à Venise le 6 avr., A. N., K 1676 ; 5 déc. 1598, Inigo de M. au roi, Venise : satisfaction des Vénitiens quand ils apprennent que les Impériaux ont levé le siège de Bude ; 28 nov., I° de Mendoza à S. M., les Turcs ont levé le siège de Vadarino, les Impériaux celui de Bude, A. N., K 1676 ; 20 oct., fausse nouvelle mais pas donnée comme telle de la prise de Bude, I° de Mendoza, A. N., K 1676 ; 4 nov. 1600 : Fco de Vera à S. M., Venise, A. N., K 1677, prise de Canisia par les Turcs le 22 octobre ; 11 août 1601 : di Viena A. N., K 1677, défaite des Transylvains par les Impériaux près de Goroslo; 21 oct. 1601 : défaite de l'Écrivain, célébrée par de grandes fêtes, Constantinople, 21 oct. 1601, A. N., K 1677 ; 10 nov. 1601 : la défaite de l'Écrivain n'est pas tenue pour certaine. Fco de Vera à S. M., Venise, A. N., K 1677 ; 1er déc. 1601 : échec de l'assaut impérial contre Canisia, Fco de Vera à S. M., Venise A. N., K 1677.

chez l'ennemi. A cela, bien des raisons. La première : on risque de mourir de faim dans ces zones dévastées, hostiles à l'homme. Y transporter son ravitaillement, il n'y faut guère songer. On risque aussi de voir les forteresses laissées intactes, de part et d'autre de la pénétration, joindre leurs garnisons et isoler le vainqueur. Surtout, bien que les Impériaux aient fait, de ce point de vue, des progrès considérables, aidés par les cavaliers hongrois, ils ne sont pas assez pourvus d'une cavalerie conçue comme une arme à elle seule. Les Turcs en ont, de leur côté, moins qu'on ne le supposerait. Ils doivent en demander à leurs alliés : en 1601[1], les galères turques vont chercher des cavaliers tartares pour les conduire vers la Hongrie. Or, c'est par de puissants raids de cavalerie que les Turcs avaient, jadis, conquis les Balkans ; par des raids de cavalerie que, plus tard, Charles de Lorraine, puis le prince Eugène repousseront la frontière chrétienne loin vers le Sud. Les armées de 1593 manquent de ce qui serait essentiel pour de grandes opérations.

De 1593 à 1606, le récit se perd dans des détails microscopiques : une série de sièges, des villes surprises, rendues, sauvées, bloquées ou débloquées. Sans qu'il en sorte jamais grand'chose. Deux ou trois grands événements seulement : les prises de Gran et de Pesth par les Chrétiens, la prise d'Erlau, et la reprise de Gran (1605) par les Turcs... Rarement les armées se rencontrent. Il n'y aura ainsi qu'une grande bataille de trois jours, confuse d'abord, achevée par la victoire du sultan, lequel avait accompagné ses troupes, du 23 au 26 octobre 1595, dans la plaine de Keresztes. Mais cette bataille ne fut pas décisive : la trêve obligatoire de l'hiver obligea le sultan à retirer ses troupes jusqu'à Bude et à Belgrade.

Cependant, au milieu de ces opérations monotones, une zone de guerre se dessine, assez nette. La frontière impériale, appuyée à l'Ouest sur les Alpes, à l'Est sur les Carpathes, s'étend d'une masse montagneuse et forestière à une autre masse boisée et également accidentée. C'est dans l'entre-deux que la guerre s'établit, en Hongrie, dans cette large plaine découverte où les grands chemins sont le Danube et la Tisza que la batellerie utilise pour les transports de troupes et le ravitaillement. De temps à autre, la guerre les enjambe, grâce à de fréquentes constructions de ponts. Des deux routes qui montent vers le Nord, celle du Danube est peut-être la plus déserte, la plus exposée. La vallée de la Tisza n'offre pas un meilleur chemin, sans doute, mais des gîtes plus confortables et un ravitaillement plus commode. Elle a l'avantage de se trouver au milieu d'un pays pacifié.

La leçon de la guerre, en bloc, c'est l'indéniable montée des Impériaux dont les premiers succès firent beaucoup, peut-être beaucoup trop de bruit en Europe[2] et que l'on fêta largement, en 1595. Il est vrai que la guerre n'avait pas surpris les Impériaux. Ils ont vu venir le danger et sollicité à temps les concours du Reich et de l'Erbland. Ils ont reçu en temps voulu des aides d'Italie, de la Papauté, de la Toscane. Aide substantielle, car l'Italie est riche en cette fin de siècle et se sait l'objet des convoitises turques. Le pape a accordé à l'empereur des secours en argent et la levée de décimes. Le grand-duc de Toscane a offert une armée[3]. Et une grosse pression a été exercée sur Venise pour qu'elle

1. Const., 4 mai 1601, A. N., K 1677. Il ne s'agit, il est vrai, que de quatre galères.
2. G. MECATTI, op. cit., II, p. 789, p. 809.
3. Ibid., p. 790. Sur la mission du cardinal Borghese en Espagne, voir l'instruction de Clément VIII, 6 oct. 1593, p.p. A. MOREL FATIO, L'Espagne au XVIe et au XVIIe siècle, p. 194 et sq.

se rangeât aux côtés de l'empereur. En vain d'ailleurs. La Seigneurie s'est refusée à abandonner sa politique de neutralité armée, continuant à ravitailler les Turcs, à ses portes mêmes, pour la plus grande irritation de l'Espagne[1]. Des tentatives aussi infructueuses seront faites pour que la Pologne et la Moscovie viennent au secours des Impériaux. Ce qu'il faut souligner davantage, c'est que l'Allemagne, à peu près en paix avec elle-même depuis 1555, depuis 1568 officiellement en paix avec la Turquie, depuis 1558 à l'abri de tourmentes éventuelles du Nord, vient de traverser une longue période de tranquillité et de croissance. Sa force se fait sentir sur sa frontière où la présence d'Italiens et de Français dessine une frontière commune à la Chrétienté.

Mais d'autres frontières s'animent. A côté de la bataille principale surgissent des théâtres secondaires d'opérations : ceux de Croatie et de Slavonie d'une part ; de l'autre, pesant d'un tout autre poids sur le destin de la guerre, ceux des pays de l'Est, Valachie et Moldavie, riches greniers à blé et réserves de bétail que Constantinople draine à son profit ; Transylvanie, monde complexe, hongrois, roumain et allemand à la fois, allemand dans une série de villes fortes et industrieuses, curieuses greffes germaniques dont le rôle historique a été immense. Or justement, ce sont ces tiers — en gros les pays que couvre l'actuelle Roumanie — qui semblent avoir décidé du sort de la guerre hongroise. Au début, leur intervention brutale en faveur des Impériaux a entraîné la très grave crise de 1594-1596, dont l'Empire turc ne s'est sauvé de justesse que par la providentielle victoire de Keresztes. Par contre, la seule intervention de la Transylvanie, en 1605, cette fois contre les Impériaux, a permis aux Turcs de regagner, d'un seul coup, le terrain perdu et d'obtenir facilement la paix blanche de Sitvatorok (11 novembre 1606).

C'est en 1594, alors qu'en Hongrie la situation restait indécise, que les trois pays tributaires, Transylvanie, Valachie et Moldavie, se révoltèrent contre le sultan, pour s'accorder avec l'Empereur Rodolphe[2]. Michel le Brave, en Valachie, fit un massacre des anciens maîtres du pays. Cette triple révolte faisait une diversion puissante à la guerre turco-impériale. Mais sur le rôle de ce bloc balkanique entre Pologne, Russie et Danube, l'histoire traditionnelle ne nous offre, une fois de plus, que des commentaires sur les grands acteurs du jeu, plutôt que sur le jeu lui-même. Les grands acteurs, à savoir Sigismond Bathory, maître et dur maître des pays transylvains, que le pape aida d'argent et qui rêva de conduire la croisade qui s'esquissait sur les bords du Danube[3] ; Aaron, voïvode de Moldavie ; et enfin, grande figure difficile à saisir, plus encore à juger, Michel le Brave, maître de la Valachie et des vastes régions voisines.

La coïncidence de ce soulèvement et de l'avènement de Mahomet III en aggrave encore la portée. Aussi bien, durant l'été 1595, ce fut contre Michel le Brave que Sinan Pacha poussa rudement ses troupes. Il franchit le Danube en août, prit Bucarest, puis Tergowist, l'ancienne capitale de la Valachie. Mais, en butte à l'agressivité des boïards et de leur cavalerie, il ne put se maintenir dans ses conquêtes. Il dut brûler les remparts de bois hâtivement construits, à l'approche de l'hiver, et sa retraite tourna au désastre : seuls les débris de l'armée repassèrent le Danube avec lui. Les vainqueurs cependant poussaient

1. *Consejo sobre cartas de Fco de Vera*, mai 1594, Simancas E⁰ 1345. L'Espagne reproche aussi à Venise sa politique en faveur de Henri IV.
2. J. W. ZINKEISEN, *op. cit.*, III, p. 587.
3. G. MECATTI, *op. cit.*, II, p. 800 (1595), N. IORGA, *op. cit.*, III, p. 211.

vers le Sud, par les routes couvertes de neige, prenaient Braïla et Ismaïla, cette dernière ville, création récente des Turcs, étant la plus forte place du Danube inférieur[1]. En Transylvanie, les Turcs n'étaient guère plus heureux : un de leurs corps expéditionnaires se perdait, hommes et biens, y compris l'artillerie[2]. De leur côté, les Impériaux écrasaient la petite armée qui essayait de débloquer Gran (4 août). La ville se rendait, le 2 septembre 1595.

Cette situation compromise fut prise en main par le sultan en personne et rétablie, les 23-26 octobre 1596, par sa victoire de la plaine de Keresztes. Gardons-nous donc de trop grossir, pour les débuts de la campagne, un relève-ment « allemand », indéniable par ailleurs. Gardons-nous surtout de parler, une fois de plus, d'irrémédiable décadence des Osmanlis, bien que le thème apparaisse déjà chez les contemporains d'Occident. L'Empire commence à « se défaire maillon par maillon », notait un ambassadeur espagnol[3], mais le témoignage n'a pas tout à fait le sens qu'on pourrait lui prêter. D'ailleurs, le Turc fut prudent. Face à la Transylvanie et aux « provinces danubiennes », il sut temporiser, négocier aussi. Instruit par l'expérience, il ne toucha plus de sitôt au nid de guêpes valaque. Il poussa les Polonais vers ces riches plaines qui lui échappaient provisoirement[4], de façon à les neutraliser autant que possible. Il ne put tout à fait éviter de recevoir, de temps à autre, quelques coups de boutoir des troupes de Michel le Brave[5], mais il fut libre de se tourner vers l'empereur dans de bien meilleures conditions.

Les dernières années de la guerre opposent d'ailleurs des forces beaucoup plus équilibrées et qui s'épuisent dans cette lutte monotone et coûteuse. Épuisement financier[6], militaire aussi. Du côté turc, les troupes se dérobent à leur tâche[7], mais les soldats impériaux en font autant[8]. De part et d'autre, les forces sont insuffisantes au dire des experts[9]. Et, de part et d'autre, l'exaltation des débuts de la guerre est tombée[10]. En 1593, sur ordre de l'empereur, tous les jours, à midi, avait sonné la *Türkenglocke*, la cloche des Turcs, destinée à rappeler, quotidiennement, que la guerre était engagée contre le grand ennemi. En 1595, le Sultan Amurat avait fait transporter en grand apparat, de Damas où il était conservé, jusqu'en Hongrie, le drapeau vert du Prophète. Mais, en 1599, personne n'avait plus de goût pour de tels gestes et le grand vizir Ibrahim engageait de sérieuses négociations de paix[11]. Elles se continuèrent en même temps que la guerre monotone. Des deux côtés, « l'arrière » tenait

---

1. N. IORGA, *Storia dei Romeni*, p. 213.
2. G. MECATTI, *op. cit.*, p. 801.
3. Fco de Vera à Philippe III, Venise, 5 mai 1601, A. N., K 1677.
4. Const., 17 mars 1601, A. N., K 1677.
5. Ainsi au début de 1600, près de Témesvar, D. Iñigo de Mendoza à Philippe III, Venise, 26 févr. 1600, A. N., K 1677, et comme en 1598 avec l'appui des Transylvains et durant l'hiver (3 janv. 1598), A. N., K 1676.
6. Vienne, 28 mars 1598, A. N., K 1676.
7. P. PARUTA, *op. cit.*, p. 15 et 16.
8. Iñigo de Mendoza à Philippe III, Venise, 19 déc. 1598, A. N., K 1676.
9. Le même au même, 11 juill. 1598, *ibid* (11 et non 18 juill., comme l'indique le classement des archives).
10. Juan de Segni de Menorca à Philippe II, Const. 3 nov. 1597, A. N., K 1676. Des soldats turcs désertent et se réfugient dans les villages chrétiens.
11. J. W. ZINKEISEN, *op. cit.*, III, p. 609. Bruits de paix : le duc de Sessa à Philippe III, Rome, 14 juill. 1601, A. N., K 1630 ; D. Iñigo de Mendoza à Philippe III, Venise, 1er août 1600, K 1677 ; le même au même, Venise, 27 mai 1600 (si l'Empereur n'est pas secouru d'argent, il fera la paix), *ibid*.

moins bien que le « front ». Ainsi, autour des années 1600, une obscure révolte, menée par un certain Yasigi[1] (celui que les avis occidentaux nomment « l'Écrivain »), secouait l'Asie Mineure, aboutissant à la cessation des trafics, à un véritable blocus d'Ankara[2]. Ses succès furent tels que Brousse elle-même fut menacée[3]. La défaite de « l'Écrivain » par Hassan Pacha, en 1601, fut célébrée à Constantinople par de grandes fêtes[4]. Plus encore, en 1603, la guerre recommençait en Asie contre la Perse. Elle entraînait d'invraisemblables dépenses, rendait dramatique la menace que faisaient peser sur l'Empire les révoltes endémiques d'Asie Mineure.

C'est pourtant à ce moment de faiblesse générale que les Turcs réussirent, vers le Nord, à redresser la situation. Il leur suffit d'obtenir le revirement décisif de la Transylvanie[5], en promettant, en 1605, à son maître du moment, Bocskai, la couronne de Hongrie. C'est-à-dire toute la Hongrie turque, sauf les places frontières face à l'empereur. Le pauvre prince des montagnes fut trop tenté par le présent des riches terres de la plaine. Ce n'était qu'une duperie, mais elle suffit à provoquer la diversion dont les Turcs avaient besoin. S'aidant d'autre part des Tartares qu'ils lancèrent à l'Ouest sur les confins de Croatie et de Styrie, ils purent progresser victorieusement dans le sillon danubien. Gran était reprise le 29 septembre 1605, peu après Wissegrad. Ensuite succombaient Vesprim et Palotta, pour ne citer que les plus importants succès du grand vizir Lala Mustapha.

Du coup, les pourparlers purent se développer avec plus d'aisance, les Turcs se hâtant, à cause de l'impérieuse guerre de Perse, de monnayer leurs succès de 1605. La paix était finalement signée, le 11 novembre 1606. Le *statu quo* était rétabli, places et prisonniers restitués. Le Transylvain qui s'était rapproché de l'empereur par un accord particulier, renonçait à la couronne de Hongrie, le sultan recevait de l'empereur un présent de 200 000 ducats, mais renonçait en échange au paiement d'un tribut. La paix de 1606 était bien la première paix turco-impériale conclue à égalité par les parties en présence.

2. Des guerres civiles françaises à la guerre ouverte contre l'Espagne : 1589-1598

A l'Ouest, en marge également de la Méditerranée, mais la touchant de temps à autre, une autre guerre se développait : la guerre française, liée à toute la crise du monde occidental et atlantique. Là encore, le problème pour nous n'est pas de tout dire, mais seulement de marquer les liens entre ces événements et l'histoire, alors calmée, de la Méditerranée. Cette tâche restreinte demeure encore lourde. Les Guerres de Religion, en France, font partie du

---

1. Const., 17 juill. 1601, A. N., K 1677 ; Golali dit une lettre d'Ankara, 10 déc. 1600, *ibid.* Et plus tôt, Inigo de Mendoza au roi, Venise, 8 août 1598, K 1676, mais est-ce l'Écrivain qui alors se fait appeler (ou passer pour) le sultan Mustapha?
2. Ankara, 10 déc. 1600, copie, A. N., K 1677.
3. Const., 8 et 9 sept. 1601, A. N., K 1677.
4. Const., 21 oct. 1601, A. N., K 1677, sa défaite par Hassan Pacha. Le duc de Sessa à Philippe III, Rome, 9 déc. 1601, A. N., K 1630, Hassan Pacha, un des fils de Méhemet Sokolli.
5. J. W. ZINKEISEN, *op. cit.*, III, p. 613-614.

drame européen, religieux, politique, pour ne point parler des arrière-plans sociaux et économiques. Dans ce complexe de problèmes, comment découper impunément des zones restreintes et précises de curiosité ?

De 1589 à 1598, la France a connu deux crises : de 1589 à 1595, une crise surtout intérieure, la plus rude que le pays ait vécue depuis le début des troubles ; ensuite, de 1595 à 1598, avec la guerre ouverte contre l'Espagne, une crise extérieure. Elles ont l'une et l'autre fortement remué le pays, mais n'intéressent notre sujet que comme des événements marginaux.

Guerres de religion dans la France méditerranéenne

Le Midi méditerranéen, malgré tout, n'a joué qu'un rôle secondaire dans nos Guerres de Religion. L'hérésie, cause et prétexte des troubles, a été plus préoccupée de gagner le Dauphiné et au-delà l'Italie, le Languedoc et au-delà l'Espagne, que d'atteindre, par la Provence, le vide de la mer. Entre Languedoc et Dauphiné, l'espace provençal aura été relativement calme. Cela n'a pas empêché des remous multiples de l'atteindre, et de grosses alertes de s'y produire en 1562, 1568, 1579... Pendant cette dernière année notamment, de véritables jacqueries désolèrent le pays[1]. La guerre s'établissait alors à l'état endémique, avec ses tueries et ses pillages. Comme dans le reste de la France, au delà des années 1580, tout fermente et se décompose en Provence, en un pays mal joint encore au royaume[2], pauvre, épris de liberté, avec ses dures rivalités locales, ses villes jalouses de leurs privilèges et sa noblesse turbulente... Mais est-il possible d'ordonner cette poussière d'histoire, de marquer au juste les responsabilités des guerres locales sordides entre *carcistes* et *razas*, plus tard entre *ligueurs* et *bigarrats* ; de ces drames multiples qui se précipitent avec les dernières années du règne de Henri III, puis son assassinat, le 1er août 1589[3] ?

Sans doute, après 1589 et au moins jusqu'en 1593, l'essentiel du drame français est-il toujours situé au Nord, des Pays-Bas à Paris et de Paris à la Normandie et à la Bretagne. Mais, dans le Midi, les choses s'aggravent. Là comme ailleurs, les débuts du règne de Henri IV voient l'émiettement du royaume en villes, en seigneuries, en bandes autonomes. Puis, c'est la reconstruction, assez rapide : tous les grains de sable s'agglomèrent à nouveau et reconstituent les pierres solides de l'édifice ancien. Cette histoire, simple dans son rythme, est compliquée jusqu'à l'absurde dans ses détails. Chaque grain de sable a son chroniqueur ; chaque personnage important, son biographe.

Dans le Midi méditerranéen, *lato sensu*, six ou sept aventures s'entrecroisent : celles, opposées, de Montmorency et du duc de Joyeuse en Languedoc ; celle du duc d'Epernon en Provence; celle du connétable de Lesdiguières[4] en Dauphiné et autour du Dauphiné ; celle du duc de Nemours dans le Lyonnais[5] ; celle du Savoyard, depuis la Provence jusqu'aux abords du lac de Genève ; enfin, brochant sur le tout, le jeu compliqué de Philippe II. De tous ces personnages, trois seulement travaillèrent pour Henri IV : Montmorency, Lesdiguières et d'Épernon. Travaillèrent... et encore; le mot est un peu simple et, pour l'un au

1. Paul MORET, *Histoire de Toulon*, 1943, p. 81-82.
2. Maurice WILKINSON, *The last phase of the League in Provence*, Londres, 1909, p. 1.
3. *Muerte del rey de Francia*, Simancas E⁰ 597.
4. Charles DUFAYARD, *Le Connétable de Lesdiguières*, Paris, 1892.
5. Il disparaît le 15 août 1595, E. LAVISSE, *op. cit.*, VI, 1, p. 399.

moins, d'Épernon, franchement inexact. Ce dernier, comme tant d'autres alors, a surtout travaillé pour lui et en novembre 1594 il ralliera la cause de l'étranger[1].

Suivre chacune de ces aventures, tâche difficile car elles se heurtent et se chevauchent. Mais, en gros, géographiquement, elles s'organisent assez clairement en deux guerres à peu près distinctes, aux destins dissemblables : l'une en Languedoc qui s'achèvera pratiquement dès la fin de 1592 ; l'autre en Provence, qui se terminera en 1596 seulement. Et ceci, semble-t-il, déjoue les calculs qu'on pouvait avancer *a priori* : dans le Languedoc proche, l'Espagne n'a pu entretenir, au delà de 1592, une guerre cependant à ses portes, alors qu'elle l'entretiendra dans l'assez lointaine Provence jusqu'en 1596. Les circonstances expliquent cet apparent paradoxe...

En Languedoc, les adversaires de Henri IV avaient beau jeu. Ils étaient épaulés par une Espagne installée en Cerdagne et en Roussillon, largement avancée au Nord des Pyrénées, disposant de ce que l'on peut appeler la suprématie maritime en Méditerranée. Plus ces autres atouts : à l'Ouest, la Guyenne où les Ligueurs avaient des forces importantes; à l'Est, la Provence qui s'était massivement déclarée contre le roi hérétique.

Cependant, le duc de Montmorency, dévoué au nouveau roi, disposait à Montpellier de forces sérieuses ; de plus, il avait la facilité, par Pont-Saint-Esprit, de se joindre aux forces, toujours prêtes à intervenir, de Lesdiguières en Dauphiné. Maîtres de la route du Rhône, ou pour le moins en mesure de l'interrompre à leur gré, les « royalistes » avaient donc un moyen de pression sur l'ensemble des pays méditerranéens. D'autre part, le Languedoc touchait à une Méditerranée singulière : le Golfe du Lion, hostile aux galères, longuement troublé par les mauvais temps, chaque hiver... Les marins le disaient à Philippe II qui leur confiait des missions difficiles[2], souvent inexécutables : transports de troupes ou de ravitaillements, chasse aux corsaires français, ou cette impossible destruction du fort de Briscon, si souvent demandée. Ajoutons que, depuis 1588[3], Montmorency avait une flotte de brigantins et de frégates, petits vaisseaux rapides, pilleurs de navires catalans, utilement employés, au-delà de 1589, au blocus du port de Narbonne. Contre ces esquifs, les lourdes galères espagnoles n'étaient pas plus efficaces que celles de Venise contre les navires des Uscoques. Il fut ainsi loisible à Montmorency qui ne disposait pas de la suprématie maritime, de recevoir, par mer, des renforts de Corse[4] et des rames de Livourne[5].

---

1. Sur d'Épernon, Léo MOUTON, *Le Duc et le Roi*, Paris, 1924.

2. D. Pedro de Acuña à Philippe II, Rosas, 19 sept. 1590, Simancas E⁰ 167, f⁰ 218. Le mauvais temps a empêché de démanteler le fort de Briscon. Avis de D. Martin de Guzmán d'après les pilotes de la côte ; les galères ne doivent pas retourner à cet effet à cause du mauvais temps qui dure de deux à trois mois *y entrar en el golfo de Narbona y costearle es mucho peor*. Le marquis de Torrilla (Andrea Doria) à S. M., Palamos, 28 sept. 1590, Simancas E⁰ 167, f⁰ 223, indique les difficultés de bloquer les côtes du Languedoc avec le mauvais temps. Du même au même, *ibid.*, f⁰ 221 sur la difficulté d'atteindre le fort de Briscon.

3. Les conseillers de Barcelone à Philippe II, 17 juill. 1588, Simancas E⁰ 336, f⁰ 157. Lista del dinero y mercadurias que han tomado los de Mos. de Envila a cathalanes cuyo valor passa de 30 U escudos (1588). Simancas E⁰ 336 (s. f⁰), Manrique? à Montmorency, 26 avr. 1588, Simancas E⁰ 336, f⁰ 152.

4. Avis espagnol, 8 mai 1590, A. N., K 1708.

5. Les Espagnols s'emparent d'une barque chargée d'armes au château de Livourne, Andrea Doria à Philippe II, Rosas, 13 août 1590, Simancas E⁰ 167, f⁰ 219.

En fait, les Ligueurs ont eu une partie plus difficile à jouer qu'il n'y parais-sait, et malheureusement pour eux, elle avait été confiée à des mains peu habiles, celles du duc de Joyeuse, le fils du maréchal. Au début, tout alla bien. Il s'était tourné tout de suite vers l'Espagne proche. D'entrée en jeu, il s'était saisi de l'importante place de Carcassonne dont les « royalistes » avaient pourtant conservé le « burgo », nous dit un avis espagnol du 8 mai 1590[1]. Au même moment, Montmorency massait ses troupes à Pont-Saint-Esprit, en vue d'atta-quer le Narbonnais. Inquiet, le duc de Joyeuse écrivait à Philippe II : « Les affères des catolicques du Languedoc sont en tel estat que s'il n'y est proveu bientôst et ce dans la my-juin, il est à craindre que le roy héreticque n'en demeure le mestre du tout ; de tant que Monsieur de Mommoransi, qui est son principal directeur et qui commande pour luy au dict pays, dresse une grande armée... »[2].

Tableau peut-être noirci, car le but est d'obtenir ces subsides et secours toujours si lents à venir de la richissime Espagne. N'empêche que la situation est sérieuse. Le 12 juin, Joyeuse n'a rien reçu et s'inquiète à la pensée que ses adversaires s'apprêtent à « ...travailler les dicts catholliques en ceste récolte et leur oster tout moyen de se maintenir en leur saincte résolution[3]... ». Nouvelles plaintes et nouvel appel, le 22 juin, et envoi d'un agent, l'archidiacre Villemartin, auprès du Roi Catholique[4] ; plaintes encore le 10 juillet, au sujet des aides pro-mises et qui n'arrivent pas[5]. Le duc écrivait ce jour-là à Philippe II : « Je supplie très humblement Votre Majesté me pardonner si j'ause si souvent l'importuner de la représentation que je luy fais de nos nécessités, ce que je n'entreprendrois pas si je ne sçavais le zèle qu'elle a de la conservation de la religion catholique et l'honneur qu'il lui a plu me fère de m'asseurer qu'elle en voloit avoir soin en ceste province »[6]. En août, les secours de Philippe II sont-ils enfin arrivés ? Non, ou du moins pas tous... Une lettre indique bien le prochain ravitaillement par les galères espagnoles de soldats allemands près de Narbonne[7], une autre lettre prouve aussi qu'une partie de la poudre promise a été livrée[8]. Mais, à la même époque, nous savons que les lansquenets alle-mands, non payés, se refusent à entrer en « territoire ennemi », en d'autres termes à combattre[9]... Le petit jeu continua, avec demandes répétées et réponses lentes, promesses magnifiques suivies des ratés habituels et, de temps à autre, quelques rares réussites.

Il continua deux années, tant bien que mal. Mais, en 1592, se produisait, au Sud des Pyrénées, la grosse affaire d'Aragon. Le pays se soulevait en partie pour la défense d'Antonio Pérez. Le fugitif et ses amis avaient trouvé abri en Béarn où la sœur d'Henri IV, Catherine, sut mettre à profit l'occasion en envoyant, de l'autre côté des Pyrénées, des bandes qui accomplirent des raids

---

1. A. N., K 1708.
2. Mai 1590, A. N., K 1708.
3. Joyeuse à Martin de Guzmán, Narbonne, 12 juin 1590, A. N., K 1708.
4. Joyeuse à S. M., 22 juin 1590, Simancas E⁰ 167, f⁰ 154.
5. Joyeuse à D. Martin de Idiáquez, Narbonne, 10 juill. 1590, A. N., K 1449, note iden-tique à D. J. de Idiáquez.
6. Joyeuse à Philippe II, Narbonne, 10 juill. 1590, A. N., K 1449.
7. D. Pedro de Acuña à Philippe II, Rosas, 13 août 1590, Simancas E⁰ 167, f⁰ 220.
8. Pedro de Ysunça au roi, Perpignan, 13 août 1590, A. N., K 1708.
9. D. J. de Cardona à Philippe II, Madrid, 30 août 1590, Simancas E⁰ 167, f⁰ 189.

à travers le pays aragonais[1]. Philippe II, du coup, garda ses troupes au Sud des montagnes et abandonna Joyeuse et les Catholiques du Languedoc. Ceux-ci, désespérés, tentant le tout pour le tout, essayèrent, en septembre, de s'emparer de Villemur, sur le Tarn, dans l'espoir de pouvoir gagner ensuite le Quercy et la Guyenne, donc d'abandonner la place[2] et de continuer la lutte ailleurs. L'entreprise se termina par un désastre où les Catholiques perdirent, au témoignage d'un rapport du 4 novembre 1592, toute leur infanterie et leur artillerie[3]. Il ne restait aux vaincus d'autre recours que la Majesté du Roi Catholique, « la Chrestienne entre les Chrestiennes et la plus catholique des catholiques sur laquelle après Dieu est fondée toute espérance »[4]. Mais le recours fut sans effet.

Au début de l'année suivante, une trêve était conclue dont la nouvelle courut à Paris vers la mi-février 1593[5]. La guerre civile dans le Languedoc méditerranéen se terminait avec une rapidité et un succès que les royalistes n'avaient point espérés[6]. Dans le Languedoc continental, autour de Toulouse, la lutte allait durer encore jusqu'en 1596. Mais la victoire de 1593, à l'Est, avait son importance ; elle coupait en deux cette zone de la révolte qui, au début du règne de Henri IV, s'était étalée des abords de l'Italie à l'océan Atlantique. Et à l'endroit de la coupure, les « royalistes » se trouvaient, comme dans le Béarn, au contact même des frontières de l'Espagne.

En Provence, la lutte, commencée dès avant la mort de Henri III, allait durer plus longtemps que dans le Languedoc voisin, et par ses dernières complications se prolonger jusqu'à la fin de la guerre hispano-française, jusqu'en 1598 (date de l'évacuation de Berre par sa petite garnison savoyarde).

Dès avril 1589, donc avant la mort de Henri III, la Provence avait fait sécession ; plus exactement, le Parlement d'Aix avait adhéré à l'Union catholique et reconnu le duc de Mayenne comme « Lieutenant-général du Royaume »[7]. Une faible minorité « royaliste » du Parlement s'était retirée à Pertuis, en juillet de cette même année[8]. Quant aux grandes villes, Aix, Arles et (en dehors de la Provence, mais dans l'espace provençal) Marseille, elles étaient toutes en faveur de la Ligue. Autant dire que la région provençale, dominée par ses villes bien abritées derrière leurs privilèges, avait pris parti dès avant l'avènement du nouveau roi de France. Quant au gouverneur, le duc d'Epernon, nommé en 1587, il avait abandonné son poste à son frère, Bernard de Nogaret de

---

1. E. LAVISSE, op. cit., VI, 1, p. 353. Cf. SAMAZEUILH, Catherine de Bourbon, régente de Béarn, 1868. Antonio Pérez et ses amis levèrent des troupes en Béarn ... Antonio Pérez y otros caballeros que benieron a bearne hazen hazer esta gente en favor de los Aragoneses... Avis, 1592, Simancas Eº 169.

2. E. LAVISSE, op. cit., VI, 1, p. 352.

3. Dendaldeguy, envoyé de Villars, au Roi Catholique, Brionnez, 4 nov. 1592, copie, A. N., K 1588.

4. Ibid.

5. Diego de Ibarra à Philippe II, Paris, 15 févr. 1593, A. N., K 1588. Toute la Ligue chancelle alors, voyez la lettre du marquis de Villars à Philippe II, Auch (?), 5 févr. 1593, A. N., K 1588.

6. Le duc de Joyeuse est mort en janvier 1592. Le nouveau duc (son fils ou son frère?) Ange, qui pour prendre sa succession quitte le froc des Capucins, a eu une entrevue avec Montmorency au Mas d'Azille et d'Olonzac. La trêve alors signée pour un an ne devait pas finir. Le duc de Joyeuse retiré à Toulouse y reprenait la lutte contre Henri IV (Joyeuse à Philippe II, Toulouse, 10 mars 1593, A. N., K 1588). Il resta à la solde de l'Espagne.

7. Victor L. BOURRILLY et Raoul BUSQUET, Histoire de Provence, Paris, 1944, p. 92.

8. Ibid.

Lavalette. Ce dernier, énergique, actif, ne s'abandonna pas devant le danger nouveau. Fidèle au gouvernement royal, appuyé sur les forces de Lesdiguières et sur l'élément populaire et paysan, il fit face et réussit même à réoccuper la Provence centrale et méridionale. Un avis espagnol de 1590 le montre fortifiant Toulon[1], autant d'ailleurs contre le Savoyard que contre tous les dangers qui pouvaient surgir du côté de la mer. Mais Lavalette, pas plus que tous ceux qui l'essayèrent dans un sens ou dans l'autre durant les dix dernières et terribles années de la lutte, ne put s'imposer complètement à la Provence. Il y eut constamment, jusqu'en 1596 pour le moins, deux Provences, hostiles l'une à l'autre, avec, entre elles, des frontières fluctuantes, souvent indécises : l'une attachée à Aix, l'autre à la capitale royaliste provisoire de Pertuis.

Marseille, le plus gros personnage du pays, avait rallié la cause de la Ligue depuis l'assassinat du second consul royaliste, Lenche (avril 1588)[2] et l'avait ralliée avec une passion qui ne devait plus se démentir. Or, s'entendre avec la Ligue, c'était s'engager un jour ou l'autre avec l'Espagne.

Mais l'été 1590, en Provence, ne vit se développer qu'une intrigue étrangère, celle du Savoyard, petit partenaire, quoique bien placé pour agir, plus capable de troubler la Provence que le puissant et lointain Roi Catholique. Charles Emmanuel l'envahit en juillet de cette année-là, à l'appel d'une ligueuse intrigante, Christine Daguerre, comtesse de Sault. Le 17 novembre 1590, il arrivait à Aix où le Parlement le recevait et lui confiait le gouvernement militaire de la Provence, sans toutefois lui accorder la couronne comtale, objet de ses ambitions[3].

En cet hiver 1590, tous les éléments du drame provençal sont en place. Et si l'action ne s'en précipite pas aussitôt, c'est qu'au lieu de porter son effort sur cette zone d'influence où le Savoyard n'est pas assez vigoureux, lui non plus, pour imposer seul sa volonté, l'Espagne le porte alors sur le théâtre languedocien, jusqu'à la crise aragonaise de 1592 et la débâcle de Villemur, du 10 septembre de la même année. Mais en 1592, le théâtre secondaire de Provence restant la seule zone d'action possible dans la France méditerranéenne, les Espagnols vont y intervenir comme ils ne l'avaient jamais fait jusque-là. Sans y mettre d'ailleurs beaucoup de rapidité, ni d'empressement et sans écarter de la scène les acteurs locaux, le Savoyard, Lesdiguières, Lavalette...

Ce qui prouve la faiblesse du duc de Savoie, c'est que, durant l'hiver 1592, Lesdiguières, avec le concours de Lavalette, puis seul (Lavalette ayant été mortellement blessé le 11 janvier 1592, au siège de Roquebrune[4]), fut capable de rejeter les troupes savoyardes au delà du Var et, au printemps, d'aller surprendre le duc sur ses propres terres du Niçois. Les garnisons savoyardes, éparpillées en Provence, bloquées sans toutefois être assiégées, n'étaient pas sans inquiétude[5] ; mais l'été venu Lesdiguières regagna les Alpes, ce qui permit aux Savoyards une nouvelle promenade d'été à travers la Provence, avec, au passage, la prise de Cannes et d'Antibes, en août 1592[6]. Cependant, ces succès, pas plus que les précédents, ne pouvaient être décisifs. La guerre, dans un pays

---

1. 8 mai 1590, A. N., K 1708.
2. V. L. BOURRILLY et R. BUSQUET, *op. cit.*, p. 91, R. BUSQUET, *Histoire de Marseille*, Paris, 1945, p. 224 et *sq.*
3. V. L. BOURRILLY et R. BUSQUET, *op. cit.*, p. 92-93.
4. *Ibid.*, p. 93.
5. Don César d'Avalos à Philippe II, Aix, 4 mars 1592, Simancas E° 169, f° 103.
6. Le même à D. J. de Idiáquez, Antibes, 7 août 1592, Simancas E° 169, f° 45.

misérable, se réduisait à une série de coups de main et le vainqueur triomphait dans le vide. Le duc d'Épernon, arrivé dans son gouvernement à la mort de son frère, s'y installait comme en pays conquis, avec sa troupe d'aventuriers gascons. A l'approche de l'automne, une série de coups directs et d'opérations vives, marquées par d'atroces cruautés, lui permirent de reprendre Cannes et Antibes sur le Savoyard. Tout était-il remis en question ? Les députés de la Provence « anti-royaliste » se tournèrent, dès ce mois de septembre, vers le Roi Catholique, lui demandant aide et secours[1]. Le comte de Carcès, gouverneur de la Provence au nom des Ligueurs depuis que son beau-père, Mayenne, l'y avait nommé en 1592, renouvelait cette même demande au début de l'année 1593. Alarmes vaines : le succès complet, refusé par deux fois au Savoyard, fut refusé également au duc d'Epernon qui, en juin-juillet 1593, essayait sans succès d'emporter la ville d'Aix[2].

Alors survenait en France, précisément en juillet 1593, l'abjuration du roi qui remettait tout en question. Un immense mouvement de ralliement s'en suivait, retour passionné à la personne du roi et à la paix. Le Parlement d'Aix, le 5 janvier 1594, prêtait serment au roi. Premier des Parlements ligueurs à reconnaître Henri IV[3], il ouvrait l'année 1594 par un acte qui semblait, mais ne fut pas décisif. En Provence, cette année fut sans doute celle des ralliements et des reniements, mais aussi des dernières intrigues et révoltes, des faux calculs, des gestes violents, de mille marchandages...

Un fait s'en détache, le presque grand événement politique de la saison : les partis ligueurs, ralliés à la cause de Henri IV, se rapprochent l'un de l'autre et tournent toute leur hargne contre d'Épernon. Le jeu de celui-ci en est rendu clair. Il se sait mal aimé de Henri IV (c'est en lui forçant la main que le duc a pris le gouvernement de la Provence, en 1592), détesté à mort par la noblesse du pays et, longtemps à l'avance, il comprend que la paix qui point à l'horizon sera la fin de son autorité et d'une principauté indépendante à laquelle il a sans doute songé. Ce n'est donc pas sans raison que le duc ne veut pas composer avec les gens d'Aix et la noblesse de Provence, ou qu'il s'inquiète des tractations de cet étonnant agent que Henri IV a dépêché au milieu des intrigues de Provence, Jacques de Beauvais La Fin. Cependant, force lui est, devant la double intervention de Lesdiguières et de Montmorency, de s'entendre, d'ordre du roi, avec les gens d'Aix. Mais la mauvaise foi de Lesdiguières, l'annonce de la nomination au gouvernement de la Provence du duc de Guise, le fils du Balafré, décident d'Épernon à se révolter, pour sauver, comme il dira, son honneur et sa vie[4], se révolter, ce qui revient à s'entendre avec le Savoyard et l'Espagnol. Dès novembre 1594, il a sauté le pas, à ce que disent ses propres lettres et les sources espagnoles[5]. Mais la trahison ne fut mise noir sur blanc, dans un accord, qu'en novembre 1595[6], un an plus tard. Le duc passait à l'en-

1. Don Jusepe de Acuña à D. D⁰ de Ibarra, 13 sept. 1592, copie, A. N., K 1588.
2. V. J. BOURRILLY et R. BUSQUET, op. cit., p. 93.
3. E. LAVISSE, op. cit., VI, 1, p. 384.
4. Léo MOUTON, op. cit., p. 40.
· 5. A. N., K 1596, nos 21 et 22, cité par Léo MOUTON, op. cit., p. 42 et note, p. 43. Les demandes des « catholiques » de Provence, 8 déc. 1594, A. N., K 1596. Délibération du Conseil d'État, 1er févr. 1595, A. N., K 1596.
6. Accordi di Monᵉ de Pernone con S. Mtà, copie en français, Saint-Maximin, 10 nov. 1595, A. N., K 1597, voir Léo MOUTON, op. cit., p. 44, note 2. L'accord avec la Savoie au plus tard en août 1595 (Disciffrati del Duca de Pernone, Saint-Tropez, 11 déc. 1595, A. N., K 1597). Cf. le document sans date des A. E., Esp. 237, f⁰ 152.

nemi avec ses Gascons et les quelques villes qu'il détenait encore en Provence et même, semble-t-il, hors de Provence. On retrouve en tout cas, dans les papiers espagnols, une curieuse liste des biens et villes du duc d'Épernon dans toute la France, celles du moins qu'il prétend lui appartenir[1].

Mais cette trahison du duc est tardive. Quand son accord avec l'Espagne se trouve dressé en bonne et due forme en novembre 1595, le sort du Midi s'est déjà joué. Cependant, en 1594, l'Espagne s'était décidée à un gros effort. Le connétable de Castille, Velasco, gouverneur de Milan, avait réuni une armée importante et s'apprêtait à pousser une pointe au delà de la Savoie et du Jura, en direction de Dijon. Le maréchal de Rosne[2] lui conseillait même, pour l'entretien de sa cavalerie, d'établir ses quartiers à Moulins, en Bourbonnais sur « l'Ailly »[3]. C'est le cœur de la France qui se trouvait visé, en cet été 1595. La victoire de Fontaine-Française, du 5 juin, décida du repli de l'invasion. Insignifiante du point de vue militaire, elle eut donc de grosses conséquences. Si, en allant vers le Sud, Henri IV avait démuni le Nord[4], il avait par contre consolidé, jusqu'à la mer, les positions qu'aurait pu compromettre le large mouvement tournant de son adversaire.

En 1596, tout rentra dans l'ordre, à la fois le duc d'Épernon et la ville de Marseille. Le duc de Guise renversa sans trop de peine les deux obstacles. En février, les « royaux » bousculèrent la petite troupe d'Épernon à Vidauban[5]. On se battit dans les eaux mêmes de l'Argens où beaucoup d'hommes se noyèrent. Le mois suivant (26 mars), le duc signait sa paix avec le roi[6] et, deux mois plus tard, il quittait la Provence[7]. Quant à Marseille, dans la nuit du 16 au 17 février une trahison avait ouvert ses portes au duc de Guise[8].

Ainsi se terminait une période mouvementée de l'histoire de la grande ville dont il importe de dire quelques mots. Comme beaucoup d'autres villes en France, en ces années troublées, Marseille avait retrouvé une autonomie de fait. Indépendante, catholique, ligueuse, elle s'abandonna à ses passions dès avril 1588. Mais comment vivre sur l'étroite bordure du royaume ? Hors du royaume en fait, car celui-ci est coupé, disloqué par ses troubles. Les demandes de blé faites à l'Espagne sont révélatrices[9]. D'autre part, la guerre qui, de près et de loin, encercle la ville, n'est pas une guerre très moderne ; c'est une bataille d'hommes plus que de matériel. Elle coûte cher cependant. A Marseille, des gardes, des dépenses militaires s'imposent. Il faut, pour consentir à ces sacrifices,

---

1. Estat des villes qui recongnoissent l'authorité de Monseigneur le duc d'Épernon, A. N., K 1596 (indication aussi des « villes » qu'il possède en Dauphiné, Touraine, Angoumois, Saintonge). Le même document en espagnol *Lista de las villas de Provenza...* A. E., Esp. 237, f° 152. Mémoire sur ce qui est sous le commandement de Mᵣ d'Épernon, s. d. A. N., K 1598.

2. Charles de Savigny, s. de Rosne ; son rôle à Fontaine-Française, T. A. d'AUBIGNÉ, *op. cit.*, IX, p. 55 et *sq.*

3. 12 sept. 1594, copie, A. N., K 1596. Nécessité pour Henri IV d'aller à Lyon. *Nuevas generales que han venido de Paris en 26 de noviembre* (1594, A. N., K 1599).

4. E. LAVISSE, *op. cit.*, VI, 1, p. 401.

5. *Ibid.*, p. 405 ; Léo MOUTON, *op. cit.*, p. 47.

6. Léo MOUTON, *op. cit.*, p. 47.

7. *Ibid.*, p. 47-48.

8. Étienne BERNARD, *Discours véritable de la prise et réduction de Marseille*, Paris et Marseille, 1596.

9. Un document s. d. (A. N., K 1708) fait mention de demandes marseillaises d'extraction de blé ou à Oran ou en Sicile. La ville sollicite aussi qu'on la délivre des deux galères d'Épernon qui croisent au large de la ville.

une politique passionnée. Elle s'incarne, cinq années durant, dans la personne de Charles de Casaulx que son récent historien, Raoul Busquet, sans le réhabiliter à tout prix, a éclairé d'une lumière neuve[1]. C'est révolutionnairement que cet énergique meneur d'hommes a saisi l'Hôtel de Ville, en février 1591. En fait, il a été, à la tête de la ville, un administrateur attentif, efficace. Attaché aux seuls intérêts de sa cité, son jeu a été tout de suite indépendant des menaçantes intrigues du duc de Savoie, lequel était désireux d'avoir, par Marseille, une liaison directe avec l'Espagne. En vain le duc s'arrêta-t-il dans la ville en mars 1591 ; en vain essaya-t-il de se saisir par traîtrise (16-17 novembre 1591) de Saint-Victor[2]... Casaulx se tint aussi fermement en marge des querelles et des intrigues de la noblesse de Provence, bien que Marseille ait donné un instant asile à la comtesse de Sault ; mais le dictateur s'en débarrassa habilement par la suite.

Si l'on songe à la politique de Casaulx dans Marseille même, à ce que l'on peut appeler son œuvre d'assistance publique, à l'introduction par ses soins de l'imprimerie, à ses constructions, si l'on songe surtout à sa popularité, sa « tyrannie » prend un aspect nouveau. Sans doute est-elle, comme toute tyrannie, soupçonneuse, policière, haineuse en ce qui concerne les *bigarrats* que, sans hésiter, l'on emprisonne, exile et prive de leurs biens. Mais elle est populaire, curieusement en faveur de la masse, du peuple maigre. En 1594, un avis espagnol nous montre, à Marseille, une guerre contre les riches marchands ou nobles. « On ne sait trop pourquoi, dit cet avis, mais... sans doute pour en tirer de l'argent »[3]. La ville, maîtresse de ses destins, n'est-elle pas accablée de ce lourd fardeau ? En 1594, le pape et le grand-duc de Toscane, sollicités de la secourir, n'ont pas voulu lui avancer une *blanca*[4]. Autant que son idéologie, la nécessité obligea Casaulx à se tourner vers la puissante Espagne, pour obtenir des grâces, des faveurs, des moyens de vivre[5].

Les circonstances aidant, la ville entra dans le jeu espagnol, puis s'y engagea toute. Le 16 novembre 1595, le Viguier et les Consuls de Marseille écrivaient à Philippe II une lettre singulière, prudente encore et cependant catégorique. Elle vaut qu'on s'y arrête un instant[6] : « ayant Dieu inspiré dans nos âmes, écrivent-ils, le sacré feu de son zèle pour le soutien de sa cause et ce grand et périlleux naufrage de la religion catholique en France, nous estans fermement opposez à tant de secousses que l'ennemy de la foy et de cest estat nous a voulu donner, par une particulière faveur du Ciel, la religion et l'estat de notre ville nous font entiers et sauvés jusques icy avec le désir inviolable de nous y conserver au prix de nos vies et de celles de tous nos citoyens qui sont constamment uniz en ceste saincte résolution. Mais prévoyant l'accroissement de l'orage par la prospérité des affaires d'Henry de Bourbon et que les moyens publiques qui sont ja épuisez ny les facultés des particuliers ne pourront suffire pour l'assouvissement de ceste autant grande que salutaire entrepreinse, avons osé lever les yeux vers V. M. C. et y recourir... comme à un refuge de tous les catho-

---

1. R. Busquet, *op. cit.*, p. 226 et *sq.*
2. *Ibid.*, p. 231.
3. Nuevas de Provenza, 1594, Simancas E° 341.
4. *Ibid.*
5. 10 000 salmes de blé obtenues en Sicile en 1593, A. N., K 1589.
6. Louis d'Aix, Charles de Casaulx, Jehan Tassy à Philippe II, Marseille, 16 nov. 1595, A. N., K 1597. Cette lettre avait été précédée d'une lettre de recommandation d'Andrea Doria à Philippe II, Gênes, 13 nov. 1595, A. N., K 1597 B 83.

liques, pour la supplier très humblement de vouloir jeter les rayons de sa naturelle douceur sur une ville pleine de tant de mérite, pour son ancienne religion et fidélité... ».

D'après ce document du moins, Marseille ne se donne pas au roi d'Espagne. Il y a des degrés dans la « trahison ». La ville (ou mieux Casaulx) déclare seulement se refuser à cesser le bon combat. Une brochure de propagande, assez long mémoire anonyme, imprimé entre 1595 et 1596, ne dit pas autre chose. Cette *Response des Catholicques françois de la ville de Marseille à l'advis de leurs voisins hérétiques et politiques antichrestiens et athéisés*[1], est un pamphlet assez diffus, qui n'ajoute rien de bien neuf aux controverses connues de la « presse » du temps des Guerres de Religion. Il a peu le souci de l'objectivité et confond les royalistes avec les athées et les huguenots avec les paillards. Polémique facile : à distance, tout ce qui en faisait la violence et la virulence apparaît plutôt fade. La seule chose à remarquer est que pas un mot n'est dit des relations de la ville avec l'Espagne.

Et cependant, cette entente était inéluctable ; il fallait s'abriter derrière l'énorme puissance hispanique, ou alors s'entendre avec l'agent royal, le président Étienne Bernard qui s'installait à Marseille et faisait les plus mirifiques promesses à Casaulx et à son compagnon d'armes, Louis d'Aix. Mais justement, ces trop mirifiques promesses[2] ne cachaient-elles pas un piège ? Les maîtres de Marseille préférèrent s'entendre avec Philippe II. Trois « députés » de la ville, dont un fils de Casaulx, firent le voyage d'Espagne, occasion pour eux de dresser un long historique des événements à Marseille de 1591 à 1595[3], de mettre en évidence le rôle des « dictateurs » Louis d'Aix et Casaulx, lesquels, fils de vieilles familles de la ville, appuyés sur leurs parents, leurs amis et le populaire de Marseille, avaient su y établir l'ordre et la paix catholiques. Non sans peine pourtant ; il avait fallu armer, lever des mercenaires, occuper les forteresses de Notre-Dame et de Saint-Victor, la tour Saint-Jehan, garder « la porte Reale », la grande plate-forme et la porte d'Aix qui sont les lieux les plus « défendables », construire, à la sortie du port, le fort Chrestien, encore inachevé d'ailleurs, entretenir des chevaux pour la sûreté du terroir et pour permettre aux gens de Marseille de « prendre leurs fruictz sans être incommodez des ennemis »[4]. Maintenant que Henri de Bourbon a été absous par le pape, qu'il triomphe, qu'il est le maître d'Arles (donc du ravitaillement en blé de la ville), que Marseille est pleine de réfugiés et entre autres, « ce grand et docte personnage Monseigneur de Gembrard, archevêque d'Aix, dépossédé par Henri de Bourbon » — en cette extrémité, malgré les offres du Béarnais, la ville ne peut tenir que « sous les ailes » du Roi Catholique. Que celui-ci l'aide et l'aide vite d'argent, de munitions, d'hommes, de galères... La situation était d'autant plus tendue que les troupes royales poussaient jusqu'aux portes de Marseille et que des intrigues se nouaient au dedans de ses murs.

Dès décembre 1595[5], des secours parvenaient à Marseille sous forme des galères du fils du prince Doria et de deux compagnies espagnoles, juste à temps

1. A. N., K 1597 B 83.
2. R. BUSQUET, *op. cit.*, p. 240. Et surtout entente préparée avec l'Espagne longtemps à l'avance, voir note 5, page précédente et cardinal Albert à Philippe II, Marseille, 7 sept. 1595, A. N., K 1597.
3. S. d., A. N., K 1597 B 83.
4. *Ibid.*
5. Antonio de Quinones à Philippe II, Marseille, 1er janv. 1596, A. N., K 1597 ; Carlos Doria à Philippe II, Marseille, 1er janv. 1596, *ibid.*

pour prévenir une entrée des troupes royales. Mais, à Marseille, la situation devenait confuse, ses habitants défiants à l'égard même de leurs amis. Le 21 janvier 1596[1], les députés de Marseille quittaient la cour d'Espagne avec partie gagnée. La ville se donnait sans se donner au Roi Catholique : celui-ci aurait pour ses galères le libre accès du port, la possibilité d'y mettre des troupes, la promesse des Marseillais de ne pas traiter avec Henri de Béarn et de ne reconnaître comme roi de France qu'un ami de l'Espagne. Les Marseillais, disait leur mémoire, « ne recognoistront Henri de Bourbon, ne lui adhereront ni à autres ennemys de V. M. C., ains se maintiendront et conserveront catholiques et en l'estat qu'ilz sont jusques à ce qu'il plaise à Dieu donner à la France un Roy très chrestien et vraymant catholique, qui soit en bonne amitié, fraternité et intelligence avec V. M. C. ». Les députés de Marseille étaient encore le 12 février 1596 à Barcelone, d'où ils écrivaient à Don Juan de Idiáquez pour lui demander du blé catalan[2]. Mais quatre jours plus tôt, le 17, un complot avait réussi dans la ville ; Casaulx avait été assassiné et la ville livrée à Henri IV. « C'est maintenant que je suis Roi de France », aurait dit ce dernier, à l'annonce de la bonne nouvelle[4].

Certes, on pourrait longuement insister sur ce fragment d'histoire de France, retrouver, en Provence, après de bons auteurs, tous les traits des dernières années de nos Guerres de Religion : la montée des prix, l'effroyable misère des champs et de la ville, la lèpre du brigandage, l'acharnement politique de la noblesse ; par d'Épernon, comprendre ces « rois » de la France provinciale, aussi bien un Lesdiguières en Dauphiné (si différent que soit le caractère de l'homme), un Mercœur en Bretagne, un Mayenne en Bourgogne... Il serait plus tentant encore de comprendre, au travers de l'exemple de Marseille, le rôle énorme des villes dans cette dislocation, puis cette reconstruction de la France.

La Ligue, ce n'est pas seulement une alliance des Catholiques exaltés. Ce n'est pas seulement un instrument au service des Guises... Mais aussi un grand retour en arrière au bénéfice d'un passé que la royauté a combattu, puis en partie supprimé. Et notamment un retour à la vie urbaine indépendante, à l'État-ville. L'avocat Le Breton, étranglé et pendu en novembre 1586[5], a sans doute été une tête un peu folle. Il est tout de même significatif qu'on retrouve, dans ses projets, un retour aux franchises urbaines, le rêve étant de décomposer le pays en petites républiques catholiques, maîtresses de leurs destins. Aussi grave que la trahison des Guises, s'avère la trahison des villes, de ces villes passionnées dans leur masse, depuis leurs bourgeois jusqu'aux plus humbles des artisans. Paris est l'image agrandie de ces villes-là. En 1595, le duc de Feria proposait à l'archiduc Albert de s'employer à refaire une ligue en France, suivant les mêmes principes que celle qui avait existé du temps de Henri III, « laquelle ne fut pas fondée par les princes de la Maison de Lorraine, mais par quelques bourgeois de Paris et d'autres villes, trois ou quatre seulement au début..., dans des conditions si chrétiennes et si prudentes que la majorité et le meilleur de la France se joignit à eux »[6]. Certains de ces hommes sont encore

1. *Puntos de lo de Marsella*, A. N., K 1597.
2. *Los diputados de Marsella a Don Juan de Idiáquez*, Barcelone, 12 févr. 1595, Simancas E° 343, f° 92 (résumé de chancellerie).
3. R. Busquet, *op. cit.*, p. 245.
4. *Ibid.*
5. E. Lavisse, *op. cit.*, VI, 1, p. 264; *ibid.*, p. 342 et *sq.*, sur le réveil commercial.
6. S. d., vers 1595, Simancas E° 343.

à Bruxelles ; les fautes et la trahison des chefs n'ont certainement pas perdu toute la cause...

Voilà qui souligne, jusqu'à l'exagération, le rôle des villes. Mais, révoltées, pouvaient-elles vivre longtemps ? La rupture des routes signifiait l'interruption des trafics, donc leur suicide. Si elles se sont ralliées, après 1593, à la reconquête de Henri IV, n'est-ce pas, en plus des quelques bonnes raisons qu'on fournit habituellement, parce qu'elles avaient besoin de l'espace français pour vivre ? Si besoin en était, Marseille, incapable de vivre de la mer seule, sans l'aide du continent, nous redirait l'indispensable symbiose des routes de terre et de mer dans l'espace méditerranéen.

En tout cas, on ne comprendra jamais l'épisode de Casaulx si l'on ne le replace dans son cadre étroit de vie municipale. Pour lui, le problème, de bout en bout, a été de ne pas trahir *sa* ville. Son attitude n'est à juger, si l'on veut la juger, que dans cet éclairage. Pour s'en convaincre, qu'on relise le mémoire de ses agents en Espagne : « Messieurs de Marseille, y lit-on, ont... considéré que dez le long temps que leur ville est fondée, elle a vescu la plus part soubz ses propres loix et en forme de République, jusque en l'année mil deux cent cinquante sept qu'elle traita avec Charles d'Anjou, comte de Provence et le recogneut pour souverain, soubz beaucoup de réservations, pactes et conventions, entre lesquelles on coucha des premières qu'aucun hérétique vauldois (secte qui y régnait alors) ne suspect de la foy ne pourroit estre receu à Marseille... »[1].

La guerre hispano-française : 1595-1598

Quelques mots suffiront pour esquisser le dessin général de la guerre hispano-française de 1595-1598, guerre ouverte, en fait, dès 1589 et même plus tôt, car pendant le demi-siècle que nous venons de parcourir, année par année, y a-t-il eu beaucoup de répits dans cette constante rivalité de la France et de l'Espagne ?

Cette fois, en tout cas, la guerre était officiellement déclarée par Henri IV, le 17 janvier 1595. Le texte de la déclaration, imprimé à Paris, chez Frédéric Morel, parvint même aux autorités espagnoles. Le roi de France y résumait à grands traits ses griefs contre Philippe, lequel avait « ozé, soubs prétexte de piété, attenter ouvertement à la loyauté des François envers leurs naturels Princes et souverains Seigneurs, de tout temps admirée entre toutes les autres nations du monde, poursuivant injustement et publiquement cette noble couronne pour luy ou pour les siens »[2]. Placer ainsi le conflit sur le terrain même du droit princier, n'était ni sans valeur, ni sans habileté. Mais, sur le plan des réalités, cela ne changeait presque rien aux événements. Le duc de Feria, longtemps à l'avance, avait prévu que la guerre franco-espagnole serait « périphérique », cette fois encore, comme au temps de François 1er et de Henri II, et qu'elle se terminerait par une paix de lassitude[3].

La guerre, en effet, n'affecta que les bordures du royaume : la ligne de la Somme, la Bourgogne, la Provence, la région de Toulouse et de Bordeaux, la Bretagne enfin. On a parlé d'encerclement. Oui et non. Car l'Espagne ne réussit pas, malgré sa proximité ici, malgré sa flotte là, à tenir fortement ses positions autour de la France. Toulouse était perdue en 1596, Marseille la même année ;

---

1. S. d., A. N., K 1597, B 83.
2. A. N., K 1596.
3. Référence, note 6, page précédente.

et le duc de Mercœur, le dernier à résister[1], capitulait en 1598. Depuis deux ans d'ailleurs, il était plus qu'à demi inactif... De toute façon, il est important que la guerre ait épargné le cœur du royaume. La France s'est défendue par sa masse même. Si le Roi Catholique a trouvé des villes à crocheter, des consciences à acheter, ou même des Protestants prêts à se vendre (tel un certain Monverant de la région de Foix[2]), c'est encore, c'est toujours sur les marges du royaume ennemi.

Il y eut, il est vrai, la tentative de l'armée espagnole d'Italie au-delà des Alpes. Mais ce ne fut qu'un voyage d'aller et retour jusqu'à la Comté. Nous l'avons dit : Fontaine-Française entraîna le repli des Espagnols et la soumission décisive de Mayenne ; seule, l'hostilité décidée des Cantons suisses empêcha alors l'occupation de la Comté.

La guerre un peu sérieuse se déroula, une fois de plus, face aux Pays-Bas. Les Espagnols y remportèrent de grands succès, prirent plusieurs places, Cambrai, Doullens, Calais puis Amiens, enlevé par surprise (11 mars 1597). Le problème, pour eux, était de se maintenir dans les places conquises, d'y faire vivre, sans difficultés et sans agitation, garnisons et populations civiles, comme l'expliquait déjà, en 1595, un avis adressé au comte de Fuentes[3].

Pourtant, le succès d'Amiens avait fait grand bruit : la ville ouvrait, au delà de la large vallée de la Somme, le chemin même de Paris. Une riposte était nécessaire. Henri IV résolut de ressaisir la ville. De là, une fiévreuse recherche de moyens financiers et l'appel aux alliés, l'Angleterre, qui avait officiellement déclaré la guerre à l'Espagne en 1596[4], et les Provinces Unies. C'est ainsi qu'il y eut, dans l'armée française qui devait reprendre Amiens, 2 000 Anglais et 2 000 Hollandais, au dire des informations espagnoles[5]. Amiens ne fut d'ailleurs enlevé que le 25 septembre 1597, après six mois de siège et l'échec d'une tentative espagnole pour délivrer la ville, neuf jours avant sa reddition[6]. C'était là une grosse victoire et qui fit grand bruit dans la Chrétienté. Mais le vainqueur, à peine entré dans la ville, ne comptait déjà plus de soldats, toute son armée s'étant débandée. Heureusement, la misère, l'épuisement de la France n'avaient d'équivalent que l'irrémédiable fatigue de l'Empire espagnol et sa détresse financière, au lendemain de la banqueroute de 1596.

Tout s'en trouvait paralysé. Au centre de l'action espagnole, en ce relais essentiel de Milan, les transports de troupes s'accomplissaient mal, dès le printemps 1597[7]. Il s'agissait de prélever des soldats italiens à Naples et de

---

1. Dans le texte de la prorogation de la trêve, 3 juill. 1596, A. N., K 1599, on indiquait que chaque parti lèverait les deniers dans les régions qu'il tenait. Argent doit être envoyé, sinon Mercœur négociera, Mᵒ de Ledesma à Philippe II, 20 janv. 1598, A. N., K 1601. Mercœur à Philippe II, Nantes, 24 mars 1598 (A. N., K 1602) lui annonce sa paix avec Henri IV et lui demande à être employé en Hongrie.
2. Philippe II au duc d'Albuquerque, Madrid, 10 juill. 1595, Simancas Eᵒ 175, fᵒ 290.
3. Advis à Monsieur le Comte de Fuentes, 12 mars 1595, A. N., K 1599.
4. *Déclaration des causes qui ont meu la royne d'Angleterre à déclarer la guerre au roy d'Espagne*, Claude de Monstr'oeil, 1596, A. N., K 1599.
5. Mendo de Ledesma à Philippe II, Nantes, 25 juin 1597, A. N., K 1600.
6. E. Lavisse, *op. cit.*, VI, 1, p. 410.
7. Dès février, le manque d'argent (Relattione summaria del danaro che si presuppone manca nello stato di Milano, 12 févr. 1597, Simancas Eᵒ 1283). Sur les mouvements de troupes, Philippe II au connétable de Castille, Madrid, 7 avr. 1597, Simancas Eᵒ 1284, fᵒ 126. Le même au même, 2 mai 1597, *ibid.*, fᵒ 125. Le connétable à Philippe II, Milan, 12 mai 1597, *ibid.*, fᵒ 86.

les transporter jusqu'à Gênes, puis en direction des Flandres. Des envois de troupes cantonnées au Milanais étaient également prévus. Mais y aurait-il assez d'argent ? Autre inquiétude : comment secourir le duc de Savoie, ce risque-tout de Charles Emmanuel ? Pourrait-on, à cet effet, utiliser les troupes espagnoles qui partaient d'Espagne vers Gênes, à bord des galères ? Il y avait évidemment intérêt à fixer de ce côté des forces françaises, pour dégager d'autant l'archiduc dans les Pays-Bas[1]. Tout se mettait finalement en place et une partie des troupes était prête à partir pour les Flandres ; alors, nouvelle difficulté, la route savoyarde serait-elle libre pour leur passage ? Chambéry et Montmélian risquaient d'être perdus avec l'entrée en campagne de Lesdiguières. Plus encore, toute la Savoie, le Piémont et Milan couraient le même risque, si l'argent n'arrivait pas à temps. Le connétable de Castille l'écrivait de sa propre main et le faisait écrire au roi.

Mille questions se posent donc à la fois, du côté du Nord, du côté des Cantons suisses où des tractations avec Appenzell coûtent cher. De plus, au lendemain de la reprise d'Amiens, le parti français redresse la tête en Italie et le péril se précise du côté de la Savoie. Survient la mort du duc de Ferrare : aussitôt le pape Clément VIII de réclamer la succession pour le Saint-Siège. « Cela me peine jusqu'au fond du cœur, écrit le 16 novembre 1597 le connétable de Castille à Philippe II, de voir si grand mouvement d'armes en Italie. Je resterai tranquille, sans faire autre chose que de garnir nos frontières jusqu'à réception des ordres de V. M. Aurais-je des ordres différents, d'ailleurs, que la nécessité m'obligerait à agir comme je le fais. Je supplie donc V. M. de considérer la pauvreté et la misère de cet État, au moment où le Pape réunit une si grosse armée. Il est naturellement porté vers la France ; il aime le Béarnais comme son fils et sa créature. En bien des conversations et circonstances, il a découvert son peu de bonne volonté à l'égard des affaires de V. M. et son peu de satisfaction devant la grandeur de vos États. C'est un Florentin... Les Vénitiens armant et d'autres princes qui ne nous aiment pas, tout ce monde pourrait se tourner contre l'État de Milan..., d'où, généralement, on désire, en Italie, chasser les Espagnols. A tout cela, point de remèdes sinon beaucoup de soldats, d'argent, et de rapidité ; ce que je remets à la grande prudence de V. M. »[2].

La paix de Vervins

Or, cette guerre qui se prolonge, à qui profite-t-elle ? Uniquement et indéniablement aux puissances protestantes, à leur marine, déchaînée à travers

---

1. Sur le secours au Savoyard : Philippe II au connétable de Castille, Saint-Laurent, 28 avr. 1597, Simancas Eº 1284, fº 116 ; le connétable au roi, Milan, 12 mai 1597, fº 83 ; le même au même, 23 juill., fº 55 ; le roi au connétable, 8 août 1597, fº 122.
2. Velasco à Philippe II, Milan, 16 nov. 1597, Simancas Eº 1283, fº 2. Sur l'affaire de Ferrare, sa lettre du 4 nov. (fº 5) et (Eº 1283 sans fº) 5 nov. 1597, Relacion de las prevenciones que S. Sᵈ... Sur les Suisses, lettres de Phillipe II du 31 juill. (Eº 1284, fº 123) et du connétable du 23 juill. (Eº 1283, fº 55), du 7 oct. (ibid., fº 4). Sur Amiens, sa lettre du 25 oct. 1597 (Eº 1283). Je mets en cause des transferts de troupes en 1597 d'Italie en Espagne, notamment un tercio de Napolitains de D. Cesar de Eboli qui à bord de naves ragusaines, arrive le 7 août à Alicante, D. Jorge Piscina ? à Philippe II, Alicante, 8 août 1597, ibid (6 naves ragusaines). Ensuite ces naves « q. llevan el tercio de Cesar de Eboli » sont envoyées au Ferrol (le prince Doria à Philippe II, Cadix, 21 août 1597, Simancas Eº 179). Sur l'arrivée d'un convoi (2 navires venus d'Espagne à Calais, 40 navires annoncés avec 4 000 Espagnols de D. Sancho de Leyva et peut-être argent) : Frangipani à Aldobrandino, Bruxelles, 27 févr. 1598, Corresp., II, p. 298-299.

l'espace océanique... Les Provinces Unies grandissent du fait même de la misère des Provinces du Sud, restées catholiques : elles se nourrissent de la ruine d'Anvers, accomplie avec l'occupation des bouches de l'Escaut par les États Généraux et malgré la reprise de la ville par Alexandre Farnèse. Tous ces malheurs ont été nécessaires pour que grandisse Amsterdam. En même temps, Londres et Bristol prennent leur essor. Car toutes les circonstances sont favorables aux jeunes puissances nordiques. L'Espagne leur demeure ouverte malgré ses tentatives de blocus continental ; la Méditerranée est forcée ; l'Atlantique est saisi, conquis ; l'océan Indien atteint avant que le siècle ne s'achève, en 1595. Tels sont les grands événements de la fin du siècle, auprès desquels les multiples incidents de la guerre hispano-française restent des détails. Pendant que Français et Espagnols se disputent des villes, des places, des mottes de terre, Hollandais et Anglais se saisissent du monde...

C'est ce que, dès 1595, la politique pontificale semble comprendre. Elle propose à Philippe II sa médiation et travaille à une paix franco-espagnole. Clément VIII y a poussé d'autant plus vigoureusement que Rome, l'Église, le monde catholique s'inquiètent de cette guerre entre Chrétiens fidèles à Rome. Depuis Sixte Quint, la Papauté avait travaillé au sauvetage de la France catholique, elle avait joué finalement la carte de l'indépendance française et, la jouant, s'était ralliée à la cause du Béarnais, absous par Rome deux ans après l'abjuration de 1593.

Appuyant l'action de Rome, l'Italie libre ou semi-libre[1] agissait dans le même sens, sauf le Savoyard que sa passion et son appétit de terres françaises égaraient. Or cette Italie, heureuse de desserrer le joug espagnol, était riche, agissante. La première, Venise avait abattu son jeu, accueillant, dès 1590, l'ambassadeur du Béarnais ; le grand-duc de Toscane finançait la politique de Henri IV dont les dettes atteignirent très vite un chiffre élevé d'écus au soleil[2]. Le créancier prit d'ailleurs des gages, occupa le château d'If et les îles Pomègues, près de Marseille. Le mariage de Marie de Médicis, quelques années plus tard, s'est conclu pour quelques autres motifs, mais aussi en raison de cet arriéré-là.

En tout cas, en septembre 1597, après la reprise d'Amiens, Henri IV faisait figure de vainqueur. Menaçait-il sérieusement les Pays-Bas ? Rêvait-il même d'y pousser une pointe ? C'est une autre question. Mais eût-il désiré cette politique de hardiesse ou telle autre expédition contre la Bresse ou le duc de Savoie, qu'il lui eût fallu, pour les mener à bien, l'indispensable appui de ses alliés. Or, ceux-ci ne voulaient pas qu'il l'emportât de façon décisive, ni dans les Pays-Bas, ni sur les chemins d'Italie. Ce qu'ils souhaitaient, c'était la continuation d'une guerre qui, immobilisant l'Espagne dans de vastes opérations continentales, leur laissait le profit des lointaines expéditions maritimes. Il est bien possible, comme le pensait Émile Bourgeois[3], que Henri IV se soit senti, en ce moment décisif, lâché par ses alliés, pour le moins mal soutenu par eux. Et du même coup, incliné davantage à une paix si nécessaire, vu l'état de son royaume.

---

1. Voyez dès 1593, les curieuses remarques de William Roger à « Burley » et à Essex (près de Louviers, 1er mai 1593, A. N., K 1589) ou mieux encore sur les aides d'argent d'Italie à la Hollande et à Henri IV, J. B. de Tassis à Philippe II, Landrecies, 26 janv. 1593, A. N., K 1587, Annotation de Philippe II.

2. R. GALLUZZI, *op. cit.*, V, p. 302, Berthold ZELLER, *Henri IV et Marie de Médicis*, Paris, 1877, p. 17.

3. A propos de mon travail manuscrit (1922), sur *La Paix de Vervins*, rédigé sous sa direction.

Mais n'était-elle point aussi nécessaire à l'Espagne ? La nouvelle banqueroute de 1596 venait d'immobiliser l'immense machinerie. Sentant sa fin proche, Philippe II songeait d'autant plus à établir dans les Pays-Bas sa fille préférée, Claire Isabelle Eugénie, sa compagne de prédilection dans les dernières années si tristes de sa vie, sa lectrice et sa secrétaire, sa confidente, sa joie secrète... Son projet était de la marier à l'archiduc Albert, nommé justement en 1595 au périlleux gouvernement des Pays-Bas. Établir sa fille, il sentait à ce sujet l'urgence d'une décision dans la mesure même où de nouvelles influences commençaient à se faire jour autour de son fils, le futur Philippe III, influences hostiles à la solution qui lui tenait à cœur. L'archiduc, écrit l'historien Mathieu Paris, « brûlait du désir de se marier ». Cela a-t-il compté parmi les raisons, petites ou grandes, qui ont conduit à la paix de Vervins ? Lassitudes, besoin de faire halte. Et peut-être aussi calcul de l'Espagne, un de ces calculs auxquels sa diplomatie a si souvent sacrifié, par nécessité autant que par jeu. La diplomatie de Philippe II n'a-t-elle pas cherché à obtenir vite, à un prix même onéreux, la paix du côté français pour faire plus rapidement face contre les deux autres adversaires, l'Angleterre et les Provinces Unies ? Lord Cecil, en tout cas, s'est rendu auprès de Henri IV pour l'empêcher in extremis de conclure l'accord avec l'Espagne. N'oublions pas qu'alors une armada espagnole cinglait vers l'île anglaise. N'oublions pas, non plus, que le premier soin de l'archiduc Albert, la paix acquise avec la France, fut de tourner ses forces aussitôt vers le Nord. Il n'est pas exclu que des calculs de ce genre soient intervenus dans la décision espagnole.

Mais pour comprendre la succession des événements, c'est plus encore vers Rome qu'il faut regarder, vers Rome que l'épanouissement de la Contre-Réforme, que la prospérité monétaire de l'Italie, que l'épuisement des adversaires, en Occident, a tellement grandie à la fin du siècle. On eut la preuve de ce brusque accroissement de puissance par la façon rapide dont le pape Clément VIII régla alors, à son profit, la petite, mais difficile question de Ferrare. Cette ville qui était l'un des grands ports de l'Italie, une cité animée, une position-clé de l'échiquier italien, plantée au milieu d'un grand pays, le pape se l'adjugea sans que la France ou l'Espagne, ni même Venise, aient eu le temps ou l'audace de s'immiscer dans l'affaire[1].

L'importance grandissante de Rome venait aussi de ce qu'elle avait sa solution, sa politique, dictées moins par les calculs de quelques têtes lucides que par les circonstances et les vœux unanimes de la Catholicité. Ce qui, par Rome, s'imposait, c'était une volonté, un mouvement profond de cette Catholicité qui tantôt bute contre l'obstacle protestant du Nord, et tantôt se retourne vers l'obstacle turc de l'Est. En 1580, Rome avait suivi le mouvement général et accepté, avec enthousiasme, de substituer à la guerre contre les Musulmans la guerre contre l'hérésie protestante. Avec la fin du siècle, le cycle anti-protestant s'achevait et la meilleure preuve en est que Rome essayait alors de réorganiser la guerre sainte en direction de l'Orient, contre les Turcs.

---

1. Sur l'affaire de Ferrare : I⁰ de Mendoza à Philippe II, Venise, 3 janv. 1598, A. N., K 1676 (l'excommunication de D. Cesare). Lo platicado y resuelto en materia de Ferrara en consejo de Estado..., 7 janv. 1598, que Cesare d'Este se soumette, Simancas E⁰ 1283. I⁰ de Mendoza à Philippe II, Venise, 10 janv. 1598, A. N., K 1676. Accordi fatti tra la Santa Seda Apostolica et D. Cesare d'Este, 13 janv. 1598, ibid. I⁰ de Mendoza à Philippe II, Venise, 24 janv. 1598, A. N., K 1676 : le même au même, 31 janv. 1598, ibid.

Le XVIᵉ siècle se termine, le XVIIᵉ commence, en ce qui concerne la Catholicité, sous le signe de la croisade. A partir de 1593, la guerre contre le Turc était redevenue réalité à l'Est de l'Europe, en Hongrie et sur les flots de la Méditerranée. Sans jamais se transformer en conflit généralisé, elle allait, pendant treize ans, jusqu'à la paix de 1606, faire peser une constante menace. En 1598, à l'extrême pointe de la France, le duc de Mercœur quittait sa Bretagne pour la guerre de Hongrie. Son aventure a la valeur d'un symbole : des milliers et des milliers de croyants rêvaient alors de tailler en pièces un Empire turc que beaucoup jugeaient sur le point de se dissoudre. Le nonce des Pays-Bas, Frangipani, écrivait à Aldobrandini, en septembre 1597[1] : « Si le quart des combattants des Flandres allait seulement contre le Turc... ». C'est le vœu que commençait à se formuler plus d'un Catholique et d'ailleurs plus d'un non-Catholique : on connaît le projet anti-turc de La Noue, lequel remonte à 1587...

La paix de Vervins, signée le 2 mai, fut ratifiée par le roi de France le 5 juin 1598[2] ; elle rendait à Henri IV le Royaume tel que l'avait délimité la paix du Cateau-Cambrésis de 1559 ; elle entraînait donc une série d'abandons immédiats pour les Espagnols : ils devaient notamment évacuer leurs positions en Bretagne et renoncer à leurs conquêtes sur la frontière du Nord, y compris Calais, dont la restitution avait tout de même quelque importance. En gros, la paix semblait favorable à la France. Bellièvre, le futur chancelier de Henri IV, disait en exagérant « qu'elle était la paix la plus avantageuse que la France ait conclue depuis cinq cents ans ». Paroles officielles, mais pas entièrement inexactes. Si la paix de Vervins ne signifiait aucune conquête extérieure, elle sauvait, de façon décisive, l'intégrité du royaume. Elle avait l'avantage d'apporter à la France la paix dont elle avait un besoin absolu, la paix c'est-à-dire le moyen de guérir les blessures d'un pays livré, des années durant, à l'étranger et qui s'était trop passionnément, trop aveuglément dressé contre lui-même. A ce retournement, nul doute que la conjoncture, à la baisse au delà de 1595, n'ait apporté son aide[3].

3. La guerre n'aura pas lieu sur mer

Les guerres locales que vient d'énumérer ce chapitre, les unes à l'Ouest, les autres à l'Est de la Méditerranée, ne sont pas liées les unes aux autres. Sans doute interfèrent-elles à distance, sans se rejoindre néanmoins. La raison ? La mer qui les sépare reste obstinément neutre, refusant ses services à une guerre générale que, seule, elle pourrait organiser et véhiculer.

On se bat cependant en mer, de 1589 à la fin du siècle, et même au-delà. Mais il s'agit de l'habituelle guerre méditerranéenne des temps de « paix », c'est-à-dire la course, cette guerre d'individus, anarchique et mineure, souvent à très court rayon et qui ne met en jeu que des forces modestes. La chose est à noter, d'autant qu'à partir de 1591, spécialement en 1593, 1595 et 1601, il y a eu des essais de larges guerres maritimes sur lesquels il importe de faire la

---

1. 25 sept. 1597, *Corresp.*, II, p. 229.
2. Ratification par le roi de France de la paix de Vervins, Paris, 5 juin 1597, A. N., K 1602.
3. Le problème esquissé à larges traits par Pierre CHAUNU, « Sur le front de l'histoire des prix au XVIᵉ siècle : de la mercuriale de Paris au port d'Anvers », *in : Annales E. S. C.*, 1961.

501

lumière. Marquer leur faible portée et leur échec, c'est, en définitive, prendre la mesure d'une époque nouvelle.

La fausse alerte de 1591

Dès 1589 et les pourparlers de la paix turco-perse, à partir de 1590 surtout et de la signature de cette paix, l'attention de la Turquie s'est largement retournée vers l'Occident. Nous avons parlé, en son temps, de la petite expédition maritime d'Hassan Veneziano durant l'été et l'automne 1590, en direction de Tripoli. Cette expédition à but limité marquait les débuts d'une nouvelle activité maritime des Turcs en Méditerranée

Mais le long repos, l'inaction prolongée avaient désorganisé les structures mêmes de la marine turque, structures et soubassements qui ne pouvaient se recontruire que lentement et imparfaitement. Les marins qualifiés faisaient défaut ; les ouvriers experts manquaient à l'Arsenal et il n'y avait même plus suffisance des indispensables troupes d'infanterie de marine[1]. Depuis la dernière expédition d'Euldj Ali vers Alger, depuis 1581, dix années avaient suffi pour tout détruire. L'effort de reconstruction était d'autant plus difficile que l'argent manquait et que la course chrétienne avait puissamment désolé les mers de l'Archipel dont se nourrissait depuis longtemps la force turque.

Il n'est pas surprenant que l'expédition contre Tripoli en 1590, strictement bornée à ses buts punitifs, n'ait pas ranimé la guerre hispano-turque. Ni les Espagnols ni les Turcs ne désiraient trouver un prétexte de rupture. Quand les galères d'Hassan, après avoir quitté Modon, s'étaient dirigées vers l'Afrique, elles n'avaient au passage, contrairement à toutes les traditions, touché ni au rivage de Naples, ni à ceux de la Sicile. En ces années-là d'ailleurs, la présence à Constantinople d'un agent espagnol, Juan de Segni, dont les archives conservent d'assez nombreuses lettres, malheureusement plus remplies de plaintes personnelles que d'explications sur l'objet de sa mission, cette présence laisse à penser que la trêve a pu se maintenir, de façon plus ou moins formelle, jusqu'en 1593. En tout cas, c'est en vain, quels qu'aient été les efforts et les demandes réitérés des agents anglais et français[2], c'est en vain que l'Europe anti-espagnole a essayé de ranimer sur mer la guerre musulmane contre la puissante Espagne. En 1591, l'agent anglais, appuyé par Hassan Pacha, « général de la mer », exposait au Grand Seigneur que Philippe II avait retiré des marines d'Italie la plus grande partie de ses garnisons habituelles, pour grossir ses troupes engagées en France. Il lui affirmait que, dans ces conditions, il serait aisé pour la Turquie de s'emparer de vastes territoires.

Tentatives inutiles, mais elles éveillèrent des échos, d'autant que toute une série de projets turcs, publiés à très haute voix, de discours destinés de toute évidence à l'extérieur, semblaient promettre le succès, plutôt que l'échec, aux agents anglais ou français. Mille bruits se remirent à courir la Méditerranée, très contradictoires, nourris sans doute en partie du souvenir formidable qu'avaient laissé dans les esprits les imposantes flottes turques du passé. C'étaient trois cents galères qui iraient au printemps contre les Pouilles et la côte romaine ; elles hiverneraient ensuite à Toulon et pousseraient jusqu'à

---

1. J. W. ZINKEISEN, *op. cit.*, III, p. 124.
2. Avis espagnol du 5 janv. 1591, A. N., K 1675. De multiples détails sur ces interventions qui, je le pense, peuvent être laissées dans l'ombre (J. W. ZINKEISEN, *op. cit.*, III, p. 629 et *sq*).

Grenade où les Morisques (ceci est aussi faux que le reste) se seraient déjà soulevés. Peut-être, si elles étaient plus modestes, se contenteraient-elles de Venise ou de Malte dont les chevaliers venaient encore de saisir un galion, chargé de pèlerins se rendant à La Mecque[1]. Des Vénitiens pensaient à Candie où, disaient-ils, les corsaires chrétiens allant dans le Levant trouvaient tant d'aides et de complicités[2]. Ajoutons, malgré les efforts des autorités vénitiennes...

Juan de Segni, mieux renseigné sans doute, écrit de Constantinople qu'on y parle bien de grands projets, mais pas pour cette année[3]. Le Turc a fait des promesses écrites au roi de France et à la reine d'Angleterre, mais elles ne l'engagent que pour le printemps 1592[4]. Tous les préparatifs semblent à longue échéance. C'est ainsi que le sultan prépare — prépare seulement — une série de mesures fiscales : contributions « volontaires » des pachas et sandjaks, impositions sur les Juifs et autres taxes dont le détail, au travers des déformations occidentales, est difficile à identifier[5].

De fait, dès la mi-juin, on commence à ne plus parler de grande armada pour le printemps[6]. La petite flotte prévue sortira-t-elle[7] ? On en doute. Oui, elle sortira, mais elle ira seulement en Égypte et en Berbérie, peut-être en Provence[8]. Encore pourra-t-elle difficilement réunir plus de 40 à 60 galères, et en mauvais état. C'est ce qu'à Venise, un Pérote affirme à Francisco de Vera[9]. Au début de mai, on est devenu plus optimiste. On a appris que les Turcs, bien que la saison soit avancée, ne se pressent nullement d'armer leurs galères et ne paraissent même pas avoir le désir d'être prêts pour l'année suivante[10]. Il sortira au plus une vingtaine de voiles pour la garde de l'Archipel, c'est-à-dire pour la sécurité des liaisons maritimes turques[11].

Seulement, le même avis annonce que des bruits continuent à courir au sujet de trois cents galères turques que deux cents vaisseaux anglais seraient disposés à renforcer[12]. Et ce bruit en rejoint quelques autres. L'arsenal de Constantinople s'est remis au travail et a fait venir de la *maestranza* de l'Archipel : ceci dès le début de mars 1591[13]. En avril, le Turc a commandé d'énormes quantités de lin et de chanvre en Transylvanie. Pourquoi, sinon pour la voilure et les cordages de la future armada[14] ? En juin, animation nouvelle de l'arsenal. Dans la mer Noire, les constructions de galères ont commencé. On rapetasse les vieilles. Des cargaisons de voiles arrivent à Constantinople[15]. Rien à craindre pour le présent. Mais pour l'avenir ? Bien que les Turcs n'aient fait aucune

---

1. Voir note précédente.
2. J. de Segni de Menorca à Philippe II, Constantinople, 7 janv. 1591, A. N., K 1675.
3. 7 janv., 19 janv. 1591, *ibid*. De Constantinople, 19 janv. 1591, *ibid*. Le sultan au roi de France, lettre interceptée, copie ital., janv. 1591, *ibid*. ; de même le sultan à la reine d'Angleterre, *ibid*.
4. Note précédente.
5. Avis du Levant transmis par l'ambassadeur de Venise, A. N., K 1675.
6. Avis de Const., 16 févr. 1591, A. N., K 1675.
7. F^co de Vera à S. M., Venise, 2 mars 1591, A. N., K 1675.
8. Le même au même, Venise, 16 mars 1591, *ibid*. ; avis de Const., 16 mars 1591, transmis par l'ambassadeur impérial, *ibid*.
9. F^co de Vera à S. M., Venise, 30 mars 1591, A. N., K 1675.
10. Le même au même, Venise, 4 mai 1591, A. N., K 1675.
11. 11 mai, *ibid*.
12. *Ibid*.
13. Constantinople, 2 mars 1591, A. N., K 1675.
14. F^co de Vera à Philippe II, Venise, 17 avr. 1591, A. N., K 1675.
15. Const., 12 juin 1591, *ibid*.

Dans la marge d'une lettre adressée par lui au duc d'Alcala, vice-roi de Naples, Madrid, 20 janvier 1569, Simancas E° 1057, f° 105, deux remarques : 1° en las galeras que el C [omendador] M[ay]or os avisare ; 2° y sera bien que hagais tener secreto lo de Gran[a]da porq[ue] no llegasse a Costantinopla la nueva y hiziese dar priesa al armada y puedese decir q[ue e]stas galeras vienen a llevar al archi duq[ue] ». Je traduis la seconde note : « et il sera bon que vous teniez secrète l'affaire de Grenade pour que la nouvelle n'arrive pas à Constantinople et ne hâte pas la sortie de l'armada [turque] .» Grenade s'est soulevée dès la nuit de Noël 1569. Mais la nouvelle court déjà les rues de Naples quand la lettre du roi y parvient.

504

68 — Philippe II au travail, 23 octobre 1576

Ce billet autographe d'Antonio Perez à Philippe II, 29 octobre 1576, indique au roi le départ de Don Juan d'Autriche pour les Pays-Bas, plus une double demande d'Escovedo. Philippe II, en marge, répond à chaque paragraphe. En face du dernier (Escovedo demande à gagner lui aussi les Pays-Bas), Philippe II écrit « muy bien es esto y asi dare mucha priesa en ello ». Simancas, E° 487. La page a été réduite de façon appréciable sur notre cliché. Escovedo dont il est ici mention sera assassiné le 31 mars 1577. Ce texte a été publié en fac-similé par J. M. GUARDIA, dans son édition d'Antonio Perez ,L'art de gouverner, Paris 1867, après la page LIV.

expédition importante en 1591 (quelques galères de garde sont sorties et l'on signale, le 15 juin, le retour à Constantinople de 6 galères exténuées, *consumidas de hambre*, revenant d'un voyage en Berbérie[1]), l'inquiétude grandit en Chrétienté. Mecatti[2] raconte qu'on vécut à Venise, en cette année 1591, dans l'épouvante du Turc. Il est au moins vrai que Venise a armé, préparé des galères, envoyé des troupes à Candie[3].

On s'explique ces alarmes. La Turquie, libérée de la guerre contre les Perses, il fallait tenir compte de ses possibilités d'intervention. D'autant qu'il semble y avoir eu une politique turque de bluff et de chantage, pour obliger la Chrétienté à prendre des contre-mesures et à rester en suspens. Peut-être pour hâter la venue d'un agent espagnol, chargé de négocier une nouvelle trêve et d'apporter, pour les pachas au moins, les sommes d'argent qui accompagnaient habituellement les négociations. 1591 est une date d'échéance et de renouvellement de la trêve avec l'Espagne. Nous indiquions précédemment la présence, à Constantinople, de Juan de Segni, de Minorque, informateur, espion et représentant tout à la fois[4]. Une lettre de Francisco de Vera[5] signale la présence d'un autre agent espagnol, Galeazzo Bernon (c'est ainsi du moins que le nomme un texte espagnol). Or ce personnage, *que avisa y sirve en Constantinopla*, indique à l'ambassadeur espagnol qu'au cas où la guerre recommencerait, comme on le dit, avec la Perse, il serait inutile d'envoyer à Constantinople Juan et Stefano de Ferrari « dont la venue a été connue en Turquie ». N'est-ce pas, presque à coup sûr, l'agent pour le renouvellement de la trêve ? Dans la lettre de Giovanni Casteline[6], autre agent, italien celui-là, de l'Espagne, on trouve aussi quelques mots qui concernent cette obscure question. « Sinan (pacha) demande, explique-t-il[7], ce qu'il en est de l'Espagnol qui n'arrive pas. Il est grandement temps qu'il vienne avec l'argent »[8]. La question de la trêve turco-espagnole continuait donc à faire l'objet de conversations et d'envois d'agents diplomatiques. Mais a-t-elle été signée, ou non, en 1591, pour les trois années habituelles ? Nous ne saurions l'affirmer.

En tout cas, le printemps de 1592 fut calme. Philippe II, dans une lettre du 28 novembre 1591, avait bien donné l'ordre au comte de Miranda, vice-roi de Naples, d'être prêt à secourir Malte, en cas de nécessité. Cette nécessité ne se présentera pas, avait rétorqué le vice-roi[9]. Il n'y eut, en effet, cette année-là, qu'une ou deux sorties de quelques galères turques, sous les ordres de Cigala[10]. En octobre, le nouveau Général de la Mer était à Valona[11], mais vu l'époque avancée de l'année, il n'y venait que pour recueillir les présents habituels. Par précaution, Miranda donna tout de même l'ordre de rassembler 16 galères à Messine. Ce chiffre à lui seul suffit à établir, en l'absence de renseignements précis, que les forces de Cigala étaient peu de chose. D'ailleurs, le mauvais temps

1. Const., 15 juin 1591, *ibid.*
2. *Op. cit.*, II, p. 785.
3. J. W. ZINKEISEN, *op. cit.*, III, p. 623.
4. Voir notes 2 et 3, p. 503.
5. Venise, 8 juin 1591, A. N., K 1675.
6. Sa lettre citée déjà note 1, ci-dessus. Son nom Castelie avec ligature sur l'i d'après ma lecture qui n'a pu être vérifiée.
7. Je suis ici, non le texte de Const., mais le résumé de la chancellerie au dos de la lettre.
8. ... *Que venga con dineros*.
9. Naples, 15 févr. 1592, Simancas E° 1093, f° 8.
10. Miranda à Philippe II, Naples, 8 sept. 1592, *ibid.*, f° 79.
11. Le même au même, Naples, 25 oct. 1592, *ibid.*, f° 91.

ayant empêché les galères chrétiennes de quitter immédiatement Naples pour la Sicile, elles eurent le temps d'apprendre le départ de Cigala pour Constantinople et de recevoir annulation de l'ordre qui leur avait été donné[1]. Que conclure de ces détails sans importance ? que s'il y avait eu accord formel en 1591, Philippe II se serait dispensé de son ordre catégorique en ce qui concernait Malte et le comte de Miranda de sa décision d'envoyer des galères à Messine. D'autant que ni l'un ni l'autre ne parlent à ce propos d'un accord et du plus ou moins de crédit qu'on pourrait lui attribuer. La chose certaine est que le jeu des négociations n'était pas rompu à Constantinople. Francisco de Vera semble avoir tenu entre ses doigts quelques-uns des fils de l'obscure affaire de ce Lippomano[2], agent de l'Espagne probablement, et qui, appréhendé par les Vénitiens à Constantinople en 1591, préféra se suicider sur le chemin du retour. Les obscurités de cette affaire ne nous aident pas à mieux comprendre les réalités de la négociation, dans la capitale turque.

On pensera qu'un échec possible de ces tractations a pu être à l'origine du coup de semonce que sera, en 1593, le pillage des côtes de Calabre par la flotte turque. La Sicile et Naples, prévenues à temps, avaient pris au moment voulu leurs mesures traditionnelles de sécurité. Mais, après une feinte sur la Sicile, une centaine de voiles turques surgissaient brusquement en face de Messine, sur la Fossa San Giovanni, saccageaient Reggio et 14 villages des environs[3], puis, sans faire d'autres dommages au long du littoral hérissé de défenses, regagnaient Valona. Ainsi s'instituait une guerre couverte qui ne s'arrêtera plus ou presque, sorte de dégénérescence de la vraie guerre entre les armadas turque et espagnole. A une date que nous ne pouvons fixer avec exactitude, peut-être en 1595[4], les galères de Sicile et de Naples tirèrent d'éclatantes vengeances, en saccageant Patras, et plus encore, en participant largement à la course en Orient. Alonso de Contreras, à bord des galères du duc de Maqueda, servit dans ces opérations fructueuses de pillerie au retour desquelles, un jour, pour sa simple part de soldat à trois écus de paie, il lui revint « un chapeau plein jusqu'aux ailes de réaux »[5]. Petite guerre, peu saisissable dans la multiplicité de ses faits divers, en liaison parfois (du côté turc) avec les émigrés morisques et, plus encore, avec l'inquiète Calabre que les avis montrent côtoyée par des navires suspects, allant de nuit au long des rivages, fanaux allumés[6]. Mais cette petite guerre n'est pas la guerre.

En 1594, il y eut une sortie de la flotte de Cigala[7] : elle quitta Constantinople au plus tard en juillet ; elle arriva le 22 août à Puerto Figueredo[8]. A l'annonce des Turcs, une panique se déchaîna dans le royaume de Sicile[9], alors sans

---

1. Le même au même, Naples, 16 nov. 1592, *ibid.*, f⁰ 93.

2. Fco de Vera à Philippe II, Venise, 29 juin 1591, A. N., K 1675.

3. Pietro GIANNONE, *Istoria civile del Regno di Napoli*, La Haye, 1753, t. IV, p. 283, 1593 et non 1595 comme l'indique A. BALLESTEROS Y BARETTA, *op. cit.*, cf. page suivante, note 7.

4. Voir note 7, page suivante.

5. *Les aventures du capitan A. de Contreras*, trad. et édition par Jacques BOULENGER, *op. cit.*, p. 14.

6. 21 sept. 1599, *Archivio storico italiano*, t. IX, p. 406.

7. Fco de Vera à Philippe II, Venise, 6 août 1594, Simancas E⁰ 1345 et 20 août, *ibid.*

8. Carlo d'Avalos à Philippe II, Otrante, 25 août 1594, Simancas E⁰ 1094, f⁰ 89.

9. Olivarès à Philippe II, Palerme, 8 sept. 1594, Simancas E⁰ 1138. C'est alors qu'il faut placer l'incendie de Reggio et le pillage de quelques navires au large de Messine, Carlo Cigala au comte d'Olivarès, Chio, 3 nov. 1594, Simancas E⁰ 1158 et des indications rétrospectives, 15 janvier 1597, Simancas E⁰ 1223, G. MECATTI, *op. cit.*, II, p. 789-790.

protection. Le 9 septembre, en effet, on attendait toujours à Naples l'arrivée des galères du prince Doria[1]. Si l'alerte s'était développée, elle eût pris la défense espagnole en défaut. Mais, à la mi-septembre, on était assez rassuré pour retirer des marines de Sicile la milice de garde et ne plus leur laisser que la protection de la *gente ordinaria*[2]. La flotte turque, que l'on disait forte de 90, 100, voire 120 galères, s'en retourna de bonne heure vers Constantinople[3]. Le 8 octobre, les 2 500 Napolitains levés pour le compte de l'armée de Lombardie et qu'on avait retenus jusque-là prenaient le chemin du Nord.

En 1595, mêmes fausses alertes. L'armada turque est le 31 juillet à Modon, son poste de guette et d'attente[4]. L'Italie immédiatement est en alarme. Les Espagnols envisagent de réunir des galères à Messine[5]. Mais des informations secrètes, que l'avenir confirmera, annoncent que le Turc ne sortira pas *de sus mares*[6] ; la flotte espagnole, sans se déranger, s'emploie donc comme à l'ordinaire à ses transports vers l'Ouest, tandis que le ballet turc continue à n'être qu'un jeu d'ombres[7].

Jean André Doria ne veut pas combattre l'armada turque : août-septembre 1596

1596 a été, nous le savons, l'année de la grande crise turque sur les champs de bataille de Hongrie, l'année de la dure bataille de Keresztes. Les Turcs, cette année-là, ont tout de même pris leurs positions habituelles de garde sur les côtes de Grèce. D'autant qu'ils n'avaient pas seulement à se garder contre l'Occident chrétien, mais contre le pays albanais qui bouillonnait, comme jadis peut-être au cours d'un siècle qui ne lui avait guère réservé de périodes calmes[8]. L'Albanie paraît prête à se soulever. A Rome, à Florence, on songe à y tenter un débarquement. Mais Venise a trop d'intérêts dans cet éventuel conflit, proche de ses frontières ; elle est trop désireuse de rester neutre pour se mêler à l'aventure ou lui permettre de se développer. Cependant les Espagnols sont harcelés par la papauté, qui voudrait les voir se mesurer avec la flotte turque[9]. Jadis, en 1572, Rome n'avait pas réussi à joindre, à la guerre maritime, une guerre continentale contre les Turcs. En 1596, elle se heurte à l'impossibilité d'ajouter une guerre maritime à la guerre continentale de Hongrie. Sollicité d'intervenir, Jean André Doria, durant l'été 1596, se retranche derrière ses instructions. Pressé, il en réfère à Philippe II, mais dans des termes qui disent assez qu'il est déjà fixé sur les intentions de son souverain : « Le dernier jour du mois passé, j'ai écrit à Votre Majesté. J'ajoute aujourd'hui que le 2 de ce mois, arrivèrent les galères du Grand-Duc et celles de Sa Sainteté. Les premières sont

1. Miranda à Philippe II, Naples, 9 sept. 1594, Simancas E⁰ 1094, f⁰ 99.
2. Olivarès à Philippe II, Palerme, 15 sept. 1594, Simancas E⁰ 1158.
3. Miranda à Philippe II, Naples, 11 oct. 1594, Simancas E⁰ 1094, f⁰ 110.
4. Fco de Vera à Philippe II, Venise, 19 août 1595, Simancas E⁰ 1346.
5. Miranda à Philippe II, Naples, 19 août 1595, Simancas E⁰ 1094, f⁰ 181.
6. Le même au même, Naples, 24 août 1595, Simancas E⁰ 1094, f⁰ 170.
7. Je signale les affirmations de A. BALLESTEROS y BARETTA, *op. cit.*, IV, 1, p. 169 sur le pillage et le sac de Reggio par Cigala en 1595 et celui de Patras, en représailles, par les Espagnols, dont je n'ai pas trouvé mention dans les papiers que j'ai consultés. Cette affirmation étant donnée sans preuves, je ne puis me prononcer à son sujet. Voir note 9, page précédente.
8. V. LAMANSKY, *op. cit.*, pp. 493-500.
9. Qui vient d'arriver à Navarin. Olivarès à Philippe II, Naples, 24 sept. 1596, Simancas E⁰ 1094, f⁰ 258.

venues avec les prétentions que l'on peut voir d'après les copies des lettres du Grand-Duc qu'elles m'ont apportées. Je ne sais ce que décidera le président du royaume de Sicile, que j'ai avisé aussitôt. Sa Sainteté prétend que j'aille rechercher l'armada ennemie et que je combatte contre elle, mais comme celle-ci a une grosse supériorité quant au nombre de galères, et comme en plus des troupes qu'elle transporte, elle peut embarquer au long de ses côtes tous les hommes d'armes qu'elle désirera, il ne m'a pas semblé bon de lui obéir sur ce point. D'autre part, elle prétend que je dois débarquer des troupes en Albanie, en raison des intelligences qu'elle a dans cette région. Je lui ai répondu que je n'avais pas d'ordres de Votre Majesté à ce sujet, sauf celui de garder, avec ses galères, les côtes de la Chrétienté... »[1].

Et de fait, Jean André Doria s'est contenté de lancer quelques bandes de galères dans le Levant pour distraire l'ennemi. Puis, tranquillement, il a attendu les événements à Messine. Il annonçait, le 13 août[2], à Philippe II que « s'il n'était pas nécessaire de faire face à l'ennemi », il prendrait avec toute sa flotte le chemin de l'Espagne, ce qui fut fait avec un peu de retard en septembre.[3] Les galères turques arrivaient le même mois à Navarin. En mauvais état. comme l'avait affirmé le pape. Elles ne dépassèrent pas l'escale[4] et s'en retournèrent aux premiers mauvais temps[5].

1597-1600

La Chrétienté eut, de nouveau, quelques craintes au début de 1597, à l'annonce de la sortie prochaine de 35 à 40 galères turques[6]. Pour une fois, l'avis se vérifia à peu près, mais peut-être était-ce pur hasard, puisque d'autres renseignements — les optimistes — avaient annoncé qu'il n'y aurait pas de flotte du tout[7]. Au début d'août, on savait à Venise qu'une flotte avait déjà quitté Constantinople, flotte réduite, destinée à agir contre les galères de Malte dont les raids en Orient « ont éveillé qui dormait », écrit l'ambassadeur espagnol à Venise[8]. Il est évident que les Espagnols, à l'époque, préféreraient de beaucoup le sommeil du Turc. Cette flotte avait beau être réduite, elle pouvait être mobile et efficace, à la façon d'une flottille de corsaires et faire autant et plus de dommages qu'une véritable armada. On sut bientôt qu'elle était composée de 30 galères et 4 galions, sous les ordres de Mami Pacha, et qu'elle avait quitté Constantinople le 2 juillet. Son but : lutter contre les corsaires ponentins, mais aussi, à l'occasion, pirater pour son propre compte. Ainsi la guerre des grands États tourne-t-elle à la simple course. Iñigo de Mendoza commence à se demander si ce n'est pas l'inertie espagnole, son esprit de non-résistance qui poussent le Turc à armer[9].

Toutefois, la flotte de Mami Pacha ne valait sans doute pas les vraies flottes de course des Algérois et n'avait pas été convenablement armée au départ. Car malgré ses intentions primitives, elle retourna rapidement à son

1. J. A. Doria à Philippe II, Messine, 8 août 1596, Simancas E° 1346.
2. Le même au même, Messine, 13 août 1596, *ibid.*
3. Olivarès à S. M., Naples, 24 sept. 1596, Simancas E° 1094, f° 258.
4. *Ibid.*
5. Iñigo de Mendoza à S. M., Venise, 7 déc. 1596, A. N., K 1676.
6. Le même au même, Venise, 5 avril 1597, A. N., K 1676.
7. Le même au même, Venise, 14 juin et 5 juil. 1597, *ibid.*
8. Le même au même, Venise, 2 août 1597, *ibid.*
9. 9 août 1597, *ibid.*

port, non sans avoir été passablement malmenée durant son voyage de retour[1].

1598 : rien à signaler non plus, ce qui est étonnant après tout, puisqu'une fois de plus, la flotte turque était sortie[2]. Le 26 juillet, elle avait quitté Constantinople, sous les ordres de Cigala[3]. Après avoir dépassé les Sept Tours, elle avait été retenue par le manque de vivres et d'argent, mais elle avait continué sa marche, malgré la peste qui, disait-on, s'était déclarée à bord[4]. En tout, elle comptait 45 galères, mieux armées que celles de l'année précédente, ce qui n'était d'ailleurs qu'un mieux relatif. Cigala arriva à Zante[5], en septembre, mais ne fit aucune expédition contre la Chrétienté, ses galères étant sans doute trop fatiguées[6] pour se risquer dans des entreprises un peu longues. Donc, encore en 1598, une sortie pour rien de la flotte turque et la guerre refusait de se déclarer. Et toujours à Constantinople, des essais de trêves, négociées pour l'Espagne, cette fois par des Juifs de la capitale turque[7].

En 1599, même calme. En 1600, Cigala sort avec 19 galères qui, arrivées aux Sept Tours, ne sont bientôt plus que 10. Les 9 galères désarmées servent à renforcer le personnel et la voilure des autres[8]. En Occident, la tranquillité est complète. On envisage même, en Espagne, d'envoyer des galères dans les Flandres, pour répondre aux demandes de l'archiduc Albert[9].

Fausse alerte ou occasion manquée en 1601 ?

Aussi est-il étonnant de voir, l'année suivante, l'Espagne commencer des préparatifs maritimes. Est-ce la guerre de Henri IV contre la Savoie, à propos de Saluces[10], ou les projets hostiles à la Toscane, qui ramènent l'attention de l'Espagne vers la Méditerranée ; ou la nécessité de tenir ouverte la route de Barcelone à Gênes ; ou simplement le fait que, dégagée de la guerre française, la Péninsule a plus de forces à dépenser dans la mer Intérieure ? En tout cas, on assiste, en 1601, en Méditerranée, à un déploiement de forces espagnoles depuis longtemps inusité. Toute l'Italie aux ordres de Madrid est mise sur pied de guerre[11]. Venise en est d'autant plus inquiète que des soldats allemands traversent son territoire, sans autorisation, pour rejoindre Milan, qui regorge de troupes. Venise arme à son tour, ce qui est naturel[12]. Le comte de Fuentès la rassure, ce qui est non moins naturel et certainement inefficace[13]. Ces armements, ces mouvements de troupes et de navires ont tout de suite déchaîné à travers l'Italie, peut-être trop nerveuse, trop attentive à ce qui peut menacer sa quiétude, une crise générale. N'est-ce pas avec de vastes projets que voyage,

1. 18 oct. 1597, *ibid.*
2. Lettres des 14 févr. 1598, 14 avril, 4 juil., 18 juill., 8 août, sur les évolutions de Cigala, *ibid.*
3. Venise 29 août 1598, *ibid.*
4. Lettres du 12 sept. 1598, *ibid.*
5. 30 sept. 1598, *ibid.*
6. Maqueda à Philippe II, Messine, 28 sept. 1598, Simancas E⁰ 1158.
7. J. von HAMMER, *op. cit.*, VII, p. 362 et note 2.
8. I. de Mendoza à Philippe III, Venise 19 août 1600, A. N., K 1677.
9. Archiduc Albert à Juan Carillo, Bruxelles, 14 sept. 1600, *Aff. des Pays-Bas*, t. VI, p. 33. Henri IV à Rochepot, Grenoble, 26 sept. 1600, *Lettres inédites du roi Henri IV à M. de Villiers*, p. p. Eugène HALPHEN, Paris, 1857, p. 46.
10. Henri IV à Villiers, 27 févr. 1601, *ibid.*, p. 12-13.
11. J. Bᵃ de Tassis à Philippe III, Paris, 5 mars 1601, A. N., K 1677.
12. Fco de Vera à S. M., Venise, 31 mars 1601, *ibid.*
13. Le même au comte de Fuentès, Venise, 14 avril 1601, *ibid.*

vers la France et l'Angleterre, le renégat marseillais, Bartolomé Coreysi[1], envoyé d'Ibrahim Pacha[2], et qui, en avril, passe par Venise, se dirigeant vers Florence et Livourne ?

Henri IV, pour son compte, ne pense pas que la guerre puisse en résulter : le comte de Fuentès, s'il troublait l'Italie, écrit-il à M. de Villiers[3], aurait contre lui le pape « sans lequel led. Roi, feroit très mal ses besongnes ». D'ailleurs, Philippe III n'a pas besoin d'un tel remuement. « En vérité, écrivait encore Henri IV à Villiers, le 16 mai 1601[4], je n'ay jamais estimé que les Espagnols voulussent faire la guerre en Italie, ny ailleurs, ayant comme ils ont sur les bras celle des Païs Bas qui est assez pesante pour eux et n'estant guères mieux pourvus d'argent que les aultres. » A cette date, d'ailleurs, les craintes italiennes s'étaient calmées. Venise démobilisait[5]. Et la crise était virtuellement terminée quand Philippe III, le 27 mai, « jura » enfin la paix de Vervins[6].

Mais cette crise, centrée tout d'abord sur l'Italie, allait se déplacer brusquement vers la mer elle-même, pendant l'été. Les avis de Constantinople nous informant, cette fois, non plus sur l'Orient mais sur l'Occident, signalaient à la mi-juin la préparation d'une puissante flotte espagnole, pour la plus grande confusion de Cigala qui ne pouvait guère réunir, face au danger, que 30 ou 50 galères, avec le concours des corsaires[7]. En France, on était au courant de cette concentration de la flotte espagnole. « L'armée de mer qui se prépare à Gênes, écrivait Henri IV le 25 juin[8], menace l'empire du Turc et tient en jalousie le voisinage, mais j'espère qu'elle fera plus de bruit que de mal, comme les autres actions du dit comte de Fuentès. » Les Turcs prirent quelques précautions, faisant avancer une trentaine de galères jusqu'à l'île de Tenedos[9], au débouché des Dardanelles. Le roi de France ne prenait pas au sérieux la sortie de l'armada turque. « J'ay opinion, écrivait-il le 15 juillet, que le bruict en sera plus grand que l'effet »[10].

Quant à l'armada chrétienne, elle paraissait plus menaçante, mais chacun se demandait où elle porterait ses coups, bien que Venise prétendît savoir qu'elle irait en Albanie pour y saisir Castelnuovo[11]. Le 5 août, le prince Jean André Doria quittait Trapani avec ses navires[12]. A Constantinople, où on s'exagérait le péril, la situation pour une fois se renversait curieusement. On parlait d'une armada chrétienne de 90 galères et 40 galions[13]. Et Cigala, arrivé à Navarin, se tint prudemment enfermé dans le port, avec ses 40 galères[14].

Pourtant, il ne s'agissait point d'un nouveau Lépante. Le point de départ de Doria, Trapani, indiquait, à lui seul, que l'Espagne ne se préoccupait pas du

---

1. Ou Coresi, Fco de Vera à Philippe III, Venise, 21 avril 1601, *ibid.* ; partira de Venise le 2 mai (le même au même, 5 mai, *ibid.*).
2. Le même au même, 14 avril 1601, *ibid.*
3. 24 avril 1601, *Lettres inédites du roi Henri IV à M. de Villiers, op. cit.,* p. 19.
4. *Ibid.,* p. 29.
5. Fco de Vera à Philippe III, Venise, 5 mai 1601, A. N., K 1677.
6. Henri IV à Villiers, 16 mai 1601, *Lettres... du roi Henri IV..., op. cit.,* p. 26.
7. Const., 17 et 18 juin 1601, A. N., K 1677.
8. A Villiers, *Lettres... du roi Henri IV..., op. cit.,* p. 36.
9. Const., 2 et 3 juillet 1601, A. N., K 1677.
10. A Rochepot, *Lettres... du roi Henri IV..., op. cit.,* p. 98.
11. Fco de Vera à Philippe III, Venise 28 mai 1601, A. N., K 1677, Henri IV à Villiers, 3 sept. 1601, *Lettres..., op. cit.,* p. 44-45.
12. Sessa à Philippe III, Rome, 17 août 1601, A. N., K 1630.
13. Const. 26 et 27 août 1601, A. N., K 1677.
14. Const. 8 et 9 sept. 1601, *ibid.*

Levant, mais de l'Afrique du Nord. En réalité, la flotte espagnole avait appareillé contre Alger. On espérait surprendre[1] le grand port barbaresque, mais, une fois de plus, le temps allait trahir toutes les espérances. Le manque d'audace du chef aidant, l'armada dut faire demi-tour. Dès le 14 septembre, l'ambassadeur français[2] en Espagne annonçait l'échec de la flotte, qu'on « publie être advenu par une tempête qui l'a assaillie à quatre lieues de là où il prétendoit descendre, laquelle a tellement escarté et fracassé leurs galères qu'ils ont esté contraints de rompre leurs desseins ». Est-ce là une occasion manquée à ajouter à la liste déjà longue des occasions manquées par la Chrétienté contre Alger, avant 1830 ? C'est au moins ce qu'on pensa à Rome où le duc de Sessa indiquait combien sa Sainteté lui avait « montré de peine pour la disgrâce survenue à la dite armada »[3]. Le Saint-Père pensait surtout que la diversion vers l'Afrique avait empêché une fructueuse intervention dans le Levant... Ainsi, au début du XVIIe siècle, retrouve-t-on curieusement ces éternelles querelles entre Espagnols, préoccupés de l'Afrique, et Italiens, attentifs à l'Orient.

Remarquons que cette expédition — et c'est en quoi elle est révélatrice de l'heure méditerranéenne — si elle avait réussi, n'aurait abouti qu'à une simple guerre locale. La flotte espagnole n'aurait pas rencontré la flotte turque. La grande guerre des escadres, des galères renforcées et des galions ne réussit pas à reprendre possession de la mer. Au delà des circonstances, des hommes, des calculs, des projets, un courant général, puissant, hostile, s'oppose à leur coûteuse remise en place. A sa façon, la décadence de la grande guerre est comme le signe avant-coureur de la décadence même de la Méditerranée qui assurément se précise et devient déjà visible, avec les dernières années du XVIe siècle.

La mort de Philippe II, 13 septembre 1598[4]

Dans le récit des événements du théâtre méditerranéen, nous n'avons pas cité, en ses lieu et place, un événement pourtant sensationnel, qui courut la mer et le monde : la mort de Philippe II, survenue le 13 septembre 1598, à l'Escorial, au soir d'un long règne qui avait paru interminable à ses adversaires.

Omission ? Mais la disparition du Roi Prudent a-t-elle signifié un grand changement de la politique espagnole ? Vis-à-vis de l'Orient, celle-ci (la tentative du vieux Doria contre Alger, en 1601, n'y changera rien) demeurera prudente à l'excès, peu désireuse d'un conflit ouvert avec les Turcs[5]. Des

---

1. A. d'AUBIGNÉ, op. cit., IX, p. 401 et sq.
2. Henri IV à Villiers, Fontainebleau, 27 sept. 1601, Lettres... op. cit., p. 48.
3. Sessa à Philippe III, Rome, 6 oct. 1601, A. N., K 1630.
4. La source narrative la plus détaillée est celle du P. de SEPULVEDA, Sucesos del Reinado de Felipe II, p.p. J. ZARCO, Ciudad de Dios, CXI à CXIX. Historia de varios sucesos y de las cosas (éd. Madrid, 1924). Parmi les récits d'historiens contemporains, Jean CASSOU, La vie de Philippe II, Paris, 1929, p. 219 et sq. et Louis BERTRAND, Philippe II à l'Escorial, Paris, 1929, chap. VII, « Comment meurt un roi », p. 228 et sq.
5. La présence de Joan de Segni de Menorca à Const. nous est encore signalée par une de ses lettres à Philippe II, 3 nov. 1597, A. N., K 1676. A la veille de la Guerre de Trente Ans, tentative des Impériaux pour libérer l'Espagne définitivement de cette charge ou mieux de ces menaces, action à propos du baron Mollart. En 1623, la négociation entre les mains de Giovanni Battista Montalbano, le projet d'une paix perpétuelle avec les Turcs et d'un détournement des épices par le Proche Orient, avec l'aide même des Polonais. Cf. H. WÄTJEN, Die Niederländer... op. cit., p. 67-69.

agents espagnols continueront leurs intrigues à Constantinople, pour y négocier une impossible paix et s'employer efficacement à éviter les heurts... Quand on parlera de guerre, ce ne sera que contre les Barbaresques, guerre limitée, on le voit. Il n'y a même pas eu de changement décisif de l'Espagne elle-même. Seules continuent à agir les forces depuis longtemps à l'œuvre. Nous l'avons dit notamment à propos de ce que l'on a appelé la réaction seigneuriale du nouveau règne. Tout est continuité ; même, malgré sa lenteur à s'accomplir, le retour à la paix qui s'impose après les efforts désordonnés mais puissants des dernières années du règne de Philippe II. La paix de Vervins de 1598 est l'œuvre du roi défunt, la paix anglaise tardera six ans (1604), la paix avec les Provinces Unies plus de onze ans encore (1609). Mais l'une et l'autre sont portées par le mouvement antérieur.

Rien de plus révélateur de l'énigmatique figure de Philippe II que sa mort admirable, racontée souvent et avec tant de pathétisme que l'on hésite à en reprendre les détails émouvants. A coup sûr, la mort d'un roi et d'un chrétien, singulièrement assuré de la vertu des pouvoirs intercessionnaires de l'Église.

Aux premières douloureuses attaques du mal, en juin, malgré l'avis des médecins, il s'était fait transporter à l'Escorial pour y mourir. Il lutta pourtant contre l'affection septicémique qui devait l'emporter après cinquante-trois jours de maladie et de souffrances. Cette mort n'est pas du tout sous le signe de l'orgueil, cette divinité du siècle réformé[1]. Le roi ne vient pas à l'Escorial pour y mourir solitaire ; il vient là où sont les siens, ses morts qui l'attendent, et il y vient accompagné de son fils, le futur Philippe III, de sa fille l'infante qui va partir pour les Flandres, des Grands de l'Église et des Grands de ce monde qui le suivront au cours de sa passion. C'est une mort aussi accompagnée que possible, aussi sociale, aussi cérémonieuse peut-on dire, au meilleur sens du mot. Ce n'est pas l'Orgueil, ce n'est pas la Solitude ni l'Imagination, comme on l'a dit, mais l'appareil familial, l'armée des Saints, la nuée des prières qui entourent ses derniers instants, en une procession ordonnée qui, en soi, est une belle œuvre d'art. Cet homme dont on a tant dit que sa vie avait consisté à distinguer le temporel du religieux, que ses ennemis ont, sans vergogne, noirci sous les calomnies les plus absurdes, que ses admirateurs ont auréolé un peu vite, c'est dans le droit fil de la vie religieuse la plus pure qu'il est à comprendre, peut-être dans l'atmosphère même de la révolution carmélitaine...

Mais le souverain, la force d'histoire dont son nom a été le lien et le garant ? Comme elle déborde l'individu solitaire et secret qu'il fut ! Historiens, nous l'abordons mal : comme les ambassadeurs, il nous reçoit avec la plus fine des politesses, nous écoute, répond à voix basse, souvent inintelligible, et ne nous parle jamais de lui. Trois jours durant, à la veille de sa mort, il confessa les fautes de sa vie. Mais ces fautes, comptées au tribunal de sa conscience, plus ou moins juste dans ses appréciations, plus ou moins égarée dans les dédales d'une longue vie, qui pourrait les imaginer à coup sûr ? Là se situe l'une des grandes questions de sa vie, la surface d'ombre qu'il faut laisser à la vérité de son portrait. Ou mieux, de ses portraits. Quel homme ne change pas au cours de sa vie ? Et la sienne fut longue, mouvementée, du portrait du Titien qui nous présente le prince dans sa vingtième année, au terrible et émouvant tableau de Pantoja de la Cruz, qui nous restitue, à la fin du règne, l'ombre de ce qu'il fut...

---

1. Jean Cassou, *op. cit.*, p. 228.

L'homme que nous pouvons saisir, c'est le souverain faisant son métier de roi, au centre, à la croisée des incessantes nouvelles qui tissent devant lui, avec leurs fils noués et entrecroisés, la toile du monde et de son Empire. C'est le liseur à sa table de travail, annotant les rapports de son écriture rapide, à l'écart des hommes, distant, méditatif, lié par les nouvelles à l'histoire vivante qui se presse vers lui, de tous les horizons du monde. A vrai dire, il est la somme de toutes les faiblesses, de toutes les forces de son Empire, l'homme des bilans. Ses seconds, le duc d'Albe, plus tard Farnèse aux Pays-Bas, Don Juan en Méditerranée, ne voient qu'un secteur, leur secteur personnel dans l'énorme aventure. Et c'est la différence qui sépare le chef d'orchestre de ses exécutants...

Ce n'est pas un homme à grandes idées : sa tâche, il la voit dans une interminable succession de détails. Pas une de ses notes qui ne soit un petit fait précis, un ordre, une remarque, voire la correction d'une faute d'orthographe ou de géographie. Jamais sous sa plume d'idées générales ou de grands plans. Je ne crois pas que le mot de Méditerranée ait jamais flotté dans son esprit avec le contenu que nous lui accordons, ni fait surgir nos habituelles images de lumière et d'eau bleue ; ni qu'il ait signifié un lot précis de grands problèmes ou le cadre d'une politique clairement conçue. Une véritable géographie ne faisait pas partie de l'éducation des princes. Toutes raisons suffisantes pour que cette longue agonie, terminée en septembre 1598, ne soit pas un grand événement de l'histoire méditerranéenne. Pour que se marquent à nouveau les distances de l'histoire biographique à l'histoire des structures et, plus encore, à celles des espaces...

CONCLUSION

Voilà vingt ans bientôt que ce livre circule, est mis en cause et à contribution, critiqué (très peu), loué (trop souvent). J'ai eu l'occasion, en tout cas, dix fois pour une, de compléter ses explications, de défendre ses points de vue, de réfléchir sur ses partis pris, de corriger ses erreurs. Je viens de le relire sérieusement, pour le mettre à jour, et je l'ai largement remanié. Mais il est évident qu'un livre existe en dehors de son auteur, qu'il a sa vie personnelle. Il est possible de l'améliorer, de le surcharger de notes et de détails, de cartes et d'illustrations, non de le changer radicalement. Souvent, à Venise, un navire acheté hors de la ville y était révisé soigneusement, complété par des charpentiers habiles, il n'en restait pas moins tel navire, sorti des chantiers ou de Dalmatie ou de Hollande, et toujours reconnaissable au premier coup d'œil.

Malgré le labeur prolongé du correcteur, les lecteurs de ce livre, dans son édition ancienne, le reconnaîtront sans peine. Sa conclusion, son message, sa signification restent les mêmes qu'hier. Il se présente, sur ces années ambiguës des débuts de la modernité du monde et à travers l'immense scène de la Méditerrannée, comme la mise en œuvre d'un nombre très considérable de documents neufs. Il est, en outre, une sorte d'essai d'histoire globale, écrite selon trois registres successifs, ou trois « paliers », j'aimerais mieux dire trois temporalités différentes, le but étant de saisir, dans leurs plus larges écarts, tous les temps divers du passé, d'en suggérer la coexistence, les interférences, les contradictions, la multiple épaisseur. L'histoire, selon mes vœux, devrait se chanter, s'entende à plusieurs voix, avec cet inconvénient évident que les voix se couvrent trop souvent les unes les autres. Il n'y a en pas toujours une qui s'impose en solo et repousse au loin les accompagnements. Comment pourrait-on apercevoir alors, dans le synchronisme d'un seul instant, et comme par transparence, ces histoires différentes que la réalité superpose ? J'ai essayé d'en donner l'impression en reprenant souvent, d'une partie à l'autre de ce livre, certains mots, certaines explications, comme autant de thèmes, d'airs familiers communs aux trois parties. Mais la difficulté, c'est qu'il n'y a pas deux ou trois temporalités, mais bien des dizaines, chacune impliquant une histoire particulière. Leur somme seule, appréhendée dans le faisceau des sciences de l'homme (celles-ci au service rétrospectif de notre métier), constitue l'histoire globale dont l'image reste si difficile à reconstituer dans sa plénitude.

CONCLUSION

I

Nul ne m'a reproché l'annexion, à ce livre d'histoire, d'un très large essai géographique, par quoi il commence, conçu comme hors du temps, et dont les images et réalités ne cessent d'affleurer de la première à la dernière page de ce gros ouvrage. La Méditerranée, avec son vide créateur, la liberté étonnante de ses routes d'eau (son libre-échange automatique, comme dit Ernest Labrousse), avec ses terres diverses et semblables, ses villes issues du mouvement, ses humanités complémentaires, ses hostilités congénitales, est une œuvre reprise sans cesse par les hommes, mais à partir d'un plan obligatoire, d'une nature peu généreuse, souvent sauvage et qui impose ses hostilités et contraintes de très longue durée. Toute civilisation est construction, difficulté, tension : celles de Méditerranée ont lutté contre mille obstacles souvent visibles, elles ont utilisé un matériel humain parfois fruste, elles se sont battues sans fin, à l'aveugle, contre les masses énormes des continents qui enserrent la mer Intérieure, elles se sont même heurtées aux immensités océaniques de l'Indien ou de l'Atlantique...

J'ai donc recherché, selon les cadres et la trame d'une observation géographique, des localisations, des permanences, des immobilités, des répétitions, des « régularités » de l'histoire méditerranéenne, non pas *toutes* les structures ou régularités monotones de la vie ancienne des hommes, mais les plus importantes d'entre elles et qui touchent à l'existence de chaque jour. Ces régularités sont le plan de référence, l'élément privilégié de notre ouvrage, ses images les plus vives et l'on peut en compléter l'album avec facilité. Elles se retrouvent, comme intemporelles, dans la vie actuelle, au hasard d'un voyage ou d'un livre de Gabriel Audisio, de Jean Giono, de Carlo Levi, de Lawrence Durrell, d'André Chamson... A tous les écrivains d'Occident qui ont, un jour ou l'autre, rencontré la mer Intérieure, celle-ci s'est proposée comme un problème d'histoire, mieux de « longue durée ». Je pense comme Audisio, comme Durrell, que l'antiquité elle-même se retrouve sur les rivages méditerranéens d'aujourd'hui. A Rhodes, à Chypre, « observez les pêcheurs qui jouent aux cartes dans la taverne enfumée du *Dragon* et vous pourrez vous faire une idée de ce que fut le véritable Ulysse ». Je pense aussi, avec Carlo Levi, que le pays perdu qui est le vrai sujet de son beau roman, *Le Christ s'est arrêté à Eboli*, s'enfonce dans la nuit des temps. Eboli (dont Ruy Gomez a tiré son titre de prince) est sur la côte, près de Salerne, là où la route quitte la mer pour foncer droit vers la montagne. Le Christ (c'est-à-dire la civilisation, l'équité, la douceur de vivre) n'a pu continuer sa marche vers les hauts pays de Lucanie, jusqu'au village de Gagliano, « au-dessus des précipices d'argile blanche », au creux de versants sans herbe, sans arbres. Là, de pauvres *cafoni* sont mis en coupe réglée, comme toujours, par les nouveaux privilégiés du temps présent : le pharmacien, le médecin, l'instituteur, toutes personnes que le paysan évite, qu'il craint, avec qui il biaise... Vendettas, brigandages, économies, outils primitifs sont ici chez eux. Un émigré peut revenir d'Amérique dans un village presque abandonné, porteur de mille nouveautés étrangères, d'outils merveilleux : il ne changera rien à cet univers archaïque, muré en lui-même. Ce visage profond de la Méditerranée, je doute que, sans l'œil du géographe (du voyageur ou du romancier), on puisse en saisir les vrais contours, les réalités oppressives.

II

Notre seconde entreprise — dégager au XVIe siècle le destin collectif de la Méditerranée, son histoire « sociale » au sens plein — c'est, d'entrée de jeu et jusqu'à la conclusion, se heurter au problème insidieux et sans solution de la détérioration de sa vie matérielle, à ces multiples décadences en chaîne de la Turquie, de l'Islam, de l'Italie, de la primauté ibérique, pour parler le langage des historiens d'hier — ou aux ruptures et pannes de ses secteurs moteurs (finances publiques, investissements, industries, navigation) pour parler le langage des économistes d'aujourd'hui. Des historiens, nourris ou non de pensée allemande, ont volontiers soutenu — le dernier en date étant peut-être Eric Weber[1], disciple d'Othmar Spann et de son école universaliste — qu'il y avait un processus de la décadence en soi, dont le destin du monde romain donnait déjà l'exemple parfait. Entre autres règles, toute chute (*Verfall*), pour Eric Weber, serait compensée, ailleurs, par une montée contemporaine (*Aufstieg*), comme si rien ne se perdait dans la vie commune des peuples. On pourrait aussi bien parler des thèses non moins rigides de Toynbee ou de Spengler. J'ai lutté contre ces vues trop simples et les grandes explications qu'elles impliquent. Au vrai, dans lequel de ces schémas pourrait-on facilement inscrire l'exemple du destin méditerranéen ? Sans doute n'y-a-t-il pas *un* modèle de la décadence. Pour chaque cas particulier, à partir de ses structures de base, le modèle est à reconstruire.

Quel que soit le contenu que l'on donne à ce mot imprécis de décadence, la Méditerranée n'a pas été la proie facile et résignée d'un vaste processus de régression, irréversible et, surtout, précoce. Je disais, en 1949, que le déclin ne me semblait pas visible avant 1620. Je dirais volontiers aujourd'hui, *sans en être tout à fait sûr*, pas avant 1650. En tout cas, les trois plus beaux livres parus sur le destin des terres méditerranéennes au cours de ces dix dernières années, celui de René Baehrel à propos de la Provence, celui d'Emmanuel Le Roy Ladurie à propos du Languedoc, celui de Pierre Vilar à propos de la Catalogne, ne me contrediront pas. Il me semble que si l'on voulait reconstruire le nouveau panorama d'ensemble de la Méditerranée, après la grande rupture qui marque la fin de sa primauté, il faudrait choisir une date tardive, 1650 ou même 1680.

Il faudrait aussi, au fur et à mesure que les recherches locales permettront plus de rigueur, poursuivre ces essais de calculs, ces estimations, ces recherches d'ordres de grandeur auxquels je me suis livré, me rapprochant ainsi, plus que ne le disent ces tentatives très imparfaites, de la pensée des économistes préoccupés par des problèmes de croissance et de comptabilité nationale (chez nous François Perroux, Jean Fourastié, Jean Marczewski). Les suivre, c'est retrouver bientôt une évidence : à savoir que la Méditerranée du XVIe siècle est, par priorité, un univers de paysans, de métayers, de propriétaires fonciers ; que les moissons et les récoltes sont la grande affaire, le reste une superstructure, le fruit d'une accumulation, d'un détournement abusif vers les villes. Paysans d'abord, blé d'abord, c'est-à-dire nourriture des hommes, nombre des hommes, c'est la règle silencieuse du destin à cette époque. A court terme, à long terme, la vie agricole commande. Soutiendra-t-elle le poids accru des hommes, le luxe des villes si éblouissant qu'on ne voit plus que lui ? C'est le problème crucial de chaque jour, de chaque siècle. Le reste, par comparaison, est presque dérisoire.

---

1. *Beiträge zum Problem des Wirtschaftverfalles*, 1934.

CONCLUSION

En Italie, par exemple, avec le XVIe siècle finissant, un énorme investissement s'opère au bénéfice des campagnes. J'hésite à y voir le signe d'une décadence précoce ; c'est bien plutôt une réaction saine ; en Italie un équilibre précieux sera ainsi préservé. Équilibre matériel s'entend, car socialement la grande, la forte propriété impose partout ses ravages et ses gênes à long terme. De même en Castille[1]. Les historiens nous le disent aujourd'hui, un équilibre matériel y a duré jusqu'au milieu du XVIIe siècle. Voilà qui modifie nos observations antérieures. J'avais cru ainsi que la crise courte et violente des années 1580 venait du simple retournement de l'Empire espagnol vers le Portugal et l'Atlantique. Explication « noble ». Felipe Ruiz Martin[2] vient de démontrer qu'elle n'est que le processus déclenché, avant tout, par la grande crise frumentaire des pays ibériques, avec les années 80 du siècle. Donc, en gros, « une crise d'ancien régime », selon le schéma d'Ernest Labrousse.

Bref, même pour l'histoire conjoncturelle des crises, il faudrait dire souvent : structure, histoire lente d'abord. Tout doit se comparer à ce plan d'eau essentiel, les prouesses des villes (qui, en 1949, m'ont trop ébloui : civilisation d'abord !), mais aussi l'histoire conjoncturelle prompte à expliquer, comme si elle remuait tout dans ses mouvements parfois très courts, comme si elle-même n'était pas commandée à son tour. En fait, de proche en proche, une nouvelle histoire économique est à construire, à partir de ces mouvements et de ces immobilités que la vie affronte sans fin. Ce qui fait le plus de bruit n'est pas le plus important, chacun le sait.

En tout cas, ce n'est pas avec le renversement de la tendance séculaire, lors des années 1590, ou avec le coup de hache de la crise courte de 1619-1621, que s'achèvent les splendeurs de la vie méditerranéenne. Je ne crois pas davantage, jusqu'à plus ample informé, à un décalage catastrophique des conjonctures « classiques » entre Nord et Sud de l'Europe et qui, s'il existe, aurait été à la fois le fossoyeur de la prospérité méditerranéenne et le constructeur de la suprématie des Nordiques. Explication double, doublement expéditive. Je demande à voir.

Cet écartèlement entre lenteurs et précipitations, entre structure et conjoncture, reste au cœur d'un débat qui est loin d'être conclu. Il faut classer ces mouvements les uns par rapport aux autres, sans être sûr, à l'avance, que ceux-ci ont commandé ceux-là, ou inversement. Les identifier, les classer, les confronter, premiers soucis, premières tâches. Malheureusement, il n'est pas question encore de suivre les oscillations globales des « revenus nationaux » aux XVIe et XVIIe siècles, et c'est dommage. Mais on peut dès maintenant mettre en cause les conjonctures urbaines, comme l'ont fait Gilles Caster[3], Carlo Cipolla et Giuseppe Aleati[4], le premier en ce qui concerne Toulouse, les seconds Pavie. Les villes enregistrent dans leur vie multiple une conjoncture plus vraie, pour le moins aussi vraie que les courbes habituelles des prix et salaires.

Le problème finalement est d'accorder entre elles des chronologies contra-

---

1. Travail en cours.
2. Felipe RUIZ MARTIN, in: *Anales de Economia, segunda época,* juillet-septembre 1964, p. 685-6.
3. *Op. cit.,* p. 382 et *sq.*
4. « Il trend economico nello stato di Milano durante i secoli XVI et XVII. Il caso di Pavia » *in : Bollettino della Società Pavese di Storia Patria,* 1950.

dictoires. Ainsi comment oscillent, avec le beau ou le mauvais temps économique, les États et les civilisations, ces gros personnages, ces exigences, ces
volontés ? J'ai posé le problème à propos des États : les temps difficiles favo-
riseraient leur avance relative. Pour les civilisations en va-t-il de même ? Leurs
splendeurs surgissent souvent à contretemps. C'est à l'automne des États-villes,
durant leur hiver même (à Venise et à Bologne) que fleurit une dernière Renaissance italienne. A l'automne des vastes empires de la mer, celui d'Istanbul,
celui de Rome, celui de Madrid, que s'étalent les puissantes civilisations impériales. A la fin du XVIᵉ siècle, au début du XVIIᵉ siècle, ces ombres brillantes
flottent là où vécurent les grands corps politiques du milieu du siècle.

III

A l'échelle de ces problèmes, le rôle des événements et des individus s'amenuise. Question de perspective. Mais notre perspective est-elle juste ? Pour
les événements, « leur cortège officiel auquel nous accordons la première
place modifie très peu les paysages et presque pas du tout la structure fonda-
mentale de l'homme ». Ainsi pense un romancier d'aujourd'hui, passionné de
Méditerranée, Lawrence Durrell. Oui, mais comme me l'ont demandé des historiens et des philosophes : à ce jeu, que devient l'homme, que deviennent le
rôle, la liberté des hommes ? Et d'ailleurs, m'objectait un philosophe, François
Bastide, toute histoire étant déroulement, mise en œuvre, ne pourrait-on pas
dire aussi d'une tendance séculaire qu'elle est « événement »? Sans doute,
mais, à la suite de Paul Lacombe et de François Simiand, ce que j'ai mis à part,
dans cet océan de la vie historique, sous le nom d'« événements », ce sont les
événements *brefs* et pathétiques, les « faits notables » de l'histoire traditionnelle, eux surtout.

Pour autant, je ne soutiens pas que cette poussière brillante soit sans valeur,
ou que la reconstruction historique d'ensemble ne puisse partir de cette micro-
histoire. La micro-sociologie, à laquelle elle fait penser, à tort je crois, n'a
d'ailleurs pas exécrable réputation. Il est vrai qu'elle est répétition, alors que
la micro-histoire des événements serait singularité, exception ; au vrai, il s'agit
d'un défilé de « sociodrames ». Mais Benedetto Croce a soutenu, non sans
raison, que dans tout événement — disons l'assassinat de Henri IV en 1610,
ou, pour sortir plus franchement de notre période, l'avènement du ministère
Jules Ferry en 1883 — se peut saisir l'ensemble de l'histoire des hommes.
Celle-ci est la portée de musique sur quoi éclatent ces notes singulières.

Cela dit, j'avoue n'être pas très tenté, n'étant pas philosophe, de longuement
discuter sur tant de questions qui m'ont été, et me seraient encore posées sur
la portée des événements ou la liberté des hommes. Il faudrait s'entendre sur
ce mot de liberté, chargé de sens multiples, jamais tout à fait le même au
cours des siècles — et distinguer, au moins, la liberté des groupes et la liberté
des individus. Qu'est-ce, en 1966, que la liberté du groupe France ? Qu'était
exactement, en 1571, la liberté de l'Espagne prise en bloc, entendez son jeu
possible, ou la liberté de Philippe II, ou la liberté de Don Juan d'Autriche
perdu au milieu de la mer, avec ses navires, ses alliés et ses soldats ? Chacune
de ces libertés me semble une île étroite, presque une prison...

Constater l'étroitesse de ces limites, est-ce nier le rôle de l'individu dans
l'histoire ? Je n'en crois rien. Ce n'est pas parce que le choix vous est donné

entre deux ou trois coups seulement que la question ne continue pas à se poser : serez-vous ou non capable de les porter ? de les porter efficacement ou non ? de comprendre, ou non, que ce sont ces coups-là, et ceux-là seulement, qui sont à votre portée ? Je conclurai, paradoxalement, que le grand homme d'action est celui qui pèse exactement l'étroitesse de ses possibilités, qui choisit de s'y tenir et de profiter même du poids de l'inévitable pour l'ajouter à sa propre poussée. Tout effort à contre courant du sens profond de l'histoire — ce n'est pas toujours le plus apparent — est condamné d'avance.

Ainsi suis-je toujours tenté, devant un homme, de le voir enfermé dans un destin qu'il fabrique à peine, dans un paysage qui dessine derrière lui et devant lui les perspectives infinies de la « longue durée ». Dans l'explication historique telle que je la vois, à mes risques et périls, c'est toujours le temps long qui finit par l'emporter. Négateur d'une foule d'événements, de tous ceux qu'il n'arrive pas à entraîner dans son propre courant et qu'il écarte impitoyablement, certes il limite la liberté des hommes et la part du hasard lui-même. Je suis « structuraliste » de tempérament, peu sollicité par l'événement, et à demi seulement par la conjoncture, ce groupement d'événements de même signe. Mais le « structuralisme » d'un historien n'a rien à voir avec la problématique qui tourmente, sous le même nom, les autres sciences de l'homme[1]. Il ne le dirige pas vers l'abstraction mathématique des rapports qui s'expriment en fonctions. Mais vers les sources mêmes de la vie, dans ce qu'elle a de plus concret, de plus quotidien, de plus indestructible, de plus anonymement humain.

26 juin 1965.

---

1. Cf. Jean VIET, *Les méthodes structuralistes dans les sciences sociales*, 1965.

ANNEXES

LES SOURCES

I. — Les sources manuscrites

Les sources du présent livre sont avant tout manuscrites. L'abondante littérature du sujet n'a été utilisée qu'après enquête dans les archives, pour les compléments, la coordination des résultats, les indispensables contrôles.

Il s'en faut cependant que nos enquêtes, les anciennes et les nouvelles, aient épuisé l'énorme matériel inédit des archives. Pouvait-il en être autrement pour un sujet aussi vaste ?

Si j'ai à peu près complètement dépouillé les richesses des dépôts parisiens (et notamment la précieuse série K de nos Archives Nationales, aujourd'hui retournée en Espagne), si j'ai parcouru à peu près tout ce que l'on pouvait saisir des séries politiques de Simancas (dont les ressources sont immenses), si j'ai fait de larges enquêtes dans les grands dépôts d'Italie, si j'ai pu capter la précieuse source de renseignements des Archives de Raguse, il n'en reste pas moins que mes recherches, selon les dépôts, ont été plus ou moins heureuses. Elles n'ont pu triompher de l'invraisemblable dispersion des Archives de Venise ; ni de l'immensité, à Marseille, en Espagne ou en Italie, des massives archives notariales ; ni de la surabondance des documents à Gênes, ou à Florence, ou à Turin, ou encore à Modène, Naples, Palerme...

Si l'on reporte sur la carte les dépôts que j'ai pu atteindre, on remarquera un grand vide vers le Sud et vers l'Est, qui est la grosse inconnue de tous les travaux sur la Méditerranée du XVIᵉ siècle. Il y a, en effet, de riches, de magnifiques archives turques qui n'intéressent rien de moins que la moitié du domaine de la Méditerranée. Seulement ces archives attendent d'être classées et restent d'un accès difficile. Dans le domaine qu'elles mettent en cause, force nous a été de recourir à la littérature historique, aux voyageurs, aux archives et ouvrages balkaniques — plus encore à nos sources occidentales. L'histoire des pays turcs et sous influence turque a été ainsi vue du dehors, épiée, au fur et à mesure qu'elle s'inscrivait, à Constantinople et ailleurs, dans les avis du Levant qui forment de si longues séries d'archives, en Italie et en Espagne. Mais nous savons bien, par expérience et ne serait-ce que dans le cas de la France, la différence qu'il peut y avoir entre une histoire vue du dehors (ainsi d'après les *Relazioni* des ambassadeurs vénitiens que nos livres ont banalisées à force de les utiliser) et l'histoire de cette même France éclairée du dedans. Il y a donc, dans l'information historique, une immense lacune correspondant aux pays turcs. C'est, pour ce livre, une faiblesse lourde de conséquences, une raison de plus aussi de demander aux historiens turcs, balkaniques, syriens, égyptiens, nord-africains de travailler à combler ces vides, de nous aider dans cette tâche qui ne peut être que collective et de longue haleine. Des progrès évidents ont déjà été accomplis par Ömer Lutfi Barkan et ses élèves, par Robert Mantran, Glisa Elezovic, Bistra A. Cvetkova, Vera P. Mutafčieva, L. Feketé et Gy Kàldy-Nagy, ces deux derniers historiens hongrois co-auteurs des admirables *Rechnungsbücher türkischer Finanzstellen in Buda, 1550-1580*, 1962.

Sur les archives turques (au sens large), informations anciennes dans *Histoire et Historiens*, Paris, 1930, sous la signature de J. Deny ; du même spécialiste « A propos du fonds arabo-turc des Arch. du Gouv. Gén. de l'Algérie », *Revue Africaine*, 1921, p. 375-378. Sur les archives turques en général, P. Vittek, *Les archives de Turquie, Byz.*, t. XII, 1938, p. 691-699 et un guide des archives, en turc : *Topkapi, Sarayi Müzesi Archivi Kilavuzu*, Istanboul, Sur les archives égyptiennes, J. Deny, *Sommaire des archives turques du Caire*, 1930.

Sur l'ensemble de ces problèmes, J. Sauvaget, *Introduction à l'histoire de l'Orient musulman*, 1943, aide à faire le point.

ABRÉVIATIONS POUR LA DÉSIGNATION DES DÉPOTS

 1. A. C.   Archives Communales.
 2. A. Dép.   Archives Départementales.
 3. A. d. S.   Archivio di Stato.
 4. A. E.   Affaires Étrangères, Paris.
 5. A. H. N.   Archivo Histórico Nacional, Madrid.
 6. A. N. K.   Archives Nationales, Paris, Série K.
 7. B. M.   British Museum, Londres.
 8. B. N.   Bibliothèque Nationale, F. (Florence), M. (Madrid), sans autre indica-
               tion (Paris).
 9. G. G. A.   Ex-Gouvernement Général de l'Algérie.
10. P. R .O.   Public Record Office, Londres.
11. Sim.   Simancas.
12. Sim. Eº   Simancas, série Estado.

I. — LES ARCHIVES ESPAGNOLES

1. **Archivo General de Simancas**

Il faut substituer à l'ancien guide de Mariano Alcocer Martinez, *Archivo General de Simancas, Guía del investigador*, Valladodid, 1923, le travail récent d'Angel Plaza, *Guía del investigador*, 1961. Existent également une série de catalogues particuliers dus, hier, à l'activité magnifique de l'archiviste Julián Paz. Ces catalogues sont des analyses de documents, qui pour le moins donnent des titres détaillés, je les ai quelquefois utilisés comme de véritables sources. Citons, parmi les catalogues de Julián Paz, *Diversos de Castilla*, p.p. *Revista de Archivos, Bibliotecas y Museos*, 1909 ; *Negociaciones con Alemania* p.p. la *Kaiserliche Akademie der Wissenschaften*, Vienne ; *Negociaciones con Francia* p.p. la *Junta para ampliación de estudios* (met en cause l'ancienne série K de nos Archives Nationales qui maintenant, depuis 1943, se trouve à nouveau à Simancas) ; *Negociaciones de Flandes, Holanda y Bruselas 1506-1795*, Paris, Champion, 1912 ; *Patronato Real*, 1912, *Revista de Archivos, Bibliotecas y Museos*, 1912. Sauf pour *Diversos de Castilla*, il existe des rééditions de ces précieux catalogues (1942-1946). De l'archiviste Angel Plaza, *Consejo y Juntas de hacienda* (1404-1707) ; de l'archiviste G. Ortiz de Montalban, *Negociaciones de Roma* (1381-1700), 1936 ; de l'actuel directeur de Simancas, Ricardo Magdaleno, *Nápoles*, 1942 ; *Inglaterra*, 1947 ; *Sicilia*, 1951 ; de C. Alvarez Teran, *Guerra y Marina* (époque de Charles Quint), 1949.

Mes recherches à Simancas ont été complétées par le dépouillement ultérieur de nombreuses microphotographies. Cependant, dans ce dépôt d'archives, un énorme matériel documentaire reste à explorer, particulièrement en ce qui concerne les documents financiers, économiques et administratifs. Lors de mes premières recherches, je n'ai pu atteindre que quelques liasses, relatives à l'exportation des laines vers l'Italie, et j'ai particulièrement regretté qu'on n'ait pu retrouver pour moi les pièces relatives au commerce du poivre. Aujourd'hui encore, ces documents ne sont pas tous classés, étant donné leur abondance, et il faudra du temps pour qu'ils le soient.

Lors de mes derniers séjours à Simancas (1951 et 1954), j'ai largement consulté ces séries importantes (voir ci-après nº 12).

Relevé des liasses dépouillées

1. *Corona de Castilla* Correspondencia (1558-1597) legajos 137 à 179.
2. *Corona de Aragón* Correspondencia (1559-1597), legajos 326 à 343.
3. *Costas de Africa y Levante*, série pas très en ordre 1559-1594, legajos 485-492.
4. *Negociaciones de Nápoles* (1558-1595), legajos 1049 à 1094.
5. *Negociaciones de Sicilia* (1559-1598), legajos 1124 à 1158.
6. *Negociaciones de Milán* (1559 et 1597-1598), 3 legajos, 1210 (1559), 1283-1285 (1597-1598).
7. *Negociaciones de Venecia* (1559-1596), legajos 1323 à 1346.
(A noter qu'une grosse partie de la correspondance de Venise se trouvait autrefois à Paris.)
8. *Negociaciones con Génova* (1559-1565), legajos 1388 à 1394.
9. *Negociaciones de Toscana*, très incomplète, legajos 1446-1450.
10. *Nápoles Secretarias Provinciales* (1560-1599), legajos 1 à 8 (Documents en partie p.p. Mariano Alcocer), legajo 80 (1588-1599), composé de décrets originaux.
11. *Contaduria de rentas*. Saca de lanas. Lanas, 1573-1613.
12. *Consejo y Juntas de Hacienda; Contaduria Mayor de Cuentas* (Primera epoca — Segunda epoca); *Expedientes de Hacienda*.

2. Archivo Historico Nacional de Madrid

Il m'a été impossible de consulter *Confederación entre Felipe II y los Turcos* (*Guía*, p. 40), en place ne se trouvent que des documents du xviie siècle.
Mes recherches se sont limitées aux papiers inquisitoriaux, ou du moins à ce qui reste de ces immenses archives. Inquisitions de Barcelone (libro I); de Valence (libro I); de Calahorra et de Logroño (legajo 2220); des Canaries (legajos 2363-2365); de Cordoue (legajo 2392); de Grenade (legajos 2602-4); de Llerena (legajo 2700); de Murcie (legajo 2796); de Séville (legajo 2942); de Valladolid (legajo 3189).

3. Bibliothèque Nationale de Madrid (Section des Manuscrits)

Fonds très disparates. Leur apport total est modeste. Je signale que Sánchez Alonso, dans ses classiques *Fuentes de la Historia española e hispano-americana*, Madrid, in-8°, 1927, a donné le relevé numérique de ces documents épars. J'ai pour mon compte laissé de côté les trop nombreuses copies de documents (notamment ceux dus à la plume d'Antonio Pérez), publiés ou commentés à bien des reprises. Ont été utilisés :
— Memorial que un soldado dio al Rey Felipe II porque en el Consejo no querian hacer mercedes a los que se havian perdido en los Gelves y fuerte de la Goleta (s. d.). G. 52, 1750.
— Instrucción de Felipe II para el secretario de estado Gonzalo Pérez, s. d. G. 159-988, f° 12.
— Memorial que se dio a los teologos de parte de S. M. sobre differencias con Paulo IV, 1556, KK 66 V 10819 22.
— Carta de Pio V a Felipe II sobre los males de la Cristiandad y daños que el Turco hacia en Alemania, Rome, 8 juillet 1566, G. 52, 1750.
— Relación del suceso de la jornada del Rio de Tituan que D. Alvaro de Bazan, Capitan General de las galeras de S. M. hizo por su mandado la qual se hizo en la manera siguiente (1565), G. 52, 1750, p.p. Cat, de façon déconcertante, dans *Mission bibliographique en Espagne*, Paris, 1891.
— Carta de Felipe II al principe de Melito sobre las prevenciones que deben hacerse para la defensa de Cataluña, 20 mars 1570, 476.
— Capitulos de la liga entre S. Santidad Pio V, el Rey católico y la Señoria de Venecia contra el Turco 1571, *ibid.*

LES SOURCES

— Las causas que movieron el Sr. D. Juan de Austria para dar la batalla de Lepanto, 1571, *ibid.*

— Advertencias que Felipe II hizo al Sr Covarrubias cuando le eligió Presidente del Consejo 1572 (Copie du xviiie siècle), 140-11261 *b.*

— Carta de D. Juan de Austria à D. Juan de Zuñiga, embajador de Felipe II en Roma sobre la paz entre Turcos y Venecianos y sobre los aprestos militares hechos en Italia para ir a Corfu contra los Turcos, Messine, avril (1573), KK. 39, 10454, f° 1080.

— D. J. de Zuñiga à D. J. d'Autriche, Rome, 7 avril 1573, *ibid,* f° 1070.

— Instrucción al Cardenal Granvela sobre los particulares que el legado ha tratado de la juridición del Reyno de Napoles (en ital.), copie du xviie siècle, 8870.

— Representación hecha al Señor Felipe II por el licenciado Bustos de Nelegas en el año 1574 (sur l'aliénation des biens d'église), copie du xviiie siècle, 3705.

— Correspondencia de D. Juan de Gurrea, gobernador de Aragón con S. M. el Rey Felipe II (déc. 1561-sept. 1566), copie du xvie siècle, V 12.

— Instrucción de Felipe II al Consejo Supremo de Italia 1579, E 17, 988, f° 150.

4. Academia de la Historia (Section des Manuscrits)

Le relevé qui suit correspond au dépouillement fait pour moi par D. Miguel Bordonau, pour les seuls documents se rapportant à Alger, aux présides et à l'Afrique du Nord. Les références sont prises au catalogue de Rodriguez Villa.

Relación del estado de la ciudad de Argel en 1600 por Fr. Antonio de Castañeda $\frac{(12\text{-}11\text{-}4)}{111}$ (f° 21 v°).

Berberia siglo xvi, (11-4-4-8).

Instrucción original dada por Felipe II à D. Juan de Austria sobre los fuertes de Berberia y socorro de Venecianos, año 1575. *Ibid.*

Carta del conde de Alcaudete a S. M., año 1599. *Ibid.*

Relación de Fr. Jéronimo Gracia de la Madre de Dios sobre cosas de Berberia, año 1602. *Ibid.*

Carta de Joanetin Mostara al Duque de Medina Sidonia con noticias de Fez, año 1605. *Ibid.*

Carta original del Duque de Medina Sidonia a Felipe III con noticia de la muerte del Jarife, año 1603. *Ibid* (f° 42 v.).

Relación del estado de la ciudad de Berberia (*sic*) escrita en italiano, año 1607 con 2 planos. *Ibid* (f° 45).

Sobre asuntos de Africa en tiempos del Emperador, años 1529-1535. A. 44 (f° 55).

Cartas y documentos sobre la conquista de Oran par Cisneros. Letra del siglo xvii 11-2-1 — 11 (f° 65 v.).

Documentos y cartas dirigidas o emanadas de Felipe II, 12-25-5 = C — 96.

Papeles originales sobre gobierno de Oran. A. 1632-1651, 12-5-1 — K. 63-66-65, 3 volumenes (f° 102 v.).

Sobre Oran, Berberia, Larache... comienços del siglo XVII. 11-4-4 = 8. Instrucción à Don Juan de Austria sobre cosas de Argel, año 1573 11-4-4 (f° 172 v.).

Relación de las dos entradas hechas en 1613 por el Duque de Osuna en Berberia y Levante, *ibid.* (f° 176 v.). Aviso sobre Argel, año 1560, Collección Velásquez, tomo 75 (f° 242 v.).

5. Autres dépôts d'Espagne utilisés ou reconnus

A. Communales de Valladolid. A. Comm. de Málaga, Tarragone (Archivo diocesano), Barcelone, Valence (indications d'Earl J. Hamilton), Carthagène, Burgos, Medina del Campo (Hôpital Simón Ruiz). Ce dernier dépôt, celui de la correspondance de Simón Ruiz, se trouve présentement, admirablement en ordre, à l'Archivo Provincial de Valladolid.

526

II. — LES ARCHIVES FRANÇAISES

Archives Nationales. — Pour la série K, je suis l'ordre du catalogue de Paz (en gros l'ordre chronologique). Tous ces documents sont à l'heure actuelle à Simancas, sous les mêmes cotes. Les Archives nationales de Paris en possèdent un microfilm complet, de consultation aisée.

K 1643.

K 1447-1448-1449-1450-1451-1426.

K 1487-1488-1489-1490-1491-1492.

K 1493 à 1603 ; K 1689 à 1707-1629-1708.

K 1692. Correspondance du marquis de Villafranca, vice-roi de Naples, 1534-1536 ; K 1633 ; K 1672 à 1679 ; Correspondance de Venise, K 1630-1631 ; Correspondance de Rome, 1592-1601.

Les médiocres papiers de la Mission Tiran AB XIX 596. Je n'ai fait que parcourir les peu riches archives de la Marine pour la Méditerranée du xvie siècle. A 2, A 5 IV, V, VI, B 4 1, B 6 I, 77, B 7, 204, 205, 473, 520, B 8 2-7, D 2, 39, 50, 51, 52, 53, 55.

Bibliothèque Nationale. — L'extrême dispersion des documents permettrait d'allonger démesurément la liste de nos sources.

Trois fonds : fonds français, en abrégé (F. Fr), fonds espagnol (F. Esp.), fonds italien (F. Ital.).

1° *Fonds français.* — J'ai lu les correspondances autographes des ambassadeurs français en Espagne, Sébastien de l'Aubespine, 1559-1562 et Saint-Gouard 1572-1580. Pour Sébastien de l'Aubespine, les A. E. offrent sous les numéros Esp. 347 et Esp. 348 une copie de cette importante correspondance, faite par M. Hovyn de Tranchère sur originaux de la Bibliothèque impériale de Saint-Pétersbourg.

Je me suis attaché (en vue d'une publication éventuelle) à retrouver à la B. N. les lettres et papiers originaux de Sébastien de l'Aubespine, abbé de Basse-Fontaine, puis évêque de Limoges ; le relevé en est assez long. Pièces diverses 4398 (f° 133) ; 4400, f° 330 ; 15877, 15901, 16013, 20787. Signalons au passage une ambassade en Brandebourg 3121. Pour ses missions en Espagne : 3880, f° 294 ; 3899, f° 82 ; 3951, f° 26 ; 4737, f° 91 ; 10753, 15587, 16013, 16121, 16958, 17830, 20991, 23406, 23517 ; ambassade en Suisse, 20991, 23227, 23609, chiffre diplomatique, n. a. 8431 ; 2937 (37), 3114 (102), 3121, 3130 (52 et 88), 3136 (10), 3158 (51, 54, 59, 76), 3159, 3174 (90), 3185 (102), 3189 (19), 3192, 3196 (26), 3216 (27), 3219 (2, 117), 3224 (82), 3226 (27), 3249 (73, 92), 3320 (96), 3323 (76, 119), 3337 (144), 3345 (55, 70), 3390 (15), 3899 (11), 3902 (88), 4639, 4641, 6611, 6614, 6616, 6617, 6618, 6619, 6620, 6621, 6626, 15542, 15553, 15556, 15557, 15559, 15784, 15875, 15876, 15902, 15903, 15904, 16016, 16017, 16019, 16021, 16023.

Pour la correspondance de Saint-Gouard, 16104 à 16108.

Recherches supplémentaires en ce qui concerne :

a) La correspondance diplomatique de la France avec Rome, 17987, extraits de diverses négociations des ambassadeurs à Rome (1557-1626).

3492 à 3498. Dépêches de M. de Béthune, ambassadeur à Rome.

b) J'ai essayé de compléter les publications de Charrière en ce qui concerne les correspondances avec la Turquie et Venise, quitte souvent à retomber sur les lettres même qu'il a reproduites. J'ai été amené à lire ainsi 16142, f°^{s} 7-8, 32 et 32 v°, 34, 43 à 44 v°, 48 à 49, 58, 60-61 et des lettres de Germigny, 16143, des lettres de Paul de Foix, 16080, et de du Ferrier, 16081.

J'ai lu aussi la correspondance de l'évêque de Dax, au cours de sa dramatique mission de 1571-1573 (16170).

c) J'ai utilisé une série de documents de valeur moyenne comme 6121, fᵒ 2 à 15, sur Constantinople, Dupuy, II, 376, sur Claude du Bourg, 16141, fᵒ 226 à 272 vᵒ. Advis donné au Roi Très Chrétien par Raymond Mérigon de Marseille pour la conqueste du royaume d'Alger ; *na* 12240. Doc. officiels et correspondances relatives au Bastion de France, concerne à peine le xvıᵉ siècle et sur cette question n'a pas pour notre étude l'importance du travail de Giraud, d'après les documents de la famille Lenche. J'ai tiré profit de deux contrats de Philippe II avec des marchands génois, mai 1558, 15875, fᵒ 476 et 476 vᵒ, 478 à 479.

2ᵒ *Fonds espagnol* : les documents sont inventoriés, d'ordinaire avec exactitude, par A. Morel Fatio, dans le catalogue polycopié de la Section. C'est un fonds très mélangé. Il s'y trouve sous forme de copies un nombre important d'avis, de relations, des lettres du duc d'Albe... Le fleuron de cette collection disparate est le long discours sur les affaires napolitaines (Esp. 127), qu'il est difficile de dater exactement et dont l'origine m'échappe.

3ᵒ *Fonds italien* : plus abondant encore que l'espagnol, mais encombré de copies, de documents difficiles à situer chronologiquement et dont beaucoup ont été publiés ou utilisés. Ont été lus les manuscrits 221, 340 (Chypre 1570), 427, 428 (Corfou en 1578), 687, 772, 790 (sur le gouvernement à Naples de D. Pietro di Toledo, 1220, 1431, 2108.

Ministère des Affaires Étrangères. — Des copies et des documents authentiques du fonds espagnol, il existe depuis 1932 un inventaire parfait, Juliàn Paz, *C. de doc. españoles existentes en el Archivo del Ministerio de Negocios Extranjeros de Paris*, Madrid, 1932. Ces documents constituent une série de gros registres. Nos cotes abrégées sont A. E. Esp. (Aff. Etr. Espagne). Ont été utilisés les registres suivants, 138, 216, 217, 218, 219, 222, 223, 224, 227, 228, 229, 231, 232, 233, 234, 235, 236, 237, 238, 261, 264 (fᵒˢ 51, 60, 70, 120), 307.

J'ai déjà signalé les registres Esp. 347 et 348 qui contiennent la copie des lettres de l'évêque de Limoges.

J'ai lu aussi les volumes Venise 46, 47 et 48, de la correspondance de Hérault de Maisse, ambassadeur de France à Venise 1589-1594, copies dont la B. N. de Paris possède les originaux.

MARSEILLE

Archives de la Chambre de Commerce. — Quelques lettres de la fin du xvıᵉ siècle très peu nombreuses et auxquelles on n'a pas donné de cotes particulières : ainsi de Coquerel, consul d'Alexandrie aux consuls de Marseille, Alexandrie, 29 nov. 1599, orig. ; Louis Beau, consul à Alep aux consuls de Marseille, Alep, 1ᵉʳ sept. 1600, orig., etc...

Archives Communales. — Les délibérations du Conseil de Ville de 1559 à 1591, BB 40 à BB 52 (registres).

Une série de documents en voie de classement de la précieuse série HH et notamment liasses 243, Lettres Patentes de Charles IX permettant aux nobles de faire du commerce sans déroger ; 272, droit du tiers ; droit d'ancrage d'Antibes 1577-1732, 273, Arles, 1590-1786 ; 284, lettres de Henri III autorisant l'exportation des laines ; 307, commerce avec l'Angleterre, 1592-1778 ; 346 *bis*, lettre du « Roi » du Maroc demandant la nomination d'un consul ; 350, Tunis, correspondance diverse ; 351, droit de 2% à Constantinople, 1576-1610 ; 367, saisies de navires ou de cargaisons ; 465, mouvement du port, entrée des marchandises 1577. Il faut ajouter à ce relevé une série de lettres d'Alep, de Tripoli, de Syrie et d'Alexandrette que l'on trouvera citées avec leurs dates (2ᵉ partie, chapitre III) mais dont les cotes, quand j'ai travaillé à Marseille, n'avaient pas encore été arrêtées et que je désigne sous le nom provisoire de fonds Ferrenc.

Archives départementales des Bouches-du-Rhône. — Trois documents précieux :

1ᵒ Les premières archives du Consulat d'Alger sur lesquelles R. Busquet a attiré l'attention des chercheurs.

2ᵒ Registre contenant déclaration des marchandises qui sortaient de Marseille pour être exportées dans l'intérieur du royaume en l'année 1543. Amirauté de Marseille, IX B

198 ter. Le document comprend en fait trois relevés : *a*) du 15 janv. 1543 au 21 mai 1543, liste « des marchandises de Marseille pour pourter dans le royaulme », en somme les exportations de Marseille en France par voie de terre, f⁰ i à f⁰ xlv ; *b*) du 15 janv. 1543 au 28 mai 1543, relevé des marchandises apportées à Marseille, par voie de terre ou de mer, en provenance du royaume (f⁰ xlvi à f⁰ lxxvi) ; *c*) du 16 janv. 1543 au 18 mai 1543, exportations de Marseille vers l'étranger par voie de mer, f⁰ lxxviii à f⁰ lxxxix v⁰.

3⁰ Enregistrement des certificats de descente des marchandises (débarquées des navires de 1609 à 1645), registre non folioté, Amirauté de Marseille B IX 14.

ALGER

Les archives de l'ex-Gouvernement Général de l'Algérie possédaient une assez curieuse collection de documents espagnols, copies et originaux, issus de la mission Tiran de 1841 à 1844. Le catalogue, où il y a quelques bévues, a été dressé par Jacqueton.

Le fonds a été entièrement lu par nous, même hors de la période du livre, occasion de relever certaines fautes d'attribution du catalogue et les omissions des traductions libres d'E. de la Primaudaie, *Doc. inédits sur l'histoire de l'occupation espagnole en Afrique 1506-1564.* Alger, 1866, 324 p., qui d'ailleurs n'a pas publié le cinquième des documents algérois.

Autres archives utilisées. — Besançon, Arch. départ. du Doubs ; Toulon, Archives communales ; Cassis, Archives com. ; Orange, Archives com. ; Perpignan, Archives départementales des P.-Orientales ; Rouen, Bibliothèque Municipale, Archives départ., Archives communales ; Aix, Bibl. de la Méjanes.

III. — LES ARCHIVES D'ITALIE

GÊNES

Archivio di Stato. — Quatre séries importantes : 1⁰ la correspondance avec l'Espagne : 1559-1590, de la liasse 2.2411 (qui comprend seulement quelques documents de l'agent Angelo Lercaro pour l'année 1559) à la liasse 8-2417 ; par la suite, ces dépouillements ont été continués jusqu'à la liasse 38.2247 en 1647 ; 2⁰ la correspondance secrète avec Constantinople, d'un extrême intérêt, de 1558 à 1565 comprenant deux liasses 1.2169 et 2.2170, ces deux séries appartiennent aux *Lettere Ministri*, et se désignent sous les rubriques *Lettere Ministri Spagna* et *Lettere Ministri Costantinopoli* ; 3⁰ la série abondante et décevante des *Lettere Consoli* : Messine 1529-1609 (n⁰ 2634), Naples 1510-1610 (n⁰ 2635), Palerme 1506-1601 (n⁰ 2647), Trapani 1575-1632 (n⁰ 2651), Civitavecchia 1563 (n⁰ 2665), Alghero 1510-1606 (n⁰ 2668), Cagliari 1519-1601 (n⁰ 2668), Alicante 1559-1652 (n⁰ 2670), Barcelone 1522-1620 (n⁰ 2670), Iviza 1512-1576 (n⁰ 2674), Majorque 1573-1600 (n⁰ 2674), Séville 1512-1609 (n⁰ 2674), Pise 1540-1619 (n⁰ 2699), Venise 1547-1601 (n⁰ 2704), Londres, à partir de 1651 (n⁰ 2628), Amsterdam 1563-1620 (n⁰ 2567) en fait les documents du xvᵉ siècle concernent Anvers ; 4⁰ l'importante série de papiers du *Magistrato del Riscatto degli Schiavi* (atti 659), pour les dernières années du siècle.

En dehors de ces séries, j'ai consulté *Lettere Ministri, Inghilterra*, filza 1.2273 (1556-1558) ; *Diversorum Corsicae*, filza 125 et surtout *inventorié* les énormes registres *Venuta terræ* (1526-1797), *Caratorum occidentis* (1536-1793), *Caratorum Orientis* (1571-1797), *Caratorum veterum* (1423-1584) qui dessinent avec une grande précision le mouvement de l'énorme port génois pour les trente dernières années du siècle, et au delà. J'ai eu la chance, en octobre 1964, de trouver un registre d'assurances maritimes. Voir t. I, p. 558.

Archivio Civico. — Sont conservés, au Palazzo Rosso, les documents concernant plus spécialement la ville de Gênes, l'activité de ses métiers (sur *l'Arte della Lana* à partir de 1620), le mouvement au xviiᵉ siècle des barques du cap Corse apportant à Gênes le bois de l'île. Il s'y trouve aussi une étonnante liasse de papiers qui concernent l'activité des barques marseillaises : *Consolato francese presso la Repubblica-Atti relativi 1594-1597*, n⁰ 332. Le consulat français tombé en déshérence de 1594 à 1597 aura été curieusement pris en charge par la Commune de Gênes et administré par elle, c'est de loin le plus riche document, à ma connaissance, sur le commerce marseillais dans la Méditerrannée occidentale. De nombreux documents concernent le commerce marseillais avec l'Espagne : les patrons de barques demandent s'il est licite ou non d'aller en Espagne, est-on ou non en guerre avec elle ? D'où des enquêtes auprès des patrons de navires revenant de Sardaigne ou d'Espagne qui montrent à quel point la Méditerrannée occidentale est grouillante de barques marseillaises.

<h2 style="text-align:center">VENISE</h2>

A l'*Archivio di Stato*, les liasses utilisées ont été les suivantes : Senato Secreta, Dispacci Costantinopoli $\frac{1}{A}, \frac{2}{B}, \frac{3}{C}, \frac{4}{D}$, de 1546 à 1564 (les archives du baile). Senato Secreta Dispacci Napoli I. Cinque Savii alla Mercanzia. Les *buste* 1, 2, 3, 4, 6, 8, 9, 26, 27. Relazioni Collegio Secreta 31, 38, 78. Capi del Cons⁰ dei Dieci, Lettere di ambasciatori, Napoli, 58. Lettere ai Capi del cons⁰ dei X. Spalato 281. Lettere commerciali XII *ter*, énorme recueil mêlé de lettres commerciales de la fin du siècle écrites de Venise, de Péra, d'Alep et de Tripoli de Syrie. *Archivio generale di Venezia*, Venise, 1873, in-8⁰, donne les grandes lignes de l'organisation du dépôt. Un coup de chance m'a permis dans l'*Archivio Notarile*, adjoint comme ailleurs, à l'*Archivio di Stato* de trouver, entre les papiers du notaire Andrea de Catti, 3361 (juill. 1590), un acte établissant l'existence d'une compagnie de 12 assureurs maritimes.

J'ai, depuis la première édition de ce livre, passé des mois et des mois à Venise, ayant parcouru, de 1450 à 1650, la majeure partie des documents des séries Senato Mar, Senato Terra, Senato Zecca, Cinque Savii alla Mercanzia, plus la correspondance complète des ambassadeurs vénitiens en Espagne jusqu'en 1620, et enfin les précieuses *Annali di Venezia* qui sont, d'après les papiers officiels, une chronique des événements de la ville et du monde, laquelle continue en somme les *Diarii* de Sanudo. Prospections poussées dans les papiers de l'Archivio Notarile et de la Quarantia Criminale.

A Venise, j'ai également dépouillé les fonds de la Marciana et du Museo Correr (fonds Donà delle Rose et Cicogna).

<h2 style="text-align:center">FLORENCE</h2>

Archivio di Stato. — Tout mon travail a porté sur le fonds Mediceo. J'ai dépouillé la série des filze de la correspondance avec l'Espagne de 1559 à 1581, du n⁰ 4896 au n⁰ 4913 inclus (ainsi qu'une liasse n⁰ 4897 *bis*) et poussé les reconnaissances jusqu'en 1590 en utilisant l'important résumé manuscrit de la série. Outre cette longue série ont été prospectées les filze 1829, 2077, 2079, 2080, 2840, 2862, 2972, 4185, 4221, 4279, 4322. Les liasses 2077, 2079, 2080 correspondent aux *portate* de Livourne auxquelles notre exposé fait de fréquents emprunts. Parmi les Misc. Medici, la liasse 123 n'a rien fourni d'utile, dans la liasse 124 (f⁰ 44) une défense, datée de 1589, de l'empereur à ses sujets de commercer avec les Anglais. J'ai depuis 1949 travaillé à nouveau dans le fonds Mediceo et surtout dans les papiers de famille déposés à l'Archivio.

Biblioteca Nazionale. — Le fonds Capponi, d'une extrême richesse, venait d'être acquis par la Bibliothèque vers 1935. Il comprend la collection des livres commerciaux de cette puissante famille. Pour notre seule période sont en cause les registres 12 à 90 ; 107 à 109 ; 112 à 129, cette dernière série comportant des livres de compagnies diverses. Il s'agit là d'un monde. Ces gros registres par leur poids et leurs dimensions ne facilitent guère la recherche. Seule la photographie permettrait de surmonter les difficultés de maniement. Je n'ai consulté que le n⁰ 41, *Libro grande debitori e creditori di Luigi e Alessandro Capponi, Mariotto Meretti e compagni di Pisa 1571-1587*. C'est un livre magnifique avec l'indication de prix, de changes, d'assurances maritimes, de nolis, un aperçu sur une activité commerciale, dispersée comme elles le sont toutes à cette époque.

Le fonds Capponi comporte une série de documents politiques, économiques et historiques très variés et dont il n'a été possible de prendre qu'un aperçu. On remplirait un volume entier avec l'énumération des titres de ces documents sur les Médicis, la République de Florence, l'Espagne, la Pologne, la Chine, la Turquie et les grands événements du xvie siècle. Citons : une chronique de Florence de 1001 à 1723 (Codice, C CXXX, vol. 2) ; sur la Flandre et Philippe II en 1578 (XXXIX, p. 360-375); sur la Sicile en 1546 (LXXXII, no 18), en 1572 (XV, p. 63-112), de 1600 à 1630 (CLXXXIX, p. 148 à 196); sur les galériens à Venise (XI, p. 153-157), sur l'abus des changes, 1596 (XLIII, p. 274-287); sur Lucques en 1583, (II, p. 357-366); sur la Transylvanie en 1595 (XLV, p. 423-428); sur Gênes, discours en forme de dialogue entre Philippe II et le duc d'Albe (XXXVI, p. 205-269) ; sur Gênes, vers 1575 (LXXXI, XVIII, II) ; une relation vénitienne de 1558 sur Chypre (XIII, 266-293) ; relation de D. Filippo Pernisten, ambassadeur impérial auprès du Grand Prince de Moscovie, (XIV, 232-253); description de bateaux portugais venus à Villefranche (XXXIX, p. 61-67). Discours de l'ambassadeur du Grand Turc à la diète de Francfort, 27 nov. 1562, (XV, p. 274-277); sur le contrat des aluns entre le Pape et Cosme de Médicis, 16 juin 1552 (cassetta 7 a, no XVIII) ; lettre de Tommaso Scierly à Ruggiero Goodluke, marchand anglais à Livourne, Naples, 14 juill. 1606 (LXXXI, no 23 bis) ; sur l'Espagne de Philippe II (XI) ; sur la cour de Philippe II, 1564, (LXXXI), 1576, (LXXXII, no 9 bis), 1577, (LXXXII, no 3); sur Antonio Perez et Escovedo (XV, p. 262-269); sur le contrat des mines de fer de l'île d'Elbe, 1577 (cassetta 8 a, no 11) relation sur l'île, (CLXI) ; mort de Vicenzo Serzelli (1578) l'un des plus célèbres bandits du temps (CLXI, CCLVI, CCXXXVII) ; sur la Toscane au temps de Ferdinand 1er (CCL, CXXIV); sur les nouveaux chrétiens de Portugal vers 1535, (XXXVI); sur le Portugal en 1571 (XXV, p. 109-127); sur les opérations maritimes de 1570 à 1573, (CCXV, CLXXII; présent fait par Selim à D. Juan après Lépante (XL, p. 41-44); sur Famagouste (LXXXII); sur la paix turco-vénitienne, justification de la Seigneurie — et sur les projets de D. Juan ; sur la querelle de Marcantonio Colonna et de J. André Doria en 1575 ; sur la conquête projetée du Portugal, 25 mai 1579 (XV, p. 1-61); sur les revenus de Naples, 1618, (CCLVIII); les revenus de Charles Quint (XI, p. 216-220); sur le commerce d'Ancône (XXI, p. 257-298); sur les changes et les monnaies (cassetta 10 a, no xvi) sur Milan (XV) ; sur l'opposition du Saint-Siège à la cession de l'Empire à Ferdinand (LIX) ; les raisons de la guerre de Hongrie (LIX, p. 436-469); la guerre turco-persane 1577-1579 (LXXXII, no 7); Cipriano Saracinelli supplie Philippe II de laisser la guerre contre la France et de se tourner contre le Turc (LVIII, 106-151).

La Laurenziana. — Ici également un dépôt très mêlé, riche surtout de collections historiques faites au xviie et au xviiie siècle sur la Toscane, Naples, Candie, La Valteline, des lettres autographes d'Alexandre Farnèse (1518-1585), ashb. 1691, un opuscule inédit sur les changes de (Giovanni) Silli, *Pratica di Cambi*, 1611, ashb. 647, une relation sur l'Égypte et la mer Rouge. *La retentione delle galee grosse della Illustrissima Signoria de Venecia in Allessandria con le navigazioni dell'armata del Turco dal Mar Rosso nell' India nel anno MD XXXV I*, 37 fo Ashb 1484-1508 (Relatione d'Allessandria con la navigazione del Turco dal Mar Rosso nell' India, 1536, ashb. 1408) un *Libro de Mercatanzia* du *XVIe* siècle (ashb. 1894) ; un traité de navigation du xviie siècle, *ibid.*, 1660 ; un voyage en Terre Sainte du xvie, 1654 ; cartes et documents sur le Portugal du xviie siècle, 1291.

Archives familiales Guicciardini-Corsi-Salviati. — J'ai dû à la gentillesse et à la libéralité du marquis Guicciardini de pouvoir travailler un instant dans les précieuses archives de sa famille. Libri mercantili 1, 7, 8, 9 à 15, 21 à 25 (de 1550 à 1563), 26 (libro di magazino de Messina 1551-1552), 27 à 32 (1552-1571) ; II, 33 à 48 (1542 à 1559); III, 49 à 59 (1554 à 1559) ; IV, 60 à 64 (1565-1572) ; V, 65 à 67 (1582-1585) ; VI, 68 à 71 (1579-1590) ; VII, 72 à 102 (1587 à 1641) ; VIII, 103-130 (1582 à 1587) ; IX, 131-135 (1588-1591) ; X, 136 à 155 (1590-1602) ; XI, 156 à 166 (15... ? à 1617) ; XII, 167 à 172 (1589 à 1608) ; XIII, 173-202 (1592-1597). Comme les livres commerciaux des Capponi, ceux-ci constituent un monde, plus de 200 gros registres pour notre période. Surabondance de matériel au sujet des prix, des transports, des achats et des reventes à crédit, sur le commerce de la soie, sur le commerce des blés siciliens, du poivre et des épices. Ces documents ont été, depuis lors, transférés à l'Archivio di Stato de Florence.

LES SOURCES

Archivio di Stato. — Deux recherches prévues n'ont pas été entreprises, l'une aléatoire *Annona e Grascia*, 1595-1847 (Busta 2557), la seconde très précise concerne les *portate* de Civita Vecchia, mais l'intérêt en est réduit pour nous du fait que les relevés conservés datent presque tous de la première moitié du siècle.

NAPLES

Archivio di Stato. — J'ai étudié dans les *Carte Farnesiane* les correspondances des agents de Marguerite de Parme et du duc de Parme, à partir de 1559, dans la série Spagna du fascio I au fascio VII et pris copie intégrale du relevé des exportations du port de Bari en 1572, Dipendenze della Sommaria, fascio 417, fascicolo I°. Le très gros acquit, depuis nos premières recherches, a porté sur les documents de la Sommaria dont A. Silvestri a dressé pour nous un catalogue détaillé qui a permis de nombreuses photographies. Ces documents sont d'un intérêt capital pour l'histoire de Naples et de la mer Intérieure.

Archivio municipale. — On dispose du catalogue détaillé de Bartolomeo Capasso, *Catalogo ragionato dei libri, registri, scritture esistenti nella sezione antica o prima serie dell' archivio municipale di Napoli* 1387-1808, Naples, tome I, 1877, tome II, 1899, — remarquable par ses notices sur les institutions, mais à peine de-ci, de-là, aperçoit-on la vie industrielle et commerciale de la ville. D'importants documents sur le ravitaillement en grains et en huile de l'énorme ville, *Acquisti de' grani*, 1540-1587, N 514 ; 1558, N 515 ; 1590-1803, N 516 ; *Acquisto e transporto de' grani*, 1600, N 518 ; 1591-1617, N 532 ; 1594, N 533.

PALERME

Lors de mon passage, en août 1932, l'Archivio di Stato et l'Archivio Comunale ayant clos leurs portes, il me fut loisible de travailler quelques jours dans celui-là et de contempler les gros registres de celui-ci. Tout mon effort a été consacré à la riche Biblioteca Comunale où j'ai consulté : descriptions de Palerme, Qq E 56 et Qq E 31 (celle-ci du XVIIe siècle d'Auria Vicenzo) ; Successi di Palermo, de Palmerino, Qq D 84 ; lettere reali al vicere di Sicilia dal 1560 al 1590, 3 Qq E 34 ; discours sur la Sicile, Qq F 221, Qq C 52, Qq F 80, Qq D 186, 3 Qq C 19, f° 212 (et en espagnol, Qq D 190)(1592), Relazione del Conte di Olivares (avertimenti lasciati dal Conte Olivares, 1595), Qq C 16, mémoire sur le gouvernement de l'île, Qq F 29 ; lettres des rois et vice-rois de Sicile, 1556-1563, 3 Qq C 35 ; lettres diverses 1560-1596, 3 Q q E 34 ; lettre du duc d'Albuquerque, juil. 1570, 3 Qq C 45, n° 25 ; Qq H 113 (n° 15, n° 17) et Qq F 231 ; 3 Qq C 36, n° 22 ; 3 Qq E 11 Camilliani, *Descrizione delle marine*, Qq F 101 ; *Itinerario...*, Qq C 47 ; Pugnatore, *Istoria di Trapani*, Qq F 61. Sur le commerce de Sicile, 2 Qq E 66, n° 1 ; sur le commerce des grains, XVIe et XVIIe siècles, Qq D 74 ; lettre du duc de Feria sur le blé (1603), 2 Qq C 96, n° 18 ; mémoire sur les juifs siciliens d'Antonino Mongitore, Qq F 222, f° 213 ; deputati del Regno 1564 à 1603, 3 Qq B 69, f° 339. Sur le commerce de l'île de Malte, Qq F 110, f° 295 ; sur les variations des monnaies d'argent en Sicile de 1531 à 1671, Qq F 113, f° 22 ; ordonnances du duc de Medina Celi, 1565, Copie, Qq F 113, f° 32 à 40 ; sur les Grecs venus d'Albanie en Sicile, mémoire d'Antonino Mongitore, Qq E 32, f° 81 ; notice biographique sur Covarrubias, Qq G 24, n° 43 ; mémoire du XVIIIe siècle, sur la valeur de la monnaie castillane, Qq F 26, f° 87 ; sur la population sicilienne de 1501 à 1715, mémoire d'Antonino Mongitore, Qq H 120 ; sur les bandits de Sicile (XVIIe siècle), Qq E 89, n° 1 ; sur les disettes et spécialement la famine de 1591 à Palerme, Qq H 14 *bis*, f° 144. Carta al Rey nuestro Señor de Filiberto virrey de Sicilia sobre traer carne de Berveria, 10 avril 1624, Qq D 56, n° 21, f° 259.

Autres dépôts d'archives reconnus ou utilisés. — Turin, Pise, Ancône, Milan, Livourne, Cagliari, Messine. De façon poussée : Mantoue (Archivio di Stato) et Modène (Archivio di Stato).

IV. — LES ARCHIVES VATICANES

Aux Archives Vaticanes, aidé par les publications de Hinojosa et surtout du P. Luciano Serrano, *Correspondancia diplomática entre España y la Santa Sede durante el Pontificado de S. Pio V*, 1566-1572, j'ai borné mes recherches à l'étude de la correspondance des Nonces en Espagne de 1573 à 1580, correspondance où il y a d'ailleurs des lacunes (Spagna 7 à 27) Mon travail a été facilité par les conseils de Mgr Tisserand et les faveurs que ne m'a pas ménagées Mgr Mercati : tout spécialement un lot d'admirables photographies.

V. — LES ARCHIVES DE RAGUSE

Les Archives de Raguse sont de loin, pour les raisons que nous aurons souvent exposées, les plus précieuses de toutes pour notre connaissance de la Méditerranée. Là comme ailleurs, les documents politiques se présentent en rangs serrés constitués surtout par les lettres des Recteurs et de leurs conseillers aux ambassadeurs et agents ragusains et des lettres que ceux-ci leur envoient, cette masse de papiers constitue deux séries, les lettres du Ponant, les lettres du Levant (LP et LL, ces dernières exactement désignées sous le titre général de *Lettere et commissioni di Levante*. Nous avons dépouillé dans les lettres du Ponant LP 1 (1566) à LP 7 (1593), dans la série LL seulement le registre LL 38 qui correspond à l'année 1593. Ceux qui ne connaîtraient ces papiers ragusains que par la publication relative à Francesco Gondola, ambassadeur de la République de Saint-Blaise à Rome au moment de Lepante, due au comte L. Voinovich, *Depeschen des Francesco Gondola, Gesandten der Republik Ragusa bei Pius V. und Gregor XIII.*, Vienne, 1909, prendraient une idée peu exacte de l'habituelle manière de négocier de la République, association de marchands en même temps que collectivité politique. Les agents ragusains restent des marchands à qui l'on commande blé, draps, velours, cuivre, *carisee* au gré des circonstances et des besoins. Il n'y a donc rien dans ces correspondances de l'habituel ton des Vénitiens, de leurs discours généraux sur les hommes et les grands, mais d'utiles et banales petites choses.

L'intérêt des Archives de Raguse n'est d'ailleurs pas là. Elles offrent à qui aurait la patience et le temps de parcourir les volumineux *Acta Consiliorum* l'occasion de surprendre en action une ville médiévale, étrangement sauvegardée. Elles offrent aussi, conservés pour des raisons d'enregistrement ou de discussions en justice, d'extraordinaires documents : lettres de change, notes, assurances maritimes, règlements de participation, fondations de sociétés, successions, engagements de domestiques... Ces documents se répartissent en trois séries : les *Diversa de Foris*, les *Diversa di Cancellaria*, les *Diversa Notariae*. Je n'ai fait qu'aborder ces deux dernières. *Diversa di Cancellaria*, registres 132 à 145, de 1545 à 1557. *Diversa Notariae* registre 110, 1548-1551 ; j'ai par contre largement entamé la série *Diversa de Foris* pour la période qui va en gros de 1580 à 1600 (les documents se répartissant chronologiquement de façon assez disparate entre les très gros registres de la série), ma lecture s'est étendue du numéro I au numéro XVI. Autres coups de sonde : *Libro dogana* n° 10, 1575-1576, XXI, 1, 12 ; XXI, 7, 3 et surtout XXII, 7, 4, sur les importations de laine espagnole dont le déchiffrement ou plutôt d'une compréhension assez malaisée et dont j'ai pris copie entière. Enfin une acquisition récente, 1935, n° 44, *Quadernuccio dove s'ha da notare le robe che vanno o venghono alla giornata, cossi d'amici come le nostre*, 20 déc. 1590-2 avril 1591, jette un jour curieux sur l'activité de marchands et transitaires ragusains tournés vers les routes balkaniques.

J'ai dit les mérites de M. Truhelka, archiviste de Raguse quand j'y ai travaillé durant l'hiver 1935 — et mon amitié reconnaissante à son endroit. Mais l'interdiction qui me fut faite par lui de photographier a centuplé les difficultés de mon enquête. Le hasard qui est bon prince, m'a procuré le film complet des séries *Lettere di Ponente, Diversa di Cancellaria, Noli e Sicurtà*, qui est aujourd'hui conservé au Centre Historique (VIᵉ Section), 54, rue de Varenne, Paris VIIᵉ. J'ai, en compagnie d'Alberto Tenenti, déroulé cette suite interminable d'images précieuses.

533

VI. — LES ARCHIVES EUROPÉENNES
HORS DE MÉDITERRANÉE ET DE FRANCE

Je n'ai fait que reconnaître et de loin les Archives allemandes, autrichiennes et polonaises. Mon projet était de compléter les nombreux ouvrages à notre disposition par des sondages dans les dépôts d'archives, pour vérifier les courants commerciaux en direction de la Méditerranée et plus spécialement par voie de terre, refaire en somme, et pour d'autres villes, ce que Mlle von Ranke a remarquablement établi pour Cologne. En Rhénanie, peu de documents : à Aix-la-Chapelle, les documents ont disparu avec l'incendie de la ville en 1656, à Worms avec les destructions de 1689, à Spire les documents ont été repris dans les travaux de Hans Siegel, et ils sont peu importants. Je n'ai eu aucun renseignement sur les ressources de Coblentz, de Mayence, plus encore de Francfort-sur-le-Main, dont la montée avec les dernières décennies du siècle pose un si gros problème. Dans la Haute-Allemagne, rien à Stuttgart ou à Munich, par contre Nuremberg offre de grandes ressources, de même Augsbourg. Il eût été intéressant après Strieder et Ver Hees de mieux dégager le rôle des marchands allemands en direction de Lyon et de Marseille. Je ne sais rien d'Ulm. Par contre, plus à l'Est, Leipzig, Dresde offrent des ressources réelles. Les foires de Francfort-sur-l'Oder ont été fréquentées jusqu'en 1600 par des marchands français et italiens. Le commerce avec le Sud portant sur les vins, les soies et aussi le *Boysalz*, le sel d'Espagne dit de Biscaye (Boy = Biscaya) et qui venait sans doute par Hambourg. Le *Boysalz* était privilège impérial si bien que l'empereur avait, à Francfort-sur-Oder, un *Boyfactor*. Deux documents sur ce commerce, conservés au Stadtarchiv de Francfort-sur-Oder, remontent à 1574 et à 1597. A Breslau, le commerce en droiture vers l'Italie ne semble pas avoir dépassé 1450 ; au delà de cette date approximative, il aurait été dévié vers l'Ouest, au bénéfice des villes de Bohême et d'Autriche, selon les théories de H. Wendt.

Le plus beau dépôt d'archives de cette Europe moyenne orientée vers la Méditerranée, c'est Vienne, alors centre politique bien plus que métropole économique, mais, pour des raisons politiques ou dynastiques, centre d'écoute admirable. Ni les livres, ni les publications n'ont épuisé les énormes richesses du Haus-, Hof-und Staats-Archiv, ses correspondances avec l'Espagne (Hof Korrespondenz ; Korrespondenz Varia), avec Venise, avec la Turquie, avec Rome — avec Malte, Faszikel 1 [1518 (*sic*) 1620], Raguse, f° 1 (1538-1708), Gênes, f° 1 (1527-1710), Italie (Kleine Staaten), Fasz. 7 (Neapel 1498-1599), Sicile, I, 1530-1612 : Hetrusca I (1482-1620), Lusitana I (1513-1702). Sans compter la série des *Kriegsakten* (Fasz. 21-33 pour la période 1559-1581)... Les circonstances ne m'ont pas permis de réaliser ce voyage, cette auscultation nécessaire de la Méditerranée à bonne distance, vers le Nord, à l'intérieur des terres. Je n'ai résumé dans les lignes qui précèdent qu'un projet de travail. J'ajoute qu'une enquête rationnelle ne laisserait pas dans l'ombre les villes de Dantzig, Lubeck, Hambourg et Brême dans leurs liaisons marines et *terrestres* avec la mer Intérieure A ce compte, les archives d'Anvers et celles des ports anglais (plus importantes encore que le fonds espagnol du British Museum, Catalogue de P. Gayangos), les archives des Pays-Bas et des Pays Scandinaves ne sont pas hors de nos curiosités, ni les archives de Pologne, tant il est vrai que c'est toute l'épaisseur de l'Europe qui se trouve associée à la vie et aux lumières de Méditerranée. Depuis 1949, j'ai été, un instant, à Vienne ; j'ai travaillé quelques jours à Anvers, à Dantzig, à Varsovie et à Cracovie. J'ai fait un séjour prolongé et fructueux à Londres (British Museum et Record Office). A Genève, grâce à des microfilms importants, j'ai épuisé la Collection Édouard Fabre (Archives de la Maison d'Altamira) conservée à la Bibliothèque Publique et Universitaire (cf. *l'Inventaire...*, p.p. Léopold Michel *in* : Bulletin Hispanique*, 1914).

2. — Les sources cartographiques

Nous entendons par sources cartographiques les cartes, croquis, plans et les descriptions de rivages et de routes. Deux grandes sections, les sources actuelles, les sources anciennes.

A. — **Sources actuelles**. — Pour l'énumération des cartes actuelles, le lecteur se reportera aux volumes de la *Géogr. Universelle*, t. VII, 1 et 2 ; t. VIII, t. XI, 1. Pour le relevé des cartes d'Espagne, j'ai utilisé les précises indications de la *Revue de géographie du Sud-Ouest et des Pyrénées*, 1932. A signaler sur la transhumance la grande carte synthétique d'Elli Müller, *Die Herdenwanderungen im Mittelmeergebiet, Peterm. Mitteilungen*, in-8°, 1938, reproduite t. I, p. 28-29. Sur l'Atlas berbère, les essais cartographiques de J. Dresch, d'une grande originalité pour la représentation des faits humains.

Deux cartes commodes, sans grande valeur scientifique, m'ont permis quelques vérifications : Carte d'Asie-Mineure (Turquie-Syrie-Transjordanie, Palestine, Irak, Basse-Égypte) au 1 : 1.500.000e, 2e édit., Girard et Barrère ; et Mittelmeer au 1 : 5.000.000e, Munich, Iro-Verlag, 1940.

J'ai largement utilisé la magnifique série des *Instructions Nautiques* du Service hydrographique de la marine française, nos 405 (Espagne N et W); 356 (Afrique W); 345 (Espagne S et E) ; 360 (France Sud, Algérie, Tunisie) ; 368 (Italie W) ; 408 (Adriatique) ; 348 et 349 (Méditerranée orientale) ; 357 (mer Noire et mer d'Azov).

B. — **Sources anciennes.** — *a*) Bibliothèque Nationale de Paris, Département des Cartes et Plans.

Ge B 1425   *Portulan italo-catalan* (xvie siècle).
               Méditerranée moins côtes de Syrie, côtes atlantiques d'Écosse aux Canaries.
               (Très abîmé, décoré de pavillons espagnols, portugais, d'animaux illustrant l'Afrique.)

Ge AA 640   *Carte portugaise attribuée aux Reinel.*
               Recto : Méditerranée.
               Verso : Atlantique.
               (Très richement décorée : bateaux ornés de la croix portugaise, armoiries, dessins de villes, tour de Babel, Jérusalem hérissée de tours.)

Ge B 1132   *Carte de Gaspar Viegas*, 1534.
               Méditerranée occidentale, Atlantique.
               (Décor : Roses des vents.)

Ge B 1134   *Carte de Gaspar Viegas*, 1534.
               Méditerranée orientale.

Ge C 5097   *Méditerranée, mer Rouge, mer Noire*, 1534 ?
               Atlantique d'Écosse à Bojador.
               (Décorée de montagnes vertes en forme de dômes.)

Ge AA 567   *Archipel* (du Bosphore au Sud de la Crête).
               Tracé des côtes très stylisé en forme de dentelures (attribué à Viegas).

Ge C 5096   *Attribuée par une note au verso à Viegas*, 1534.
               Méditerranée occidentale, Atlantique (de Tarente aux Açores).

Ge D 7898   *Attribuée par note au verso à Viegas*, 1534.
               Grèce, partie de l'Archipel.

Ge C 5086   *Collection de 8 portulans anonymes.*
               Portugais, considérés par une note ajoutée au crayon comme les copies de la carte de Diego Homem (1558) du British Museum.
               Feuille no 4 : Méditerranée, Europe occidentale, Açores.

Ge D D 2007   *3 feuilles, travail italien du XVIe siècle*, dans une reliure de cuir.
               Feuille 1 : Égée.
               Feuille 2 : Méditerranée.
               (Très belle mise en page avec figures de souverains, palmiers, dessins conventionnels de villes, vues de Marseille et Venise plus étudiées.)

Ge FF 14 410   *Atlas du Génois Battista Agnese* (1543), 12 feuillets.
               Feuillet 6 : Méditerranée en 3 parties.

Ge FF 14 411   *Idem*, format plus grand.

LES SOURCES

Ge C 5084   *Carte de Vesconte di Maggiolo*, Gênes, 1547.
Méditerranée, Alexandrie-Gibraltar.

Ge AA 626   *Andreas Homem* : Universa ac Navigabilis tolius terrarum orbis descriptio, Anvers, 1559.
10 feuilles.
Feuille n° 4 : Méditerranée, Arabie, Caspienne.

Ge DD 2003   *Atlas de Diego Homem*, 1559.
Feuille 2 : Méditerranée occidentale.
Feuille 3 : Méditerranée.
Feuille 4 : Méditerranée orientale.
Feuille 6 : Adriatique.
Feuille 7 : Grèce, Archipel.
(Très beau décor : dessins de montagnes, drapeaux, vue de Gênes, etc.)

Ge D 4497   *Portulan du Crétois, Georgio Sideri dicto Calapodo*, 1566.
Méditerranée.

Ge DD 2006   *Atlas Diego Homem* (Venise, 1574), 7 feuilles.
2 : Méditerranée occidentale.
3 : Italie, Adriatique sud, Méditerranée centrale.
4 : Adriatique.
5 : Méditerranée orientale.
6 : Archipel.
7 : Mer Noire.
(Très différent du n° DD 2003 : ornementation très sobre : Roses des vents.)

Ge DD 682   *Atlas de Joan Martines* (Messine, 1589). 7 feuilles.
6 : Sicile, Calabre occidentale.
7 : Méditerranée.
(Dessins de villes, bestiaire africain, fleuve imaginaire reliant mer Noire au Rhin et au Rhône.)

Ge B 1133   *Portulan de Bartolomeo Olives* (Messine, 1584).
Europe, Méditerranée.
(Très belle lettre, mentionne Regina Saba, Prete Jani de las Indias.)

Ge AA 570   *Portulan de Mateus Prunes*, Majorque, 1586.
Méditerranée, côtes d'Europe occidentale, d'Afrique jusqu'à la Gambie.
(Orné de dessin de souverains sous leur tente, depuis le roi de Fez jusqu'au grand Khan de Tartarie siégeant au N.E. de mer Noire, nombreux bestiaires africains, dessins de Marseille, Gênes, Venise.)

Ge C 5094   *Mateus Prunes*, 1588.
Méditerranée d'Alexandrie au Maroc, côtes de Portugal.
(Très simple, ornée de roses des vents.)

Ge C 2342   *Carta Navigatoria de Joan Oliva* (Messine, 1598 ?).
Méditerranée, images de Barcelone, (Marseille, Venise, Gênes, les autres ports représentés de façon conventionnelle, palmiers, lions, éléphants.)

Ge C 5095   *Portulan de Vintius Demetrei Volcius Rachuseus* (in terra Libuani, 1598).
Méditerranée. Très fouillé pour Dalmatie.

Fe FF 14 409   Atlas anonyme portugais dit « *de la Duchesse de Berry* » (fin XVIᵉ ou début XVIIᵉ siècle).
20 cartes dans reliure.
F. 3 : Espagne et côtes occidentales d'Algérie, Maroc, Afrique occidentale.

Ge DD 2012   *Portulan anonyme XVIᵉ siècle*.
2 feuilles : Méditerranée, Égée.
(Orné de roses des vents, du dessin du triple calvaire de Judée, fleuves imaginaires.)

Ge DD 2008   *Portulan portugais fin XVI*ᵉ *siècle.*
                    1. Méditerranée dans une reliure.
                    2. Egée.
                    (Orné de panaches, écharpes.)

Ge DD 2009   *Portulan anonyme franco-italien, XVI*ᵉ *siècle?*
                    4 feuilles collées, dos à dos.
                    Méditerranée, Archipel, Méditerranée occidentale.
                    (Comporte des images de piété collées sur la carte.)

Ge C 5085   *Portulan anonyme XVI*ᵉ *siècle.*
                    Méditerranée.
                    (Orné d'une figure de moine découpée et collée sur l'Espagne.)

Ge C 5100   *Portulan italien XVI*ᵉ *siècle.*
                    Méditerranée.

Ge C 5083   *Portulan anonyme XVI*ᵉ *siècle.*
                    (Dessin très fin.)

Ge C 2341   *Portulan génois XVI*ᵉ *siècle.*
                    Indique Tripoli aux mains des Espagnols.
                    (Beau décor de blasons, pavillons ; un roi sur la carte d'Espagne expose
                      les armes espagnoles.)

Ge DD 2010   *Portulan anonyme.*
                    Méditerranée.
                    2 feuilles collées dos à dos.

Ge D 7887   *Portulan de l'Archipel.*
                    Petites vues de villes, dessin de Troia.

Ge C 5093   *Portulan de Franciscus Oliva.* Messine, 1603.
                    Méditerranée.
                    (Très orné, dessins de Marseille, Barcelone, Gênes, Venise ; guerriers,
                      drapeaux, etc.)

N.B. — Il existe un portulan *Ge D 7889* de Salvador Oliva, dont la date exacte (1635) a été grattée et transformée en 1535.

b) Archivo general de Simancas. Une série de plans et de cartes :

1.   Costas tocantes a Argel y Bujia, 1602, Eᵒ 1951 *a*, 769 m.
2.   Plan d'un fort envoyé par un soldat esclave en Berbérie (peut-être Sousse?) 22 mars 1576, 0 m 490 × 0,461, Planos, Carpeta, II, fᵒ 48.
3.   Diseño del Golfo de Arzeo, encre et couleurs, 28 décembre 1574, 0,490 × 0,424, *ibid.* fᵒ 102.
4.   Plan d'Alger vers 1603, 0,426 × 0,301, Carpeta, I, fᵒ 53.
5.   Plan du château impérial de Bougie, 1548, 0,418 × 0,309, Carpeta, II, fᵒ 61-62.
6.   Plans des fortifications de Bougie, *ibid.*, fᵒ 166 (0,392 × 0,294), fᵒ 167 (0,326 × 0,284), fᵒ 168 (0,514 × 0,362), 9 janv. 1543.
7.   Plans de Mers-el-Kébir (Oran, 20 déc. 1574), *ibid.*, fᵒˢ 98 et 99, 1 m 174 × 0,432 — 0,580 × 0,423.
8.   Nuovo disegno dell' arsenale di Messina, *ibid.*, III, fᵒ 58.
9.   Plan de Mellila, encre et couleurs, 0,445 × 0,320, Eᵒ 331.
10. Plan des fortifications de Malte, Eᵒ 1145 (Planos Carpeta, III, fᵒ 61).
11. Disegno de la città di Siragusa (Syracuse), Eᵒ 1146, *ibid.*, III, fᵒ 63.
12. Traza del Reino de Murcia (vers 1562), Eᵒ 141 *a*, fᵒ 183, 0,908 × 0,214.
13. Le nouveau fort de Tunis encre et couleurs Planos, III, fᵒ 59, 1574 (0,694 × 0,585).
14. Dizeño del fuerte de Túnez y la Goleta, Rome, 7 août 1574 (0,457 × 0,310), *ibid.*, fᵒ 21.
15. Traza de la Goleta de Túnez (encre et couleurs) vers 1554 (0,488 × 0,348), *ibid.*, II, fᵒ 126.
16. Plano de Biserta (encre et couleurs), 1574, (0,627 × 0,577), *ibid.*, fᵒ 60.

17. Pianta de la città di Palermo, E⁰ 1146.
18. Dizeños (4) de la laguna de Melilla, hechos por el Fratin, Madrid, 4 oct. 1576 (II, f⁰ˢ 134 à 137), (0,533 × 0,431, 0,483 × 0,315, 0,439 × 0,318, 0,313 × 0,216.
19. Plano de la Fortaleza de Argel, 1563, 0,606 × 0,448, I, f⁰ 72.
20. Plano de los fuertes de la Goleta, 29 nov. 1557 (0,320 × 0,217). Projets, E⁰ 483, f⁰ 174.
21. Traza de los torreones de Melilla, 24 févr. 1552 (0,442 × 0,315), III, f⁰ 56.
22. Plan du Peñon de Velez 1564 (encre et couleurs) 0,30 × 0,209, *ibid*, f⁰ 19.
23. Carte de la mer Adriatique, E⁰ 540.

3. — Les sources imprimées

Nous ne prétendons pas dresser un inventaire exhaustif de la littérature consacrée à la Méditerranée ; il y faudrait une collection de volumes et l'inventaire serait encore incomplet. Depuis 1949, la documentation s'est considérablement augmentée. Pour la seule Espagne, l'*Indice Histórico Español* fondé en 1953 par J. Vicens Vives, donne la mesure de cette progression de nos connaissances. Il ne pouvait davantage être question de donner le seul relevé de nos lectures ; lui non plus ne tiendrait pas à l'aise dans la place que le présent volume réserve à une bibliographie.

Pour faire court, on s'est limité, (première section A) aux *grandes* publications de documents, (seconde section B) aux livres et études qui ont servi à l'organisation même de ce livre, piliers et contreforts de son architecture, (troisième section C) à la liste alphabétique des livres cités dans les notes ou le texte du présent livre.

A. — LES GRANDES PUBLICATIONS DOCUMENTAIRES

Les grandes collections. — Chaque pays, lié directement ou indirectement à la Méditerranée, possède ses grandes collections documentaires pour le XVIᵉ siècle.

La plus remarquable par son ampleur et la concision intelligente de son édition est le *Calendar of State Papers*.

La monumentale *Colección de documentos ineditos para la historia de España* (en abrégé *CODOIN*), 112 vol., in-8⁰, a été la plus riche de nos sources imprimées. Depuis 1930-1931, on possède grâce à Julián Paz un magnifique catalogue de la collection, en 2 volumes, *Catalogo de la colección...*, t. I, Madrid, 1930, 728 p. in-8⁰ ; t. II, Madrid, 1931, 870 p. in-8⁰, avec index des personnes, topographique et par matières. La substance en est analysée systématiquement dans le précieux manuel bibliographique de R. Sanchez Alonso, *Fuentes de la historia española e hispano-americana*, qu'il faut consulter dans la seconde édition de 1927, ou la troisième de 1946. L'Italie offre, pour sa part, la non moins monumentale collection d'Albèri, *Relazioni degli ambasciatori veneti al senato*. Elle a été si souvent démarquée par les historiens, à ce point diffusée dans tous les récits sur le XVIᵉ siècle que l'on aurait tendance à être injuste vis-à-vis de ses richesses réelles. Cependant, n'est-il pas dangereux de croire, les yeux fermés, ces Vénitiens que l'on dit être parmi les meilleurs, sinon les meilleurs connaisseurs d'hommes du siècle? Passe pour les *dispacci*, mais les *relazioni* sont des discours, avec les défauts et faiblesses du genre, et souvent des démarcages d'orateurs précédents... Ces critiques sont à formuler vite, mais à ne pas oublier. Plaignons-nous sans restrictions, cette fois, de l'incommodité de la collection mal numérotée à notre sens, et dépourvue d'un bon index. C'en est un, il est vrai, au moins en ce qui concerne l'histoire économique de l'Italie, que le livre succinct d'A. Pino Branca, *La vita economica degli stati italiani nei secoli XVI, XVII, XVIII, secondo le relazioni degli ambasciatori veneti*, Catane, 1938, in-16, 515 p.

La *Collection de documents inédits sur l'histoire de France* est représentée du côté de la Méditerranée de 1550 à 1600, par d'importants volumes et tout d'abord par la puissante publication d'E. Charrière, *Négociations de la France dans le Levant*, Paris, 1840-1860, 4 vol. in-4⁰ ; par le travail non moins classique d'A. Desjardins, *Négociations diplomatiques de la France avec la Toscane*, Paris, 1859-1886, 6 vol. in-4⁰, par les *Papiers d'État du cardinal*

Granvelle, Paris, 1842-1852, 9 vol. in-4º, utiles, on le sait dans toutes les directions, ainsi que par les *Lettres de Catherine de Médicis*, Paris, 1880-1895, 10 vol. in-4º, éditées par H. de la Ferrière.

De Belgique — des Pays-Bas qui, finalement, autant qu'à Philippe II demeurèrent fidèles à l'Église romaine — viennent les publications de L. P. Gachard, *Correspondance de Philippe II sur les affaires des Pays-Bas* (jusqu'à 1577), 1848-1879, 5 vol. in-4º ; *Correspondance de Marguerite d'Autriche avec Philippe II (1559-1565)*, 3 vol. in-4º, 1867-1881, (il y a une continuation récente de J. S. Theissen) — enfin d'Edmond Poullet et Charles Piot en 12 volumes in-4º, la *Correspondance du Cardinal Granvelle, 1566-1586*, 1877-1896. Ces publications intéressent notre sujet de biais.

En langue allemande, quatre publications à retenir : de l'historien tchèque J. Susta, *Die römische Kurie und das Konzil von Trient unter Pius IV*, Vienne, 1904-1914, 4 vol. in-8º ; de G. Turba, *Venetianische Depeschen vom Kaiserhofe*, dans la riche collection des *Nuntiaturberichte aus Deustschland* ; de Lanz la classique correspondance de Charles Quint, *Correspondenz des Kaisers Karl V*, III, 1550-1556, xx + 712 p. in-8º.

La plus utile des publications portugaises est celle de l'*Archivo diplomatico portuguez* dont les 10 volumes gr. in-4e offrent notamment l'édition de la correspondance des ambassadeurs portugais à Rome avec leur gouvernement de 1550 à 1580.

Autres publications de documents diplomatiques. — A côté de ces grandes entreprises, un immense travail s'est poursuivi pour la mise à jour des documents diplomatiques. Mieux classés que d'autres, souvent calligraphiés, ils attendaient, tentaient les éditeurs. Une bonne « histoire » en Belgique, veut que tel acharné éditeur de textes du siècle dernier se soit contenté d'envoyer les documents eux-mêmes des archives à l'imprimerie. Depuis cinquante ou cent ans, voire davantage, l'histoire s'est acharnée à poursuivre cette tâche dont les résultats marqueront, de 1850 à nos jours, un âge de l'historiographie.

En Espagne, les érudits ont largement publié sur les relations de la Péninsule et de la curie romaine, un peu négligées dans la *Colección de documentos ineditos*. Ricardo de Hinojosa, *Los despachos de la diplomacia pontifical en España*, n'a donné cependant que le tome I de son ouvrage, en 1896. Par contre, on doit au P. Luciano Serrano quatre magnifiques volumes : *Correspondancia diplomâtica entre España y la Santa Sede durante el Pontificado de Pio V*, Madrid, 1914, où figurent à la fois la correspondance des nonces en Espagne et celle des ambassadeurs espagnols à Rome. Dans un autre secteur, celui des relations avec les Habsbourgs de Vienne, s'est ajoutée à ce qu'avait publié la *CODOIN*, *La correspondancia inédita de Guillén de San Clemente, embajador en Alemania, sobre la intervención de España en los successos de Polonia y de Hungria* (1581-1608) p.p. le marquis de Ayerbe, Saragosse, 1892. La plus importante contribution espagnole est, sans aucun doute, la publication par la Real Academia de la Historia de la correspondance diplomatique entre France et Espagne (d'après les documents de la série K qui a été restituée par le gouvernement français en 1943), sous le titre : *Negociaciones con Francia*, 9 vol. publiés (1950-1955), de l'année 1559 au 21 octobre 1567.

En Italie, rien que des publications partielles : G. Berchet, *La Repubblica di Venezia e la Persia*, Turin, 1865 ; du même, *Relazioni dei consoli veneti nella Soria*, 1886. Une excellente contribution : *La Lega di Lepanto nel carteggio inedito di Luys de Torres*, p.p. A. Dragonetti de Torres, Turin, 1931 ; Mario Brunetti et Eligio Vitale, *Corrispondenza da Madrid di Leonardo Donà* 1570-1573, Venise, Rome, 1963, 2 vol., in-4º

Sur la diplomatie ragusaine, *Die Depeschen des Francesco Gondola Gesandten der Republik Ragusa bei Pius V. und Gregor XIII.*, 1570-1573, 1909.

En langue allemande, le vieil ouvrage de Matthias Koch, *Quellen zur Geschichte des Kaisers Maximilian II.*, Leipzig, 2 vol. 1857, et de Viktor Bibl, *Familienkorrespondenz Maximilians II.*, et Döllinger, *Dokumente zur Geschichte Karls V., Philips II. und ihrer Zeit*, Ratisbonne, 1862, in-8º.

Pour les lettres si connues de Busbec, ambassadeur impérial auprès de Soliman, j'ai utilisé, faute d'une autre édition à ma portée, leur édition française, *Lettres du Baron de Busbec*, p.p. l'abbé de Foy, Paris, 1748, 3 vol. in-12.

Parmi les travaux belges à retenir, le tome I de la *Correspondance de la Cour d'Espagne sur les affaires des Pays-Bas, 1598-1621,* Bruxelles 1923, p.p. Lonchay et Cuvellier, gr. in-4°, et la *Correspondance d'Ottavio Mirto Frangipani, premier nonce de Flandre (1596-1606),* 2 vol. publiés (1596-1598), I, 1924, par L. Van der Essen, II, 1932, par Armand Louant.

C'est en France que les publications ont été, et de loin, les plus abondantes et les plus importantes, tout à la fois à cause de la qualité, du nombre des publications et de la valeur pour la Méditerranée de la position géographique de la France. On peut soutenir, sans chauvinisme, que ces ambassadeurs, gens d'église, puis gens d'épée, que la France délègue à l'extérieur, sont prompts à comprendre et à s'informer, lestes, judicieux... Un Fourquevaux en Espagne, qui n'est certes pas l'un des plus brillants, est un informateur à la hauteur de ses collègues et rivaux d'Italie... Parmi les publications à retenir : Alexandre Teulet, *Relations politiques de la France et de l'Espagne avec l'Écosse au XVIe siècle,* 5 vol. in-8°, Paris, 1862 (couvre la période 1515-1588), l'ouvrage orienté vers le grand Nord, n'est que partiellement utile à notre étude ; de même la *Correspondance politique de MM. de Castillon et de Marillac, ambassadeurs de France en Angleterre (1537-1542),* Paris, 1885, p.p. Jean Kaulek ; la *Correspondance politique d'Odet de Selve,* ambassadeur de France en Angleterre (1546-1549), p.p. Germain Lefèvre-Pontalis, Paris, 1888 ; *Ambassades de MM. de Noailles en Angleterre,* p.p. l'abbé Vertot, 1763, 5 vol., la *Correspondance de la Mothe Fénelon, ambassadeur de France en Angleterre de 1568 à 1575,* 7 vol., Paris et Londres, 1838-1840 (sous la direction de Charles Puzton Cooper) ; la *Mission de Jean de Thumery, sieur de Boissise,* 1598-1602 (en Angleterre), p.p. P. Laffleur de Kermaignant, Paris, 1886 (ont fourni plus d'un détail précis sur la politique générale). Plus directement dans notre sujet *Jean Nicot, ambassadeur de France en Portugal au XVIe siècle. Sa correspondance diplomatique inédite,* p.p. Edmond Falgairolle, Paris, 1897, et au cœur de ce sujet, la *Correspondance de Babou de la Bourdaisière, évêque d'Angoulême, depuis cardinal, ambassadeur de France à Rome,* p.p. Henry et Loriquet, Paris, 1859. *Dominique du Gabre, trésorier des armées à Ferrare (1552-1554), ambassadeur de France à Venise (1555-1557) ; correspondance politique,* Paris, 1905, p.p. A. Vitalis ; l'*Ambassade en Espagne de Jean Ébrard, seigneur de Saint-Sulpice,* p.p. E. Cabié, Albi, 1903 ; *Dépêches de M. de]Fourquevaux, ambassadeur du roi Charles IV en Espagne, 1565-1572,* 3 vol., Paris, 1896-1904, p.p. C. Douais et les *Lettres de Charles IX à M. de Fourquevaux, 1565-1572,* Paris, 1897, p.p. le même auteur. Ces deux publications sont excellentes comme celle des *Dépêches diplomatiques de M. de Longlée,* résident de France en Espagne, 1582-1590, p.p. Albert Mousset, Paris 1912. J'ajouterai deux brèves publications, *Lettres inédites du roi Henri IV à Monsieur de Villiers, ambassadeur à Venise,* 1601, p.p. Eugène Halphen, Paris, 1887 ; *Lettres à M. de Sillery, ambassadeur à Rome,* du 1er avr. au 27 juin 1601, 1866, p.p. Eugène Halphen et les *Lettres de Henri IV au comte de la Rochepot, ambassadeur en Espagne, 1600-1601,* p.p. P. Laffleur de Kermaingant, Paris, 1889. Elles suffisent à nous introduire dans un climat français nouveau — celui du règne de Henri IV — que notre étude abordera à peine. Citons, pour clore ce bilan du labeur français, la *Correspondance du Cardinal François de Tournon,* Paris, 1946, p.p. Michel François à la jointure des histoires politique et diplomatique et qui, par ses 4e, 5e et 6e parties, intéresse directement notre époque et notre travail. Je n'ai pu incorporer au texte des chapitres I (1re partie) et I (3e partie), toutes les références utiles de cette belle publication : p. 318, 15 mai 1556, état déplorable des mœurs et ignorance du clergé corse ; p. 277-281 : la conclusion de la trêve avec Jules III, du 27 avr. 1552, à laquelle Charles Quint adhère le 15 mai au soir, libère les forces françaises engagées à Parme et explique le déclenchement de l'affaire de Sienne, le 26 juil. 1552 ; Français et Impériaux sont alors à la recherche de prises efficaces de positions sur l'échiquier italien : « La réussite de l'entreprise de Sienne a singulièrement accru le prestige du roi en Italie, et le pape et la seigneurie de Venise s'en réjouissent particulièrement », lettre du cardinal, août 1552, p. 281. N'est-ce pas une question de prestige encore qui décide de l'expédition de Corse, en 1553 ? Michel François reprend à propos de cette opération « inopportune » (289, note 1) l'explication donnée dans son mémoire : *Albisse del Bene, surintendant des finances françaises en Italie, 1551-1556 (B. de l'Ec. des Chartes,* 1933), en mettant en lumière le rôle du cardinal de Ferrare, lequel avancera l'argent nécessaire à l'expédition sur sa fortune personnelle. Inopportune ? Bien des détails, et notes, sur la question de Sienne, permettent de discerner la politique des neveux de Paul IV, et sur l'atmosphère de Rome, au temps « déraisonnable » de Paul IV. Je retiens, au delà de 1559, l'étonnant changement du cardinal de Tournon, ou plutôt son témoignage sur l'étonnant changement du climat français. Un autre âge commence. Voyez la lettre véhémente du cardinal au roi, 14 juin 1559 (p. 397) contre la « punaisye » des hérétiques en France, mot qu'il reprend le même jour (p. 398) dans sa lettre au connétable, ou cette lettre « collaborationniste » à Philippe II, 31 janv. 1561, p. 426-427 ! Enfin, p. 373, une excellente remarque sur Venise, 17 sept. 1558, et sa politique de la *bilancia*, les Vénitiens veulent la paix « pour la craincte que le Victorieux leur seroyt formidable ».

Depuis 1949, la seule publication importante, encore à ses débuts, concerne les *Acta Nuntiaturæ Gallicæ*, édités par l'Université Grégorienne et l'École Française de Rome. Ont paru : *Correspondance des nonces en France Carpi et Ferrerio (1535-1540)*, p.p. J. Lestocquoy, 1961 ; *Girolamo Ragazzoni, évêque de Bergame, nonce en France. Correspondance de sa nonciature, 1583-1586*, p.p. Pierre Blet, 1962.

Documents en marge de l'histoire diplomatique. — Les indications qui précèdent disent l'énorme effort accompli sur le plan de l'histoire diplomatique. Sur les autres plans, les résultats sont loin d'être aussi brillants. Appréciables en ce qui concerne l'histoire politique ou la biographie des grands personnages, ils sont encore légers en ce qui touche à la vie économique, sociale, culturelle ou à l'histoire des techniques.

1o Pour le Portugal, mention doit être faite cependant de l'*Historia tragico-maritima*, de Bernardo Gomes de Brito, 1re édit., Lisbonne, 2 vol., 1735-1736, 2e édit., 1904-1909, 12 vol. (B. N., 8o Z 18.199 (40)), bien qu'elle intéresse surtout l'Atlantique et l'océan Indien. Mais les océans commandent la vie de la mer Intérieure.

2o Pour l'Espagne, de la vieille et précieuse édition de la *Nueva Recopilación de las leyes* ; la collection des *Actas de las Cortes de Castilla, 1563-1623*, 39 vol., Madrid, 1861-1915, à compléter, avant 1563, par le tome V des *Cortes de los antiguos reinos de León y Castilla*) ; de la collection que nous avons peu utilisée des *Doc. inéditos para la historia de Aragón* ; de la précieuse collection des *Libros raros ó curiosos*, t. XIX, *Tres relaciones históricas* (Gibraltar, los Gelves, Alcazarquivir, 1540, 1560, 1578), Madrid, 1889 ; *Cartas y avisos dirigidos à D. J. de Zúñiga, virrey de Nápoles en 1581*, Madrid, 1887. Les deux volumes de lettres inédites de Gachard, *Retraite et mort de Charles-Quint au monastère de Yuste*, 2 vol. in-8o, Bruxelles, 1854-1855, relèvent presque du précédent recensement ; de même, de Gachard encore, ces *Lettres de Philippe II à ses filles les infantes Isabelle et Catherine, écrites pendant son voyage au Portugal, 1581-1583*, Paris, 1884, matière excellente à plaidoiries en faveur du Roi Prudent.

J'ai beaucoup emprunté à deux publications d'histoire régionale, l'une relative à l'Aragon, Carlos Riba y Garcia, *El consejo supremo de Aragón en el reinado de Felipe II*, Madrid, 1914, publié d'après le riche fonds espagnol du *British Museum*, les tomes II et III de la réédition par Dario de Areitio du classique Fidel de Sagarminaga, *El gobierno y regimen foral del señorio de Viscaya*, t. II, 1577-1589, Bilbao, 1932, t. III, 1590-1596, Bilbao, 1934.

J'ai utilisé également la disparate et large collection, ne disons pas de documents politiques et économiques, mais ayant un intérêt économique et politique de Lerruga, *Memorias políticas y económicas sobre los frutos, comercio, fabricas y minas de España*, 45 vol., in-4o, Madrid, 1745.

Les meilleures contributions sont encore :

a) L'entreprise, commencée à l'occasion du 4e centenaire de la naissance de Philippe II (1927), d'une nouvelle collection de documents inédits concacrés à son règne (le programme — comme tous les programmes — difficile à remplir et destiné à ne pas l'être — dans *Boletín de la Comisión de Monumentos históricos y artisticos de la provincia de Valladodid*, I, 2 juill.-sept. 1925). La collection a, sous l'indicatif *Archivo Histórico Español*, le même titre que la *CODOIN*. Sont publiés : le t. I sur le concile de Trente (1530-1552), le t. II sur l'Invincible Armada (1587-1589), xv-488 p., 1929, p.p. G. P. Enrique Herrera Oria ; *Consultas del consejo de Estado*, 1930, p.p. Mariano Alcocer, mais je n'ai rien pu savoir sur les volumes prévus : *Portugal* ; *Expediciones a Levante, Lepanto, Moriscos*, etc. On doit à Jaime Salvá, *La orden de Malta y les acciones españolas contra Turcos y Berberiscos en los siglos XVI y XVII*, 1944, 448 p. in-4⁰.

b) Les *Relaciones topográficas* (entendez les enquêtes menées sur l'ordre de Philippe II dans les pueblos d'Espagne en 1575 et 1578) sont conservées à l'Escorial. Il en existe un catalogue du Père augustin Miguélez, *Las relaciones histórico-geográficas de los pueblos de España hechas por orden de Felipe II*, Madrid, 1915 ; un aperçu d'ensemble Ortega Ribio, *Relaciones topográficas de España. Lo mas interesante de ellas escogido...*, Madrid, 1918. Enfin deux publications partielles pour le diocèse de Cuenca et pour la province de Guadalajara : *Relaciones topográficas de España. Relaciones de pueblos que pertenecen hoy a la provincia de Guadalajara*, p.p. Juan Catalina Garcia et Manuel Perez Villamil, Madrid, 1905-1915, 7 vol. (t. XLI à XLVII du Memorial, Histórico español). Ce précieux document se trouve à la B. de la Sorbonne, *Relaciones de pueblos de la diocesis de Cuenca, hechas par orden de Felipe II*, p.p. le P. J. Zarco Cuevas, Cuenca, 1925, 2 vol. A signaler les remarquables publications de Carmelo Viñas et Ramon Paz, *Relaciones de los pueblos de España ordenadas por Felipe II : Provincia de Madrid*, 2 vol., 1949 ; *Provincia de Toledo*, 3 vol., 1951-1963 ; Noël Salomon, *La campagne de Nouvelle Castille à la fin du XVIᵉ siècle d'après les Relaciones topográficas*, 1964, fait le point de la question.

3⁰ En Afrique du Nord, signalons la vaste *Collection des Sources inédites de l'histoire du Maroc*, tournée vers l'Atlantique ou atteignant à peine l'année 1550 ; pour les présides espagnols en bordure de la Méditerranée, la publication déjà citée de la Primaudaie s'arrête à 1564 ; la publication des archives du Consulat français de Tunis par Pierre Granchamp, *La France en Tunisie à la fin du XVIᵉ siècle, 1582-1600*, Tunis, 1920, est la plus importante des contributions nord-africaines à l'histoire de la Méditerranée ; le tome VI (1551-1575) de l'*Histoire d'Oran* du Général Didier, Oran, 1929, ne peut être utilisé que par qui connaît déjà les sources publiées par l'auteur.

4⁰ De l'énorme masse des publications sur l'Italie, on détachera : Marco Formentini, *Rivista storica della dominazione spagnola sul ducato di Milano colla pubblicazione di 500 e più documenti ufficiali inediti*, Milan, 1872 ; Vladimir Lamansky, *Secrets d'État de Venise, documents extraits notices et études*, Saint-Pétersbourg, 1884, est un recueil d'un intérêt exceptionnel ; de même sur Naples le volume de documents mêlés du tome IX de l'*Archivio storico italiano*, Florence, 1846. Les documents d'histoire sociale sont assez rares pour que l'on apprécie la publication de Nino Cortese, *Feudi e Feudatari napoletani della prima metà del Cinquecento* (d'après des doc. de Simancas), Naples, 1931. De multiples publications relatives à la Sicile sont à retenir : *Corrispondenza particolare di Carlo d'Aragona, Presidente del Regno, con Filippo II* (Doc. per servire alla storia di Sicilia, 1ʳᵉ série, II), p.p. S. V. Bozzo et G. Salvo Cozzo, 1879, et *ibid.*, 4ᵉ série, IV, *Le fortificazioni di Palermo nel secolo XVI. Relazione delle cose di Sicilia fatta da D. Ferdinando Gonzaga all' imperatore Carlo V* (1546), 1896.

5⁰ En France, le grand recueil de M. Pardessus, *Collection des lois maritimes antérieures au XVIIIᵉ siècle*, Paris, 1837, 6 vol., reste un outil excellent.

6⁰ Sur les documents balkaniques, égyptiens, syriens et turcs (il y a aussi des textes turcs, une bibliographie, des revues turques), il ne m'a pas été possible de réunir autre chose que des titres. N. Iorga, *Ospiti Romeni in Venezia*, 1570-1610, Bucarest, 1932, aurait mieux fait de publier les documents qu'il avait en mains que de les présenter sous la forme d'un récit qui mutile les lettres utilisées.

7⁰ J'ai tiré parti des magnifiques collections des voyages d'Hakluyt, *The principal navigations, voiages, traffiques and discoveries of the english Nation*, 3 vol., Londres, 1598, 1599, 1600. (Mes références se rapportent à cette édition) et de John Harris, *Navigantium atque itinerantium bibliotheca*, 2 vol., Londres, 1745.

8⁰ Les grandes publications de documents économiques pour le XVIᵉ siècle concernent avant tout les pays du Nord, Anvers et Augsbourg. Pour Anvers, les discutables mais précieuses publications de Denucé. Pour Augsbourg, les publications relatives aux Fugger : les plus intéressantes pour notre sujet sont Aloys Schulte, *Die Fugger in Rom*, 2 vol., Leipzig, 1904 ; Weitnauer, *Venezianischer Handel der Fugger*, 1931 ; Johannes Kleinpaul, *Die Fuggerzeitungen 1568-1605*, Leipzig, 1921. Sur l'origine et la signification de ces documents de la Bibliothèque Nationale de Vienne, M. A. H. Fitzler, *Die Entstehung der sogenannten Fuggerzeitungen in der Wiener Nationalbibliothek*, Vienne, Rohrer, 1937 ; la valeur économique de ces gazettes des Fugger dans Kempter, *Die wirtschafliche Berichterstattung in den sogenannten Fuggerzeitungen*, Munich, 1936. Il en existe une traduction anglaise : *Fugger News-Letters 1568-1605*, 2 vol. Londres, 1924 et 1926, le t. I par Victor von Klarwill et Pauline de Chary, le t. II par L. S. R. Byrne.

9° Signalons enfin la plus vaste contribution à la connaissance des réalités économiques du XVIᵉ siècle, contribution internationale, bien que la mise en œuvre soit française et s'inscrive à l'actif du Centre de Recherches historiques de la VIᵉ Section de l'École Pratique des Hautes Études, 54, rue de Varenne, Paris, VIIᵉ. Je cite, sans les classer : Fernand Braudel et Ruggiero Romano, *Navires et marchandises à l'entrée du port de Livourne, 1547-1611*, 1951 (sera complété et prolongé par Maurice Carmona, travail en cours) ; Huguette et Pierre Chaunu, *Séville et l'Atlantique de 1504 à 1650*, 12 vol., 1955-1960 ; Alberto Tenenti, *Naufrages, corsaires et assurances maritimes à Venise d'après les notaires Catti et Spinelli, 1502-1609*, 1959 ; Renée Dœhaerd, *Études anversoises*, 3 vol., 1962 ; M. Baulant, *Lettres de négociants marseillais, les frères Hermitte (1570-1612)*, 1953 ; José Gentil da Silva, *Lettres marchandes des Rodrigues d'Evora et Veiga (1595-1607)*, 1956 ; Ugo Tucci, *Lettres d'un marchand vénitien, Andrea Berengo, 1553-1556*, 1957 ; José Gentil da Silva, *Lettres de Lisbonne, 1563-1578*, 1959 ; Valentin Vázquez de Prada, *Lettres marchandes d'Anvers*, 4 vol., 1960 ; Domenico Gioffrè, *Gênes et les foires de change*, 1960 ; Corrado Marciani, *Lettres de change, aux foires de Lanciano*, 1962 ; Felipe Ruiz Martín, *Lettres marchandes échangées entre Florence et Medina del Campo*, 1965 ; Édouard Baratier, *La démographie provençale du XIIIᵉ au XVIᵉ siècle*, 1961 ; Léopold Chatenay, *Vie de Charles Esprinchard, Rochelais, et journal de ses voyages au XVIᵉ siècle*, 1957 ; Xavier A. Flores, *Le « peso politico de todo el mundo » d'Anthony Shirley*, 1963.

Je joins à ces livres l'ouvrage monumental de Modesto Ulloa, historien cubain, *La hacienda real de Castilla en el reinado de Felipe II*, Rome, 1963.

B. — LES OUVRAGES ESSENTIELS

1° **Pour l'orientation générale du livre.** — En tête, les ouvrages de Henri Pirenne, *Les Villes du Moyen Age* ; *Mahomet et Charlemagne*. Les pages auxquelles je me suis le plus attardé sont celles que Vidal de La Blache a consacrées à la Méditerranée dans ses *Principes de Géographie humaine*, p.p. E. de Martonne, 1922.

Pour l'ensemble méditerranéen, je me suis appuyé, au départ, sur l'ouvrage classique d'Alfred Philippson, *Das Mittelmeergebiet*, que j'ai, par suite des circonstances, lu et relu dans son édition de 1904, Leipzig (il existe une 4ᵉ édition parue en 1922). Je considère ce livre comme un chef-d'œuvre de précision documentaire. Je dois beaucoup au livre bien informé de Charles Parain, *La Méditerranée : les hommes et leurs travaux*, Paris, 1936 ; au travail monumental de Maximilien Sorre, *Les fondements de la géographie humaine*, Paris, 4 vol., 1943-1952, et à la *Vue générale de la Méditerranée*, d'André Siegfried, 1943.

2° **Histoire et milieu humain.** — A l'appui de cette *histoire liée au sol*, ou plutôt au milieu, à l'*environnement* des hommes, s'inscrit l'œuvre complète de Victor Bérard, celle de l'helléniste, du voyageur, du diplomate, l'œuvre complète d'Alfred Jardé, si ouverte sur le réel géographique, l'œuvre éparpillée en articles de Jules Sion.

J'invoque plus encore l'œuvre entière d'Émile-Félix Gautier que la critique actuelle combat dans ses détails, alors que le problème est peut-être d'en continuer l'élan général. Dans cette œuvre, je vise particulièrement : *Siècles obscurs du Maghreb*, 1927 (devenu sous sa dernière forme *Le passé de l'Afrique du Nord*, 1952), *Mœurs et Coutumes des Musul-*

mans, 2ᵉ édit., 1959, et cette courte et simple profession de foi, *Le cadre géographique de l'histoire en Algérie, Histoire et Historiens de l'Algérie*, 1931, p. 17-35. Je citerai aussi le long article, remarquable, d'Alfred Hettner, « Der Islam und die orientalische Kultur », *in : Geogr. Zeitung*, 1932, auquel j'ai également, ainsi qu'à toute l'école géographique allemande, beaucoup emprunté. (Bibliogr. dans le commode manuel de Hugo Hassinger, *Geographische Grundlagen der Geschichte*, Fribourg Br. 1931, 2ᵉ édit., 1953.

3° **Histoire des structures.** — Rien n'existant encore dans l'immense domaine de l'*histoire structurale* ou *structurelle*, j'ai dû beaucoup construire et risquer par moi-même, je me suis d'autant plus appuyé sur quelques ouvrages de prospecteurs, sur le travail alors inédit de Pietro Sardella, *Nouvelles et Spéculations à Venise*, 1948 (d'après les *Diarii* de Sanudo), dont j'ai lu le manuscrit et les bonnes feuilles ; sur le gros ouvrage posthume de Julius Beloch, *Bevolkerungsgeschichte Italiens*, 3 vol. ; sur la monumentale étude des prix en Espagne d'Earl J. Hamilton, *American Treasure and the Price Revolution in Spain, 1501-1550*, 1934 ; sur l'étude neuve de Frédéric C. Lane, *Venetian Ships and Shipbuilders of the Renaissance*, Baltimore, 1934, traduction française, 1965; sur le toujours très utile ouvrage de Richard Ehrenberg, *Das Zeitalter der Fugger*, Iéna, 1922, 2 vol., dont A.-E. Sayous a dit trop de mal pour qu'on l'écoute sérieusement ; sur le livre d'Ernst Schäfer, *Der könige. span. oberste Indienrat*, t. I, 1936 : sur les enquêtes des *Annales* consacrées aux noblesses ; sur la thèse monumentale de Marcel Bataillon, *Érasme et l'Espagne*, Paris, 1937 ; sur les classiques travaux d'Ernst Schäfer, *B. zur. Gesch. des span. Protestantismus*, 3 vol., 1902 ; de Benedetto Croce, *La Spagna nella vita italiana durante la Rinascenza*, Bari, 1922 ; de Ludwig Pfandl, *Geschichte der span. Literatur in ihrer Blütezeit*, 1929; enfin d'Émile Mâle, l'*Art religieux après le Concile de Trente*, 1932.

Sur les rapports de la structure et de la conjoncture, le livre d'intérêt général, pour engager le débat, reste : Ernest Labrousse, *La crise de l'économie française à la fin de l'Ancien Régime et au début de la Révolution*, 1944.

4° **Pour l'histoire événementielle,** une multitude d'ouvrages se joignant, se chevauchant, se remplaçant aussi : les meilleures études biographiques récemment parues sont certainement: O. de Törne, *Don Juan d'Autriche*, 2 vol., Helsingfors, 1915 et 1928, d'une riche, d'une éblouissante documentation et d'une parfaite écriture et Van der Essen, *Alexandre Farnèse, 1545-1592*, 1933 et sq. ; les meilleures études d'événements, celles de Charles Monchicourt, *L'expédition espagnole de 1560 contre l'île de Djerba*, Paris, 1913, et de Félix Hartlaub, *Don Juan d'Austria und die Schlacht bei Lepanto*, Berlin, 1940 ; les meilleurs récits, les ouvrages classiques de Lucien Romier, *Les origines politiques des guerres de religion*, 1913, 2 vol. ; *La conjuration d'Amboise*, 1923 ; *Catholiques et huguenots à la Cour de Charles IX*, 1924 ; *Le royaume de Catherine de Médicis*, 2 vol. 1925 ; *La Liga de Lepanto*, du P. L. Serrano, 2 vol., 1918-1919, et le toujours très utile travail de Martin Philippson, *Ein Ministerium unter Philipp II., Kardinal Granvella am spanischen Hofe*, Berlin, 1895.

Citons aussi, sources inépuisables de renseignements, les gros livres érudits de L. von Pastor, *Geschichte der Päpste*. Sauf le t. X (cité par nous d'après l'édition allemande), toutes nos références se rapportent à la traduction française de cet ouvrage.

5° **Manuels, ouvrages de référence et livres d'ensemble sur la Méditerranée.** — Tous les manuels que j'ai utilisés de Fueter, Platzhoff, C. Lozzi, Barbagallo, Kulischer, Doren, Georg Mentz, Stählin, Luzzatto, Segre, Zinkeisen, Hammer, Lavisse, Ballesteros, Agnado Bleye, Altamira, R. Konetzke (*G. des spanischen u, portugiesischen Volkes*, t. VIII de la *Grosse Weltgeschichte*, Leipzig, 1941), de Damião Peres, de Mercier, de Charles-André Julien, de Henri Pirenne (*Bibliographie* et *H. de Belgique*), de Henri Hauser (*Les Sources...*, et la *Prépondérance espagnole*), de Trevelyan, de Hans Delbrück, *G. der Kriegskunst* et *Weltgeschichte* (t. III, 1926), le t. III de la *Neue Propyläen Weltgeschichte*, p.p. Willy Andreas, (Berlin, 1942 in-4°, 646 p.), de Karl Brandi (*Deutsche Geschichte im Zeitalter der Reformation und Gegenreformation*, 2ᵉ éd.), de W. Sombart (*Der Moderne Kapitalismus*, et, dans l'édition de 1940, *Vom Menschen*), de Farinelli (*Viajes por España...*) sont des livres usuels

544

sur lesquels il est inutile d'insister. La seule histoire générale novatrice et que j'ai lue avec plaisir : J. Vicens Vives, *Historia social y económica de España y América*, particulièrement le t. III, 1957.

6º *Sur l'histoire d'ensemble de la mer.*

1. Carl Rathlef, *Die Weltistorische Bedeutung der Meere, insbesond. des Mittelmeers,* Dorpat, 1858.

2. Comte Edouard Wilczek, *Das Mittelmeer, seine Stellung in der Weltgeschichte und seine historische Rolle im Seewesen,* Vienne, 1895. Très influencé par la pensée de l'amiral Mahan.

3. Helmolt, *Weltgeschichte, IV. Die Randländer des Mittelmeeres,* Leipzig, 1900.

4. Giuseppe de Luigi, *Il Mediterraneo nella politica europea,* Naples, 1926, in-8º, 506 p.

5. Pietro Silva, *Il Mediterraneo dall' unità di Roma all' unità d'Italia,* 2 vol., Milan, 1927, réédité à Milan en 1942, 2 vol., avec un titre transparent : « *all' impero italiano* » remplaçant « *all'unita d'Italia* ».

6. Paul Herre, *Weltgeschichte am Mittelmeer,* Leipzig, 1930, remarquables illustrations, excellent texte d'un historien de la politique, spécialiste du XVIe siècle.

7. Ulrich von Hassel, *Das Drama des Mittelmeers,* Berlin, 1940, 176 p. in-16, développe un thème initial brillant, celui de l'aventure de Pyrrhus, essaie en somme d'expliquer la mer par l'histoire de sa grande charnière médiane, mais ne tient pas ses promesses. Dans l'ensemble, étriqué, fautif et médiocre.

8. Philipp Hiltebrandt, *Der Kampf ums Mittelmeer,* Stuttgart, 1940, avec de très mauvaises cartes, est le livre d'un journaliste (correspondant de la *Köln. Zeitung* à Rome), vif, parfois fautif, souvent brillant.

9. Emil Ludwig, *La Méditerranée, destinées d'une mer,* tr. de l'allemand. Édit. de la Maison Française, New York, 1943, 2 vol., est un livre décevant, boursouflé, avec quelques admirables pages et beaucoup d'énormités.

10. Felice Vinci, *L'unità mediterranea,* 2e éd., Milan, 1946, livre rapide, à éclairage historique insuffisant.

C. — LISTE ALPHABÉTIQUE DES LIVRES CITÉS

Accarias de Sérionne (Jacques), *La richesse de la Hollande,* Londres, 1778, 2 vol.

Achard (Paul), *La vie extraordinaire des frères Barberousse, corsaires et rois d'Alger,* Paris, 1939.

Acta Tomiciana epistolarum Sigismundi regis Poloniæ, Poznan (vol. 15 : Wroclaw), 1852-1957, 15 vol.

Actas de las Córtes de Castilla, 1563-1623, Madrid, 1861-1915, 39 vol.

Albani (Dina), *Indagine preventiva sulle recenti variazioni della linea di spiaggia delle coste italiane,* Rome, 1933.

Albèri (Eugenio), *Relazioni degli ambasciatori veneti durante il secolo XVI,* Florence, 1839-1863, 15 vol.

Alberti (T.), *Viaggio a Costantinopoli,* p.p. A. Bacchi della Lega, Bologne, 1889.

Albitreccia (L.), *La Corse dans l'Histoire,* Lyon-Paris, 1939.

Alcocer y Martínez (Mariano), *Consultas del Consejo de Estado,* Collection « Archivo Histórico Español », Valladolid, 1930.

Castillos y Fortalezas del antiguo Reino de Granada, Tanger, 1941.

Aleati (Giuseppe), *La popolazione di Pavia durante il dominio spagnolo,* Milan, 1957.

Alemán (Mateo), *De la vida del pícaro Guzmán de Alfarache,* Milan, 1615, 2 vol.

Allen (W. E. D.), *Problems of Turkish Power in the Sixteenth Century,* Londres, 1963.

LES SOURCES

Almanacco di economia di Toscana dell'anno 1791, Florence, 1791.

Almeida (Fortunato de), *Historia de Portugal*, Coïmbre, 1926-1929, 3 vol.

Almeida d'Eça (Vincente), *Normas economicas na colonizacão portuguesa*, Lisbonne, 1921.

Amadei (Federigo), *Il Fioretto delle croniche di Mantova*, Mantoue, 1741.

Amari (Michele), *Storia dei Musulmani di Sicilia*, Florence, 1864-1868, 3 vol.

Ammann (Hektor), *Schaffhauser Wirtschaft im Mittelalter*, Thayngen, 1949.

Ancel (J.), *Peuples et Nations des Balkans*, Paris, 1926.

Andrada (F. de), *O primeiro cerco que os Turcos puzerão na fortaleza de Dio, nas partes de India*, Coïmbre, 1589.

Angelescu (I. N.), *Histoire économique des Roumains*, Genève, I, 1919.

Anquez (Léonce), *Henri IV et l'Allemagne*, Paris, 1887.

Aramon (G. d'), voir Chesneau (Jean).

Arantegui y Sanz (José), *Apuntes históricos sobre la artilleria española en los siglos XIV y XV*, Madrid, 1887.

Arbos (Philippe), *L'Auvergne*, Paris, 1932.

Arco y Fortuño (Ricardo del), *La idea del imperio en la política y la literatura españolas*, Madrid, 1944.

Argenti (Philip P.), *Chius vincta; or, The occupation of Chios by the Turks (1566) and their administration of the island (1566-1912) described in contemporary reports and official despatches*, Cambridge, 1941.

Armstrong (H. C.), *Grey Wolf, Mustafa Kemal : an intimate study of a dictator*, Londres, 1933 ; trad. franç. : *Mustapha Kémal*, Paris, 1933.

Arqué (Paul), *Géographie des Pyrénées françaises*, Paris, 1943.

Arrigo (A.), *Ricerche sul regime dei littorali nel Mediterraneo*, Rome, 1936.

Arsandaux (H.), voir Rivet (P.) et Arsandaux (H.).

Arvieux (Chevalier d'), *Mémoires du Chevalier d'Arvieux*, Paris, 1735, 6 vol.

Ashauer (H.) et Hollister (J. S.), *Ostpyrenäen und Balearen*, Berlin, 1934, coll. « Beiträge zur Geologie der westlichen Mediterrangebiete », no 11.

Aspetti e cause della decadenza economica veneziana nel secolo XVII, Venise-Rome, 1961.

Assézat (J.), voir Du Fail (Noël).

Asso (Ignacio de), *Historia de la economía política de Aragón*, Saragosse, 1798 (rééd. de 1947).

Atkinson (G.), *Les nouveaux horizons de la Renaissance française*, Paris, 1935.

Atti del convegno per la conservazione e difesa delle laguna e della città di Venezia (Istituto Veneto), Venise, 1960.

Aubenas (Roger), *Chartes de franchise et actes d'habitation*, Cannes, 1943.

Aubespine (Sébastien de l'), *Négociations... relatives au règne de François II*, p.p. L. Paris, Paris, 1841.

Aubigné (Théodore Agrippa d'), *Histoire Universelle*, éd. pour la Société de l'Histoire de France par le baron Alphonse de Ruble, Paris, 1886-1897, 9 vol.

Aubin (G.) et Kunze (A.), *Leinenerzeugung und Leinenabsatz im östlichen Mitteldeutschland zur Zeit der Zunftkäufe. Ein Beitrag zur industriellen Kolonisation des deutschen Ostens*, Stuttgart, 1940.

Audisio (Gabriel), I : *Jeunesse de la Méditerranée* ; II : *Le sel de la mer*, Paris, 1935-1936, 2 vol.

Aurigemma (S.), voir Bosio (Giacomo).

Auton (Jean d'), *Chroniques*, Paris, 1834-1835, 4 t. en 2 vol.

Auzanet (Jean), *La vie de Camões*, Paris, 1942.

Avenel (Georges d'), *Histoire économique de la propriété, des salaires, des denrées et de tous les prix en général depuis l'an 1200 jusqu'à l'an 1800*, Paris, 1894-1898, 4 vol.

Avity (Pierre d'), voir Davity (Pierre).

Azevedo (Lucio de), voir Lucio de Azevedo (J.).

Babeau (Albert), *Les voyageurs en France depuis la Renaissance jusqu'à la Révolution*, Paris, 1885.

Babelon (Ernest), *Les origines de la monnaie considérées au point de vue économique et historique*, Paris, 1897.

Bacchi della Lega (A.), voir Alberti (T.).

Badaloni (Nicola), *La filosofia di Giordano Bruno*, Florence, 1955.

Baehrel (René), *Une croissance : la Basse-Provence rurale (fin du XVIe siècle-1789)*, Paris, 1961, 2 vol.

Balandier (Georges), *Afrique ambiguë*, Paris, 1957.

Balducci Pegolotti (Francesco), *Pratica della mercatura*, Lisbonne, 1765-1766, 4 vol.

Ballesteros y Beretta (A.), *Historia de España, y su influencia en la Historia Universal*, Barcelone, 1918-1940, 9 tomes en 10 vol.

Bandello (M.), *Novelle*, Londres, 1791-1793, 9 vol.

Baratier (Édouard), *La démographie provençale du XIIIe au XVIe siècle*, Paris, 1961.

Barbagallo (Corrado), *Storia universale*, Turin, 1930, 5 vol.

Bardon (Achille), *L'exploitation du bassin houiller d'Alais sous l'ancien régime*, Nîmes, 1898.

Barrau-Dihigo (L.), voir Joly (Barthélemy).

Barros (J. de), *Da Asia*, Venise, 1551.

Bartoli (Daniele), *Degli uomini e de' fatti della Compagnia di Gesù*, Turin, 1847.

Baruzi (Jean), *Problèmes d'histoire des religions*, Paris, 1935 (25 février 1936).

Baschiera (Luigi), voir Paruta (Andrea).

Bataillon (Marcel), *Érasme et l'Espagne*, Paris, 1937.

Batiffol (Louis), *La vie intime d'une reine de France au XVIIe siècle*, Paris, 1931, 2 vol.

Baudrillart (Mgr Alfred), *Philippe V et la cour de France*, Paris, 1890-1901, 4 vol.

Bauer (Clemens), *Unternehmung und Unternehmungsformen im Spätmittelalter und in der beginnenden Neuzeit*, Iéna, 1936.

Baulant (Micheline), *Lettres de négociants marseillais ; les frères Hermite (1570-1612)*, Paris, 1953.

Baumann (Émile), *L'anneau d'or des grands Mystiques*, Paris, 1924.

Beatis (A. de), *Die Reise des Kardinals Luigi d'Aragona durch Deutschland, die Niederlande, Frankreich und Oberitalien, 1517-1518*, p. p. L. Pastor, Fribourg-en-Brisgau, 1905 ; traduit en français par Madeleine Havard de La Montagne sous le titre : *Voyage du Cardinal d'Aragon (1517-1518)*, Paris, 1913.

Beaujour (Baron Louis Auguste Frédéric de), *Tableau du Commerce de la Grèce, formé d'après une année moyenne depuis 1787 jusqu'en 1797*, Paris, 1800, 2 vol.

Bechtel (Heinrich), *Wirtschaftsgeschichte Deutschlands. I : Von der Vorzeit bis zum Ende des Mittelalters* ; II : *Vom Beginn des 16. bis zum Ende des 18. Jahrhunderts*, Munich, 1951-1952, 2 vol.

Beiträge zur Geologie der westlichen Mediterrangebiete, hrsg. im Auftrag der Gesellschaft der Wissenschaften zu Göttingen von Hans Stille, Berlin, 1927-1939, 19 vol.

Belda y Perez de Nueros (Fr.), *Felipe secundo*, Madrid, s.d. (1927).

Bellay (Martin et Guillaume du), voir Bourrilly (V. L.) et Vindry (F.).

Bellettini (Athos), *La popolazione di Bologna dal secolo XV all'unificazione italiana*, Bologne, 1961.

Beloch (Karl Julius), *Bevölkerungsgeschichte Italiens*, Berlin, 1937-1961, 3 vol.

Belon (Pierre), *Les observations de plusieurs singularitez et choses mémorables trouvées en Grèce, Asie, Judée, Égypte, Arabie et autres pays estranges*, Paris, 1553.

Below (G. von), *Über historische Periodisierungen mit besonderem Blick auf die Grenze zwischen Mittelalter und Neuzeit*, Berlin, 1925.

Beltrami (Daniele), *Storia della popolazione di Venezia dalla fine del secolo XVI alla caduta della Repubblica*, Padoue, 1954.

Forze di lavoro e proprietà fondiaria nelle campagne venete dei secoli XVII e XVIII, Venise, Rome, 1961.

LES SOURCES

Benedetti (B.), *Intorno alle relazioni commerciali della Repubblica di Venezia e di Norimberga*, Venise, 1864.

Beneyto Pérez (Juan), *Los medios de cultura y la centralización bajo Felipe II*, Madrid, 1927.

Benichou (Paul), *Romances judeo-españoles de Marruecos*, Buenos Aires, 1946.

Benjamin de Tudela, *Voyage du célèbre Benjamin, autour du monde, commencé l'an MCLXXIII*, trad. par Pierre Bergeron, La Haye, 1735.

Bennassar (B.), *Valladolid au XVIᵉ siècle*, thèse en cours de publication.

Benndorf (Werner), *Das Mittelmeerbuch*, Leipzig, 1940.

Benoit (Fernand), *La Provence et le Comtat-Venaissin*, Paris, 1949.

Bérard (Victor), *La Turquie et l'hellénisme contemporain*, Paris, 1893.

    Les navigations d'Ulysse ; II : *Pénélope et les Barons des îles*, Paris, 1928.

Béraud-Villars (Jean), *L'Empire du Gaô. Un État soudanais aux XVᵉ et XVIᵉ siècles*, Paris, 1942.

Berchet (G.), *La Repubblica di Venezia e la Persia*, Turin, 1865.

Bercken (Erich von der), *Die Gemälde des Jacopo Tintoretto*, Munich, 1942.

Bergier (Jean-François), *Les foires de Genève et l'économie internationale de la Renaissance*, Paris, 1963.

Bermúdez de Pedraza (Francisco), *Historia eclesiástica de Granada*, Grenade, 1637.

Bernaldo de Quirós (C.), *Los reyes y la colonización interior de España desde el siglo XVI al XIX*, Madrid, 1929.

Bernard (Étienne), *Discours véritable de la réduction de la ville de Marseille*, Paris et Marseille, 1596.

Bernardo (L.), *Viaggio a Costantinopoli*, Venise, 1887.

Bertoquy (P.), voir Deffontaine (Pierre), Jean-Brunhes-Delamarre (Mariel), Bertoquy (P.).

Bertrand (Louis), *Sainte Thérèse*, Paris, 1927.

    Philippe II à l'Escorial, Paris, 1929.

Beutin (Ludwig), *Der deutsche Seehandel im Mittelmeergebiet bis zu den Napoleonischen Kriegen*, Neumünster, 1933.

Bianchini (Lodovico), *Della storia economico-civile di Sicilia*, Naples, 1841.

    Della storia delle finanze del Regno di Napoli, Naples, 1839.

Biaudet (Henry), *Le Saint-Siège et la Suède durant la seconde moitié du XVIᵉ siècle*, Paris, 1906.

Bibl (Viktor), *Der Tod des Don Carlos*, Vienne et Leipzig, 1918.

    Die Korrespondenz Maximilians II. Familienkorrespondenz, Vienne, 1916-1921, 2 vol.

    Maximilian II., der rätselhafte Kaiser, Hellerau près Dresde, 1929.

Bihlmeyer (Karl) [vol. III : et Tüchle (Hermann)], *Kirchengeschichte*, 11ᵉ à 13 éd., Paderborn, 1951-1956, 3 vol. ; trad. fr. : *Histoire de l'Église*, Mulhouse, 1962-1964, 3 vol.

Bilanci generali, seria seconda, Venise, 1912.

Billioud (Joseph) et Collier (Jacques-Raymond), *Histoire du Commerce de Marseille*, t. III, Paris, 1951.

Binet (R. P. Etienne), *Essay des merveilles de nature et des plus nobles artifices*, 13ᵉ éd., Paris, 1657.

Birot (Pierre) et Dresch (Jean), *La Méditerranée et le Moyen-Orient*, Paris, 1953-1956, 2 vol.

Bisschop (Éric de), *Au delà des horizons lointains* ; I : *Kaimiloa. D'Honolulu à Cannes par l'Australie et le Cap à bord d'une double pirogue polynésienne*, Paris, 1939.

Blache (Jules), *L'Homme et la Montagne*, Paris, 1934.

Blanchard (Raoul), *Géographie de l'Europe*, Paris, 1936.

Blanchet (Léon), *Campanella*, Paris, 1920.

Bloch (Marc), *Les caractères originaux de l'histoire rurale française*, Paris, 1931.

    La Société féodale, Paris, 1940.

Blok (P. J.), *Relazioni veneziane*, La Haye, 1909.

Bodin (Jean), *Les six livres de la République*, Paris, 1583.

    La Response de Jean Bodin à M. de Malestroict, 1568, p.p. Henri Hauser, Paris, 1932.

Bog (I.), *Die bäuerliche Wirtschaft im Zeitalter des Dreissigjährigen Krieges. Die Bewegungsvorgänge in der Kriegswirtschaft nach den Quellen des Klosterverwalteramtes Heilsbronn*, Cobourg, 1952.

Bonnaffé (Edmond), *Les Arts et les mœurs d'autrefois. Voyages et voyageurs de la Renaissance*, Paris, 1895.

Bono (Salvatore), *I corsari barbareschi*, Turin, 1964.

Boppe (Léon), *Journal et Correspondance de Gédoyn « le Turc », consul de France à Alep*, Paris, 1909.

Borderie (Bertrand de La), voir La Borderie (Bertrand de).

Borel (Jean), *Gênes sous Napoléon Ier (1805-1814)*, 2e éd., Paris-Neuchâtel, 1929.

Borlandi (Franco), *Per la storia della popolazione della Corsica*, Milan, 1942.

Bory de Saint-Vincent (J. B.), *Guide du voyageur en Espagne*, Paris, 1823, 2 vol.

Bosio (Giacomo), *I cavalieri gerosolimitani a Tripoli negli anni 1530-1551*, p.p. S. Aurigemma, Intra, 1937.

Botero (Giovanni), *Relationi universali*, Brescia, 1599.

Bouché (Honoré), *La Chorographie ou description de Provence*, Aix-en-Provence, 1664, 2 vol.

Boué (Ami), *La Turquie d'Europe*, Paris, 1840, 4 vol.

Boulenger (Jacques), voir Contreras (Alonso de).

Bourcart (Jacques), *Nouvelles observations sur la structure des Dinarides adriatiques*, Madrid, 1929.

Bourgeois (Émile), *Manuel historique de politique étrangère*, Paris, 1892-1926, 4 vol.

Bourget (Paul), *Sensations d'Italie*, Paris, 1891.

Bourgoing (Baron Jean-François), *Nouveau voyage en Espagne*, Paris, 1788, 3 vol.

Bourrilly (V.-L.) et Busquet (R.). *Histoire de la Provence*, Paris, 1944.

Bourrilly (V. L.) et Vindry (E.), *Mémoires de Martin et Guillaume du Bellay*, publ. pour la « Société de l'Histoire de France », Paris, 1908-1909, 4 vol. .

Bowles (William), *Introduction à l'histoire naturelle et à la géographie physique de l'Espagne*, trad. de l'espagnol par le vicomte de Flavigny, Paris, 1776.

Boxer (C. R.), *The great Ship from Amacon. Annals of Macao and the old Japan Trade, 1555-1640*, Lisbonne, 1959.

Bozzo (S. V.), *Corrispondenza particolare di Carlo di Aragona... con S.M. il re Filippo II* (Documenti per servire alla storia di Sicilia, 1re série, vol. II), Palerme, 1879.

Bradi (Comte Joseph M. de), *Mémoire sur la Corse*, Orléans, 1819.

Bradi (Lorenzi de), *La Corse inconnue*, Paris, 1927.

Bragadino (A.), voir Stefani (Fr.).

Braganza Pereira (A. B. de), *Os Portugueses em Diu*, Bassorà, 1938.

Brantôme (Pierre de Bourdeilles, abbé et seigneur de), *Œuvres complètes*, éd. Mérimée, Paris, 1858-1895, 13 vol.

Bratianu (G.), *Études byzantines d'histoire économique et sociale*, Paris, 1938.

Bratli (Charles), *Philippe II, roi d'Espagne. Étude sur sa vie et son caractère*, Paris, 1912.

Braudel (Fernand), *La Méditerranée et le monde méditerranéen à l'époque de Philippe II*, 1re éd., Paris, 1949.
  Capitalisme et civilisation matérielle, XVe-XVIIIe siècles, en cours de publication.

Braudel (F.) et Romano (R.), *Navires et marchandises à l'entrée du port de Livourne, 1547-1611*, Paris, 1951.

Bräunlich (Erich), *Zwei türkische Weltkarten aus dem Zeitalter der grossen Entdeckungen*, Leipzig, 1937.

Brémond (Gal Éd.), *Yémen et Saoudia*, Paris, 1937.
  Berbères et Arabes, Paris, 1942.

Brémond d'Ars (Guy de), *Le père de Mme de Rambouillet, Jean de Vivonne, sa vie et ses ambassades près de Philippe II et à la cour de Rome*, Paris, 1884.

Brésard (M.), *Les foires de Lyon aux XVe et XVIe siècles*, Paris, 1914.

549

LES SOURCES

Bretholz (Berthold), *Lateinische Paläographie*, 2e éd., Munich, 1912.

Brèves (François Savary, seigneur de), *Relation des voyages de... tant en Grèce, Terre Saincte et Aegypte, qu'aux royaumes de Tunis et Arger*, Paris, 1628.

Brion (Marcel), *Laurent le Magnifique*, Paris, 1937.
   Michel-Ange, Paris, 1939. .

Brockelmann (C.), *Geschichte der islamischen Völker und Staaten*, Munich, 1939.

Brosses (Président Charles de), *Lettres familières écrites d'Italie en 1739 et 1740*, Paris, 1858, 2 vol.

Brückner (A.), *Geschichte der russischen Literatur*, Leipzig, 1905, 2e éd., 1909.

Brulez (W.), *De Firma della Faille en de internationale handel van Vlaamse firma's in de 16e eeuw*, Bruxelles, 1959.

Brun (A.), *Recherches historiques sur l'introduction du français dans les provinces du Midi*, Paris, 1923.

Brunetti (Mario), voir Vitale (Eligio) et Brunetti (Mario).

Brunhes (J.-B.), *Étude de géographie humaine. L'irrigation, ses conditions géographiques ses modes et son organisation dans la péninsule Ibérique et l'Afrique du Nord*, Paris, 1902
   Voir aussi Deffontaines (Pierre), Jean-Brunhes-Delamarre (Mariel), Bertoquy (P.).

Brunner (O.), *Neue Wege der Sozialgeschichte. Vorträge und Aufsätze*, Göttingen, 1955.

Brunschvig (Robert), *La Berbérie orientale sous les Hafsides, des origines à la fin du XVe siècle*, Paris, 1940, 2 vol.

Bubnoff (Serge von), *Geologie von Europa*, Berlin, 1926-1930, 2 vol.

Buchan (John), *Oliver Cromwell*, Londres, 1934.

Bugnon (Didier), *Relation exacte concernant les caravanes ou cortège des marchands d'Asie*, Nancy, 1707.

Bullôn (Eloy), *Un colaborador de los Reyes Católicos : el doctor Palacios Rubios y sus obras*, Madrid, 1927.

Burckhardt (J.), *Geschichte der Renaissance in Italien*, Stuttgart, 1867 ; 6e éd., Esslingen, 1920.

Busbec (Baron Augier Ghislain de), *Lettres du Baron de Busbec*, p.p. l'abbé de Foy, Paris, 1748, 3 vol.

Busch-Zantner (R.), *Agrarverfassung, Gesellschaft und Siedlung in Südosteuropa. Unter bes. Berücksichtigung der Türkenzeit*, Leipzig, 1938.
   Albanien. Neues Land im Imperium, Leipzig, 1939.

Busquet (Raoul), *Histoire de Marseille*, Paris, 1945.
   Voir aussi Bourrilly (V.) et Busquet (R.).

Cabié (Edmond), *Ambassade en Espagne de Jean Ébrard, seigneur de Saint-Sulpice, de 1562 à 1565*, Albi, 1903.

Cabrera de Côrdova (L.), *Relaciones de las cosas sucedidas en la Corte de España desde 1599 hasta 1614*, Madrid, 1857.
   Felipe segundo, Rey de Espa~a, Madrid, 1876, 4 vol.

Cagnetta (Franco), *Bandits d'Orgosolo*, trad. de l'italien : *Inchiesta su Orgosolo*, par Michel Turlotte, Paris, 1963.

Calendar of State Papers, Colonial Series, East Indies, China and Japan, Londres, 1862-1892, 5 vol.

Calendar of State Papers and Manuscripts relating to English Affairs existing in the archives and collections of Venice and in other libraries of Northern Italy, Londres, 1864-1947, 38 vol.

Calvete de Estrella (Juan Christôval), *El felicissimo viaje del... Principe don Felipe*, Anvers, 1552.

Campana (C.), *La vita del catholico... Filippo II*, Vicence, 1605-1609, 3 vol.

Canaye (Philippe), sieur de Fresne, *Le voyage du Levant, 1573*, p.p. Henri Hauser, Paris, 1897.

Cano (Thomé), *Arte para fabricar... naos de guerra y merchante...*, Séville, 1611.

Capasso (B.), *Catalogo ragionato dell'Archivio municipale di Napoli*, Naples, 1876.

Capasso (C.), *Paolo III*, Messine, 1924, 2 vol.

Capmany y de Montpalau (A. de), *Memorias históricas sobre la Marina, Comercio y Artes de la antigua ciudad de Barcelona*, Madrid, 1779-1792, 4 vol.

Cappelletti (Giuseppe), *Storia della Repubblica di Venezia dal suo principio al suo fine*, Venise, 1850-1855, 13 vol.

Caracciolo (Ferrante), *I commentarii delle guerre fatte co'Turchi da D. Giovanni d'Austria dopo che venne in Italia*, Florence, 1581.

Carande (Ramón), *Carlos V y sus banqueros*, Madrid, 1949.

Carcopino (Jérôme), *Le Maroc antique*, Paris, 1943.

Cardauns (Ludwig), *Von Nizza bis Crépy. Europäische Politik in den Jahren 1534-1544*, Rome, 1923.

Carmoly (Éliacin), *La France israélite, galerie des hommes et des faits dignes de mémoire*, Paris-Leipzig, 1855.

Caro Baroja (Julio), *Los Moriscos del Reino de Granada*, Madrid, 1957.
    Los Judíos en la España moderna y contemporánea, Madrid, 1961.
    La sociedad criptojudía en la Corte de Felipe IV (discours de réception à l'Academia de Historia), Madrid, 1963.

Carré (J. M.), voir Fromentin (Eugène).

Carrera Pujal (Jaime), *Historia política y económica de Cataluña*, Barcelone, 1946, 4 vol.

Carreras y Candi (Franceschi), *Geografía general de Catalunya*, Barcelone, s. d. 1913-1918, 6 vol.

Cartas y avisos dirijidos a D. J. de Zúñiga, virrey de Nápoles en 1581, Madrid, 1887, vol. XVIII de la Colección de libros españoles raros o curiosos.

Carus-Wilson (Eleanora), *Medieval Merchant Venturers*, Londres, 1954.

Casa (Giovanni della), voir Della Casa (Giovanni).

Casanova (Abbé S. B.), *Histoire de l'Église corse*, Ajaccio, 1931, 2 vol.

Cassou (Jean), *La vie de Philippe II*, Paris, 1929.
    Les conquistadors, Paris, 1941.

Castaneda-Alcover (Vicente), voir Porcar (Moisé Juan).

Caster (Gilles), *Le commerce du pastel et de l'épicerie à Toulouse de 1450 environ à 1561*, Toulouse, 1962.

Castro (M. de), *Vida del soldado español Miguel de Castro*, Madrid-Buenos Aires, 1949.

Casti (Enrico), *L'Aquila degli Abruzzi ed il pontificato di Celestino V*, L'Aquila, 1894.

Cat (Édouard), *Mission bibliographique en Espagne*, Paris, 1891.

Catalina García (Juan) et Perez Villamil (Manuel), *Relaciones topográficas de España. Relaciones de pueblos que pertenecen hoy a la provincia de Guadalajara*, Madrid, 1905-1915, 7 vol. (t. XLI à XLVII du « Memorial Histórico Español »).

Catherine de Médicis, voir La Ferrière (Comte Hector de).

Cavaillès (Henri), *La vie pastorale et agricole dans les Pyrénées des Gaves, de l'Adour et des Nestes*, Bordeaux, 1931.

Caxa de Leruela (Miguel), *Restauración de la antigua abundancia de España*, Naples-Madrid, 1713.

Cecchetti (B.), *Informazione di Giovanni dall'Olmo console veneto in Lisbona sul commercio dei Veneziani in Portogallo e sui mezzi per ristorarlo, 1584, 18 maggio*, per nozze Thienesa, Schio, Venise, 1869.

Celli (Angelo), *The History of Malaria in the Roman Campagna from ancient times*, Londres, 1933.

Cellini (Benvenuto), *Vita di Benvenuto Cellini scritta da lui medesimo*, trad. française, Paris, 1922, 2 vol.

Cervantes (Miguel), *Novelas Ejemplares*, p.p. Francisco Rodríguez Marín, trad. franç., Paris, 1949.

Chabod (Federico), *Per la storia religiosa dello stato di Milano*, Bologne, 1938.

Champion (Maurice), *Les inondations en France depuis le VIe siècle jusqu'à nos jours*, Paris, 1858-1864, 6 vol.

Champion (Pierre), *Paris sous les derniers Valois, au temps des guerres de religion. Fin du règne de Henri II. Régence de Catherine de Médicis. Charles IX*, Paris, 1938.

LES SOURCES

Chardin (Jean), *Journal du Voyage en Perse et autres lieux de l'Orient*, Amsterdam, 1735, 4 vol.

Charles IX, voir Douais (Célestin).

Charles Quint, voir Lanz (Carl).

Charles-Quint et son temps, Paris, 1959. (Colloques internationaux du C.N.R.S., Sciences humaines, Paris, 30 septembre-3 octobre 1958.)

Charliat (P. J.), *Trois siècles d'économie maritime française*, Paris, 1931.

Charrière (Ernest), *Négociations de la France dans le Levant*, « Collection de documents inédits sur l'histoire de France », 1re série, Paris, 1840-1860, 4 vol.

Chastenet (Jacques), *Godoï, prince de la paix*, Paris, 1943.

Chateaubriand (François-René de), *Itinéraire de Paris à Jérusalem*, Paris, 1831.

Chatenay (Léopold), *Vie de Jacques Esprinchard, rochelais, et Journal de ses voyages au XVIe siècle*, Paris, 1957.

Chaunu (Pierre), *Les Philippines et le Pacifique des Ibériques (XVIe, XVIIe, XVIIIe siècles). Introduction méthodologique et indices d'activité*, Paris, 1960.
L'Amérique et les Amériques, Paris, 1964.

Chaunu (Pierre et Huguette), *Séville et l'Atlantique de 1601 à 1650*, Paris, 1955-1960, 12 vol.

Chavier (Antonio), *Fueros del reyno de Navarra*, Pampelune, 1686.

Chesneau (Jean), *Le voyage de Monsieur d'Aramon ambassadeur pour le roy en Levant*, Paris, 1887.

Chevalier (François), *La formation des grands domaines au Mexique. Terre et Société aux XVIe-XVIIe siècles*, Paris, 1952.

Cicogna, voir Tiepolo (Lorenzo).

Cirillo (Bernardino), *Annali della città dell'Aquila*, Rome, 1570.

Cochenhausen (Friedrich von), *Die Verteidigung Mitteleuropas*, Iéna, 1940.

Cock (Henrique), *Relación del viaje hecho por Felipe II en 1585 a Zaragoza*, Madrid, 1876.

Codogno (O.), *Nuovo itinerario delle Poste per tutto il mondo...*, Milan, 1608.

Coindreau (Roger), *Les corsaires de Salé*, Paris, 1948.

Colección de documentos inéditos para la historia de España (C.O.D.O.I.N.), Madrid, 1842-1896, 112 vol.

Colette, *La naissance du jour*, Paris, 1942.

Collier (Jacques-Raymond), voir Billioud (Joseph) et Collier (Jacques-Raymond).

Colmenares (Diego de), *Historia de la insigne ciudad de Segovia*, 2e éd., Madrid, 1640.

Colonna (Marco Antonio), voir Voinovitch (L.).

Comines (Philippe de), *Mémoires de Messire Philippe de Comines... où l'on trouve l'histoire des rois de France Louis XI et Charles VIII*. Nouvelle éd. revue avec un recueil de traités, lettres, contrats et instructions... par messieurs Godefroy, augmentée par M. l'abbé Lenglet du Fresnay, Londres et Paris, 1747.

Conestaggio (Jeronimo), *Dell'unione del regno di Portogallo alla corona di Castiglia*, Gênes, 1585.

Congrès international des Sciences Historiques (XIe), Rapports, Stockholm, 21-28 août 1960, Goteborg, Stockholm, Uppsala, Almqvist et Wiksell, 1960, 5 vol.

Coniglio (G.), *Il Viceregno di Napoli nel secolo XVII*, Rome, 1955.

Contarini (Giampietro), *Historia delle cose successe dal principio della guerra mossa da Selim ottomano a' Venetiani*, Venise, 1572.

Contreras (Alonso de), *Aventures du capitaine Alonso de Contreras (1582-1633)*, trad. et p.p. Jacques Boulenger, Paris, 1933.

Coornaert (Émile), *Un centre industriel d'autrefois. La draperie-sayetterie d'Hondschoote (XIVe-XVIIIe siècles)*, Paris, 1930.
Les Français et le commerce international à Anvers, fin du XVe-XVIe siècle, Paris, 1961, 2 vol.

Corazzini (G. O.), voir Lapini (Agostino).

Córdova (L.), voir Cabrera de Córdova (L.).

Cornaro (L.), *Trattato di acque*, Padoue, 1560.

Corridore (F.), *Storia documentata della popolazione di Sardegna*, Turin, 1902.

Corsano (A.), *Il pensiero di Giordano Bruno nel suo svolgimento storico*, Florence, 1954.

Corsini (O.), *Ragionamento istorico sopra la Val di Chiana*, Florence, 1742.

Corte Real (J.), *Successo do segùdo cerco de Diu*, Lisbonne, 1574.

Córtes de los antiguos reinos de León y de Castilla, Madrid, 1861-1903, 8 vol.

Cortese (Nino), *Feudi e feudatari napoletani della prima metà del Cinquecento*, Naples, 1931.

Cossé-Brissac (Philippe de), voir *Sources inédites...*

Costa (Joaquín), *Colectivismo agrario en España*, Madrid, 1898.

Crescentio (Bartolomeo), *Nautica mediterranea*, Rome, 1607.

Croce (Benedetto), *Storia del Regno di Napoli*, 3e éd., Bari, 1944.

Cunnac (J.), *Histoire de Pépieux des origines à la Révolution*, Toulouse, 1946.

Cunningham (W.), *The Growth of English Industry and Commerce*, 5e éd., Cambridge, 1910-1912, 3 vol.

Cupis (C. de), *Le vicende dell'agricoltura e della pastorizia nell'agro romano e l'Annona di Roma*, Rome, 1911.

Cuvelier (J.) et Jadin (J.). *L'ancien Congo d'après les archives romaines, 1518-1640*, Bruxelles, 1954.

Cvijić (Jovan), *La Péninsule balkanique*, Paris, 1918.

Dall'Olmo, voir Cecchetti (B.).

Da Mosto (Andrea), *L'archivio di Stato di Venezia*, Rome, 1937-1940, 2 vol.

Dan (P.), *Histoire de Barbarie et de ses corsaires*, Paris, 2e éd., 1649.

Danvila (Manuel), *El poder civil en España*, Madrid, 1885.

Dauzat (Albert), *Le village et le paysan de France*, Paris, 1941.

Davis (James C.), *The Decline of the Venetian Nobility as a Ruling Class*, Baltimore, 1962.

Davity (Pierre), *Les Estats, empires et principautés du monde*, Paris, 1617.

Debien (Gabriel), *En Haut-Poitou, défricheurs au travail, XVe-XVIIe siècles*, « Cahiers des Annales », Paris, 1952.

Decker (H.), *Barockplastik in den Alpenländern*, Vienne, 1943.

Decrue de Stoutz (Francis), *Anne, duc de Montmorency, connétable et pair de France sous les rois Henri II, François II et Charles IX*, Paris, 1889.

Deffontaines (Pierre), Jean-Brunhes-Delamarre (Mariel), Bertoquy (P.), *Problèmes de Géographie humaine*, Paris, 1939.

Delbrück (Hans), *Geschichte der Kriegskunst im Rahmen der politischen Geschichte*, Berlin, 1900-1920, 4 vol.
Weltgeschichte. Vorlesungen gehalten an der Universität Berlin 1896/1920, Berlin, 1923-1928, 5 vol.

Deledda (Grazia), *La via del male*, Rome, 1896.
Il Dio dei viventi, Rome, 1922.

De Leva (Giuseppe), *Storia documentata di Carlo V*, Venise, 1863-1894, 5 vol.
Voir aussi Paruta (P.).

Della Casa (Giovanni), *Galateo*, Florence, 1561.

Della Rovere (Antonio), *La crisi monetaria siciliana (1531-1802)*, p.p. Carmelo Trasselli, Palerme, 1964.

Della Torre (Raffaele), *Tractatus de cambiis*, Gênes, 1641.

Delmas de Grammont (Henri), voir Grammont (Henri Delmas de).

De Luigi (Giuseppe), *Il Mediterraneo nella politica europea*, Naples, 1925.

Delumeau (Jean), *Vie économique et sociale de Rome dans la seconde moitié du XVIe siècle*, Paris, 1957-1959, 2 vol.
L'alun de Rome, XVe-XIXe siècle, Paris, 1963.

LES SOURCES

Denucé (J.), *L'Afrique au XVIe siècle et le commerce anversois*, Anvers, 1937.

Dermigny (L.), *La Chine et l'Occident, le commerce à Canton au XVIIIe siècle, 1719-1833*, Paris, 1964, 4 vol.

Descamps (Paul), *Le Portugal. La vie sociale actuelle*, Paris, 1935.

Desdevises du Dezert (Georges), *Don Carlos d'Aragon, prince de Viane, étude sur l'Espagne du Nord au XVe siècle*, Paris, 1889.

Desjardins (Abel), *Négociations diplomatiques de la France avec la Toscane*, « Collection de documents inédits sur l'histoire de France », Paris, 1859-1886, 6 vol.

Despaux (Albert), *Les dévaluations monétaires dans l'histoire*, Paris, 1936.

Despois (Jean), *La Tunisie orientale. Sahel et Basse Steppe*, Paris, 1940.

Didier (Général L.), *Histoire d'Oran. Période de 1501 à 1550*, Oran, 1927.

Didier (L.), voir Mondoucet (C. de).

Diehl (Charles) et Marçais (Georges), *Histoire du Moyen Age* ; III : *Le Monde oriental*, Paris, 1936, in : *Histoire Générale*, publ. sous la direction de Gustave Glotz.

Dietz (A.), *Frankfurter Handelsgeschichte*, Francfort, 1910-1925, 4 vol.

Di Giovanni (Giovanni), *L'ebraismo della Sicilia*, Palerme, 1748.

Dieulafoy (Jane), *Isabelle la grande reine de Castille (1451-1504)*, Paris, 1920.

Dion (Roger), *Histoire de la vigne et du vin en France des origines au XIXe siècle*, Paris, 1959.

Di Tocco (Vittorio), *Ideali d'indipendenza in Italia durante la preponderanza spagnuola*, Messine, 1926.

Doehaerd (Renée), *Études anversoises. Documents sur le commerce international à Anvers (1488-1514)*, Paris, 1962-1963, 3 vol.

Doehaerd (Renée) et Kerremans (Charles), *Les relations commerciales entre Gênes, la Belgique et l'Outremont d'après les archives notariales génoises des XIIIe et XIVe siècles*, Bruxelles-Rome, 1941-1953, 3 vol.

Döllinger (I. J. J. von), *Dokumente zur Geschichte Karls V., Philipps II. und ihrer Zeit. Aus spanischen Archiven*, Ratisbonne, 1862.

Domínguez Ortíz (Antonio), *La sociedad española en el siglo XVII*, t. I, Madrid, 1963.

Donà (Leonardo), voir Vitale (Eligio) et Brunetti (Mario).

Doren (Alfred), *Italienische Wirtschaftsgeschichte*, t. I (seul paru), Iéna, 1934 ; trad. en italien par Gino Luzzatto sous le titre : *Storia economica dell' Italia nel medioevo*, Padoue, 1936.

Dorez (Léon), voir Maurand (Jérôme).

Dorini (Umb.), *L'isola di Scio offerta a Cosimo de Medici*, Florence, 1912.

Dornic (François), *L'industrie textile dans le Maine et ses débouchés internationaux, 1650-1815*, Paris, 1955.

Douais (Célestin), *Dépêches de M. de Fourquevaux, ambassadeur du roi Charles IX en Espagne, 1565-1572*, coll. « Société d'Histoire diplomatique », Paris, 1896-1904, 3 vol.
Lettres de Charles IX à M. de Fourquevaux, 1566-1572, même coll., Paris, 1897.

Dozy (Reinhart Pieter Anne), *Histoire des Musulmans d'Espagne jusqu'à la conquête de l'Andalousie par les Almoravides (711-1110)*, Leyde, 1861, 4 vol.

Dragonetti de Torres (A.), *La lega di Lepanto nel carteggio diplomatico inedito di Don Luis de Torres*, Turin, 1931.

Dresch (J.), voir Birot (P.) et Dresch (J.).

Drouot (Henri), *Mayenne et la Bourgogne (1587-1596), contribution à l'histoire des provinces françaises pendant la Ligue*, Paris, 1937, 2 vol.

Du Fail (Noël), *Œuvres facétieuses*, p.p. J. Assézat, Paris, 1875, 2 vol.

Dufayard (Charles), *Le connétable de Lesdiguières*, Paris, 1892.

Du Gabre (Dominique), voir Vitalis (A.).

Dumont (Jean), *Corps universel diplomatique du droit des gens, contenant un recueil des traitez d'alliance, de paix, de trêves... depuis le règne de Charlemagne jusqu'à présent*, Amsterdam, 1726-1731, 8 vol.

Duro (C.), voir Fernández Duro (Cesáreo).

Du Vair (Guillaume), *Recueil des harangues et traictez*, Paris, 1606.

Eberhardt (Isabelle), *Notes de Routes : Maroc, Algérie, Tunisie*, Paris, 1908.

Ébrard (Jean), voir Cabié (Edmond).

Eck (Otto), *Seeräuberei im Mittelmeer. Dunkle Blätter europäischer Geschichte*, Munich, 1940 ; 2ᵉ éd., 1943.

Egidi (Pietro), *Emmanuele Filiberto, 1559-1580*, Turin, 1928.

Ehrenberg (Richard), *Das Zeitalter der Fugger. Geldkapital und Creditverkehr im 16. Jahrhundert*, Francfort, 1896 ; 3ᵉ éd., 1922, 2 vol.

Einaudi (Luigi), voir Malestroict (sieur de).

Eisenmann (Louis, voir Milioukov (P.), Seignobos (Charles) et Eisenmann (Louis).

Élie de la Primaudaie (F.), *Documents inédits sur l'histoire de l'occupation espagnole en Afrique (1506-1574)*, Alger, 1875.

Emmanuel (I. S.), *Histoire de l'industrie des tissus des Israélites de Salonique*, Lausanne, 1935.

Encyclopédie de l'Islam, Paris-Leyde, 1913-1934, 4 vol., suppl., 1934.

Epstein (F.), voir Staden (H. von).

Eškenasi (Eli), voir Habanel (Aser) et E kenasi (Eli).

Espejo de Hinojosa (Cristóbal) et Paz y Espeso (Julián), *Las antiguas ferias de Medina del Campo*, Valladolid, 1912.

Essad Bey (Mohammed), *Allah est grand !*, Paris, 1937.

Essen (Léon van der), *Alexandre Farnèse, prince de Parme, Gouverneur général des Pays-Bas, 1545-1592*, Bruxelles, 1933-1934, 5 vol.

Essen (Léon van der) et Louant (Armand), voir Frangipani (Ottavio Mirto).

Estienne (C.), *La guide des chemins de France, revue et augmentée*, Paris, 1552.

Estrangin (Jean-Julien), *Études archéologiques, historiques et statistiques sur Arles*, Aix-en-Provence, 1838.

Eydoux (Henri-Paul), *L'homme et le Sahara*, Paris, 1943.

Fagniez (Gustave), *L'économie sociale de la France sous Henri IV, 1589-1610*, Paris, 1897.

Fail (Noël du), voir Du Fail (Noël).

Falgairolle (Edmond), *Une expédition française à l'île de Madère en 1566*, Paris, 1895.

Falke (Johannes), *Die Geschichte des deutschen Handels*, Leipzig, 1859-1860, 2 vol.

Fanfani (Amintore), *Storia economica. Dalla crisi dell' Impero romano al principio del secolo XVIII*, 3ᵉ éd., Milan, 1948.

Fanfani (Pietro), *Saggi di un commento alla Cronica del Compagni* ; I : *La descrizione di Firenze*, II : *I Priori*, Florence, 1877.

Febvre (Lucien), *Philippe II et la Franche-Comté, la crise de 1567, ses origines et ses conséquences*, Paris, 1911.
Le problème de l'incroyance au XVIᵉ siècle. La religion de Rabelais, Paris, 2ᵉ éd., 1947.
Pour une Histoire à part entière, Paris, 1963.

Febvre (Lucien) et Martin (Henri), *L'apparition du livre*, Paris, 1957.

Féraud (Laurent-Charles), *Annales tripolitaines*, Paris, 1927.

Fernández (Jesús), voir Garcia Fernández (Jesús).

Fernández Duro (Cesáreo), *Armada española desde la unión de Castilla y de Aragón*, Madrid, 1895-1903, 9 vol.

Filippini (A. P.), *Istoria di Corsica*, 2ᵉ éd., Pise, 1827-1831, 5 vol.

Fisher (Godfrey), *Barbary Legend. War, Trade, and Piracy in North Africa, 1415-1830*, Oxford, 1957.

Flachat (Jean-Claude), *Observations sur le commerce et sur les arts d'une partie de l'Europe, de l'Asie, de l'Afrique et des Indes Orientales*, Lyon, 1766, 2 vol.

Flores (Xavier A.), *Le « Peso politico de todo el mundo » d'Anthony Sherley ou un aventurier anglais au service de l'Espagne*, Paris, 1963.

Floristán Samanes (Alfredo), *La Ribera tudelana de Navarra*, Saragosse, 1951.

LES SOURCES

Foglietta (Uberto), *De sacro fœdere in Selimum*, Gênes, 1587.

Fordham (Herbert), *Les guides routiers. Itinéraires et cartes routières de l'Europe*, Lille, 1926.
Les routes de France, Paris, 1929.

Formentini (Marco), *La Dominazione spagnuola in Lombardia*, Milan, 1881.

Forneron (Henri), *Histoire de Philippe II*, Paris, 1881-1882, 4 vol.

Forster (William), voir Sanderson (John).

Forti (U.), *Storia della tecnica italiana*, Florence, 1940.

Foscarini (J.), voir Stefani (Fr.).

Fossombroni (V.), *Memorie idraulico-storiche sopra la Val di Chiana*, Florence, 1789.

Foucault (Michel), *L'histoire de la folie à l'âge classique*, Paris, 1961.

Fouqueray (P. H.), *Histoire de la Compagnie de Jésus en France des origines à la suppression (1528-1752)*, Paris, 1910-1925, 5 vol.

Fourastié (Jean), *Prix de vente et prix de revient*, 13ᵉ série, Paris, s. d. (1964).

Foy (Abbé de), voir Busbec (Baron Augier Ghislain de).

Franc (Julien), *La colonisation de la Mitidja*, Paris, 1928.

François (Michel), *Albisse del Bene, surintendant des finances françaises en Italie, 1551 à 1556*, « Bibliothèque de l'École des Chartes », Paris, 1933.
Correspondance du cardinal François de Tournon, 1521-1562, Paris, 1946.
Le cardinal François de Tournon, homme d'État, diplomate, mécène et humaniste, 1489-1562, « Bibliothèque des Écoles françaises d'Athènes et de Rome », Paris, 1951, fasc. 173.

Frangipani (Ottavio Mirto), *Correspondance d'Ottavio Mirto Frangipani, premier nonce de Flandre (1596-1606)*, I, Rome, 1924, p.p. L. van der Essen ; II-III (1-2), p.p. Armand Louant, 1932 et 1942.

Franklin (Alfred), *Dictionnaire historique des arts, métiers et professions exercés dans Paris depuis le XIIIᵉ siècle*, Paris, 1906.
La vie privée d'autrefois : arts et métiers, modes, mœurs, usages des Parisiens, du XIIᵉ au XVIIIᵉ siècle, Paris, 1887-1902, 27 vol. ; XIII : *Le café, le thé, le chocolat*, 1893 ; XV et XVI : *Les magasins de nouveautés*, 1894-1895.

Franz (G.), *Der Dreissigjährige Krieg und das deutsche Volk. Untersuchungen zur Bevölkerungs- und Agrargeschichte*, Iéna, 1940.

Fremerey (Gustav), *Guicciardinis finanzpolitische Anschauungen*, Stuttgart, 1931.

Freyre (Gilberto), *Introdução à história da sociedade patriarcal no Brasil ; I : Casa grande y senzala*, Rio de Janeiro, 5ᵉ éd., 1946, 2 vol. : II : *Sobrados e mucambos*, 2ᵉ éd., Rio de Janeiro, 1951, 3 vol.

Frianoro (Rafaele), voir Nobili (Giacinto).

Fried (Ferdinand), *Wandlungen der Weltwirtschaft*, Munich, 1950 ; trad. fr. de la 1ʳᵉ éd., parue sous le titre *Wende der Weltwirtschaft*, Leipzig, 1939 : *Le tournant de l'économie mondiale*, Paris, 1942.

Friederici (Georg), *Der Charakter der Entdeckung und Eroberung Amerikas durch die Europäer*, Stuttgart, 1925-1936, 3 vol.

Frobenius (Leo), *Histoire de la civilisation africaine*, trad. de l'allemand par Dʳ H. Back et D. Ermont, Paris, 1936.

Frôdin (J.), *Zentraleuropas Alpwirtschaft*, Oslo, 1940-1941, 2 vol.

Fromentin (Eugène), *Voyage en Égypte (1869)*, p.p. J. M. Carré, Paris, 1935.

Fuchs (R.), *Der Bancho Publico zu Nürnberg*, Berlin, 1955.

Fuentes Martiáñez (M.), *Despoblación y repoblación de España (1482-1920)*, Madrid, 1929.

Fueter (Eduard), *Geschichte des europäischen Staatensystems von 1492-1559*, Munich, 1919.

Fugger, voir Klarwill (V. von).

Gabre (Dominique du), voit Vitalis (A.).

Gachard (L. P.), *Correspondance de Philippe II sur les affaires des Pays-Bas (jusqu'en 1577)*, Bruxelles, 1848-1879, 5 vol.
Retraite et mort de Charles Quint au monastère de Yuste, Bruxelles, 1854-1855, 3 vol.
Don Carlos et Philippe II, Bruxelles, 1863, 2 vol.

556

Correspondance de Marguerite d'Autriche avec Philippe II (1559-1565), Bruxelles, 1867-1881, 3 vol.

Lettres de Philippe II à ses filles, les infantes Isabelle et Catherine, écrites pendant son voyage au Portugal, 1581-1583, Paris, 1884.

Gachard (L. P.) et Piot (Ch.), *Collection des voyages des souverains des Pays-Bas*, Bruxelles, 1876-1882, 4 vol.

Gaffarel (P.), *Histoire du Brésil français au XVIe siècle*, Paris, 1878.

Galanti (G. M.), *Descrizione geografica e politica delle Due Sicilie*, Naples, 1788, 4 tomes en 2 vol.

Gallardo y Victor (Manuel), *Memoria escrita sobre el rescate de Cervantès*, Cadix, 1896.

Galluzzi (R.), *Istoria del granducato di Toscana sotto il governo della casa Medici*, Florence, 1781, 5 vol.

Gamir Sandoval (A.), *Organización de la defensa de la costa del Reino de Granada desde su reconquista hasta finales del siglo XVI*, Grenade, 1947.

Gandilhon (René), *Politique économique de Louis XI*, Paris, 1941.

Ganier (Germaine), *La politique du connétable Anne de Montmorency*, Le Havre, s. d. (1957).

Ganivet Garcia (Angel), *Obras completas* ; I : *Granada la Bella, Idearium español*, Madrid, 1943.

García (Juan), voir Catalina García (Juan) et Pérez Villamil (Manuel).

García de Quevedo y Concellón (Eloy), *Ordenanzas del Consulado de Burgos de 1538*, Burgos, 1905.

García Fernández (Jesús), *Aspectos del paisaje agrario de Castilla la vieja*, Valladolid, 1963.

García Mercadal (G.), *Viajes de extrangeros por España y Portugal* ; I : *Viaje del noble bohemio León de Rosmithal de Blatina por España y Portugal hecho del año 1465 a 1467*, Madrid, 1952.

García y García (Luis), *Una embajada de los reyes católicos a Egipto*, Valladolid, 1947.

Gassot (Jacques), *Le discours du voyage de Venise à Constantinople*, Paris, 1606.

Gautier (Dr Armand), *L'alimentation et les régimes chez l'homme sain et chez le malade*, Paris, 1904.

Gautier (Émile-Félix), *L'islamisation de l'Afrique du Nord. Les siècles obscurs du Maghreb*, Paris, 1927.
Un siècle de colonisation, Paris, 1930.
Mœurs et coutumes des Musulmans, Paris, 1931.
Genséric, roi des Vandales, Paris, 1932.
Le passé de l'Afrique du Nord, Paris, 1937.

Gautier (Théophile), *Voyage en Espagne*, Paris, éd. de 1845 et 1879.
Constantinople, Paris, 1853.

Gavy de Mendonça (Agostinho), *Historia do famoso cerco que o xarife pos a fortaleza de Mazagão no año de 1562*, Lisbonne, 1607.

Gédoyn « le Turc », voir Boppe (Léon).

Gelzer (H.), *Geistliches und Weltlisches aus dem türkisch-griechischen Orient*, Leipzig, 1900.

Gentil da Silva (J.), *Stratégie des affaires à Lisbonne entre 1595 et 1607*, Paris, 1956.

Géographie Universelle, pub. sous la direction de P. Vidal de La Blache et L. Gallois, Paris, 1927, XV tomes en 23 vol.

George (P.), *La région du Bas-Rhône, étude de géographie régionale*, Paris, 1935.

Gerlach (R.), *Dalmatinisches Tagebuch*, Darmstadt, 1940.

Gerometta (B.), *I forestieri a Venezia*, Venise, 1858.

Gévay (Anton von), *Urkunden und Aktenstücke zur Geschichte der Verhältnisse zwischen Österreich, Ungarn und der Pforte im 16. und 17. Jahrhundert*, Vienne, 1840-1842, 9 vol.

Giannone (Pietro), *Istoria civile del Regno di Napoli*, La Haye, 1753, 4 vol.

Gillet (Louis), *Dante*, Paris, 1941.

Gioffrè (Domenico), *Genova e Madera nel 1o decennio del secolo XVI*, in « Studi Colombiani », t. III, Gênes, 1951.
Gênes et les foires de change : de Lyon à Besançon, Paris, 1960.

LES SOURCES

Girard (Albert), *La rivalité commerciale et maritime entre Séville et Cadix jusqu'à la fin du XVIIIe siècle*, Paris, 1932.

Giraud (Paul), *Les origines de l'Empire français nord-africain*, Marseille, 1937.

Giustiniani (Girolamo), *La description et l'histoire de l'île de Scios* (s. l.), 1506 (pour 1606?).

Glamann (K.), *Dutch-Asiatic Trade, 1620-1740*, La Haye, 1958.

Goldschmidt (L.), *Universalgeschichte des Handelsrechts*, Stuttgart, 1891.

Goleta. Warhafftige eygentliche Beschreibung wie der Türck die... Vestung Goleta... belägert..., Nuremberg, 1574.

Gollut (L.), *Les Mémoires historiques de la république séquanoise*, Dole, 1592.

Gomes de Brito (Bernardo), *Historia tragico-maritima*, Lisbonne, 2e éd., 1904-1909, 2 t. en 3 vol.

Gomez Moreno (Manuel), voir Hurtado de Mendoza (Diego).

Gondola (Francesco), voir Voinovitch (L.).

González (Tomás), *Censo de la población de las provincias y partidos de la Corona de Castilla en el siglo XVI*, Madrid, 1829.

González Palencia (Angel), *Gonzalo Pérez secretario de Felipe II*, Madrid, 1946, 2 vol.

Gooss (Roderich), *Die Siebenbürger Sachsen in der Planung deutscher Sudostpolitik. Von der Einwanderung bis zum Ende des Thronstreites zwischen König Ferdinand I. und König Johann Zápolya (1538)*, Vienne, 1940.

Gosselin (E.-H.), *Documents authentiques et inédits pour servir à l'histoire de la marine normande et du commerce rouennais pendant les XVIe et XVIIe siècles*, Rouen, 1876.

Götz (Wilhelm), *Historische Geographie. Beispiele und Grundlinien*, Leipzig, 1904.

Goubert (Pierre), *Beauvais et le Beauvaisis de 1600 à 1730*, Paris, 1960, 2 vol.

Gounon-Loubens (J.), *Essais sur l'administration de la Castille au XVIe siècle*, Paris, 1860.

Gourou (Pierre), *La Terre et l'homme en Extrême-Orient*, Paris, 1940.

Gothein (A.), *Geniza*, en cours de publication.

Grammont (Henri Delmas de), *Relations entre la France et la Régence d'Alger au XVIIe siècle*, Alger, 1879-1885, 4 vol.

Grandchamp (Pierre), *La France en Tunisie à la fin du XVIe siècle (1582-1600)*, Tunis, 1920.

Granvelle (Cardinal de), *Papiers d'État du cardinal Granvelle*, publiés sous la direction de Ch. Weiss, « Collection de documents inédits sur l'histoire de France », Paris, 1841-1852, 9 vol.
Correspondance du cardinal Granvelle, 1566-1586, p.p. Edmond Poullet et Charles Piot, Bruxelles, 1877-1896, 12 vol.

Grataroli (G.), *De regimine iter agentium, vel equitum, vel peditum, vel mari vel curru seu rheda*, Bâle, 1561.

Graziani (A.), *Economisti del Cinque e Seicento*, Bari, 1913.

Grekov (B.) et Iakoubovski (A.), *La Horde d'Or*, trad. du russe par François Thuret, Paris, 1939.

Grenard (Fernand), *Grandeur et décadence de l'Asie*, Paris, 1939.

Grevin (Emmanuel), *Djerba, l'île heureuse, et le Sud Tunisien*, Paris, 1937.

Griziotti Kretschmann (Jenny), *Il problema del trend secolare nelle fluttuazioni dei prezzi*, Turin, 1935.

Gröber (G.), *Grundriss der romanischen Philologie*, Strasbourg, 1888-1902, 3 vol. ; 2e éd., vol. I : 1904-1906.

Grottanelli (Lorenzo), *La Maremma toscana : studi storici ed economici*, Sienne, 1873-1876, 2 vol.

Grousset (René), *L'empire des steppes*, Paris, 1939.

Gsell (S.), Marçais (G.), Yver (G.), *Histoire d'Algérie*, Paris, 1927.

Guardia (G. M.), voir Perez (Antonio).

Guarnieri (Giuseppe Gino), *Un'audace impresa marittima di Ferdinando dei Medici, con documenti e glossario indo-caraibico*, Pise, 1928.

Cavalieri di Santo Stefano. Contributo alla storia della marina militare italiana, 1562-1859, Pise, 1928.

Guéneau (Louis), *L'organisation du travail à Nevers aux XVIIᵉ et XVIIIᵉ siècles (1660-1790)*, Paris, 1919.

Guevara (A. de), *Épistres dorées, moralles et familières*, traduites d'espagnol en français par le seigneur de Guterry, Lyon, 1558-1560.

Guglielmotti (Alberto), *La guerra dei pirati e la marina pontificia dal 1500 al 1560*, Florence, 1876, 2 vol.

Guicciardini (Francesco), *La historia d'Italia*, Venise, 1568.

Diario del viaggio in Spagna, Florence, 1932.

Guijo (G. M. de), *Diario de Gregorio Martín de Guijo, 1648-1664*, p.p. M. R. de Terreros, Mexico, 1953.

Guillaume de Vaudoncourt (Frédéric François), *Memoirs of the Ionian Islands*, Londres, 1816.

Guillon (Pierre), *Les trépieds du Ptoion*, Paris, 1943.

Günther (A.), *Die Alpenländische Gesellschaft als sozialer und politischer, wirtschaftlicher und kultureller Lebenskreis*, Iéna, 1930.

Ha Cohen (Joseph), *Emek Habakha, la Vallée des Pleurs, Chronique des souffrances d'Israël dans sa dispersion jusqu'à 1575 et Continuation de la Vallée des Pleurs*, p.p. Julien Sée, Paris, 1881.

Haebler (Konrad), *Die wirtschaftliche Blüte Spaniens im 16. Jahrhundert und ihr Verfall*, Berlin, 1888.

Geschichte Spaniens unter den Habsburgern, t. I (seul paru) : *Geschichte Spaniens unter der Regierung Karls I. (V.)*, Gotha, 1907.

Haëdo (P. Diego de), *Topographía e historia general de Argel* et *Epitome de los Reyes de Argel*, Valladolid, 1612, 1 vol.

Hagedorn (B.), *Die Entwicklung der wichtigsten Schiffstypen bis ins 19. Jahrhundert*, Berlin, 1914.

Hahn (W.), *Die Verpflegung Konstantinopels durch staatliche Zwangswirtschaft, nach türkischen Urkunden aus dem 16. Jahrhundert*, Stuttgart, 1926.

Hakluyt (R.), *The principal navigations, voyages, traffiques and discoveries of the English nation*, Londres, 1599-1600, 3 vol.

Halperin Donghi (Tulio), *Un conflicto nacional : Moriscos y Cristianos viejos en Valencia*, Buenos Aires, 1955.

Halphen (E.), voir Henri IV.

Hamilton (Earl J.), *El florecimiento del capitalismo y otros ensayos de historia económica*, Madrid, 1948.

American Treasure and the Price Revolution in Spain, 1501-1650, Cambridge, Mass., 1934.

Hammen y León (Lorenzo Vander), voir Vander Hammen y León (Lorenzo).

Hammer-Purgstall (J. von), *Histoire de l'Empire ottoman depuis son origine jusqu'à nos jours*, trad. de l'allemand par J. J. Hellert, Paris, 1835-1848, 18 vol.

Häpke (Rudolf), *Niederländische Akten und Urkunden zur Geschichte der Hanse und zur deutschen Seegeschichte*, t. I (seul paru) : *1531-1557*, Munich et Leipzig, 1913.

Harris (John), *Navigantium atque itinerantium bibliotheca, or a complet collection of voyages and travels*, Londres, 1705, 2 vol.

Hartlaub (F.), *Don Juan d'Austria und die Schlacht bei Lepanto*, Berlin, 1940.

Hassel (U. von), *Das Drama des Mittelmeers*, Berlin, 1940.

Hauser (Henri), *La prépondérance espagnole (1559-1560)*, 2ᵉ éd., Paris, 1940.

Voir aussi Bodin (Jean).

Hauser (Henri) et Renaudet (Augustin), *Les débuts de l'âge moderne, la Renaissance et la Réforme*, 3ᵉ éd., 1946, t. VIII de l'*Histoire générale* publiée sous la direction de Louis Halphen et Philippe Sagnac.

Hayward (F.), *Histoire de la Maison de Savoie*, Paris, 1941-1943, 2 vol.

LES SOURCES

Heckscher (E. F.), *Der Merkantilismus*, Iéna, 1932, 2 vol. ; trad. esp. : *La época mercantilista*, Mexico, 1943.

Heeringa (K.), *Bronnen tot de geschiedenis van den Levantschen handel*, La Haye, 1910-1917, 2 vol.

Heers (Jacques), *Gênes au XVe siècle. Activité économique et problèmes sociaux*, Paris, 1961.

Hefele (Charles-Joseph), *Le cardinal Ximénès et l'église d'Espagne à la fin du XVIe et au début du XVIIe siècle*, trad. de l'allemand par M. l'abbé A. Sisson et M. l'abbé A. Crampon, Paris, Lyon, 1856.

Hefele (Charles-Joseph) et Hergen Roether (cardinal J.), *Histoire des Conciles d'après des documents originaux*, traduite en français par Dom H. Leclercq et continuée jusqu'à nos jours ; t. IX : Première Partie, *Concile de Trente* par P. Richard, Paris, 1930.

Hefele (Hermann), *Geschichte und Gestalt. Sechs Essays*, Leipzig, 1940.

Helwig (Werner), *Braconniers de la mer en Grèce*, trad. de l'allemand : *Raubfischer in Hellas*, par Maurice Rémon, Leipzig, 1942.

Hennig (Richard), *Terrae incognitae. Eine Zusammenstellung und kritische Bewertung der wichtigsten vorcolumbischen Entdeckungsreisen an Hand der darüber vorliegenden Originalberichte*, Leyde, 1936-1939, 4 vol. ; 2e éd. : 1944-1956, 4 vol.

Henri IV, *Lettres inédites à M. de Sillery, ambassadeur à Rome, du 1er avril au 27 juin 1601*, p.p. Eugène Halphen, Paris, 1866.
Lettres inédites à M. de Villiers, ambassadeur à Venise, p.p. Eugène Halphen, Paris, 1885-1887, 3 vol.
Lettres au comte de La Rochepot, ambassadeur en Espagne (1600-1601), p.p. P. Laffleur de Kermaingant, Paris, 1889.

Hentzner (Paul), *Itinerarium Germaniœ, Galliœ, Italiœ*, Nuremberg, 1612.

Herder (Johann Gottfried von), *Ideen zur Geschichte der Menschheit*, Riga et Leipzig 1784-1791, 4 vol. ; trad. fr. : *Philosophie de l'histoire de l'humanité*, par Émile Tandel Paris, 1874, 3 vol.

Hering (Ernst), *Die Fugger*, Leipzig, 1940.

Héritier (Jean), *Catherine de Médicis*, Paris, 1940.

Herre (Paul), *Europäische Politik im cyprischen Krieg (1570-1573), mit Vorgeschichte und Vorverhandlungen*, Leipzig, 1902.
Papsttum und Papstwahl im Zeitalter Philipps II., Leipzig, 1907.
Weltgeschichte am Mittelmeer, Leipzig, 1930.

Herrera (Gabriel Alonso de), *Libro de Agricultura*, Alcalá, 1539, éd. de 1598.

Herrera Oria (Enrique), *La Armada Invencible*, collection « Archivo Histórico Español », Madrid, 1929.

Herrera y Tordesillas (Antonio de), *Primera (tercera) parte de la Historia general del mundo*, Madrid, 1601-1612, 3 vol.

Heyd (W.), *Histoire du Commerce du Levant au Moyen Age*, trad. et p.p. Furcy-Raynaud, Leipzig, 1885-1886, 2 vol.

Hiltebrandt (Philipp), *Der Kampf ums Mittelmeer*, Stuttgart, 1940.

Hinojosa (Ricardo de), *Los despachos de la diplomacia pontificia en España*, Madrid, 1896.

Hirth (Friedrich C. A. J.), *Chinesische Studien*, t. I (seul paru), Munich, 1890.

Hispanic studies in honour of J. Gonzáles Llubera, p.p. Frank Pierce, Oxford, 1959.

Histoire et Historiens de l'Algérie, Paris, 1931.

Historiadores de Indias, collection dirigée par Manuel Serrano y Sanz, Madrid, 1909, 2 vol. ; II : « Guerra de Quito » de Pedro de Cieza de León, « Jornada de Managua y Dorado » de Toribio de Ortiguera, « Descripción del Perú Tucuman, Rio de la Plata et Chile » de Fr. Reginaldo de Lizárraga, in Nueva Biblioteca de autores españoles dirigida par Marcelino Menéndez y Pelayo, vol. XIV et XV.

Höffner (Joseph), *Wirtschaftsethik und Monopole im 15. und 16. Jahrhundert*, Iéna, 1941.

Holland (Henry), *Travels in the Ionian Isles, Albania, Thessaly, Macedonia, etc., during the years 1812 and 1813*, Londres, 1815.

Holleaux (Maurice), *Rome, la Grèce et les monarchies hellénistiques au IIIe siècle av. J.-C. (273-205)*, Paris, 1921.

Hollister (J. S.), voir Ashauer (H.) et Hollister (J. S.).

Hommage à Lucien Febvre. Éventail de l'histoire vivante, Paris, 1953, 2 vol.

Hopf (Carl), voir Musachi (Giovanni).

Hoszowski (St.), *Les prix à Lwow (XVIᵉ-XVIIᵉ siècles)*, trad. du polonais, Paris, 1954.

Howe (Sonia E.), *Les grands navigateurs à la recherche des épices*, trad. de l'anglais par le général Fillonneau, Paris, 1939.

Howe (W.), *The Mining guild of New Spain and its Tribunal General, 1770-1821*, Cambridge, 1949.

Hugo (Victor), *William Shakespeare*, Paris, 1882.

Hürlimann (Martin), *Griechenland mit Rhodos und Zypern*, Zurich, 1938.

Hurtado de Mendoza (Diego), *De la guerra de Granada, comentarios*, p.p. Manuel Gómez Moreno, Madrid, 1948.

Huvelin (P.), *Essai historique sur le droit des marchés et des foires*, Paris, 1897.

Huxley (Aldous), *Tour du monde d'un sceptique*, trad. de l'anglais par Fernande Dauriac, Paris, 1932.

Iakoubowski (A.), voir Grekov (B.) et Iakoubowski (A.).

Ibn Iyâs, *Journal d'un bourgeois du Caire, Histoire des Mamlouks*, trad. et annoté par Gaston Wiet, Paris, 1955-1960, 2 vol.

Ibn Verga (Salomon), *Liber Schevet Jehuda*, p.p. par M. Wiener, Hanovre, 1855-1856, 2 vol.

Illescas (Gonzalo de), *Historia pontifical y católica*, Salamanque, 1573.

Imbart de la Tour (Pierre), *Les origines de la Réforme*, 2ᵉ éd., Melun, 1944-1945, 2 vol.

Imbert (Gaston-Paul), *Des mouvements de longue durée Kondratieff*, Aix-en-Provence, 1959.

Indice de la colección de documentos de Fernández de Navarrete que posee el Museo Naval, Madrid, 1946.

Instructions Nautiques du service hydrographique de la Marine française, principalement les nᵒˢ 357, 360 et 368, Paris, 1932 et 1934.

Iorga (N.), *Geschichte des osmanischen Reiches*, Gotha, 1908-1913, 5 vol.

Points de vue sur l'histoire du commerce de l'Orient au moyen âge, Paris, 1924.

Ospiti romeni in Venezia, Bucarest, 1932.

Jacobeit (Wolfgang), *Schafhaltung und Schäfer in Zentraleuropa bis zum Beginn des 20. Jahrhunderts*, Berlin, 1961.

Jadin (J.), voir Cuvelier (J.) et Jadin (J.).

Jäger (Fritz), *Afrika*, 3ᵉ éd., Leipzig, 1928.

Jal (A.), *Glossaire nautique*, Paris, 1848.

Janaček (J.), *Histoire du Commerce de Prague avant la bataille de la Montagne Blanche* (en tchèque), Prague, 1955.

Janssen (Johannes), *Geschichte des deutschen Volkes, seit dem Ausgang des Mittelalters*, Fribourg-en-Brisgau, 1878-1894, 8 vol.

Jardé (Auguste), *Les céréales dans l'Antiquité* ; I : *La production*, « Bibliothèque des Écoles françaises d'Athènes et de Rome », Paris, 1925.

Jean-Brunhes-Delamarre (Mariel), voir Deffontaines (Pierre), Jean-Brunhes-Delamarre (Mariel), Bertoquy (P.).

Jelavich (C. et B.), *The Balkans in Transition ; essays on the development of Balkan life and politics since the eighteenth century*, p.p. C. et B. Jelavich, Berkeley, 1963.

Jireček (Constantin), *Die Romanen in den Städten Dalmatiens während des Mittelalters*, Vienne, 1901-1904, 3 vol.

Joly (Barthélemy), *Voyage en Espagne, 1603-1604*, p.p. L. Barrau-Dihigo, Paris, 1909.

Joly (Henry), *La Corse française au XVIᵉ siècle*, Lyon, 1942.

Jones (W. H. S.), *Malaria, a Neglected Factor in the History of Greece and Rome*, Cambridge, 1907.

Jonge (Johannes Cornelis de), *Nederland en Venetie*, La Haye, 1852

Juchereau de Saint-Denys (Antoine), *Histoire de l'empire ottoman depuis 1792 jusqu'en 1844*, Paris, 1844, 4 vol.

LES SOURCES

Julien (Charles-André), *Histoire de l'Afrique du Nord*, Paris, 1931.

Jurien de la Gravière (Vice-amiral J. B. E.), *Les chevaliers de Malte et la marine de Philippe II*, Paris, 1887, 2 vol.

Justinian (Jérosme), voir Giustiniani (Girolamo).

Kellenbenz (Hermann), *Sephardim an der unteren Elbe. Ihre wirtschaftliche und politische Bedeutung vom Ende des 16. bis zum Beginn des 18. Jahrhunderts*, Wiesbaden, 1958.

Kerhuel (Marie), *Les mouvements de longue durée des prix*, Rennes, 1935.

Kermaingant (P. Laffleur de), voir Henri IV ; voir aussi Laffleur de Kermaingant (Pierre-Paul).

Kernkamp (J. H.), *De handel op den vijand, 1572-1609*, Utrecht, 1931-1934, 2 vol.

Kerremans (Charles), voir Doehaerd (Renée) et Kerremans (Charles).

Kirchner (Walther), *The Rise of the Baltic Question*, Newark, 1954.

Klarwill (Victor von), *The Fugger News-Letters*, Londres, 1924-1926, 2 vol.

Klaveren (Jacob van), *Europäische Wirtschaftsgeschichte Spaniens im 16. und 17. Jahrhundert*, Stuttgart, 1960.

Klein (Julius), *The Mesta ; A Study in Spanish Economic History, 1273-1836*, Cambridge, 1920.

Koch (Matthias), *Quellen zur Geschichte des Kaisers Maximilian II.*, Leipzig, 1857-1861, 2 vol.

Konetzke (R.), *Geschichte des spanischen und portugiesischen Volkes*, Leipzig, 1939.

Kretschmann (Jenny), voir Griziotti Kretschmann (Jenny).

Kretschmayr (H.), *Geschichte von Venedig*, Gotha et Stuttgart, 1905-1934, 3 vol.

Kroker (E.), *Handelsgeschichte der Stadt Leipzig*, Leipzig, 1925.

Kronn und Aussbunde aller Wegweiser, Cologne, 1597 (anonyme).

Kulischer (Josef), *Allgemeine Wirtschaftsgeschichte des Mittelalters und der Neuzeit*, Munich, 1928-1929, 2 vol. ; second tirage, 1958.

Kunze (A.), voir Aubin (G.) et Kunze (A.).

Laborde (Cte Alexandre-Louis de), *Itinéraire descriptif de l'Espagne*, Paris, 1827-1830, 6 vol.

La Borderie (Bertrand de), *Le Discours du voyage de Constantinople*, Lyon, 1542.

La Boullaye Le Gouz (François), *Les voyages et observations du sieur de La Boullaye le Gouz où sont décrites les religions, gouvernements et situations des Estats et royaumes d'Italie, Grèce, Natolie, Syrie, Palestine, Karaménie, Kaldée, Assyrie, Grand Mogol, Bijapour, Indes orientales des Portugais, Arabie, Égypte, Hollande, Grande-Bretagne, Irlande, Dannemark, Pologne, isles et autres lieux d'Europe, Asie et Afrique...*, Paris, 1653.

La Bruyère (René), *Le drame du Pacifique*, Paris, 1943.

La Civiltà veneziana del Rinascimento, Fondazione Giorgio Cini, Venise, 1958.

Lacoste (L.), *Mise en valeur de l'Algérie. La colonisation maritime en Algérie*, Paris, 1931.

La Ferrière-Percy (Comte Hector de), *Lettres de Catherine de Médicis (1533-1587)*, « Collection de Documents inédits sur l'Histoire de France », Paris, 1880-1909, 10 vol., Index, Paris, 1943, 1 vol.

Laffleur de Kermaingant (Pierre-Paul), *Mission de Jean de Thumery, sieur de Boissise (1598-1602)*, Paris, 1886. Voir aussi Henri IV.

La Jonquière (Vte A. de), *Histoire de l'empire ottoman depuis les origines jusqu'à nos jours*, Paris, 1914, 2 vol., in : *Histoire Universelle* de Victor Duruy.

La Lauzière (J. F. Noble de), voir Noble de la Lauzière.

Lamansky (Vladimir), *Secrets d'État de Venise, documents, extraits, notices et études*, Saint-Pétersbourg, 1884.

La Marmora (Alberto Ferrero de), *Voyage en Sardaigne ou description statistique, physique et politique de cette île*, 2e éd., Paris et Turin, 1839-1857, 4 vol.

Landry (Adolphe), *Traité de démographie*, Paris, 1945.

Lane (Frederic C.), *Venetian Ships and Shipbuilders of the Renaissance*, Baltimore, 1934. *Andrea Barbarigo, Merchant of Venice, 1418-1449*, Baltimore, 1944.

Lanz (Karl), *Correspondenz des Kaisers Karl V. Aus dem kgl. Archiv und der « Bibliothèque de Bourgogne » zu Brüssel*, Leipzig, 1844-1846, 3 vol.

Lanza del Vasto, *La baronne de Carins*, Paris, 1946.

Lapeyre (Henri), *Une famille de marchands, les Ruiz ; contribution à l'étude du commerce entre la France et l'Espagne au temps de Philippe II*, Paris, 1955.
Géographie de l'Espagne morisque, Paris, 1960.

Lapini (Agostino), *Diario fiorentino di Agostino Lapini dal 252 al 1596*, p.p. G. O. Corazzini, Florence, 1900.

La Primaudaie, voir Élie de la Primaudaie (F.).

La Roncière (Charles de), *Histoire de la marine française*, Paris, 1899-1932, 6 vol.

Larruga (Eugenio), *Memorias políticas y económicas sobre los frutos, comercio, fábricas y minas de España*, Madrid, 1745-1792, 45 vol.

La Torre y Badillo (M.), *Representación de los autos sacramentales en el período de su mayor florecimiento*, Madrid, 1912.

Lattes (E.), *La libertà delle banche a Venezia*, Milan, 1869.

Laval (François Pyrard de), voir Pyrard de Laval (François).

Lavedan (Pierre), *Histoire de l'Art*, Paris, 1949-1950, 2 vol.

Lavisse (Ernest), *Histoire de France depuis les origines jusqu'à la révolution*, Paris, 1903-1911, 9 tomes en 18 vol.

Lebel (Roland), *Le Maroc et les écrivains anglais aux XVIᵉ, XVIIᵉ et XVIIIᵉ siècles*, Paris, 1927.

Leca (Philippe), *Guide bleu de la Corse*, Paris, 1935.

Leclercq (Dom H.), voir Hefele (Charles-Joseph) et Hergen Rœther (cardinal J.).

Leclercq (Jules), *De Mogador à Biskra ; Maroc et Algérie*, Paris, 1881.

Le Danois (Édouard), *L'Atlantique, histoire et vie d'un océan*, Paris, 1938.

Lefaivre (Albert), *Les Magyars pendant la domination ottomane en Hongrie, 1526-1722*, Paris, 1902.

Lefebvre (Georges), *La grande Peur de 1789*, Paris, s. d. (1957).

Lefebvre (Th.), *Les modes de vie dans les Pyrénées atlantiques*, Paris, 1933.

Lefebvre des Noëttes (Cᵈᵗ), *L'attelage. Le Cheval de selle à travers les âges. Contribution à l'histoire de l'esclavage*, Paris, 1931.

Lefevre-Pontalis (Germain), voir Selve (Odet de).

Le Glay (Dʳ André), *Négociations diplomatiques entre la France et l'Autriche durant les trente premières années du XVIᵉ siècle*, « Collection de documents inédits sur l'histoire de France », Paris, 1845, 2 vol.

Le Lannou (Maurice), *Pâtres et paysans de la Sardaigne*, Paris, 1941.

Lenglet du Fresnay (M. l'abbé), voir Comines (Ph. de).

Léon l'Africain, *De l'Afrique, contenant la description de ce pays et la navigation des anciens capitaines portugais aux Indes Orientales et Occidentales*, trad. de Jean Temporal, Paris, 1830, 4 vol.

Le Roy (Loys), *De l'excellence du gouvernement royal avec exhortation aux François de persévérer en iceluy*, Paris, 1575.

Le Roy Ladurie (Emmanuel), *Les paysans de Languedoc*, 2 vol., Paris, 1966.

Leti (Gregorio), *Vita del Catolico re Filippo II monarca delle Spagne*, Coligny, 1679, 2 vol., trad. en franç. par J.-G. de Chevrières sous le titre : *La vie de Philippe II, roi d'Espagne*, Amsterdam, 1734.

Lescarbot (Marc), *Histoire de la Nouvelle France*, Paris, 1611.

Levi (Carlo), *Le Christ s'est arrêté à Éboli*, trad. de l'italien par Jeanne Modigliani, Paris, 1948.

L'Herba (G. da), *Itinerario delle poste per diverse parti del mondo*, Venise, 1564.

L'Hermite de Soliers (Jean-Baptiste, dit Tristan), *La Toscane françoise*, Paris, 1661.

Lilley (S.), *Men, Machines and History ; a short history of tools and machines in relation to social progress*, Londres, 1948.

Lisičar (V.), *Lopud. Historički i savremeni prikaz*, Dubrovnik, 1931.

LES SOURCES

Livet (Roger), *Habitat rural et structures agraires en Basse Provence*, Gap, 1962.

Livi (Giovanni), *La Corsica e Cosimo de' Medici*, Florence-Rome, 1885.

Livi (R.), *La schiavitù domestica nei tempi di mezzo e nei moderni*, Padoue, 1928.

Lizárraga (Fr. Reginaldo de), voir *Historiadores de Indias*.

Lonchay (Henri) et Cuvelier (Joseph), *Correspondance de la cour d'Espagne sur les affaires des Pays-Bas, 1598-1621*, Bruxelles, 1923.

Longlée (Pierre de Ségusson de), *Dépêches diplomatiques de M. de Longlée, résident de France en Espagne, 1581-1590*, p.p. A. Mousset, Paris, 1912.

Lopez (Roberto S.), *Studi sull'economia genovese nel medio evo*, Turin, 1936.

Lortz (Joseph), *Die Reformation in Deutschland*, 2e éd., Fribourg-en-Brisgau, 1941, 2 vol.

Los Espanoles pintados por si mismos (ouvrage collectif), Madrid, 1843.

Lot (Ferdinand), *Les invasions barbares et le peuplement de l'Europe, introduction à l'intelligence des derniers traités de paix*, Paris, 1937.

Louant (Armand), voir Frangipani (Ottavio Mirto).

Loyal Serviteur, *La très joyeuse et très plaisante Histoire composée par le Loyal Serviteur des faits, gestes, triomphes du bon chevalier Bayart*, p.p. J. C. Buchon, coll. « Le Panthéon littéraire », Paris, 1836.

Lozach (J.), *Le delta du Nil, étude de géographie humaine*, Le Caire, 1935.

Lubimenko (Inna), *Les relations commerciales et politiques de l'Angleterre avec la Russie avant Pierre le Grand*, Paris, 1933.

Luccari (G.), *Annali di Rausa*, Venise, 1605.

Lucchesi (E.), *I monaci benedettini vallombrosani in Lombardia*, Florence, 1938.

Lucio de Azevedo (J.), *Historia dos Christãos novos portugueses*, Lisbonne, 1921.

Luetić (J.), *O pomorstvu Dubrovačke Republike u XVIII. stoljeću*, Dubrovnik, 1959.

Lusignano (Stefano), *Chorografia et breve historia universale dell'isola de Cipro*, Bologne, 1573 ; trad. française, Paris, 1580.

Luzac (Élie de), voir Accarias de Sérionne (Jacques).

Luzzatto (G.), *Storia economica dell'età moderna e contemporanea*, Padoue, 1932.
Storia economica di Venezia dall'XI al XVI secolo, Venise, 1961.

Macaulay Trevelyan (G.), voir Trevelyan (G. Macaulay).

Madariaga (S. de), *Spain and the Jews*, Londres, 1946.

Maffée (Père Jean-Pierre), *Histoire des Indes*, Lyon, 1603.

Magalhães Godinho (Vitorino), *Historia economica e social da expansão portuguesa*, t. I, Lisbonne, 1947.
Os descobrimientos e a economia mondial, Lisbonne, 1963.
Les finances de l'État portugais des Indes orientales au XVIe et au début du XVIIe siècle, thèse dactylographiée, Paris, 1958.
L'économie de l'Empire portugais aux XVe et XVIe siècles. L'or et le poivre. Route de Guinée et route du poivre, en cours de publication.

Maisons et villages de France, ouvrage coll., Paris, 1945.

Mal (J.), *Uskočke seobe i slovenske pokrajine*, Llubljana, 1924.

Mâle (Émile), *L'art religieux après le Concile de Trente. Étude sur l'iconographie de la fin du XVIe siècle, du XVIIe siècle, du XVIIIe siècle. Italie, France, Espagne, Flandres*, Paris, 1932.

Malestroict (sieur de), *Paradoxes inédits du Sieur de Malestroict touchant les monnoyes*, p.p. Luigi Einaudi, Turin, 1937.

Malraux (André), *La lutte avec l'Ange*, Genève, 1945.

Malynes (Gerard), *A Treatise of the Canker of England's Commonwealth*, Londres, 1601.

Mandich (Giulio), *Le pacte de ricorsa et le marché italien des changes au XVIIe siècle*, Paris, 1953.

Manfroni (C.), *Storia della marina italiana*, Rome, 1897.

Mankov (A. G.), *Le mouvement des prix dans l'État russe du XVIe siècle*, trad. française, Paris, 1957.

564

Mans (Raphaël du), voir Raphaël du Mans.

Mantran (Robert), *Istanbul dans la seconde moitié du XVIIe siècle*, Paris, 1962.

Marañón (Gregorio), *Antonio Pérez*, 2e éd., Madrid, 1948, 2 vol.

Marca (P. de), *Histoire de Béarn*, Paris, 1640.

Marçais (Georges), voir Diehl (Charles) et Marçais (Georges), ainsi que Gsell (S.), Marçais (Georges), Yver (G.).

Marciani (Corrado), *Lettres de change aux foires de Lanciano au XVIe siècle*, Paris, 1962.

Marcucci (Ettore), voir Sassetti (F.).

Marguerite d'Autriche, voir Gachard (L.-P.).

Mariana (Juan), *Storiæ de rebus Hispaniæ*, libri 25 ; t. I de la continuation p. Manuel José de Medrano, Madrid, 1741.

Marliani (Giovanni Bartolomeo), *Topographia antiquæ Romæ*, Lyon, 1534.

Martiáñez (M.), voir Fuentes Martiáñez (M.).

Martin (Alfred von), *Sociologia del Renacimiento*, Mexico, 1946.

Martin (Henri-Jean), voir Febvre (Lucien) et Martin (Henri-Jean).

Martínez (Mariano), voir Alcocer Martínez (Mariano).

Martínez de Azcoitia (Herrero), *La Población Palentina en los siglos XVI y XVII*, Palencia, 1961.

Martínez Ferrando (J. E.), *Privilegios otorgados por el emperador Carlos V...*, Barcelone, 1943.

Marx (Karl), *Contribution à la critique de l'économie politique*, trad. sur la 2e éd. allemande par J. Molitor, Paris, 1954.

Mas-Latrie (Jacques-M.-J.-L.), *Traités de paix et de commerce...*, Paris, 1866, 2 vol.

Massieu (abbé Guillaume), *Histoire de la Poësie française avec une défense de la Poësie*, Paris, 1739.

Massignon (Louis), *Annuaire du monde musulman*, Paris, 1955.

Masson (Paul), *Histoire du commerce français dans le Levant au XVIIe siècle*, Paris, 1896. *Histoire du commerce français dans le Levant au XVIIIe siècle*, Paris, 1911. *Les Compagnies du Corail*, Paris, 1928.

Maull (Otto), *Geographie der Kulturlandschaft*, Berlin et Leipzig, 1932.

Maunier (René) et Giffard (A.), *Faculté de droit de Paris. Salle de travail d'ethnologie juridique. Conférences 1929-1930. Sociologie et Droit romain*, Paris, 1930.

Maurand (Jérôme), *Itinéraire de Jérôme Maurand d'Antibes à Constantinople (1544)*, p.p. Léon Dorez, Paris, 1901.

Maurel (Paul), *Histoire de Toulon*, Toulon, 1943.

Mauro (F.), *Le Portugal et l'Atlantique au XVIIe siècle, 1570-1670*, Paris, 1960.

Mayer-Löwenschwerdt (Erwin), *Der Aufenthalt der Erzherzöge Rudolf und Ernst in Spanien, 1564-1571*, Vienne, 1927.

Mayerne (Théodore Turquet de), *Sommaire description de la France, Allemagne, Italie, Espagne, avec la guide des chemins et postes*, Rouen, 1615.

Mazzei (J.), *Politica doganale differenziale e clausola della nazione più favorita*, Florence, 1930.

Mecatti (G. M.), *Storia cronologica della città di Firenze*, Naples, 1755, 2 vol.

Médicis (Catherine de), voir La Ferrière (comte Hector de).

Medina (Pedro de), *Libro de grandezas y cosas memorables de España*, Alcalá de Henares, 1595.

Medrano (José de), voir Mariana.

Meester (B. de), *Le Saint-Siège et les troubles des Pays-Bas, 1566-1579*, Louvain, 1934.

Meilink-Roelofsz (M. A. P.), *Asian Trade and European Influence in the Indonesian Archipelago between 1500 and about 1630*, La Haye, 1962.

Meinecke (F.), *Die Idee der Staatsräson in der neueren Geschichte*, Munich, 1924.

Meister der Politik, éd. par Erich Marcks et Karl Alexander v. Müller, 2e éd., Stuttgart, 1923-1924, 3 vol.

Mélanges en l'honneur de Marcel Bataillon, Paris, 1962.

565

LES SOURCES

Mélanges Luzzatto, Studi in onore di Gino Luzzatto, Milan, 1950, 4 vol.

Melis (Federigo), *Aspetti della vita economica medievale,* Sienne-Florence, 1962.

Mellerio (Joseph), *Les Mellerio, leur origine et leur histoire,* Paris, 1895.

Mendez de Vasconcelos (Luis), « Diálogos do sítio de Lisboa », 1608, *in* : Antonio Sérgio, *Antologia dos Economistas Portugueses,* Lisbonne, 1924.

Mendonça, voir Gavy de Mendonça.

Mendoza (Diego de), voir Hurtado de Mendoza.

Mendoza y Bovadilla (cardinal Francisco), *Tizón de la nobleza española,* Barcelone, 1880.

Menéndez Pidal (Gonzalo), *Los caminos en la historia de España,* Madrid, 1951.

Menéndez Pidal (Ramón), *Idea imperial de Carlos V,* Madrid, 1940.

Mentz (Georg), *Deutsche Geschichte im Zeitalter der Reformation, der Gegenreformation und des Dreissigjährigen Krieges, 1493-1648,* Tübingen, 1913.

Mercadal (G. García), voir García Mercadal (G.).

Mercier (Ernest), *Histoire de l'Afrique septentrionale (Berbérie), depuis les temps les plus reculés jusqu'à la conquête française (1830),* Paris, 1888-1891, 3 vol.

Mérimée (Henri), *L'art dramatique à Valencia depuis les origines jusqu'au commencement du XVIIᵉ siècle,* Toulouse, 1913.

Merle (L.), *La métairie et l'évolution agraire de la Gâtine poitevine de la fin du Moyen Age à la Révolution,* Paris, 1958.

Merner (Paul-Gerhardt), *Das Nomadentum im nordwestlichen Afrika,* Stuttgart, 1937.

Meroni (Ubaldo), *I « Libri delle uscite delle monete » della Zecca di Genova dal 1589 al 1640,* Mantoue, 1957.

Merriman (R. B.), *The Rise of the Spanish Empire in the Old World and in the New,* New York, 1918-1934, 4 vol.

Mesnard (Pierre), *L'essor de la philosophie politique au XVIᵉ siècle,* Paris, 1936.

Meyer (Arnold O.), *England und die katholische Kirche unter Elisabeth und den Stuarts,* t. I (seul paru) : *England und die katholische Kirche unter Elisabeth,* Rome, 1911.

Michel (Francisque), *Histoire des races maudites de la France et de l'Espagne,* Paris, 1847, 2 vol.

Michel (Paul-Henri), *Giordano Bruno, philosophe et poète,* Paris, 1952 (extrait du « Collège philosophique » : *Ordre, désordre, lumière*).
La cosmologie de Giordano Bruno, Paris, 1962.

Michelet (Jules), *Histoire de France,* t. VII : *La Renaissance,* Paris, 1855.

Mignet (F.-Auguste-A.), *Charles Quint, son abdication, son séjour et sa mort au monastère de Yuste,* Paris, 1868.

Milano (Attilio), *Storia degli ebrei in Italia,* Turin, 1963.

Milioukov (P.), Seignobos (Charles) et Eisenmann (Louis), *Histoire de Russie,* Paris, 1932-1939, 2 vol.

Milojević (Borivoje), *Littoral et îles dinariques dans le royaume de Yougoslavie* (Mémoires de la Société de Géographie, vol. 2), Belgrade, 1933.

Minguijón (S.), *Historia del derecho español,* Barcelone, 1933.

Mira (Giuseppe), *Aspetti dell'economia comasca all'inizio dell'età moderna,* Côme, 1939.

Moheau, *Recherches et considérations sur la population de la France,* Paris, 1778.

Monchicourt (Charles), *L'expédition espagnole de 1560 contre l'île de Djerba,* Paris, 1913.

Mondoucet (C. de), *Lettres et négociations de Claude de Mondoucet résident de France aux Pays-Bas (1571-1574),* p.p. L. Didier, Paris, 1891-1892, 2 vol.

Monod (Th.), *L'hippopotame et le philosophe,* Paris, 1943.

Montagne (R.), *Les Berbères et le Makhzen dans le Sud du Maroc,* Paris, 1930.

Montaigne (Michel Eyquem de), *Journal de voyage en Italie,* éd. Ed. Pilon, Paris, 1932.

Montanari (Geminiano), *La zecca in Consulta di Stato,* éd. A. Graziani, Bari, 1913.

Montchrestien (Antoine de), *L'économie politique patronale, traicté d'œconomie politique,* p.p. Th. Funck-Brentano, Paris, 1889.

Monteil (Amans-Alexis), *Histoire des Français,* Paris, 1828-1844, 10 vol.

Morales (A. de), *Las antigüedades de las ciudades de España*, Madrid, 1792.

Morand (Paul), *Lewis et Irène*, Paris, 1931.

Morazé (Charles), *Introduction à l'histoire économique*, Paris, 1943.

Morel-Fatio (Alfred), *L'Espagne au XVIe et au XVIIe siècle*, Heilbronn, 1878.
Études sur l'Espagne, 1re série, 2e éd. : *L'Espagne en France*, Paris, 1895.
Études sur l'Espagne, 4e série, Paris, 1925.
Ambrosio de Salazar et l'étude de l'espagnol en France sous Louis XIII, Paris, 1900.

Moscardo (L.), *Historia di Verona*, Vérone, 1668.

Mousset (A.), voir Longlée (P. de Ségusson de).

Mouton (Léo), *Le Duc et le roi : d'Epernon, Henri IV, Louis XIII*, Paris, 1924.

Müller (Georg), *Die Türkenherrschaft in Siebenbürgen. Verfassungsrechtliches Verhältnis Siebenbürgens zur Pforte, 1541-1688*, Hermannstadt-Sibiu, 1923.

Müller (Johannes), *Zacharias Geizkofler, 1560-1617, des Heiligen Romischen Reiches Pfennigmeister und oberster Proviantmeister im Königreich Ungarn*, Baden, 1938.

Müller (K. O.), *Welthandelsbräuche (1480-1540)*, Stuttgart, 1934 ; 2e tirage, Wiesbaden, 1962.

Musachi (Giovanni), *Historia genealogica della Casa Musachi*, p.p. Carl Hopf, in *Chroniques gréco-romaines inédites ou peu connues*, Berlin, 1873.

Nadal (G.) et Giralt (E.), *La population catalane de 1553 à 1717*, Paris, 1960.

Nalivkin (K.), *Histoire du Khanat de Khokand*, Paris, 1889.

Naudé (W.), *Die Getreidehandelspolitik der europaischen Staaten vom 13. bis zum 18. Jahrhundert*, Berlin, 1896.

Navagero (Andrea), *Il viaggio fatto in Spagna*, Venise, 1563.

Nef (John. U), *The Rise of the British Coal Industry*, Londres, 1932, 2 vol.

Nelson (John Charles), *Renaissance Theory of Love, the Context of Giordano Bruno's « Eroici furori »*, New York, 1958.

Niccolini (Fausto), *Aspetti della vita italo-spagnuola nel Cinque e Seicento*, Naples, 1934.

Nicot (Jean), *Jean Nicot, ambassadeur de France au Portugal au XVIe siècle. Sa correspondance inédite*, p.p. E. Falgairolle, Paris, 1897.

Nicolay (Nicolas de), *Navigations, pérégrinations et voyages faicts en la Turquie*, éd. d'Anvers, 1576.
Description générale de la ville de Lyon et des anciennes provinces du Lyonnais et du Beaujolais, Lyon, éd. de 1889, 2 vol.

Nielsen (A.), *Dänische Wirtschaftsgeschichte*, Iéna, 1933.

Niemeier (G.), *Siedlungsgeographische Untersuchungen in Niederandalusien*, Hambourg, 1935.

Nistor (J.), *Handel und Wandel in der Moldau bis zum Ende des 16. Jahrhunderts*, Czernowitz, 1912.

Noailles (MM. de), voir Vertot (abbé Aubert de).

Noberasco (F.), voir Scovazzi (Italo) et Noberasco (F.).

Nobili (Giacinto, dit Rafaele Frianoro), *Il vagabondo*, Venise, 1627.

Noble de Lalauzière (J.-F.), *Abrégé chronologique de l'histoire d'Arles*, Arles, 1808.

Nueva Recopilación de las leyes de España, Madrid, 1772-1775, 3 vol.

Nuntiaturberichte aus Deutschland nebst erganzenden Aktenstücken, 1. Abt., 1533-1559, Gotha, 1892-1912, 12 vol. ; *2. Abt., 1560-1572*, Vienne, 1897-1939, 6 vol. ; *3. Abt, 1572-1585*, Berlin, 1892-1909, 5 vol. ; *(4. Abt.) 1585 (1584)-1590 (1592)*, Paderborn, 1895-1919, 3 t. en 5 vol.

Obermann (Karl), voir *Probleme der Ökonomie und Politik in den Beziehungen zwischen Ost und West*.

Oexmelin (Alexandre O.), *Histoire des aventuriers flibustiers...*, Trévoux, 1775, 2 vol.

Olagüe (L.), *La decadencia española*, Madrid, 1950-1951, 4 vol.

Oncken (Wilhelm), *Allgemeine Geschichte in Einzelerstellungen*, Berlin, 1878-1892 (1893), 43 vol.

Ortega y Gasset (José), *España invertebrada*, Madrid, 1934.
Papeles sobre Velázquez y Goya, Madrid, 1950.

LES SOURCES

Ortega y Rubio (Juan), *Historia de Valladolid*, Valladolid, 1881, 2 vol.
    Relaciones topográficas de los Pueblos de España, Madrid, 1918.

Palatini (Leop.), *L'Abruzzo nelle Storia documentata di Carlo V di Giuseppe de Leva*, Aquila, 1896.

Palencia, voir González Palencia (Angel).

Paléologue (M.), *Un grand réaliste, Cavour*, Paris, 1926.

Parain (Charles), *La Méditerranée : les hommes et leurs travaux*, Paris, 1936.

Pardessus (J.-M.), *Collection des lois maritimes antérieures au XVIIIe siècle*, Paris, 1828-1845, 6 vol.

Paré (Ambroise), *Œuvres*, 5e éd., Paris, 1598.

Parenti (G.), *Prime ricerche sulla rivoluzione dei prezzi in Firenze*, Florence, 1939.

Paris (L.), voir Aubespine (Sébastien de l').

Pariset (G.), *L'État et les églises en Prusse sous Frédéric-Guillaume Ier*, Paris, 1897.

Parpal y Marqués (C.), *La isla de Menorca en tiempo de Felipe II*, Barcelone, 1913.

Paruta (Andrea), *Relazione di A.P. console per la Repubblica Veneta in Alessandria presentata nell'ecc. mo Collegio ai 16 dicembre 1609...*, a cura di Luigi Baschiera, per nozze Arbib-Levi, Venise, 1883.

Paruta (Paolo), *Historia vinetiana*, Venise, 1605.
    La legazione di Roma (1592-1595), p.p. Giuseppe de Leva, Venise, 1887, 3 vol.

Pastor (Ludwig von), *Geschichte der Päpste seit dem Ausgang des Mittelalters*, 3e et 4e éd., Fribourg-en-Brisgau, 1901-1933, 16 vol. ; trad. française : *Histoire des Papes*, par Furcy-Raynaud, 1888-1934, 16 vol.

Paz Espeso (Julián), *Catálogo de la Colección de documentos inéditos (C.O.D.O.I.N.)*, Madrid, 1930, 2 vol. Voir aussi Espejo de Hinojosa (Cristóbal) y Paz Espeso (Julián).

Pédelaborde (P.), *Le climat du bassin parisien, essai d'une méthode rationnelle de climatologie physique*, Paris, 1957.

Pegolotti, voir Balducci Pegolotti.

Pellegrini (Amedeo), *Relazioni inedite di ambasciatori lucchesi alla corte di Roma, sec. XVI-XVII*, Rome, 1901.

Pellissier de Raynaud (E.), *Mémoires historiques et géographiques sur l'Algérie*, Paris, 1844.

Pereyra (Carlos), *Historia de la América española*, Madrid, 1924-1926, 8 vol.

Perez (Antonio), *L'art de gouverner*, p.p. J. M. Guardia, Paris, 1867.

Pérez (Damião), *Historia de Portugal*, Barcelone, 1926-1933, 8 vol.

Pérez (Juan Beneyto), voir Beneyto Pérez (Juan).

Pérez de Messa (D.), voir Medina (Pedro de).

Pérez Villamil (Manuel), voir Catalina García (Juan) et Pérez Villamil (Manuel).

Peri (Domenico), *Il negociante*, Gênes, 1638.

Perret (Jacques), *Siris*, Paris, 1941.

Petit (Édouard), *André Doria, un amiral condottiere au XVIe siècle, 1466-1560*, Paris, 1887.

Petrocchi (Massimo), *La rivoluzione cittadina messinese del 1674*, Florence, 1954.

Peyeff (Christo), *Agrarverfassung und Agrarpolitik in Bulgarien*, Charlottenburg, 1926.

Pfandl (L.), *Introducción al siglo de oro*, Barcelone, 1927.
    Geschichte der spanischen Nationalliteratur in ihrer Blütezeit, Fribourg-en-Brisgau, 1928.
    Johanna die Wahnsinnige. Ihr Leben, ihre Zeit, ihre Schuld, Fribourg-en-Brisgau, 1930 ; traduit en français par R. de Liedekerke sous le titre : *Jeanne la Folle*, Bruxelles, 1938.
    Philipp II. Gemälde eines Lebens und einer Zeit, Munich, 1938 ; trad. fr. : *Philippe II*, Paris, 1942.

Philipp (Werner), *Ivan Peresvetov und seine Schriften zur Erneuerung des Moskauer Reiches*, Königsberg, 1935.

Philippson (Alfred), *Das Mittelmeergebiet, seine geographische und kulturelle Eigenart*, Leipzig, 1904 ; 4e éd., 1922.

Philippson (Martin), *Ein Ministerium unter Philipp II. Kardinal Granvella am spanischen Hofe (1579-1586)*, Berlin, 1895.

Pieri (Piero), *La crisi militare italiana nel Rinascimento*, Naples, 1934.

Pierling (Paul), *Rome et Moscou, 1547-1579*, Paris, 1883.

Un nonce du Pape en Moscovie, préliminaires de la trêve de 1582, Paris, 1884.

Piffer Canabrava (Alice), *O commercio português no Rio da Plata, 1580-1640*, São Paulo, 1944.

Piganiol (A.), *Histoire de Rome*, Paris, 1939.

Pino-Branca (A.), *La vita economica degli Stati italiani nei secoli XVI, XVII, XVIII secondo le relazioni degli ambasciatori veneti*, Catane, 1928.

Piot (Charles), voir Granvelle, ainsi que Gachard (L.-P.) et Piot (Charles).

Pirenne (Henri), *Les villes du Moyen Age*, Bruxelles, 1927.

Histoire de Belgique, Bruxelles, 1900-1932, 7 vol.

Pirenne (Jacques), *Les grands courants de l'histoire universelle*, Neuchâtel, 1948-1953, 3 vol.

Planhol (Xavier de), *De la plaine pamphylienne aux lacs pisidans. Nomadisme et vie paysanne*, Paris, 1958.

Plantet (Eugène), *Les Consuls de France à Alger avant la conquête*, Paris, 1930.

Platter (Félix), *Mémoires de Félix Platter*, traduits et annotés par Édouard Fick, Genève, 1866.

Platter (Félix), *Félix et Thomas Platter à Montpellier*, Montpellier, 1892.

Platzhoff (W.), *Geschichte des europäischen Staatensystems, 1559-1660*, Munich, 1928.

Plesner (J.), *L'émigration de la campagne à la ville libre de Florence au XIIIe siècle*, Copenhague, 1934.

Pohlhausen (H.), *Das Wanderhirtentum und seine Vorstufen*, Braunschweig, 1954.

Poirson (A.-S.-J.-C.), *Histoire du règne de Henri IV*, Paris, 1865-1866, 4 vol.

Poliakov (Léon), *Histoire de l'antisémitisme* ; I : *Du Christ aux Juifs de Cour*, Paris, 1955 ; II : *De Mahomet aux Marranes*, Paris, 1961.

Les " banchieri " juifs et le Saint-Siège, du XIIIe au XVIIe siècle, Paris, 1965.

Poni (Carlo), *Gli aratri e l'economia agraria nel Bolognese dal XVII al XIX secolo*, Bologne, 1963.

Porcar (Moisés Juan), *Cosas evengudes en la ciutat y regne de Valencia. Dietario de Moisés Juan Porcar, 1589-1629*, p.p. Vicente Castañeda Alcover, Madrid, 1934.

Porchnev (Boris), *Les soulèvements populaires en France de 1623 à 1648*, Paris, 1963, trad. française.

Porreño (Baltasar), *Dichos y hechos del señor rey don Philipe segundo el prudente...*, Cuenca, 1621.

Pose (Alfred), *La monnaie et ses institutions*, Paris, 1942, 2 vol.

Poullet (Edmond) et Piot (Charles), voir Granvelle (cardinal).

Pouqueville (F.-C.-H.-L.), *Voyage de la Grèce*, Paris, 1820-1821, 5 vol.

Presotto (Danilo), « *Venuta Terra* » e « *Venuta Mare* » *nel biennio 1605-1606*, thèse dactylographiée de la Faculté d'Économie et Commerce de Gênes, 1963.

Prestage (E.), *The Portuguese Pioneers*, Londres, 1933.

Prévost (abbé A.-F.), *Histoire générale des voyages*, Paris, 1746, 20 vol.

Primeira Visitação do Santo Officio as partes do Brasil pelo Licenciado Heitor Furtado de Mendoça..., deputado de Santo Officio ; I : *Confissões de Bahia, 1591-1592*, São Paulo, 1922 ; II : *Denunciacoes de Bahia, 1592-1593*, São Paulo, 1925 ; III : *Denunciacões de Pernambuco, 1593-1595*, São Paulo, 1929.

Probleme der Ökonomie und Politik in den Beziehungen zwischen Ost- und Westeuropa vom 17. Jahrhundert bis zur Gegenwart, p.p. par Karl Obermann, Berlin, 1960.

Ptasnik (S.), *Gli Italiani a Cracovia dal XVI° secolo al XVIII°*, Rome, 1909.

Puig y Cadafalch (J.), *L'architectura romanica a Catalunya* (en collaboration), Barcelone, 1909-1918, 3 vol.

Le premier art roman, Paris, 1928.

LES SOURCES

Pugliese (S.), *Condizioni economiche e finanziarie della Lombardia nella prima metà del secolo XVIII*, Turin, 1924.

Putzger (F. W.), *Historischer Schulatlas*, 73e éd. d'A. Hansel, Bielefeld, Berlin et Hanovre, 1958.

Pyrard de Laval (François), *Voyage... contenant sa navigation aux Indes orientales...*, 3e éd., Paris, 1619.

Quadt (M.), *Deliciæ Galliæ sive itinerarium per universam Galliam*, Francfort, 1603.

Quarti (Guido Antonio), *La battaglia di Lepanto nei canti popolari dell'epoca*, Milan, 1930.

Queiros Vegoso (José Maria de), *Dom Sebastião, 1554-1578*, 2e éd., Lisbonne, 1935.

Quétin, *Guide en Orient, itinéraire scientifique, artistique et pittoresque*, Paris, 1846.

Quevedo y Vellegas (Francisco Gomez), « Isla des los Monopantos », *in : Obras satiricas y festivas*, Madrid, 1958, t. II, Madrid, 1639.

Quinet (Edgar), *Mes vacances en Espagne*, Paris, 4e éd., 1881.
Les Révolutions d'Italie, Paris, 1848-1851, 2 vol.

Quiqueran de Beaujeu (P.), *La Provence louée*, Lyon, 1614.

Rabelais (François), *Gargantua*, éd. « Les Belles Lettres », Paris, 1955.
Le Quart Livre du noble Pantagruel, in *Œuvres de Rabelais*, éd. Garnier, Paris, 1962, 2 vol.

Rachfahl (F.), *Le registre de Franciscus Liscaldius, trésorier général de l'armée espagnole aux Pays-Bas de 1567 à 1576*, Bruxelles, 1902.

Raffy (Adam), *Wenn Giordano Bruno ein Tagebuch geführt hätte*, Budapest, 1956.

Rahola (Federico), *Economistas españoles de los siglos XVI y XVII*, Barcelone, 1885.

Ramel (François de), *Les Vallées des Papes d'Avignon*, Dijon, 1954.

Ranke (Leopold von), *Die Osmanen und die spanische Monarchie im 16. und 17. Jahrhundert, 4. Aufl. des Werkes « Fürsten und Völker von Südeuropa »*, Leipzig, 1877, 2 vol. ; trad. fr. : *Histoire des Osmanlis et de la monarchie espagnole pendant les XVIe et XVIIe siècles*, Paris, 1839.

Raphaël du Mans, *Estat de la Perse en 1660...*, p.p. Ch. Schefer, Paris, 1890.

Rau (Virginia), *Subsidios para o estudo das feiras medievais portuguesas*, Lisbonne, 1943.

Raveau (Paul), *L'agriculture et les classes paysannes. La transformation de la propriété dans le Haut-Poitou au XVIe siècle*, Paris, 1926.

Raynaud (E. Pellissier de), voir Pellissier de Raynaud (E.).

Razzi (Serafino), *La storia di Raugia*, Lucca, 1595.

Rebora (Giovanni), *Prime ricerche sulla « Gabella Caratorum sexaginta Maris »*, thèse dactylographiée de la Faculté d'Économie et Commerce de Gênes, 1963.

Recherches et Matériaux pour servir à une Histoire de la domination française aux XIIIe, XIVe et XVe siècles dans les provinces démembrées de l'empire grec à la suite de la quatrième croisade, p.p. J. A. C. Buchon, « Panthéon littéraire », Paris, 1840, vol. III, 2 t. en 1 vol.

Recopilación de las leyes destos reynos hecha por mandado del Rey, Alcala de Hénares, 1581, 3 vol.

Recouly (Raymond), *Ombre et soleil d'Espagne*, Paris, 1934.

Recueils de la Société Jean Bodin ; V : La foire, Bruxelles, 1953 ; VII : *La ville*, Bruxelles, 1955, 3 vol.

Renaudet (Augustin), *Machiavel*, Paris, 1942.
L'Italie et la Renaissance italienne (cours professé à la Sorbonne), Paris, 1937. Voir aussi Hauser (Henri) et Renaudet (Augustin).

Reparaz (Gonzalo de), *Geografía y política*, Barcelone, 1929.

Reparaz (Gonzalo de), fils du précédent, *La época de los grandes descubrimientos españoles y portugueses*, Buenos Aires, 1931.

Retaña (Luis de Fernández), *Cisneros y su siglo*, Madrid, 1929-1930.

Reumont (Alfred von), *Geschichte Toscana's seit dem Ende des florentinischen Freistaates*, Gotha, 1876-1877, 2 vol.

Reznik (J.), *Le duc Joseph de Naxos, contribution à l'histoire juive du XVIe siècle*, Paris, 1936.

Riba y Garcia (Carlos), *El consejo supremo de Aragón en el reinado de Felipe II*, Valence, 1914.

Ribbe (Charles de), *La Provence au point de vue des bois, des torrents et des inondations avant et après 1789*, Paris, 1857.

Ribier (Guillaume), *Lettres et mémoires d'estat*, Paris, 1666, 2 vol.

Ricard (Samuel), *Traité général du commerce*, 2e éd., Amsterdam, 1706.

Richard (P.), voir Hefele (Charles-Joseph) et Hergen Rœther (cardinal J.).

Rilke (R. M.), *Lettres à un jeune poète*, trad. française, Paris, 1937.

Rivet (P.) et Arsandaux (H.), *La métallurgie en Amérique précolombienne*, Paris, 1946.

Riza Seifi (Ali), *Dorghut Re'is*, 2e éd., Constantinople, 1910 (édition en alphabet turco-latin, 1932).

Rochechouart (L.-V.-L. de), *Souvenirs sur la Révolution, l'Empire et la Restauration*, Paris, 1889.

Rodocanachi (Emmanuel-P.), *La réforme en Italie*, Paris, 1920.

Rodriguez (Domingos), *Arte de Cozinha*, Lisbonne, 1652.

Rodríguez Marín (Francisco), *El ingenioso hidalgo Don Quijote de la Mancha*, Madrid, 1916.

Roger (Noëlle), *En Asie Mineure : la Turquie du Ghazi*, Paris, 1930.

Röhricht (R.), *Deutsche Pilgerreisen nach dem Heiligen Lande*, nouv. éd., Innsbruck, 1900.

Romanin (Samuele), *Storia documentata di Venezia*, Venise, 1853-1861, 10 vol.

Romano (Bartolomeo), voir Crescentio (Bartolomeo).

Romano (Ruggiero), *Commerce et prix du blé à Marseille au XVIIIe siècle*, Paris, 1956.

Romano (Ruggiero), Spooner (Frank C.), Tucci (Ugo), *Les prix à Udine*, à paraître.

Romier (Lucien), *Les origines politiques des guerres de religion*, Paris, 1913-1914, 2 vol.
La conjuration d'Amboise, Paris, 1923.
Catholiques et huguenots à la cour de Charles IX, Paris, 1924.
Le royaume de Catherine de Médicis, 3e éd., Paris, 1925, 2 vol.

Rossi (E.), *Il dominio degli Spagnuoli e dei Cavalieri di Malta a Tripoli (1530-1551)*, Intra, 1937.

Roth (Cecil), *The House of Nasi :* I. *Doña Gracia*, Philadelphie, 1948 ; II. *The Duke of Naxos*, Philadelphie, 1948.

Roth (Johann Ferdinand), *Geschichte des nürnbergischen Handels*, Leipzig, 1800-1802, 4 vol.

Roupnel (Gaston), *Le vieux Garain*, 7e éd., Paris, 1939.
Histoire et destin, Paris, 1943.
La ville et la campagne au XVIIe siècle. Étude sur les populations du pays dijonnais, 2e éd., Paris, 1955.

Rousseau (baron Alphonse), *Annales Tunisiennes*, Alger, 1864.

Rovelli (Giuseppe), *Storia di Como*, Milan, 1789-1803, 3 vol.

Rowlands (R.), *The Post of the World*, Londres, 1576.

Rubio Ortega, voir Ortega y Rubio (Juan).

Ruble (Alphonse de), *Le traité du Cateau-Cambrésis (2 et 3 avril 1559)*, Paris, 1889. Voir aussi Aubigné (Théodore Agrippa d').

Rubys (Claude), *Histoire véritable de la ville de Lyon*, Lyon, 1604.

Ruiz Martín (F.), *Lettres marchandes échangées entre Florence et Medina del Campo*, Paris, 1965.
Les aluns espagnols, indice de la conjoncture économique de l'Europe au XVIe siècle, à paraître.
El siglo de los Genoveses en Castilla (1528-1627) ; capitalismo cosmopolita y capitalismos nacionales, à paraître.

Rumeu de Armas (Antonio), *Piraterías y ataques navales contra las islas Canarias*, Madrid, 1947, 6 vol.

Rybarski (R.), *Handel i polityka handlowa Polski w XVI stuleciu*, Poznań, 1928-1929, 2 vol. en 1.

Sachau (Eduard), *Am Euphrat und Tigris, Reisenotizen aus dem Winter 1897-1898*, Leipzig, 1900.

LES SOURCES

Saco de Gibraltar, in : *Tres relaciones históricas*, « Colección de libros raros ô curiosos », Madrid, 1889.

Sagarminaga (Fidel de), *El gobierno y régimen foral del señorío de Viscaya*, rééd. par Dario de Areitio, Bilbao, 1934, 3 vol.

Saint-Denys (Antoine Juchereau de), voir Juchereau de Saint-Denys (Antoine).

Saint-Sulpice, voir Cabié (E.).

Sakâzov (Ivan), *Bulgarische Wirtschaftsgeschichte*, Berlin et Leipzig, 1928.

Salazar (J. de), *Política Española*, Logroño, 1617.

Salazar (Pedro de), *Hispania victrix*, Medina del Campo, 1570.

Salomon (Noël), *La campagne en Nouvelle-Castille à la fin du XVIe siècle d'après les « Relaciones Topográficas »*, Paris, 1964.

Salva (Jaime), *La Orden de Malta y las acciones españolas contra Turcos y Berberiscos en los siglos XVI y XVII*, Madrid, 1944.

Salvestrini (Virgilio), *Bibliografia di Giordano Bruno, 1581-1950*, 2e éd. posthume, p.p. Luigi Firpo, Florence, 1958.

Salzman (L. F.), *English Trade in the Middle Ages*, Oxford, 1931.

Samanes (Floristan), voir Floristan Samanes (Alfredo).

Samazeuilh (Jean-François), *Catherine de Bourbon, régente du Béarn...*, Paris, 1863.

Sánchez Alonso (Benito), *Fuentes de la historia española e hispano-americana*, 3e éd., Madrid, 1946.

Sanderson (John), *The Travels of John Sanderson in the Levant (1584-1602)*, p.p. William Forster, Londres, 1931.

Sandoval (A.), voir Gamir Sandoval (A.).

Sansovino (Francesco), *Dell'historia universale dell'origine et imperio de' Turchi*, Venise, 1564.

Sanudo (Marin), *Diarii*, Venise, 1879-1903, 58 vol.

Sapori (Armando), *Studi di Storia economica medievale*, Florence, 1946, 2 vol.

Saraiva (Antonio José), *L'inquisition et la légende des Marranes*, à paraître.

Sardella (P.), *Nouvelles et spéculations à Venise*, Paris, 1948.

Sassetti (F.), *Lettere edite e inedite di Filippo Sassetti*, p.p. Ettore Marcucci, Florence, 1855.

Sauermann (Georg), *Hispaniæ Consolatio*, Louvain, 1520.

Sauvaget (J.), *Introduction à l'histoire de l'Orient musulman*, Paris, 1943.

— *Alep. Essai sur le développement d'une grande ville syrienne des origines au milieu du XIXe siècle*, Paris, 1941.

Savary (François), voir Brèves (François Savary, sieur de).

Savary des Bruslons (Jacques), *Dictionnaire universel de commerce, d'histoire naturelle et des arts et métiers*, Copenhague, 1759-1765, 5 vol.

Sayous (A.-E.), *Le commerce des Européens à Tunis depuis le XIIe siècle jusqu'à la fin du XVIe*, Paris, 1929.

Scarron (P.), *Le Roman comique*, Paris, 1651, éd. Garnier, Paris, 1939.

Schäfer (Ernst), *Beiträge zur Geschichte des spanischen Protestantismus und der Inquisition im 16. Jahrhundert*, Gütersloh, 1902, 3 t. en 2 vol.

Schalk (Carlo), *Rapporti commerciali tra Venezia e Vienna*, Venise, 1912.

Scharten (Théodora), *Les voyages et séjours de Michelet en Italie, amitiés italiennes*, Paris, 1934.

Schefer (Ch.), voir Raphaël du Mans.

Schiedlausky (G.), *Tee, Kaffee, Schokolade, ihr Eintritt in die europäische Gesellschaft*, Munich, 1961.

Schmidhauser (Julius), *Der Kampf um das geistige Reich. Bau und Schicksal der Universität*, Hambourg, 1933.

Schnapper (Bernard), *Les rentes au XVIe siècle. Histoire d'un instrument de crédit*, Paris, 1957.

Schnürer (Gustav), *Katholische Kirche und Kultur in der Barockzeit*, Paderborn, 1937.

Schöffler (Herbert), *Abendland und Altes Testament. Untersuchung zur Kulturmorphologie Europas, insbesondere Englands*, 2ᵉ éd., Francfort-sur-le-Main, 1941.

Schulte (Aloys), *Geschichte des mittelalterlichen Handels und Verkehrs zwischen Westdeutschland und Italien mit Ausschluss von Venedig*, Leipzig, 1900, 2 vol.

Die Fugger in Rom (1495-1523), mit Studien zur Geschichte des Kirchlichen Finanzwesens jener Zeit, Leipzig, 1904, 2 t. en 1 vol.

Geschichte der grossen Ravensburger Handelsgesellschaft, 1380-1530, Stuttgart et Berlin, 1923, 3 vol.

Schumacher (Rupert von), *Des Reiches Hofzaun. Geschichte der deutschen Militärgrenze im Südosten*, Darmstadt, 1940.

Schumpeter (Joseph), *History of Economic Analysis*, Londres, 1954. Trad. italienne : *Storia dell'analisi economica*, Turin, 1959, 3 vol.

Schweigger (Salomon), *Ein neue Reissbeschreibung auss Teutschland nach Konstantinopel und Jerusalem*, 4ᵉ éd., Nuremberg, 1639.

Schweinfurth (G.), *Im Herzen von Afrika, Reisen und Entdeckungen im centralen Äquatorial-Afrika während der Jahre 1868 bis 1871*, Leipzig, 1874, 2 vol.

Sclafert (Th.), *Cultures en Haute-Provence : déboisements et pâturages au Moyen Age*, Paris, 1959.

Scovazzi (Italo) et Noberasco (F.), *Storia di Savona*, Savone, 1926-1928, 3 vol.

Sée (Henri), *Esquisse d'une histoire du régime agraire en Europe aux XVIIIᵉ et XIXᵉ siècles*, Paris, 1921.

Sée (Julien), voir Ha Cohen (Joseph).

Segarizzi (A.), *Relazioni degli Ambasciatori Veneti al Senato*, t. III (1-2) : *Firenze*, Bari, 1916.

Segni (B.), *Storie fiorentine... dall'anno 1527 al 1555*, Augsbourg, 1723.

Ségusson de Longlée (P. de), voir Longlée (P. de Ségusson de).

Seidlitz (W. von), *Diskordanz und Orogenese der Gebirge am Mittelmeer*, Berlin, 1931.

Seignobos (Charles), voir Milioukov (P.), Seignobos (Charles) et Eisenmann (Louis).

Sella (Domenico), *Commerci e industrie a Venezia nel secolo XVII*, Venise-Rome, 1961.

Selve (Odet de), *Correspondance politique...*, p.p. Germain Lefèvre-Pontalis, Paris, 1888.

Sens et usage du terme structure dans les sciences humaines et sociales, ouvrage collectif, Paris-La Haye, 1962.

Sepúlveda (P. de), *Sucesos del reinado de Felipe II*, p.p. J. Zarco Cueva in *Historia de varios sucesos...*, Madrid, 1922.

Sercey (comte Félix-E. de), *Une ambassade extraordinaire. La Perse en 1839-1840*, Paris, 1928.

Sereni (Emilio), *Storia del paesaggio agrario italiano*, Bari, 1961.

Serra (Antonio), *Breve trattato delle cause che possono far abondare li regni d'oro argento..., con applicatione al Regno di Napoli*, Naples, 1613.

Serrano (Luciano), *Correspondencia diplomática entre España y la Santa Sede durante el Pontificado de Pio V*, Madrid, 1914, 4 vol.
La Liga de Lepanto, Madrid, 1918-1919, 2 vol.

Serres (Olivier de), *Le Théâtre d'agriculture*, Lyon, 1675.
Le Théâtre d'agriculture et mesnage des champs (pages choisies), Paris, 1941.

Servier (Jean), *Les portes de l'année, rites et symboles : l'Algérie dans la tradition méditerranéenne*, Paris, 1962.

Sestini (dom), *Confronto della ricchezza dei paesi...*, Florence, 1793.

Sicroff (Albert-A.), *Les controverses des statuts de « pureté de sang » en Espagne du XVᵉ au XVIIᵉ siècle*, Paris, 1960.

Siegfried (André), *Vue générale de la Méditerranée*, Paris, 1943.

Signot (Jacques), *La division du monde*, Paris, 1539.

LES SOURCES

Simiand (François-J.-Ch.), *Cours d'économie politique*, Paris, 1930 et 1932, 3 vol.
Le salaire, l'évolution sociale et la monnaie, Paris, 1932, 3 vol.
Recherches anciennes et nouvelles sur le mouvement général des prix du XVIe au XIXe siècle, Paris, 1932.
Les fluctuations économiques à longue période et la crise mondiale, Paris, 1932.
Simon (Wilhelm), *Die Sierra Morena der Provinz Sevilla*, Francfort, 1942, trad. espagn. : *La Sierra Morena de la provincia de Sevilla en los tiempos postvariscios*, Madrid, 1944.
Simonsen (Roberto), *Historia economica do Brasil, 1500-1820*, São Paulo, 1937.
Simonsfeld (H.), *Der Fondaco dei Tedeschi und die deutsch-venetianischen Handelsbeziehungen*, Stuttgart, 1887, 2 vol.
Singer (Charles) *et al.*, *A History of Technology*, Oxford, 1954-1958, 5 vol.
Sion (Jules), *La France méditerranéenne*, Paris, 1934.
Siri (Mario), *La svalutazione della moneta e il bilancio del Regno di Sicilia nella seconda metà del XVIo secolo*, Melfi, 1921.
Soetbeer (Adolf), *Litteraturnachweis über Geld- und Münzwesen*, Berlin, 1892.
Sombart (Werner), *Krieg und Kapitalismus*, Munich, 1913.
Der moderne Kapitalismus, Munich, 1921-1928, 3 t. en 6 vol.
Die Juden und das Wirtschaftsleben, Munich, 1922.
Vom Menschen. Versuch einer geistwissenschaftlichen Anthropologie, Berlin, 1938.
Sorre (Maximilien-J.), *Les Pyrénées méditerranéennes*, Paris, 1913.
Méditerranée. Péninsules méditerranéennes, Paris, 1934, 2 vol. (t. VII de la *Géographie Universelle*).
Les fondements biologiques de la géographie humaine, Paris, 1943.
Sottas (J.), *Les messageries maritimes à Venise aux XIVe et XVe siècles*, Paris, 1938.
Sources inédites de l'histoire du Maroc, p.p. Philippe de Cossé-Brissac, 2e série : Dynastie filalienne, Archives et Bibliothèques de France, t. V, Paris, 1953.
Souza (A. S. de), *Historia de Portugal*, Barcelone, 1929.
Soveral (Visconde de), *Apontamentos sobre relacões politicas e commerciaes do Portugal com a Republica di Veneza*, Lisbonne, 1893.
Spenlé (Jean-Édouard), *La pensée allemande de Luther à Nietzsche*, Paris, 1934.
Speziale (G. C.), *Storia militare di Taranto*, Bari, 1930.
Spooner (Frank C.), *L'économie mondiale et les frappes monétaires en France, 1493-1680*, Paris, 1956.
Voir aussi Romano (Ruggiero), Spooner (Frank C.), Tucci (Ugo).
Sprenger (Aloys), *Die Post- und Reiserouten des Orients*, Leipzig, 1864.
Staden (H. von), *Aufzeichnungen über den Moskauer Staat*, p.p. F. Epstein, Hambourg, 1930.
Stählin (Karl), *Geschichte Russlands von den Anfängen bis zur Gegenwart*, Stuttgart, Berlin et Leipzig, 1923-1939, 4 t. en 5 vol.
Stasiak (Stefan), *Les Indes portugaises à la fin du XVIe siècle d'après la Relation du voyage fait à Goa en 1546 par Christophe Pawlowski, gentilhomme polonais*, Lwow, 1926-1928, 3 fasc.
Stefani (Fr.), *Parere intorno al trattato fra Venezia e Spagna sul traffico del pepe e delle spezierie dell'Indie Orientali, di A. Bragadino e J. Foscarini*, ed. per nozze Correr-Fornasari, Venise, 1870.
Stella (C. de), *Poste per diverse parti del mondo*, Lyon, 1572.
Stendhal, *Promenades dans Rome*, Paris, 1858, 2 vol.
L'abbesse de Castro, Paris, 1931.
Sternbeck (Alfred), *Histoire des flibustiers et des boucaniers*, Paris, 1931.
Stochove (Chevalier Vincent), *Voyage du Levant*, Bruxelles, 1650.
Stone (Lawrence), *An Elizabethan : Sir Horatio Palavicino*, Oxford, 1956.
Storia di Milano, p.p. la Fondazione Treccani degli Alfieri : *L'età della Riforma cattolica, 1554-1630*, Milan, 1957.
Strachey (Lytton), *Elizabeth and Essex*, 2e éd., Londres, 1940.
Stubenrauch (Wolfgang), *Kulturgeographie des Deli-Orman*, Stuttgart, 1933.

Suárez (Diego), *Historia del maestre último que fue de Montesa...*, Madrid, 1889.

Sully (Maximilien de Béthune, duc de), *Mémoires*, nouv. éd., Paris, 1822, 6 vol.

Šusta (Josef), *Die römische Curie und das Konzil von Trient unter Pius IV.*, Vienne, 1904-1914, 4 vol.

Szekfü (J.), *État et Nation*, Paris, 1945.

Taine (Hyppolite-A.), *Voyage aux Pyrénées*, 2e éd., Paris, 1858.
    La philosophie de l'art, 20e éd., Paris, 1926.

Tamaro (Attilio), *L'Adriatico, golfo d'Italia*, Milan, 1915.

Tassini (Giuseppe), *Curiosità veneziane*, Venise, 1887.

Tavernier (Jean-Baptiste), *Les six voyages qu'il a faits en Turquie, en Perse et aux Indes,* Paris, 1681.

Tawney (R. H.) et Power (E.), *Tudor Economic Documents*, Londres, 1924, 3 vol.

Telbis (Hans), *Zur Geographie des Getreidebaues in Nordtirol*, Innsbruck, 1948.

Tenenti (A.), *Naufrages, corsaires et assurances maritimes à Venise, 1592-1609*, Paris, 1959.
    Cristoforo Da Canal. La Marine vénitienne avant Lépante, Paris, 1962.

Termier (P.), *A la gloire de la Terre*, Paris, 1922.

Terreros (M. R. de), voir Guiso (G. M. de).

Teulet (J.-B.-T.-Alexandre), éd. des *Relations politiques de la France et de l'Espagne avec l'Écosse au XVIe siècle (1551-1588)*, nouv. éd., Paris, 1862, 5 vol.

Tevins (J.), *Commentarius de rebus in India apud Dium gestis anno MDXLVI*, Coïmbre, 1548.

Tharaud (Jérôme et Jean), *La bataille à Scutari*, 24e éd., Paris, 1927.
    Marrakech ou les seigneurs de l'Atlas, Paris, 1929.

Theissen (J. S.), voir Gachard (L.-P.).

Thénaud (J.), *Le voyage d'Outremer*, Paris, 1884.

Thomazi (Cdt A.-A.), *Histoire de la navigation*, Paris, 1941.

Thumery (Jean de), voir Laffleur de Kermaingant (P.).

Tiepolo (Lorenzo), *Relazione del console Lorenzo Tiepolo (1560)*, p.p. Cicogna, Venise, 1857.

Tocco (Vittorio di), voir Di Tocco (Vittorio).

Tollenare (L.-F.), *Essai sur les entraves que le commerce éprouve en Europe*, Paris, 1820.

Tomić (S. N.), *Naselje u Mletackoj Dolmaciji*, Nich, 1915.

Tommaseo (Nicolò), *Relations des ambassadeurs vénitiens sur les affaires de France au XVIe siècle*, Paris, 1838, 2 vol.

Tongas (G.), *Les relations de la France avec l'Empire ottoman durant la première moitié du XVIIe siècle et l'ambassade à Constantinople de Philippe de Harlay, comte de Césy, 1619-1640*, Toulouse, 1942.

Törne (P. O. von), *Don Juan d'Autriche et les projets de conquête de l'Angleterre, étude historique sur dix années du XVIe siècle (1568-1578)*, Helsingfors, 1915-1928, 2 vol.

Torres (A.), voir Dragonetti de Torres.

Tott (Baron François de), *Mémoires sur les Turcs et les Tartares*, Amsterdam, 1784, 4 vol.

Tournon (cardinal François de), *Correspondance...*, p.p. Michel François, Paris, 1946.

Toynbee (A.), *L'Histoire, un essai d'interprétation* ; abrégé par D. C. Somervell des volumes I à VI de *A Study of History*, trad. de l'anglais, Paris, 1951.

Trasselli (Carmelo), voir Della Rovere (Antonio).

Trevelyan (George Macaulay), *History of England*, nouv. éd., Londres, 1946.

Tridon (M.), *Simon Renard, ses ambassades, ses négociations, sa lutte avec le cardinal Granvelle*, Besançon, 1882.

Truc (Gonzague), *Léon X et son siècle*, Paris, 1941.

Tucci (Ugo), voir Romano (Ruggiero), Spooner (Frank) et Tucci (Ugo).

Tudela (Benjamin), voir Benjamin de Tudela.

Turba (Gustav), *Venetianische Depeschen vom Kaiserhof*, Vienne, 1889-1896, 3 vol.
    Geschichte des Thronfolgerechtes in allen habsburgischen Länden, Vienne, 1903.

Turquet de Mayerne (Théodore), voir Mayerne (Théodore Turquet de).

Tyler (Royall), *Spain, a Study of Her Life and Arts*, Londres, 1909.

Uccelli (Arturo), *Storia della tecnica del Mediaevo ai nostri giorni*, Milan, 1944.

Ugolini (L. M.), *Malta, origini della civiltà mediterranea*, Rome, 1934.

Uhagon (Francisco K. de), *Relaciones históricas de los siglos XVI y XVII*, Madrid, 1896.

Ukers (William H.), *All about Coffee*, New York, 1922.

Ulloa (Modesto), *La hacienda real de Castilla en el reinado de Felipe II*, Rome, 1963.

Usher (A. P.), *The Early History of Deposit Banking in Mediterranean Europe*, vol. I (seul paru), Cambridge, Mass., 1943.

Ustariz (Jerónimo de), *Theorica y practica de comercio y de marina...*, 2e éd., Madrid, 1742.

Vair (Guillaume du), voir Du Vair (Guillaume).

Valle de la Cerda (Luis), *Desempeño del patrimonio de su Magestad y de los reynos, sin daño del Rey y vassallos y con descanso y alivio de todos*, Madrid, 1618.

Van der Essen (Léon), voir Essen (Léon van der) ; voir aussi Frangipani (Ottavio Mirto).

Vander Hammen y León (Lorenzo), *Don Filipe el Prudente, segundo deste nombre, rey de las Españas*, Madrid, 1625.

Varenius (Bernardus), *Geographia generalis*, Amsterdam, 1664.

Varennes (Claude de), voir *Voyage en France...*

Vasconcellos (L. Mendes de), voir Mendez de Vasconcelos (L.).

Vaudoncourt (Guill.), voir Guillaume de Vaudoncourt (Frédéric).

Vaudoyer (J. L.), *Beautés de la Provence*, 15e édition, Paris, 1926.

Vaumas (G. de), *L'éveil missionnaire de la France d'Henri IV à la fondation du Séminaire des Missions étrangères*, Lyon, 1941.

Vayrac (Jean de), *État présent de l'Espagne*, Amsterdam, 1719.

Vázquez de Prada (V.), *Lettres marchandes d'Anvers*, Paris, 1960, 4 vol.

Verlinden (Charles), *L'esclavage dans l'Europe médiévale. I : Péninsule ibérique, France*, Bruges, 1955.

Vertot (René Aubert de), *Ambassades de MM. de Noailles en Angleterre*, p.p. C. Villaret, Leyde et Paris, 1763.

Vicens Vives (J.), *Historia Social y Económica de España*, Barcelone, 1957, 3 vol.
  Manual de Historia Económica de España, Barcelone, s.d. (1959).

Vidal de La Blache (Paul), *États et nations de l'Europe*, Paris, 1889.
  Tableau de la géographie de la France, 3e éd., Paris, 1908.
  Principes de géographie humaine, Paris, 1922.

Viet (Jean), *Les méthodes structuralistes dans les sciences sociales*, Paris, 1965.

Vilar (Pierre), *La Catalogne dans l'Espagne moderne*, Paris, 1962, 3 vol.

Villalón (Christóval de), *Viaje de Turquía...*, 1555, Madrid-Barcelone, 1919, 2 vol.

Villamil (M.), voir Catalina García (Juan) et Pérez Villamil (Manuel).

Villaret (C.), voir Vertot (René Aubert de).

Vital (L.), *Premier voyage de Charles-Quint en Espagne de 1517 à 1518*, Bruxelles, 1881.

Vitale (Eligio) et Brunetti (Mario), *Corrispondenza da Madrid di Leonardo Donà, 1570-1573*, Venise-Rome, 1963, 2 vol.

Vitale (Vito), *Breviario della storia di Genova*, Gênes, 1955, 2 vol.

Vitalis (A.), *Correspondance politique de Dominique du Gabre (évêque de Lodève), trésorier des armées à Ferrare (1551-1554), ambassadeur de France à Venise (1555-1557)*, Paris, 1903.

Vivoli (G.), *Annali di Livorno*, Livourne, 1842-1846, 4 vol.

Voinovitch (L.), *Depeschen des Francesco Gondola, Gesandten der Republik Ragusa bei Pius V. und Gregor XIII. 1570-1573*, Vienne, 1909.
  Histoire de Dalmatie, Paris, 1935, 2 vol.

Voyage de France, dressé pour l'instruction et commodité tant des François que des étrangers, 4e éd. trad. par Cl. de Varennes, Rouen, 1647.

Wahrmund (L.), *Das Ausschliessungsrecht (jus exclusiva) der katholischen Staaten Oster- reich, Frankreich und Spanien bei den Papstwahlen*, Vienne, 1883.

Walcher (Joseph), *Nachrichten von den Eisbergen in Tyrol*, Vienne, 1773.

Walsingham (Francis), *Mémoires et instructions pour les ambassadeurs*, Amsterdam, 1700.

Waltz (Pierre), *La Question d'Orient dans l'antiquité*, Paris, 1943.

Wätjen (Hermann), *Die Niederländer im Mittelmeergebiet zur Zeit ihrer höchsten Macht- stellung*, Berlin, 1909.

Weber (Erich), *Beiträge zum Problem des Wirtschaftsverfalls*, Vienne, 1934.

Wee (Herman van der), *The Growth of the Antwerp Market and the European Economy, fourteenth-sixteenth centuries*, Louvain, 1963, 3 vol.

Weiller (Jean), *Problèmes d'économie internationale*, Paris, 1946-1950, 2 vol.
L'économie internationale depuis 1950, du plan Marshall aux grandes négociations com- merciales entre pays inégalement développés, Paris, 1965.

Weiss (Charles), *L'Espagne depuis le règne de Philippe II jusqu'à l'avènement des Bourbons*, Paris, 1844, 2 vol.
Voir aussi Granvelle (cardinal de).

Werth (Emil), *Grabstock, Hacke und Pflug*, Ludwigsburg, 1954.

Weulersse (Jacques), *Paysans de Syrie et du Proche-Orient*, Paris, 1946.

Wiet (G.), voir Ibn Iyâs.

Wilczek (Eduard Graf), *Das Mittelmeer, seine Stellung in der Weltgeschichte und seine historische Rolle im Seewesen*, Vienne, 1895.

Wilhelmy (Herbert), *Hochbulgarien*, Kiel, 1935-1936, 2 vol.

Wilkinson (Maurice), *The Last Phase of the League in Provence, 1588-1598*, Londres, 1909.

Williamson (James A.), *Maritime Enterprise, 1485-1588*, Oxford, 1913.

Wood (Alfred C.), *A History of the Levant Company*, Londres, 1935.

Wright (I. A.), *Documents concerning English Voyages to the Spanish Main, 1569-1580*, Londres, 1932.

Wyrobisz (Andrzej), *Budownictwo Murowane w Malopolsce w XIVe et XVe wieku* (résumé en français), Cracovie, 1963.

Yver (G.), *Le commerce et les marchands dans l'Italie méridionale au XIIIe et au XIVe siècle*, Paris, 1903.
Voir aussi Gsell (S.), Marçais (G.), Yver (G.).

Zanelli (A.), *Delle condizioni interne di Brescia dal 1642 al 1644 e del moto della borghesia contro la nobiltà nel 1644*, Brescia, 1898.

Zanetti (Armando), *L'ennemi*, Genève, 1939.

Zanetti (Dante), *Problemi alimentari di una economia preindustriale*, Pavie, 1964.

Zarco Cuevas (père J.), *Historia de varios sucesos y de las cosas*, éd. de Madrid, 1922.
Relaciones de pueblos de la diócesis de Cuenca, hechas por orden de Felipe II, Cuenca, 1925, 2 vol.

Zeller (Berthold), *Henri IV et Marie de Médicis*, Paris, 2e éd., 1877.

Zeller (Gaston), *La réunion de Metz à la France, 1552-1648*, Paris-Strasbourg, 1927, 2 vol.
Le siège de Metz par Charles-Quint, oct.-déc. 1552, Nancy, 1943.
Les Institutions de la France au XVIe siècle, Paris, 1948.
La vie économique de l'Europe au XVIe siècle (cours de Sorbonne), Paris, 1953.

Zierer (Otto), *Bilder aus der Geschichte des Bauerntums und der Landwirtschaft*, Munich, 1954-1956, 4 vol.

Zinkeisen (J. W.), *Geschichte des osmanischen Reiches in Europa*, Gotha, 1840-1863, 7 vol.

Zweig (Stefan), *Les heures étoilées de l'humanité*, trad. franç. d'A. Hella, Paris, 1939.

Parmi les livres récents que je n'ai pas eu le temps d'utiliser à plein, à signaler :

Aymard (Maurice), *Venise, Raguse et le commerce du blé pendant la seconde moitié du XVIe siècle*, Paris, 1966.

LES SOURCES

Gestrin (Ferdo), *Trgovina slovenskega Zaledja s Drimorskimi Mesti od 13. do Konga 16. stoletja*, Ljubljana, 1965.

Manolescu (Radu), *Comerțul Țării Romînești și Moldovei cu Brasovul (secolele XIV-XVI)*, Bucarest, 1965.

Randa (Alexander), *Pro Republica Christiana*, Munich, 1964.

Rougé (Jean), *Recherches sur l'organisation du commerce en Méditerranée sous l'empire romain*, Paris, 1966.

Les recherches de Maurice Aymard sur la Sicile du xve au xviiie siècle, dont j'ai suivi le développement, critiquent avec raison les chiffres de Bianchini notamment en ce qui concerne la croquis inséré *supra*, tome I, page 526. Ce sont là modifications de détail dont les chercheurs devraient tenir compte par la suite.

INDEX DES NOMS PROPRES [1]

AARON, voïvode de Moldavie : II. 483.
ABBAS, shah de Perse : I. 45 ; II. 70, 451, 452, 458.
ABDALMU'MIN : II. 110.
ABD EL MALEK, chérif : II. 462.
ABDON (saint) : I. 149.
ABOUL'S-SU'ÛD, légiste turc : II. 30.
Aboukir (bataille d') : I. *95* (6).
ABRAVANEL (les), famille juive établie à Naples : II. 144, 146.
ABRAVANEL (Samuel) : II. 146.
Abruzzes : I. 36, 37, 38, 73, *73*, (3), 79, 81, 85, 311, 345, 386, 517, 524, 538, 539 ; II. 52, 76, 79, 86, 294, 335, 418.
Abyssinie : I. 158, 166, 167, 169, 499 ; II. 110.
Acapulco : I. 207, 346.
Achem, dans l'île de Sumatra : I. 514.
ACHMET CHAOUCH, ambassadeur turc : I. 563.
ACHMET PACHA : II. 393, 445, 456.
ACIDA (Joan), pope grec de Rhodes : II. 432, 433.
Ackermann, voir Bialograd.
ACOMATO DE NATOLIE, agent turc : II. 434.
Açores : I. 99, 141, 153, 205, 209, 282, 513, 531 ; II. 467 ; (anticyclone des) : I. 213, 214.
ACQUAVIVA (Anna), sœur du duc de Conversano : II. 75.
ACUÑA (don Juan d') : II. 58.
ACUÑA (don Martin d'), dit Cugnaletta : II. 433, 434, 437-439, 440, 442.
Adana : I. 161.
Adda (l') : I. 64, 65, 237, 258.
Adelantado de Castilla : I. 209.
Aden : I. 496, 499, 503 ; II. 10, 145, 458, 459.
Adige (l') : I. 189, 190, 254, 258, 291, 300, 391 ; (bas) : I. 71 ; (vallée de l') : I. 60, 191.
ADORNO (Jean), fondateur des frères Mineurs : II. 160.
ADORNO (Philippe) : I. 442.
Adriatique (mer) : I. 48, 50, 52, 95, 100, 105, **113-122**, 136, 148, 185, 215, 228, 256, 262, 268, 272, 284, 285, 303, 334, 342, 359, 386, 397, 415, 523, 538-539, 546, 558 ; II. 15, 91, 107, 151, 196, 203, 332, 335, 336, 337, 344, 380, 393-394, 396, 415, 444, 478, 481.
AFFAITATI (famille) : I. 193, 405, 517 ; II. 39.
Africa, ville du Sahel tunisien : II. 228-231, 238, 239, 285, 287.
Afrique : I. 27, 214, 427 ; II. 37, 156, 167, 303, 451 ; (côte orientale de l') : II. 459.
Afrique du Nord : I. 30, 31, 37, *48* (1), 52, 74, 84, 85, 86, 87, 90-91, 96, 98, 100, 107, 108, 122, 123, 124, 125, *125* (1), 136, 137, 140, 148, 150, 151, *151* (1), 152, 155, 161, 163-165, 166, 167, 169, 202, 211, 216, 220, 223, 229, 237, 246, 256, 274, 275, 281, 285, 291, 301, *332* (2), 357, 359, 362, *364* (9), 366, 367, 380, 422, 424, 425, 426, 428, 429, 431, 432, 525, 544, 550, 552-553, *562* (5), 565-566, 578 ; II. 19-20, 77, 81, 91, 92, 95, 99,

108, 111, 133, 134, 136, 137, 143, 145, 148, 149, *149* (1), 155, 168, 176, **181-190**, 197, 200, 205, 206, 210, 218, 226, 237-239, 246, 247, 283, 284, 289, 290, 294, 306-307, 360, 361, 363, 367, 368, 376, 385, 397, 406, 409, 418, 419, 421, 425, 430, 436, 450, 469, 472-477, 479, 503, 506, 512.
Afrique du Sud : I. 168, 246, 332, *425*, (7, 10).
Afrique équatoriale : I. 165, 167.
Afrique mineure, voir Afrique du Nord.
Afrique occidentale : I. 436.
Agadir : I. 110.
Agde : II. 192.
Aghlabites : I. 106.
Agnadel (bataille d') : I. 42, 118, 357 ; II. 218.
AGNELLO (Giovanni) : I. *550* (12).
Agordo, localité de Vénétie : I. 392.
AGRIA (évêque d') : II. 349.
Agrigente : I. 231, 518, 525, 526 ; II. 179.
AGUILA (évêque d') : II. 280.
AGUILA (marquis d') : II. 425.
AGUILA (don Juan d'), agent espagnol de Nantes : II. 192.
AGUILAR : I. 468.
AGUILÓN, secrétaire d'ambassade : II. 399-401.
AHMED 1er, sultan : II. 66.
Aiguesmortes : I. 57, 189, 231, 274, 359.
Aïn Beida : II. 108.
AÏNI ALI, intendant des finances du sultan Ahmed 1er: II. 66.
Aïr : I. 159.
AIX (Louis d'), compagnon d'armes de Charles de Casaulx : II. 494.
Aix-en-Provence : I. 309, 419, 489, 490-491, 494 ; (Parlement d') : I. 85, 198 ; II. 489, 491.
Ajaccio : I. *29*, (4), 304, 350 ; II. 309.
Ajjer : I. 161.
Akaba : I. 160.
Alaska : I. 252.
ALAVA (Francés de), ambassadeur de Philippe II en France : I. 435 ; II. 122, 300, 310-311, 327, 328, 348, 356, 362, 369, 373, 386, 388, 390, 400.
ALBAIN BEY, ambassadeur de Turquie : II. 348.
Albains (monts) : I. 56.
Albanais : I. 39, 43, *43* (3, 8, 12), 78, 120, 228, 307 ; II. 173, 418, 434.
ALBANI (Dina) : I. 245.
Albanie : I. 28, 31, 34, *34* (4), 35, *37* (6), 48, 51, 54, *54* (5), *56* (1), 115, 116, 123, 136, 292, 303, 367, 538 ; II. 11, 14, 38, 66, 84, 100, 107, 172, 174, 176, 195-196, 283, 336, 346, 347, 380, 392-393, 416, 508-509, 511.
ALBAQUI, chef grenadin : II. 367.
Albarracin : I. 365.
ALBE (comte d') : II. 55, 475-476.
ALBE (duc d') : I. 176, 260, 344, 438, 439, *439* (5), 441, 443, 448, 457, 559 ; II. 22, 25, 39, 56, 102, 165-166, 168, 178, 252, 256-258, 263, 291, 292,

---

1. Les noms de personne ou de famille sont en petites capitales. Les noms de peuple et les dénominations géographiques sont en romain. Les noms de quartiers, de monuments, etc., sont en italique. Les chiffres ou caractères gras renvoient aux principaux passages. Les numéros de pages en italique renvoient aux notes.

295, 310, 313, 327, 328, 333, 341-345, 350, 351, 354, 355-356, 360, 376, 388, 390, 398, 399, 400, 401, 403, 404, 405, *417* (1), 431, 439, 447, 460, 461, 465-466, 514.

Albenga, port de Ligurie : I. *57* (n. 4 de la p. 56).

ALBERT (archiduc) : II. 495, 500, 510.

ALBERTI (Tommaso), marchand de Bologne : I. 182-183, 184.

ALBI ET TAGLIACOZZO (comte d') : II. 52, 60.

Albissola : I. 381 ; II. 205.

ALBRET (duc d') : II. 237.

ALBRET (Jeanne d') : II. 328, 414.

ALBUQUERQUE (duc d'), gouverneur de Milan : II. 388.

ALCALÁ (duc d'), vice-roi de Naples : I. 260, 445, 478 ; II. 56, 83, 277, 282, 286, 289-291, 295, 297, 300, 306, 307, 391, 504.

Alcalá de Hénarès : I. 459 ; II. 30.

Alcantara : I. 83 ; (pont d') : II. 466.

ALCAUDETE (les) : II. 187.

ALCAUDETE (Alonso de) : II. 304.

ALCAUDETE (comte Martín de) : II. 284, 304-305.

Alcazar Kébir (bataille d') : II. 171, 432, **462-465.**

ALCOÇABA (Pedro de), secrétaire de la Fazenda : II. 463.

Alcudiat : II. 180.

ALDIGUALA, voir GUARNIX.

ALDOBRANDINO (cardinal) : II. 384, 501.

ALEATI (Giuseppe) : II. 518.

Alemtejo : I. 365, 387, 531.

ALENÇON (François, duc d') : I. 343, 344, 442.

Alep : I. 58, 90, 160, 169, 226, 238, 254, 256, 262, 291, 353, 391, 403, 404, 428, 444, 454, 489, 498, 499, 504, 508, 510-514 ; II. 17, 70, 84, 148, 149, 246, 298, 455.

Alès (bassin d') : I. 200.

ALESSANDRINO (cardinal) : II. 337, 344, 384.

Alessio : II. 107, 199.

ALEXANDRE III, le Grand : I. 152, 216-217 ; II. 131.

ALEXANDRE VI : I. 58.

Alexandrette : I. *58* (5), 285, **512**, *512* (5), 513, 514, 564 ; II. 208.

Alexandrie, Égypte : I. 57 (n. 4 de la p. 56), 95, 96, 101, *118* (1), 126, 135, 159, 160, 235, 239, *244* (4), 274, 281, 321, *328* (7), 329, 331, 332, 333, 335, 356, *356* (2), 359, 404, 422, 444, 449, 450, 454, 494, *494* (2), 497, 498, 500-505, 507, 508, 511, 514, 528, 535, 577 ; II. 37, 70, 84, 96, 100-101, 109, 110, 148, 168, 193, 198, 200, 245, 304, 335, 387, 473, 476.

Alexandrie, Italie : I. 478, II. 330-331.

Alfamen, Espagne : II. 129.

ALFARACHE (Guzmán de) : I. 222, 224, 228, 254 ; II. 93.

Algarve portugaise : I. 108, 365 ; II. 203, 204, 284, 466.

Alger, Algérois : I. 25, 43, 48, 52, 55, 56, 75, 100, 106, 107, 108, 109, 110, *123* (1), 124, *124* (1), 125, 128, 130, 136, 138, 145, 164, 167, 213, 215, 229, 230, 232, 255, 261, 275, 283, *288* (3), 291, 307, 332, 358, 366, 380, 410, 424, 425, 431, 432, *432* (11), 450, 489, 491, 514, 522, 553, 557, 564, 566 ; II. 37, 47, 96, 97, 100, 101, 109, 134, 166, 167, 172, 181, 183, 185, 187, 190, 191, 192, 194-199, 201, 203-208, 226, 227, 229, 237, 245, 250, 251, 263, 283-284, 288, 297, 299, 303-304, 308, 310, 315, 316, 318-320, 336, 342, 347, 349, 351, 360, 361, 363, 364-365, 366, 385, 386, 397, 402-403, 408, 419, 421, 424, 429, 433, 444, 446, 447, 463, 464, 471, 472, 476, 477, 502, 512.

Quartier des Tagarins : I. 307.

Algérie : I. 52, *56* (2), 79.

Alghero, Sardaigne : I. 111, 138.

ALI, amiral poète : II. 459.

ALI, historien : II. 452.

ALI BEY : I. 513.

ALI PACHA, grand vizir : II. 298, 411.
(le fils d') : II. 435.

ALI PACHA DE TEBELEN : I. 35.

ALI PORTUC : II. 334.

Alicante : I. 49, 84, 97, *98* (4), 135, 138, 172, 257, 271, 281, 282, 332, *448* (2), 524, 532, 550, 552, 558, 561-562 ; II. 180, 193, 247, 398.

ALIFE (prince d') : I. 317.

ALIPRANDI (Lorenzo), marchand vénitien : I. 358.

Aljubarrota : II. 465.

ALLEGRETTI (Christofano), facteur ragusain : I. 498.

Allemagne : I. 33, 45, *66* (3), 173, 175, 176, 181, 183, **185-188, 190-192,** 194, *194* (4), 195, 196, 197, 217, 260, 262, *262* (1), 265, 266, 288, 292, 296, 321, 345, 352, 358, *362* (n. 3 de la p. 361), 381, 393, 429, 431, 433, 438, 446, 447, 453, *453* (2), 457, 476, 490, 492, 493, 509, 510, 562, 577 ; II. 10, 21-23, 47, 102, 104-105, 138, 141, 143-144, 150, 152, 155, 161, 170, 171, *174* (5), 190, 219, 225, 226, **231-237,** 240, 241, 242, 245, 248, 250, 253-255, 259, 265, 266, 270, 279, 311, 338, 340, 341, 344, 345, 352, 355, *373* (4), 389, 402, 403, 405, 417, 482-483.

Allemagne (Haute) : I. 85, 190, 191, 255, 346, 355, 438, 456, 464, 494 ; II. 158, 291.

Allemagne du Sud : I. 156, 183, 191, 193, 494, 569 ; II. 134.

Allemands : I. *74* (3), 190-191, 221, 353, 467, 554, 575 ; II. 41, 79, 98, 101, 140, 147, 287, 307, 309, 326, 333, 334, 376, 391, 420, 421, 426, 434, **464,** 471, 488, 510.

Allier : II. 492.

Almaden : II. 41, *131* (2).

Alméria : I. 108, 135, 138, 552 ; II. 125, 194, 359.

ALMOHADES : I. 108, II. 137.

Almonezil, région d'Aragon : II. 120.

ALMORAVIDES : I. 108, 163.

Alpes : I. 22, 23, 27, *27* (6), *29* (4), 30, *30* (1), 33, *33* (2), 37, 42, 44, 50, 64, 82, 93, 147, 149, 175, 185, 186, 187, **188-190,** 191, 193, 194, 198, 199, 214, 244, 245, 247, 256, 266, 290, 334, 387, 422, 459 ; II. 84, 91, 102, 105, 165, 175, 218, 244, 257, 388-389, 482, 490, 497 ; (apuanes) : I. 247.

Alpes (Pré-) : I. *33* (3).

ALPHONSE 1er, roi de Naples : voir Alphonse V le Magnanime.

ALPHONSE V LE MAGNANIME (roi d'Aragon) : I. 49, 79, 111, *425* (10), 426.

Alpujarras (monts) : I. *31*, 31 (5) ; II. 122, 124, 125, 362, 367, 368.

Alsace : I. 480.

Altomonte, Calabre : I. 130.

ALTUCARIA, agent de Charles IX à Constantinople : II. 405.

AMADOR (Juan), de Madrid, renégat : II. 198.

Amalfi : I. 129, 299.

Amantea, port de Calabre : I. 129.

Amasie, ville d'Anatolie : I. 25 ; II. 455.

AMAT DI SAN FILIPPO (Pietro), historien : I. 138.

Amboise (conjuration d') : II. 264.

Ambrogio (valle di) : I. 61.

Amérique : I. 27 (1), 45, 58, 67, 74-75, 97, 141, *151* (2), 153, 155, 192, 207, 210, 217, 226, 269, 276, 278, 294, 306, 314, *329* (8), 341, 346, 358, 368, 404, 412, 427, 429, 433-440, 443-448, 453, 454, *454* (1), 457, 463, 464, 471, **473-476,** 485, 487-488, 491, 506, 510, 515-516, 572, 574, 576 ; II. 20, 25, 26-27, 30, 51, 80, 93, 99, 145, 147, 151, 156, 159, 185, 191, 216, 275, 278, 341, 430, 465.

espagnole : voir Espagne (Nouvelle-).

hispano-portugaise : I. 261.

Amiens : I. 219, *339* (4) ; II. 497-499.

AMMIRATO (Scipion) : II. 8.

Ampaza, port d'Afrique : II. 459.

Ampurdan : I. 69.

Amsterdam : I. 45, 179, 192, 195, 197, 199, 294, 360, 387, 404, *410* (3), 455, 463, 568, 572, 575, 576, 578 ; II. 47, 137, 138, 142, 147, 148, 150, 152, 155, 409.

Académie des Pinto : II. 138.

AMURAT, roi corsaire d'Alger : I. *110* (5).

AMURAT III, sultan, successeur de Sélim II : voir MOURAD III.

Anapa port de Circassie, sur la mer Noire : I. *39*, (8).

Anatolie : I. 23, 25, 43, 47, 55, 74, 86, 87, 90-92, 124, 148, 150, *150* (3), 151, 156, 159, 161, 163, 221, 238, *244* (4),-254, 256, *262* (2), 365, 368, 471, 517 ; II. 11, 13, 18, 62, 77, 88, 100, 110, 117, 173, 194, 326, *373* (4), 374, 381, 453, 477, 485.

Anchioli (palais d') : II. 41.

Ancône : I. 48, 117, *117* (5), 118, 119, 123, 227, 257, 263, 290, 308, 344, 345, 424, 504 ; II. 70, 72, *143* (11), 144, 149, 151, 179, 378, 396. (mont d') : II. 375.

Andalousie, Andalous : I. *49* (1), 63, 68, **73-76**, 82, 84, 92, 108, 109, 127, *127* (2), 129, 147, *151* (1), 164, 207, 208, 218, 220, 222, 224, 236, 261, 278, 300, 307, *364* (9), 366, 368, *377* (9), 387, 404, 435, 455, 522, 530-533, 551 ; II. 41, 53, 85, 118, 120, 126, 128, 134, 203, 204, 206, 284, 301, 349, 351, 352, 361, 390, 391, 462.

ANDRADE (les), marchands : I. 545, 577.

ANDRADE (Gil de) : II. 391, 410.

Andria, ville d'Apulie : I. 48.

Andrinople : I. *55* (8), 182, 292 ; II. 14, 18, 62, 84, 100, 116, 339. (trêve d') : II. 176.

Angers : II. 73.

Angevins : I. 107, 110-111.

Anglais : I. *59* (2), 110, 123, 129, 144, 180, 184, 205, 209, 236, 268, 277, 286, 356, 424, 488, 497, 501, 509, 510, 512, 513, **554-556**, 557, 559, **560-567**, 572-576 ; II. 73, 207, 209, 259, 399, 401, 444, 465, 468, 497, 499.

Angleterre : I. 43, *63* (2), *127* (1), 128, 143, 173, 176, 177, 181, 185, 189, 194, 197, 200, 202, 205, 207, 208, 209, 233, 251, 261, 271, 274, 278, *279* (5), 281, 292, 294, 315, 331, 342, 346, 353, 355, *362* (n. 3 de la p. 361), 387, 392, *393* (4), 396, 398, 406, *410* (3), 427, 437, 438-440, 449-450, 474, 476, 480, 483, 488, 489, 492, 494, 506, 510, 530, 540, 543, 544, 549-551, 554-557, *557* (3), 559, *560* (n. 12 de la p. 559), 561-562, 567-568, 572, 575, 576 ; II. 21, 25, 33, 47, 75, 94, 96, 100, 102, 103, 128, 134, 142, 148, 150, 162, 170, 171, 194, 196, 208, 217, 226, 228, 232, 237, 241, 248-249, 250, 252, 253-254, 260, 261-264, 265, 272, 292, 312, 340, 341, 344, 352, 355-356, 374, 398-400, 403, 405, 408, 417, 431, 449, 464, 465, 467, 479, 480, 500, 503, 511.

Angola : I. 142.

Angoumois : II. *492* (1).

ANJOU (Charles d'), voir PROVENCE (comte de).

ANJOU (Henri duc d') : voir Henri III.

Ankara : I. 55, *57* (4), 91, 256 ; II. 148, 485.

ANNA, princesse de Hongrie, épouse de Ferdinand, frère de Charles Quint : II. 22.

ANNE, reine d'Espagne, dernière épouse de Philippe II : I. 394.

ANNONI (famille), entrepreneurs de transports : I. 194.

Ansedonia (marais d'), en Toscane ; I. *61* (2).

Antalaya, Pamphylie : I. 79.

Antibes : I. 282, 285 ; II. 490-491.

Antilles : I. 205, 206, 487 ; (mer des) : II. 195.

Antioche : II. 110.

Antivari : I. 50 ; II. 385.

ANTONELLI (Giov. Bat.) : architecte militaire : I. *28* (7) ; II. 181.

ANTONIO (don) : prieur de Crato : II. 55, 447, 463-466.

Anvers : I. 97, 142, 173, 182, 185, *185* (3), 189, 192, 193, 197, 198, 199, 208, 265-266, 276, 294, 308, 314, 327, 328, 333, *336* (1), 338, 345, 357, 360, *397* (2), 429, 436, 437, 438, 440, 443, 448-449, 453-454, 455, 458, 460, 494, 497, 501, 503, 509, 516, 531, 533, 545, 550, 552-553, *559* (12), 561, 568, 574-575, 577 ; II. 109, 142, 148, 170, 217, 244, 249, 254, 259, 274, 341, 343, 399, 423, 499.

Apennin toscan : I. 155.

Apennins : I. 23, *27* (5), *31* (3), 36, 37, 50, 64, 93, 114, 147, 247, 257, 291 ; II. 251.

Apennins (Pré-) : I. 48, 73.

Appenzell (canton d') : II. 498.

Apulie : voir Pouilles.

Aquila : I. 37, 39, 190, 311, 345 ; II. 79.

Aquilée : I. 44, *57* (n. 4 de la p. 56), 61, *61* (6) ; II. 71, 83.

AQUINO (d'), riche financier à Naples : II. 75.

Aquitaine : I. 213-214.

Arabes : I. 63, 74, 86, 91, 110, 123, 124, 147, 152, 159, 162, 165, 235 ; II. 77, 99, 101, 132, 364.

Arabie · I. 86, 156, 158, 159, 163, 213, 503, 525 ; II. 100, 110, 459.

Arachova, village sur les pentes du Parnasse : I. 29 (2).

Aragon, Aragonais : I. 27, 31, *42* (5), 62, 77, 85, 107, 111, *111* (1), 149, *234* (3), 269, 307, 311, 348, 351, 353, 365, 382, 391, 425, 435, 478, 484, 524 ; II. 7-8, 19, 38, 51, 53, 55, 81, 84, 118-120, 124, 127, 129, 136, 273, 300, *347* (8), 362, 467, 488.

ARAGON (cardinal d') : I. 217.

ARAGONA (Carlos de) : II. 321.

ARAMON (Gabriel de LUITZ, baron d'), ambassadeur du roi de France : I. 332 ; II. 239-240.

ARANDA (comte d') : II. 120.

ARANDA (duc d') : II. 120.

Aranjuez : I. 366 ; II. 328, 391.

Ararat : I. *36* (3).

Archipel : I. 23, 28, 99, *99* (6), 100, 101, 105-106, *106* (2), 117, 123, 124, 125, 126, 132, 136, 145, 223, 235, 286, 342, 524, *525* (2), 529, 564 ; II. 106, 113, 198, 200, 201, 202, 321, 323, 335, 380, 394, 410, 411, 417, 467, 475, 502, 503 ; (îles de l') : I. 134, 253, 521 ; II. 173, 195.

ARCOS (duc d') : I. *127* (2) ; II. 54, 367.

Arctique (océan) : I. 246.

Ardèche, rivière : I. 248.

Ardèche : I. 41, 214.

ARDINGHELLI : II. 267-268.

Ardres : II. 226.

Arech, district de Transcaucasie : II. 454.

Arenys de Mar, village de pêcheurs en Catalogne : I. 132.

Arenys de Mount, village de Catalogne : I. 132.

Arezzo : I. 257.

Argens (l'), fleuve côtier du Var : II. 492.

Argos : II. 199 ; (plaine d') : I. 59.

Ariano (col d') : I. 257.

Arica, port des mines du Potosi : I. 207.

ARISTOPHANE : I. 225.

Arkhangelsk : I. 177.

Arles : I. 77, 200, 201, 248, 290, 302 ; II. 311, 489, 494 ; (pays d') : I. *41* (7), 85 ; (plaine d') : I. 69.

Arménie, Arméniens : I. *25* (2), 44-46, *45* (3, 4, 5, 6), 92, 100, 149, 176, 181, 264, *307* (7), 308, 319, 359, 512 ; II. 70, 100, 113, 136-137, 166, 450, 452, 456.

ARMENTEROS (Diego de), visitador : I. 575, 576.

Armorique : I. 214 (voir aussi Bretagne).

Arno : I. 226, 258, 523 ; (val d') : I. 56.

Aromounes (les), : I. *28* (4) ; II. 113.

Arras : II. 235, 266, 277.

ARRIGO (Agostino) : I. 245.

ARSLAN, pacha de Buda : II. 338.

Arta (golfe d') : I. 91.

ARTEAGA, inquisiteur : II. 273.

Arzila, Afrique du Nord : II. 462.

Ascoli : I. 39, 260.

Asiatiques : I. 124.

Asie : I. 214, 320, 346, 367, 506, 509 ; II. 37, 156, 219, 450-451, 485.

Asie centrale : I. 314 ; II. 356, 357, 452, 478.

Asie Mineure, voir Anatolie.

ASKANASI (docteur Salomon) : II. 434, 440, 441-442, 445-446.

Askhenazis, juifs d'Allemagne : II. 138.

Asola : I. 288.

Assi (royaume d') : voir Sumatra.

ASSO (Ignacio de) : I. 92, 351 ; II. 99.

Asti : I. 188, 291.

Astorga : I. 408.

ASTORGA (marquis de) : II. 58.

Astrakhan : I. 105, 175, 176 ; II. 97, 357, 452.

Asturie, Asturiens : I. 40, *40* (3), 278, 534 ; II. 120.

ATAIDE (don Luis de), vice-roi des Indes : I. 503-504.

Athènes : I. 101, 105, 228 ; II. 14.

Atlantique (océan) : I. 27, 97, 99, 100, 107, 109, 111, 128, 134, 141, 153, 154, 156, 171, 185, 192, **204-210**, 211, 212-214, 246, 259, 266, 271, 272, 275, 276-280, 285, 286, 340, 343, 346, 357, 380, 383, 406-407, 427, 428, 429, 432, 435, 436, 437, 438, 463, 464, 487, 489, 493, 497, 506, 509, 510, 513-516, **548 et sq** ; II. 16, 21, 24-26, 101, 154, 156, 186, 191, 196, 197, 208, 212, 248, 250, 265, 329, 337, 352, 355, 378, 390, 399, 400, 401, 450, 451, 460, 461, 462, 467, 468, 469-470, 489, 499, 518.

Atlantiques (îles) : I. 551.
Atlas (monts) : I. 23, 24, *27* (4), 30, 35, 36, 50, 56, 149, 157, 226, 288.
Atlas (Haut-) : I. 36.
Attique : I. *66* (4).
AUBESPINE (Sébastien de l'), ambassadeur français : II. 266.
Aude : I. 130.
AUDISIO (Gabriel) : II. 101, 516.
Augsbourg : I. 183, *191* (7), 192, 196, *202* (1), 204, 290, 333, 436, 466, 494 ; II. 24, 231, 233, 235-236, 238, 239, 244, 249, 255.
  (Diète d') : II. 27, 234-235, 237.
  (Diktat d') : II. 235.
  (Paix d') : I. 192 ; II. 147, 253, 279, 341.
Augusta : II. 176, 179, 294.
AUGUSTIN (saint) : II. 111.
Augustins (congrégation des) : II. 103.
AUÑÓN (marquis de) : I. 315.
Aurès : I. 30.
Auribeau : I. 63.
Australie : II. 99.
Autriche, Autrichiens : I. 430, 480, 490, 546 ; II. 21, 158, 175, 280 ; (Maison d') : I. 437 ; II. 246, 254, 386 (voir aussi HABSBOURGS).
Auvergne : I. 39, 42, 138, 200, 382, 383 ; II. 143.
Auxerre : I. 198.
Aversa : I. 63, 348.
Avignon : I. 200, 237, 248, 339, 344, *449* (4) ; II. 143, 160.
Avila : I. 32, 370 ; II. 126.
AVIZ (maison d') : I. 530.
AVOGADRO (comte Ottavio) : II. 89.
AYALA (Luys Gaytan de), visitador : I. 575.
AYAS PACHA : II. 64.
AYDAR, agent espagnol : II. 445.
AYTONA (comte d') : II. 60.
AZARO (frère Mariano), carme déchaussé : I. 505.
Azerbaïdjan : II. 458.
AZEVEDO (Frey Augustinho d'), frère augustin, Portugais : I. 512.
AZEVEDO (Lucio de), historien : II. 142.
Azof : II. 357 ; (mer d') : I. 356.
AZPILCUETA (Martín de), professeur à l'Université de Salamanque : I. 473.

BAASCH (E.), historien : I. 278.
BABALIS (Hieronimus Johannes de) : I. 444.
Bab-Azoun (porte méridionale) : I. 288.
Bab-el-Mandeb : I. 502 ; II. 459.
Bab-el-Oued (porte du Nord) : I. 288.
Babylone : I. 160.
Babylonie : I. 498.
Bacchiglione (le) : I. 71.
Bactriane : I. 86.
Badajoz : I. *57* (n. 4 de la p. 56), 350 ; II. 92, 271, 466.
BAEHREL (René) : I. 53, 305 ; II. 215, 517.
Baeza, Espagne : II. 359.
Bagdad : I. 158, 168, *168* (1), 238, 291, 508, 511, 512 ; II. 457.
BAGLIONI (les) : II. 85.
Bagnacavallo, Romagnole : I. 539.
BA HASSOUN, prétendant au trône du Maroc : II. 245, 251.
Baies, près de Naples : I. 58, 113.
BAJA GANJE : II. 113, 116.
BAJAZET, fils de Soliman le Magnifique : II. 281, 282, 283, 293, 298, 299.
BAKER (Peter), patron de barque : I. 561.
Bakou : II. 457.
Balagne, région de Calvi : II. 311.
BALDINUCCI (G.) : II. 76.
BALDUCCI-PEGOLOTTI (Francesco) : I. 342.
Bâle : I. 188, 204, *441* (2) ; II. *103* (2).
Baléares (îles) : I. 95, 108, 111, 122, 124, 133, 134, 137, 138, 140, *140* (4), 332, 550, 553 ; II. 20, 184, 205, 227, 260, 301.
Baléares (mer des) : I. *99* (6).
Balkandjis (les) : II. 113.
Balkans, Balkanique : I. *27* (6), 28, 29, 31, 35, 37, 50, 56, *66* (4), 68, 86, 87, 90-91, 101, 114, 120, 136, 148, 149, 150, *150* (3), 151, 171, 176, **178-184**,

216, 219, 227, 249, 256, 261, 262, 263, 264, 265, 267, 268, 291, 292, 312, 348, 352, 360, 362, 367, 368, 444, 471 ; II. 11, 16, 18, *18* (4), 32, 62-63, 65, 68, 107, 112-113, 116-118, 145, 156, 168, 174-175, 189, 334, 397, 482.
BALLESTEROS (A.) : I. 208.
Baltique (mer) : I. 128, 153, 172, 174, 175, 178, 179, 184, 185, 192, 205, 213, 250, 251, 278, 352, 355, 412, 493, 531, 543 ; II. 101, 196.
Bambuk ou Bambouk, pays du Soudan : I. 429.
Banat, Serbie : II. 77.
BANDELLO (Matteo) : I. 33, 40, 41, 68, 143, 149, 221, 222, 226, 237, 281, 304, 308, 366 ; II. 16, 71-72, 109, 172, 262.
BANDUF (Antoine), patron de navire marseillais : II. 193.
BANTELLA (Pietro del), Florentin : I. 293.
Barawa, port africain : II. 459.
Barbaresques (les) : I. 119, 138, 231, 284, 544, 550, 564 ; II. 125, 192, 202, 245, 283, 300, 315, 366, 367, 368, 372, 513.
BARBARI (Candido di) : I. 511.
Barbarie : voir Afrique du Nord.
BARBARIGO (Agostino), provéditeur : II. 394.
BARBARO (Marc'Antonio) : I. 308.
BARBEROUSSE (les) : I. 106, 124, 228, 550, 551 ; II. 181, 207, 226, 227, 228, 229, 283, 364, 377, 429, 471.
Barcelone : I. 41, 49, 63, *63* (4), *95* (5), 111, 130, 133, 135, *135* (2), 138, 172, 244, 255, 256, 257, *278* (9) 295 302, 311, 330, 333, 334, 344, 442-448, 449, 464, 524, 532, 549-550, *550* (11, 12), 553, 554 ; II. 7, 34, 60, 69, 84, 100-101, 120, 180, 183, 241, 247, 273, 303, 305, 316, 317, 320, 323, 325, 333, 349, 352, 360, 390, 391, 409, 417, 419, 428, 461, 469, 520.
  Quartier Santa Maria del Mar : 133.
Bardenas Reales, steppes aux confins de l'Aragon I. 77.
BARDI (les), marchands de Florence : I. 544.
BARELLI, ou BARELI (Juan ou Giovanni), chevalier de Malte : II. *373* (4), 432-434.
Barhein (île de) : I. 503.
Bari, port italien sur l'Adriatique : I. 48, 116, 290, 358, 550 ; II. 202 ; (terre de) : II. 178.
Barjols : I. 63.
Barletta, port italien sur l'Adriatique : I. 48, 256, *257* (1), 260, 491 ; II, 177, 178.
Barlovento (flotte de) : I. 487.
BARNABÉ (père), supérieur des Capucins : I. 228.
BAROCCIO (Federico) : II. 158.
BARRÈS (Maurice) : I. 68 ; II. 72.
Barrois (le) : II. 240.
BARROS (João de) : I. 99.
BARTOCCIO (Bartolomeo), marchand ombrien établi à Genève : II. 103.
Basca (roggia) : I. 65.
Basilicate : I. *38* (2), 386.
Basque (pays) et Basques : I. 33, 131, 172, 387, **549-550** ; II. 38 ; (pirates) : I. 128.
Bassora : I. *168* (1), 503, 511 ; II. 459.
Bastelica, Corse : I. 350.
Bastia : II. 246, 250, 260, 311.
BASTIDE (François) : II. 519.
BATAILLON (Marcel) : II. 23, 102, 269, 270.
BATHORY (Sigismond) : II. 483.
BAUDAERT (Nicolas), marchand résidant en Angleterre : I. 576.
BAUER (Clemens) : II. 43, 159.
BAUER (Walter) : I. 218.
BAULANT (Micheline) : II. 472.
Bavière, Bavarois : I. 191, 245, 300, 303, 538, 540.
BAYARD : I. 173, 298, 366, 491 ; II. 79.
Bayeux : I. 217.
Bayonne : I. 128, 198, 327, 533 ; II. 142, 161, 320, 327-329.
BAZAN (Alvaro de), marquis de Santa Cruz ; II. 273, 307, 314, 320, 321, 323, 326 (voir aussi SANTA CRUZ).
Beaucaire : I. 197, 198, 201, 248.
Béarn : I. *34* (4), 328, 353, 382 ; II. 488-489.
Beaurevoir, commune près de Saint-Quentin : II. 258.
BEAUVAIS LA FIN (Jacques de) : II. 491.

BECKERS (Ch.) : II. 67.
Bédouins : I. 160, 164, 166, 170.
Beira : I. 365.
Béjà, Tunisie : II. 365.
Belgrade : I. *174* (2), 232, 292, 352, *352* (5), 537 ; II. 14, 16, 18, 22, 63, 84, 107, 218, 339, 482.
BELLAY (Joachim du) : II. 263.
BELLET (George de), patron de galion : I. 285.
BELLIÈVRE, chancelier : II. 501.
BELOCH (Karl Julius) : I. 371, 374-375, 376.
BELON DU MANS : I. 25, 54, 95, 96, 101, 161, 169, 222, 234, 235, 328, 329, 489-490, 499-500 ; II. 15, 139, 141, 147, 174, 195.
BELTRAMI (Daniele) : I. 288, 363, 380.
BEMBO (Alvise), provéditeur vénitien : I. 59, 120.
Benavarre : I. *55* (8).
BENAVIDES, juif employé à la chancellerie turque : II. 445.
Bénédictins : I. 64.
Bénévent : I. 256, 260 ; II. 75, 86.
Bengale : I. 168.
Beni Larba (les), peuplades nomades : I. 161.
BENNASSAR (B.) : I. 377.
BENTIVOGLIO (les) : II. 85.
BENTIVOGLIO (Alexandre) : I. 237.
Bentomiz (sierra de) : II. 369.
BÉRARD (Victor) : I. 39, 256, 325.
Berbérie, Berbères : I. 30, 31, 34, 141, 142, 151, 307, *357* (6) ; II, 179-180, 186.
Bereguardo : I. 65.
Bergame, Bergamasques : I. 41, *41* (1, 4), 188, 189, 310, 348, 364, 511 ; II. 345.
BERGIER (Jean-François) : I. 193.
Berkovitza : II. 64.
BERMEJO ou VERMEJO, surnom d'un envoyé d'Antoine de Bourbon à Madrid : II. 312-313.
BERMUDEZ DE PEDRAÇA (Francisco), historien : I. 31.
BERNALDEZ, historien des Rois Catholiques : II. 139.
BERNARD (Étienne), agent royal à Marseille : II. 494.
Bernia (sierra de) : I. 28, *28* (7).
BERNÓN (Galeazzo), agent espagnol à Constantinople : II. 506.
Berre : II. 489.
Berry : I. 200.
BERTHOLOTI (Alexio), bandit : II. 90.
BERTUCCI (Francesco Antonio), capucin : II. 47.
BERZIGHELLI (les), marchands de Florence : I. 544.
Besançon : I. 208, 447, *449* (4), *458* (3) ; II. 42 ; (foires de) : I. 295, 348, *421* (6), 458, 460, 542.
Bessarabie : I. 171.
Bétique : I. 23, *30* (4), 74, 124.
BEUTIN (Ludwig) : I. 568.
Beyrouth : I. 79, 129, 242, 274, 281, *356* (2), 359, 494, *494* (2), 555 ; II. 108.
BIACHINELLI (les), marchands de Florence : I. 544.
BIACHORALI (les), marchands de Florence : I. 544.
Bialograd : I. 102, 178, *178* (9).
BIANCHINI (G.), historien : I. 519, 527 ; II. 52, 61.
BIANDRATO (Alonso), hérétique : II. *103* (10).
Biguglia, marais de Corse : I. 55.
Bilbao : I. 49, 84, 290, 449, 531.
BINET (R. P.) : I. 271.
Biot, Provence : I. 63.
Biraga (roggia) : I. 65.
BIRAGUE (les) : II. 388.
Birka, près du Caire : I. 165.
Biscaye et Biscayens : I. 40, *95* (3), 108, 128, 133, 208, 275, 280, 283, 350, 436, 439, 448, 471, 531, **549-550**, 551 ; II. 30, 81, 120, 128, 204, 402.
Bisceglie, port sur l'Adriatique : II. 178.
Biskra : I. 48 ; II. 365.
Bitonto, ville d'Apulie : I. 48.
Bizerte : I. 123, 125 ; II. 194, 199, 210, 229, 390, 406, 409, 419, 422, 424, 429.
Blanc (cap) : I. 425.
BLANCHARD (Raoul) : I. 27.
« Blanche » (mer), voir Archipel.
BLOCH (Marc) : I. 34, 353, 533.
BLOCH-WARTBURG : II. 92.
Blois : I. 333 ; II. 237, 399.
BOCCACE : I. 226, 366 ; II. 191.

Bocognano, Corse : I. 350.
BOCSKAY (Étienne) : II. 485.
BODENHAM (Roger), capitaine de barque : I. 555.
BODIN (Jean) : I. 473 ; II. 46.
Bogdiane : I. 264, 524.
Bogiasco : II. 96.
Bohême : I. 175, 192, 194, 315, **354**, **376**, 403 ; II. 141, 158, 169, 219, 235, 252, 280.
Boïards (les) : I. 43.
Boisseron, près de Lunel : II. 72-73.
BOISTAILLÉ : II. 298.
Bolgara (roggia) : I. 65.
Bologne : I. 47, 122, 182, 183, 222, 225, 257, 290, 313, *328* (7), 377, 378, 379, 544 ; II. 43, 157, 159, 257, 331, 519.
Bolzano : I. 188, 348 ; II. 169.
BOMINO, de Chioggia, patron de barque : II. 375.
Bon (cap) : I. 233 ; II. 185.
BON (Alessandro) : I. 71.
Bône : I. 106, *123* (1), 288 ; II. 183, 185, *185* (3), 205, 227, 229, 306, 365, 477 ; (rivière de) : I. 229.
BONGARS (Jacques) : II. 176.
Bonifacio : II. 246, 247.
Bonne-Espérance (cap de) : I. 97, 205, 206, 208, 454, 493, 515, 565 ; II. 16, 46.
BONTEMPELLI (Antonio et Hieronymo) : I. 513.
BONVISI (les), voir Buonvisi.
Bordeaux : I. 328, 488, 497 ; II. 142, 388, 400, 402, *409* (1), 496.
BORGHESE (cardinal Camillo) : I. *95* (5) ; II. 56.
BORGHESE (famille) : I. 73.
BORJA (don J. de) : II. 128.
BORLANDI (Franco) : I. 541.
BORLOTTI (G. Steffano et Michel Angelo) : I. 453.
BORROMÉE (saint Charles) : I. 29 (4) ; II. 160, 330.
BORROMÉE (cardinal) : I. *33* (2) ; II. 305.
BORROMÉE (Ludovico) : II. 72.
BORROMEO (évêque F.) : I. *29* (4).
BORROMEO (comte Federico) : II. *316* (8).
Bosco, près d'Alexandrie (Italie) : II. 331.
BOSIO, « bourgeois » de Malte : II. 240.
Bosnie : I. 50, 219, 263, 264, 291 ; II. 13, 14, 77, 340, 480.
Bosphore : I. 182, *227* (1), 236, 318, 320.
BOTERO (Giovanni) : I. 175, 293, 295, 340, 364, 365, 367 ; II. 8, 148, 190.
Bouc (Port de) : I. 290.
Bougie : I. 48, 108, 130, 425 ; II. 111, 149, 183, 227, 251, 252, 283, 425, 477.
Boulogne : II. 232, 234, 237, 354.
BOURBON (Antoine de) : II. 312-313.
Bourbonnais : II. 492.
BOURG (Claude du) : I. **343-344** ; II. 372, 387, 434, 444.
Bourg (le) camp retranché dans l'île de Malte : II. 322, 326.
Bourget (lac du) : I. 189.
BOURGEOIS (Émile) : II. 189, 499.
Bourgogne, bourguignon : I. *41* (6), 111, 198, 199, 200, 302, 523 ; II. 49, 73, 240, 342, 495, 496.
Brabant : I. 395 ; II. 234.
BRADI (Lorenzi de) : I. 44.
BRAGADINO (Antonio) : I. 507.
BRAGANÇA (Constantino de), vice-roi des Indes portugaises : I. 577.
BRAGANCE (duchesse Catherine de) : II. 463-464.
Braïla : II. 484.
Brandebourg : II. 345.
BRANTÔME : I. 203 ; II. 162, 324, 337.
Brasov : I. 192.
BRATIANU (G. I.) : II. 110.
BRATLI (Charles), historien : II. 268, 269.
BREA (Pedro), employé de la chancellerie turque II. 445.
BREDERODE (Hendrick van) : II. 341.
Brême : I. 185, 192 ; II. 236.
BRÉMOND (général) : I. 123, 161.
Brenner : I. 155, 187, 190, 260, 291, 300 ; II. 244.
Brenta (la) : I. 309 ; (vallée de la) : I. 188.
BRENTANO (les), banquiers de Francfort : I. 44.
Brenzio (val de), dans les Alpes milanaises : I. 44.

Brescia, Brescians : I. 33, *33* (3), *41* (5), 60-61, 62, 188, 237, 298, 310, 348, 364, 396, 397, *397* (9), *399* (8), 414 ; II. 151.
  Arte della Ferrarezza : I. 396.
  Broletto (ancien palais) : I. 298.
  San Stefano (porte) : I. 298.
Brésil : I. 97, *97* (4), 142, 205, 206, 207, 278, 286, 308, 313, 350, 403, 436, 492, 553, *572* (3), 577 ; II. 46, 90, 137, 156, 467.
Breslau : I. 179, 183, 193.
Bresse (la) : II. 499.
Bretagne : I. 198, 200, 272, 352, 531-532, 543, 552 ; II. 34, 192, 241, 402, 467, 486, 495, 496, 501.
BRETON (LE), avocat à Marseille : II. 495.
Bretons (les) : I. 75, 128, 236, **551-553**, 574.
BRÈVES (FRANÇOIS SAVARY DE), ambassadeur : I. 54, *383* (4).
Briare : I. 198.
BRIATICO (comte), nommé au gouvernement provisoire des deux provinces de Calabre : II. 87.
Brielle, dans l'île de Voorn, à l'embouchure de la Meuse : II. 355, 401, 408.
BRINCKMANN (A. E.), historien : II. 156.
Brindisi : I. *57* (n. 4 de la p. 56), 116 ; II. 176-178, 337.
BRIONÉS (Juan de), agent espagnol : II. 445.
Briscon (fort de) : II. 487.
BRISSAC (Charles Ier de Cossé) : II. 241, 250, 261.
Bristol : I. 554, 555, 568 ; II. 499.
BRITO (G. de) : voir GOMES DE BRITO (Bernardo).
BRONZINO : II. 70.
BROSSES (président Charles de) : I. 73.
Brousse : I. 25, 54, 260, 264, 470 ; II. 62, 485.
Bruca, *caricatore* de Sicile : I. 525, 526.
Bruges : I. 173, 207, 266, 270, 274, 276, 344, 355, 436, 531.
BRULEZ (Wilfrid) : I. 405.
BRUNHES (Jean) : I. 219.
BRUNO (Giordano) : II. 103.
BRUTI (Aurelio), agent espagnol : II. 439-440, 445.
B uxelles : I. 328, 330, 333 ; II. 22, 166, 180, 230, 234, 252, 254, 256, 265, 266, 267, 278, 285, 342, 354, 400, 401.
Bucarest : I. *165* (4) ; II. 483.
BUCER : II. 242.
Bude : I. *174* (2), 333 ; II. 16, **37**, 140, 338, 479, *481* (5), 482.
Budwitz : I. *173* (3).
Buenos Aires : I. 207.
BUGNON (Didier) : I. 158, 165.
Bul, Indes : I. 499.
Bulgarie, Bulgares : I. *27* (6), 29, *66* (4), **68**, *69* (1), 254, 292, 330, 528 ; II. 11, 13, 14, 90, 110, 113, **116-118**.
BUONACCORSI (les), marchands de Florence : I. 544.
BUONDELMONTI, gentilhomme florentin : I. *27* (5).
BUONVISI (les), commerçants à Lyon et à Lucques : I. *452* (1), 460, 544.
BURCKHARDT (Jacob) : I. 168 ; II. 156, 161.
BURGHLEY (lord) : II. 400.
Burgos : I. 49, 84, 207, 234, 290, 296, 315, 328, 333, *339* (4), 370, 405, 440, 442, 449, *449* (6), 531, 534 ; II. 38, 39, 57, 69, 84, 93, *185* (3).
BUSBEC (Augier GHISLAIN DE), ambassadeur à la cour impériale près Soliman II : I. 25, 55, 91, 221, 222, 254, 352, 365, 367 ; II. 16, 100, 134, 175, 294, 338.
BUSCHIA (docteur), agent de l'Espagne à Raguse : II. 295.
BUSCH-ZANTNER (R.) : I. 537 ; II. 16, 67.
BUSCIO (Corrado del), professeur de droit civil : I. 417.
Byzance et Byzantins : I. 74, 110, 121 ,124, 147, 150, 422 ; II. 7, 11, 15, 27, 29, 66, 112, 131, 451.

Cabrera (Catalogne), village de pêcheurs : I. 132.
CABRERA DE CÓRDOBA (Luis) : I. 250 ; II. 251, 252.
Cabrières : I. 31.
Cabril, village de Catalogne : I. 132.
CACCIA (Giulio del), agent florentin à Madrid : II. 419, 426.
Cachemire : I. 153, 340.

Cadix : I. 109, 124, *124* (1), 134, 209, 236, 269, 275, 277, 278, 283, 332, 342, 454, 485, 532, 544, 549, 553, 556, *557* (3), 559, *560* (n. 2 de la p. 559), 560, 561, 576, 577 ; II. 184, 284, 307, 462 ; (sac de) : I. 209.
Cadore, région de Vénétie : I. 307.
Caffa : I. 101, *101* (1), 102, 175, 178, 179, 313, *356* (1) ; II. 335, 456, 457.
ÇAFRA (Fernando de) : I. 108.
Cagliari : I. 138-139, 285, 350.
Cahours : II. 476.
CAILLÉ (René) : I. 165.
Caire (Le) : I. 26, 159, 160, 165, 166, 168, 238, 255, 333, 356, 367, 454, 489, 498, 499, 500, 502, 508 ; II. 17, 37, 70, 108, 148, 149, 471, 477.
Calabre : I. 28, 35, *38* (2), 77, 112, 129, 249, 391 ; II. 15, 38, 76, 77, 84-88, 133, 204, 260, 291, 393, 507.
Calais : I. 173, 271, 331, 333, *562* (5) ; II. 249, 259, *267* (1, 2), 497, 501.
Calatrava (ordre de) : I. 83, 532 ; II. 60.
CALDAGNO (Francesco), érudit du XVIe siècle : I. 81.
CALDEIRA (les), famille portugaise : I. 509 ; II. 146.
Calderina (sierra de la) : I. 350.
Caldetes (Catalogne), village de pêcheurs : I. 132.
Calicut : I. 403, 494, 499, 500, 504, 511.
Californie : I. 252.
CALLOT (Jacques) : II. 83.
Calvi : II. 246, 247, 250.
CALVIN : I. 327.
CALVO (Bartholomeo) : I. 442.
CALVO (Jacopo), corsaire sicilien : II. 202.
Camarasa, Catalogne : I. 63.
Camaret, Vaucluse : I. 199.
Camargue : I. *69* (2), 73, 77, 248.
Cambaya : I. 168, 499.
Cambrai : II. 497 ; (Ligue de) : II. 141.
CAMOËNS : I. 149 ; II. 415.
Camonica (val) : I. 397.
CAMPANA : II. 285.
CAMPANELLA : I. 249 ; II. 77.
Campanie : I. 364.
CAMPODIMEGLIO (Gieronimo), Génois, captif à Alger : II. 96.
CAÑADAS (Philippe), corsaire : II. 202.
CANAL (Cristoforo da), amiral vénitien : I. 127.
CANAL (Fabio), amiral vénitien : I. 352.
Canamore, Inde : I. 499.
Canaries (îles) : I. 141, 142, *151* (1), 205, 209, 513, 532 ; II. 32, 306.
CANAYE (Philippe), seigneur de Fresne : I. 54, 116, 517 ; II. 133, 143, 413, 418.
Candie, Candiotes : I. 27, *27* (5), 28, 35, 95, 96, 105, 106, 118, 123, 126, 127, 136, 139, *139* (4), 141, 142, *142* (3), 143, *143* (5), 145, 222, 227, 235, 246, 276, 282, 284, 313, 332, 333, 356, 359, 376, 379, **391**, 415, 514, 529, 536, 539, 554-556, 559, 562 ; II. 88, 106, 172, 173, 193, 199, 203, 380-381, 393-394, 410, 412, 436, 475, 480, 503, 506 ; (guerre de) : I. 31, 491 ; (vins de) : I. 284, 550, 554.
Canée (la), île de Candie : I. 536-537 ; II. 393.
CANETE (Juan), Valencien, maître de brigantin : II. 197.
Canfranc, bourg de la prov. de Huesca : I. 353, 435.
Canisia : I. *481* (5).
Cannes : II. 490, 491.
CANO (Tomé) : I. 95, 486 ; II. 46.
Cantabrique (côte) : I. 220, 489.
Cantabriques (monts) : I. 30 ; II. 118; (ports) : I. 409.
CANTACUZÈNE (Michel) : II. 41, 69.
Cantal : I. 39.
Cantarane (bassin de la) : I. 69.
CANTIMORI (Delio) : II. 104.
Capitanata (province de) : I. 386 ; II. 335, 336.
CAPMANY Y DE MONTPALAU (Antonio de) : I. 295.
Capodistria : II. 146.
Capoliveri, île d'Elbe : II. 246.
CAPPONI (les) : I. 293, 452, 544 ; (banque de) : I. *449* (4).
Capriola (sierra), dans la province de Capitanata. II. 335.
Capoue : I. 61, 213.
Capucin charitable : I. 306.

CAPURSO (marquis de), agent du vice-roi de Naples à Constantinople : II. 347.
Cap Vert (îles du) : voir Vert.
CARACCIOLO, peintre : II. 160.
CARACCIOLO (saint François), fondateur des frères Mineurs : II. 160.
CARAFFA (les) : II. 255-257.
CARAFFA (cardinal Carlo) : II. 256, 331.
CARAGALI : II. 418.
Caramanie : II. 346, 358, 374.
CARANDE (Ramón) : I. 269, 371.
CARCACANDELLA (Andrea), marchand grec de Constantinople : I. 182.
Carcassonne : II. 325, 488.
CARCÈS (comte de) : II. 309, 491.
CARDONA (Juan de), commandant des galères de Sicile : II. 322, 358, *362* (2), 407, 421, 426.
CARG (Thomas), agent des Fugger en Espagne : I. 466.
Caribrod (canton bulgare de) : II. 116.
CARILLO (Juan de), secrétaire de l'Inquisition de Tolède : II. 127.
Carinthie : II. 479.
CARLOS (don) : I. 25 ; II. 264, 277, 329, 354.
Carlotta : I. *68* (n. de la p. 67), *74* (3).
Carmel, Carmes : I. 32 ; II. 105, 159, 210.
Carniole : I. 50, 120 ; II. 189, 479.
CARNOTA BEY : II. 432-433.
CARO BAROJA (Julio) : II. 124, 129.
Carpathes : II. 481, 482.
Carpentras : I. 198.
CARRARE (seigneurs de) : I. 298.
Carrera de Indias : I. 208, 276, 410, 549, 574.
CARRETO (Alphonso de) : II. 57.
CARSAN (M.), citoyen d'Uzès, riche propriétaire : II. 72-73.
Carthage, Carthaginois : I. 110, 113, 124, 151, 366, 445 ; II. 95, 180, 321, 428.
Carthagène : I. 109, 231, 235, *278* (9), 282, 329, 332, 335, 409, *448* (2), 486, 505, 524, 552, 553, 561 ; II. 81, 184, 186, 247, 304-306, 310, 323, 350, 390, 391.
Casa de India : I. 410, 509.
Casa de la Contratación : I. 75, 277, 400, 456, 457, 465, 468 ; II. 272.
CASA (Giovanni della) : II. 256.
Casal, ville forte du Piémont : II. 250.
Casalmaggiore, Lombardie : I. 354.
CASAULX (Charles de) : II. 493-496.
Cascais, sur la rive nord du Tage : II. 466.
Casibile, prov. de Syracuse : II. 321.
Casino (île), mer Égée : II. 173.
Caspienne (mer) : I. 86, **174-178**, 501, 512 ; II. 97, 357, 450, 452, 456, 458, 470.
Cassis, Provence : I. 133 ; II. 192.
Cassitérides, îles Sorlingues, au large de l'Angleterre : I. 205.
Castelfranco, prov. de Trévise : II. 146.
Castellammare, port de Sicile : I. 525, 526 ; II. 179.
CASTELINE (Giovanni), agent italien à Constantinople : II. 506.
Castelletto, territoire du Montferrat : II. 150.
CASTELLO (Bartolomeo), entrepreneur de transports : I. 193.
CASTELLO (Giovanni Battista), architecte bergamasque : I. 41.
CASTELLÓN (marquis de) : II. 90.
Castelnuovo : II. 173, 283, 335, 336, 374, 511.
CASTER (Gilles) : II. 216, 519.
Castiglione (lac de), Italie : I. *60* (3).
Castiglione della Pescaja, bourg (prov. de Grosseto) : II. 246.
Castille et Castillans : I. 28, *40* (4), 49, 62, 82-84, 85, 86, 92, 111, 147, 149, 155, 209, 222, 269-270, 297, 300, 303, 311, 334, 341, 351, 353, 370-373, 376, 378, 380, 382, 385, 387, 388, 389, 391, 393, 401, 402, 404, 409, 411, 415, 425, 429, 441, 445, 453, 455, 459, 463-464, 468, 478, 479, 484, 485, 490, 494, 497, 522, 523, 527, 531, 533, 542, 571 ; II. 9, 19-20, 25, 27, 30, 35, 38, 40, 45, 53, **54-60**, 69, 73-74, 93, 118-120, 124, 126-127, 136, 145, 185, 251, 274-275, 277, 278, 284, 317, 353, 364, 369, 467, 492, 518.

Castille (Nouvelle-) : I. 48, 49, 350, 430, 480, 502, 514.
Castille (Vieille-) : I. 40, 48, 49, 235, 351-352, 469 ; II. 118.
Castille (almirante de) : II. 55-56.
Castille (commandeur de) : voir REQUESENS (don Luis de).
CASTILLE (connétable de) : I. 269, 327 ; II. 55.
CASTILLO PINTADO (Alvaro) : I. 372 ; II. 33, 40.
CASTRO (Americo) : II. 76, 154.
Castro, possession du duc de Parme : I. 522 ; II. 177 ; (forteresse de) : II. 419.
Catalogne, Catalans : I. 39, 63, 69, 106, 111, 129, 132, *132* (2), 134, 135, 147, 149, 200, *200* (1), 268, 275, 306, 353, 369, 381, 382, 425, 436, 444, 487, 532, 533, 572 ; II. 15, 51, 60, 76, 79, 81, 84, 86, 89, 105, 110, 119-120, 205, 206, 227, 251, 284, 307, 314, 316, 318, *347* (8), 362, 517.
Catane : I. 63, 375, 525, 526, 548 ; II. 177, 178, 179, 200, 432.
CATANIA (Jafer) : II. 285.
Catanzaro, Calabre : I. 77.
Cateau-Cambrésis (traité du) : I. 96, 149, *151* (2), 191, 233, 536 ; II. 75, 190, 218, **261-264**, 265, 274, 275, 279, 281, 282, 308, 312, 314, 501.
Catelet (le) : II. 259.
Cathay (le) : I. 556.
CATHERINE, sœur de Henri IV : II. 488.
Cattaro : I. 59, 116, 256, 262, *335* (1), 342, *342* (3), 394 ; II. 173, 335, 374, 414, 436 ; (golfe de) : I. 129, *218* (3).
CATTI (Giovan Andrea), notaire de Venise : I. 267.
Caucase : I. 23, *27* (6), *39* (7), 148, 172, 174, 247, 512 ; II. 357, 450, 454, 456, 457.
Causses : I. *66* (4).
Cavalla, Grèce : I. *100* (1), *525* (2) ; II. 37.
CAVALCANTI (Guido) : I. *58* (2).
CAVENDISH : I. 278 ; II. 75.
CAVOUR : I. 66.
CAXA DE LERUELA (Miguel) : I. 388.
Caxine (cap), à l'ouest d'Alger : I. 107, 109.
CAYANO (Domenigo de), marchand à Péra : II. 348.
ÇAYAS (Gabriel de) : I. 343-344, 441 ; II. 122, 369, 400.
CAYTO RAMADAN, renégat sarde, gouverneur de Tunis : II. 365.
CAZALLA (Agustin), juif converti : II. 269.
CECIL (W.) : I. *438* (7), 439 ; II. 75, 352, 500.
Cefalù, Sicile : II. 179.
Celano (comté de) : II. 60.
CELINO (Livio) : II. 437.
Celle : II. 205.
CELLINI (Benvenuto) : I. 73, 479 ; II. 90.
Cenis (Mont-) : I. 187, 189, 198.
CENTURIONE (Adamo), marchand génois : I. *383* (4) ; II. 326.
CENTURIONE (Luciano) : I. *439* (5).
CENTURIONE (Marco) : II. 305, 315, *316* (8).
CENTURIONE (Ottavio) : I. 447.
CENTURIONE (Paolo) : I. *177* (1).
CENTURIONE (Vincenzo) : I. 453.
Céphalonie : I. 115, 136, 562 ; II. 98, 173, 410, 412, 414, 416.
CERDA (Juan de la), voir MEDINA CELI (duc de).
CERDA (D. Luis de la) : II. 58.
Cerdagne : II. 487.
Cerfs (île des) : II. 411.
Cérigo : I. 450 ; II. 201, 324, 410, 411-412.
Cerigotto, île ionienne : II. 201.
Cernomen (bataille de), sur la Maritza : II. 14.
CERNOVITCH (Michel) : II. 326.
CERVANTES (Miguel de) : I. 40, 44, 48, 136, 236, 250, 260, 365, 491 ; II. 42, 80-81, 82, 84, 100, 161, 162, 191, 305, 413, 415.
Cervello, Catalogne : I. 64.
CERVELLÓN (Gabrio), voir SERBELLONE (Gabriele).
CÉSAR (Jules) : I. 152 ; II. 422, 466.
CESI (cardinal) : II. 384.
Cetatea Alba, voir Bialograd.
Ceuta : I. 99, *109* (9), 110, 424, 425, 426, 550 ; II. 33, 186.
Cévennes : I. 42, 391.
Ceylan : I. 422, 515.

Chabatz, sur la Save : II. 339.
CHABBÍA (dynastie des) : I. 162-163 ; II. 285, 289.
CHABERT (Alexandre), historien : I. 473.
Chaldée : I. 92.
CHALON (Philibert de) : I. 311.
Chalon-sur-Saône : I. 198, 347.
Chambéry : I. 198, *449* (4), 458, 459 ; II. 498.
Chambord (traité de) : II. 242.
Champagne : I. 198 ; (foires de) : I. 185, 203, 207, 294, 347 ; II. 148.
CHAMSON (André) : II. 516.
CHANCELLOR (Richard), voyageur anglais : I. 177.
CHANTONAY (Thomas Perrenot de), ambassadeur de Philippe II : I. 327, 336, 553 ; II. 176, 333, 349, 382.
Chantoung : I. 340.
CHAOUCH (Achmet), voir ACHMET CHAOUCH.
CHAOUCH PACHA : II. 449, 456.
CHARLES (archiduc) : II. 339-340.
CHARLES QUINT : I. 111, 125, *125* (1), 140, 149, 185, 205, 230, 261, 275, 341, 357, 383, 394, 436, 437, 443, 456, 458, 473, 484, 486, 492, 506, 549, 553, 557 ; II. 9-10, 16, 18, **21-23**, 24, 25, 30, 41, 52, 55, 61, 71, 90-91, 119, 135, 142, 149, 166, 175, 181, 225, **226-242**, 244, 248-249, **252-254**, 255, 259, 260, 265, 266, 267, 268, 269, 270, 271, 272-273, 282, 287, 311, 340, 364, 390, 419, 461.
CHARLES II, roi d'Espagne : II. *149* (1).
CHARLES III, roi d'Espagne : I. *74* (3).
CHARLES VI, roi de France : I. 141.
CHARLES VII, roi de France : I. 310.
CHARLES VIII, roi de France : I. 58, 316, 355, 375 ; II. 8-9, 60, 98, 167, 218.
CHARLES IX, roi de France : I. 116, 179, 237, 327, *328* (7), 339, 471, 524 ; II. 86, 271, 339, 361, 387-389, 402-403, 404, 409, 416-417, 421.
CHARLES DE LORRAINE voir LORRAINE (Charles de).
CHARLES-EMMANUEL, duc de Savoie : II. 490, 498, 499.
CHARRIÈRE (E.) : II. 437, 447.
Chartres : I. 336.
Chartreux (les) : II. *103* (2).
CHATON (Étienne), marchand français : I. 552.
CHATEAUBRIAND (François, René de) : I. 43, *137* (4), 219, 228.
Chaul, possession portugaise d'Hindoustan : I. 512.
CHAUNU (Pierre) : I. 206 ; II. 217.
CHAUNU (Pierre et Huguette) : I. 269, 272.
CHAVIGNY (Jean Aimé) : II. 47.
Cherchell, Algérie : I. 130, 261 ; II. 183, 301.
Cherif (oued) : II. 108.
Cherranola, marécages près de Capoue : I. 61.
Cherso, île dalmate : I. 121, 136.
Chiana (val di) : I. 47, 60, 61 ; II. 251.
Chiaravalle : I. 64.
Chiavenna : I. 188, 189.
Chieri, Piémont : I. 199 ; II. 241.
Chiites : I. 90 ; II. 170, 453.
Chili : I. 206.
CHINCHÓN (comte de) : II. 128.
Chine, Chinois : I. 45, 141, 152, 155, 156, 165, 168, 207, 275, 340, 422, 454, 487, 500, 572 ; II. 99, 109, 110, 151.
Chio : I. 105, 113, *137* (4), 142, *142* (1), *143* (1), 281, *285* (2), 313, 314, 331, 444, 549, 551, 555-556, *557* (3), 564 ; II. 173, 202, 243, *280* (2), 321, 335, 336. *Santa-Anastasia* (plage de) : I. 331.
Chioggia : I. 540 ; (lagune de) : I. 216. II. 375.
Chiraz, (vin de) : I. 216.
Chirvan : II. 452, 453, 454, 455, 458.
Chott-el-Hodna : I. 48.
Choumadia (la) : I. 50.
Chréa, Kabylie : I. 24.
Chypre : I. 43, 55, *57* (n. de la p. 56), 90, *95* (n. 3 de la p. 94) ; 105, 106, 126, 136, 139-140, 141, 142-143, *143* (5), 243, 261, 275, 286, 313, 356, 359, *362* (n. 3 de la p. 361), 389, 415, 511, 521, 552, 555, 556, 558, 564 ; II. 42, 98, 106, 110, 144, 172-173, 199, 200, 202, 300, 320, 346, 347, 358, 365-366, *370-382*, 387, 388, 392, 393, 394, 396, 397, 399, 414, 415, 416, 470, 473, 516.
Chypriotes : I. 124, *124* (1).
CID (Nicolas) : trésorier de l'armée de Lombardie : II. 280-281.

CID (le) : I. 163.
CIGALA, corsaire chrétien, père de l'amiral turc de même nom : II. 198, 290, *314* (3), *316* (8).
CIGALA, amiral turc : I. 282, 450 ; II. 457, 470-471, 506-507, 510-511.
CIGALA (Domenico), Génois, personnage mal identifié : II. 292.
Cilicie : I. 90, 256.
CIPOLLA (Carlo M.) : I. 478 ; II. 45, 214, 518.
Circassiens : I. *39* (7), *307* (7).
CIRINI : II. 290.
CISNEROS (cardinal) : I. 329 ; II. 119.
Cisterciens : I. 64.
Ciudadella, Minorque : I. *140* (5) ; II. 260.
Ciudad Real : I. 350.
Ciudad Rodrigo : II. 30.
Civitavecchia : I. 112, 136, 145, 200, 552-553, 559, 560 ; II. 321, 395.
CLAIRE ISABELLE EUGÉNIE, fille de Philippe II : I. 343 ; II. 500, 513.
Clamor (canaux de la) : I. 63.
Clanda, Espagne : II. 129.
CLEINHANS (famille), entrepreneurs de transports : I. 193.
CLÉMENT VII, pape : II. 43, 157.
CLÉMENT VIII, pape : II. 498-499, 500.
CLEMENTS (Joseph), agent de marchands anglais : I. 563.
CLIFFORD : I. 277.
Clissa, place turque en Croatie : I. 263, 264.
Coca, Espagne : I. 354.
COCAINE (Richard), Anglais, propriétaire de nave : I. *566* (6).
Cochin, Indes orientales : I. 343.
Codalia, sur la côte cantabre : I. 220.
CODIGNAC, ambassadeur français : II. 250.
COECK D'ALOST (Pierre), voyageur flamand : I. 54.
Coïmbre : II. 466.
Coire, c. l. du c. des Grisons : I. 188.
COLBERT : I. 202, 293.
COLIGNY (amiral) : II. 256, 258, 344, 356, 387-388, 403, 404, 405, 414.
COLLEONI, famille bergamasque : I. *41* (4).
Collio de Val Trompia, commune alpestre : I. 414.
Collo, Afrique du Nord : I. 229.
Cologne : I. 190, 192, 196, 197, *202* (1), 316, *438* (8).
COLOMB (Christophe) : I. 206, 276, 476 ; II. 20, 155.
COLONNA (cardinal Giovanni) : I. 58.
COLONNA (Marcantonio), vice-roi de Sicile : I. 107, 521 ; II. 38, 86, 205, 297, 379-382, 394, 396, 410, 411, 412, 414.
Colonnes (cap des) : II. 418.
Colonnes d'Hercule : I. 205, 312, 339, 551 ; II. 227.
Comacchio, ville d'Émilie : I. 127.
Côme : I. 188, 296, 302, 381 ; II. 331.
Côme (lac de) : I. 44, 66.
COMMYNES (Ph. de) : I. 113, 221 ; II. 8.
Comorn, ville de Hongrie : II. 176.
Comores (les) : I. 569.
COMPAGNI (Compagno) : I. *448* (2).
Compagnie des Indes orientales : I. 569.
Comtat-Venaissin : I. 75.
CONDÉ (prince de) : II. 328, 344, 352, 356.
Conegliano, Vénétie : II. 146.
CONICH (Blas Francisco), Ragusain, installé au Pérou : II. 96.
Conil, ville d'Espagne sur l'Atlantique : I. *127* (2).
CONIQUE (Francisco de), marchand résidant en Angleterre : I. 576.
Constance : I. 173, *202* (1) ; (lac de) : I. 189.
CONSTANTIN VII (Porphyrogénète) : I. *28* (9).
Constantine : I. 25 (2), 425 ; II. 91-92. 108-109. 365.
CONSTANTINO, Juif converti : II. 269.
Constantinois : I. 260 ; II. 108.
Constantinople : I. 25, 45, *45* (3), 101, 102, *103* (1), 105, 106, 129, 131, *142* (3), 145, 146, 171, *174* (2), 175, 176, 178, 181-183, *219* (3), 226, 228, 254, 255, 256, 262, 266, 271, 284, *285* (2), 287, 291, 292, 299, 304, 308, 311, 313, 315, 316, **318-321**, 330, 331, 332, 333, 334, 335, *335* (1), 339, 342, *342* (3), 356, 359, 367, 375, 380, 383, 398, *423* (7), *432* (11), 450, 489, 496, 497, 502, 507, 516, 520-

521, 528, 535-537, 551, 553, 561, 563-566, 578 ; II. 7, 15, 17, 30, 37, 39, 41-42, 64-65, 70, 93, 98, 100-101, 109, 125, 133, 134, 135, 140, 141, 144, 148, 152, 155, 156, 166, 168, 174, 183, 189, 190, 199, 200, 202, 211, 223, 227, 230, 238, 239, 246, *280* (2), 281, 288, 289, 290, 293, 294, 297-300, 304, 318, 320, 322, 324-325, 334, 335, 336, 338, 339, 345, 347, 348, 349, 358, 360, 363, 364, 365, 372, *373* (4), 374, 375, 376, 381, 384, 392, 393, 397, 405, 414, 418, 419, 424, 427-428, 432-440, 443-445, 447, 452, 454, 455, 456-458, 472-477, 480, 481, 483, 485, 502, 503, 504, 506-511, 513, 519.

Atbazar : I. 319.

Arsenal de Kasim Pasa : I. 319, 410 ; II. 432, 433, 445, 473, 502, 503.

Arsenal de Top Hane : I. 319 ; II. 432, 433, 445, 473, 502, 503.

Bezestan : I. 287, 319.

Galata : I. 319-320, 410 ; II. 41, 69.

Péra (quartier de) : I. 106, 113, 319,320, 499 ; II. 348, 443, 445.

(vignes de) : II. 441.

Sérail : I. 319 ; II. 37, 41.

Stamboul (quartier de) : I. 287.

Suleymanié (mosquée) : I. 319, 410 ; II. 156.

Top Hané (quartier de) : I. 106, 321.

CONTARINI (Alessandro), gentilhomme vénitien : I. 557.

CONTARINI (Francesco), ambassadeur de Venise à Londres, puis à Constantinople : I. 331.

CONTARINI (Justinian), gentilhomme vénitien : I. 557.

CONTARINI (Leonardo), ambassadeur de Venise à Vienne : II. 300, 338.

CONTARINI (Nicolò) : I. *262* (5), 263-264.

CONTARINI (Pandolfo) provéditeur vénitien : I. *117* (6).

CONTARINI (Tommaso), ambassadeur de Venise en Angleterre : I. 396.

CONTARINI (Tommaso), capitaine général de la mer : I. *95* (n. 3 de la p. 94).

CONTRERAS (Alonso de) : I. 311 ; II. 90, 194, 202, 507.

Copaïs (lac), en Grèce : I. 59.

Cordillère bétique : I. 74.

Cordillères espagnoles : I. 23.

Cordoue : I. *56* (2), *68* (n. 3 de la p. 67), 74, *74* (3), 108, 109, 258, 296, 334, 370, 377, 395, 397 ; II. 119, 163, 186, 278, 359, 364, 366, 378.

CORDOUE (Gonzalve de) : II. 20.

COREYSI (Bartolomé), rénégat marseillais : II. 511.

Corfou : I. 55, 96, 114-115, 116-117, 118, 136, 139, *139* (3), 142, 143, 223, 303, 325, 333, 415, 428, 521, 529 ; II. 145, 173, 195-196, 202, 297, 320, 321, 335, 347, 380, 393, 394-395, 406, 407, 410, 411, 412, 413, 414, 418.

Corinthe (canal de) : II. 409 ; (golfe de) : II. 410 ; (raisins de) : I. 387.

CORNA (Ascanio della) : II. 324, 333.

CORNARO (Andrea), marchand vénitien : I. 358.

Corne d'Or : I. 318, 319, 320 ; II. 207.

Corneto, territoire pontifical : I. 522, 524.

CORNOÇA (Juan de), consul espagnol : I. 232.

CORNOÇA (Thomas), consul espagnol à Venise : I. 519.

CORNOVI (Antonio), marchand vénitien : I. 358.

Corogne (mer de La) : I. 209.

Coron, poste vénitien sur la côte de Grèce : I. 78, 125, 496 ; II. 282, 473.

CORONA (Filippo), corsaire sicilien : II. 202.

Coronestat, voir Brasov.

CORRÈGE (le) : II. 157.

CORRER (Giovanni), marchand vénitien : I. 358.

Corse, Corses : I. 29, *29* (4), 32, *32* (3), 34, *34* (2), 38, *38* (2), *39* (4), 41, 42, 44, 55, 60, 73, 100, 110, 111, 112, *134* (1), 136, 140, *140* (1), 141, 145-146, *151* (1), 230, 288, 304, 306, 313, 350-351, 353, *362* (n. 3 de la p. 361), 366, 381, 517, 538 ; II. 76-77, 83, 88, 91, 133, 180, 204, 229, 245-247, 250, 262, 264, 267, 300, **308-311**, 318, 320, 321, 323, 350, 402, 487.

Corse (cap) : I. 112, 129, 134, 201, 261 ; II. 211, 247, 248.

CORSI (Jacopo et Bardo), gros marchands de Florence : I. 518.

CORSINI, famille marchande florentine ; II. 68.

CORSINI (Bartolomeo) : I. 518.

CORSO (Francisco Gasparo), agent espagnol : I. 38, 145-146, *146* (1).

CORSO (Hassan), roi d'Alger : I. 44, *44* (2), 145 ; II. 257, 283, 304, 315, 320.

CORSO (Sampiero) : I. 145 ; II. 246, 247, 299, 300, 303, **308-311**, 317, 350.

CORSO (Thomas Lenche dit) : II. 310.

CORSO (Thomas), frère de Francisco Gasparo : I. 145, *146* (2).

Corte, Corse : II. 246, 308, 311.

CORTES : II. 185.

CORVATA (Giulio Battista), corsaire sicilien : II. 202.

CORVATA (Pietro), corsaire sicilien : II. 202.

CORVATI (J. B.), banquier italien : I. 446.

Cosaques : I. 100, *101* (1), 175, 176, 178, 184 ; II. 478, 479.

Cosenza : I. 37.

Cosmopolis, voir Porto Ferraio.

COSTA (Agostino) : I. 394.

COSTA (Manuel da), marchand portugais : I. 577.

Cotentin : II. 77.

Cotrone, port de Calabre : II. 179, 294.

Cotswolds, comté de Yorkshire : I. 403.

COURTEVILLE (de) : II. 266.

COUTURE, patron de navire : II. 193.

COVARRUBIAS DE LEYVA (don Diego) : II. 30.

COVARRUBIAS DE LEYVA (Sebastian) : II. 30.

Cracovie : I. 179, 181, 182, 183, 193, 204, 220, 339, 480, 523.

CRAPONNE (Adam de), ingénieur en hydraulique : I. 62, *62* (2).

Crato (prieur de), voir ANTONIO (don).

Crau, Provence : I. *62* (2), 77, 85, 367.

Crema : II. 78.

Crémone : I. 62, 196, 364 ; II. 103.

Crespy-en-Laonnois (traité de) : II. 225, 228.

Crète, voir Candie.

Creus (cap de), N.-E. de l'Espagne : I. 229.

Crimée : I. *35* (5), *57* (n. 4 de la p. 56), 100, 101, 102, *137* (4), 174, 175, 215, *215* (1) ; II. 38, 112, 356, 357, 456, 457.

Croatie : I. 50, 120 ; II. 108, 112, 175-176, 340, 479, 480, 483, 485.

CROCE (Benedetto) : II. 519.

Croix-Haute (col de la) : I. 198.

Cruzzini, Corse : II. 350.

CROMWELL : I. 352 ; II. 142.

Cuacos, village d'Estrémadure : II. 272.

Cuba : II. 145.

Cuco (royaume de) : voir Kabylies.

Cuenca : I. 84, 296, 299, 350, 370, 397 ; II. 30, 59. (évêque de) : II. 425.

CUEVA (Alonso de la) : II. 290-291.

CUGNALETTA, voir ACUÑA (don Martín d').

CUMBERLAND (comte de) : I. 209.

ÇÚÑIGA (don Diego de), ambassadeur de Philippe II à Paris : I. 327, 441, 442 ; II. 400, 402, 405.

ÇÚÑIGA (don Juan de) II. 296 363, 379, 384, 406, 408, 409, 417-418, 444-449.

CURENZI (Juan), agent de Granvelle : II. 434.

Curzola, Dalmatie : II. 393.

CVIJIÓ (J.) : I. 28, *51* (1), 52, 259 ; II. 67, 107, 112. Cyclades : II. 215. Voir aussi Archipel (îles de l').

Cyrénaïque : I. 215.

CYRILLE (Patriarche) : II. *134* (9).

Daghestan : II. 452, 455, 456.

DAGUERRE (Christine) voir SAULT (comtesse de).

DALEZE (Michiel), marchand vénitien : I. 428.

Dalmates (îles) : I. 136 ; (ports) : 267.

Dalmatie, Dalmates : I. 51, *51* (2), 52, 114-115, 118, 119 *119* (1), 121, 129, 134, 264, 276, 398, 539-540 ; II. 85, 91, 107, 112, 172, 173, *373* (4), *374* (4), 375, 376, 392, 393, 410, 415, 416, 478.

Damas : I. 90, 333, 348, 508 ; II. 17, 84, 484.

Damiette : I. 90.

DANDOLO (Andrea), baile vénitien : I. 529.

DANDOLO (Marco), ambassadeur vénitien : I. 188-189.

Danemark : I. 489 ; (détroit de) : I. 179.

Danois : I. 564.

DANSER (Simon), de Dordrecht : II. 207-208.
DANTE (le) : I. *58* (2) ; II. 132.
DANTISCUS (Johannes) ambassadeur de Sigismond, roi de Pologne : I. 173, 185, 205, 220.
Dantzig et Dantzicois : I. 56, 128, 173, 176, **178-184**, 185, 196, 197, 279, 280, 480, 515, 543, 544, 567, *567* (9), 568 ; II. 452.
Danube : I. 149, 155, 178, 259, 525 ; II. 14, 104, 107-108, 112, 113, 166, **174-176**, 334, 339, 478, 482, 483-484 ; (delta du) : I. 55, 148, 175.
Danubiennes (plaines) : I. 524 ;
 (provinces) : I. 291 ; II. 98, 174, 484 ;
 (routes) : II. 161.
Dardanelles : II. 381, 394, 396, 418, 512.
Darmouth : I. 277.
Darrien (le), Tripolitaine : II. 284, 285.
Darroca, Aragon : I. 348-349.
Dauphiné : I. *34* (4), 42, 54, 366 ; II. 73, 77, 89, *103* (2), 486-487, *492* (1), 495.
DAVANZATI : I. 461, 478.
DÁVILA (Sancho), capitan général de la côte de Grenade : I. 180, 466.
Dax (évêque de) : I. 524 ; II. 271, 389, 396, 398, 399, 403, 414, 416, 435-437.
DECKER (Heinrich) : I. 30.
DELBRÜCK (Hans) : I. 123 ; II. 80.
Délos (île de) : I. 245.
DELUMEAU (Jean) : II. 94.
DELY HASSAN, maître de Biskra ; II. 365.
DEMETICO, Grec, interprète d'arabe, résidant à Paris : II. 237.
DENIA (marquis de) : II. 130.
Derbent, port russe sur la Caspienne : II. 97, 454, 456-457.
DERMIGNY (Louis) : II. 27.
Dévoluy, massif des Alpes dauphinoises : I. 77.
DEZA (don Pedro de), président de l'Audiencia de Grenade, puis cardinal : II. 124, 361.
Diable (château du) sur la frontière de Géorgie : II. 453.
DIAZ (Alonso et son frère Juan) : II. 104.
DIAZ (Hernández) : II. 104.
Dieppe : I. *174* (1), 176, 552-553, *562* (5) ; II. 194, 343, 399.
Dijon : I. 198 ; II. 235, 492; (Chartreuse de) : II. 235.
Dillingen : I. 191.
DIMITRI voir Saint-Démétrius (la).
Dinarides, dinariques : I. 23, *23* (1), *24* (1), *29* (5), 50, 114, 187, *249* (1), 287, 308, 367 ; II. 108.
DI TOCCO (Vittorio), historien ; I. 149.
Diu : I. 168, 286, 496, 512 ; II. 97, 228, 458, 459.
DJAFER PACHA, chef d'un corps expéditionnaire turc en Perse : II. 457.
Djebel Druse : I. 91.
Djebel Tafrent : II. 108.
Djeblé, Syrie : I. 348.
Djedda : I. 161, 168, *168* (4), 499, 500.
Djemilah, ville de Berbérie : I. 30.
Djerba et Djerbiens : I. 99, 106, 107, 123, 125, 142, 143-144, *144* (1), 148, 288, 325 ; II. 133, 181, 197, 228, 229, 238, 283, **285-296**, 297, 303, 304, 314-315, 317, 318, 419, 427.
Djérid, chott du Sud-Tunisien : I. 246.
Djidjelli, port de la prov. de Constantine : I. 106, 229.
DJOUDER PACHA : I. 166.
Djumbo, port d'Afrique : II. 459.
Djurdjura (chaîne du) : I. 25.
Dobroudja : I. 182.
DOEHAERD (Renée) : I. 265.
DOLCE (Ludovico) : II. 157-158.
Dole : I. 248.
DOLFIN (Hieronimo), de la famille des grands banquiers : I. 71.
DOMINGUEZ ORTIZ (Antonio) : II. 50.
DOMINIQUIN (le) : II. 160.
Don : I. *105* (2), 176 ; II. 357, 452, 457.
DONÀ (Leonardo) cu DONATO (Leonardo), sénateur vénitien : I, 263, 462.
Dongo, « pieve » du lac de Côme : I. 44.

DORIA (prince André) : I. 235, 310 ; II, 193, 199,. 227, 230-231, 234, 238, 241, 243, 244, 246, 248,. 250, 292, 302, 318, 377.
DORIA (Antonio) : II. 290, 297, *314* (3), *316* (8).
DORIA (Carlo) : I. 232.
DORIA (Estefano) : II. 310, *316* (8).
DORIA (Jean André) : I. 125, 234, 279, 329, *332* (2), 445-446, 451, 487, 519 ; II. 91, 206, 287, 290, 294, *294* (4), 303, 305, 307, 309, 311, 314-316, 323, 358, 376-377, 380-382, 391, 395-396, 409, 413, 419, 426, 474, **508-509**, 511-512.
DORIA (fils de Jean André) : II. 494.
DORIA (Pagan) : II. 307.
DORIA (Philippe) : I. 425.
DORIA (Thomas) : I. *458* (3).
DOULLENS : II. 497.
Douvres : I. 575 ; II. *267* (1, 2).
DOZANCES (M^r), envoyé de Catherine de Médicis auprès de Philippe II : II. 316.
Drac (torrent alpestre) : I. 248.
Dragoneras (île des) : II. 411.
DRAGUT, capitaine de la flotte turque : I. 106, 162 ; II. 203, 228, 230, 238, 244, 246, 250, 282, 284, 285,. 288-289, 301-302, 321, 471.
DRAKE : I. 278, 342 ; II. 33, 97, 191.
Drave (la) : I. 175, 339.
Drépanon, voir Trapani.
Drin : II. 14, 107.
Druses (les) I. 35.
DU FAIL (Noël) : I. 473.
Dulcigno, port entre la Dalmatie et l'Albanie : II. 393, 398.
DUMOULIN, homme d'affaires : I. 62.
Duna (embouchure de la) : I. 556.
Dunkerque : I. 279, 439, 575 ; II. 194, *267* (1).
Durance (la) : I. *46* (3), *62* (2), 63, 77, 248, 309.
Durazzo : I. 55, 61, *117* (6), 119, 256 ; II. 14, 15,. 63, 194, 250, 335, 393.
DURER (Albert) : I. 191 ; II. 157.
DURO (Cesareo F.) : II. 294, 317.
Duruelo (Espagne) : I. 32.
DURRELL (Lawrence) : II. 516, 519.
DU VAIR (Guillaume) : II. 189.
Dzoungarie (porte de) : I. 171.

East India Company : I. 565, 572.
Eaux douces d'Europe (rivière des) : I. 320.
Éboli, Lucanie : II. 516.
ÉBOLI (princesse d'), veuve de Ruy Gomez : II. 56,. 461, 466.
Èbre : I. 56, 172, 258, 353, 365, 524 ; II. 118, 120 ; (delta de l') : I. 55, 133 ; (*rioja* de l') : I. 67.
ECHEVARRI (capitaine) : II. 444.
Écosse : I. 279, 353, 544 ; II. 102, 263, 264, 352, 355, *355* (4), 361.
ÉCRIVAIN (L'), chef révolté d'Asie Mineure : II. 77,. *481* (5), 485.
ÉDOUARD VI : II. 248.
ÉDRISI (El) : II. 110.
Égée (mer), voir Archipel.
EGMONT (comte d') : II. 266, 340.
Égypte : I. 67, 106, 123, 125, 141, 151, 156, 157, 160, 165, 166, *166* (1), 169, 216, 218, 219, 234, 235, 238, 265, 274, 281, 320, 345, 356, 362, 422, 423, 431, 454, 489, 490, 495, 496, 498, 501, 502, 504, 508, 510, 511, 514, 518, 524, 525, 528, 536, 537, 551, 555, 565 ; II. 10, 16-18, 47, 77, 96, 99, 131, 141, 189, 193, 326, 346, 347, 357, 397, 475, 503.
EHRENBERG (Richard) : I. 442, 443, 448, 455, 483 ; II. 244.
Eifel (plateau de Rhénanie) : I. 330.
EINAUDI (Luigi) : I. 474.
Elbe (fleuve) : I. 152 ; II. 233.
Elbe (île d') : I. 111, 112, 137, 140, 144 ; II. 204, 228,. 246.
ELBEUF (marquis d') : II. 310.
Elbing : I. 179.
Elches, voir Morisques.
EL DAHABI, voir EL MANSOUR.
ELDRED (John) : I. 511.
El Harrach (oued) : I. 56.
EL-HIBA, le sultan bleu : I. 163.

ÉLIZABETH 1ᵉʳᵉ, reine d'Angleterre : I. 176, 209, 233, 342, 438, 488, 563-564, 572 ; II. 47, 168, *171* (1), 262, 264, 266, 312, 345, 352, 355-356, 373, 389, 405, 431, 464, 470, 479, 503.
ÉLIZABETH DE VALOIS, reine d'Espagne : voir Isabelle de Valois.
ÉLISABETH, veuve de Charles IX, reine douairière de France : I. 271, 464.
EL MANSOUR, appelé aussi EL DAHABI, chérif : II. 462.
Elvas (forteresse d') : I. 466.
Emden : I. 185, 192, 568.
EMENS (Hans), de Hambourg, patron d'une nave : I. *567* (9).
Émilie (plateau de l') : I. 47 ; (Basse-) : I. 148.
EMMANUEL LE FORTUNÉ, roi de Portugal : II. 463.
EMMANUEL-PHILIBERT, duc de Savoie : I. *202* (2), 519 ; II. 258, 261, 435.
Empire Ottoman, voir Turquie.
ÉPERNON (duc d') : II. 486-487, 489, 491-492, 495.
Épire : I. 35.
ÉRASME : II. 23, 102.
Érasmiens : II. 269.
ERASO : I. 315, 437, 443 ; II. 39, 278, 319.
ÉRASSO, voir ÉRASO.
Erbalunga, bourg du cap Corse : I. 261.
Erbland : II. 482.
ERGIN (Osman) : I. 287.
Erivan : I. 92 ; II. 456.
Erlau, ville de Hongrie : II. 482.
ERNEST (archiduc) : I. *95* (5) ; II. 391, 392.
ERÖDDY (Thomas) : II. 479.
Erzeroum : I. *25* (2), 339 ; II. 453, 454, 455, 456, 457.
Erz-Gebirge : I. 422.
Escaut : I. 198, 436, 438, 439, 455, 497.
Esclavonie : I. *29* (4), 54.
Escorial : I. 40, 41, 237, 322, 344, 410, 419 ; II. 89, 92, 182, 265, 461, 465, 513.
ESCOVEDO (Juan de) : II. 60, 421, 505.
Eskisehir, ville d'Anatolie : I. 256.
Espadán (sierra de) : I. 28, *28* (7) ; II. 121.
Espagne, Espagnols : I. 23, 26, 30. *30* (4), 34, 37, 40, 42, *42* (5), 43, 44, 48, 49, *56* (2), *57* (1), *66* (3), 67, 74, 75, 84, 91, 95, *96* (4), 97, *98* (1), 100, 108, 109, 110, 111, 118, 120, 122, 124-125, 128, 130, 138, 144, 147, 149, 151, *151* (2), 152, 163, 166, 171, 172, 173, 180, 195, 197, 198, 200, 202, *202* (2), 203, 205 207 208, 209 210, 211, 213, 215, *215* (1), 217, 220, 221, 222, 223, 227, 228, 229, 230, 231, 233, 250, 256, 259, 261, 268, 269-270, 271, 272, 275, 278, *279* (5), 281, 283, 285, 288, 290, 294, 295, 299, 303, 305, 308, 310, 312. 314-315, 316, 317. 318, 321, 327, 328, *329* (8), 332, 334, 335, *338* (1), 341-344, 357, 358, 361, 362, *362* (n. 3 de la p. 361), 364, 365, 366, 368, 370. 371. 377, 380, 381, 382, 383, *383* (4), *384* (2, 4), 386, 388, 389, 394, 395, 397, 399, 402, 404, 405, 407, 416, *421* (6), 424, 425, 428, *432* (11), 433, 435-451, 453, *453* (2), 454, 455, 456, 459, 460, 464-467, 471, 473, 474, 476, 478, 479, 483, 484-488, 491, 492, 502, 505-507 509, 513, 516, 517, 519-524, 532-536, 546, 550, 551, 553, 559-561, 564-567, 574, 576 ; II. 8, 9, 10, 20-28, 29-30, 32-34, 37, 39, 42, 46, 52-53, 54-60, 61, 66, 69, 72, 73-74, 80, 84, 85, 92, 93, 94, 100, 101, 102, 104-105, 107, 109, 110, 112, 118-130, 133, 135, 137, 138, 140-141, 144, 145, 149, 150-151, 153-155, 159, 161-163, 167, 168, 170-171, 179-180, 181, 185, *185* (3), 186, 187, 188-189, 190, 191, 197, 203, 206, 209, 210, 211, 212, 217-220, 229, 231-232, 236, 237, 244, 245, 247, 248, 250, 251-254, 256, 257, 258, 260, 263-264, 266-267, 268-278, 279-283, 286, 290, 291-293, 296, 297, 301, 303-313, 314-316, 319, 321, 323, 324, 325-329, 332-333, 340-345, 348, 349, 351, 352, 354, 356, 358, 360-364, 366, 370-372, *373* (4), 376, 377-379, 384-391, 397-398, 399-400, 402-408, 414-417, 419, 424, 427-430, 431, 432, 435-447, 449, 451, 460-461, 463-468, 469, 471, 474, 475, 480, 483, 486-490, 492-496, 500, 502, 506-512, 520.
Espagne (Nouvelle-) : I. 206, 209, 217, 273, 381, 433, 487, 575 ; II. .30, 56.
ESPINCHARD (Jacques) : II. 47.
ESPINOSA (cardinal) : II. 30, 124, 414.

Esquilache, voir Squillace.
Esquimaux : I. 228.
ESSAD BEY : I. 170.
Esseg, sur la Drave : II. 339.
Este : I. 71, *194* (4).
ESTE (Hyppolyte d'), cardinal : II. 331.
ESTEFANO (Juan), voir FERRARI (Juan Estefano).
Estepone : II. 307.
ESTEVAN (Juan), voir FERRARI (Juan Estefano).
Esthonie : I. 352.
ESTIENNE (Charles) : I. 258.
ESTOUTEVILLE (cardinal d') : I. 72.
Estrella (sierra de) : I. *28* (8).
Estrémadure : I. 82, 84, 224.
Éthiopie : I. 422, 496 ; II. 17.
Etna : I. 37.
Étrurie : I. 48, 50.
Étrusques : II. 47, 59, 110.
Eubée, voir Négrepont.
EUGÈNE (prince) : II. 482.
EULDJ ALI : I. 38, 145, 553 ; II. 134, 195, *205* (1), 207, 288, 364-365, 393, 396, 403, 411-414, 425, 435, 438, 440, 442, 444-447, 457, 471, 472, 502.
Euphrate : I. 168, 217, 256.
Europe : I. 45, 46, 100, 171, 172, 187, 193, 203-204, 205, 214, 234, 242, 252, 270, 291, 294, 299, 302, 313, 330, 352, 360, 367, *383* (4), 393, 395, 400, 409, 411, 427, 430, 435, 454, 456, 460, 464, 465, 469, 474, 479, 485, 487, 492, 503, 508-509, 556, 565 ; II. 15, 16, 21, 37, 39, 51, 68, 83, 101, 135, 147, 153-154, 220, 225, 235-236, 240, 248, 265, 293, 311-313, 319, 320, 337, 344, 350, 353, 360, 389, 441, 444, 451, 458, 463, 464, 467, 472.
Europe centrale : I. 117, 183, 185, 188, 192, 195, 198, 357, 390 ; II. 219, 451.
Europe méridionale : II. 93, 156, 265.
Europe occidentale : I. 422, 558 ; II. 9, 156, 279, 360, 460.
Europe orientale : I. 183, 360, 452, 453, 501.
Europe septentrionale : I. 49, 60, 128, 203, 219, 266, 293, 380, 387, 392, 399, 438, 454, 488, 530-535, 558 ; II. 93, 156, 212, 220, 279, 352, 355, 376, 378, 399, 500.
EVANGELISTA (M.), architecte des chevaliers de Malte : II. 322.
Evora (les d') : marranes portugais : I. 509 ; II. 146.
Exca, région d'Aragon : II. 120.
Eylau (bataille d') : I. 376.
Eyub, faubourg d'Istanbul : I. 320.

FACHINETTI (Marcho), patron de nave : I. 510.
Faenza : I. 313.
FAIL (Noël du), voir DU FAIL (Noël).
FAILLE (famille della) : I. 193, 195, 266.
Falcon (cap), à l'ouest du golfe d'Oran : I. 187, 320.
FALCONE (Sébastien), syndic de Lentini : II. 71.
Falmouth : I. 494.
Famagouste : I. 105 ; II. 377, 381, 392, 393, 396.
FARNÈSE (les) : II. 238, 267.
FARNÈSE (Alexandre), grand capitaine au service de Philippe II, et gouverneur des Pays-Bas : I. 442 ; II. 413, 499, 514.
FARNÈSE (cardinal) : II. 232.
Fars iranien : I. 160.
Fasana, petit port d'Istrie : I. 352.
FATIMITES (les) : II. 111, 229.
FAUSTO : II. 375.
FAVARA (marquis de LA) : II. 315.
Favignana (La), île près de Trapani : I. 106, *332* (2) ; II. 323, 421, 422.
FEBVRE (Lucien) : I. 253, 326 ; II. 99.
FELTRE (Bernardin de), prédicateur franciscain : II. 160.
FERDINAND (archiduc) : II. 420.
FERDINAND (frère de Charles Quint, roi des Romains puis empereur : I. 190, 205 ; II. 16, 22, 175, 226, 230, 232, 234-236, 240, 242, 252, 253-254, 265, 280, 282 293, 318, 337, 349.
FERDINAND LE CATHOLIQUE : I. 125, *125* (1), 234, 365, 525 ; II. 19-21, 51, 167, 181, 185, 430.
FERDINAND, grand-duc de Toscane : I. 60, 61, *61* (2), *97* (4), 313 ; II. 47.
FERDINAND, de Tyrol : II .89.

Ferghana : I. 170.
FERHAD PACHA, grand vizir et beglerbey de Rou-
mélie : II. 456, 457, 481.
FERIA (comte puis duc de) : I. 449 ; II. 60, 266, 495,
496.
FERNÁNDEZ (Alonso) : II. 304.
FERNÁNDEZ (Gaspar) : II. 304.
FERNÁNDEZ (Ramón) : I. 149.
FERNÁNDEZ CARVAJAL (Antonio), marchand juif,
installé à Londres : II. 150.
FERRALS (de) : II. 404.
FERRARE (Alphonse, duc de) : II. 330, 340, 498.
Ferrare, Ferrarais : I. 48, 61, 66, 117, 118, 122, 123,
191, 226, 237, 249, 257, 284, 313, 335, 396, 539 ;
II. 89, 103, 151, 152, 167, 179, 257, 441, 500 ;
Auberge : *Il Facone* : I. 191.
FERRARI (Juan Estefano), agent espagnol : I. 566 ;
II. 444, 446-448, 506.
FERRIER (du), ambassadeur de France à Venise : I. 449.
FERRO (Angelo), bandit : II. 88.
Ferrol : I. 209.
FERRY (Jules) : II. 519.
Fez : I. 425 ; II. 129, 138, 149, 201, 251, 283, 363,
364, 441, 446, 447, 472.
Fezzan : I. *166* (1).
FIESCHI (les), bannis génois II. 310.
FIGUEROA. ambassadeur d'Espagne : I. 230, 445 ;
II. 287, 293, 305, 309-310, 313, 315, 326.
FIGUEROA (Lorenzo SUÁREZ DE) fils de l'ambassa-
deur Figueroa : II. 210.
Figuig (le), oasis du Sahara : II. 149.
FILALIENS (dynastie des) : I. 163.
Final (marquisat de), près de Gênes : II. 53 388.
Finlande : I. 352.
FISCHER (Théobald) : II. 148, 245, 246.
FISHER (Godfrey) : II. 192, 206, 208-209.
Fiume : I. 120. 502 ; II. 192. 194, 334.
FLACHAT (Jean-Claude) : I. 165.
Flandres, voir Pays-Bas.
Flessingue : II. *264* (5), 267, 401.
Florence et Florentins : I. *27* (5), 47, 75, 84, *103* (1),
111, 112, 122, 123, 134, 183, 190, 191, 195, 208,
213, 219, 225. 245, 255, 257, 260, *262* (1), 267, 268,
286, 288, 290, 292, 293, 294, 295-296, 300-301, 302,
304, 306, 309, 310, 311, 312, 313, 316, 333, 343,
344, 345, 348, **354-361**, 365, 374, 378, 384, *384* (2),
395, 397, 422, 440-442, 443, 447, 451-452, *453* (2),
454 (7), 457, 460, 467, 477, 478, 479, 483, 485-486,
497, 506, 508, 510, 517, 518 520, 523, 525. 538,
543-544, 550, 554, 577 ; II. 9, 42, 45, 58, 68, 70,
76, 79, 89, 101, 109, 142, 156, 157, 159, 163, 167,
199, 203, 220, 231, 244, 248, 258, 281, 309, 310, *314*
(3), 315, 317, 321, 325, 441, 469, 476, 508, 511.
Arte della Lana : I. 245, 313, 395.
Uffizi : II. 70.
Floride : II. 344, 353.
FLORIO (Giuliano di) : I. 444.
Foggia : I. *76* (3), 79, 85, 528.
Foix (région de) : II. 497.
Fontainebleau : I. 328, 339.
Fontaine-Française : II. 492, 497.
Fontarabie : II. 237, 238.
Forez : II. 73.
Forli : I. *90* (7).
Formale (le), cours d'eau proche de Naples : I. 317.
Formentera (ile) : I. 137.
FORTE (Matteo), ancien esclave : II. 96.
Fortore : II. 336.
FOSCARI, ambassadeur vénitien : I. 309.
FOSCARINI, général de la flotte vénitienne : I. 282 ;
II. 410, 412, 414.
FOSCARINI (Alvise), gentilhomme vénitien : I. 557.
FOSCARINI (Jacomo), propriétaire de navire : I. 559.
FOSCARINI (Jacopo) : I. 507.
Fossa di San Giovanni, voir Messine (détroit de).
FOUCRES (les), voir FUGGER.
FOURASTIÉ (Jean) : I. 475, 477 ; II. 216, 518.
FOURQUEVAUX, ambassadeur de France : I. *237* (1),
288-290, 327, 443, 503 ; II. 55, 167, 176, 204, 325-
327, 329, 333, 338, 342-344, 348-349, 350, 351,
353. 359, 361, 390, 400.
FRANCAVILA (duc de), vice-roi d'Aragon : II. 273,
425.

Francavilla : II. 335.
France et Français : I. 42, 43, *63* (2), 113, 122, *127* (1),
140, 141, 146, 147, 148, *148* (1), 149, 180, 185,
186, 189 193, **197-203**, *202* (2), 205, 209, 214, 220,
221, 226, 230, 232, 260, 266, 275, 278, 280, 286,
288, 290, 293, 300, 301, 306, 310-311, 315, 334,
336, 340, 341, 342, 343, 352, 356, 357, 358, 360,
361, 362, *362* (n. 3 de la p. 361), 364, 368, 380, 381-
382, *384* (4), 388, 389, 392, 402, 406, 407, 411, 418,
424, 427, 428, 433-434, 435, 437, 439, 440-442,
443, 449, 453, *453* (2), 457, 458, 465, 471, 473,
474, *475* (n. 4 de la p. 474), 476, 479, 480, 483,
485, 486, 488, 491, 494, 497, 501, 503, 510, 514,
528, 532-536, 548, 553-554, 557, 559, *562* (5), 563-
565, 567, 569, 572, 575 ; II. 8-10, 17, 19, 21, 22,
25, 31, 34-35, 38, 41, 42, 47, 49-50, 54, 60, 73, 74,
75, 79, 83, 89, 90, 92, 93, 94, 98, 100, 104, 107,
122, 128, 142-144, 148, 150, 155, 159, 161-163,
165, 167, 170, 183, 190, 194, 196, 217, 218, 220,
226, 232, 233, 236-237, 239, 241-249, 250, 254,
256-265, 270, 273, 279, 281, 284, 285, 286, 291,
292, 303, 307-313, 317, 325, 327-329, 337, 338-339,
340-344, *346* (5), 348, 350, 352, 354, 355, 356, 361,
363, 371-373, **386-390**, **398-405**, 406-418, 421, 423,
424, 425, 431, 435-436, 441, 444, 448, 465, 467,
469, 470, 480, 483, **485-501**, 502-503, 511, 519.
Francfort-sur-le-Main : I. 44, 155, 181, 190, 195, 196,
196, 197, 294, 448, 477, 460, 480, 494 ; II. 21.
Francfort-sur-l'Oder : I. 183.
Franche-Comté : I. 33, *439* (5), 458 ; II. 73, 102.
FRANCHI (Gregorio di), conseiller de Lazzaro Spinola :
I. 439 ; II. 432.
FRANCHIS TORTORINO (Francesco de), Génois, chargé
de mission par Gênes : II. 280, *280* (2), 281, 432.
Francigena (via) : I. 291.
Franciscains : I. 32 ; II. *18* (4), 103, 160, 230.
FRANCISCO (Fernandez et Jorge), marchands por-
tugais installés à Pise : I. 577.
FRANÇOIS Ier, roi de France : I. 173, 273, 285, 310,
339, 341, 352, 497 ; II. 10, 16, 21, 144, 225, 226,
234, 496.
FRANÇOIS II, roi de France : II. 262.
FRANÇOIS, grand-duc de Toscane : I. 505-506.
FRANGÊS, historien : II. 67.
FRANGIPANE (Cornelio) : I. 307.
FRANGIPANI (Ottavio Mirto), nonce aux Pays-Bas :
II. 501.
FRATINO (il), ingénieur : II. 182, 388, 428.
FRÉDÉRIC II, roi puis empereur d'Allemagne : I.
315 ; II. 27.
Fréjus : I. 201, 236, 238.
FREYRE (Gilberto) : I. 108, 308.
FRIAS (ducs de) : II. 57.
Fribourg : II. 109.
FRIEDERICI (Georg) : II. 35.
Frioul (le) : I. 307, 387 ; II. 79, 146, 174.
FROMENTIN (Eugène) : I. 213.
Frontignan : II. 216.
FUENTES (comte de) : II. 120, 497, 510-511.
FUETER (Eduard) : II. 241, 244.
FUGGER (les) : I. *190* (5), 192, 193, 360, 405, 436,
437, 440, 442, 445-447, 452, 455, 456, 460, 463,
464, 466, 501-503, **508-510**, 517, 532, 542 ; II. 39,
41, 152, 249, 274, 275, 338.
FUGGER (Anton) : I. 466 ; II. 244.
FUGGER (Jacob) : I. 191.
FÜRST (Jacob), entrepreneur de transports, associé
de Viatis : I. 193, *193* (3).
Fusina : I. 254.
Futa (la), col entre Bologne et Florence : I. 257.

Gabès : I. 148.
GABIANO (Bald.), marchand vénitien : I. 358.
GACHARD (L. P.) : II. 253.
GACON (Samuel), imprimeur juif du Portugal : II.
140.
Gaète : I. *26* (9), 344 ; II. 178, 204, 303, 319.
Gafsa : II. 110.
Gagliano, village de Lucanie : II. 516.
Galapagar, sur la route de l'Escorial à Madrid : I.
344.
Galatz : I. 102, 181.
Galera, royaume de Grenade : II. 366.

Galice, Galiciens : I. 40, *40* (3), 280, 531, 533, 534, **549-550**, *550* (11) ; II. 402.
Galicie : I. 28, 29.
Galignano, place-forte de l'Italie péninsulaire : II. 178.
Galilée (la) : I. 398.
GALILÉE : I. 293, 518.
Galio, dans la région de Vicence : I. 82.
Galite (La) : I. 106, 144.
GALLARDO Y VICTOR (Manuel) : I. 491.
GALLI (Giacomo), bandit : II. 90.
Gallipoli, presqu'île turque de la prov. des Balkans : I. 524 ; II. 37, 62, 177.
Gallura, Sardaigne : I. 350.
GALLUZZI (R.) : II. 68.
GAMA (Vasco de) : I. 97, 168, 204, 206, 356, 500, 503, 542, 551 ; II. 16, 17, 155.
Ganches, indigènes des Canaries : I. 142.
Gand : II. 253, 266, 286, 342, 343.
Gandia, ville de la prov. de Valence (Espagne) : II. 121.
GANDIA (duc de) : II. 60.
Gap : I. 42.
GARCES, ambassadeur toscan auprès de Philippe II : II. *320* (10).
GARDE (Paulin de LA), général des galères françaises: II. 226, 241, 243, 246, 328, 400, *409* (1).
Gargano (*monte*), promontoire entre les Abruzzes et l'Apulie : I. 38, 114, 130, 131, 246.
GARNICA : I. 315.
Garonne (pays de la) : I. 214 ; (vallée de la) : II. 356.
GARRET (William), marchand anglais : I. 564.
GARZONI, ambassadeur vénitien : II. 36.
Gascogne, Gascons : I. 382 ; II. 77, 240, 492.
Gascogne (golfe de) : I. 172, 205, 213, 257, 269, 439.
GASCON (Juan), maître de brigantin et pirate : II. 197.
Gascueña, village de la province de Cuenca : II. 59.
GASSOT (Jacques) : I. 291 ; II. 135.
GAST (marquise de) : I. 203.
Gastines (croix de) : II. 403.
Gâtine : II. 52.
GATTINARA, grand chancelier d'Espagne : II. 22, 23.
Gaule : I. 152.
GAUTIER (Émile-Félix) : I. 123, 147, 151, 164, 255 ; II. 110, 136.
GAUTIER (Théophile) : I. 40, 99, 125, 221 ; II. 85, 100.
Gediz (vallée du), Pamphylie : I. 90.
GEDOYN « le Turc », consul français à Alep : I. 226.
GELSER (H.) : II. 29.
Gembloux : II. 442.
GEMBRARD (monseigneur de), archevêque d'Aix : II. 494.
Gênes et Génois : I. *36* (3), 41, 42, 44, 50, 60, 61, 96, *96* (4), 98, 101, 105, 111, 112, 113, 122, 123, 127, 129, *129* (1), 130, 132, 133, 134, 135, *135* (2), 136, 138, 145, 146, *177* (1), 185, 190, 193, 195, 197, 200, 202, 207, 208, 209, 229, 230, 231, 234, 239, 244, 255, 257, 267, 268, 271, 274, 276, 281, 282, 286, 288, 290, 291, 292, 294, 295, 301, 304-306, 310-311, 312, 313-315, 327, 329, *329* (8), 333, *336* (1), 344, 346, 348, **354-361**, 375, *384* (2), 390, 391, 394, 395, 396, 401, 404, 406, 407, 414, 422, 424, 425, 429, *431* (9), 439, *439* (5), 440, 442-448, 450, 451, 452, 453, **454-458**, 459-466, 468, 479, 480, 492, 494, 502, 508, 521-522, 524, 525, 528, 532, 538, 540, 543, 545, 549-550, 554-555, 558, 559, *560* (n. 12 de la p. 559), 561, 566, 569, 574 ; II. 9, 11, 39, 41, 45, 52, 53, 61, 70, 77, 79, 88, 96, 100, 103, 133, 143, 149, 150, 151, 157, 160, 166, 193, 204, 205, 210, 218, 229, 234, 244, 246-248, 249, 250, 260, 262, 267, *280* (2), 281, 286-287, 290, 291-293, 299-300, 305, 307-311, 313, 315-316, 317, 323, 331, *333* (7), 334, 340, 350, 353, 359, 360, 371, 376-377, 384, 391, 392, 402, 417, 423, 424, 426, 432, 441, 461, 471, 498, 510, 511.
San Pier d'Arena (chantiers de) : I. 135.
Caratorum Maris : I. 554.
Zecca : I. 452 (7), 455 (1).
Genève : I. 188, 190, 198, *202* (2), 204, 294, 388, 409; II. 103, 104, 148, 270 ; (lac de) : I. 189 ; II. 486.

Genèvre (mont) : I. 189.
GENLIS (Jean de HANGEST, sgr de) : II. 404-405.
GENTIL DA SILVA (José) : I. 344.
GENTILE, banquier génois : I. 437.
GENTILE (Costantino) : I. *439* (5).
GEORGE (Pierre) : I. 46, 75.
GEORGES (saint) : II. 105.
Géorgie, Géorgiens : II. 451-452, 453, 456, 458.
GÉRARD, patron de nave normande : I. 553.
GERINI, famille marchande florentine : II. 68.
GERLACH (R.) : II. 36, 41, 440, 443.
GERMAINE, reine d'Espagne : II. *185* (3).
GERMANICUS : I. 152.
Gefmanie : I. 173.
GERMIGNY, ambassadeur de France à Constantinople : II. 444-446, 449.
Gévaudan, ancienne prov. entre le Velais et le Vivarais : I. 382.
Gevrey, Bourgogne : I. *41* (6).
Ghardaïa, ville de l'Algérie du Sud : I. *157* (1).
Ghendjé, ville de Perse : II. 458.
Giavarino, Hongrie : II. *481* (5).
Gibelins : II. 91.
Gibraltar : I. 22, 23, 99, 100, 107, 109, 110, 113, 123, 131, 165, 172, 208, 209, 210, 213, 276, 383, 407, 534, 544, 550, 552, 557, 572, 576 ; II. 97, *167* (4), 172, 191, 196, 204, 206, 208, 226, 245, 284, 301, 307, 309, 441.
Gier (le), affluent du Rhône : I. 248.
GILES (Joan), patron de nave hollandaise : I. 553.
GILLI (Giovanni Agostino), agent secret de Gênes, à Constantinople : I. 502.
GIONO (Jean) : II. 516.
Giovi (route *dei*), dans l'Apennin toscan : I. 291 ; (col *dei* : I. 291.
GIRARD (Albert) : I. 370.
Girgenti : voir Agrigente.
GIRON, commandeur : I. 416.
GIUDICI (Marcantonio et G. Battista) : I. 453.
GIUSTINIANI, provéditeur : I. 55, *119* (1).
GIUSTINIANO (Cesare), ambassadeur de Gênes : I. 229, 465, *465* (7, 9), *467* (2).
Gmünden, ville d'Autriche : II. 175.
Gniezno, ville de Pologne : I. 179.
Goa : I. *145* (2), 208, *346* (7), 503, 512, *572* (4) : II. 101, 133, 145.
GOBINEAU (A. de) : I. 165.
GOETHE : I. 155, 220.
GOETZ (Wilhelm), géographe : II. 246.
Golconde, ville de l'Hindoustan : I. 45.
GOLDONI (Carlo) : I. 309.
GOLLUT (Louis) : I. 248.
GOMES DE BRITO (Bernardo) : I. 514.
GÔMEZ DA SILVA (Ruy), prince d'Eboli : I. 505 ; II. 55, 56, 58, 168, 256, 264, 277, 296, 300, 313, 340, 348, 351, 369, 391, 460, 516.
GONDI (Hieronimo) : II. 388, 405.
GONDOLA, famille marchande de Raguse : I. 345.
GONGUZZA DELLE CASTELLE (J. B.) : II. 364.
GONZAGA (Ferrante) : II. 177-178.
GONZAGA (prince Vespasiano), vice-roi de Navarre: II. 182, 388, 401.
GONZAGUE (les) : I. 355, 425, 543 ; II. 88, 93.
GONZAGUE (Louis de), voir NEVERS (duc de).
GONZÁLEZ (Tomás) : I. 370, 371.
GORIS (A.) : I. 448.
Gorizia ou Goritz : II. 339.
Goulette (La) : I. 162, *230* (2), 233, 261, 330, *332* (2), 366, 518 : II. 97, 133, 179, 182-184, 187, 194, 229, 238, 246, 251, 285, 290, 294, 295, 296-297, 299-300, 302, 303, 306, 320, 321, 326, 333, 335, 347, 365, 373, 377, 383, 388, 418, 419, 420, 421, 422, 423, 424-427, 429 476.
GOUNON-LOUBENS (J.) : I. 321 : II. 265.
Gozzo (île de), près de Malte : I. 106 ; II. 239, 290, 294. 323.
GOZZODINI (Beno), podestat de Milan : I. 65.
GRACIANO (Antonio) : I. 505.
GRADENIGO (V.), Vénitien : II. 81, *81* (7).
Gradevona, « pieve » du lac de Côme : I. 44.
Gran (forteresse de), Hongrie : II. 479, 482, 484, 485.
GRANDCHAMP (P.) : II. 374.

GRANVELLE (cardinal) : I. 342, 433 ; II. 24, 25, 26, 32, 83, 86, 248, 266, 277, 278, 332, 341, 377, 382, 384, 385, 390, 391, 393, 397, 406, 409, 414, 417, 421, 422, 423-428, 434, 437, 438, 460-462, 465-466.
GRASIS (cardinal) : II. 384.
Grasse : I. 63.
Gravelines : I. 575 ; II. 259, 260, 318.
Grèce : I. 23, *24* (2), 28, 29, *29* (2), 35, 37, 48, 52, *66* (4), 105, 123, 129, 147, 150, 182, 211, 215, 222, *362* (2), 528, 536 ; II. 11, 14, 64, 110, 170, 173, 176, 326, 347, 380, 411, 475, 508.
Grèce et Grecs antiques : I. 58, 124, 536 ; II. 110.
GRECO (le) : I. 213.
Grecs : I. 78, 110, 124, *124* (1), 134, 142-143, 176, 182, 221, 264, 307, 319-320, 566 ; II. 15, 18, 41, 66, 98, 100, **1051-06**, 113, 114, 135, 144, 173, 201, 207, 406, 410, 434.
Gredos (sierra de) : II. 57.
GRÉGOIRE XIV, pape : II. 89, 171, 209, 409, 417, 420-421, 428, 441, 464, 470.
Grenade : I. 25, *25* (2), 31, 67, 108, *125* (1), 145, 232, 296, 311, 327, 366, 370, 429, 534 ; II. 7, 17, 19, 30, 54, 77, 84, 92, 112, 118-119, **121-130**, 153, 168, 180, 204, 218, 276, 354, **359-365**, 366, 368-369, 370, 376, 378, 397, 430, 503, 504.
  Albaicin : II. 119, 123, 125, 359.
  Alcayceria : I. 350.
  Alhambra : II. 123, 125.
  Chancellerie : II. 123.
  Université : II. 123.
Grenade (royaume de) : I. 31, 38, 231, 299 ; II. 27, 38, 237, **365-370**.
GRENARD (Fernand) : II. 132.
GRENIER (Albert) : II. 14.
Grenoble : I. 198, 248.
GRESHAM (Thomas) : I. 355, 438.
GRIMALDI (les) : I. 314.
GRIMALDI (Carlo), duc de Monaco : I. 519.
GRIMALDI (Francesco), syndic de Lentini : II. 71.
GRIMALDI (G. ou Juan Jacomo) : I. 457, 467.
GRIMALDI (Nicolò), prince de Salerne et beau-père de Baltazar Lomellini : I. 437, 441, 443 ; II. 274, *455* (5).
GRIMAUDET (François), avocat à Angers : II. 73.
GRIMMELSHAUSEN (Hans Jacob Christoph von) : II. 83.
Grisons (les) : I. *34* (2), 81, 189, 519 ; II. 470.
GRITTI (Aloysius), favori du grand-vizir Ibrahim Pacha : II. 16.
GRITTI (Nicolò), chargé de mission : II. *280* (2).
GRITTI (Piero), ambassadeur vénitien : I. 271, *335* (1).
GRITTI (Triadan) : I. 59.
GRIZIOTTI KRETSCHMANN (Jenny) : II. 215.
Groningue (soulèvement de) : II. 352.
Grosse Ravensburger Gesellschaft : I. 49, 276, 494.
Grosseto : I. 47, 60, 522, 524.
Grottammare, com. de la prov. d'Ascoli : I. 524.
Grues (bataille de la plaine des), en Perse : II. 457-458.
GUADAGNI (les), marchands italiens installés à Lyon : II. 73.
Guadalajara : I. 296, 350, 370 ; II. 57, 272.
Guadalquivir : I. 74, *74* (1, 3), 75, 108, 250, 258, 276.
Guadarrama (sierra de) : I. 32, 366.
Guadiana (le) : I. 350.
Guaramantes : I. 424.
GUARDI (les), marchands de Florence : I. 544.
GUARDIA (J. M.) : II. 505.
GUARNIERI (G. G.) : II. 199, 200.
GUARNIX, conseiller de Philippe II : II. 75.
Gué (cap de), Afrique du Nord : I. 578 ; II. 186, 402.
GUEINES (Diego de), payeur des troupes : I. 458.
Guelfes : II. 91.
Guentia, Afrique du Nord : II. 108.
GUEVARA (Antonio de), évêque de Mondonedo : I. 219, 327 ; II. 162.
GUEVARA (Pedro de) : II. 128.
GUICCIARDINI, marchand italien : I. 401.
GUICCIARDINI (Francesco) : I. 59, 149, 365, 541 ; II. 8, 42.
GUICCIARDINI-CORSI (les) : I. 293.
GUIDICCIONI (Giovanni) : II. 79.

GUIMERAN (commandeur), chevalier de Malte : II. 285-286, 301.
Guinée : I. 99, 142, 166, 426, 427-431, 501.
GUION SOLIMAN, patron de barque français : I. 531-532.
Guipuzcoa, Guipuszcoans : I. *42* (5), 283.
GUISES (les) : I. 442 ; II. 54, 261, 292, 373, 495.
GUISE (François de Lorraine, duc de), le Balafré : II. 240, 257-260, 491.
GUISE (Henri Iᵉʳ, duc de) : II. 78, 337, 491, 492.
Gujarat (presqu'île de) ou Goudjérat : I. 496, 500 ; II. 459.
Gulf-Stream : I. 205.
GÜNTHER (R. T.) : I. 245.
GUTIERREZ (Antonio), marchand portugais installé à Florence : I. 577.
Guyenne : I. 353 ; II. 79, 249, 356, 487, 489.
GUZMÁN (Henrique de), voir comte d'OLIVARÈS.

HÄBLER (Konrad) : I. 370.
HABSBOURGS (les) : I. 118, 120, 133, 148, 194, 330, 341, 436, 460, 492 ; II. 9, *18* (4), 19. 22, 26-27, 189, 227, 234-235, 240, 247, 248, 253, 255, 256, 258, 311, 429, 465.
HACAM II : I. 63.
HA COHEN (Joseph), médecin : II. 149, 150.
HAÊDO (Diego de) : I. 76, 229, 261, 307, 366 ; II. 183, 194, 197, 206, 245, 301, 347, 364, 365, 472.
HAFSIDES (les) : I. 162, 426, 432 ; II. 109, 229, 289, 422, 476.
HAGA (Cornélius), envoyé hollandais à Constantinople : II. 37.
HAÏDER, shah de Perse : II. 451.
HAÏDER MIRZA, prince persan : II. 458.
HAITZE (du) : I.249.
HAKLUYT (Richard) : I. 554-556, 563, 565.
HALBWACHS (Maurice) : I. 325.
HALEBI (Ibrahim), juriste turc : II. 32.
Hall, vi.le du Tyrol : I. 188.
HALPERIN DONGHI (Tulio) : II. 114-115, 121.
Ham, près de Péronne : II. 259.
Hambourg : I. 185, 192, 193, 195, 196, 197, 266, 278, 308, *438* (7), 488, 509, 543, *562* (5), 567, *567* (9), 568, *569* (1), 578 ; II. 138, 141, 148, 151, 152.
HAMILTON (Earl J.) : I. 377, 412, 433, 473, 490, 502 ; II. 33, 40, 214, 217.
HAMMER (J. von) : I. 232, 489 ; II. 37, 112, 318, 339, 432, 451, 455, 481.
Hanse (la) : I. 255, 278, 279.
Hanséates : I. **567-576**.
HAREBORNE (William), ambassadeur de la reine Elisabeth en Turquie : I. 564, 566.
HARBRON (Guillaume), voir HAREBORNE (William).
Harrach (oued El) : II. 183.
HARTLAUB (F.) : II. 346, 383, 392, 403.
HARTUNG (J.) : I. 393.
HASSAN, gouverneur de Bosnie : II. 480.
HASSAN PACHA, fils de Mehemet Sokolli : II. 455, 485.
HASSAN VENEZIANO (Hassan Aga), capudan pacha : II. 472-474, 476, 502.
HAUSER (Henri) : I. 172 ; II. 245.
Havane (La) : I. 97, 209.
Havre (Le) : I. 273, 440, 552, 559.
HAWKINS (John), marin anglais : I. 438.
Haye (La) : I. 134.
HEERS (Jacques) : I. 403.
HEFELE (Hermann) : II. 70.
Hellespont : I. 331.
HELMER (Marie) : I. *449* (6).
HENRI III, roi de Castille : I. *425* (6).
HENRI IV, roi de Castille : II. 535.
HENRI DE BÉARN, voir Henri IV, roi de France.
HENRI II, roi de France : I. 341 ; II. 50, 142, 234, 236, 237, 238, 240, 241-245, 247-248, 249, 250, 256, 259, 261, 262, 264, 282, 286, 496.
HENRI III, roi de France : I. 184, 328, 339, 442, 563 ; II. 24, 262, 292, 372, 373, 387, 389, 402-403, 415, 416-417, 421, 443, 444, 470, 486, 489.
HENRI IV, roi de France : I. 148, 328. 343, 411, 569 ; II. 47, 143, 293, 312, 373, 470, 486, 487, 489, 491-501, 510-511, 519.

HENRI VII, de Lancastre : II. 27.
HENRI VIII, roi d'Angleterre : II. 30, 226, 234.
HENRI LE NAVIGATEUR : I. 99, 141, 427.
HENRI (cardinal), roi de Portugal : II. 444, 447, 462-465.
HENRIQUEZ (Juan), seigneur chrétien, défenseur des Morisques : II. 121.
HERBERSTEIN (Friedrich von) : II. *174* (5).
HERCULE (Mastro), médecin à Ancône : II. 72.
HERDER (Johann Gottfried von) : II. 138.
HEREDIA (père Antoine de), compagnon de saint Jean de la Croix : I. 32.
HERMITTE (Gilles) : I. *511* (8).
HERNÁNDEZ (Garci), ambassadeur espagnol : I. 517 ; II. 280-281, 348.
HÉRODOTE : II. 99.
Herradura (baie de), près de Málaga : I. 228, 230; II. 303, 317.
HERRE (Paul) : II. 370-371.
HERRERA (Alonso de) : I. 261, 376, 471. 478 ; II. 288.
Herzégovine : I. 31, 50, 219, 303 ; II. 14, 77.
Hesse : II. 345.
HETTNER (Alfred) : I. 163, 170, 171 ; II. 132.
HEYN (Piet) : I. 209.
HILTEBRANDT (Philipp) : I. 58.
Himalaya : I. 340.
HOCHHOLZER (Hans) : I. 546.
HOCHSTETTER (famille) : I. 193, 405.
Hoggar : I. 161.
Hohe Tauern : I. 247.
HOLLAND (Henry), voyageur anglais : II. 91, *97* (4).
Hollandais : I. *59* (2), 60, 75, 109, 110, 123, 177, 180, 196, 197, 270, 271, 286, 313, 424, 463, 488, 509, 510, 513, 544, 553, 565, **567-576**, 578. II. 134, 150, 209, 464, 465, 468, 497, 499.
HOMÈRE : I. 27 ; II. 191.
Hondschoote, près de Dunkerque : I. 195, 262, 397, 448.
Hone, ancienne ville de l'Afrique du Nord : I. 425.
Honfleur : I. 271.
Hongrie, Hongrois : I. 28, 181, 185, 220, 223, 254, 306, 345, 367, 422, 444, 492, 523, 537, 538 ; II. 16, 18, 22, 30, 63, 84, 86, 102, 140, 141, 172, *174* (5), 175-176, 190, 218, 228, 232, 235, 238, 242, 254, 265, 280, 332, 334, **337-340**. 345-346, 470, **478-485**, 501 ; (guerres de) : I. 264, 292, 306 ; II. 135, 432, 508.
HOPKINS (Sheila) : I. 476.
HORACE : I. 58.
HORAÏRA (Abou), compagnon de Mahomet : I. 158.
HOREMBEY, drogman : II. 33, 440-442, 445.
HOSTALES (Joanne), patron de nave catalane : I. *135* (1).
Hougue (bataille de La) : I. *95* (6).
HOUTMANN (Cornélius) : I. 208, 510, 569.
HUART (G.) : II. 11.
Huesca : I. *55* (8), *247* (2), 351, 353.
HUNTO (Richard), agent anglais à Gênes : I. 566.
HUREAU (les), marchands originaires de Valenciennes : I. 182.
HURTADO (licencié), enquêteur : II. 122.
HURTADO DE MENDOZA (Diego) : II. 29, 58.
HÜTTEN (Ulrich von) : II. 170.
HUXLEY (Aldous) : I. 340.
Hyères : I. 200 ; (golfe d') : I. 98 ; (îles d') : I. 137, 215

IBARRA (Francisco de), commissaire général des guerres en Espagne : I. 341 ; II. 309, 342.
IBARRA (Pedro de), intendant militaire : II. 428.
Ibérique (péninsule) : I. 74, 86, 106, 108, 136, 148, 149, 150-151, *151* (1, 2), 172, 193, 205, 206, 208, 217, 256, 279, 313, 360, 371, 380, 436, 439, 451, 452, 453, 456, 471, 476, 497, 505, 507, 530, 533, 543 ; II. 25, 35, 69, 92, 101, 153, 204, 220, 237, 265, 271, 277, 303, 351, 370, 450, 510.
Ibériques : I. 97, 177, 208, 217, 276, 277, 279, 497, 549, 573, 574.
Ibiza : I. 112, 137, 144, *448* (2), 551 ; II. 192, 295, 305.
IBN ABBAD, poète musulman : II. 132.
IBN ASKAR, hagiographe musulman du XVIᵉ siècle : I. 33.
IBN KHALDOUN : I. 130 ; II. 111.
IBN VERGA, écrivain du XVIᵉ siècle : II. 140.

IBRAHIM PACHA, grand vizir : II. 16, 64, 484, 511.
IBRAHIM, ambassadeur de Perse : II. 456.
IDIÁQUEZ (don Juan de) : I. 433, *441* (1) ; II. 128, 443, 461, 495.
If (château d') : II. 499.
Ifriqya, voir Tunisie.
Ile-de-France ; I. 220.
ILLESCAS (Gonzalo de) : II. 104.
Impériaux : II. *481* (5), 482-484.
Inde : I. 495, 496, 498, 502 ; II. 100, 109, 151, 172, 356, 455, 459.
Indes : I. 45, 75, 87, 97, 126, 141, 155, *156* (3), 158, 168, 169, 177, *202* (2), 205, 207, 208, 263, 277, 279, 291, 292, 307, 313, 340, 346, 356, 380, 381, 383, 400, 422, 433, 440, 448, 454, 455, 456, 473, 486, 499, 500, 503, 505, 508, 509, 511, *511* (8), 512-514, 534, 565, 572, *572* (4), 574, 576 ; II. 20, 24, 46, 73, 80-81, 93, 97, 104, 110, 137, 145.
occidentales : I. 276 ; II. 97.
orientales : I. 276, 343, 346, *406* (1), 410, 503, 513, *572* (4), 574 ; II. 99.
portugaises : I. 273, 277, *328* (7), 406, 492, 501, 502 ; II. 467.
(flotte des) : I. 347, 448, 451, 464, 465, 497, 575 ; II. 272, 273, 275, 276, 390.
indiamen : I. 273 (1), 275, 347.
Indien (océan) : I. 45, 153, 154, 155, 156, 158, 168, 171, 204, 206, 242, 259, 278, 343, 346, 495, 496, 499, 501, 503, 506, 510, 511, 565, 569, 572 ; II. 17, 156, 228, 356, 415, 432, 441, 450, 451, 452, **458-460**, 468, 499.
Indus : I. 86, 152, 157, 158, 169. (Pays de l') : I. 499.
INFANTADO (duc de l') : II. 55, 57, 272.
INGLÉS, agent espagnol : II. 445.
Inn (l') : I. 189, 190, 422.
Innsbruck : I. 333, 437, 523 ; II. 242, 244.
Insulinde : I. 22, 168, 169, 207, 400, 422, 498, 515. 572.
Invincible Armada : I. 131, 209, 280, 377, 439, 573 ; II. 57, 459, 467, 469.
Ionienne (mer) : I. 100, 115, 122, 123, 125, 136 ; II. 409.
Ioniennes (îles) : I. 136, 172.
IORGA (N.) : II. 112, 437, 481.
Irak : I. 157, 496.
Iran : voir Perse.
Irlande : I. 205, 209, *278* (9), 353, 549 ; II. 96, 168, 171, 446, 449, 467.
IRMI (Balthasar), commerçant bâlois : I. *66* (3).
ISABELLE DE VALOIS, reine d'Espagne : I. 173, 203 ; II. 33, 57, 261, 327.
ISABELLE LA CATHOLIQUE : II. 19.
Ischia : II. 203, 228.
Isère, rivière : I. 189, 248.
ISIDORE (saint) : I. 149 ; II. 105.
ISIDRO (saint) : voir ISIDORE (saint).
Islam : I. 31, 32, 105, 106, 108, 111, 123, 124, 147, 150, 159, 163, 164, 170-171, 216, 259, 312, 361, *362* (n. 3 de la p. 361), 363, 364, 367-368, 380, 410, 423, 424-426, 488, 499, 515, 548, 553, 566 ; II. 18, 20, 39, 62, 69, 94, 97, 110, 111, 112, 154, 156, *168* (6), 170-172, 187, 189, 191, 197, 218, 235, 244, 294, 295, 378, 409, 428, 432, 446, 450, 451, 458, **472-477**.
Islande : I. 127 ; II. 196, 208, 355, *355* (4).
ISMAÏL, shah de Perse : II. 451.
Ismaïla, place forte sur le Danube inférieur : II. 484.
Ispahan : I. 45, 87 ; II. 98.
Istanbul, voir Constantinople.
Istria, Corse : II. 309.
Istrie : I. 50, 51, 118, 134, 136, 190, 284, 352, 354, 398 ; II. 172, 173, 391, 415.
Italie : I. 26, 35, 37, 39, 40, 41, 43, 48, 50, 52, 59, *59* (2), 84, 86, 91, 95, *96* (4), 100, 110, 116, 119, 120, 121, 122, 123, 124, *127* (1), 132, 133, 135, 137, 138, 142, 146, 148, 149, 150-151, *151* (2), 152, 155, 173, 184, 185, 187, 188, 189, 190, 191, 193, *194* (4), 195, 196, 197, 198, 200, 203, 207, 208, 211, 215, 221, 222, 254, 258, 259, 260, 261, 265, 266, 285, 299, 301, 304, 305, 306, 310, 312, 316, 321, 328, *329* (18), 330, *339* (4), 346, 347, 348, 352, 355, 360, 361, 362, *362* (n. 3 de la p. 361), 364, 366, 368, 371, 374-375, 381, 383, *384* (4), 389, 396, 398, 399, 404, 416, 418, 435, 436, *441* (2), 442, 445-454, 456, 457,

464, 465, 474, 476, 483, 489, 490, 492, 505, 508-510, 522-524, 530, 533, 535-540, 542-545, 550-551, 572, *572* (1), 577 ; II. 7-9, 14, 20-23, 33, 42, 50, 68, 70, 81, 82, 84-86, 89, 91, 93, 94, 98, 100, 101, 102, 104-105, 108, 133, 138, 143-144, 145, 148, 149, 151, 152, 155, 157-158, 161, 167, 169, *179-180*, 181, 185, 187, 190, 200, 204, 211, 225, 236, 237-238, 241, 243, 244, 245, 247, 250, 253-254, 255, 257, 261, 262, 264, 265, 267, 270, 271, 285, 286, 295, 296, 301, 305, 307, 312, 315, 317, 333, 337, 348, 356, 358, 362, 363, 366, 376-377, 381, 385, 388, 390, 392, 396, 397, 401, 402, 404, 406-407, 409, 412, 415, 418, 424, 428, 435, 438, 439, 444, 450, 464, 467, 470-471, 482, 486, 489, 497-500, 502, 508, 510-511, 517, 518 ; (guerres d') : I. 316, 551 ; II. 218.
Italiens : I. 97, 101, 149, *156* (3), 184, 202, 203, 207, 221, 270, 342, 362, 380, 381, *381* (6), *449* (4), 509, 574 ; II. 100-101, 179, 231, 236, 257, 287, 289, 291, 297, 310, 325, 326, 333, 342, 376-377, 391, 421-422, 464, 471, 483, 497.
Ithaque : I. 27.
Iusić, historien yougoslave : II. 67.
Ivan Le Terrible : I. 105.
Ivrée, Piémont : I. 188.
Izmit, voir Nicomédie.

Jaca, Aragon : I. 351, 353.
Jacques (saint) : II. 105.
Jacques Ier, roi d'Angleterre : I. 564.
Jaén, en Andalousie : I. 370 ; (steppe de) : I. *74* (3).
Jaffa : I. 242, 291, 332, 554.
Jaffer Pacha, gouverneur de Tunis : II. 477.
Jaime, roi d'Aragon : I. *425* (6).
Janacek (Joseph) : I. 186.
Japon, Japonais : I. 45, 207, 456, 492.
Jarandilla, ville d'Espagne : II. 271.
Jarnac : II. 356.
Jasa (Melek), Ragusain renégat : II. 97.
Jassy, ville de Roumanie : I. 183.
Jativa, ville d'Espagne (province de Valence) : II. 121.
Java : I. 45, 515, 569.
Jean Ier, roi d'Aragon : I. 133.
Jean II, roi d'Aragon : I. 311 ; II. 7, 27.
Jean II, roi de Castille : II. 35.
Jean Ier, roi de Portugal : I. 108.
Jean III, roi de Portugal : I. 494-495.
Jean de La Croix (saint) : I. 32 ; II. 132, 270.
Jeanne, reine de Naples : II. 83.
Jeanne (princesse), sœur de Philippe II : II. 55, 263, 267, 270, 272, 275, 276-277, 278, 329.
Jeanne La Folle : II. 21.
Jenkinson, voyageur anglais : I. 501.
Jenkinson (Anthony), marchand anglais installé à Alep : II. 246.
Jerez de la Frontera : I. 296, 532 ; II. 54.
Jérusalem : I. *39* (1), 242-243, 291, 367, 556.
Jet Stream : I. 251, 252.
Jezero (lac), entre Larissa et Volo : II. 67.
Joly (Barthélémy) : I. 220, 382.
Jonge (Johannes Cornelis de) : I. 567.
Joseph (père) : I. 178 ; II. 47, 133.
Joseph (saint) : II. 105.
Joyeuse (duc de) : II. 316, 486, 488-489.
Juan d'Autriche (don) : I. 28, 125, 162, 234, 329, 366, 367, 432, 442, *445* (7) ; II. 33, 126, 166, 171, 181, 182, 318, 360, 362, 363, 364, 366-369, 383, 390, 392, 394-396, 397, 402, 406-414, 417-430, 434-436, 442, 505, 514, 519.
Jucar (le), fleuve d'Espagne : II. 121.
Juda, voir Djedda.
Juifs : I. 121, 133, *144* (1), 182, 184, *202* (2), 263, 264, 265, 308, 319, 320, 380, 398, *398* (3), 423, 498, 513, 567, 577-578 ; II. 13, 29, 30, 41, 46, 65, 66, 69-70, 98, 100, 128, 133, *135-155*, 192, 193, 201, 203, 211, 219, 255, 269, 363, 434, 435, 445, 503, 510.
Jules II, pape : I. 118 ; II. 159.
Jules III, pape : II. 238, 241, 243, 250, 252, 331.
Julião (Francisco), commandant de galères turques : II. 98.

Jung (Nathaniel), homme d'affaires allemand : I. 506.
Jura : I. 198 ; II. 52, 492.
Jurien de La Gravière (J. B. E.) : II. 325, 395.
Justinien I, empereur : I. 422.
Juyé, secrétaire de l'ambassadeur de France à Constantinople : II. 443.

Kabylie (petite-) : II. 284.
Kabylies, Kabyles : I. 23, 24, 27, 29, *29* (5), 30, *33* (2), 87, 91, 225, 307, 432 ; II. 111, 283, 365, 477.
Kairouan : I. 162 ; II. 108, 229, 285, 289.
Kamieniec, ville forte de Russie : I. 182.
Kanak, fleuve de Géorgie : II. 453.
Karabagh, Caucase : II. 458.
Kara Hodja, corsaire : II. 393.
Karaman, ville maritime d'Anatolie : I. 90.
Kara Mustafa : II. 308.
Karlstadt : II. 175.
Kars (forteresse de) Arménie, russe : II. 454-455.
Kasbin, Perse : II. 455.
Kassim Pacha : II. 64.
Kazan : I. 105, 165, 175 ; II. 357.
Kelibia, Tunisie, sur la côte N. E. de la presqu'île du cap Bon : II. 318.
Kélife, sur la côte d'Afrique orientale : II. 459.
Kellenbenz (Hermann) : I. 406, 516.
Keresztes (bataille de) : II. 482, 483, 484, 508.
Kerkennah, Kerkenniens : I. 99, 106 ; II. 183, 193, 288.
Kerhuel (Marie), économiste : II. 215.
Khorasson, province du N.E. de la Perse : II. 457.
Khosrew Pacha : II. 452.
Kilia, ville du gouv[t] de Bessarabie : I. 102, 178.
Klagenfurt : I, 188.
Klein (Julius) : I, 82 ; II, 53.
Koch (famille), entrepreneurs de transports à Nuremberg : I. 196.
Koch (Sebastian), consul de Hambourg à Gênes : I. 197.
Koci Beg, écrivain albanais : II. 66.
Koenigsberg (R.) : II. 450.
Kondratieff : II. 214.
Konetzke (R.) : II. 450.
Konstantinov (Aleko) : II. 113, 116.
Konya, ville d'Anatolie : I. 90.
Koprülüzade, historien : II. 11.
Korczyn, Pologne : I. *384* (4).
Koritza, Albanie du Sud : II. 66, 67.
Kossovo (bataille de) : II. 14-15.
Kostour, ville bulgare : II. 63.
Kouban, fleuve de la Russie méridionale : II. 457.
Koumanil, ville de Bulgarie : I. 29.
Koumanovo, ville de Serbie : I. 29.
Koumans (les) : II. 113.
Kratovo, ville de Bulgarie : II. 113.
Kreckwitz (von), ambassadeur impérial : II. 480.
Kreuz, ville de Croatie-Slavonie : II. 480.
Kronstadt : II. 134.
Kruju (château-fort de), Albanie : II. 66.
Kulpa, rivière de Croatie : II. 175, 480.
Kurdistan, Kurdes : I. *27* (1), 31, *31* (1), 35, 47, 90, 452.
Kustendil, ville de Bulgarie : II. 113, 116.
Kütahya ou Koutaya, ou Koutaieh, ville de Turquie d'Asie : I. 90 ; II. 339.
Kut el Amarna, Irak : I. 238.
Kuttenberg, près de Prague : I. 422.
Laborde (Alexandre de) : I. 221.
Labrousse (Ernest) : II. 516, 518.
Lacombe (Paul) : II. 519.
La Fontaine (Jean de) : II. 110.
Laguar (val de), en terre valencienne (Espagne) II. 121.
Lagartera, village de la sierra de Gredos : II. 57.
Laghouat : I. *157* (1), 161.
Lagos : I. 427 ; II. 466.
Lagosta, île dalmate : I. 117, 136.
Lala Mustapha, précepteur de Sélim II : II. 371, 485.

LAMANSKY (Victor) : I. 121 ; II. 105-106.
LAMBERTI (Paolo) : I. *174* (1).
Lambèse : I. 30.
Lampédouse : II. 323.
Lanciano, Abruzzes : I. 348, 349, 398 ; II. 146, 152.
Landes : I. 328.
LANDRIANO (comte de) : II. 296.
LANE (Frederic C.) : I. 500 ; II. 172.
LANFRANCHI (les), marchands de Florence : I. 544.
Languedoc : I. 52, 69, 72, 86, 200, 214, 215, 220, 250, 255, 276, 309, 369, 389, 390, 391 ; II. 51, 73, 74, 143, 196, 204, 205, *372* (4), 402, 486, 487-489, 517.
Languedoc (Bas-) : I. 42, 53, 62, 63, *66* (4), 148, 219 ; II. 84.
LA NOUE (François de), dit Bras de fer : II. 90, 401, 469, 501.
LANSAC (M. de) : II. 328, 356.
Lanslebourg, près St-Jean-de-Maurienne : I. 189.
L'ANZA (Pedro), corsaire : II. 202.
LAPEYRE (Henri) : II. 120, 129.
Larache, Maroc : I. 109, 110 ; II. 186, 194, 207, 368, 462.
Larba (tribu des) : I. 163.
Laredo : I. 205, 437, 440, 574 ; II. *264* (9), *267* (1, 2), 268, 269, 271, 274-275, 402.
LARGUIER (Léo) : I. 214.
Larissa, ville de Thessalie : II. 67.
Launac (lac de), en Bas-Languedoc : I. 62.
Laurana, sur la côte dalmate : II. 173.
LAURENT LE MAGNIFIQUE, voir MÉDICIS.
Lauristan, province du Caucase : II. 458.
LAUTREC (Odet, vicomte de), capitaine français : I. 58.
LAVAL (Bernard de), seigneur de Sault : I. 62.
LAWRENCE (T. E.) : I. 163.
Laybach : II. 175.
Lazzes, tribu montagnarde : I. *27* (1).
LECAS : voir VÁZQUEZ (Alonso).
LECCA (Giovanni Paolo da), seigneur corse : II. 51.
Lecce, ville d'Apulie : I. 48 ; II. 438.
Lech (le) : I. *191* (7), 290.
LE DANOIS (Ed.) : I. 246, 247.
LEDERER (famille), entrepreneurs de transports : I. 193.
LEGAZPI (Miguel LÓPEZ DE), marin basque espagnol : I. 502.
LEGENDRE (Maurice) : I. 147.
Leipzig : I. 183, 196, 197, 348, 460.
LENCHE, consul marseillais : II. 490.
Lendinara, près de Rovigo : I. 71.
LENKOWITCH (Hans) : II. 175.
Lentini (territoire de) en Sicile : I. 523 ; II. 71.
León : I. 30, *42* (5), 84, 220, 370, 391, 408, 534.
LÉON X : I. *58* (2) ; II. 159, 160.
LÉON L'AFRICAIN : I. 24, *34* (2), 54-55, 144, 226, 260, 365, 426, 525 ; II. 149.
Lépante : II. 410, 419 ; (bataille de) : I. *95* (6), 115, 125, 131, 330, 383, 562 ; II. 26, 134, 140, 166, 168, 169, 171, 197, 199, 202, 212, 218, 219, 223, 383, 390, 391. *392-398*, 399, 409, 413, 415, 416, 421, 429, 430, 434, 435, 460, 511.
Léri, Bas-Piémont : I. 66.
Lérida : I. 63, 67.
LERME (duc de) : I. 467 ; II. 51 56.
LE ROY LADURIE (Emmanuel) : I. 69, 250, 251, 252, 369 ; II. 215, 517.
Lesbos. voir Métélin.
LESCALOPIER (Pierre), voyageur français : I. 37-38, 95, 192, 318-320, 330, 367.
LESCARBOT (Marc), littérateur et voyageur français du XVIIᵉ siècle : I. 473.
LESDIGUIÈRES (François, duc de), connétable : II. 89, 486-487, 490, 491, 495, 498.
Lesina, voir Liesena.
LESPÈS (René), géographe : I. 107.
LETI (Gregorio), historien : II. 268.
Levant : I. *95* (3), 110, 111, 117, 126, 156, 169, *177* (1), 178, 179, 194, 196, 197, 200, 201, *202* (2), 207, 233, 264, 265, 267, 274, *278* (9), 284, 285, 293, 300, 301, 303, 314, 345, 355, 356, 359, *383* (4), 395, 421, 423, 444, 449, 450-451, 453, 454, 488, 489, 494, 496, 497, 504, 505, 509, 517, 524-526, 535-536, 538-540, 548 551, 552, 554, 555-556, 558, 563-565, 569, 578 ; II. 16-17, 70, 109, 133, 137, 140, 144, 145, 148, 149, 152, 166, 176, 192, 200, 202, 203, 206, 289, 297, 300, 313, 320, 324. 334, 357, 376, 380, 385, 396, 397, 402, 406, 407, 408, 409, 414, 421, 433, 444, 503, 509, 512.
(commerce du) : voir Commerce (Index des Matières),
(îles du) : I. 274.
Levant Company : I. 210, 563-565, 572.
Levantins : I. 124 ; II. 100, 202.
Levanzo, île italienne de Méditerranée : I. 106.
LEVI (Carlo) : II. 516.
Leyde : I. 195, 397.
LEYMIERI (David), marchand établi à Amsterdam I. 576.
LEYMIERI (Pedro), marchand résidant en Angleterre : I. 576.
LEYVA (Pedro de), général des galères de Sicile : I. 284 ; II. 202.
LEYVA (Sancho de) : II. 193. 287, 294, 299, 306, 368.
L'HERBA (Giovanni da) : I. 258.
Liban : I. 23, 35, 54, 56, 130, 163, 291.
Liban (Anti-) : I. 35, 156.
Libye : I. 122, 156, 424.
Licata, Sicile : I. 525, 526 ; II. 179, 246.
Liège : I. 488 ; II. 342.
Liesena, île dalmate : I. 144.
Lievaneres, village de Catalogne : I. 132.
LIGORIO, architecte-maçon : II. 159.
Ligueurs : II. 486, 488, 491.
Ligurie, Ligure : I. *132* (2), 381 ; II. 52, 205.
Lille : I. 195.
Limoges : I. 198.
LIMOGES (évêque de) : I. *341* (1, 2), 342, 485 ; II. 74, 297, 301, 303, 313, 316, 356.
Limousin : I. 42, 328.
Linguetta (cap), en Albanie : I. 115.
Lintesti, ville de Roumanie : I. 181.
Linz : I. 186, 188 ; II. 175.
Lion (golfe du) : I. 97, 110, 148, 205, 229, 230, 231, 435 ; II. 323, 487.
Lipari (îles) : I. 134, 137 ; II. 86, 301.
LIPPOMANO, agent de l'Espagne en Turquie : II. 507.
LIPPOMANO (Girolamo), ambassadeur de Venise : I. 189, 202-203, 280, 508.
Lisbonne : I. 26, 99, *109* (9), 134, 142, 149, 193, 198, 205, 206, 207, 208, 209, 217, 271, 276, 277, 295, 307, 308, 309, 313, 321, 333, 334, 346, *346* (5), 357, 365, 387, 403, 406, 408, 410, 429, 436, 440, *447* (14), 457, 460, 492, 494, 495, 497, 500-501, 503-510, 514, 518, 519, 530-535, 542-545, 551, 559, *560* (n. 12 de la p. 559), *567* (9), 574, 576-578 ; II. 25, 74, 96, 98, 100, 135, 146, 150, 152, 210, 265, 284, 415, 461, 465, 466, 467.
Château S. Julião da Barra : II. 98.
LISLE (Abbé de) : II. 440.
Lithuanie : I. 180, 181.
LITTRÉ : I. 92.
LIVET (Robert) : I. 309 ; II. 111.
Livno, Bosnie : I. 50.
Livourne : I. 41, 52, 60, *95* (5), *96* (4), 97, *97* (4), 98, 109, 111, 112, 122, 123, 124, *124* (1), 127, 128, 130, 134, 136, 138, *138* (1), 145, 202, *239-241*, 257, 262, 268, 271, 282, 284, 285, 300, 310, 332, 335, 383, 424, *432* (11), *448* (2), 450, 451, 454, 497, 506, 518, 524, 543, 544, 551-553, 558, 559-560, 561, *562* (5), 565-568, 570-572, *572* (3), 577 ; II. 93, 101, 138, 149, 150, 190, 192, 194, 201, 206, 207, 211, 247, 311, 323, 436, 487, 511.
Ljes, voir Alessio.
Llobregat : I. 63, 64.
LLORENTE (Juan-Antonio), prêtre et historien espagnol : I. 104, 271.
LOBANA (Jean Bautista), cartographe : II.. 129
LOCKE (John), voyageur anglais : I. 556.
Lodi : I. 364 ; (paix de) : I. 355 ; II. 7.
Logroño : II. *185* (3).
Loire (fleuve) : I. 198 ; II. 19, 356.
Lombardie : I. *35* (4), 61, 64, *64* (3), 66, *66* (3), 67, 147, 185, 194, 216, 249, 257, 348, 354, 357, 458, 541 ; II. 90, 281, 286, 287, 291, 342, 362, 420, 424, 425, 429, 508.
Lombards : I. 44.

INDEX

Lomellina (la), partie de la plaine du Pô : I. 65.
LOMELLINI (les) : I. 144, 146, 313, 314.
LOMELLINI (Baltazar), gendre de Nicoló Grimaldi : I. 440, 443.
LOMELLINI (Battista) : I. 442.
LOMELLINO, consul génois à Messine : II. 289.
LOMELLINO (Nicolô), conseiller de Lazaro Spinola : I. 439.
Londres : I. 97, 177, 183, 255, 274, 277, 278, 299, 306, 314, 321, 322, 333, 344, 345, *410* (3), 503, 530, 549, 552, 555, 557, *557* (3), 559-562, *562* (5), 563-566, 568 ; II. 68, 138, 142, 150, 246, 249, 338, 345, 361, 499.
Record Office : I. 338.
Longares, village d'Aragon : II. 129.
LONGLÉE (Pierre DE SÉGUSSON, sieur de), agent d'Henri III en Espagne : I. 328, 446, 475.
Longjumeau (paix de) : II. 352, 356.
Lons-le-Saunier : I. 458, *458* (3).
LOPE DE VEGA (Félix) : II. 92, 305.
LÓPEZ DE FIGUEROA : II. 391.
LÓPEZ DE GOMARA (Francisco) : I. 473.
LÓPEZ DEL CAMPO (Francisco), facteur : II. 276.
LÓPEZ DE LEGASPI ou LEGAZPI, voir LEGAZPI.
LÓPEZ DE PADILLA (Gutierre) : II. 291.
LOPPES (Rui), marrane, installé à Venise : I. 578.
LOREDANO (Pierre), doge de Venise : II. 375.
Lorraine : I. 173, 198, *439* (5).
LORRAINE (cardinal de) : I. *341* (1, 2) ; II. 388.
(Charles III de) : II. 482.
LORRAINE (duchesse de) : II. 267.
LOSATA, agent espagnol : II. 433.
LOT (Ferdinand) : I. 255.
Lotophages (les) : I. 325.
LOTTI (Francesco) et MARTELLI (Carlo), société de prêts : II. 58.
LOUIS IX, roi de France : I. 162 ; II. 143.
LOUIS XI, roi de France : I. 198, 200, 311, 315 ; II. 27.
LOUIS XII, roi de France : I. *66* (3) ; II. 20-21, 60, 218.
LOUIS XIII, roi de France : II. 162-163.
LOUIS XIV, roi de France : I. 96, 322, 380 ; II. 10, 35, 194 ;
(siècle de) : I. 251, 339.
LOUIS II, roi de Hongrie : II. 16, 235.
Lourmarin : I. *31* (3).
Lozère : I. 214.
Lubeck : I. 134, 174, 278, 403, 488, 509, 567-568 ; II. 207.
Lubéron : I. 31, *31* (3), *46* (3).
Lublin : I. 179, 182, 183.
Lucanie : II. 516.
LUCAS (John), agent anglais à Malte : I. 566.
LUCCARI (Nicoló), Ragusain : I. 293.
LUCCHINI (les), marchands de Bologne : I. 544.
Lucera, ville des Pouilles : I. 298, 348 ; II. 152.
LUCIO (père Carlo) : II. 47.
Luco, rivière du Maroc : II. 462.
Lucques et Lucquois : I. 38, 47, 54, 59, 183-184, 221, 226, 257, 294, 296, 311, 312, 541, 543, 544 ; II. 79, 103, 436, 441.
LUDER (Antonio), de Hambourg, patron de nave : I. *567* (9).
LUDOVIC LE MORE : I. 65.
Lugo, Romagnole : I. 539.
Luis de Portugal (don), oncle de Marie Tudor, fils d'Emmanuel le Fortuné, II. 248, 463.
LULL (Raymond) : II. 99.
LUNA (comte de) : II. 296, 298, 319.
Lunel, Hérault : II. 72.
Lunigiana, entre Toscane et Ligurie : I. 34. 35.
LUSIGNAN (les) : I. 141 ; II. 110.
LUSIGNAN (R. P. F. Estienne de) : I. 139.
LUTFI BARKAN (Ömer) : I. 363, 364, 537 ; II. 33.
LUTHER (Martin) : I. 173, 192 ; II. 22, 27, 170, 226, 236.
Luxembourg : I. *439* (5) ; II. 243.
LUZAC (Élie) : I. 567.
LUZZATTO (Gino) : I. 386, 482.
Lwow : I. 181, 182, 183, 204, 450, 477, 515, 563.
Lyon, Lyonnais : I. 189, 193, 197-199, 201, 202, 203, 204, 248, 266, 288, 294, 295, 302, 308, 313, 315, 327, 328, 330, 333, *338* (5), 339, *339* (4), 345, 348, 349, 358, 360, 391-392, 400, 401, 404, 435, 438, 442, 449, *449* (4), *452* (1), 458, *458* (3), 459, 460, 464, 497 ; II. 46, 73, 161, 166, 249, 309, 389.
Place aux Changes : I. 449.
Lyonnais (le) : II. 73, 485.

MAC CRIE (J.) : II. 104.
Macédoine et Macédoniens : I. 39, *54* (5), 73, 150, 525, 528 ; II. 116.
MACHIAVEL : I. 149 ; II. 8-9, 20.
MADARIAGA (Salvador de) : II. 139.
MADDALENA (Aldo de) : II. 215.
Madère : I. 141, 142, 206, *215* (1), 531, 551 ; II. 145, 146, 208. 337 ; (vin de) : I. 387.
MADOC voyageur anglais : I. 166.
Madrid : I. 25, 40, 43, 62, *124* (1), 125, 149, 256, 260, 296, 299, 310, 315, 321-332, 334, 335, *335* (1), *336* (1), 338, 343, 350, 370, 385, 432, *447* (14), 451, 459, 462, 463, 465, 466, 503, 509 ; II. 30, 34, 46-47, 56-57, 80, 82, 84, 92, 120, 128, 150, 190, 198, 203, 265, 266, 278, 295, 297, 299-300, 305, 306, 317, 324-326, 329, 333, 338, 348, 351, 363, 365, 367, 368, 369, 379, 386-389, 391, 400, 403-405, 407-408, 417, 419, 422, 423, 424, 426, 428, 429, 438-439, 442, 460, 461, 467, 475, 510, 519.
Mayor (calle) : II. 34,
(plaza) : II. 57.
Prado : I. 62, 344.
Prado San Hieronymo : II. 34.
Real Casa de Campo : I. *63* (1).
Puerta del Sol : II. 80.
Ségovie (pont de) : I. 63.
Sept Diables (cabaret des) : II. 57.
Vega (porte de) : I. *63* (1).
MADRIGAL (Alvaro de), vice-roi de Sardaigne : II. 295.
MA EL AININ, marabout : I. 163.
MAFFÉE (Jean-Pierre), jésuite bergamasque : I. *41* (4).
MAGALHAES GODINHO (Vitorino) : I. 426, 432, 516.
Magdebourg : I. 174.
Magellan (détroit de) : II. 82.
MAGELLAN : I. 177, 204.
Magenta, sur le Tessin : I. 64.
Maghreb, voir Afrique du Nord.
Maghzen : I. 35, 68.
MAGIS (de), facteur de Spirolo, gouverneur de Tabarca : II. 475.
Magna Societas: voir *Grosse Ravensburger Gesellschaft*.
MAHAMAT Pacha, « roi » de Tripoli : II. *201* (6).
MAHAMET CAPSI : II. 474.
MAHOMET, voir Islam.
MAHOMET II, le Conquérant : I. 287 ; II. 8, 15, 64.
MAHOMET III : II. 478, 483.
Mahon, Minorque : I. 140.
MAISSE (Hérault de), ambassadeur de France à Venise : I. 564 ;II. 24, 89, 470.
Majeur (lac) : I. 66.
MAJNONI, banquiers de Francfort : I. 44.
Majorque : I. *124* (1), 134, 137, *140* (2), 141, 552, 559 ; II. 180, 197, 243, 245, 297, 321, 392, 428.
Malabar : I. 496, 499, 508, 513, 515.
Málaga : I. 49, 84, 97, 109, 172, 230, 231, 256, 269, 283, 413-414, 523, 532, 549, 552, 559, 569 ; II. 33, *35* (10), 81, 167, 186, 204, 247, 303, 305, 306, 307, 319 320, 323, 350, 369, 392.
Percheles quartier des mauvais garçons : II. 204 ;
(vin de) : I. 387.
MÁLE (Émile) : II. 157.
Malée (cap), Morée : I. 99, 100.
MALESTROIT (M. de) : I. 473, 474.
Mali (le) : I. 425 426.
MALIPIERO (Andrea), consul de Syrie : I. *538* (2).
MALLAH HASSAN ELKJADI, écrivain bosniaque : II. 66.
Malte et Maltais : I. 26, 95, 106, 125, *137* (4), 140, 227, 228, 233, 331, 489, 554, 559, 561, 566 ; II. 86, 166, 167, 176, 179, 182, 192, 194, 195, 197, 198, 199, 201, 202, 227, 239, 241, 279, 283, 286, 288, 290, 294, 319-325, 330, 333, 337, 373, 376, 439, 441, 475, 476, 503, 506, 507, 509.

Malte (chevaliers de) : I. 26, *69* (2), 106, 140, 303, 561 ; II. 152, *167* (7), 194, 200, 231, 238, 239-240, 281, 285, 287, **322-326**, 333, *373* (4), 432, 434, 474, 503.
Malte (Grand-maître de l'ordre des chevaliers de): II. 181, 267, 321, 326, 335, 433, 476.
MALTHUS : I. 389.
MALVENDA (les) : I. 315, 440, 442, 517 II. 39, 69.
MALVENDA (Francisco de) : I. 467, 509.
MALVENDA (Pedro de) : I. 468, 509.
MALVEZZI, ambassadeur de Ferdinand à Constantinople : II. 230.
Malvoisie : II. 173, 411 ; (vin de) : I. 143, 182, 200, 274, 555 ; II. 303.
MALYNES (Gérard), marchand anglais : I. 473.
MAMI ou MAMET (Arnaut), reis : I. 229 ; II. 198, *201* (6), 202, 210.
MAMI PACHA : II. 509.
Mamora (la), Maroc : I. 110 ; II. 191, 207.
Mancha Real, Andalousie : I. *74* (3).
Manche, mer : I. 205, 209, 250, 276, 279, 493, 544, 558, 570-571 ; II. 355.
Manche, Espagne : I. 82, 84, 172, 250 ; II. 126.
Mandchourie : I. 171.
Mandelieu : I. 63.
MANDELLO DI CAORSI (comte Andrea) : II. 72.
MANFRED, roi de Sicile : I. 525.
Manfredonia, Apulie : I. 528 ; II. 177, 178.
MANFRONI : II. 325.
Manille (galion de) : I. 207, 346, 487.
MANNLICH LE VIEUX, d'Augsbourg : I. 504.
Manosque : I. 63.
MANRIQUE (Juan de) II. 291, 327.
MANRIQUE DE LARA (don Bernardino) : II. 58.
MANSFELD (Pierre-Ernest de), général : I. 457.
Mansfeld, Saxe : I. 422.
Mantoue, Mantouans : I. 43, 62, 192, *194* (3), 226, 288, 313, 366, 396, 397, 539, *550* (12) ; II. 77, 89, 139, 142, 143, 157, 287, 315, 441.
MANTOUX (Paul) : I. 292.
Mantovano (le), région de Mantoue : I. 82.
MANTRAN (Robert) : I. 287.
MANUEL (dom), roi de Portugal : I. 456, 494, 551.
Manzanares : I. *63* (1).
MAQUEDA (duc de) et son frère don Jaime : II. 56, 507.
Maragateria (la), dans le León : I. *391* (5), 408.
Maragatos, habitants de la Maragateria : I. 40, 408-409.
Marbella, village près de Livourne : II. 307.
MARCA (Speranza della), marchand forain : I. 349.
MARCEL II, pape : II. 252.
Marche (La), Belgique : II. 252, 254.
MARCHE (Guillaume de LA) : II. 401.
Marches (les) : I. 307, 539.
MARCHIANO (Rodrigo di), marrane, installé à Venise : I. 578.
Marciana, île d'Elbe : II. 246.
MARCZEWSKI (Jean) : II. 518.
Marecchia (vallée de la), Émilie : I. 257.
Marellano (marécages de), près de Capoue : I. 61.
Maremme toscane : I. 42, 47, 56, 60, *61* (2), 68, 145, 308, 522, 558 ; II. 89, 246, 250.
MARESCOTTO, de Milan : II. 72.
Marettimo, île au large de la Sicile : I. 106.
Marga (golfe de), mer Égée : I. *525* (2).
Margata, voir Margate.
Margate, à l'embouchure de la Tamise : I. 559.
MARGLIANI (Giovanni), agent espagnol à Constantinople : I. 563 ; II. 432-433, **437-450**, 455, 456, 469.
MARGUERITE DE FRANCE, fille de François Ier, femme d'Emmanuel-Philibert, duc de Savoie : II. 261.
MARGUERITE DE PARME, sœur de Philippe II : II. 266, 267, *267* (2), 276-277, 341, 343.
MARGUERITE DE VALOIS, reine de Navarre : II. 102, 328, 372, 373.
MARI (Stefano de) II. 290, 292, 306, *314* (3).
MARIANA : II. 264.
MARIE DE HONGRIE, sœur de Charles Quint, épouse de Louis II. roi de Hongrie : II. 235, 241, 264, 271.
MARIE DE MÉDICIS, voir Médicis.

MARIE STUART : II 262, 352, 355, 361.
MARIE TUDOR : II. 248-249, 252, 254, 260 262, 263, 265.
Marignan (bataille de) : I. 41.
MARILLAC (Michel de) : II. 168, 255.
MARINI (Oliviero): I. 453.
MARINO (Salomone), historien : II. 240.
MARINO (Tomaso), marchand génois : I. *383* (4).
Maritza (la) : I. 254, 331 ; II. 14, 116.
MARLIANI, auteur d'un *Guide* de Rome : II. 158.
Marmara (mer de) : I. 103, *106* (2), 131, 318, 328, 536.
Marmora, voir Mamora.
Maroc, Marocains : I. 23, 36, *36* (3), 37, 38, 48, 50, 110. 152, 164, 166, 215, 259, 364, 365, 387, *425* (7), 426, 505, 531 ; II. 47, 91, 126, 141, 186, 188, 228, 245, 251, 283. 293, 309, 363, 402, 462, 463, 470.
MARQUINA (Pedro de), secrétaire de Juan de La Vega: II. 232.
Marrakech : I. 163 ; II. 129, 138.
Marranes : I. 209, 405, 440, 455, 466, 509, 576-578 ; II. 69, 136, 139, 141, 142, 143, 149, 150, 152, 155.
Marsala : II. 178, 179, 421.
Marsa Muset (baie de), île de Malte : II. 322.
Marsa Sciroco (baie de), île de Malte : II. 322.
Marseille et Marseillais : I. *95* (5, 7), 97, 109, 110, 111 112, 113, 124, 130, 133, 134, *134* (1), 137, 138, 146, 185. 193, **197-203**, 204, 215, 229, 230, 231, 236, 250, 255, 266, 268, 273, 284-286, 288, 290, 291, 292, 293, 295, 302-304, 305, 306, 311, 314, 315, 316, 332, 333, 387, 404, 407, 425, *428* (6), 497, 498, 504, 513, 515, 549-554, 562, *562* (5), 564-566 ; II. 47, 80, 100, 101, 143, 144, 145, 150, 205-206, 227, 238, 240, 247, 288, 292, 293, 302-303, 306, 308, 310, 328, 362, 388, 402, 404, *409* (1), 489-490, **492-496**.
Fort Chrestien : II. 494.
Forteresses de Notre-Dame : II. 494, *de Saint-Victor* : II. 493, 494.
Hôtel-de-Ville : II. 493.
Porte d'Aix : II. 494.
Porte Réale : II. 494.
Tour Saint-Jehan : II. 494.
MARTELLI (Baccio), chevalier de Saint-Étienne : II. 200.
MARTELLI (Carlo), voir LOTTI (Francesco) et MARTELLI (Carlo).
Martesana (canal de la), Lombardie : I. 65.
Martigues : II. 290 ; II. 193.
MARTONNE (Emmanuel de) : I. 247.
MARUFFO (Gio Paolo) : I. 453.
MASANIELLO : II. 61.
Mas-a-Tierra, île chilienne : I. *136* (3).
MASCARENHAS (João Carvalho), voyageur portugais : I. 52.
Mascates, Brésil : I. 180-181.
Mas Deu, Roussillon : I. 69.
Masino (Val), dans les Alpes milanaises : I. 44.
Massa : II. 260.
MASSEI (les), marchands de Florence : I. 544.
Massif Central : I. 33, 42, 198, *339* (4), 391 ; II. 102.
MASSON (Paul) : I. 489.
Matanzas, près de La Havane : I. 209.
Matapan (cap) : I. 28, 95 ; II. 409-410, 412.
Matera (comté de) : II. 60.
Matifou (cap), près d'Alger : I. 100 ; II. 166, 183.
Maures (les) : I. 91, 161 ; II. 119, 193, 200, 204, 237, 255, 285, 308, 347, 364, 367, 368, 369, 472, 473, 476.
MAURICE (duc), électeur de Saxe : II. 253.
Maurice (île) : I. 569.
Maurienne, Savoie : I. 77.
Mauritanie : I. 109 ; II. 110.
MAUROCENO (Leonardo), patricien de Vénétie : II. 78.
MAUSS (Marcel) : I. 228 ; II. 95.
MAYENNE (duc de) : II. 489, 491, 495, 497.
MAYENNE DE TURQUET (Théodore) : I. 258.
MAXIMILIEN Ier, empereur : II. 15.
MAXIMILIEN II, empereur : I. 118 ; II. *79* (1), 234-236, 252, 253, 265, 288, 300, 318, 320, 334, 337-339, *373* (4), 387.
Mazaderan (le), Perse : II. 452.
Mazafran (oued) : I. 56.

597

Mazagran, Algérie : II. 304.
Mazarròn, Espagne : I. 552.
Mazzara, port de Sicile : I. 525, 526 ; II. 179.
Méandre (vallée du) : I. 90.
Meaux : II. 352.
MECATTI (G.) : II. 91, 506.
Mecque (La) : I. 56, 161, 165, 166, 168, 425, 499, 504, 512, 528 ; II. 18, 100, 503.
  Kaaba : II. 18.
MÉDICIS (les) : I. 47, 293, 302, 312, 506 ; II. 85, 89, 369.
MÉDICIS (Catherine de) : I. 179 ; II. 33, 50, 100, 298, 310, 312-313, 316, 320, 327-329, 354, 373, 399-400, 403, 405, 416, 437.
MÉDICIS (Cosme Ier de), duc de Toscane : I. 41, 60, *96* (4), 111, 127, 137, 141, *143* (1), 146, 536, 543 ; II. 70, 85, 86, 194, 243, 247, 250-251, 262, 267, 315, 398, 435-436.
MÉDICIS (Ferdinand de) I. 128.
MÉDICIS (Francesco de) : II. 91, 387.
MÉDICIS (Jules de), voir CLÉMENT VII.
MÉDICIS (Julien de) : II. 157.
MÉDICIS (Laurent Ier de), dit le Magnifique : II. 68, 70, 219.
MÉDICIS (Marie de) : I. *95* (5) ; II. 162, 499.
MÉDICIS (Pierre de) : I. 536.
MEDINA (Bartolomé de) : I. 433.
MEDINA (Pedro de) : II. 57.
Medinaceli : I. 235.
MEDINA CELI (duc de), vice-roi de Sicile : I. 107, 439 ; II. 181, 230, 284, 285, 286, 287, 288, 291-294, 295, 297, 302, 399, 402, 425.
Medina del Campo : I. 49, 172, 219, 245, 256, 268, 290, 294, 308, 314, 315, *315* (1), 347, 348, 354, 360, 405, *413* (3), *423* (7), 449, 451-452, 465, 494, 531, 544 ; II. 60, 69, 167, 401, 421.
Medina de Rio Seco : II. 60.
MEDINA SIDONIA (duc de) : I. *127* (2), 235-236, 575-576 ; II. 55, 57-58, 187, 367.
Méditerranée (la) : celle-ci étant constamment citée tout au long du livre nous n'avons pas cru devoir relever les n^{os} des pages où il en est question.
Megeza (mont) : I. *34* (2).
Mehedia, Tunisie : II. 318.
MÉHÉMET, sultans, voir MAHOMET.
MÉHÉMET ALI, premier pacha : II. 435.
MÉHÉMET SOKOLLI, Pacha et Grand Vizir : I. 25, 529, 563 ; II. 36, 41, 240, 337, 339, 346, 370-372, 384, 433-434, 435, 437, 438-442, 444, 445, 455, 456.
MEHMED LE CONQUÉRANT, voir MAHOMET II.
Meleda, île dalmate : I. 132, 136.
MELÉNDEZ (Pero), commandant de la flotte espagnole : I. 439.
MELFI (prince de), général de la mer de Philippe II : I. 230 ; II. 302, 316.
Melicha (plage de), île de Malte : II. 324.
Melilla : I. 108 ; II. 182, 184, 186, 187, 251, 306, 388, 428.
MELINCHI (les), marchands de Florence : I. 544.
Melinde, Afrique orientale portugaise : II. 98 459.
MELLERIO (famille) : I. 44.
MENASSE BEN ISRAEL, ambassadeur à Londres : II. 138.
MENDES (les), marchands juifs de Florence : I. 544 ; II. 146.
MENDO DE LEDESMA (don Diego) : II. 32-34.
MENDOZA (les) : II. 123.
MENDOZA (Bernardino de), ambassadeur espagnol : I. 328, 478, 563 ; II. 53, 68.
MENDOZA (don Francisco de), capitaine général des Galères d'Espagne : II. 305-306.
MENDOZA (Hieronimo de) : II. 365.
MENDOZA (don Iñigo de), ambassadeur de Philippe II à Venise : I. 465 ; II. 47, 509.
MENDOZA (don Juan de) : I. 436 ; II. 286, 302-303, 313, 316, *316* (8).
MENDOZA (don Pedro de) : II. 87.
MENDOZA Y BOBADILLA (cardinal Francisco) : II. 72.
MENÉNDEZ D'AVILÉS (Pedro) : II. 353.
MENÉNDEZ MÁRQUEZ (P^o) : I. 280.
MENÉNDEZ PIDAL (Gonzalo) : I. 256.
MENZE, firme ragusaine de transports : I. *193* (6).
Mercantour, Alpes : I. 23, *25* (2).

Merchant Adventurers (Association des) : I. 177, 556.
MERCŒUR (Philippe Emmanuel de LORRAINE, duc de) : II. 192. 495, 497, 501.
MERCURIANO (E.), général des Jésuites : II. 463.
Mérindol : I. 31.
MÉRINIDES (les) : I. 163, 426.
MERRIMAN (Roger B.) : II. 469.
Mers-el-Kébir : I. 108, 109-110, 181, 182, 183-184, 186-187, 304-305, 323, 428.
Mesolina : I. *33* (2).
Mésopotamie : I. 67, 100, 169, 170 ; II. 454.
Messine : I. 28, *95* (7), 123, *123* (1), 213, 281, 301, 303, 304, 313, 329, 331, 332, 345, 375, *425* (10), 452, 481-482, 518, 525, 546, 548, 550, 552, 556, *557* (3) ; II. 38, 70, 79, 86, 167, 176-177, 178, 179, 183, 190, 193, 194, 200, 201, 202, 204, 230, 238, 243, *280* (2), 286, 288, 289, 290, 291, 292, 296, 300, 302, 305, 314, 323, 324, 348, 365, 380, 381, 392-394, 396, 406-409, 411, 414, 417, 418, 420, 421, 433. 473, 506-509.
Chapelle de Sainte-Marie de la Grâce : II. 202.
Paroisse de S. Nicolò Kalsa : II. 202.
(détroit de) : I. 95, 106 ; II. 204, 239, 246, 507.
Mestre, près de Venise : I. 390.
Mételin : I. 106, 286, *525* (2), 529.
Metohidja (plaine de) : I. *43* (3).
METTERNICH : I. 150.
Metz : II. 242, 260, 405 ; (siège de) : II. 90.
Meuse : I. 188 ; II. 401.
Mexique : I. 75, 206, 434 ; II. 99, 185.
Mezzo (île de), devant Raguse : I. 129 ; II. 96.
MIANI (Gemma) : II. 31.
MICAS, voir NAXOS (duc de).
MICHEL-ANGE : II. 157.
MICHELET (Jules) : I. 215, 221, 294 ; II. 224, 405, 460.
MICHEL LE BRAVE : I. 75, 483, 484.
MICHELOZZO, sculpteur : I. 121.
MICHIEL, ambassadeur vénitien : II. 292.
MICHIELI (Luca), ambassadeur de Venise : I. 28, 28 (5).
MICRÒ (Giovanni), hérétique napolitain : II. 105.
Middlebourg : I. 509 ; II. 162.
Miedas, Espagne : II. 129.
MIGNET (F. Auguste) : II. 253.
Milan : I. 41, *41* (2), 44, 64, 65, 66, 75, 138, 183, 189, 190, 191, 195, *202* (2), 237, 255, 257, 292, 296, 299, 304, 306, 309, 311, 313, 314, 333, 344, 354-361, *362* (n. 3 de la p. 361), 364, 374, 380, *395* (4), 396, 442, 443, 446, 447, 450, 459, 460, 482, 484, 485, 505, 508, 519, 524, 561 ; II. 7, 22, 24, 61, 71-72, 73, 86, 90, 139, 143, 149, 167, 232, 255, 265, 274, 286-287, 310, 350, 376, 388, 402, 409, 424, 428, 471, 492, 497, 498, 510.
Auberge des Tre Rei : I. 191.
Porte Béatrice : I. 237.
Milanais (le) : I. 33, 41, 189, 310, 311, 312, 374, 460 ; II. 149, 252-253, 257-258, 415, 445, 446, 497, 498.
Milanais (Haut-) : I. *35* (4).
Milanais (les) : I. 44, *44* (3), 208, 460.
Milazzo, Sicile : II. 179.
Milet : I. 101.
Milo : II. 288.
MILO (Giovanni di), Ragusain : I. 444.
Mincio : I. 258, 364.
Mingrélie : I. 101, *101* (2).
MINGUEZ (Juan), voir NAXOS (duc de).
Minho, prov. du Portugal : I. *68* (1).
Minorque : I. 137, 140, 141, 551 ; II. 260, 295, 305, 506.
MIOTTI (G.) : II. 47.
MIQUE, voir NAXOS (duc de).
MIR (comte) : I. 63.
MIRALI BEY : II. 459.
MIRANDA (comte de), vice-roi de Naples : II. 127, 473, 506-507.
Mirandole (la) : I. 492 ; II. 240, 372, 444.
Misurata (cap), en Afrique : I. *123* (1).
(la) : II. 185, *185* (3).
Mitidja (la) : I. 52, 55, 56, 59, 74, 75, 288.
Mljet, voir Meleda.
MOCENIGO (Giovanni), ambassadeur de Venise à Paris : II. 78.
MOCENIGO (Pietro), doge : I. 59, 355 ; II. 416.

Modène : I. 290 ; II. 143.
MODICA (comte de), fils de l'Almirante de Castille : II. 56.
Modon, ville de Morée : I. 125, 359, 511, 554 ; II. 174, 289, 298, 383, 393, 410, 412-414, 473, 502, 508.
MODON (Guillaume de) : I. 43 (11).
Mogadiscio, port de Somalie : II. 459.
Mogador : I. 110.
Mohacs (bataille de) : II. 16, 63, 168, 218.
MOHAMMED III, sultan : voir MAHOMET III.
MOHAMMED ABEN HUMEYA, chef des révoltés morisques : II. 362 (1).
MOHAMMED KHOBABENDE, shah de Perse : II. 451.
MOHEAU (M.), historien : I. 300.
MOLARD (Simon), auteur satirique : II. 162.
Moldavie, Moldaves : I. 43, 75, 102, 179, 181, 565 ; II. 38, 41, 92, 175, 483.
MOLIN (Francesco de) : I. 559.
MOLINO (Francesco), capitaine de Brescia : I. 396.
MOLLART (baron) : II. 512 (5).
Moluques (les) : I. 499, 508, 515.
Mombassa, Afrique : II. 459.
Monaco : I. 96, 96 (3, 4), 443, 519 ; II. 286, 314, 317.
Monastir : I 35 ; II. 230, 302, 439.
MONCADA (Hugo de) : I. 519 (4) ; II. 187.
MONCADA (Don Miguel de), vice-roi de Sardaigne : II. 180, 391.
MONCHICOURT (Charles) : II. 108.
Monçon : I. 447, 509.
MONDÉJAR (marquis puis duc de), capitaine général de Grenade, ensuite vice-roi de Naples : II. 86-87, 124, 126, 360, 361, 438-439, 445.
MONDOUCET, agent français aux Pays-Bas : I. 441.
Mongols : I. 165.
MONLUC (Blaise) : II. 77, 238.
  (fils de) : II. 337.
MONLUC (Jean de), évêque de Valence : I. 179, 179 (1).
Monopoli, Pouilles : I. 177, 178.
Mons : II. 401, 403, 404, 405, 408.
Monselice : I. 71.
Montagnac, près de Béziers : I. 200.
Montagne Noire, partie des Cévennes : I. 66 (4).
MONTAGNE (Robert) : I. 36, 68.
MONTAIGNE : I. 38, 40, 54, 59 (2), 60, 221, 226, 254, 311, 541 ; II. 102, 162.
MONTALBANO (Giovanni Baptista), agent espagnol : II. 512 (5).
Montalcino (« république » de), près de Sienne : II. 250-251.
Montalto, possession du duc de Parme : I. 522, 524.
MONTCHRESTIEN (Antoine de) : I. 433 ; II. 74, 83, 133.
Montcontour : II. 356.
MONTELEONE (duc de) : II. 295.
Montélimar : I. 153 (1).
MONTELUPI (famille), entrepreneurs de transports : I. 193.
Monténégro, Monténégrin : I. 24, 29 (5), 34 (4), 50, 292.
MONTERIN (U.) : I. 247.
Montesa (Grand Maître de), Espagne : II. 56.
Montferrat : I. 52 ; II. 150.
MONTIGNY (François de LA GRANGE D'ARQUIEN, seigneur de) : I. 338 (1).
Montluel, Ain : I. 458 (3), 459, 460.
Montmélian : II. 498.
MONTMORENCY (les) : II. 54, 261, 340.
MONTMORENCY (Anne, duc de) : I. 148 ; II. 234, 237, 240, 241, 249, 256, 258, 261.
MONTMORENCY (Henri Ier de), connétable : I. 219 ; II. 192, 356, 405, 486-488, 491.
MONTORIO (comte de), frère du cardinal Carlo Caraffa : II. 256.
MONTORIO (Battista), marchand à Gênes : I. 394.
Montpellier : I. 72, 197, 200, 225, 293, 295, 328, 344, 393, 428 ; II. 143, 161, 487.
MONVERANT, protestant de la région de Foix : II. 497.
MORAND (Paul) : I. 213.
MORAT AGA, de Tripoli : II. 133, 240.
MORAT BEY, « capitan général de terre et de mer du royaume d'Alger » : II. 201 (6).
Morava (la) : II. 14.
Moravie, Moravien : I. 50, 181, 381.

Morbegno, Lombardie : I. 189.
Morée : I. 43, 78, 219, 228, 264, 368 ; II. 14, 38, 106, 143, 360, 374, 393, 396, 397, 406, 409-414, 432, 433, 472.
Morena (sierra) : I. 28 ; II. 104.
Mores, voir Maures.
MOREYRA PAZ-SOLDÁN (M.) : I. 434, 476.
Morisques : I. 28, 31 (5), 32, 67, 231, 307, 369, 380, 534 ; II. 92, 114-115, 118-131, 133, 137, 140, 143, 154, 185, 198, 219, 260, 271, 273, 283, 301, 359-360, 362, 362 (2), 363-364, 366-372, 390, 480, 503.
Morlachi, voir Morlaques.
Morlaques : I. 78, 306, 308 ; II. 93.
MORONE (Giovanni), cardinal : II. 384.
MOROSINI (Andrea), ambassadeur vénitien : I. 506-507.
Morte (mer) : I. 24.
MORVILLIERS, conseiller de Charles IX : II. 356.
Moscou : I. 174, 174 (1), 175, 176, 418, 480 ; II. 397.
Moscovie Companie : I. 177 ; II. 97.
Moscovites, voir Russie, Russes.
Mossoul : I. 168 (1).
Mostaganem : I. 28, 156 (2) ; II. 181, 198, 284, 304.
Mostar, Herzégovine : I. 50, 287.
Mouans-Sartoux : II. 52.
MOUCHERON (Balthasar de), armateur hollandais : I. 569.
MOULEY HACEN, voir MULEY HASSAN.
MOULEY HAMIDA, voir MULEY HAMIDA.
MOULEY MAHAMET, voir MULEY MAHAMET.
Moulins : II. 492.
Moulouya (la) : I. 48, 365, 425 (6).
MOURA (Christoval de), diplomate portugais au service de Philippe II : II. 463, 465.
MOURAD III, sultan, successeur de Sélim II : II. 37, 437, 442, 455, 458, 480, 484.
MOURAD IV : II. 37.
MOURAD PACHA, grand-vizir : II. 98.
MOUSSA (Mansa), roi du Mali : I. 425.
Mozabites : II. 136.
Mozambique : II. 46.
Mucla de Cortes, en terre valencienne (Espagne) : II. 121.
MUDÉJARS : II. 119, 127, 131.
Muhlberg : II. 231, 233-234, 236, 244.
MULEY HAMIDA, roi de Tunis : II. 364-365, 419-420, 422.
MULEY HASSAN, roi de Tunis : II. 109, 364.
MULEY MAHAMET, frère de Moulay Hamida, gouverneur de Tunis : II. 422.
Mulhacen, mont d'Espagne : I. 25.
MÜLLER (Bernard) : I. 191.
MÜLLER (Mlle Elli) : I. 85.
MÜLLER (Johannes) : I. 192.
MÜLLER (Thomas), facteur des Fugger : I. 440, 442, 445.
Munich : I. 50 ; II. 161.
MÜNZER (docteur Hieronymus), voyageur : II. 120.
Murano : voir Venise (îles).
MURAT (prince) : I. 392.
Murcie : I. 63, 67, 124 (1), 221, 236, 370 ; II. 118, 360.
MURILLO : I. 160.
Muridisme : I. 31 (4).
MUSACHI (les) : II. 14, 63.
MUSTAFA Ier, sultan : I. 331.
MUSTAPHA PACHA, Seraskier : II. 445, 452, 453, 454, 455.
  (fils de) : II. 374.
MUSTAPHA Aga : II. 198, 201 (6).
MUSTAPHA, fils de Soliman le Magnifique : II. 228.
MUSTAPHA KÉMAL : I. 27 (1).
Mutualis, peuple montagnard du Liban : I. 35.
MUZEKIE, voir MUSACHI.
M'zab, Sahara septentrional : I. 144 (1).
Mzêrib (foire de), au sud de Damas : I. 348.

Nadino, sur la côte dalmate : II. 173.
Naissus ou Nissa, Moldavie-Valachie : II. 107.
Nantes : I. 442 ; II. 32, 142-143, 192, 389.
  (Édit de) : II. 147, 148, 341.
Nao (cap. de la), près de Valence : I. 100, 107.

Naples : *26, 26* (9), 43, 44, 58, 61, 63, 68, 81, 85, 96, 106, 107, 112, 113, 118, 123, 130, 135, 137, 138, 183, 190, 203, 206, 216, 220, 236, 255, 256, 260, 261, 262, *262* (1), 281, 282, 288, 295, 299, 302, 304, 205, 313, 314, 315, 316-318, 322, 328, 330, 333, 349, 368, 371, 374, 375, 380, *383* (4), 384, *384* (2, 4), 391, 392, 399, 405, 407, 408, 416, 418, 421, 424, 426, 443, 444, 447, 449, 450, 452, 453, 460, 471, *474* (4), 479, 480, 481, 482, 484, 485, 487, 502, 505, 517, 519, 522, 528-530, 532, 539, 546, 552, 554, 559, 561 ; II. 7-9, 14, 20, 22, 34. 39, 52-53, 60, 61, 66, 70, 72, 73, 74-75, 76, 77, 79, 82, 83, 84, 86, 89, 90, 91, 93, 102, 109, 127, 138, 144, 146, 149, 152, 157, 159, 160, **176-179**, 182, 183, 193, 194, 200, 202-204, 228, 229-230, 237, 239, 243-244, 247, 250, 252, 253, 255, 257, 260, 264, 265, 275, *280* (2), 282, 286, 287, 288, 290, 291, 294, 295, 297, 299-301, 303, 305, 306-307, 314-316, 318, 320-321, 323-325, 333, 334, 336, 337, 342, 347, 350, 360, 362, *373* (3), 376-377, 390-392, 395, 397, 406, 407, 409, 414, 417, 420, 422, 423, 425-427, 437-439, 443-445, 448, 471, 472, 474, 476, 497, 502, 504, 507, 508.
Archivio di Stato : I. 481.
Arte di Santa Lucia : I. 316.
Hôpital de la Santa Casa dell Annunziata : I. 482.
Mandracchio : I. 299.
Mont de Piété : I. 482.
San Giovanni (*porte de) :* I. 317.
Sant'Elme : I. 317.
Zecca : I. 452, 453.
Naples (baie de) : I. *100* (3).
Naples (royaume de) : I. *31* (3), *38* (2), 111, 129, 147, 315, 316-318, 348, 349, 363, 374, 386, 392, 404, 529, 530 ; II. 7, 20, 33, 39, 52, 71, 86, 177, 178, 179, 252, 258, 332, 421.
NAPOLÉON Iᵉʳ : I. 376 ; II. 17.
Napoli di Romania : voir Nauplie.
NAPOLLON (Sanson) : I. 146.
Narbonnais (le) : II. 488.
Narbonne : I. 62, 72, 130, 197 ; II. 325, 487-488.
Narenta : I. *262* (5) ; II. 195, (bouches de la) : I. 120, 262, 263 ; (col de la) : I. 50, 51.
Narva, Esthonie : I. *174* (1), 175, 176, 177, 184.
NASI (Joseph), voir Naxos (duc de).
NASSAU (Louis ou Ludovic de), frère du prince d'Orange : II. 343, 354, 390, 399, 401, 404.
NASSOUF Agha, confident de Piali Pacha : II. 293.
Nauplie : I. 118, 228, 333 ; II. 173.
Naurouze (seuil de), S. O. de la France : I. 23.
NAVAGERO (Andrea) : I. 224, 281, 365 ; II. 57.
NAVAGERO (Bernardo), ambassadeur vénitien : II. 255, 266.
NAVAGERO (Bernardo), banquier vénitien : I. 358.
Navarin : II. 174, 294, 321, 410, 412-413, 509, 511.
Navarre, Navarrais : I. 34, *42* (5), 77, 172, 269, 533 ; II. 19, 120, 182, 312, *356* (5), 388, 470.
NAVARRO (Pedro) : I. *125* (1).
NAVAS (les) : II. 59.
NAVAS (marquis de Las) : II. 56, 58.
Navas de Tolosa (hameau de la province de Jaen) : I. 108.
Naviglio grande, Lombardie : I. 65, 66.
Naviglio interno, Lombardie : I. 65.
Naxos : I. 144.
NAXOS (duc de) : II. 41, 42, 69, 140, 146-147, 348, 349, 358, 363, 371-372, *373* (4), 387-388, 433, 435.
Nedj, steppe d'Arabie : I. 163.
NEF (John U.) : I. 390-391, 393, 431.
Nefta, oasis du Sud tunisien : I. 246.
Nègre (cap), côte occid. d'Afrique : I. 552.
Négrepont : I. 105, 342, 355, 356 ; II. 321, 393, 418, 473.
NEGRI (Negron de), persécuteur des Juifs à Gênes : II. 150.
NEGRON (Ambrosio) : I. 232.
NEMOURS (Jacques de Savois, duc de) : I. 327 ; II. 486.
Nepi, province de Rome : II. 331.
Nepta, voir Nefta.
NÉRI (saint Philippe de) : II. 160.
NERINGHIA (Luca et Giacomo), patrons de navires : I. *567* (9)

Nerticaro, Calabre : I. 130.
Nestoriens : II. 110, 137.
Neubourg, Bavière : II. 104.
Neusohl, Hongrie : I. 422.
Neutra, Hongrie : II. 176.
Nevada (sierra) : II. 360.
NEVE (Jean), patron d'un filibote : I. 278.
Nevers : I. *381* (5).
NEVERS (Louis de Gonzague, duc de) : II. 262.
NEVERS (Charles de Gonzague duc de) : II. 47.
NEWBERIE, voyageur anglais du XVIᵉ siècle : I. 490, 511.
Newcastle : I. 561.
Nice : I. *25* (2), 111, *202* (2), 328, 519 ; II. 100, 162, 227, 260, 262, 293, 318, 435.
(comté de) : I. 369.
Nicée : I. 55.
Nich : II. 84, 339.
Niçois (le) : 490.
Nicomédie : I. *106* (2), 131, 520 ; II. *373* (4).
Nicosie : I. 105, 142, 143 ; II. 377, 381 ; (prise de) : I. 330.
NICOT (Jean) : *328* (7), 501, 531 ; II. 74, 100, 203, 284.
Niebla (comté de) : II. 55, 58, 203.
NIETO (Juan), transporteur : I. 409.
NIETZSCHE (F.) : II. 107.
Niger : I. 152, 153, 158, 424, 426 ; (Haut) : I. 426.
Nil : I. 158, 160, *166* (6), 167, 169, 246, 256, 258, 496, 525, 528 ;
(delta du) : I. 55, *69* (1), 246 ; II. 200 ;
(pays du) : I. 160.
Nîmes : I. *293* (5).
NINO (Rodrigo), ambassadeur de Charles Quint : I. 394.
Nio, île de l'Archipel : II. 173.
Niolo, région de Corse : I. 145.
NOBILI, agent toscan : I. 443 ; II. 351, 363, 367, 369.
NOGARET DE LAVALETTE (Bernard de), frère du duc d'Épernon : II. 489-490.
Noire (mer) : I. 23, *27* (1), 75, 86, 101, *101* (1, 2, 4, 6), 102, 105, 106, 131, 148, 156, 172, **174-178**, 179, 262, 274, 292, 294, 310, 312, 314, 318, 321, 342, 356, 383, 422, 524, 536, 553 ; II. 84, 134, 189, 201, 298, 335, 337, 356, 357, 444, 452, 457, 478, 503.
Nola, ville de la province de Naples : I. 63 ; II. 178.
Nolsetta, ville d'Italie : II. 178.
Nord (mer du) : I. 172, 185, 192, 208, 209, 250, 276. 355, 493, 557, 558, 570-571, 573 ; II. 151, 248.
Nordiques : I. 236, 549 ; II. 101, 102, 207.
Normandie : I. 173, 217, 442 ; II. 264, 486.
Normands : I. 106, 110, 111, **551-553.**
Norvège : I. 185, 279, 568.
Norwich : II. 341.
Notre-Dame de Lorette : I. 40.
Novalesa, village de Savoie : I. 189.
Novarese, région de Novare : I. 65.
Novi : I. 459.
Novi-Bazar : I. 262, 354.
Novigrad, Bulgarie : II. *481* (5).
NOVOSSILTSOF, ambassadeur russe : I. 176.
Noyon : II. 259.
Nuits-Saint-Georges, Bourgogne : I. *41* (6).
Numidie, voir Constantinois.
NUNES (Rui) et son fils, marranes portugais d'Anvers : I. 577.
Nuremberg : I. 45, 169, 179, 180, 183, 190, 191, 192, 193, 195, 196, 197, *202* (1), 208, 315, 333, 335, 345, 354, 357, *384* (4), 494 ; II. 68.
Nurra, Sardaigne : I. 36.

OCCHINO, voir OCHINO (Bernardino).
Occident : I. 228, 262, 265, 291, 304, 321, 345, 348, 367, 375, 410, 412, 458, 495, 520, 525, 537 ; II. 10, 27, 32, 62-63, 65, 68, 92, 95, 107, 110, 131, 133, 140, 155, 178, 220, 300, 377, 398, 453, 484, 500 ; chrétien : I. 259, 312.
OCHINO (Bernardino), prédicateur catholique converti au protestantisme : II. 103.
Oder : I. 188.
Odessa : I. 45, 228.

Odyssée : I. 325.
ŒSTENDORP (Dr Gehr van) : I. 192, *192* (4).
Oglio, rivière de Lombardie : I. 62, 258.
Oisans : I. 77.
OLAGÜE (Ignace) : I. 250.
OLIVARES (les) : II. 59.
OLIVARES (comte duc) : I. 149, 418, 455, 468 ; II. 20, 150, 155.
OLIVARES (comte d'), vice-roi de Naples : I. *61* (5), 264, 388.
Olivenza (forteresse d'), Portugal : II. 466.
OLIVIERI, architecte : II. 159.
OLLBRICHT (Konrad) : I. 362.
OLMEDES (Jean d'), Espagnol, grand maître de l'ordre des Chevaliers de Malte : II. 239-240.
OLMO (dall'), consul vénitien à Lisbonne : I. 506, 507.
Olympe (mont) : I. *25* (2).
Ombrie, Ombrien : I. 36, 48, *54* (5), 290 ; II. 43.
Ombrone (cours d'eau) arrose Grosseto : I. 60.
OMMEYADES : I. 108.
OQBA : II. 111.
Or (îles d'), voir Hyères.
Oran : I. 26, 40, 48, 108, 109, *125* (1), 140 (2), 156, 167, *265* (3), 329, *329* (7), 424, 425, 431, 522,; II. 81, 138, 149, *149* (1), 182-188, *188* (2), 197, 257, 283, 284, 295, 297, 303, 307, 323, 333, 390, 428, 441, *492* (9).
Oranais (l') : I. 162.
Oranais (Sud) : I. 161, 238, 426.
Orange : I. 199.
ORANGE (maison d') : II. 340 ;
    (prince Guillaume d') : II. 266, 341, 343, 344, 401, 444.
Oranie : I. 235, 432 ; II. 237, 245, 304.
Orbetello : I. 96, 522 ; II. 250.
ORGAZ (comte d') : II. 73.
Orgiba, Espagne : II. 359.
Orgosolo, Sardaigne : I. 35.
Orient : I. 228, 254, 263, 265, 304, 306, 308, 313, 375, 422, 425, 495, 501, 510, 517, 520, 528, 529, 556, 562, 565 ; II. 9-10, 32, 92, 95, 107, 110, 131-132, 141, 142, 196, 198, 260, 288, 300, 346, 360, 377, 398, 438, 453, 500.
Orient (Extrême-) : I. 255, 340, 422, 453-454, 487, 495, 499, 515 ; II. 17, 27, 99.
    (Proche) : I. 510 ; II. 131.
ORLANDINI (les), marchands de Florence : I. 544.
Orléans : I. 198, 320.
ORLÉANS (duc d'), fils de François Ier : II. 232, 329.
ORMANETO ou ORMANETTO, évêque de Padoue: II. 417, 423.
Ormuz : I. 168, 208, 238, 286, 353, 357, 496, 498, 502, 508, 511, 512.
Oropesa, bourg d'Espagne, province de Tolède : II. 57.
Orosel, Sardaigne : I. 350.
ORTA (Giovanni), corsaire sicilien : II. 202.
Orthodoxes : I. 121, 122.
ORTIZ (Antonio Dominguez), voir DOMÍNGUEZ ORTIZ.
Ortona a Mare, ville des Abruzzes : II. 335.
Orvieto : II. 43.
OSBORNE (Edward), marchand de Londres : I. 563, 564.
OSMAN PACHA, gouverneur du Daghestan : II. 454, 456-457.
OSMANLIS (les) : I. 315, 316 ; II. 9, 11, 18, 22, 26, 62, 64, 429, 458, 484.
OSORIO (Alonso), fils du marquis d'Astorga : II. 58.
OSORIO (Francisco), majordome : I. 223 ; II. 269.
OSORIO (G. F.), consul de Lombardie : I. 44.
Ostie : I. 58, 72 ; II. 256.
Ostrogoths : I. 72.
OSUNA (duc d') : I. 519 ; II. 56, 212, 465.
Otrante : I. 114-115, 116, 332, 415 ; II. 8, 177, 179, 202, 287, 294, 381, 390, 406, 439 ; (cap d') : II. 178, 419 ; (sac d') : I. 315 ; II. 226.
OTT (Hieronimo et Christoforo), agents des Fugger à Venise : I. 452-453.
OTTOBON (Marco), secrétaire vénitien : I. 173, *173* (8), *179* (5), 180, 185, *193* (3), 196, 280, 523, 543-545.
Ouargla. ville du Sahara algérien : I. 166, 432 ; II. 245, 283.

OUBAT, chaouch : II. 375.
OUDEGHERSTE (Peter van), Flamand, conseiller financier de Philippe II : I. 410.
Oulad Sidi Cheikh (les), tribu du Sud oranais : I. 161.
Ouled Abdalla (les), tribu du Maghreb : I. 162.
Ouzbegs (les) : II. 457-458.
OVERZ (Edigio), consul des Pays-Bas : I. *197* (6).
Oviedo : I. 40 ; II. 30, 81.

PACHECO (cardinal) : II. 325, 384, 406.
Pacifique (océan) : I. 168, 171, 204, 207, 326, 340, 343, 346.
Padoue, Padouans : I. 121, 191, 298, 338, 364, 387, 417, 505 ; II. 79, 139, 143, 417.
Padovano, région de Padoue : I. 82.
Palamos, Catalogne : I. *95* (5), 231, 329 ; II. 307.
Palatin (le) : I. 73 ; (comte) : I. *439* (5).
Palencia : I. 377, 378.
Palerme : I. 44, 63, 106, 107, 110, 330, 333, 375, 415, 452, 481, 518, 525, 531, 546, 552, *557* (3), 558 ; II, 77, 82, 86, 176, 178, 194, 209, 258, 292, 296, 406. 409, 418, 420, 421, 422, 426, 427, 473, 476.
    Église Santa Maria Nuova : II. 260.
Palestine : I. 215, 332, 367, 554, 556 ; II. 8, 397.
PALLADIO (André), architecte : II. 159.
PALLAVICINO, commandant des troupes de la flotte vénitienne en 1570 : II. 382.
PALLAVICINO (Horacio), banquier italien installé en Angleterre : I. 561, 566.
Palma de Majorque : I. 135 ; II. 174, 194.
Palo (sèche de), près de Zuara en Afrique : II. 289.
Palos (cap de), province de Murcie : I. *98* (1).
Palota ou Palotta, place hongroise : II. 338, 485.
PALUDA (marquis de la) : I. *76* (3).
Pamphylie : I. 79, 88.
Panama (isthme de) : I. 207.
Pantelleria : I. 106, 132, *137* (4), 231, 232 ; II. 246.
PANTOJA DE LA CRUZ, portraitiste de Philippe II : II. 513.
PARAPAGNO (Antonio), patron de nave : I. 444.
PARÉ (Ambroise) : II. 90, 91.
PARENTI (Giuseppe) : I. 483 ; II. 157.
Paris : I. 45, *174* (2), 198-201, 255, 299, 316, 321, 327, 328, 330, 333, 334, 339, 342, 343, 435, 440, 442, 449, *449* (5), 458, 460, 472, 486 ; II. 66, 77-78, 82, 85, 143, 150, 161, 237, 340, 342, 348, 388-389, 404, 405, 486, 489, 495-497.
    Arsenal : I. 410.
    Hôpitaux : Saint-Antoine : II. 249.
        Saint-Lazare : II. 249.
    Notre-Dame : II. 263.
    Saint-Jacques (rue) : II. 198.
    Val-de-Grâce : II. 159.
PARIS (Giraldo), homme d'affaires allemand : I. 509.
PARIS (Mathieu), historien : II. 500.
PARISET (Georges) : I. 380.
Parme : I. 122, 290, 440, 448, 459, 460, 522 ; II. 157, 238, 240, 241, 246, 247, 441.
Paros (île de) : II. 173.
Parsis (sectes des) : II. 137.
Parthes : I. 339.
PARTSCH (Joseph), géographe : I. 246.
PARUTA (P.) : II. 8, 377, 469.
Pas-de-Calais : 334.
PASQUALIGO (Filippo), capitaine vénitien du golfe : II. 211.
Passau : II. 244 ; (traité de) : II. 242.
Passero (cap), Sicile : I. *123* (1) ; II. 200, 321.
Patmos : I. 131, 144, 525, 529.
Patras : II. 507.
Patta, port d'Afrique orientale : II. 459.
Patti, ville de Sicile : II. 179.
PAUL (saint) : I. 227.
PAUL III (Alexandre Farnèse), pape : I. 311, 443 ; II. 160, 234, 255.
PAUL IV, pape : I. 308 ; II. 144, 252, 255-258, 270, 275, 296, 331.
PAUMGARTNER (Hans), marchand : I. 550.
Pavie : I. 299, 377, 478 ; II. 519 ; (bataille de) : I. *42* (5) ; II. 10.
Pays-Bas : I. 43, 84, 113, 128, 131, 134, 173, 179, 192, 193, 197, *197* (6), 200, 202, *202* (2), 207-209,

217, 221, 231, 233, 255, 262, 274, 277, 279, 292, 308, 327, 328, *328* (7), 334, *338* (1), *339* (4), 343, 346, 347, 359, 387, 395, 399, 404, 405, 406, 424, 435, 436-439, *439* (5), 440, 441, 442, 445-447, *447* (4), 448, *448* (7), 449, 451, 453, *453* (2), 454-457, *457* (4), 459, 464, 465, 466, 467, 474, 476, 480, 483, 484, 485, 486, 488, 489, 492, 494, 497, 503, 506, 510, 531, 532, 543-544, 548-551, 557, 559, *560* (n. 12 de la p. 559), 561-562, *562* (5), 567-569, 572, 574-576, 578 ; II. 10, 21, 23, 24, 39, 42, 47, 50, 82, 86, 102, 128, 133, 136, 148, 161, 165, 167, 172, 207, 217, 225, 234, 235, 240, 241, 243-245, 248, 250, 253, 254, 263-264, 266, 267, *267* (1, 2), 273, 275, 277, 301, 328, 329, 330, 337, 340-345, 350-352, 354, 355, 356, 361, 363, 364, 387, 389, 390, 398, 399-403, 408, 417, 421, 423, 424, 425, 429, 431, 435, 441, 442, 444, 460, 461, 465, 471, 486, 497, 498-500, 505, 510, 513, 514 ; (guerre des) : I. 194, 197 ; II. 190, 265.
Pec, Serbie : I. 291.
Peccais (marais de), Provence : I. 409.
Pecs, Hongrie : II. 339.
PÉDELABORDE (Pierre) : I. 518.
PEGOLOTTI : voir BALDUCCI-PEGOLOTTI (Francesco).
Pégomas, ville de Provence : I. 63.
Pelagosa, île de l'Adriatique : I. 144.
Pélion, mont de Thessalie : I. 132.
PELLIGRINI, architecte : II. 159.
Péloponnèse : I. 27, 259.
Peña Aguilera, village de Castille : I. *391* (4).
Pendjab : I. 157.
PENNI, élève de Raphael : I. 157.
Peñón de Vélez : I. 108, 230, 552 ; II. 181, 183-184, 205, 251, 300, 306, 307, 309, 310, 319, 323.
Péra, voir Constantinople.
PERALTA (Alonso), fils du gouverneur de la place forte de Bougie : II. 251-252.
PERALTA (Luis), gouverneur de la place forte de Bougie : II. 251.
Perasto, Dalmatie : I. 129.
Peregil (île de), au large de Ceuta : I. 110.
PERETI (Giovan Battista), tient le journa des changes à la Banque du Rialto : I. 400.
PEREYRA (Carlo) : I. 75, 436 ; II. 20.
PÉREZ (Antonio) : II. 35, 420, 423, 438, 441, 460-461, 466, 488, 505.
PÉREZ (Gonzalo), homme d'église : II. 30, 332.
PERI (Giovanni Domenico) : I. 404, 461.
Pérou : I. 75, 206, 207, 217, 292, 437, *473* ; II. 96, 99, 274.
Pérouse : I. 300, 311, 313 ; II. 43, 257.
Perpignan : I. 381 ; II. 54.
PERRENOT (Nicolas), père de Granvelle : II. 266.
PERROUX (François) : II. 518.
Perse, Perses : I. 45, 79, 85, 86, 87, 90, 100, 101, 105, 156, 167, 169, 170, 171, 172, 175, 176, 177, 216, 232, 262, 263, 264, 308, 403, 454, 490, 496, 498, 501, 504, 510, 512, 515, 565 ; II. 17, 37, 47, 98, 99, 109, 110, 129, 134, 145, 168, 189-190, 201, 219, 225, 228, 243, 246, 250, 283, 292, 293, 297, 298, 345, 356-357, 432, 435, 442-444, 446, 450-458, 459, 470, 475, 477, 479, 480, 485, 506.
Persique (golfe) : I. 153, 154, 168, 171, 291, 383, 423, 490, 497, 498, 502, 515, 569 ; II. 459.
Pertuis : II. 489, 490.
PERUZZI (Balthasar), architecte : II. 159.
Pesaro : I. 114 ; II. 144.
PESCAIRE (marquis de), vice-roi de Sicile : II. 335, 377, 390, 421, 433.
Pescara, sur l'Adriatique : I. 415 ; II. 178, 335, 375.
Peschici, port du Gargano : I. 129.
PESTALOZZI (famille) : I. 193.
Pesth : II. 482.
Petchénégues (les) : II. 113.
PÉTRARQUE : I. 58.
PÉTRÉMOL, ambassadeur de France en Turquie : II. 320.
PETRUCCI (commandeur) : II. 387.
Pézenas : I. 200, 201.
PFANDL (Ludwig) : II. 236, 354.
PHAULKON (Constantin), Grec établi au Siam : II. 98.
Phéaciens : I. 325.
PHELPS BROWN (E. H.), statisticien : I. 476.

Phéniciens : I. 124, 147.
PHILIPPE Ier le Beau, roi de Castille : I. 173.
PHILIPPE II étant constamment cité tout au long du livre, nous n'avons pas cru devoir relever les nos des pages où apparaît son nom.
PHILIPPE III, roi d'Espagne : I. 209, 260, 310, 380, 457, 463, 481, 484 ; II. 24, 56, 57, 58, 218, 500, 511, 513.
PHILIPPE IV, roi d'Espagne : I. 31, 149, 315 ; II. 56, 153, 155, *163* (2), 218.
PHILIPPE V, roi d'Espagne : II. 10.
Philippeville : I. 91.
Philippines (îles) : I. 45, 207, 454, 502 ; II. 137.
Philippopoli : II. 116.
PHILIPPSON (Alfred) : I. 47, 48, 220, 245, 258.
PHILIPPSON (Martin) : II. 460, 461, 463.
Phocée, Asie mineure : I. 274.
PIALI PACHA, capitaine de la flotte turque : I. 144 ; II. 250, 260, *280* (2), 290, 293, 294, 298, 320, 324, 334, 335, 344, 371, 418, 435.
Piave (le) : II. 174.
Picardie : I. *26* (9), 220 ; II. 354, 404, 405.
PICCAMIGLIO (Hector), marchand génois : I. *465* (7, 8) 467.
PICCOLOMINI (Alfonso), duc de Montemarciano, bandit siennois : II. 78, 89.
PIE II : II. 161, 332.
PIE IV : II. 315, 319, 329, 330, 332.
PIE V (cardinal GHISLIERI) : II. 330-332, 337, 342, 344, 375, 377-379, 387, 389, 406-408, 414, 420, 432.
Piémont : I. 33, 147, 185, 200, *202* (2), 364, 374, 458, 519 ; II. 52, 53, 83, 103, 150, 237, 243, 250, 255, 261, 262, 286, 310, 388, 402, 404, 498 ; français : II. 261.
Piémont (Bas) : I. 66, 150.
PIERRE (saint) : II. 160.
PIERRE LE GRAND, tsar : II. 10.
PIERRE MARTYR D'ANGHIERA : I. 160, *274* (3).
Pierrelatte : I. *153* (1).
PIGANIOL (André) : II. 224.
Pignerol : I. 237 ; II. 262.
PIMENTEL (Alonso), capitaine de La Goulette : I. 518; II. 182, 187, 365.
PIN (François), marchand français : I. 552.
Pinaruolo, voir Pignerol.
Pinde (chaîne du) : I. 28, 91.
Pinto (château de), près de Madrid : II. 439.
PINTO (Antonio), ambassadeur portugais : I. 506.
Piombino : I. *96* (4) ; II. 229, 246 ; (canal de) : I. 230 ; (duché de) : II. 77, 292, 315, 317, 321, 441.
PIOMBINO (duchesse de) : I. 489.
PIRENNE (Henri) : II. 10, 223.
PIRES, ambassadeur portugais : I. 503.
PIRES (Diego), pseudo-messie : II. 142.
PIRI REIS : I. 497 ; II. 458, 459.
PISANI (les) : II. 173.
PISANI-TIEPOLO (banque) : I. 481, 482 ; II. 220.
Pise, Pisans : I. 47, 78, 111, 134, 138, 158, 227, 310, 311, 344, 554, 577 ; II. 190, 194, 231, 392.
Pistoia : I. 396 ; II. 89.
Pisuerga (le), affluent du Duero : I. 62.
Piurs : II. 188.
Plaisance : I. 290, 295, 314, 348, 360, 400, 413, 458-461, 462 ; II. 150, 255.
Via Emilia : I. 290.
PLANHOL (Xavier de) : I. 86.
Plasencia, Espagne : II. 272.
Plassey (victoire de) : I. 356.
PLATTER (Félix) : II. 143.
PLATTER (Thomas) : I. 57, 272-273, 305, 393.
PLUTARQUE : II. 212.
Plymouth : I. 568.
Pô : I. 36, 50, 61, 66, 71, 226, 249, 258, 290, 346 ; (delta du) : I. 61 ; (plaine du) : I. 63, 114, 517.
Podolie : I. 29, 181.
POGGIO (Marchio di), trafiquant : I. 536.
Poitou : II. 52.
Pola, Istrie : I. *57* (n. 4 de la p. 56), 352, 398.
Polesine, province de Rovigo : I. 82, 387.
POLIAKOV (Léon) : II. 154.
Policastrello, Calabre : I. 130.

Poligny : I. 458.
POLO (Marco) : I. 163.
Pologne, Polonais : I. *101* (1), 102, 131, 173, 175, **178-184**, 185, 205, 266, 339, 345, 352, 450, 471, 476, 515, 523, 537, 544, 563, 567, II. 67, 73, 102, 137, 141, 142, 144, *346* (1), 372, *373* (4), 414, 417, 421, 441, 475, 478, 479, 483, 484, *512* (5).
POLOMARES, licencié : II. 32, 272, 276.
Pomaques, Bulgares islamisés : II. 117.
Pomègues (île des), en face de Marseille : I. 229 ; II. 499.
Ponant : I. 267, 268, *278* (9), 285, 291 ; II. 260, 313, 320.
PONTE (Augustin da), marchand vénitien : I. 513.
Pont-Euxin : I. 101.
Pontifical (État) : I. *61* (4), 301, 348, 374, 397, 410, 522, 552 ; II. 42-43, 45, 75, 86, 89, 91, 144, 337, 408.
Pontins (marais) : I. 27, 50, 55, *55* (5), 56, 58.
Pont-Saint-Esprit : II. 487-488.
Ponza (île de), au large de Naples : II. 204, 228, 243, 303.
PONZE (Andrés), auteur de razzias en Afrique du Nord : II. 188.
PORCHNEV (B.) : I. 403 ; II. 78-79.
Pordenone, Frioul : II. 146.
Portes de fer : II. 14.
Porto : II. 466 ; (vin de) : I. 387.
Porto Ercole, Toscane : I. 96, 522.
Porto Farina, Tunisie : II. 230, 422, 424, 429.
Porto Ferraio, île d'Elbe : I. 111, 137, 141 ; II. 246.
Portofino : I. 451 ; II. 96.
Porto Gruaro, port entre Grado et Venise : I. *194* (4), 523 ; II. 78.
Porto Longone, île d'Elbe : II. 246.
Porto Maurizio, ville de Ligurie : II. 303.
Porto Piccolo : II. 440.
Porto Vecchio, Corse : II. 311.
Porto Viro, delta du Pô : I. 61.
Portugal et Portugais : I. 46, 56, *56* (2), 68, 99, 130, 147, *156* (3), 166, 172, 177, 180, 205, 206, 207, 208, 209, 222, 226, 257, 260, 269, 270, 275, 277, 278, *278* (9), 295, 300, 328, 343, 346, 348, 350, 360, 361, 362, 364, 365, 377, 380, 387, 405, 410, 423, *425* (7), 427-431, 440, 456, 463, 466, 471, 473, 474, 486, 487, 492, 493, 497, 500-504, **505-508**, 509, 510, 512-516, 520, 530-531, 533-535, **550-557**, 562, 563, 570, 575, 577 ; II. 9, 19, 21, 33, 38, 46, 54, 70, 73, 79, 84, 92, 97, 99, 100, 101, 118, 131, 133, 135, 137, 139, 140, 142, 143, 144, 154, 167, 220, 228, 245, 265, 282, 315, 317, 371, 400, 402, 428, 432, 441, 444, 446, 449, 450, 451, 458-459, **460-467**, 469, 518.
Posada, Sardaigne : I. 350.
Posen : voir Poznan.
POSTEL (Guillaume), humaniste et orientaliste : II. 101.
Postojna, Slovénie : I. 50.
POTIER (Guillaume), Breton, capitaine de navire : I. 552.
Potosi : I. 207, 286, 433, 434, 476 ; II. 96 ; (mines du) : I. 207.
Pouilles (les) : I. *43* (8), 48, 79, 81, 85, 116, 119, *119* (1), 120, 235, 236, 260, 284, 298, 301, 303, 317, 358, *383* (4), 389, 404, 408, 517-522, 525, 528, 538-539, 550 ; II. 143, 144, 179, 195, 321, 325, 326, 333, 347, 385, 293, 411, 418, 502.
Pouzzoles : II. 204.
Poznan : I. 179, 181.
Prague : I. 183, 186, 196, 422.
PRESCOTT (William), historien : II. 268.
Prevesa : I. *95* (6), 115, 125, 528 ; II. 177, 197, 218, 227, 282, 294, 336, 393, 418.
PRIEUR (Le), patron de marine normande : I. 553.
Prilep, ville de Vieille-Serbie : I. 291.
Primolano, village des Alpes de Vicence : I. 188.
PRIULI (Antonio), marchand vénitien installé à Constantinople : I. 536.
PRIULI (banque) : I. 482.
PRIULI (Girolamo) : I. 191, 493.
PRIULI (P°), ambassadeur de Venise : I. *335* (1).
PRIULI (Zuan) : I. 535.
Prizen, ville de Vieille-Serbie : I. 291.

Procida, île de la mer Tyrrhénienne : II. 260.
PRODANELLI (Nicolò), marchand ragusain : II. 439, 442, 445, 448 ; (Marino), son frère : II. 445.
Prolog (col de) : I. 50.
Propontide, voir Marmara.
PROVENCE (Charles d'ANJOU, comte de) : II. 496.
Provence, Provençal : I. 29, 35, *46* (3), 52, 63, 69, 85, 86, *98* (1), 111, 112, *125* (1), 129, *133* (2), 137, 200, 203, 214, 215, 221, *248* (2), 271, 272, 284-286, 290, 309, 311, 314, *364* (9), 365, 366-367, 369, 376, 387, 389, 425 ; II. 52, 77, *103* (2), 111, 143, 162, 196, 205-206, 309, 310, 316, 328, *372* (4), 390, 402, 404, 486-487, 489, 490-493, 495-496, 503, 517.
Provence (Basse-) : I. 42, 53 ; II. 100.
Provence (Haute-) : I. 35, *39* (2), 54, 79, 80.
PUERTO CARRERO : II. 426.
Puerto de Santa Maria : I. 109, 269, 283, 505, 532 ; II. 306, 466.
Puerto de San Vicente : I. 376.
Puerto Figueredo : II. 507.
Puerto Hercules : voir Porto-Ercole.
Puertolongo : II. 413.
Puszta et Puszto-Valaques : I. 28.
Putignano, ville d'Apulie : I. 48.
Pyrénées, Pyrénéen : I. 22, 23, 27, *29* (3), 30, 33, *37* (3), 40, 41, *42* (5), 93, 149, 226, 353, 365, 391 ; II. 107, 118, 120, 124, 154, 356, 401, 487, 488.
Pyrénées :
  béarnaises : II. 102 ;
  catalanes : I. 130 ; II. 84, 86, 89, 369.
  orientales : I. 86, 92.

Quarnero (golfe du) : I. 136, 354.
Quercy (le) : II. 489.
QUESADA (Carillo de), capitaine d'armée de terre espagnole : II. 307.
QUEVEDO (Francisco de) : II. 155.
QUIJADA (don Luis), précepteur de don Juan d'Autriche : II. 366, 391.
Quillan (forêt de), près de Carcassonne : II. 325.
QUINET (Edgar) : II. 104.
QUIRINI (les) : II. 173.
QUIRINI (Marco), provéditeur : II. 394, 410.
QUIROGA (visitador) : I. 144 ; II. 290.
QUIXADA, voir QUIJADA.

Raab, Hongrie : II. 176.
RABELAIS : I. 98, 219, 261 ; II. 100, 158, 168.
RAGAZZONI (Jacomo), propriétaire de bateau : I. 559.
RAGAZZONI (Jacopo), secrétaire du Sénat vénitien : II. 384, 385.
Raguse, Ragusains : I. *29* (4), 38, 48, 50-52, 102-103, 111, 117, 118-121, 122, 124, 129, 130, 133, 135, 136, *193* (6), 202, 228, 236, 238, 244, 256, 262, *262* (4), 263, 265, 268, *281* (2), 282, 285, 286, **291-292**, 293, 295, 302, 303, 306, 308-309, 311-312, 330, 333, *335* (1), 345, 352, 353, 407, 414, 416, *423* (7), 425, 430, 444, 449, 450, 498, 502, 504, 519, 524, 528, 535-536, 550, 557, *557* (3), 559, *559* (12), *566* (4, 6) ; II. 69, 70, 96, 104, 112, 134, 143, 144, 151, 203, 227, 281, 295, 320, 335, 347, 375, 380, 393, 399, 416, 435, 444, 447.
Palais des Recteurs : I. 312.
Rambla (la), bourg à proximité de Malaga : I. 523.
RAMBOUILLET (cardinal de), ambassadeur de France : I. 237, 327 ; II. 271, 310, 386.
RANKE (Léopold von) : II. 10, 45, 223, 224, 346, 429.
Rapallo : I. *129* (1); II. 96.
RAPHAËL : II. *157*.
Ratiara, ancienne ville de Dalmatie : II. 108.
Ratisbonne : I. 155.
RAUERS (F. von) : I. 185, 186.
RAVASQUEZ, banquier génois : I. 482.
RAVEL, homme d'affaires : I. 62.
Ravenne : I. 36, *57* (n. 4 de la p. 56).
Ravensburg ou Ravensbourg : I. 494.
Razas, paysans insurgés de Provence : II. 77.
RAZILLY (Isaac de), chevalier de Malte : I. 279, *279* (3).
RAZZI (S.), historien de Raguse : II. 104.
Réart (bassin du), Roussillon : II. 69.

RECALDE (Juan NÚÑEZ DE), commandant d'une flotte espagnole : I. 439-440.
Recanati, État pontifical : I. 118, 348, 398.
Reggio de Calabre : I. 348 ; II. 87, 177, 243, 507.
Reinosa, monts Cantabres : I. 40.
Remesiana, ancienne ville de Dalmatie : II. 107.
RENAN (Ernest) : II. 132.
RENARD (Simon), ambassadeur impérial à la cour du roi de France : II. 236, 238, 240, 241, 248, 257.
RENAUDET (Augustin) : I. 150.
RENÉE DE FRANCE : II. 103.
Rennes : I. 198.
REQUESENS (don Berenguer de) : II. 299.
REQUESENS (don Luis de), grand commandeur de Castille : II. 231, 327, 332, 334, 442 ; II. 296, 362, 385, 392, 397, 402, 406, 409, 445, 461.
Rethymo ou Retimo, port de Candie : I. 562 ; II. 393.
REUMONT (A. von) : I. 60.
Reval, Esthonie : I. 352.
Rgueïbat (tribus des) : I. 161.
Rhénanie : I. 44.
Rhin : I. 188, 189, 192, 198, 259, 339, *439* (5), 464 ; II. 107, 242.
Rhodes : I. 90, 95, 96, 105, 126, 136, 144, 222, 235, 329, 444, 537 ; II. 18, 148, 173, 193, 196, 198, 199, 200, 202, 226, 325, 334, 381, 397, 410, 432, 473, 476, 516.
Rhodes (chevaliers de) : II. 9.
Rhodope (le) : II. 12, 113, 117.
Rhône, rhodanien : I. 23, 46, *62* (2), 189, 193, 197, 199, 200, 201, 214, 248, 250, 256, 284, 290, 291, 302, *339* (4), 409, 523 ; II. 487 ;
(vallée du) : II. 356.
Rhône (Bas-) : I. 41, 46, 55, 62, 74, 148, 203 ; II. 84.
Ribagorza (comté de), en Aragon : II. 77.
RIBERA, gouverneur de Bari et d'Otrante : II. 202.
RIBERA, peintre : II. 160.
RIBERE (Jean), propriétaire de bateau, Portugais : I. 551.
RICARD (Robert) : II. 185.
RICARD (Samuel) : I. 454.
RICARDO, agent toscan : I. 567.
RICASOLI (les), marchands de Florence : I. 544.
RICHARD CŒUR DE LION : I. 25.
RICHARD (cardinal de) : I. 279, II. 20, 168.
RICHELIEU (duc de) : I. *39* (7).
RIDOLFI (conspiration de) : II. 398.
RIEGL (A.), historien : II. 156.
Rif : I. *23* (1), 27, *27* (4), 29, 30.
Riga : I. 568.
Rimini : I. 50, 114, 257.
Rio, île d'Elbe : I. 112.
Rio de la Plata : I. 207, 487.
Rio Marina, île d'Elbe : II. 246.
Ripa Grande, port de Rome : I. 112.
RIZZO (Césare), corsaire sicilien : II. 202.
Roanne : I. 198, *339* (4).
ROCAFULL (don Juan de) : II. 443-444.
ROCCA (Renuccio della), II. 51.
Roccella, Calabre : I. 525, 526.
Rochelle (La) : I. 497, 553, 559 ; II. 194, 388, 390, 402, 465 ;
(paix de) : II. 417.
Rochetta, île de Djerba : II. 291.
Rocroi (bataille de) : II. 154.
Rodochio, Turquie : II. 440.
RODOLPHE (archiduc puis empereur) : I. *95* (5) ; II. 391, 392, 483.
Rodosto : I. 103, 450, 536.
RODRIGA (Daniel) : II. 152.
RODRIGHES (Diego) : marrane installé à Venise : I. 578.
RODRIGUEZ (Michel), juif installé à Venise : I. 263 ; II. 146.
ROE (sir Thomas), chargé des intérêts anglais à la Corne d'Or : II. 207.
Rognes, village en bordure de la Durance : I. 309.
RÖHRICHT (R.), historien : II. 242.
Rois Catholiques (voir aussi Ferdinand le Catholique) : I. 49, 108, 150, 160, 209, 314, 315, *362* (n. 3 de la p. 361), 370, 380, 428 ; II. 8, 9, 19-20, 29, 30, 35, 112, 119, 151, 153, 154, 218.

Romagnes, Romagnols : I. 42, 43, 119, 257, **307**, 538-539 ; II. 91.
Romagnole (la) : I. 538, 539.
Romains : I. 37, 54.
Romain (empire) : I. 30, *30* (4), 37, 58, 72, 110, 418, 422 ; II. 131.
ROMAIN (Jules), élève de Raphaël : II. 157.
Romaine (campagne) : I. 50, 55, 59, 69, **72-73**, *73* (3) ; II. 53, 84, 90, 94.
Romaine (église) : I. 30, 36, 37, 43, 121-122, 294, 312 ; II. 52, 105, 170, 232, 499.
Romanie : I. *117* (5), 274, 359.
ROMANO (Juan Phelipe), passeur de captifs évadés : II. 198, 210-211.
ROMANO (Ruggiero) : I. 389, 542 ; II. 214, 220.
Rome : I. 26, 36, 39, 43, 44, 48, *57* (n. 4 de la p. 56), 61, 73, 112, 122, 136, 137, 139, 145, 147, 150, 151, 155, 171, 190, 200, *202* (2), 237, 249, 255, 258, 259, 288, 290, 291, 295, 300, 304, 314, 315, 316, 327, 328, *329* (3), 330, 333, 338, 342, 344, 375, 430, 473, 500, 501, 522, 524, 531, 538, 543, 551 ; II. 23, 27, 42-43, 45, 62, 70, 73, 75, 78, 82, 88, 89, 94, 107, 119, 135, 149, 151, 156, 157, **158-161**, 171, 209, 210, 224, 228, 232, 234, 255, 257, 258, 262, 270, 271, 296, 312, 325, 329, 331, 341, 342, 344, 348, 358, 360, 366, 377, 379, 382, 384, 386, 388, 397, 404, 405, 406, 408, 409, 418, 420, 428, 431, 446, 449, 461, 464, 465, 469-470, 499-500, 508, 512, 519.
Gesù (église du) : II. 159.
Saint-Ange (pont) : II. 78.
Saint-Esprit (banque et hôpital du) : I. 482.
Saint-Pierre : I. 39, 157, 159 ; II. 386.
Santa Maria Maggiore : I. 237.
Rome antique : I. 46, 74, *126* (2), 247, 258, 339 ; II. 111.
Esquilin : I. 237.
Quirinal : I. 237.
Vélabre : I. 46.
Via : Amerina : I. 48.
Aurelia : I. 48.
Cassia : I. 48.
Claudia : I. 48.
Flaminia : I. 48.
ROMEGAS (Mathurin D'AUX-L'ESCUR, seigneur de) chevalier de Malte : II. 199-200.
ROMERO (Juan de) II. 302.
ROMIER (Lucien) : I. 53 ; II. 50, 261.
Ronda, Espagne : II. 132, 368 ; (sierra de) : II. 369.
RONSARD : II. 170, 262.
Roquebrune, près de Menton : II. 490.
ROQUERESBART, patron de barque : I. 278.
Rosa (mont) : I. 247.
Rosas, village maritime de Catalogne : I. 132 ; II. 234, 305.
Rosette : I. 514 ; II. 141.
ROSMITHAL (Léon de), seigneur de Bohême : I. 376.
ROSNE (Charles de SAVIGNY, maréchal de) : II. 492.
ROTH, homme d'affaires allemand : I. 506.
Rouen : I. 185, 197, 200, 382, 435, 458, 497, 552, 560 (n. 12 de la p. 559) ; II. 142, 155, 313, 389, 399.
Rouergue : I. 33, 42, 382.
Rouge (mer) : I. 24, 153, 154, 156, 158, 165, 168, *168* (4), 171, 216, 253, 342, 383, 490, **495-498**, 499, 503, 510, 515 ; II. 17, 172, 228, 346, 356, 370, 441, 458.
Roumanie, Roumains : I. *27* (6), 301, 528 ; II. 483.
Roumélie : I. 68 ; II. 64, 113, 240, 456, 480.
ROUPNEL (Gaston) : I. 69, 247.
Roussillon : I. 69, 231, 255 ; II. 93, 318, 487.
ROUSTEM PACHA, grand vizir : II. 65, 146, 281, 298.
ROVALESCA, associé italien des Fugger : I. 503, 509.
Rovereto : I. 396.
Rovigo : I. 71.
RUBENI (David), pseudo-messie : II. 142.
RUBENS : II. 47, 160.
RUBIOS (Palacios), rédacteur des *Leyes de Indias* : II. 30.
RUBIS (Claude) : voir RUBYS (Claude de).
RUBLE (Alphonse de) : II. 261.
RUBYS (Claude de), historiographe lyonnais : I. 400.
RUIZ (les) : I. 315.
RUIZ (André), marchand espagnol : I. 442.

RUIZ (Simón) : I. 245, 268, 335, 338, 347, 403, 451, *454* (7), 510. 531, 544, 577 ; II. 69, 71, 163.
RUIZ DE LA MOTA (Pedro), secrétaire impérial : II. 23.
RUIZ EMBITO (Cosme), neveu de Simón Ruiz : I. *454* (7), 468.
RUIZ MARTÍN (Felipe) : I. 404, 457 ; II. 154, 215, 220, 518.
RULLO (Donato), marchand vénitien : I. 358.
Ruméli Hisar, village au Sud du Bosphore : I. 318.
Russie, Russes : I. *25* (2), 100, 101, *101* (1), **174-178**, 179, 184, 204, 314, 501, 537, 556, 561 ; II. 10, 17, 65, 356-357, 370, 451, 452, 457, 478, 483.
RUSTICUCCI (cardinal) : II. 384.
Ruthénie : I. 181.
Rwalla (les), tribu nomade de Syrie : I. 161.
RYBARSKI (R.) : I. 180, 181.

SAAVEDRA (don Juan de) : II. 58.
Sabine (la) : I. 39, *73* (3).
Sacavem, village voisin de Lisbonne : II. 466.
SACERDOTI (Vitale), commerçant espagnol : I. *202* (2).
SACHAU (E.), archéologue : I. 238.
Safed, capitale de la Galilée : I. 398.
SAFÉVIDES (les) : I. 167.
Sahara, Saharien : I. 23, 24, 79, 90, 91, 94, 147, 148, 149, 154, **156-170**, 212-214, 247, 424, 426, 432 ; II. 108, 145, 149, 155.
Sahel d'Alger : I. 52, 56 ; II. 194.
Sahel tunisien : II. 183, 228, 229.
Sahels : I. 52, *53* (4), 171.
Saint-André (la) : I. 227.
Saint-Ange (château) : I. 410 ; II. 45, 157.
Saint-Ange (fort de), île de Malte : II. 322.
Saint-Barthélémy (foire de la) : I. 179.
Saint Barthélémy (massacre de la) : I. 148, 330, 446 ; II. 224, 399, 404, 405, 408, 416-417, 444, 460.
Saint-Bernard (Grand-) : I. 189.
Saint-Bernard (Petit) : I. 189.
Saint-Blaise (la) : I. 228.
Saint-Damian : II. 241.
Saint-Démétrius (la) : I. 227, *227* (11), 232.
Saint-Denis (bataille de) : II. 352.
Saint-Domingue : I. 134 ; II. 30, 100.
Saint-Dominique (foire de la) : I. 179.
Saint-Elme (fort de), île de Malte : II. 322, 324, 326.
Saint-Empire romain germanique : II. 27.
Sainte-Hélène : I. 205, 513.
Sainte-Maure, île de la mer Ionienne : I. 136, 528 ; II. 148, 410 ; (cap de) : II. 421.
Saint-Florent, Corse : II. 246, 248.
Saint-Georges (cavaliers de) : II. 43.
Saint-Georges (la) : I. 227, 228.
Saint-Germain (foire de) : I. 369 ; (édit de) : II. 373.
Saint-Gothard : I. 187, 189.
SAINT-GOUARD, ambassadeur français : I. 116, 343-344, 406, 441 ; II. 102, 400, 401, 402, 403-404, 408, 429, 431.
Saint-Jacques (la) : II. 276.
Saint-Jacques-de-Compostelle : I. 198.
Saint-Jean (la) : I. 533 ; II. 367.
Saint-Jean (fosse) : voir Messine (détroit de).
Saint-Jean-de-Luz : II. 328.
Saint-Jean-de-Malvoisie : II. 95.
Saint-Jean-de-Maurienne : I. 189.
Saint-Léonard (le), cours d'eau de Sicile : I. 523.
Saint-Malo : I. 435 ; II. 194.
Saint-Mathieu (la) : I. 350.
Saint-Michel (foire de la) : I. 179.
Saint-Michel (fort de), île de Malte : II. 322.
Saint-Nicolas (baie de), mer Blanche : I. 177, 564.
Saintonge : II. *492* (1).
Saint-Paul (cavaliers de) : II. 43.
Saint-Paul-de-Fogossières : I. 63.
Saint-Pierre (cavaliers de) : II. 43.
Saint-Quentin : II. 258-259, 301.
Saint-Rémi : I. 63.
Saint-Sébastien : II. 352.
SAINT-SULPICE, ambassadeur de France : II. 326, 343.
Saint-Valéry-en-Caux : I. 552.
SALADIN : I. 25.

SALAH REIS, roi d'Alger : I. 166, 432   II. 245-246, 251, 283, 364.
Salamanque : I. 84, 296, 298, 338, 370, 418, 473 ; II. 30.
SALAZAR (Ambrosio de) : II. 162.
SALAZAR (Christóbal de) : I. 505, 507.
SALAZAR (Pedro de) : II. 228.
Saldas, près d'Almeria : II. 125.
Salé : II. 186, 194, 283.
Salerne : I. 129, 348 ; II. 204, 243, 516.
SALOMONE ou SALOMON (docteur) : voir ASKANASI (docteur Salomon).
Salon (cap de) : I. *98* (1).
Salonique : I. 55, 75, 91, 256, 303, 308, 355, 356, 380, 398, 521, *525* (1, 2), 528, 553, 578 ; II. 13, 70, 98, 101, 141, 148.
Saluces : I. 396 ; II. 388, 510 ; (marquisat de) : II. 262, 444.
SALUCES (marquis de) : II. 72.
SALVIATI (famille) : I. 345.
Salzbourg : I. 188, 190.
Samarkand : II. 110.
SAMMICHELI, architecte : II. 159.
Samos : I. 144.
San Ambrogio (banco di) : voir Sant'Ambrogio.
San Biasio (vallée de), entre le bas-Adige et le cours inférieur du Pô : I. 71.
SANCHE IV, roi de Castille : I. *425* (6).
SANCHEZ-ALBORNOZ (Claudio) : II. 154.
SANDE (Alvaro de), commandant des troupes de terre espagnoles : II. 287, 293-294, 299, 324, 333, 348.
Sandomir : I. 183.
Sandonato, Calabre : I. 130.
SANDOVAL (Fray Luis) : II. 97.
San Feliu de Guixols, Costa Brava : I. 132.
San Giorgio (Casa di) : I. 294, 456, 481 ; II. 44, 45.
San Gottardo : I. 237.
Sanguene, province de Vérone : II. 89.
San Lorenzo, Espagne : II. 461.
San Lucar de Barrameda : I. 75, 109, 269, 276, 278, 283, 347, 489, 551, 575-576 ; II. 80. 273.
San Maffeo del Cilento, port de Calabre : I. 129.
SAN MICHELI (Gian-Girolamo), « inzegner » : I. 417.
San Salvador, sur la hauteur de Mers-el-Kébir : II. 304.
Sansepolcro, Toscane : I. 257.
SANSEVERINO (don Ferrante), prince de Salerne : II. 243.
SANSOVINO (le), architecte : II. 159.
SANTA CROCE (nonce) : II. 245.
SANTA CROCE (Aurelio de), voir SANTA CRUZ (Aurelio).
SANTA CRUZ (Aurelio de), agent espagnol : II. 439-440, 442.
SANTA CRUZ, (Alvaro de BAZAN, marquis de) : I. 281 ; II. 183, 193, 377, 391, 421, 426 ; voir aussi BAZAN (Alvaro de).
Santa Ella, bourg à proximité de Málaga : I. 523.
SANTA FIORE (cardinal de) : II. *314* (3), 315.
Santa Margherita, commune près de Gênes : II. 96.
Santa Maria (cap), côte des Pouilles : I. 179.
Sant'Ambrogio (banco di) : I. 482.
Santander : I. 439, 440 ; II. 273, 353.
Sant'Angelo (mont), voir Gargano.
Santarem : II. 466.
Santiago, Espagne : I. 83 ; II. 60.
SANTIAGO (Fr. Jorge) : I. *328* (7).
Santillana (marquisat de) : II. 55.
SANTO (Joseph), capitaine de galiote : II. 199.
Santo Stefano, Toscane : I. 96.
SANUDO (Marin) : I. 271, 275, 284, 333, 338, 356, 379, 540.
San Vicente (cap), Portugal : I. 109, *109* (9).
São Jorge da Mina (château de), côte guinéenne : I. 427.
Saône : I. *339* (4).
São Tomé (île de) : I. 134, 142, 206 ; II. 145.
São Vicente, Brésil : I. 436.
Sapienza (île de la), mer Ionienne : II. 418.
SAPONARA (Rizzo di), bandit de haut vol : II. 86.
SAPPER (K.), géographe : I. 218.
Saragosse : I. *55* (8), 63, 64, 254, 256, 334, 353, 442, 447 ; II. 81, 84, 118-120.

Sarajevo : I. 31, 288, 292 ; II. 14.
Sardaigne, sarde : I. 29, 34, *34* (5), 35, 36, 55, 95, 100, 110, 111, 112, 122, 123, 135, 136, 137-139, 140, *140* (1, 6), 141, 145, *151* (1), 200, 229, 231-232, 239, 311, 350, 352, 353, 374, 422, 449, 505, 522, 538 ; II. 20, 91, 133, 180, 198, 206, 229, 247, 284, 295, 296, 299, 305, 312-313, 377, 418.
SARDELLA (Pierre) : I. 333-336, 397.
SARMIENTO (Juan), agent espagnol : II. 475-476.
SARMIENTO (Luis) : II. 135.
Sarrasins, voir Arabes.
SASPORTAS (Jacob), rabbin : II. 138.
SASSETTI (Filippo), Florentin installé aux Indes orientales : I. 343.
SATLER (Andréa) : I. 276.
SAUERMANN (Georg), Allemand, correspondant de Pedro Ruiz de la Mota : II. 23.
SAULI, ambassadeur de Gênes : II. 60, 205, 300, 310, 359, 367, 368, 402.
SAULI (Bendinelli) : II. 290, *314* (3), *316* (8).
SAULT (Christine DAGUERRE, comtesse de) : II. 490, 493.
SAVARY des BRUSLONS (J.) : I. 86, 461.
Save : II. 175, 339.
Savillan : II. 262.
Savoie, Savoyard : I. *31* (3), 41, *41* (7), *63* (2), 96, 189, *202* (2), 343, *439* (5), 447, 458, 459, 460, 519 ; II. 143, 205, 255, 261, 262, 287, 292, 305, 314-315, 317, *378* (4), 388, 402, 404, 415, 485, 490-492, 498, 510.
Savone : I. *95* (5), 111, 134, 311, 451 ; II. 204, 310.
Saxe : I. 192, 194, 315, 354, 422, 492 ; (électeur de) : II. 345.
SAXE (Maurice de) : II. 233, 236, 237, 242, 244, 248.
SAYOUS (André E.) : I. 455.
SCAMMACA (Antonio), syndic de Lentini : II. 71.
SCANDERBEG : I. 308.
Scandinavie : II. 102.
SCARAMELLI (B. C.), chargé de mission par Venise en Angleterre : I. 197.
SCARRON : I. 237.
Scherzol, province du Caucase : II. 458.
SCHETZ (les), prêteurs d'Anvers : I. 436 ; II. 249.
SCHNÜRER (Gustav) : II. 69, 158.
SCHULTE (Aloys) : I. 49, 189, 276.
SCHUMPETER (Joseph A.) : I. 409 ; II. 26-27.
SCHWEIGGER (Salomon), voyageur allemand du XVIᵉ siècle : I. 271 ; II. 23.
SCHWEINFURTH (G.), voyageur et naturaliste allemand du XIXᵉ siècle : I. 165.
Sciacca, Sicile : I. 331, 526 ; II. 179.
Scio (île de), voir Chio.
SCOTTO (Giovanni), patron de navire : I. 560.
Scutari, Albanie : I. 59 ; II. 15.
Scutari ou Usküdar, Turquie : I. 318, 320.
SÉBASTIEN (dom), roi de Portugal : I. 503, 505 ; II. 171, 397, 428, 462-463.
Sebenico : I. *117* (6) ; II. 415, 436.
SECCO (Nicolò), chargé de mission espagnol auprès de la Porte : II. 280, 281, 432.
Seeland, île du Danemark : I. 509.
Segna, golfe du Quarnero : I. 120 ; II. 192, 194.
SEGNI (Juan de), agent espagnol à Constantinople : II. 502-503, 506, *512* (5).
Ségovie : I. *57* (n. 4 de la p. 56), 84, 296, 299, 350, 354, 370, 377, 391, 394, 395, 397 ; II. *35* (10), 56, 341.
SEIGNELAY (M. de) : II. 145.
Seine : II. 19.
SELĀNIKI (Mustapha), chroniqueur ottoman : II. 65.
SELDJOUKIDES : I. 90 ; II. 66.
SÉLIM Iᵉʳ : I. 490 ; II. 17, 18.
SÉLIM II, fils de Soliman le Magnifique : II. 42, 281, 283, 298, 299, 339, 346, 348, 356, 358, 370-371, 434, 437, 442.
SELLA (Domenico) : I. 266-267, 397.
SELVE (O. de) : II. 103.
Sénégal, fleuve : I. 161, 163 ; (Haut) : I. 426.
SENESTRARO (Agostino), marchand : I. 453.
SENNE (saint) : I. 149.
Sens : I. 198.

Séphardites, Juifs d'Espagne : II. 138, 141.
Septimer (route du) : I. 188 ; (passe du) : I. 189.
SEPULVEDA (docteur Juan de) : II. 295.
SERBELLONE (Gabriel) : II. 407, 422, 426, 439.
Serbie, Serbes : I. 28, 50, 291, 367, 491 ; II. 11-12, 15, 77, 175.
Serbie (Vieille-) : I. 29, 422.
SERCEY (comte de) : I. 238.
Serencs (Hongrie) : II. 337.
SERENI (Emilio) : I. 533.
Sérès (Macédoine) : II. 116.
Serôn (sierra de) : II. 366.
SERRA (Antonio), économiste : I. 422 ; II. 91.
SERRA (Battista) : I. 466.
SERRANO (le P.), historien : II. 397, 399, 403, 407, 412.
Serravalle, commune piémontaise : I. 459.
SERRES (Olivier de) : I. 63.
SERVET (Michel) : II. 104.
SERVIER (Jean), ethnographe : II. 111.
Sesia (la), rivière piémontaise : I. 65.
Sessa, Terre de Labour : II. 88.
SESSA (duc de) : II. 280-281, 282, 286-287, 359, 367, 413-414, 420, 421, 512.
SESTINI (dom) : I. 520.
Setchouen : I. 340.
Sétubal (reddition de), Portugal : II. 466.
Séville, Sévillans : I. 74, *74* (3), 75, 108, 109, 131, 146, 172, 193, 198, 205, 206, 207, 208, 217, 224, 234, 235-236, *236* (1), 237, 250, 255, 257, 258, 269, 275, 276, 277, 278, 279, 283, 292, 294, 296, 306, 308, 309, 313-314, 315, 344, 346, 347, 357, 358, 370, 381, 385, 400, 401, 402, 410, 424, 427, 429, 433, 436, 438, 446, *447* (14), *449* (2), 451, 455, 464, 468, 473, 476, 488, 530-535, 544, *550* (11), **573-576**, 578 ; II. 25, 38, 40, 56, 57, 69, 80, 82, 104, 119, 126, 127, 140, 150, 196, 203, 217, 227, 269, 275, 276, 277, 306, 308, *316* (8), 321, 349, 364, 367, *378* (3), 390.
Faubourg de Triana : I. 296.
Seybouse (la) : fleuve côtier d'Algérie : I. 229.
Seyssel : I. 409.
Sfax : I. 99 ; II. 229, 318.
SFORZA (les) : I. 310, 357.
SFORZA (François) : I. *41* (2), 65.
SFORZA (Hippolyte) : I. 237.
SFORZA (Ludovic) : I. 304.
SFORZA (Paulo) : II. *314* (3).
SHERLEY (Anthony) : II. 110.
SHOVE (dr P.) : I. 251.
Siam : II. 98.
Sibériens : II. 110.
Sicile, Sicilien : I. 23, *25* (2), *26* (9), 28, 29, 43, 52, 68, 100, 104, 105, 106-107, 108, 110, 111, 112, 119, 122-123, 124, *125* (1), 129, 130, *132* (2), 134, 135, *135* (1), 136, 137, 138, 139, 140, 141, 142, 151, 215, 216, 218, 223, 235, 246, 261, 285, 290, 293, 301, 303, 311, *329* (8), 332, *332* (2), 351, 353, *362* (n. de la p. 361), 371, 374, 380, 389, 407, 415, 416, 421, 425, 426, 427, 443, 449, 450, 460, 476, 479, 481, 483-484, 485, 505, 507, 517, 519-521, 523-528, 531-532, 538-539, 541, **545-548**, 555, 561, 564 ; II. 20, 22, 24, 33, 38-39, 51-53, 71, 73, 76, 85, 86, 89, 91, 109, 133, 138, 144, 149, *168* (6), **176-179**, 181, 183, 187, 193, 197, 201, 202-205, 209, 227, 228, 229-231, 237, 240, 246, 252, 253, 255, 281, 284, 285, 286, 287, 289, 290, 291-294, 297, 301, 302, 303, 305-306, 314-316, 318, 320, 322-326, 333, 335, 342, *347* (8), 348, 358, 376-377, 380, 385, 390, 391, 394, 397, 412, 419, 420, 423, 427, 435, 470, 471, 474, 476, *492* (9), 502, 507-508 ; (canal de) : II. 187.
Siculiana, port de Sicile : I. 525, 526.
SIDI ALI, poète : I. 497.
SIEGFRIED (André) : I. 214.
Sienne, Siennois : I. *61* (2), 68, 294, 308, 522 ; II. 89, 159, 231, 243, 247, 250, 255, 256, 262, 267, 318.
SIGISMOND II, roi de Pologne : II. 176.
Signa, sur l'Arno : I. 523.
Silésie : I. 192, 194, 315.
SILICEO, archevêque de Tolède : II. 251.
SILVA (Guzmán de), ambassadeur d'Espagne à Londres : II. 345, 352, 438.

SILVESTRI (A.) : I. 481.
Simancas : I. 371, 379, 415, 484, 487, 541, 546 ; II. 33, 128, 182, 276, 436, 438.
SIMIAND (François) : I. 247, 411, 412, 473 ; II. 94, 213, 519.
SIMONSEN (Simon), voir DANSER (Simon).
Simplon : I. 187.
SINAN PACHA, vainqueur de Djerba : I. 503, 535 ; II. 174, 238-239, 243, 244, 246, 452.
SINAN PACHA, chef de l'armée turque, pacificateur du Yémen : II. 425-426, 436, 439, 456, 459, 479, 480, 483, 506.
SINAN, agent espagnol : II. 445.
Sinigaglia, État pontifical : I. 348, 398, 524.
Sinope : I. 105.
Sipeniti (foire de), frontière de Transylvanie : I. 181.
SIRI (Mario) I. 479, 484, 526.
Sirmie, partie orientale de la Slavonie : I. 50.
Sissek, ville de Croatie : II. 480.
Sisteron : I. 198.
Sitvatorok (paix de) : II. 483.
SIXTE QUINT : I. 37 (2), 73 (3), 237, 316, 342, 410, 418 ; II. 45, 86, 88, 151, 470, 499.
Skafiotes : I. 35.
Slaves : 120, 121 ; II. 113, 117 ; (montagnes) : I. 51 ; II. 113.
Slavonie : II. 176, 479, 483.
Smalkalde (ligue de) : II. 232, 233.
Smederevo (bataille de) : II. 14.
SMITH (Thomas), marchand anglais : I. 564.
Smyrne : I. 237 (1), 238, 262, 262 (4), 321, 454 ; II. 145, 150, 206.
Sniatyn (foire de), frontière de Transylvanie : I. 179.
SODERINI (les), marchands italiens : I. 183.
SOETBEER (Adolf), historien : I. 472.
Sofala, Afrique : I. 422 ; II. 459.
Sofia : I. 354, 491 ; II. 12, 37, 339, 393.
Soldaia : I. 313.
SOLIMAN II, LE MAGNIFIQUE : I. 125, 228, 319, 367, 375, 489 ; II. 10, 16, 18, 30, 37, 64-65, 98, 143 (11), 167, 226, 228, 230, 246-247, 250, 279, 281, 283, 298, 299, 326, 334, 337, 339, 346, 349, 370-371, 451, 452, 453, 455.
SOLIMAN PACHA, gouverneur d'Égypte : I. 342 ; II. 458, 459.
SOLLE (Gerhard), géographe : I. 245.
Solunto, port de Sicile : I. 525, 526.
SOMA (Bartholomeo), marchand vénitien : I. 358.
SOMBART (W.) : I. 313 ; II. 151.
Somme, rivière : I. 302 ; II. 258, 496, 497.
SONCINO (Fra Ambrosio da), capucin : II. 210.
Sonde (îles de la) : I. 508, 576.
Sopotico, Albanie : II. 346 (2).
Sopoto, Dalmatie : II. 393.
SORANZO : I. 435, 436 ; II. 140, 384, 406.
SORANZO (Giacomo), ambassadeur de Venise : I. 158 ; II. 282.
SORGO (Andrea di), Ragusain : I. 444.
Soria, ville de Vieille-Castille : I. 84, 296, 370.
SORIANO : II. 23.
SORRE (Maximilien) : I. 69.
Sorrente : I. 299, 349 ; II. 178, 260.
SOTO (Juan de), secrétaire de don Juan d'Autriche : II. 417, 423, 424-427.
Sottovento (le), côte adriatique de l'Italie : I. 114, 119, 398.
Souabe : II. 72.
Souakim, ville du Soudan : I. 499.
Soudan : I. 160, 166 (1), 169, 171, 256, 422, 424-427, 431-432, 491 ; II. 10, 17, 155, 284.
Soummam (vallée de la), Kabylie : II. 111.
Sous marocain : I. 32, 68, 109, 164 ; II. 152.
Southampton : I. 263, 555, 557, 557 (3), 560.
SOUZA (Tomé de), amiral portugais : II. 459.
Sovenazo (place forte de) : II. 178.
Spalato : I. 51, 95, 121, 256, 262-265, 266, 281, 303, 342, 521 ; II. 145, 152, 173.
SPANN (Othmar), historien : II. 517.
Sparte : I. 25.
SPENGLER (Oswald) : II. 517.
SPES (Gueran de), ambassadeur espagnol à Londres : II. 355, 361.

Spezia (la) : II. 169, 307.
SPINELLI (Andrea), notaire de Venise : I. 267.
SPINOLA (les) : I. 314, 418.
SPINOLA (Agostino) : I. 440, 447, 448.
SPINOLA (Ambrosio) : I. 441 (2), 447, 457, 466, 467.
SPINOLA (Battista) : I. 459, 561.
SPINOLA (Lazaro), consul génois à Anvers : I. 439.
SPINOLA (Lorenzo) : i. 441.
SPINOZA : II. 142.
SPIROLO, gouverneur de Tabarca : II. 475.
Splügen (passe du) : I. 189.
Spolète, Spolétins : I. 37, 40, 40 (7).
SPOONER (Frank) : I. 198, 336, 338, 411, 431 ; II. 31.
SPRENGER (Aloys) : I. 158.
Squillace, petit port de Calabre : II. 260.
Staden, ville de Flandres : I. 562 (5).
Stamboulyol, route d'Istanbul par la voie de la Maritza : I. 254, 260 ; II. 84.
Stampalia (île de), mer Égée : II. 173.
STANLEY (Richard), agent d'Élisabeth Ire : I. 563.
STAPER (Richard), marchand de Londres : I. 563, 564.
Stapola, port d'Albanie : I. 119.
STARACE, spéculateur sur les blés : I. 519.
STEFANO (Juan) : voir FERRARI (Juan Estefano).
STELLA (Georges Gregoire), acheteur à Constantinople : I. 425 (4).
STENDHAL : I. 39, 259 ; II. 68, 85, 157, 159.
STEPHANO (Johannès de), Ragusain : I. 444.
STERLICH, patron de bateau : I. 560.
Stilo, localité de Calabre : I. 249, 391.
STOCHOVE, voyageur : I. 284.
Stockholm : I. 279, 410 (3).
Stolbovo (paix de) : I. 178 (6).
Stora, Afrique du Nord : I. 91.
Strasbourg : I. 202 (1), 475, 477.
Stromboli : I. 137.
Strouma (la), fleuve de Bulgarie : II. 12.
STROZZI (les) : I. 543.
STROZZI (Leone) : II. 251.
STROZZI (Pandolfo) : I. 123 (1).
STROZZI (Philippe de) : I. 219 ; II. 400-401, 403, 408, 467.
STROZZI (Piero) : I. 230.
STUARTS (les) : II. 47.
STURMY (Robert), marchand de Bristol : I. 554.
Styrie : I. 120 ; II. 175, 479, 485.
Suanich : II. 480.
SUÁREZ (Baltasar), marchand espagnol de Florence ; I. 245, 345, 452, 577 ; II. 71.
SUÁREZ (Diego) : I. 40, 91, 162, 366, 419, 432, 522 ; II. 81, 149 (1), 182, 187-188, 306.
SUÁREZ DE FIGUEROA (Lorenzo) : voir Figueroa.
Suda, port de Candie : II. 380-381, 393.
Suède, Suédois : I. 178 (6), 180, 185, 185 (3), 197, 456, 492.
Suez : I. 168, 168 (4), 172, 499, 503, 514 ; II. 458.
SUIL PACHA, sandjac de Méthelin : I. 529.
Suisse et Suisses : I. 34 (2), 191, 194, 221, 409, 458 ; II. 15, 77, 158, 237, 262, 497, 498.
SULEIMAN PACHA : I. 496.
SULLY : I. 339, 410 ; II. 47.
Sumatra : I. 497, 499, 502, 503, 512, 515, 565.
SUMMONTE (Pier Loise), fournisseur de bois pour les galères de Naples : I. 130.
Sunnites : I. 90 ; II. 170.
Supertino, en terre d'Otrante : I. 415.
Surate, Inde : I. 45.
SURIANO (Michel), ambassadeur de Venise à Rome : II. 55, 384.
SURIANO (Nicolò), provéditeur de la flotte vénitienne : II. 179.
Suse : I. 188, 198 ; (pas de) : I. 198.
Sutri, ville de la province de Rome : II. 331.
Syracuse : I. 106, 275 ; II. 97, 177, 178, 179, 200, 287, 288, 321, 323-324.
Syr Daria (vallée du), fleuve de l'Asie russe : I. 170.
Syrie : I. 23, 24, 25, 26, 35, 56 (2), 79, 87, 92, 95 (7), 123, 125, 129, 130, 135, 136, 147, 156, 157, 160, 166, 168, 168 (4), 216, 228, 256, 262, 263, 265, 275, 281, 285, 313, 340, 346, 347, 348, 356, 364 (9), 367, 422, 423, 490, 496, 499-502, 504, 505, 507, 508,

510, 511, 513, 524, 536, 537, 548, 555, 565, 569 ; II. 16-18, 99, 109, 172, 200, 203, 347, 357, 397, 454.
Syrie (Basse-) : I. 73, 148, 161.
Syrtes (mer des) : I. 99, 147.
Szigethvar, ville de Hongrie : II. 339.
SZKOCI (les), revendeurs d'origine écossaise : I. 180.

Tabarca (île de) : I. 106, 107, 144, 146, 229, 313 ; II. 210, 302, 475.
Tabriz : I. 342, 512, 515 ; II. 452, 456, 457-458.
TACITE : I. 173.
TADDI (les), marchands de Florence : I. 544.
TADIĆ (Iorjo) : I. 265.
Tadjoura : II. 185, *185* (3), 239, 240.
Tafilalet (le), district du Maroc : II. 149.
Tagarins, voir Morisques.
Tage (le) : I. 391 ; II. 118, 466.
TAINE (Hippolyte) : II. 223.
Takouch (cap) : II. 108.
Talamone, Toscane : I. 96, 522.
Talavera de la Reyna : I. 49, 391.
TALMASQ, shah de Perse : II. 451.
Tana (la) : I. 101, *101* (1), 274, 313, 356, *356* (1), 359.
TANG (dynastie des) : I. 141 ; II. 110.
Tanger : I. 110, 288, 425 ; II. 33, 186, 462.
Taormina : I. 246 ; II. 179.
TARABOTTO (Stefano), trafiquant : I. 536-537.
Tarentaise : I. 77.
Tarente : I. 79, 290 ; II. 176, 178, 179, 203, 287, 288, 289 ; (golfe de) : I. 386.
TARIFA (marquis de), gouverneur de Naples : II. 301.
Tarn (le) : II. 489.
Tarragone : II. 120.
Tartares : I. 100, 171, 174, *174* (2), 175, 176, 179, 340 ; II. 38, 175, 334, 346, 356, 454-455, 457, 478, 485.
Tartaro, affluent du Pô : I. 62.
Tarvis, ville de la province d'Udine : I. 185.
TASSE (le) : I. 58.
TASSIS (famille des) : I. 194, 338.
TASSIS (Gabriel de) : I. 330.
TASSIS (don Juan de), comte de Villamediana : I. 233.
TASSIS (J. B. de), *veedor*, général de l'armée des Flandres puis ambassadeur de Philippe II : I. 446.
Tata, ville de Hongrie : II. 338.
Tatar Pazardzik, (territoire bulgare de) : II. 116.
Tauern (route des) : I. 190.
Tauris, voir Tabriz.
Taurus : I. 79, 86, 90, 149, 256.
TAVANNES (Gaspard de SAULX DE), maréchal de France : II. 403.
TAVERNIER (Jean-Baptiste) : I. 45, 91, 92, 98, 165, 166, 168, 179, 241-242, *241* (1), *352* (5), 423 ; II. 92, 100.
Tavoliere, plateau des Pouilles : I. 79, 85, 520.
Taygète (chaîne du) : I. 25.
Taza, ville du Maroc : II. 251.
Tcherkassie, Tcherkesses : II. 451, 452.
TEBALDI (J.), agent du duc de Ferrare à Venise : I. 335.
Tegiole (château de), près d'Alexandrie en Italie : I. 478.
TÉLIGNY (Charles de) : II. 387-388.
Tell (le), Algérie : I. 164.
Tell Kel, village près de Mossoul : I. *168* (1).
Temesvar, ville de Roumanie : I. 354 ; II. 37, 242.
Templiers (les) : I. 69.
Tendilla, Nouvelle-Castille : I. 349-350.
TENDILLA (comte de) : I. 532.
Ténédos (île de) : II. 511.
TENENTI (Alberto) : I. 266-267, 359 ; II. 209.
Ténès, ville d'Algérie : I. 108.
Terek, Caucasie du Nord : II. 457.
Tergowist, ancienne capitale de la Valachie II. 483.
TERMES (maréchal de) : II. 246, 259.
Termini, port de Sicile : I. 525, 526 ; II. 179.
Ternate, île des Molusques : I. 503.
Terracine, Latium : II. 243.
Terra di Lavoro : I. 63 ; II. 88.
Terranova, ville de Sicile : I. 525, 526 ; II. 76, 179.

TERRANOVA (duc de) : II. *316*, (8), 406, 407, 420, 428.
Terre ferme vénitienne : I. 70-72, 310-311, 313, 363, 399, 494, 539 540 ; II. 31, 151, 173-174, 375, 415.
Terre-Neuve : I. 127, 205, 206 ; II. 196.
Terre Sainte, voir Palestine.
Teruel : I. *55* (8).
Tessin (le) : I. 64, 65, 364, *381* (6).
Tétouan : I. *425* (6), 450 ; II. 187, 194, 210, 520.
Thasos (île de) : II. 12.
THÉATINS (ordre religieux des) : II. 255.
THÉNAUD (père Jean) : I. 495.
THEODOLO, marin de Marseille : I. *244* (4).
THÉRÈSE D'AVILA (sainte) : I. 32, *32* (1) ; II. 270.
Thessalie : I. *66* (4), 525. 528 ; II. 14.
THÉVENOT : II. 100.
Thionville : II. 260.
Thorn ou Thorun, ville de Pologne : I. 179.
Thrace : I. 54, *66* (4), 68, 140, 216, 524, 528 ; II. 12, 113.
THURN (Joseph de) : II. 479.
Thusurus, voir Tozeur.
Tiaret : II. 161, 164.
Tibériade (lac de) : I. 398.
Tibre : I. 112, 145, 226, 249, 258 ; II. 228 ; (embouchure du) : II. 303.
TIEPOLO (Lorenzo), marchand vénitien : I. 499, 528.
TIEPOLO (Paolo) : I. 55, 292, 406.
TIEPOLO (Piero) : II. 315.
Tierra de Campos : I. 354.
Tiflis : I. 45 ; II. 453, 455, 456, 457.
Tigre, fleuve : I. 168, *168* (1).
Timgad, cite romaine d'Algérie : I. 30.
Tindjda (forêt de), dans le Djurdjura : I. 25.
TINTORET (le) : II. 158.
TIPTON (John), agent anglais à Alger : I. 566.
Tirana : II. 66.
Tirnovo, Albanie : II. 63.
Tirourdat (col de), en Kabylie : I. 24.
TITIEN (le) : I. 307 ; II. 158, 348, 513.
Tisza (vallée de la) : II. 482.
Tizzo, bourgade dans le pays de Brescia : I. 414.
Tlemcen : I. 54, 108, *156* (2), 365, 425, 431, 432 ; II. 109, 138, 148-149, *185* (3), 189, 245, 283-284.
Tlemcénie : I. 426.
TOCCO (Vittorio di) : voir DI TOCCO (Vittorio).
Tokay : II. 337.
Tokyo : I. 252.
TOLEDANO (Francisco), Morisque de Tolède, installé à Madrid : II. 128.
Tolède : I. *40* (3), 63, 213, 256, 296, 336, 350, *364* (9), 366, 370, 377, 382, 385, 395, 397, 456, 485 ; II. 30, 104, 118-120, 126-128, 129, 186, 251 ; (archevêque de) : II. 270.
TOLÈDE (don Hernando de), fils du duc d'Albe : II. 333.
TOLEDO (Antonio de) : II. 291.
TOLEDO (don Garcia de), fils de Pietro de Toledo et vice-roi de Catalogne, puis général de la mer de Philippe II : I. 230, 444 ; II. 166, 169, 228, 291, 300, 305-311, 317, 318-319, 320-324, 335, 337, 392, 395, 426, 427.
TOLEDO (don Luis de), fils du vice-roi de Naples : II. 58.
TOLEDO (Pietro ou Pedro) : I. 63, 236, 316, 416 ; II. 177, 178, 318.
Tolfa, Latium : I. 410 ; II. 43.
Tombouctou : I. 166, *166* (2), 426, 432 ; II. 470.
Tonkin : I. 45.
TOPTANI, famille albanaise : II. 66.
Tor : I. 168, *168* (4), 216, 499.
Tordesillas, ville de la province de Valladolid : II. 21, 56.
Torellas, ville d'Aragon : II. 120.
TORMES (Lazarillo de) : I. 222.
TÖRNE (O. de) : II. 420, 429.
Toro, Castille : I. 370.
Torre del Greco, ville de la province de Naples : I. 136.
TORRES (Luis de), envoyé de Pie V auprès de Philippe II : II. 375, 378-379, 380.
TORRIGIANI (famille) : I. 193 ; II. 68.
TORTON (Roberto), capitaine anglais : I. 284.

Tortosa : I. 63, *96* (3), 258, 353, 524 ; II. 120, 303.
Toscan (archipel) : I. 137, 141 ; II. 250.
Toscane, Toscans : I. 47, 48, 52, 53, *54* (5), 56, 59, 61, *61* (2), *76* (3), *96* (4), 97, 110, 130, 200, *221* (3), 226, 248, 257, 290, 300-301, 311, 312, 313, 380, 395, 421, 441, 446, *449* (4), 452, 460, 479, 505-506, 508, 518, 522, 524, 528, 543-545, 554, 561, 567, 577 ; II. 47, 61, 68, 78, 85, 86, 89, 91, 167, 195, 198-199, 200, 202, 247, 249, 256, 286, 295, 305, 308, 314, 317, 371, 384, 387-389, 398, 415, 421, 435, 464, 469, 482, 493, 499, 510.
Toscanella, territoire pontifical : I. 522.
TOTT (baron de) : I. 35, 91, 92, 171, 235, 237 ; II. 17.
Touareg : I. 159, 161.
Touat (oasis du) : I. 164, 426.
Toubou (tribu des) : I. 159.
Touggourt : I. *157* (1) ; II. 245.
Toul : II. 242.
Toulon : I. 553 ; II. 227, 260, 370, 372, 386, 409, 490, 502.
Toulouse : I. 201, 497 ; II. 29, 161, 216, 328, 489, 496, 519.
Touraine : II. *492* (1).
Tournai : II. 341.
TOURNON (cardinal de) : I. *32* (3).
Tours : I. *339* (4).
TOYNBEE (Arnold) : II. 142, 517.
Tozeur, oasis du Sud-Tunisien : I. 246.
Trafalgar (bataille de) : I. *95* (6), 573.
Trani, ville des Pouilles : I. 333, 528 ; II. 177, 178.
Transcaucasie : II. 458.
Transylvanie, Transylvains : I. *27* (6), 181, 184, 192, 286, 330, 519 ; II. 16, 38, 73, 134, 175, 238, 240, 282, 337, 372, *481* (5), 483, 484, 485, 503.
Trapani : I. 106, 107, 110, 111, 135, 282, 284, 481 ; II. 178, 179, 194, 198, 302, 323, 419-420, 421, 427, 511.
Trasimène (lac) : I. 47.
TRASSELLI (Carmelo) : II. 211.
Trébizonde : I. 100, 105, 274, 313, 342 ; II. 454.
Tremezzo, dans les Alpes milanaises : I. 44.
Tremiti (archipel des), dans l'Adriatique : I. 48.
Trente : I. 191, 333, 396 ; (concile de) :I. 300 ; II. 24, 160, 232, 241.
Trèves : II. 233.
Trevisano, région de Trévise : I. 82, 387, 414.
Trieste : I. 114, 117, 119, 120, 288 ; II. 146.
Tripoli de Barbarie : I. 106, 107, 123, *123* (1), 125, *125* (1), 144, 163, 164, 291, 303, 331, *398* (3), 425, *425* (10), 426, 431, 432, *432* (6), 525, 556 ; II. 37, 93, 133, 149, 167, 181, 183, *185* (3), 187, 193, 194, 200, 201, 205, 207, 227, **238-240**, 267, 281, 282, 283, 284, 285, 288, 289, 293, 294, 347, 351, 385, 386, 425, 471-476, 502.
Bordj el Mandrik : II. 239.
Tripoli de Syrie : I. 25, 54, 242, 285, 321, 498, 504, 511-513, 535, 555, 565, 569 ; II. 70, 148.
Tripolitaine : I. 79, 157, 215.
Trivigiano, voir Trevisano.
Troie : I. 517.
TRON (Filippo), patricien de Venise : II. 8-9.
Tronto, fleuve des Abruzzes : II. 179.
Troyes : I. 198.
Tudela de Duero, bourg de Castille : I. 378.
TUDORS (dynastie des) : I. 315.
Tunis : I. 43, 107, 109, *123* (1), 125, 162, 164, 167, 291, 330, 332, 383, 425, 426, 428, 432, 553, 557 ; II. 37, 97, 109, 149, 166, 181, 182-183, 194, 199, 207, 210, 211, 229, 246, 288-289, 291, 298, 312, 313, 318, 336, 347, 364, 365, 372, 377, 383, 385, 386, 390, 394, 397, 406, 407. 419, **420-427**, 429, 436-437, 472, 474, 477 ; (lac de) : I. 215.
Tunisie : I. 23, 24, 48, 52, 104, 106-107, 127, 144, 148, 162, 215, 218, 426, 548 ; II. **108-109**, 182-183, 193, 229, 423, 429, 439, 474.
Tunisie (Basse-) : I. 73, 246.
Turano (lac de) : I. 39.
Turin : II. 260, 435.
Turkestan : I. 86, 105, 158, 169, 171 ; II. 11, 172, 451, 452.
Turkmènes : I. 90, 92.
TURQUET (Theodore), voir Mayerne de Turquet.

Turquie, Turcs : I. 25, *25* (2), *27* (5), 31, 35, 43, *43* (3), 51, 61, 78, 79, 85, 87, 90, 91, 100, *101* (2), 102, 106, 116-117, 118, 120, 124-126, 127, 131, *131* (1), *138* (3), 142-143, 147, 150, 151, *151* (2), 162, 165, 166, 167, 170, 171, 175, 176, 177, 178, 179, 182, 184, 200, *202* (2), 216, 220, 221, 223, 232-233, 254, 259, 260, 262, 263-265, 271, 281, 284, 292, 299, 301, 306, 307, 308, 311, 312, 313, 314, 315-316, 318, 320, 330, 342, 355, 356, 361, 362, 367, 375, 380, 383, 394, 398, 399, 407, 410, 411, 413, 418, 421, 423, 431, 443, 444, 450, 453, 454, 462, 465, 471, 480, **489-491**, 496, 497, 501-506, 508, 512, 519, 521, 524, 535-538, *560* (n. 12 de la p. 559), *562* (5), 563-564, 566, *566* (6), 572 ; II. **11-18**, 23, 26, 29-30, 32, 33, 36-38, 39, 46, 47, **62-68**, 69, 79, 83, 84, 85, 88, 90, 92, 97, 100, 105-106, 112-118, 132-134, 135, 138, 139, 140 147, 166 168, 170-176, 177, 189-190, 192, 201, 206, 218, 219, 220, 225-226, 228-230, 237-239, 242, 246-247, 250, 254, 257, 265, 379-329, **332-340**, 343-349, 356-358, 360. 364, 366-368, 370-379, 381, 383, 384, 385, 389, **392-394**, 405, 408, 410-413, 415-416, 418-421, 424-425, 427-429, 432-450, **451-460**, 468, **470-485**, 500-501, 502-503, **506-512**, 517.
Tyrol : I. 190, 247, 330, 348, 387 ; II. 89.
Tyrrhénienne (mer) : I. 100, 110-112, 122, 123, 185, 256, 523 ; II. 91, 178, 246.
Tziganes : I. 319 ; II. 65.

Ubeda, ville d'Espagne (province de Jaen) : II. 359.
UCEDA (duc d') : II. 56.
Udine : I. 333, 377.
UGOLINI (L. M.) : I. 152.
ULLOA (Modesto) : I. 269.
Ulm : I. *202* (1), 204.
Urbin : II. 158.
Urbino (duché d') : I. 42, 118, 517 ; II. 77, 179, 296, *378* (4), 441.
Urbino (marais d'), en Corse : I. 55.
Ursomarso, Calabre : I. 130.
Uscoques : I. 51, *51* (1), 120, 263, 264, 281 ; II. 192, 209, 380, 478, 480, 487.
Uskub : I. 256, 291, 292, 353 ; II. 116.
UTTERSTRÖM (Gustav) : I. 249, 251.
Uzès : I. 393.

VAGA (Pierino del), élève de Raphaël : II. 157.
VAIR (Guillaume du), voir DU VAIR (Guillaume).
Valachie, Valaques : I. 28, *28* (4), 43, 75, 176, 181, 264, *307* (7), 330, *423* (7), 524, 565 ; II. 38, 41, 92, 117, 134, 175, 483.
Valbonne : I. 63 ; II. 52.
Valdésiens : II. 102, 269.
Valence, Espagne : I. 28, 31, *42* (5), 49, 63, 67, 76, *98* (1), 100, 107, 108, 109, 111, 129, 133, 136, *138* (1), 145, 146, 147, 163, 169, 172, 216, 250, 256, 257, 269, 272, 288, 303, 327, *329* (7), 334, 344, 369, 382, 391, 428, 430, 465, 475, 476, 477, 480, 509, 517, 524, *550* (11) ; II. 56, 60, 79, 81, 84, 92, 110, 114-115, 118, 119-121, 124, 128, 129, 180, 183, 193, 194, 198, 204, 241, 243, 247, 251, 260, 273, 284, 301, 397.
Valence, France : I. 69.
VALENCIA (Francisco de), commandant la place de Mers-el-Kébir : II. 188.
Valenciennes : I. 182 ; II. 401, 403, 404, 408.
Valette (La) : II. 194, 322.
VALETTE (Jean PARISOT DE LA), grand maitre des chevaliers de Malte : II. 199, 285, 322.
Valinco (golfe de), Corse : II. 308.
Valladolid : I. 62, 219, 223, 246, 250, 260, 290, 314, 315, 321, 327, 328, 333, 334, 335, 354, 370, 377, 378, 379, 401, *447* (14), 471, 527, 533 ; II. 32, 57, 93, 104, 234, 252, 258, 267, 269, 270, 272, 273, 274, 276, 278, 391.
Plaza Mayor : II. 269.
San Pablo : II. 272.
Vallauris : I. 63 ; II. 52.
VALLE DE LA CERDA (Luis) : I. 388.
VALLE (marquis del), fils d'Hernán Cortés : II. 56.
VALLIER (Fra Gaspar de), maréchal de la langue d'Auvergne . II. 239-240.

VALOIS (les) : I. 133, 146, 148, 340, 437, 492 ; II. 29, 245, 247, 312.
Valona : I. 115, 118, 119, 123, 256, 308, 519, 528, 578 ; II. 148, 174, 194, 287, 288, 335, 336, *346* (2), 348, 393, 419, 420, 439, 506, 507.
Valteline (la) : I. 189, *202* (2).
Van, à la frontière turco-persane : II. 452.
Vandales (les) : I. 74, 110.
VANDENESSE (Jean de) : II. 267.
Vaprio, sur l'Adda : I. 64.
Var : II. 490.
Vardar (le) : I. 61 ; II. 12, 14.
VARENIUS : I. 277.
VARGAS MEXIA (Juan de), ambassadeur de Philippe II : I. 442 ; II. 104, 272, 281, 319.
Varna : I. 101, 103, 536.
Varsovie : I. 179, 183, 184 ; II. 397.
VASCO DE GAMA, voir GAMA (Vasco de).
VÁSQUEZ (Alonso) : I. 217.
VÁSQUEZ (Matheo), secrétaire : II. 73.
Vasto ville des Abruzzes : II. 336.
Vaucelles (trêve de) : II. 254.
Vaucluse (montagnes du) : I. *46* (3).
Vaudois (le) : I. 31 *31* (3).
Vaudois (les) : II. 76 103 *103* (2) 496.
VAUDOYER (Jean-Louis) : I. 214.
VAZQUEZ, ministre de Philippe II : I. 44.
VÁZQUEZ DE PRADA (Valentín) : I. 338.
VEGA (don Garcilaso de la) père du comte de Palma : II. 58.
VEGA (Juan de LA) ambassadeur impérial puis vice-roi de Sicile : I. 107 ; II. 230 232, 285.
VEGLIA (Antonio di) capitaine de nave ragusaine : I. 282.
Veglia (île dalmate) : I. 136 ; II. 108.
VEGLIANO voir VILLAU.
VEIGA (les) marchands : I. 545 577.
VEIGA (Simão de) ambassadeur du Portugal : I. 531.
VELASCO, connétable de Castille, gouverneur de Milan : I. 492, 498.
VELASCO (Dr), expert : II. 277.
VELASCO (don Francisco de) : II. 58.
VELASCO (don Miguel de) : II. 58.
VELÁSQUEZ (Diego) : II. 92.
VELASQUEZ (Pedro), *veedor* général : II. 407.
Velay (le) : I. 42.
VÉLEZ (marquis de LOS). gouverneur de Murcie : I. 327 ; II. 304, 360, 361.
Vélez : II. 245, 308, 309, 317.
Vénéties : I. 60, 72, 148, 185, 190, 300 ; II. 68, 478.
Vénézuela : I. *59* (2).
VENIER (famille des) : II. 173.
VENIERO (Sebastiano), commandant de la flotte vénitienne : II. 393-394, 396.
Venise : I. 28, 41, 42, 43, 44, 45, 51, 52, 60. 61, 62, 70, 72, 75, 82, 98, 102, *103* (1), 105, 116, *116* (5), 117, 120-122, 123, 125-126, 127, 128, 129, 130, 131, *131* (1), 134, 136, 139, 142-143, 145, 147, 156, 169, 181, 184, 185, 189, 190-191, 193-195, 196, 197, 201, 202, 203, 208, 213, 221, 226, 227, 228, 232, 241, 242-243, 244, 252, 254, 255, 262-265, *262* (5), **266-267**, 270, 271, 272, 273, 275-276, 280, 281, 282, 284, 285, 286, 288-290, 292, 293. 294, 295, 296, 298, 299, 301-306, 307, 309, 310-312, 313, 314, 316, 319, 328, *329* (3), 330, 331, 332, 333-334, 335, *335* (1), 336-337, 338, 345, 346, 347, 348, 352, 353, **354-361**, 374, 375, 376, 378, 379, 380, *384* (2), 385-387, *387* (4), 390-397, *397* (9), 398-400, 403, 404, 406-408, 411, 412, *413* (3), 414, 421, 422-425, 427-428, 431, *431* (9), *432* (11), 444, 449, 452, *453* (2), 457, 462, 464, 465, *475* (n. 4 de la p. 474), 479-482, 490, 491, 492, 493-495, 497-504, **506-508**, 509, 512-514, 516, 517, 519, 521, 523, 524, 527-530, 535, 536, 538-540, 542-545, 551-554, 556-559, *560* (n. 12 de la p. 559), 561, 564-565, *567* (9), 569, 572, 577-578 ; II. 7-8, 11, 15, *18* (4), 24, 31, *36* (5), 42, 45, 47, 62, 66, 69-70, 71, 78, 82-83, 84, 85, 86, 89, 91, 93, 96, 97, 98, 100, 101, 103, 105-106, 133, 134, *134* (9), 138, 140, 141, 143-144, 146, 148, 149, 151, 152, 158, 169, **172-174**, 196, 199, 203, 206, 209, 212, **215-216**, 217, 220, 224, 227, 237, 243, 252, 255, 256, 265, 271, 280, *280* (2),

281, 292, 296, 298, 300, 307, 326, 333, 334, 335, 336-337, 345, 346, 348, 358, 366, 370-382, 383-387, 389, 393-396, 398, 399, 405-406, 409, 410, 413, 417, 423, 428, 432, 433, 435-439, 441, 443, 444, 444, 446-447, 449-450, 454, 455, 469, 470, 472-473, 475, 478, 480, *481* (5), 482-483, 499, 500, 503, 506, 508, 509, 510, 511, 519.
Archivio di Stato : I. 328.
Arsenal : I. 288-289, *319* (13), 356, 390, 414, 417 ; II. 432.
Arte della Lana : I. 356, 392.
Arte della Seta : I. 356.
Auberges : de l'Aigle Noir : I. 191 ; du Lion Blanc : I. 191.
Balastreo (cha) : I. 305.
Banco della Piazza di Rialto I. 410, 423, 482.
Banco Giro : I. 482.
Banques, voir aussi Pisani. Priuli.
Canal Grande : I. 190, 288-289.
Douane : I. 288-289.
Esclavons (quai des) : I. 308.
Foire de la Sensa : I. 347, *347* (6).
Fondego dei Todeschi : I. 190-191, 196, 244.
Fontico dei Turchi : I. 265, 308.
Foscari (cha) : I. 305.
Iles : I. 387.
Giudecca : I. 288-289, 307, 390.
Murano : I. 307, 381, 390, 511.
San Giorgio : I. 288-289.
Marciana : I. 338.
Palais de Marc'Antonio Barbaro : I. 308 ; des Doges : I. 356 ; II. 216.
Quartiers
Cannaregio : I. 288-289.
Castello : I. 288-289.
Dorsoduro : I. 288-289.
Rivoalto : I. 301, 305, 540.
San Marco : I. 41, 288-289.
San Polo : I. 288-289.
Santa Croce : I. 288-289.
Rialto : I. 71, 190, 288-289, 347 ; II. 216.
Saint-Marc (place) : I. 288-289, 301, 347, 540 ; II. 216.
San Giovanni Decollato : I. 265.
Santa Maria de Brolio : II. 216.
Zattere (les) : II. 288-289.
Zecca : I. 355, 357, *358* (4), 410, 417, 421, 428, 452, 492, 516.
Venosta (val), Alpes de Merano : I. 248.
Vent (îles sous le) : I. 137.
Ventotene (île de), au large de Naples : II. 228.
Ventoux (mont) : I. *46* (3).
Venzon, commune vénitienne (province d'Udine) : I. 523.
VERA (Francisco de), ambassadeur de Philippe II I. 118, 503, 506-507.
Verceil : I. 188, *399* (8) ; II. 143.
Vercors : I. 77.
Verdon (rivière), Basses-Alpes : I. *46* (3).
Verdun : II. 242.
Vermeja (sierra) : II. 119.
VERMEJO, voir BERMEJO.
VERNAGALLI (les), marchands de Florence : I. 544.
Vérone : I. *41* (5), 62, 188, 195, 254, 290, 299, 300, 303, 306, 310, 391, 395-396, 517 ; II. 84, 139, 143, 159.
Église San Sebastiano : II. 139.
Veronese, région de Vérone : I. 82.
Versailles : I. 322.
Vert (îles du cap) : I. 141, 513.
VERTOT (abbé) : II. 325.
Vervins (paix de) : I. 233 ; II. 75, 218, **498-501**, 511, 513.
VESCONTE (Azzo), bourgeois de Milan : II. 71.
Vésuve : I. *38* (2), 364.
VETTORI (Piero), humaniste italien : I. 343.
VIATIS (Bartolomeo), marchand : I. 193, *193* (3), 196.
Vicence : I. 53, 188, 220, 396, 540 ; II. 159.
Vicentino, région de Vicence : I. *71* (1), 81, 82, 85.
VICO (marquis del) : I. 298, 327.
Vicolungo : I. 64.
VIDAL DE LA BLACHE (Paul) : I. 50, 113, 171, 254.

Vidauban : II. 492.
Vidin, ville de Bulgarie : I. 291 ; II. 63, 64.
VIEILLEVILLE, conseiller de Charles IX : II. 356.
Vieille-Ville, île de Malte : II. 322, 324.
Vieira (Portugal) : I. *68* (1).
Vienne, Autriche : I. 120, 179, 193, 204, 330, 333, 352, 367, 494, 523, 546-547 ; II. 16, 21-22, 100, 161, 175, 235, 280, 282, 288, 293, 295, 296, 298, 300, 318, 320, 326, 334, 338, 348, 349, 391, 397, 404, 432.
Vienne, ville de France : I. 248.
Vieste, ville des Pouilles : II. 177.
Vietri, port de Campanie : I. 129.
Vigella, place forte entre Bari et Otrante, Italie : II. 178.
Vigevano (couvent de), Lombardie : II. 331 ; (château de) : II. 424.
Vigezzo (val), dans les Alpes milanaises : I. 44.
VIGLIUS (président) : I. 192.
VIGNE (de LA), ambassadeur français : II. 283.
VIGNOLE (Giacomo), architecte : II. 159.
Vilalar, voir Villalar.
VILAR (Pierre) : II. 517.
Villabañez, village de Castille : I. 379.
Villach : I. 188, 523 ; II. 244.
VILLAFRANCA (marquis de), voir TOLEDO (Don Garcia de).
Villalar (bataille de), Espagne : I. 311.
Villalon (foire de), Espagne : II. 276.
VILLAMEDIANA, comte de, voir : TASSIS (don Juan de).
VILLANUEVA (Tomâs), vice-roi de Valence : II. 241, 243.
Villarfocchiardo, commune du Piémont : II. 53.
VILLAU (don Juan Antonio de), dit VEGLIANO : II. 435.
Villefranche : I. 451, 519, 552 ; II. 205, 262 ; (droit de) : I. 96, *96* (3).
VILLEGAIGNON (Nicolas DURAND DE), amiral français : II. 241, 248.
VILLEMARTIN (archidiacre) : II. 488.
Villemur, sur le Tarn : II. 489-490.
Villeneuve (château de), Provence : II. 77.
VILLENEUVE (Claude de), châtelain en Provence : II. 77.
VILLIERS (Georges), duc de Buckingham : II. 354.
VILLIERS (M. de), ambassadeur du roi de France : I. 328, 511.
VILLUGA (Juan), auteur d'un guide d'Espagne : I. 256.
Vilna : I. 179.
VIRET (Pierre), réformateur de Suisse romande : II. 15.
VISCONTI (les) : I. 357.
Vistule : I. 188.
VITELLI (famille) : I. 237.
VITELLI (Chiapin), capitaine italien : II. 389.
VITELO (cardinal) : II. 292, *314* (3).
Viterbe : II. 43, 161.
Vitoria, ville de la province d'Alava : II. 128.
VITORIA, professeur : I. 473.
VIVALDO (Giovanni Battista), Génois : I. 285.
VIVANTI (Corrado) : I. 359.
Vivarais : I. 42.
Vivero, ville d'Espagne : I. *278* (9).
VIVERO (Rodrigo), marquis del Valle : I. 364, 381, 488 ; II. 30, 39.
VIVES (Luis), humaniste espagnol : II. 23.
Voghera, ville lombarde : II. 331.
VÖHLIN (Konrad), voir Welser (Anton).
Volga : I. 105, 165, 172, 176, 177, 178 ; II. 172, 357, 452.
Volhynie : I. 181.
Volo : I. *66* (4), *100* (3), 303, 521, 525, *525* (2), 528, 536 ; II. 67.
VOLPE (Gioacchino) : I. 150.
Volsques (monts des) : I. 50, 56.
Voltaggio, territoire génois : II. 150.
VOLTAIRE : II. 224, 383, 397.
Volterra : I. *214* (6).
Voorn (île de), à l'embouchure de la Meuse : II. 401.
Vukovar, sur le Danube : II. 339.

WAGEMANN (Ernst) : I. 368.
WAHABITES (dynastie des) I. 426.
WALCHER (Joseph) : I. 247.
WALSINGHAM (sir Francis) : II. 403.
Waterland, Pays-Bas : II. 401.
WÄTJEN (H.) : I. 567 ; II. 450.
WATSON, historien : II. 268.
WEBER (Eric), historien : II. 517.
WEE (Hermann van der) : I. 270.
WEISBACH (W.), historien : II. 156.
WELSER (famille) : I. 193, 405, 503, 508-510, 513, 517, 542.
WELSER (Maison Anton) et VÖHLIN (Konrad) : I. 494, 503.
WELSER (Matthäus) : I. 509.
Wertach (la) : I. *191* (7), 290.
Wessprim, Hongrie : II. 338, 485.
Westphalie (paix de) : II. 27.
Wight (île de) : I. 439 ; II. 226, *267* (1, 2).
WIGHT (John), agent de marchands anglais : I. 563.
WILLIAMSON (John), tonnelier à bord d'un navire anglais : I. 555.
Windischland (le), entre la moyenne Save et la moyenne Drave : II. 175.
Wissegrad : II. 485.
WÖLFFLIN (H.), historien : II. 156.
WOLSEY (Thomas), cardinal : II. 10.
Worms (diète de) : II. 232.
Wroclaw : voir Breslau.
Wurtemberg : I. 191 ; II. 240, 345.
WYSS (Albert), agent impérial à Constantinople : II. 318.

XIMÉNÈS (les), marchands d'origine portugaise, installés à Florence : I. 544 ; II. 68, 146.
XIMÉNÈS (André et Thomas), marchands portugais : I. 509, 517, 577.
XIMÉNÈS (Fernando), marchand à Anvers : I. 545, 577.
XIMÉNÈS PENETIQUES (Sebastian), marchand portugais installé d'abord à Cadix, puis à Pise : I. 577.

YASIGI, voir ÉCRIVAIN (l').
Yémen : I. 502, 503 ; II. *346* (3), 357, 425, 436.
Yeni Köy, village sur la rive européenne du Bosphore : I. 321.
YOUNG (Arthur) : I. 27.
Yourouks : voir Yuruks.
Yuruks (les) : 87, 90, 91 ; II. 12, 117.
Yuste : II. 260, 267, 272.
ZACCO (Francisco) hérétique ragusain : II. 104.
Zadruga, Albanie : I. *29* (5).
Zagora, région calcaire de Yougoslavie : I. 50, 51.
Zagorci, habitants de la Zagora : I. 51.
Zagreb : II. 107, 112, 175.
Zagros (le), rebord antérieur du plateau de l'Iran : I. 47, 86.
Zamora, ville de la province du même nom, en Espagne : I. 370 ; II. 33, 34.
ZANE (Hieronimo), général de la flotte vénitienne : II. 380, 382, 414.
Zante : I. 136, 284, 517, 556, 559, 562, 564 ; II. 173, 290, 298, 324, 410, 412, 414, 416, 433, 510.
ZAPATA (don Gabriel de), seigneur espagnol : II. 58.
Zara, possession vénitienne : I. 78, 95, 121, 333, 334, 379, 428 ; II. 173, 375, 380, 393, 436.
ZARA (Geronimo de), *generaloberst* de l'arsenal de Vienne : II. 175.
Zatas (vallée du), Portugal : II. 466.
Zebreros, région d'Espagne proche de Medina del Campo : II. 354.
Zélandais (les) : I. 75.
Zélande : I. 134, *559* (12), *562* (5), 568, 575 ; II. 267, 277.
Zembra, île de la côte tunisienne : I. 106.
Zemmour (falaise du), Sahara espagnol : I. 161.
ZEN (Piero), Vénitien : I. 516.
ZEVI (Sabbataï), zélateur juif : II. 142.
Ziden, voir Djedda.
ZIJEMIJANIJ (Stanislas), marchand polonais de Cracovie : I. 182.

ZINKEISEN (J. W.) : I. 125, 232 ; II. 112, 437, 447, 481.
Zoenok, place hongroise : II. 238.
Zolpha, Perse : I. 45.
ZRINY (Nicolas) : II. 175, 339.
Zuara, Afrique du Nord : II. 239, 288, 289.

ZUCATO (Gabriel), renié : II. 97.
ZÚÑIGA (don Juan de), voir ÇÚÑIGA (don Juan de).
ZURBARÁN : II. 160.
Zurich : I. 188.
Zurzach, Suisse : I. 188.

INDEX DES MATIÈRES

Accomandite : I. 294, 313.
Acier : I. *101* (2), 200.
Agneaux : I. 81, 226, 321, 471.
Agriculture : I. 164, 204, 365, **384-390**, 393, 409, 534, 548 ; II. 107, 518-519.
    bulgare : II. 116-117 ;
    espagnole : I. 534 ; II. 121 ;
    française : I. 534 ;
    italienne : I. 541-542 ;
    perse : II. 457.
Alcabala, impôt de consommation : I. 350, 377, 401-402, 485 ; II. 33.
Alimentation: I. 159-160, 191, 202, 221-222, 320-321, 356, *356* (4), 418-419, 534-535 II. 37 , 139-140, 518.
Almojarifazgo de Indias : I. 269.
Almojarifazgo Mayor : I. 269-270.
Alun : I. 200, 274, *285* (2), 294, 397, 403, 404, 410, 456, 544, 551-552, 561-562 : II. 43.
Amandes : I. 112, *118* (1), 216, 349.
Ambre : I. 181, 274, 501, 569.
Anchois : I. 112, 349.
Ancorazzo : I. 268, 286, *567* (9).
Ancrage, voir Ancorazzo.
Ânes : I. 291, 367 ; II. 186.
Apium, sorte d'ache : I. 139.
Araire : I. 220, 222, 389, 533.
Arak, boisson alcoolique : I. 319.
Arcs : II. 133, 140, 395, 411.
Argent, *capitaux* : I. 112, 180, 195, 208, 293, 294, 296, 312-315, 344, 345-347, 354, 358, 360, 367, 388, 400, 404, 410, 423, 437, 440-448, 458, 460-462, 464, 465, 467, 468, 478, 501, 506, 509, 510, 516, 518, 532, 535, 536, 542, 548, 565, 576 ; II. 25, 42, 45, 72, 159, 168, 220, 244, 254, 272, 315, 338, 363, 406, 412, 423, 426, 455-456.
    (draps d') : I. 494 ; II. 37.
    métal : I. 167, 168, 177, 191, 192, 194, 206, 207, 208, 293, 295, 314, 340, 344, 353, 368, 395, 402, 404, 412, 422-423, 424, **433-442**, 450, 451, 452, 453, 454, 455, 456, 457, 462, 464, 473-474, 476, 488, **491-492**, 495, 516, 532, 574, ; II. 23, 26, 27, 51, 274-275, 278, 341, 355, 457, 460, 462, 465, 471.
    (mines d'), voir Mines.
    (monnaie d'), voir Monnaie.
Armes : I. 196, *200* (1), 396, 512 ; II. 120, 134, 140, 166, *167* (4), 195, 209, 361, 367-368, 402.
Armoisins, draps légers : I. 316.
Aromates : I. 263.
Arquebuses, arquebusiers : I. 307, 396, 561 ; II. 134, 167, *167* (4), *168* (3), 177, 209, 230, 251, 283, 363, 364, 395, 411, 452, 462, 476.
Arrieros : I. 40, 48, 188, 206, 408 ; II. 15.
Arte della Lana : voir Florence et Venise.
Articles de luxe : I. 316, 321, 500.
Artillerie : I. 66, 140, 165, 166, 175, 176, 208, 220, 257, 273, 279, 281, 308, 319, 355, 437, 487, 502, 559, 561, 563 ; II. 8, 17, 98, 132, 133, 134, 135, 140, 166-168, *168* (2, 3), 173, 180, 182, 196, 230,

233, 251, 284, 289, 291, 297, 304, 314, 336, 839, 359, 361, 375, 379-380, 393, 395, 400, 401, 411, 413, 452-454, 462, 476.
Artisanat : I. 390-396, 398, 408, 409, *416* (8), 483 II. 132, 144, 145, 148, 150, 457.
Asentistas : I. 405-406, 456, 462, 465 ; II. 150, 290.
Asientos : I. 195, 435, 437, 444, 447, *447* (14), 453, **455-456**, 459, 465, 466 ; II. 40, 150, *168* (6), 275, 290, 380-381.
Aspres, monnaie d'argent turque : I. 398, 444, 480, *481* (légende), **489-491**, 502 ; II. 65, **477-478**.
Assolement biennal : I. 220.
Assurances maritimes : I. 207, 238-239, 241, 264, 266, 267, 288, 293, 294, 312, 400, 408, 448, 449, 523, 558, 572-573 ; II. 203.
Astrolabe : I. 97, 99, 158.
Auberges : I. 191, 194, 202, 254, 259 ; II. 185.
Autosuffisance : I. 351-354, 530.
Avances : I. 527, *527* (5) ; II. 274 (voir aussi *Cedola*, Crédit, Prêts).
Avoine : I. 37, 53, 54, 220, 223, 415, 477, 478, 517.

Bajocco, monnaie romaine : I. 490.
Balancelles : I. 109, 136.
Balaneros, navires biscayens : I28, 1. 135.
Baleines et Baleiniers : I. 133, 177.
Banditisme : I. 366, 369, 417, 542 ; II. 38, **75-76**, 77-78, **83-94**, 116, 123-124, 146, 166, 369, 495.
Bandoleros : I. 184 ; II. 84, 92.
Banqueroutes :
    castillane : I. 425 ;
    espagnoles : .I. 229, 440, 445, 448, 449, 455, 456, 457, **463-468**, 486, 576 ; II. 168, 182, **217-218**, 258, 423, 460, 497, 500 ;
    florentine : I. 191 ;
    sévillane : I. 438 ;
    turque : II. 168, 478.
Banques, banquiers : I. 195, 196, 203, 293-296, 327, 336, 345, 400, 410, 444, 454-464, 467, **479-483** ; II. 39-41, 148, 274 ;
    espagnols : II. 39 ;
    florentins : I. 462 ;
    génois : I. 314, 360, 405, 437, 454, *458* (3, 5), 459, 460, 461, 462 ; II. 154, 274, 338, 423.
    italiens : I. 308, 446, *449* (4), 460, 561 ;
    juifs : II. 146 ;
    marranes : II. 155 ;
    napolitains : I. 244 ;
    vénitiens : I. 358, 453.
Baracans, lainages grossiers : II. 197, 289.
Baroque (le) : I. 150, 203, 290 ; II. 94, 102, **156-158**, 159, 160, 163, 220.
Barques : I. 112, 135-136, 228, 230, 240, 244, 284-285, 318, 332, 395, 555 ; II. 186, 194, 195, 197, 200, 207, 209, 228, 251 ;
    bretonnes : I. 198, 272, 531-532;
    espagnoles : II. 421 ;
    françaises : I. 275 ;
    marseillaises : I. 202, 230, 284-285, 435
    provençales : II. 192.

---

1. Les mots étrangers sont en italiques.

INDEX

Bazars : I. 265, 287-288.
Beglerbeys ou Beglierbeys : II. 36-37, 39, 65, 459, 472, 480.
Bertoni, embarcations : I. 271, 286.
Bétail : I. 75, 78, 79, 81, *139* (4), 180, 181, 263, 349, 354, 382, 533, 541 ; II. 53, 91, 313, 340, 483.
Bêtes de somme : I. 173, 194, 259, 265, 349, 492, 524, 532, 533 ; II. 461.
Bêtes sauvages : I. 38, 226, *364* (9), *366-367*, 541 ; II. 188.
Beurre : I. 37, 75, 101, 158, 217, *217* (2), 288, 321, 351, 470, 573 ; II. 183, 197.
Bezestan, voir Bazar.
Bezzi, monnaie de Venise : I. *475* (n. 4 de la p. 474).
Bière : I. 173, 180, 573.
Biscuit : I. 418-419, 518-519, 524, 529, 532, 573 ; II. *168* (6), 177, 195, 287, 291, 300, 304-305, 351, 390, 392, 393, 472.
Blé : I. 29, 40, *45* (3), 47, 48, 49, 53, 54, 56, 62, 64, 66, *68* (n. 3 de la p. 67), 68, 69, 73, 74, 75, 76, 81, *95* (n. 3 de la p. 94), 101, *106* (2), 107, 112, 119, *119* (1), *135* (1), *139* (3, 4), 140, *140* (1, 2), 142, 144, 158, 163, 165, 168, 173, 176, 179, 180, 189, 198, 199-200, 201, 206, 208, 215, 216, 217, 218, 222-223, 224, 225, 228, 233, 234, 235, 241, 250, 251, 258, 260, 279, 280, 281, 284, 290, 293, **300-304**, 313, 317, 320, 345, 351, 353, 354, 355, 358, 376, *377* (1), 382, **383-389**, 391, 403, 404, 415, 426, 427, 469, 470, 471, 473, 475, 477, 478, 499, 505-507, 514, **517-549**, 550-551, 555, 567, 574, 576 ; II. 51, 53, 67-68, 89, 91, 116, 149, 183, 186, 188, *188* (2), 193, 198, 201, 205, 214, 229, 249, 291, 297, 302, 313, 340, 346, 366, 385, 390, 423, 472, 479, 483, *492* (9), 494, 495, 518.
    Commerce : II. 65, 17 ;
    Culture : I. 520, 532 ; II. 17 ;
    Crises : I. 529, 548, 550 ;
    Exportation : I. 524-529, **546-548**, 568 ;
    du Nord : I. 530-535, 543-545, 577 ;
    prix : I. 518, 520-524, 525, 526, 528, 523, 535, 536, 540, 545-546, 548 ;
    qualités : **I. 517-518** ;
    récoltes : I. 521, 525, 535, 545, 567
    spéculations : I. 518-522, 527 ;
    taxes : I. 526 ;
    transport : I. 522-524 ;
    turc : I. 535-538.
Blocus : I. 497, 514, 574 ; II. 143, 304, 413, 487.
Bœufs, Bovins : I. 37, 67, 73, 160, 180, 181, 219-220, 32ŀ, 389, 424, 527 ; II. 243, 479.
Bois : I. 49, 66, 101, 112, 158, 159, 177, 179, 208, 235, 279, 288, 350, 354, 470, 472, 574 ; II. 53, 198, 243 ;
    de Brésil : I. 554 ;
    à brûler : I. 554 ;
    de construction : I. 130-131, 277, 514 ; II. 316, 326, 378 ;
    d'if : II. 133 ;
    de teinture : I. 112, 206, 207.
Bombasins : I. 195.
Bonifications : I. 59-64, 71, 72, 75, 389, 537 ; II. 68.
Bora (la), vent : I. 213.
Botte, mesure : I. 272, 275, 277, 281, 285, *285* (3).
Bourgeoisie : II. **68-72**, 154.
Boussole : I. 158 ; II. 195.
Boutargue : I. 101.
Brebis : I. 37, 82.
Bricks : I. 99.
Brigands : voir Banditisme.
Brigantins : I. 109, 136 ; II. 192, 195, 197, 198, 200, 207, 228, 245, 307, 366, *409* (1), 487.
Brocarts : I. 191 ; II. 98.
Brucker Libell : II. 175.
Brûlis : I. 350.
Budgets d'États : I. 411, **483-487** ; II. 28, 31, 33, 41, 159, 315, 379, 408.
Buonavoglia : I. 127 ; voir aussi rameurs volontaires.
Burats, étoffes de laine : I. 195.
Burchieri, grosses barques de charge : I. 254.

Cabotage : I. 97-98, 135.
Cactus : II. 99.
Café : II. 99-100.
Caïque : I. *106* (2), 318, 536.

Calmars : I. *100* (1).
Camelot, tissus : I. 182, 263, 428, 508, 555.
Campagnes : I. 309-310, 320, 387-388, 391-392, 533-534, 541-542 ; II. 68 ;
    anglaise : I. 345 ;
    espagnole : II. 57 ;
    française : I. 533 ;
    italienne : I. 530, 533 ;
    vénitienne : I. 387.
Campo, mesure agraire : I. 71, *71* (1).
Cannelle : I. 501, *511* (8), 515.
Cantar : I. 112, 272, 281, 317, 507, 514.
Capitales : voir villes.
Capitalisme : I. 296, 346, 348, 357, 393, 396, 402, 403, 404, 405-406, 410, 411, 454-455, 463, 468, 508, 509, 527, 546 ; II. 51, 154-155, 214, 217 ;
    allemand : I. 315, 346, 509 ;
    espagnol : I. 315, 533, 542 ;
    florentin : I. 295, 313 ;
    génois : I. 292, 360, 454-458, 558-574 ;
    italien : I. 198, 208, 346 ;
    juif : II. 145-151 ;
    languedocien : I. 62 ;
    montpelliérain : I. 200 ;
    nordique : I. 209, 360, 577 ;
    vénitien : I. 208.
Capitulations : *anglaises :* I. 563 ;
    espagnoles : II. 372-448 ;
    hollandaises : I. 569.
Captifs : I. 127, 131, 136, 138, 144, 254, 307, 398, 450 ; II. 96-98, 134, 193, 196, 201, 205-211, 239, 284, 306, 361, *362* (1), 434, 438, 462, 464.
Capucins : I. 228 ; II. 47, 98, 102, 133, *134* (9), 160, 210.
Caramusalis : I. 101, *106* (2), 130, 240, 286, 529, 536 ; II. 200.
Caraques : I. 128, 277, *278* (9), *346* (7) ; II. 196, 207.
Caratorum Maris, voir Gênes.
Caravanes : I. **165-169**, 238, 256, 263-264, 291, 342, 367, 426, 498-499, 511 ; II. 15, 149, *185* (3). 194, 458.
Caravansérails : I. 320.
Caravelles : I. 99, 271, 276, *278* (9), 551 ;
    algéroises : II. 304 ;
    chrétiennes : II. 307 ;
    portugaises : II. 245.
Carcatori : I. 107, 140, 518, 525, *525* (2), 526-528, 548 ; II. 229.
Carisee : I. *193* (6), 194, *200* (2), 274, 281, 292, 345, 353, 392, 398, 403, 424, 426, 428, 501, 550, 553, 559-562.
Carlino, monnaie de compte napolitaine : I. 480.
Carolus, monnaie française : I. 490.
Carro, mesure : I. 81, 272.
Cassem, chez les Maures, passage de la belle à la mauvaise saison : I. 230.
Castelli : I. 50, 311.
Caviar : I. 101, 321.
Cavali, petite monnaie de cuivre : I. 345.
Cedola : I. 527, 536 (voir aussi avances).
Cendres, voir soude.
Céréales : I. 68, 140, 181, 303, 385, 386-389, 393, 404, 436, 477-478, 517-518, 523, 538, 540, 544, 546, 568 ; II. 146, 220, 366.
Cervelas : I. 222.
Chameaux : I. 86-87, 156, 159, 160-161, 163, 165, 166, 238, 254, 288, 367, 424, 512 ; II. 117, 247, 289, 334, 413.
Chandeleur : I. 533.
Changes : I. 294-295, 348, 358, *358* (6, 9), 384, 401, 443, 445, 452, 461, 462, 467, 479, 489-491, 518 ; II. 136, 274-275.
    (foires de) : I. 195, 197, 294, 347, 348, 360, 400, 403, 404, 421, *421* (6), 449, 458-461, 542 ;
    (lettres de) : I. 195, 288, 293, 294, 312, 340, 341, 344, 345, 349, 355, 357, 412, 423, *423* (7), 425, 437, 440, 445, 446, 448, 451-452, 453, 456, 457, 458, 460, 466, 467 ; II. 46, 147, 274, 421.
Chantiers navals : I. 108, voir aussi navires (constructions).
Chanvre : I. 177, *391* (6), 393, 553 ; II. 116, 503.
Charbon : I. *200* (1), *393* (4) ;
    de terre : I. 200, 561 ;
    de bois : I. 472.

Charrue : I. 220, 389 ; II. 116, 479.
Châtaignes, Châtaigniers : I. 37, 38, *59* (2), *118* (1), 351, 353, 517, 541.
Chérifs : I. 164-165, 432.
Chevaux : I. 83, 91, 159, 168, 182, 196, 220, 223, 254, 259, 260, **261**, 272, *272* (4), 291, 319, 339, *339* (4), 342, 349, 350, 352, 367-368, 424, 425-426, 427, 471, 546 ; II. 289, 334, 338, 412, 494.
Chevreaux : I. 81, 350, 352.
Chèvres : I. 37, *37* (6), 55, 91, 219, 513.
Chiffres arabes : II. 109-110.
Chiourmes : I. 228, 230, 234, *362* (2), 398, 487 ; II. 93, *168* (6), 207, 227, 260, 292, 306, 315, 317, 336, 379-380, 427, 473 (voir aussi *Buenovoglia* et rameurs).
Chrétienté : I. *362* (n. 3 de la p. 361), 364, 367-368, 380, 383, 410, 423, 425, 432, 498, 505, 514, 520, 566 ; II. 16, 17, 18, 20, 23, 39, 77, 97, 105, 110, 112, 114-115, 133, 159, *168* (6), 170-172, 174, 180, 189, 191, 192, 196, 207, 218-219, 227, 260, 280, 281, 296, 299, 315, 317, 320, 330, 332, 358, 369, 376, 378, 387, 389, 395, 397, 406, 408, 411, 446, 448-450, 462, 482-483, 506.
    espagnole : II. 118, 122, 153, 166, *168* (6).
Churriguerisme : I. 149.
Cierzo, vent de neige : I. 233.
Cinabre : I. 569.
Cinque Savii : I. 117, 134, 196, 264, 271, 295, 387, 457, 504 ; II. 97, 141.
Cire : I. 76, 107, 177, 216, 263, *432* (11), 471 ; II. 183, 186, 211.
Citrons : I. 387, *387* (4) ; II. 99.
Clearing : I. 196, *423* (7).
Climat : I. **212-224**, 245-252 ; II. 111, 454.
Cloches : II. 110.
Clous de girofle : I. 169, 501, 511, 514.
Cochenille : I. 207, 403 ; II. 186.
Colli : I. *262* (5), 264, 267.
Colonies, colons : I. 74-75, *74* (3), 217, 247, 291-292, 313-314 ; II. 52, 65, 119, 121-123.
Commerce : I. 76, 165-169, 177, 193-197, 292, 320-321, 400, **402-406**, 413, 422, 455, 462, 473, 485, **493 et sq** ; II. 98, 424, 452, 462, 477 ;
    allemand : I. 191, 202 ;
    anglais : I. 177, 185 ; II. 134 ;
    atlantique : I. 206-209, 548 sq. ; II. 180
    baltique : I. 403 ;
    danubien : I. 102 ;
    espagnol : II. 186 ;
    flamand : I. 449 ;
    français : I. 197-203, 293, *383* (4) ;
    génois : I. 190, 294 ; II. 423 ;
    hollandais : I. 572 ;
    levantin : I. 169, *177* (1), 178, 321, **498-502**, 506-508, **510-514**, 528, 556 ; II. 145, 357, 406, 435 ;
    milanais : I. 19 ;
    nord-africain : II. 185-187 ;
    polonais : I. 179-184 ;
    portugais : I. 177, 428 ;
    ragusain : I. 291-292 ;
    russe : I. 556 ;
    syrien : I. 177 ;
    vénitien : I. 185, 191, 196, 293, 569 ; II. *185* (3);
    des vins : I. 236 (1).
Comuneros (soulèvement des) : I. 300 ; II. 68, 76, 79.
Concombres : I. 75, 221.
Conduttori, voir transports.
Constructions : I. 397 ; II. 108, 117.
    d'argile : I. 158 ;
    de bois : I. 319, 390 ;
    de fortifications : II. 184, 189 ;
    de navires : voir ce mot ;
    de pierre : I. 159, 390, *410* (7), 427 ;
    urbaines : I. 316-317, 319, 390, 410 ; II. 206, 215-216, 493.
Consulats français : I. 272.
    d'Alger : I. 135, 358, 450 ; II. 210 ;
    de Tunis : I. 450 ; II. 210, 211.
Contrebande, voir Fraudes.
Contre-Réforme : I. 203 ; II. 26, 102, 105, 171, 258, 270, 330, 500.
Coque, nave nordique : I. 128, 274.
Coque de navire : I. 130, 131 ; II. 207.

Corail : I. 106, 107, 127, 135-136, 144, *146* (3), 165, 313, 495, 501, 552 ; II. 180, 186, 211.
Corchapin, petit navire : II. 186, 200.
Cordelates, draps aragonais : I. 351, 353.
Corona, monnaie castillane : I. 429.
Corsaires : I. 109, 119, *119* (3 à 5), 125, 133, 138, 140, 207, 228-229, 230, 264, 267, 273, 275, 303, 306, 513-514, 559, 578 ; II. 88, 97, 152, 166, 176, 177, 282, 286, 288, 320, 321, 349, 358, 390, 472 ;
    algérois : I. 232, 514 ; II. 134, *167* (4), 245, 301, 303, 306, 307, 373, 374 ;
    anglais : I. 346, 507, 513, 566 ; II. 352 ;
    barbaresques : I. 407 ; II. 178, 180, 187, 203, 257, 295, 314, 409 ;
    espagnols : I. 578 ;
    français : II. 487 ;
    malabars : I. 513 ;
    normands : I. 507 ;
    portugais : I. 550-552 ;
    toscans : I. 578 ;
    tripolitains : I. 242 ;
    (voir aussi Course).
Corregidores : II. 33, 35, 272.
Cortès : I. 83, 433, 459, 471, *471* (7), 485 ; II. 35, 41, 55, 73-74, 139, 204, 268, 273, 278, 303, 317, 353, 364, 464, 465.
Coton : I. 75, 142, 191, 194, 197, *262* (4), 275, 286, 292, 319, 345, 346, 356, 391, 403, 504, 508, 555, 560, 569 ; II. 68, 99, 116, 377.
Couleuvrines : II. *373* (4).
Courriers : I. 326-329, 333-339, 342, *441* (2), 451 ; II. 84, 404.
Course : II. **190-213**, 228-230, 477, 509 ;
    barbaresque : II. 302-303 ;
    chrétienne : II. 194, 197-203, 502-503 ;
    musulmane : II. 194-197, 200, 203-208 ;
    (voir aussi Corsaires).
Couscous : I. 158, 162.
Crédit (voir aussi Avances, *Cedola*, Prêts) I. 360, 390, 405, 412, *423* (7), 440, 441-442, 444 451, 457, 518 ; II. 423 ;
    (lettres de) : I. 349 ; II. 39-46 ;
    (achats à) : II. 187.
Cruzado, monnaie d'or du Portugal : I. 427.
Cuirs : I. 76, 103, 107, 112, *117* (5), 144, 181, 191, 200, 207, 216, *257* (1), 262, 263, *278* (9), 285, 292, 321, 345, 349, 390, *432* (11), 471, 514, 536, 549, 551, 553, 557 ; II. 120, 162, 186, 211, 289, 424.
Cuivre : I. 168, 191, 194, 208, 292, 345, 387, 392, *421* (5), 423, 424, 426, 431, 456, 478, 492, 501, 561, 569, 574 ; II. 134 ;
    (mines de), voir ce mot.
    (monnaie de), voir ce mot.
Cumin : I. 387.
Cyprès : II. 99.

Damas (tissus) : I. 394, *398* (3) ; II. 133.
Dattes : I. 200, 226, 238.
Déboisement, voir forêt.
Décès (taux des) : I. 377-379.
Déclinaison : I. 99.
Déforestation, voir forêt.
Démographie : I. *73* (3), 175, 255, 289, 297, **299-300**, 316, **360-383**, 392, 412, 476, 537-538, 548 ; II. 12-13, 65, 83, 112, 518.
Démonisme, voir Sorcellerie.
Deniers tournois : I. 489.
Densité démographique : I. 363-368.
Déserteurs : II. 187, *187* (5), 496.
Déserts : I. 86, 156, 238, 348, 365, 367, 512 ; II. 457.
Dévaluations : I. 429, 473, 475, 478, 480, 488, 489, 537 ; II. 65.
Dévotions : II. 160-161.
Devschirmé : II. 32.
Diaspora : I. 42-46.
Diète germanique : II. 338.
Diète polonaise : I. 184.
Dîner, monnaie de compte à Valence : I. 480.
Dir-revermont : II. 49, 50.
Disette, voir Famines.
Distances : I. 185, **326 et sq**, 399 ; II. 200, 290, 338, 427, 454, 455-456.

Doblones, pièces d'or d'Espagne : I. 442 ; II. 447.
Dominicains : I. 173 ; II. 159, 331.
Douanes (voir aussi droits et péages) : I. 81, 179, 269-270, 349, 357, *387* (4), *397* (9), *399* (8), 402, 432,, 433, 435, 494, 496, 497, 512, 528, 532 ; II. 41, 152, 185, *185* (3).
Doubles, pièces d'or, en pays musulman : I. *425* (10), 431, 501.
Drachme : I. 489, 490.
Draps, draperies : I. 79, 119, 177, 181, 185, *185* (3), 195, 200, 202, 206, 208, 263, 288, 291, 292, 293, 344, 350, 351, 353, 355, 357, 390, *391* (5), 392, 395, *395* (4), *397* (9), 398, 399, *399* (7), 423, 428, 494, 495, 501, 508, 510, 511, 513, 554, 555, 560, 562, 565, 574 ; II. 186 voir aussi argent (draps d').
Drogues : I. 166, 191, 200, 345, 349, 350, 356, 403, 422, 494, 500, 502, 504, 511, 515, 569.
Dromadaires : I. 86-87, 156, 159.
Droits I : 96, *202* (2), 268, 274, 298, *423* (7), 504, 513, 514, 516, 519, 525, 535-536, 546 ; II. 51, 53, 63, 142, 385-386, 424, 453 (voir aussi péages et douanes).
Dry-farming : I. 147, 218, 520.
Ducats : I. 384, *384* (2), 385, *421* (6), 426, 428-430, 436, 441, 444-445, 452-453, 467, *474* (4), 479, 481, 484, 516 ; II. 31, 277, 315.

Eau : 38, 52, 56, 57, 59, 60-61, *60* (1), 62, 87 ; II. 68, 111, 206, 333 ;
   d'irrigation : 62, 63, 64, 67, 71, 87, 161, 169, 218, 246, 534 ; II. 120, 123 ;
   de neige : I. 25, *25* (2), 26 ;
   potable : I. *52* (3), 160, 221, 317, 513.
Écarlates, tissus : I. *292* (1).
Écus : I. 384, *384* (2), 436, 441, 442-444, 446, 447, *448* (2), 450, 451, 458, 460, 461, 467, 490, 491, 492, 501 ; II. 274-275, 338 (voir aussi *Escudos*).
Émigrants : I. 144-146, 247, 380-512.
Émigration : 534 ; II. 80.
Encens : I. 501, 511.
Ennayer, fête kabyle : I. 226.
Épices : I. 101, 112, 165-169, 177, 178, 179, 182, 189, 191, 194, 198, 200, 206, 207, 274, 313, 345, 349, 350, 355, 356, 403, 405, 422, 493, 494, 495, 497, 499-509, **510-516**, 517, 554-556, 568, 577 ; II. 17, 144, 147, 198, 201, 399, 462, *512* (5).
Épidémies : I. 237, 263, 300, **304-306**, 377, *395* (4), 439, 476, 528, 535 ; II. 169, 288, 311.
Épizootie : I. 304.
Éponges : 106.
Équipage : I. 276, 277, 279, 346, *346* (5), 398, 407, 408, 450, 514, 555, 573, 573, *573* (4) ; II. 134, *168* (6), 201, 207, 336, 379, 380-381, 393 (voir aussi marins).
Esclaves : I. 107, 127, 142, 156, 166, 168, 169, 175, 207, 307, 356, *356* (1), 415-416, 422, 426, 427, 432, 497 ; II. **92-94**, 125, *168* (6), 169, 196, 198, 200, 240, 284, 288, 390 ;
   chrétiens : I. 318, *398* (3) ; II. 15, 125, 133, 139, 198, 206 ;
   juifs : II. 144, 149 ;
   morisques : II. 366.
Escorchapines : I. *96* (3).
Escopette : I. 32 ; II. 134, 361.
Escudos : I. *384* (2), 429, 442, 443, 448, 467, 486, 490, (voir aussi Écus).
Étain : I. 165, 168, 191, 208, 274, 387, 424, 511, 553-554, 560-562, 563, 567, 568, 574 ; II. 134.
États urbains : I. 312, 410 ; II. 7, 88-90, 495, 519.
Encalyptus : II. 99.
Excellente, monnaie de castillane : I. 429.
Exportation : I. 386, 389, 393, 397, 401, 436, 437, 451, 471, 515, 524 ; II. 65.

Faïence, faïencerie : I. 49, *381* (5) ; II. 183.
Faillites : I. 400, 405, 464, 481.
Famine : I. 42, 222, 223, 224, 248, 250, 300-302, 305, 340, 351, 426, 521-522, 529, 537, 540, 545 561 ; II. 37, 83, 91, 186, 187, 347, 390.
Fanègue : I. 385, 522, 523.
Farine : I. *27* (4) ; 217, 230, 470, 540 ; II. 195.
Farouns (légumes) : I. 53.
Felouques : I. 240, 271, 272, 285.
Fer : I. 66, 101, *101* (2), 112, 118, 119, 144, 181, 191, *200* (1), 208, 280, 561, 569 ; II. 128.

Fèves : I. *27* (4), 75, 101, 216, 285, 386, 415, 478, 518, 525, 528, 534, 538 ; II. 17, 351.
Fièvre, voir malaria.
Figuier, figues : I. 215, 234, 236, 349 ; II. 99, 366.
Filibotes, petits voiliers : I. 279.
Finances : 293-295, 455, 460-462, 464 ; II. 39, 46, 219, 261 ;
   anglaises : I. 209 ; II. 168 ;
   espagnoles : I. 208, 209, **273-278** ; II. 39-41, 42, 218, 311, 412, 421, 497 ;
   florentines : I. 360 ;
   françaises : II. 41-42, 311, 497 ;
   génoises : I. 360, 405 ;
   impériales : II. 484 ;
   juives : II. 147 ;
   napolitaines : II. 423 ;
   pontificales : II. 159 ;
   siciliennes : II. 423 ;
   turques : II. 42, **477-478**, 484;
   vénitiennes : II. 415.
Fiscalité : I. 376, 401, 413, 415, 484-486, 519, 528, 548 ; II. 23, 38, 59, 61. 65, 123, 464, 466, 503.
Florins : I. 384.
Flottes :
   algéroise : II. 306, 411 ;
   anglaise : I. 567, 572, 576 ; II. 259, 503 ;
   aragonaise : II. 20 ;
   barbaresque : II. 245, 251 ;
   chrétienne : II. 287-288, 290, 305-306, 308, 314, 322, 365, 392, 395, 410-412, 425, 511 ;
   danubienne : II. 175 ;
   espagnole : I. 506, 533, 572 ; II. 128, 168, 176, 228, 283, 295, 300-302, 310-311, 313-319, 322-324, 326, 329, 334, 337, 349, 352-353, 406, 408, 412, 421 ;
   française : II. 228, 240, 243, 282, 291, 400, 402, 404, 405 ;
   génoise : II. 227, 234, 243, 246, 289, 314 ;
   hollandaise : II. 569 ;
   italienne : II. 349 ;
   napolitaine : II. 314 ;
   nordique : I. 567 ;
   pontificale : II. 168, *314* (3), 378, 379-380, 381, 385, 406, 410 ;
   portugaise : I. 501, 515, *550* (12) ; II. 459, *459* (1), 462.
   sicilienne : I. 527 ; II. 314 ;
   turque : I. 342, 496, 513, 556, 563 ; II. 166, 170, 177, 180, 226-228, 239, 240, 243, 245, 246, 256, 257, 281, **282-283**, 286, 287, 288, 289-291, 293-297, 300, 301, 305, 319-322, 325-326, 329, 333-337, 348, 349, 356, 363, 370, *372* (4), *373* (4), 380, 381, 383, 392-394, 410-413, 418-421, 424-425, 427-429, 433-434, 438, 441, 443-444, 458, 480, 502, 503, 507, 511 ;
   vénitienne : I. 59, 275, 536, 557 ; II. 168, 374, **375**, 379, 381, 394, 406, 411, 416.
Foin : I. 64, 382, 478.
Foires : I. 179, 181, 183, 185, 188, 195, 197, 200, 203, 207, 208, 219, 226, 290, 291, 294, 295, 298, 314, **347-350**, 360, 398, 400, 405, 412-413, 415, *421* (6), 427, 444, 449, **458-461**, 465, 479 ; II. 148, 274-276, 278 ;
   aux vins : I. 235-236 ;
   de la Sensa : I. 347, *347* (6) ;
   italiennes : I. *396* (6) ; II. 146.
« Fonctionnaires » : II. **29-37**.
Fondego dei Todeschi, voir Venise (Index des noms propres).
Fonderies : II. 167.
Fontico dei Turchi, voir Venise (Index des noms propres).
Forêts : II. 38, *38* (2), 67, 130-131, 170, 172, *172* (3), 181, *218* (4), 219, 246, 248ê 252.
Forts et fortifications : II. **172-190**, 251, 289, 291, 304, 308, 322, 326, 374, 393, 413, 426, 428, 454, 455, 456, 457, 458, 459, 465, 466, 479, 481-482, 487, 494.
Fourrures : I. 176, *176* (11), 177, 181, 183.
Fraudes : I. 435-436, 439, 451, 487, 496, 504, 512, 514, 529, 536, 553, 561 ; II. 70.
Frégates : I. 112, 135 ; II. 195, 197, 198, 202, 207 228, 290, 310, 487.
Fregatillas : II. 197.

Fregatina : II. 202.
Frégatons : I. 285.
Froid : I. 248-251, 351.
Fromages : I. 27 (1), 37, *37* (6), 77, 107, 112, 119, 138, *138* (1), 200, 239, 285, 321, 349, 354, 418 ; II. 187, 390.
Fruits : I. 68, 112, 387, *431* (9).
Fuorusciti : II. 83, 86-88, 245, 262.
Furstenrevolution : II. 242.
Fustes : I. *138* (3), 228 ; II. 179, 197, 200, 227, 228, 303, 306, 314, 335, 349, 366, 368-411, 475.
Futaines : I. 191, 195, 197, 275, 292, 541.

Galéasses : II. 166, 168, 189, 375, 379, 381, 393, 395, 406, 411, 412.
Galées : I. 274, 281, 356, *356* (2) ;
   de France : II. *409* (1) ;
   génoises : I. 207 ;
   vénitiennes : I. 241, *329* (7), *425* (7), 426, *494* (2, 11), 499, 506-507 ; II. 168, 185.
Galeonetti ou *Galionetti* : I. 240, 285.
Galere da mercato vénitiennes : I. 207, 263, 274, *274* (2, 3), 356, 359, 398, 400, 410, 494.
Galères : I. 97, *101* (1), 109, 120, 130, *138* (3), 228, 230-231, 232, 242, 283, 313, 329, 443-444, 451, 573 ; II. 93, 166, 168-169, *168* (6), 189, 196, 207, 287, 317, 487.
   de Barbarie : I. 275, 427-428 ; II. 134, 203, 245, 251, 288 ;
   de Chrétienté : II. 287, 288, 290, 291, 303, 305, 307, 309, 314, 383, 386, 391, 394, 396, 412, 507, 511.
   d'Espagne : I. 209, 228, 329, 443, 444-448, *448* (2), 487, 499, 507, 572 ; II. 128, 183, 184, 189, 192, 198, 281, 286, 289, 305-307, 309, 314, 316, 317, 320, 321, 323, 325, 349, 360, *362* (2), 368, 376-377, *378* (3), 380, 391, 395, 398, 406, 407, 409, 410, 411, 413, 417, 419, 421, 425, 466, 471, 476, 487, 488, 499, 508 ;
   de Florence : II. 281, 317, 416 ;
   de France : I. 230 ; II. 226, 227, 238, 239, 243, 245-247, 260, 263, 292, 310, 388, 402, *409* (1) ;
   de Gênes : II. 230, 286, 292, 314-316, 317, 358, 376 ;
   d'Italie : II. 204, 286, 307 ;
   de Messine : II. 291 ;
   de Naples : I. 418 ; II. 183, 186, 294, 306, 315, 317, 325, *373* (3), 391, 406-407, 507 ;
   pontificales : II. 420, 427 ;
   de Portugal : I. 346 ; II. 307, 315, 317, *459* (1) ;
   de Saint-Étienne : I. 313, 511, 518 ; II. 198-200, 202, *202* (1) ;
   de Syrie : I. 347 ;
   de Turquie : I. 418, 497, 502, 503, 511, 529, 536, 556 ; II. 98, 172, 192, 203, 257, 260, 297, 299, 300, 320, 321, 324, 334, 335, 336, 348, 380, 392-393, 396, 411-412, 418, 425, 445, 447, 452, 454, 457, 458-459, 472-475, 480, 502, 503, 596, 508-510 ;
   de Venise : I. 207, 537 ; II. 201, 203, 336-337, 379-381, 393-395, 412, 416, 487, 506.
Galériens : I. 415-416, 418-419.
Galion (s) : I. *106* (2), 109, 232, 240, 241, 271, 276-277, *279* (5), 284-285, 408, 433 ; II. 166, 168, 189, 192, 198, 199, 287, 379, 476 ;
   de Biscaye : I. 208, 549 ;
   de Chrétienté : II. 307, 511 ;
   d'Espagne : I. 209-210 ; II. 207 ;
   de Manille : I. 207, 346, 487 ;
   de Marseille : II. 202, 284-285 ; II. 187 ;
   musulmans : II. 503, 509 ;
   des Indes : I. 448 ;
   de Venise : II. 187.
Galiotes : I. *138* (3) ; II. 187, 197, 199, 200, 202, 203, 207, 229, 245, 250, 287, 288, 290, 303-304, 306, 314, 320, 335, 349, 411, 412, 473.
Gallegos, : I. *40* (1, 2) ; II. 126.
Gandules, mauvais garçons : II. 124.
Garance : I. 75, 495.
Gavaches, sobriquet appliqué par les Catalans aux immigrants français : I. 382.
Gazette, monnaie de Venise : I. *475* (n. 4 de la p. 474).
Gerbe, embarcations : II. 200.

Germanias, soulèvements valenciens : II. 79, 119, 125.
Gesse : I. 53.
Ghettos : II. 138, 141-142, *149* (1).
Gibier : I. 366.
Gingembre : I. 501, 504, 511.
Goélettes : I. 100.
Gomme arabique : I. 501.
Gondoles : I. 240.
Gothique (art) : I. 150.
Grains : I. 60, *66* (4), 75, 117, 158, 179, 180, 200, 235, 471, 528, 557, 567, 570-571 ; II. 143, 230, *347* (8), 420.
Grani, sous-division monétaire du Taro : I. 546.
Grenade (fruit), grenadier : I. 215.
Grippi, embarcations : I. 271, 284.
Grisi, ou *Grigi,* étoffe : I. 118, 398.
Gros grain : I. 195.
Grossetti, pièces d'argent : I. 355, *475* (n. 4 de la p. 474).
Grossoni, pièces d'argent : I. 355.
Grosz ou *Grusch* : I. 480, *481* (légende) ; II. 478.
Guides des routes : I. 258.

Habillement :
   bulgare : II. 116 ;
   français : II. 110, *163* (2) ;
   juif : II. 138-139, 144, 152 ;
   morisque : II. 123, 125, 367 ;
   ragusain : II. 112 ;
   turc : II. 37, 247.
Harengs : I. 127, 552-553, 560, 561, 565, 568.
Hermandad (la Ste) : II. 19, 180.
Hidalgos : II. 59-60, 69.
Hombres de negocios : I. 209, 294, 455, 460, 463, 466-467, 468 ; II. 70.
Hommes d'affaires, voir *Hombres de negocios.*
Houlques ou Hourques, navires flamands : I. 128, 279, 282, 499, 553, 559.
Huguenots, voir Protestants.
Huile : I. 27 (4), 48, 68, 74, *74* (3), 75, *96* (3), 107, *118* (1), 119, *119* (5), *139* (3, 4), 143-144, 177, 216, 217, *217* (2), 251, 284, 288, 303, 317, 351, 352, 353, 354, 358, 385, 387, 393, 404, 415, 456, 470, 471, 532, 555 ; II. 53, 195, 289, 313, 355.
Huit (pièces de), monnaie d'argent espagnole : I. 155, 422, 454, 482, *483* (1), 572.
Hydraulique, voir eau.
Hydromel : I. 505.

Iles : I. **135-147**, 350-351, 352, 387.
Imarets : I. 470.
Immigrants : I. 306-310, 381-383, 398, 415 ; II. 120, 144, 185.
Impôts : I. 351, 358, 385, 398, 400, 401, 412, 414, 432, 464, 474, 485-486, 507 ; II. 38, 41, 55, 61, 171, 249, 309, 317.
Imprimeries : I. 391, 398 ; II. 98, 101, 137, 140, 152, 493.
Incendies : I. 319, 414.
Indigo : I. 511, 514.
Industries, Industriels : I. 292-293, 295-296, 313-316, 357, **390-399**, 413, 476, **483**, 548, 568 ; II. 214, 219, 423.
   rurales : I. 390-392 ;
   textiles : I. 448 ;
   urbaines : I. 390-396.
Inflations : I. 399, 401, 402, 413, 431, 453, 454, 457, 464, 476, 478, **479-483**, 488-492 ; II. 45.
Inondations : I. 248-250, 520.
Inquisition : I. 34, 382, 468 ; II. 34, 56, 103-104, 120, 127, 136, 145, 154, 269, 271, 273, 331, 368.
Invasions :
   arabes et musulmanes : I. 123, 163, 255 ;
   germaniques : I. 123.
Irrigation, voir Eau.
Isthmes : I. **42-188, 197-203,** 265.
Ivoire : I. 168, 350, 427.

Jachère : I. 350, 520, 534.
Jacqueries : II. 77, 486.
Janissaires : I. 124, 166, *416* (7) ; II. 11, 172, 207, 247, 326, 374, 448, 455, 481.

Jésuites : I. 32, 350 ; II. 47, 102, 105, 107, *134* (9), 159-160, 161, 463.
Jeu : I. 400, *400* (2).
Juros de resguardo : I. 455, *455* (5), 456, 459, 464, 467, 484 ; II. 42, 45, 274-275.

Kadrigha, voir galères.
Kalioum, voir galion.
Kaliotta, voir galiotes.
Kânoun Nâme, code turc : II. 30.
Kapudan Pacha : amiral turc : II. 36-37.
Kasim, voir Demetrius (saint) (index des noms propres).
Kessera, galette consommée au Maghreb : I. 158.
Kreutzer, monnaie allemande : I. 490.
Kronentahler, monnaie autrichienne : I. 490.
Kunstbewässerung : I. 218.

Lagune vénitienne : I. 62, 70, 252.
Laines : I. 49, 79-81, 84, *96* (3), 101, 103, 107, 112, 119, 195, 200, 206, 208, 216, 235, 245, 262, 263, 268, 274, 282, 290, 292, 293, 294, 308, 314, 316, 321, 344, 345, 353, 355, 357, 383, 389, 391, 393, 394, 395, 397, 398, *399* (8), 404, *421* (6), 427, 428, *432* (11), 448, 451, 453, 456, 471, 501, 507, 527, 533, 536, 541, 549, 554, 557 ; II. 53, 98, 144, 183, 211, 289, 313, 355.
Lait, laitages : I. *34* (2), 37, 75, 162, 217, 221 (voir aussi : beurre).
Laitue : II. 100.
Ladino (le), langue des Juifs de Turquie : II. 141.
Laudi, embarcations : I. 112.
Légistes : II. 30, 32.
Légumes : I. 68, 354 ; II. 116 ;
  secs : I. 351, 386, 518, 538.
Lentilles : I. 53, 75, 386, 415, 538.
Lèpre, lépreux : I. 217.
Letrados, « fonctionnaires » : II. 29-30, 69, 123, 124.
Lettres, voir courrier.
Leuti, embarcations : I. 240 ; II. 193.
Lilas : II. 100.
Lins : I. 177, 514, 553 ; II. 503 ; (*toiles de*) : I. 192, 194.
Lira, monnaie de compte vénitienne et génoise : I. 479, 480.
Livres : I. 200 ; II. 98, 137, 140, 162.
Livres sterling : I. 480, *481* (légende).
Livres tournois : I. 479, 480, *481* (légende) ; II. 31.
Longévité : I. 379-380.
Luiti embarcations : I. 112.
Luitelli : II. 198.
Luoghi : II. 43-45.
Luxe : II. 37, 46-47, 50, 56-57, 63, 70, 74, 92, 162-163, 518.

Mâach, voir cous-cous.
Mahonnes : I. 99, 318 ; II. 189, *373* (4), 445 ;
  de Chio : I. 555 ; II. *280* (2).
Maidin, monnaie arabe : I. 490 ; II. 477.
Main-d'œuvre : I. 66-67, *66* (4), 131, 395-396, 416, 487-488.
Maïs : I. 37, 217, 226, 251, 387, 488, 545 ; II. 68, 99, 116.
Majorats : I. 68.
Majolique : I. 381.
Malaguette, faux poivre : I. 427, 501.
Malaria : I. 56-59, 72-73, 169, 218, 248 ; II. 186.
Mamelouks : II. 17-18.
Mangiaguerra, cru réputé : I. 349.
Maniérisme : II. 157-158.
Manioc : I. 217.
Marabouts : I. 164.
Marani : I. 271, 284.
Maravedis : I. *384* (2), 385, 401, 479, 480, 486 ; II. 274.
Marchands : I. 120, *174* (1), 176, 180, 182, 193-194, 226, 255, 263-264, 287, 290, 294, 313, 315, 345-346, 349, 392-394, 396-400, 403, 411, 425, 435-436, 438, 441, 445, 452, 461, 463, 464, 473, 479, 499, 510, 512, 518, 521, 535-536, 575-576 ; II. 92, 214 ;
  allemands : I. 190-192, 196, 315, 353, 406, 464, 514.
  anglais : I. 177, 473, 556, 563-565 ; II. 246 ;

  arabes : I. 498, 499 ;
  arméniens : I. 264, *265* (4), 512 ; II. 69, 137, 452 ;
  basques : I. 549 ;
  biscayens : I. 550 ;
  chrétiens : I. 425, 511 ; II. *185* (3), 226 ;
  espagnols : I. 404-405, 439, 444, 459, 460, 464, 467, 531 ; II. 389-390 ;
  européens : I. 412, 426, 460 ;
  flamands : I. *406* (1) ;
  florentins : I. 268, 313, 404, 443, 506 ; II. 68 ;
  forains : I. 45, 200 ;
  français : I. 198, *360* (2), 381, *428* (6), 458, 504, 514 ; II. 249, 390, 477 ;
  génois : I. 292, 313-314, 357, 404, 429, 436, 447, 459, 460, 464, 467, *467* (7), 556, 560, 574 ; II. 309 ;
  grecs : I. 307, 319-320 ; II. 69, 147 ;
  hanséatiques : I. 412 ;
  internationaux : II. 41 ;
  italiens : I. 182-183, 189, 195-198, 202, 207-208, 308, 380-381, 401, 455, 464, 544 ; II. 73 ;
  juifs : I. 265, 308, 398, *398* (3), 498, 577-578 ; II. 46, 69, 133, 142, 145, 146-149, 152, 363 ;
  levantins : I. 265, 426, 495 ; II. 348 ;
  lucquois : I. 553 ;
  lyonnais : I. 404 ;
  maugrébins : I. 426 ; II. 91 ;
  milanais : I. 404, 460 ;
  morisques : II. 120, 128 ;
  persans : I. 511 ;
  portugais : I. 576 ; II. 464, 466 ;
  ragusains : I. 291-292 ; II. 69, 445 ;
  sévillans : I. 575 ; II. 272, 275 ;
  tartares : I. 340, 512 ;
  turcs : I. 265, *265* (5) ; II. 46 ;
  vénitiens : I. 356-358, 404, 423, 462, 498, 499, 508, 536, 559 ; II. 374.
Marchetto, monnaie vénitienne : I. 490.
Marciliane, embarcations : I. 268, 271, 284, 285, *432* (11).
Marcs, monnaie : I. 356, 452, 454, 492.
Marécages : I. 55, 60, 61, 74, *74* (1), 75, 170, 181 ; II. 67, 454.
Mariages : I. 377, 379.
Marins : I. 128-129, 134, *134* (1), 230, 255, 283, 290, 408, 418, 451, 518, 531, 550, 562, 564 : II, 106, 132, 144, *168* (6), 169, 211, 288, 293, 391, **487**, 502 (voir aussi équipage).
Maritimes
  secteurs : I. 129-133 ;
  sinistres : I. 267 ;
  vie : I. 134-136.
Mastic : I. 142, *142* (1), 556.
Melons : I. 75, 221.
Mercenaires : I. 42-43, 191 ; II. 7, 15, 166, 239, 398, 470 (voir aussi soldats).
Mercure : I. 495, 569.
Mésalliances : II. 71-72, 75.
Mesta : I. 82, 84, 85, 92 ; II. 53.
Métropoles : I. 123-124, voir aussi villes.
Miel : I. 317, 321, 470 ; II. 183, 195.
Millet : I. 140, 385, 517, 533, 538, *538* (6), 540.
Mines : I. *194* (7) ; II. 27, 93 ;
  d'Allemagne :I. 192, 429, 431, 433, 436 ; II. 27 ;
  d'argent : I. 291, 422, 429, 431, 433, 474, 487, 515 ;
  de cuivre : I. 392, 431, 492 ;
  d'or : I. 138 ; II. 27, 459 ;
  du Potosi : I. 207.
Misère : I. 413-418 ; II. **75-76**, 80-83, 89, 90, 473, 475.
Mistral : I. 213, 229, 231, 232, *248* (2).
Monétaire (circulation) : I. *383* (4), 412-413, 420, **436-454**, 457, 464, 466, 474-475, 492, 515, 545, 572 ;
  frappes : I. 427, *428* (7), 434, 444, 452-453, *455* (1), *474* (4), 478, 482, 489, *491* (2), 576 ; II. 41 ;
  économie : I. 538.
Monnaies : I. 181,196, 198, 345, 353, 355, 360, 384-*384* (4), 404, 420, 422, 423, 428, 434-435, **448-454**, 462, 468, *474* (4), 479-480, 482-483, **488-492**, 501, 515-516 ; II. 51, 463 ;(*hôtels des*) : I. 410, 421, 452, 453, 478, 488, 489.

d'argent : I. 198, 345, 355-357, 412, 422, 428, **440-451**, 456-458, 474, 478, 482-483, 488-492, 515-516, 536 ; II. 457, 477 ;
de billon : I. 421, 476-478, 489-491 ;
de cuivre : I. 198, 456, 478, 490, 492 ;
fiduciaire : I. 461-463, 467, 501 (voir aussi lettres de change).
dévaluées et fausses : I. **488-491** ;
espagnoles : I. 198, 450 ;
d'or : I. 357, 422, 427, 431-432, 435-436, **440-451**, 453, 454, 457-458, 460, 474, 478, 479, 482-483, 486, 488-492, 515-516, 536 ; II. 274, 315 ;
ottomanes : I. 444, **489-491** ; II. 477 ;
portugaises : II. 466.
Monocultures : I. 142-144, 524.
Monopoles : I. 494, 503, 505, 554, 561 ; II. 41.
Monte : voir Monts de Piété.
Monts de Piété : I. 400, 463, 482 ; II. 42-45, 141. (voir aussi Prêts).
Morues : I. 177, 206, 560.
Moscatelles : I. 182, 555.
Moticals, monnaies d'or marocaines : I. 432.
Moulins : I. 60 (1), 390-391 ; II. 64.
Mousson : I. 218.
Moutons : I. 37, 62, 78, 80, 81, 82, 83, 84, 91, 101, 141, 160, 161, 181, 219, 321, 350, 471, 472, 533, 541.
Mules, mulets : I. 78, 83, 132, 165, 198, 220, 254, 259, 260, **261**, 291, 349, 367, 389, 533 ; II. 413.
Mûrier : I. 37, 38, 64, 216, 236, 387, 534.

Nassades, Nassarnschiffe ou Tscheiken : II. 175-176.
Natalité : I. 378.
Naufrages : I. 227-228, 230, 514.
Naves : I. 38, 113, 113 (4), 129, 228, 240, 241, 271, 274, 276, 281-282, 284, 285, 318, 356, 536, 537, 543 ; II. 194, 195, 287.
biscayennes : I. 436, 448, 550, 557 ; II. 204 ;
catalanes : I. 282 ;
espagnoles : I. 282 ; II. 323 ;
florentines : I. 559 ; II. 228 ;
françaises : I. 282 ;
génoises : I. 275, 276, 281, 282, 535
hollandaises : I. 206 ;
huissières : I. 367 ;
des Indes : I. 514 ;
marseillaises : I. 282-285 ;
nordiques : I. 24, 567 (9) ; II. 228 ;
portugaises : I. 277, 557, 572 (3) ;
ragusaines : I. 228, 281, 282, 285, 407, 518, 557 ; II. 203, 302 ;
turques : I. 535 ; II. 200 ;
vénitiennes : I. 228, 272, 274, 275, 281, 282, 494, 501, 510-511, 520-521, 557, 559 ; II. 228, 302, 374, 380, 381.
Navicelloni, embarcations : I. 240.
Navigation : I. 227-232, 242, 253, 266, 343 355, 358-359, 509 ;
anglaise : I. 177.
côtière et hauturière : I. **94 et sq.**, 128.
Naviguela, embarcation : I. 271.
Navires
allemands : I. 567 (9) ;
anglais : I. 209, 210, 241 (1), 279, 454, 543, 560, 561, 564-565, 572 ; II. 194, 471 ;
candiotes : I. 555 ;
catalans : II. 185, 194, 487 ;
de course : I. 242, 564, 572 ; II. 198 ;
danois : I. 564 ;
espagnols : I. 209, 383, 555 ; II.241, 406, 421, 466 ;
français : I. 553, 572 ; II. 387 ;
hollandais : I. 208, 209, 210, 241 (1), 268, 279, 432 (10), 452, 453, 553, 560 ; II. 194 ;
malouins : I. 454, 552 ;
marseillais : I. 285, 565 ; II. 192-193, 194 ;
musulmans : I. 515, 555, 572 ; II. 179 ;
nordiques : I. 266-267, 407, 543, 562, 570-571, 574 ;
portugais : I. 494, 550, 551, 555 ;
ragusains : I. 281, 285, 535-537, 555, 557, 557 (3), 559 (12) ;
de ravitaillement : II. 314 ;

uscoques : II. 487 ;
valenciens : II. 194 ;
vénitiens : I. 264, 512, 527, 562 ; II. 179, 192-193, 393.
Navires (constructions) : I. 131-132, 131 (1, 5), 208, 280 (6), 282, 295, 299, 486, 573 ; II. 101, 132, 315, 326, 503.
Navires (tonnage des) : I. 112, 113, 129, 241, **271-286**, 406-408, 514, 527, 535, 557, 559, 569, 573, 573 (4) ; II. 189, 207, 314.
Nefs : I. 285 ; II. 287.
Neige : I. 25-26, 25 (2), 224, 225, 226-227, 233, 250, 301.
Nobili Nuovi : I. 294, 459 ; II. 423.
Nobili Vecchi : I. 294, 314, 459 ; II. 423.
Noblesse : II. 50-68, **72-75**, 107, 113, 120, 121, 123, 130, 367, 479.
Noirs (les) : I. 134, 142, 156, 156 (2), 169, 307, 426, 432, 497 ; II. 198, 200, 459.
Noix : I. 112, 118 (1) ;
de Galles : I. 117 (5), 498, 508 ; II. 195 ;
muscades : I. 182, 501, 510, 511, 514.
Nolis : I. 264, 267, 272, 273, 276, 407, 408, 518, 546, 562.
Nomades et Nomadisme : I. 161-165, 174-175 ; II. 12, 113, 117, 424, 426.
Nord (vent du) : I. 131-132.
Noroît : I. 213.
Noyer : I. 38.
Nouvelles, voir Courriers.

Oasis : I. 159, **169-170**.
Oldanum : I. 139.
Olives : I. 100 (1), 153 (1), 234.
Oliviers : I. 29, 39, 54, 64, 74, 75, 81, 133 (2), 142, 144, 153 (1), 212, 215, 217, 218, 248, 250, 351, 365, 387, 392, 415, 531-534, 541, 548 ; II. 64, 289.
Oncie, monnaie de compte sicilienne : I. 479.
Ongari, monnaie allemande : I. 490.
Opium : I. 495, 500.
Oppida : I. 50.
Or : I. 107, 165-168, 206, 295, 340, 346, 385, 395, 402, 404, 411, 412, **420-432**, 433, 443, 444-448, 452, 455, 455 (3), 456-459, 460, 462, 471, 473-474, 487-488, **491-492**, 495, 513-514, 516, 531-532 ; II. 17, 26, 27, 51, 186, 274-275, 284, 456, 460, 462
(commerce de l') :I. 293-294, 442, 488-489
(mines d') , voir ce mot.
(monnaies d') : voir ce mot.
(tissus d') : I. 319, 355, 494 ; II. 37.
Or en poudre : voir tibar.
Oranges, orangers : I. 37, 200, 387, 534 ; II. 99.
Orfèvrerie : I. 350, 465.
Orge : I. 37, 54, 76, 158, 220, 223, 225, 389, 415, 470, 517, 521, 523, 528, 532, 534, 546 ; II. 188, 188 (2), 347, 390.
Orthodoxe (religion) : I. 121, 122 ; II. 105-106, 113.
Ortolans : I. 139, 142 (2).
Outils aratoires : I. 181.
Ouvriers : I. 390, 412, 417 (voir aussi : main-d'œuvre).

Padrón, recensement : I. 296 (3), 371.
Pain : I. 38, 38 (4), 54, 221, 222, 234, 296, 300-302, 320-321, 350, 352, 352 (5), 418, 471, 517, 518, 520, 533, 535, 538, 540, 544 ; II. 187, 249, 390.
(prix du) : I. 224.
Palais : I. 308-309, 314, 319, 320, 356 ; II. 57, 63, 216.
Palmeraies, palmiers : I. 153, 157, 212, 215 ; II. 289.
Paludisme, voir malaria.
Palus : voir marécages.
Papes Papauté : I. 254, 339, 505 ; II. 27, 75, 103, 103 (10), 139, 159, 179, 209, 232, 247, 279, 303, 308, 309, 311, 312, 314 (1), 317, 319, 325, 338, 385, 386, 395, 420, 447, 470, 482, 494, 499, 508, 511, 516.
Papier : II. 110.
Parfums : I. 288, 497, 500 ; II. 162-163, 186.
Passa cavalli, embarcations : II. 200.
Pastirma, voir viande salée.
Pataches, embarcations : I. 285.

Paysan, paysannat : I. 51, 67-69, 72, 92, 220, 222-223, 225, 235, 300-301, 350-352, 354, 365, 382, 387-390, 400, 408, 409, 414, 478-479, 527, 529, 532, 533-534, 542 ; II. 11-14, 39, 51-53, 63, 65, 77, 79, 107, 113, 116-118, 123, 126, 136-137, 175, 249, 479, 518.
Péages : I. 82, 96, 179, 311, 432 ; II. 63, 66.
Pêches, fruit : I. 201 ; II. 99.
Pêche, pêcheurs : I. 127, *127* (1, 2), 132, 144, 236, 238, 486, *550* (11), 574 ; II. 180, 198.
Pèlerins et pèlerinages : II. 190, 228 ;
  en Terre Sainte : I. 26, *57* (n. 4 de la p. 56), 191, 242-243. 291, 554, 556 ; II. 201 ;
  à la Mecque : I. 165, 238, 425, 499 ; II. 202, 503.
Pérames, barques de transit : I. 318.
Périls maritimes : I. 205, 264.
Perles : I. 206, 500, 502. 503, 512.
Peste : I. 57, *194* (3), 222, 237, 264, 265, **304-306**, 369, 537 ; II. 297, 466, 510.
Pfund Heller Gulden : I. 480.
Pfund Pfennig Rechnen Gulden : I. 480.
Phoques
  (dents de) : I. 177 ;
  voir aussi ivoire.
Piastres, voir huit (pièces de) .
Piccioli, monnaie de cuivre sicilienne : I. 478.
Pierre d'aimant : I. 97, *97* (6).
Pigeons : I. 75, 350.
Piraterie : I. 425, 438, 512, 572 ; II. 187, 380.
Pirogues : I. 426.
Pistolete, monnaie castillane : I. 429.
Platane : II. 100.
Plateresque (art) : I. 150.
Plomb : I. 274, 387, *410* (7), 424, 553-554, 560, 561, 565-566, 568, 574 ; II. 184.
Pluies : I. 161, 163, 212-213, 218, 219, 223-224, 225, 226-227, 235, 248-250, 251, 520, 543.
Poires : I. 353.
Pois : I. 53, 538, 553.
Pois chiches : I. 75, 415, 518, 525 ; II. 187,
Poisson : I. 127, *127* (1), 200. 208, 317, 354, 385, 409, 418, 552 ;
  séché, salé : I. 101, 176, 236, 238, 387, 552, 554-555, 574 ; II. 136, 201.
Poivre : I. 168-169, 177, 179, 189, 191, 194, 198, 200, 206, 239, 274, 293, 345, 346, 356, 360, 400, 403, 404, 405, 422, 457, 470, **493-516**, 517, 518, 554-555, 569, *572* (4), 577 ; II. 462.
Polacres : I. 112, 285.
Pommes d'api : I. 353.
Ponentini : I. 232 ; II. 192, 199, 200, 201, 395, 400.
Population (voir aussi Démographie) : I. 389.
  Amérique : I. 487.
  Castille : II. 59.
  France : I. 402.
  Espagne : I. 386, 401, 402 ; II. 114-115, 123, 129.
  Naples (royaume de) : I. 386, *474* (4), 529 ; II. 90.
  État Vénitien : I. 385, 390 ; II. 173.
Porcelaines : I. 168, 500.
Porcs : I. 139, 226, 298, 350, 353 ; II. 243.
Portate (de Livourne) : I. *200* (2), 239-241, 242, 244, 332, 561, 565, 567.
Poudre à canon : I. 165, 175, 208, 282, 319, 437, 561 ; II. 120, 133, 134, 167, 177, 207, 287, 303, 304, 479, 488.
Prêts, prêteurs : I. 293-295, 388, 400, 401, 403, *423* (7), 443-445, 466-467, 488, 505, 518 ; II. 58, 135-136, 141, 145-146, 149, 244, 249, 259, 421, 464 (voir aussi avances, crédit, monts de piété).
Prix : I. *131* (5), 179, 219, 224, 264-265, 282, 286, 299, 300, 335-336, 351, 352, *352* (5), 385, 388, 394, 395, 400, 415-416, 417, 421, *421* (6), 424, 427, **468-488**, 495, 497, 498-499, 502, 511, 513, 537, 548 ; II. 23, 27, 40, 45, 65, 168, *168* (6), 169, 183-184, 187, 205, 214, 216, 347, 385, 415, 495 ;
  du blé : I. 518, 520-521, 526, 528, 532, 535, 536, 540, 545-546 ;
  du poivre : I. 507-508, 509, 514.
Protestants : I. 232, 506 ; II. 148, 151, 156, 160, 170, *174* (5), 232-233, 236, 329, 342, 345, 355, 388, 389, 401, 414 ;
  allemands : II. 241-242, 255, 259, 265, 270, 352, 403 ;

  anglais : II. 248, 352, 465 ;
  espagnols : II. **269-271**, 312 ;
  flamands : I. 459 ; II. 465 ;
  français : I. 302, 328, 380, 559 ; II. 77, 104, 270, 344, 352, 356, 373, 387, 389, 398, 403, 407, 431, 444, 446, 468, 470, 498, 500 ;
  italiens : I. 191, 561 ; II. 270.
Proveditori : I. 70, *70* (1).
Proveedores : I. 109, 272 ; II. 231.
Pulque : boisson du Mexique : I. 217.

Quattrini, monnaie vénitienne : I. 490.
Quincaillerie : I. 45, 194, 208, 292, 423, 426, 574; II. 98.

Rachats : *d'hommes :* I. 288, 318, 416, 450, 491, 550 ; II. 201, 205, **209-211**, 416, 462-464 ;
  de barques : II. 187.
Raisins : I. 74, 243, 470 ;
  secs : I. 345, 387, 552, 559, 562 ; II. 366.
Rameurs volontaires : II. 169, 196, 314, *373* (4) (voir aussi *Buonavoglie*).
Rançons, voir Rachats.
Rasse ou Rascie, étoffes : I. 118, 398.
Ravitaillement : I. 221-222, 320-321, 385-389, 507, 517, 528, 532, 535, 540, 543, 544 ; II. 134, 143, 164, 167, *168* (6), *174* (5), 182, 184, 186, 188, 197, 228, 229, 243, 251, 284, 287, 289, 291, 293, 302-304, 311, 314, 323, 350, 366, 379, 385-386, 390, 392-394, 401, 406, 409, 412, 413, 420, 423, 454, 455, 456, 466, 479, 483, 487, 488, 494, 510 ; (voir aussi Alimentation).
Razzias : II. 187-189, 417.
Réaux : I. 385, 441, 442, 443, 446, 450, 451, 457, 481, 492 ; II. 274.
Reconquista : I. 108 ; II. 23, 118-119, 140, 154, 450.
Réforme : I. 204 ; II. 26, **102-105**, 107, 171, 340-341, 378 ;
  voir aussi Protestants.
Religion (guerres de) : I. 43, 200, 340, 341, 418 ; II. 76, 77, 190, 352, 356, **485-496**.
Renégats : I. 145, 166, 512, 563 ; II. 29, 32, 96-97, 133, 198, 207-208, 211, 227, 251, 284, 334, 434, 470-471.
Rentes : I. 294, 295, 314, 388, 400, 415, *455* (5), 467, 486 ; II. 68, 274 ;
  d'église : II. 257.
Resgate, échange : I. 427, *432* (10).
Revenus *(fonciers)* : I. 478-479 ; II. 58, 64, 65, 170, 274 ;
  ecclésiastiques : II. 232, 379 (voir aussi Rentes).
Ribeba, mesure : I. 528.
Ricorsa (pacte de) : I. 294, 401.
Ritratto : I. 71-72.
Riz, Rizières : I. 61, 66, *66* (3), 69, 73, 101, 109, 165, 168, 182, 200, 216, 221, 321, 385, 470, 517-518, 525, 528, 540 ; II. 17, 68, 99, 100, 116, 190, 198, 201, 351.
Rouble : I. 480.
Routes :
  fluviales et lacustres : I. 189, 258-259, 290-291, 346, 354, 523 ; II. 161 ;
  marines : I. 122-123, 205, 207, **253 et sq.**, 329 et sq., 346, 354, 386, 440, **522 et sq.** ; II. 151, 404 ;
  méridiennes : I. 176 et sq ;
  terrestres : I. 181, 190, 197-204, **253 et sq.**, 329 et sq., 341, 346, 349, 353, 440-441, 565 ; II. 339, 471.
Rubias, monnaie maugrébine : I. 431.

Saètes, embarcations : I. 112, 240, 284-285, *285* (3) ; II. 251.
Safran : I. 37, 182, 190, 345, 353, 387, 404, 470, 495; II. 186.
Saindoux : I. 351.
Saisons : I. **225-246**.
Saïque : voir Caïque.
Salaires : I. 66, 128, 134, 299, 306, 382, 383, 385, 392, 393-394, 412, 416, *416* (8), 417, 459, 472, 474, **476-478**, 483, 487, 488 ; II. 214, 217 ; (voir aussi soldes).
Salines : voir sel.

Salma, mesure : I. 129, 272, 281, 285, 317, 518-519, 521, 525-528, 546.

Sandjacs : II. 36-37, 39. 64, 503.

Sarabande : II. 100.

Sardines : I. 144, *278* (9), 349, 409, 550, *550* (11).

Sarze, étoffe : I. 118.

Saumon : I. 553, 560.

Sauterelles : I. 223.

Savon : I. *139* (4), 292, 296.

Sayettes : I. 195, 202, 262, 397.

Scafi, embarcations : I. 240.

Scudi, monnaie sicilienne : I. 484, 490.

Sécheresse : I. **218-224**, *247* (2), 250, 251, 300, 517, 520.

Seigle : I. 37, 179, 180, 345, *384* (4), 385, 475, 477, 533, 538, 540, 544, 568.

Sel : I. 49, 75, 111, 112, 117, *117* (8), 137, 144, 166, 176, 179, 200, 208, 221, 233, 271, 276, 281, 282, 286, 294, 314, 403, 404, 409, 426, 470, 472 488, 506, 511, 527, 544, 550-551, 557 ; II. 41, 175, 186, 195, 377, 399.

Sequins : I. 421, *421* (6), 429, 444, 490-491 ; II. 31, 477-478.

Sériciculture : I. 422 ; II. 123.

Sésame : II. 116.

Sipahis : II. 64-66, 113.

Sirocco : I. 223.

Soies, soieries : I. 72, 76, 105, 108, 112, 165, 166, 168, 172, 177, 182, 183, 194, 195, 200, 206, 262, 263, 274, 287, 290, 292, 293, 296, 308, 309, 313, 314, 316, 319, 345, 350, 356, 357, 381, 387, 389, 391, *391* (6), 394, 395, 396, *399* (7), 403, 404, 422, 456, 471, 478, 500, 501, 504, 507, 508, 510-, 513, 518, 546-548, 555, 556, 569 ; II. 37, 101, 125, 144, 186, 198, 201, 399, 452, 453.

Soldats : I. 42-43, 184, 198, 221, 306, 307, 340, 357, 360, *381* (6), 416, 418-419, 425, 437, 442, 443, 444, 453, 455, 457, 460, 486, 490, 498, 528, 533, 556 ; II. 14, 15, 81, 82, 83, 116, 125, *168* (6), 169, *174* (5), 176, 178, 184, 186, *188* (2), 211, 226, 230, 234, 239-240, 247, 287-288, 291, 293, 305, 307, 309, 310, 321, 323, 336, 368, 369, 375, 379-380, 381, 386, 391, 392, 394, 398, 402, 406, 411-412, 423, 425, 426, 427, 456, 457, 471, 477, 481, 484, 488, 497.

Solde : II. 184, 187, 477, 481 (voir aussi salaires).

Soltaninas, voir sequins.

Sommaria Partium : I. 281, 385, 414, 415, 418 ; II. 53, 61.

Sorcellerie : I. **33-34** ; II. 105.

Soude : I. 508, 560.

Soulèvements : II. 78-80.

Spahis : I. 166, 223, *362* (2) ; II. 14, 134, 172, 189, 287, 294, 300, 455, 478, 481.

Spazzadori, convoyeurs de marchandises : I. 194.

Stara, mesure : I. 272, *285* (3).

Steppes : I. 77, 214, 238.

Structures : I. 325, 331, 384, 387, *413* (3), 414, 426, 454, 457, 463 ; II. 8, 95, 502, 518.

Sucre : I. 14, 142, 168, 206, *278* (9), 317, 321, 387, 390, 396, 403, 457, 494, 501, 511, 549, 551, 577, 578 ; II. 93, 144, 146, 147, 152, 186, 190, 198, 377 ; (alcool de) : I. 217.

Sud (vents du) : I. 132.

Sueldo jaqués, monnaie de Java : I. 353.

Sultanini : I. 444, 490, 491 ; II. 477 (voir aussi sequins).

Superstition, voir sorcellerie.

Tabac : I. 75, 100 (1) ; II. *100*, 116.

Taffetas : I. 195 ; II. 186.

Talleri : voir thalers.

Tapis : I. 200, 263, 555 ; II. 201.

Tari, monnaie de compte sicilienne : I. 479, **546**.

Tartanelles, petits navires : I. 285.

Tartanes : I. 112, 240, 272, 284-285 ; II. 186, 193.

Taula di Cambi : I. 133.

Taxes, voir droits, douanes, péages.

Teinturerie : I. 397, 398.

Tercios : I. 401.

Textiles : I. 179, *194* (7), 292, 295.

Thalers : I. 444, 450, 490-491 ; II. 478.

Thon : I. 107, 112, 127, *127* (2), 216, 236, 550 ; II. 100-101.

Tibar, or en poudre : I. 426, 427-428, 432 ; II. 240.

Timar, fief militaire : II. 32, **63-64**, 65-66.

Tissus : I. 181, 183-184, 188, 194-195, 321, 349, 353, 355, 398, 426, 428, 448, 457, 471, 488, 511, 565 ; *de coton* : I. 168, 319 ; II. 37 ; *d'or* : I. 319 ; II. 37 ; *d'argent* : II. 37.

Tivar, voir Tibar.

Toiles : I. 195, 196, 200, 208, 288, 292, 316, 350, 393, 403, 552-553, 561, *572* (4), 574 ; *de coton* : I. 263 ; *de lin* : I. 192, 194, 345, 356 ; *à voiles* : I. 433.

Tomates : II. 99.

Traginero, transporteur : I. 409.

Transhumance : I. 41-42, **76-93**, 161, 534.

Transports, transporteurs : I; 259-260, 290, 295, 341, 400, 413, **548-578** ; II. 351 : (*firmes de*) : I. 188, 193-195 ;

Transports *fluviaux* : I. 200 ; *maritimes* : I. 241-243 ; *prix* : I. 179, 300 ; *routiers* : I. 200, 409. (voir aussi routes).

Tratte, licence d'exportation : I. 386, 519, 526, 528, 532, 541.

Trêve de Douze Ans : I. 488, 510.

Tsckeiken : voir nassades.

Tschiftliks : I. 61, *61* (7), 309, 537 ; II. 64, **67-68**, 117.

Typhus exanthématique : I. 237.

Ulémas : II. *18* (4).

Usure : I. 423, 533-534, 542 ; II. 58, 66, 73, 117, 145-146, 148, 309.

Uve passe, voir raisins secs.

Vagabondage : II. 80-83.

Vachette, petits navires : I. 285.

Variations cycliques : I. 245-247.

Vascelli quadri : I. 284.

Veaux : I. 81, 226, 250, 350, 352, 471.

Velours : I. 191, 195, 292, 355, 394, *398* (3) ; II. 133, 186.

Vénalité des charges : II. 34-36, 43, 59.

Vendetta : I. **34-35**.

Vendanges : I. 234-236.

Vendeja, à Séville, foire aux vins : I. 235-236, *236* (2).

Veneciani : voir sequins.

Vents : I. 131-132, *131* (6), *168* (4), 213, 214, 223, 230-231, 233, 234, 235, 271, 284 ; II. 410, 427.

Verdet (vert de gris) : I. 200.

Verlagssystem : I. 296, 393-395.

Verreries : I. 357, 381, 390, 422, 423, 512, 513.

Viande : I. 37, 81, 112, 119, 162, 219-220, 221, *352* (5, 8), 385, 393, 418, 470, 471, 499, 538 ; II. 186. *salée* : I. 216, 321, 349, 560 ; II. 305, 423.

Vignes : I. 29, 37, 53, 54, *59* (2), 64, 74, 75, 81, *133* (2), 142, 143, 181, 206, 215, *215* (1), 216, 217, 218, 237, 351, 365, 387, 392, 520, 531-534, 541, 542, 548 ; II. 64.

Villages : II. 52 ; *aragonais* : II. 129 ; *castillans* : I. 385, 388 ; *espagnols* : II. 276 ; *industriels* : I. 391-392 ; *maritimes* : I. 132-133, 320 ; *de montagne* : I. 247-248 ; *turcs* : I. 517.

Villas : I. 309 ; II. 123, 206.

Villes : I. 204, 237, 254-255, **286-322**, 340, 347, 353-354, 375, 376, 387, 401, 569 ; II. 12-13, 38, 52, 66, 156, 495-496, 518, 519 ; *allemandes* : I. 192 ; *andalouses* : I. 74 ; *espagnoles* : II. 57, 118, 276 ; *italiennes* : I. 51, 354-364, 542 ; *marchandes* : I. 550 ; *d'Orient* : II. 117 ;

Villes : *capitales* : I. 315-322; *constructions urbaines*, voir Constructions; *crises urbaines* I. 310-312 ; II. 7, 68 ;

mouvements urbains : II. 19;
Villes (démographie des) : I. 299-300;
  (industries des) : I. 390-392, 399 ;
  (typologie des) : I. 296-298.
Vins : I. 40, 54, 75, 112, 119, *119* (1, 5), *139* (3),
  142 (3), 143, 144, 181, 182, 190, 200, 208, 216,
  217, 224, 235-236, 260, 274, 276, 281, 284, 290,
  293, 303, 349, 350, 352, *352* (5), 353, 354, *383* (4),
  385, 387, 393, 403, 404, 415, 419, 471, 472, 478,
  488, 532, 549-550, 554-555, 559, 562 ; II. 51, 116,
  177, 187, 205, 302, 340, 390, 423.
Vitesses : I. **329 et sq.**
Voiliers de l'Atlantique : I. 548-576 ; II. 207, 314 ;
  de course : II. 198 ;
  portugais : II. 459.
Voitures : I. 113, 128, 273, 283, 284, 560 ; II. 197,
  503.

Voitures : I. 182-183, 194, 259-260, 265, 291, 319,
  349, 350, 492 ; II. 461.
Vols : I. 305.
Volailles : I. 75, 350 ; II. 51.
Voyages : I. 556-557, 568 ; II. 96-101, 132, 178, 201,
  210.

Wakouf (biens) : II. 14, 64.
Walibé : I. 35-36.

Yali, séjour estival : I. 87, 320.
Yiddisch (le) : II. 141.

Zabras, navires de Biscaye : I. 208, 436, 437, 438,
  448 ; II. 314, 352, 455.
Zianas, monnaie maugrébine : I. 431.

TABLE DES CARTES
TABLEAUX ET GRAPHIQUES

55. — Populations de la péninsule des Balkans au début du XVIᵉ siècle 12-13
56. — Les budgets suivent la conjoncture 28
57. — Les budgets suivent la conjoncture :
    1. Le cas de Venise ; 2. Le cas de la France 31
58. — Les budgets suivent la conjoncture :
    3. Le cas de l'Espagne 33
59. — Les « asientos » et la vie économique en Castille, 1550-1650 40
60. — Les « Luoghi » de la casa di San Giorgio, 1509-1625 44
61. — Morisques et chrétiens à Valence en 1609 114
62. — L'évolution de la population à Valence de 1565 à 1609 115
63. — Le duc d'Albe gagne les Flandres, avril-août 1567 165
64. — La course toscane 199
65. — Prisonniers chrétiens en route vers Constantinople (dessin) 212
66. — Les emprunts de Charles Quint et de Philippe II sur la place d'Anvers,
    1515-1556 259
67. — Philippe II au travail, 20 janvier 1569 (lettre autographe) 504
68. — Philippe II au travail, 23 octobre 1576 (lettre autographe) 505

TABLE DES HORS-TEXTE

25. — Le siège d'une place d'Afrique
26, 27, 28. — Galères dans la tempête, au port, au combat
29. — En vue de Tunis (1535)
30. — Alger, 1563
31. — Raguse en 1499-1501
32. — Barberousse
33. — Charles Quint
34. — Philippe II, vers 1555
35. — Philippe II
36. — Sixte Quint
37. — Don Juan d'Autriche
38 et 39. — La bataille de Lépante
40. — Une galéasse vénitienne (XVIᵉ siècle)

TABLE DES MATIÈRES

Deuxième Partie
DESTINS COLLECTIFS
ET MOUVEMENTS D'ENSEMBLE (suite)

IV. LES EMPIRES

1. *Aux origines des empires* 10
   La grandeur turque : de l'Asie Mineure aux Balkans 11
   Les Turcs en Syrie et en Égypte 16
   L'Empire turc vu du dedans 18
   L'unité espagnole : les Rois Catholiques 19
   Charles Quint 21
   L'Empire de Philippe II 23
   Hasard et raisons politiques 26

2. *Moyens et faiblesse des États* 28
   Le « fonctionnaire » 29
   Survivances et vénalité 34
   Les autonomies locales 37
   Les finances et le crédit au service de l'État 39
   1600-1610 : l'heure est-elle favorable aux États moyens ? 46

V. LES SOCIÉTÉS

1. *Une réaction seigneuriale* 50
   Seigneurs et paysans 51
   En Castille : Grands et titrés face au Roi 54
   Hidalgos et regidores de Castille 59
   Autres témoignages 60
   Les noblesses successives en Turquie 62
   Les Tschiftliks 67

2. *La trahison de la bourgeoisie* 68
   Bourgeoisies méditerranéennes 69
   La trahison de la bourgeoisie 71
   La noblesse à l'encan 72
   Contre les nouveaux nobles 74

3. *Misère et banditisme* 75
   Des révolutions imparfaites 76
   Lutte des classes ? 78
   Contre les errants et les vagabonds 80
   Ubiquité du banditisme 83
   Le banditisme et les États 85
   Le banditisme et les seigneurs 88
   La montée du banditisme 91
   Les esclaves 92
   Que conclure ? 94

VI. LES CIVILISATIONS

1. *Mobilité et stabilité des civilisations* 96
   La leçon des faits divers 96
   Comment voyagent les biens culturels 98
   Rayonnements et refus d'emprunter 101
   Et la civilisation grecque ? 105
   Permanences et frontières culturelles 106
   Un exemple de frontière secondaire : l'Ifriqya 108
   Lenteur des échanges et des transferts 109

2. *Recouvrements de civilisations* 112
   Les Turcs dans les plaines de l'Est balkanique 112
   L'Islam morisque 118
   Des problèmes morisques 118
   Une géographie de l'Espagne morisque 120
   Le drame de Grenade 124
   Grenade après Grenade 126
   Suprématie de l'Occident 131

3. *Une civilisation contre toutes les autres : le destin des Juifs* 135
   Sûrement une civilisation 136
   Ubiquité des communautés juives 142
   Judaïsme et capitalisme 145
   Juifs et conjoncture 150
   Comprendre l'Espagne 153

4. *Les rayonnements extérieurs* 155
   Les étapes du Baroque 156
   Faut-il discuter ? 158
   Un grand centre de rayonnement méditerranéen : Rome 158
   Autre centre de rayonnement : l'Espagne 161
   Une fois de plus : la décadence de la Méditerranée 163

VII. LES FORMES DE LA GUERRE

1. *La guerre des escadres et des frontières fortifiées* 164
   Guerres et techniques 166
   Guerres et États 168
   Guerre et civilisations 170
   La guerre défensive face aux Balkans 172
   Le « limes » vénitien 172
   Sur le Danube 174
   Au centre de la mer : sur les côtes de Naples et de Sicile 176
   La défense des côtes d'Italie et d'Espagne 179
   Sur les côtes d'Afrique du Nord 181
   Les présides, « un pis aller » 185
   Pour ou contre les razzias 187
   Psychologie de la défensive 189

2. *La course, forme supplétive de la grande guerre* 190
   La course, industrie ancienne et généralisée 191
   La course liée aux villes 193
   Course et butins 195
   Chronologie de la course 196
   La course chrétienne 197
   Ravages chrétiens dans le Levant 200
   La première et prodigieuse fortune d'Alger 203
   La seconde et toujours prodigieuse fortune d'Alger 205
   Peut-on conclure ? 208
   Rachat de captifs 209
   Une guerre chasse l'autre 211

VIII. EN GUISE DE CONCLUSION : LA ET LES CONJONCTURES

Les paris au départ 213
Le *trend* séculaire 214
Les fluctuations longues 217
Banqueroutes espagnoles et conjonctures 217
Guerres internes et externes 218
Conjoncture et histoire générale 219
Les crises courtes 220

Troisième Partie

LES ÉVÉNEMENTS, LA POLITIQUE ET LES HOMMES

I. 1550-1559 : REPRISE ET FIN D'UNE GUERRE MONDIALE

1. *Aux origines de la guerre* 225

   1545-1550 : la paix en Méditerranée 225
   L'affaire d'Africa 228
   Lendemains et surlendemains de Muhlberg 231

2. *La guerre en Méditerranée et hors de Méditerranée* 238

   La chute de Tripoli : 14 août 1551 238
   Les incendies de l'année 1552 242
   La Corse aux Français, l'Angleterre aux Espagnols 245
   Les abdications de Charles Quint : 1554-1556 249

3. *Retour à la guerre. Les décisions viennent encore du Nord* .. 254

   La rupture de la trève de Vaucelles 254
   Saint-Quentin 257
   La paix du Cateau-Cambrésis 261
   Le retour de Philippe II en Espagne 264

4. *L'Espagne au milieu du siècle* 268

   L'alerte protestante 269
   Le malaise politique 271
   Les difficultés financières 273

II. LES SIX DERNIÈRES ANNÉES DE LA SUPRÉMATIE TURQUE : 1559-1565

1. *La guerre contre les Turcs, une folie espagnole ?* 279

   La rupture des pourparlers hispano-turcs 280
   La suprématie navale des Turcs 282
   L'expédition de Djerba 285

2. *Le redressement hispanique* 296

   Les années 1561 à 1564 297
   Contre les corsaires et contre l'hiver : 1561-1564 301
   Le soulèvement de la Corse 308
   Le calme de l'Europe 311
   Quelques chiffres sur le relèvement maritime de l'Espagne 313
   Don Garcia de Toledo 318

3. *Malte, épreuve de force (18 mai-8 septembre 1564)* 319

   Y a-t-il eu surprise ? 320
   La résistance des chevaliers 322
   Le secours de Malte 322
   Le rôle de l'Espagne et de Philippe II 325

III. AUX ORIGINES DE LA SAINTE-LIGUE : 1566-1570

1. *Les Pays-Bas ou la Méditerranée ?* 330
   L'élection de Pie V 330
   Les Turcs en Hongrie et en Adriatique 332
   La reprise de la guerre en Hongrie 337
   Les Pays-Bas en 1566 340
   1567-1568 : sous le signe des Pays-Bas 345
2. *Le tournant de la guerre de Grenade* 354
   La montée des guerres 354
   Les débuts de la guerre de Grenade 359
   Une conséquence de Grenade : la prise de Tunis par Euldj Ali 364
   Grenade et la guerre de Chypre 365
   Les débuts de la guerre de Chypre 370
   Le secours de Chypre 377

IV. LÉPANTE

1. *La bataille du 7 octobre 1571* 384
   Une conclusion tardive 384
   Le facteur diplomatique France 387
   Don Juan et sa flotte arriveront-ils à temps ? 390
   Les Turcs avant Lépante 392
   La bataille du 7 octobre 394
   Une victoire sans conséquences? 396
2. *1572, année dramatique* 399
   La crise française jusqu'à la Saint-Barthélémy, 24 août 1572 399
   Ordre et contre-ordre à Don Juan d'Autriche, juin-juillet 1572 405
   Les expéditions de Morée 409
3. *La « trahison » de Venise et les deux prises de Tunis : 1573-1574* ... 415
   Plaidoyer pour Venise 415
   La prise de Tunis par Don Juan d'Autriche, autre victoire sans conséquence 417
   La perte de Tunis : 13 septembre 1574 422
   En Méditerranée, enfin la paix 427

V. LES TRÊVES HISPANO-TURQUES : *1578-1584*

1. *La mission de Margliani*, 1578-1581 432
   Retour en arrière : les premières tentatives de paix de Philippe II 432
   Au temps de Don Juan 434
   Un étrange triomphateur : Martin de Acuña 437
   Giovanni Margliani 439
   L'accord de 1581 447
2. *La guerre déserte le centre de la Méditerranée* 451
   La Turquie face à la Perse 451
   La guerre contre la Perse 453
   Les Turcs dans l'océan Indien 458
   La guerre du Portugal, tournant du siècle 460
   Alcazar Québir 462
   Le coup de force de 1580 465
   L'Espagne quitte la Méditerranée 467

VI. LA MÉDITERRANÉE HORS DE LA GRANDE HISTOIRE

1. *Difficultés et troubles turcs* 471
   Après 1589 : les révoltes en Afrique du Nord et dans l'Islam 472
   La crise financière turque 477
   1593-1606 : reprise des grandes opérations sur les fronts de Hongrie ... 478

2. *Des guerres civiles françaises à la guerre ouverte contre l'Espagne: 1589-1598*   485

Guerres de religion dans la France méditerranéenne   486
La guerre hispano-française : 1595-1598   496
La paix de Vervins   498

3. *La guerre n'aura pas lieu sur mer*   501

La fausse alerte de 1591   502
Jean-André Doria ne veut pas combattre l'armada turque : août-sept. 1596.   508
1597-1600   509
Fausse alerte ou occasion manquée en 1601 ?   510
La mort de Philippe II, 13 septembre 1598   512

CONCLUSION   515
ANNEXES

LES SOURCES   523

1. *Les sources manuscrites*   523

I. — Les archives espagnoles   524
II. — Les archives françaises   527
III. — Les archives d'Italie   529
IV. — Les archives vaticanes   533
V. — Les archives européennes hors de Méditerranée et de France   534

2. *Les sources cartographiques*   534

A. — Sources actuelles   534
B. — Sources anciennes   535

3. *Les sources imprimées*   538

A. — Les grandes publications documentaires   538
B. — Les ouvrages essentiels   543
C. — Liste des ouvrages cités dans le texte et dans les notes   547

INDEX DES NOMS PROPRES   579

INDEX DES MATIÈRES   613

TABLES DES CARTES, TABLEAUX ET GRAPHIQUES   623

TABLE DES HORS-TEXTE   623

I.M.E. - 25-Baume-les-Dames - Dépôt légal Septembre 1982 - N° Éditeur 8343